GRADUS PHILOSOPHIQUE

UN RÉPERTOIRE D'INTRODUCTIONS MÉTHODIQUES À LA LECTURE DES ŒUVRES

par

Bernard Baertschi, Jean-François Balaudé,
Renaud Barbaras, Bruno Bernardi, Michelle Beyssade,
Joël Biard, Isabelle Bochet, Richard Bodéüs, Luc Brisson,
Emmanuel Cattin, Yves Cattin, Christiane Chauviré,
Claire Chevrolet, Philippe Choulet, Paul Clavier,
Roselyne Dégremont, Natalie Depraz, Philippe Desan,
Jean-Marc Gabaude, Jean-Christophe Goddard,
Pierre Hadot, Laurent Jaffro, Monique Labrune,
Jean-Yves Lacoste, Jérôme Laurent, Michèle Le Dœuff,
Alain de Libera, Daniel Loayza, Bernard Mabille,
Max Marcuzzi, Paul Mathias, Bertrand Ogilvie,
Gilles Olivo, Jean-Pierre Osier, Xavier Papaïs,
Marie-José Pernin, Annie Petit, Alain Pons, Gérard Raulet,
Jean-Baptiste Rauzy, Stéphane Rossignol, Juliette Simont,
Jean-Michel Vienne, Frédéric Worms,
Yves-Charles Zarka.

Sous la direction de

Laurent JAFFRO et Monique LABRUNE

GF-FLAMMARION

2ᵉ édition corrigée, 1994.
© Flammarion, Paris, 1994.
ISBN : 2-08-070773-6

GRADUS PHILOSOPHIQUE

AVERTISSEMENT

Ni dictionnaire des philosophes ni histoire de la philosophie : cet ouvrage ne prétend pas exposer des doctrines, mais présenter certaines œuvres pour elles-mêmes. C'est pourquoi l'ordre en est alphabétique, et non chronologique. Pour la même raison, ce répertoire ne vise évidemment pas l'exhaustivité ni pour le choix des auteurs (les « classiques ») ni, surtout, pour le choix des œuvres. Disposer à lire plutôt que dispenser de lire, tel a été notre but. Nous espérons proposer, pour chaque philosophe, un itinéraire possible de lecture et non un résumé doctrinal. Chaque œuvre appelle un regard singulier, possède ses difficultés propres, recèle parfois des pièges contre lesquels il est possible de se prémunir. Nous ne prétendons pas donner une méthode générale de lecture des textes philosophiques. Nous ne pensons pas davantage qu'il y ait autant de lectures d'une œuvre donnée que de lecteurs. Nous nous sommes donc tenus entre ces deux extrémités. C'est *un* spécialiste qui présente la manière de lire *un* auteur.

Ou, plutôt, de commencer à lire. Ces articles sont des seuils. Ils aident à gravir les premières marches. D'où le titre : *Gradus philosophique.* Une véritable lecture des philosophes nécessite de modestes *escaliers*, avant de pouvoir accéder aux terrasses panoramiques que proposent les histoires de la philosophie et les encyclopédies. Ces introductions inédites ne disent pas tout, mais simplement ce qui est utile pour ne pas s'égarer. Les bilans rétrospectifs se dressent une fois les livres fermés ; il s'agit ici, au contraire, de les ouvrir. Pour vaincre la timidité du néophyte comme pour servir d'armature à des lectures plus savantes.

Laurent JAFFRO
Monique LABRUNE

Les bibliographies sont succinctes. Elles ne mentionnent qu'un nombre volontairement très limité de commentaires, toujours en langue française, citent les éditions de référence et, pour les œuvres en langue étrangère, des traductions disponibles en français. Les œuvres ou traductions sont, par commodité et contrairement à l'usage, classées par ordre alphabétique ; les commentaires, par ordre de parution.

Sommaire

ANSELME DE CANTERBURY
Proslogion
par Yves CATTIN 17

ARISTOTE
Le « Corpus »
par Richard BODÉÜS 33

ARNAULD ET NICOLE
La Logique ou l'Art de penser
par Laurent JAFFRO 59

SAINT AUGUSTIN
Les Confessions
Le Maître
La Trinité
La Cité de Dieu
par Isabelle BOCHET 65

BACON
La Nouvelle Atlantide
Essais
Du progrès et de la promotion des savoirs
par Michèle Le DŒUFF 82

BERGSON
Essai sur les données immédiates de la conscience
Matière et mémoire
L'Évolution créatrice
Les Deux Sources de la morale et de la religion
par Frédéric WORMS 93

BERKELEY
Principes de la connaissance humaine
Alciphron
par Roselyne DÉGREMONT 114

COMTE
Cours de philosophie positive
Discours sur l'esprit positif
Système de politique positive
Catéchisme positiviste
par Annie PETIT 126

CONDILLAC
Traité des sensations
par Xavier PAPAÏS 144

DESCARTES
Discours de la méthode
Méditations métaphysiques
Principes de la philosophie
Les Passions de l'âme
par Michelle BEYSSADE 157

DIDEROT
Lettre sur les aveugles
Entretien entre d'Alembert et Diderot
par Claire CHEVROLET 187

ÉPICTÈTE
Manuel
par Laurent JAFFRO 205

ÉPICURE
Lettre à Hérodote
Lettre à Pythoclès
Lettre à Ménécée
par Jean-François BALAUDÉ 213

FICHTE
La Destination de l'homme
par Jean-Christophe GODDARD 221

FREUD
L'Interprétation des rêves
par Bertrand OGILVIE 228

GUILLAUME D'OCKHAM
Somme de logique
Prologue au Commentaire sur la physique
par Joël BIARD 247

HEGEL
La Relation du scepticisme avec la philosophie
Phénoménologie de l'esprit
Encyclopédie des sciences philosophiques
par Bernard MABILLE 256

HEIDEGGER
Lettre sur l'humanisme
Être et Temps
Qu'est-ce que la métaphysique ?
L'Origine de l'œuvre d'art
par Max MARCUZZI 282

HOBBES
Éléments de la loi naturelle et politique
Du citoyen
Léviathan
par Yves-Charles ZARKA 302

HUME
Enquête sur l'entendement humain
Enquête sur les principes de la morale
par Monique LABRUNE 324

HUSSERL
Philosophie première, I et II
Idées directrices pour une phénoménologie
et une philosophie phénoménologique pures
Méditations cartésiennes
La Crise des sciences européennes et la phénoménologie
transcendantale
Recherches logiques
par Natalie DEPRAZ 338

KANT
Lettre à Marcus Herz
Écrits dits précritiques
Critique de la raison pure
Fondements de la métaphysique des mœurs
Critique de la raison pratique
Anthropologie
par Paul CLAVIER 354

KIERKEGAARD
Miettes philosophiques
Post-scriptum
Le Concept d'angoisse
Crainte et tremblement
par Jean-Yves LACOSTE 382

LEIBNIZ
Correspondance avec Arnauld
Discours de métaphysique
par Jean-Baptiste RAUZY 398

LOCKE
Lettre sur la tolérance
Deux Traités sur le gouvernement civil
Essai concernant l'entendement humain
par Jean-Michel VIENNE 413

LUCRÈCE
De la nature
par Jean-Marc GABAUDE 429

MACHIAVEL
Discours sur la première décade de Tite-Live
Le Prince
par Paul MATHIAS 437

MAINE DE BIRAN
Mémoire sur la décomposition de la pensée
Rapports des sciences naturelles avec la psychologie
Nouveaux Essais d'anthropologie
par Bernard BAERTSCHI 456

MALEBRANCHE
Entretiens sur la métaphysique et la religion
par Jean-Pierre OSIER 465

MARC AURÈLE
Pensées
par Pierre HADOT 482

MARX
*Introduction à la critique de la philosophie du droit
de Hegel*
Manuscrits de 1844
La Sainte Famille
Manifeste du Parti communiste
Contribution à la critique de l'économie politique
Le Capital
par Gérard RAULET 491

MERLEAU-PONTY
Phénoménologie de la perception
Le Visible et l'Invisible
par Renaud BARBARAS 513

MONTAIGNE
Essais
par Philippe DESAN 532

MONTESQUIEU
L'Esprit des lois
par Alain PONS 545

NIETZSCHE
La Naissance de la tragédie
Le Gai Savoir
Par-delà bien et mal
La Généalogie de la morale
Ainsi parlait Zarathoustra
par Philippe CHOULET 564

PASCAL
*L'Entretien de M. Pascal et de M. de Sacy sur la lecture
d'Épictète et de Montaigne*

Pensées
par Gilles OLIVO 589

PLATON
Ménon
Phédon
Phèdre
Timée
par Luc BRISSON 605

PLOTIN
Du beau, Ennéades, I, 6 (1)
Difficultés relatives à l'âme, Ennéades, IV, 3 et 4
(27 et 28)
De l'origine des Idées, du Bien, Ennéades, VI, 7 (38)
De l'origine des maux, Ennéades, I, 8 (51)
par Jérôme LAURENT 631

ROUSSEAU
Discours sur les sciences et les arts
Discours sur l'origine et les fondements de l'inégalité
parmi les hommes
Du contrat social, ou Principes du droit politique
Émile, ou De l'éducation
par Bruno BERNARDI 645

SARTRE
L'Être et le Néant
Critique de la raison dialectique
par Juliette SIMONT 676

SCHELLING
Recherches philosophiques sur l'essence de la liberté
humaine et les sujets qui s'y rattachent
par Emmanuel CATTIN 697

SCHOPENHAUER
Le Monde comme volonté et comme représentation
par Marie-José PERNIN 708

SÉNÈQUE
Trois Traités à Sérénus (De la constance du sage.
De la tranquillité de l'âme. De la retraite)

SOMMAIRE   15

Lettres à Lucilius
par Daniel LOAYZA 725

SPINOZA
Éthique
par Stéphane ROSSIGNOL 738

THOMAS D'AQUIN
Somme contre les gentils
par Alain de LIBERA 765

WITTGENSTEIN
Tractatus logico-philosophicus
Recherches philosophiques
par Christiane CHAUVIRÉ 784

INDEX 807

Anselme de Canterbury

Proslogion

Anselme de Canterbury, né à Aoste vers 1033-1034, devient moine à l'abbaye du Bec, en Normandie, en 1060. Il est élu abbé de ce monastère en 1079, et il meurt archevêque de Canterbury le 21 avril 1109. Mais auparavant, quelques années seulement après son entrée au monastère du Bec, en 1063, il est appelé à remplacer son maître Lanfranc à la direction de la célèbre école monastique du Bec. Et, comme il le dit lui-même à plusieurs reprises, c'est pour le service de cette école qu'il entreprend la rédaction d'une œuvre théologique importante et originale.

À la fin de 1076, Anselme publie son premier ouvrage, le *Monologion*, qui est un essai de théologie systématique sur le problème de Dieu. Cet ouvrage, très dépendant de la pensée de saint Augustin, mais où déjà on devine le génie spéculatif d'Anselme, n'aurait certainement pas retenu l'attention des philosophes si, deux années plus tard, en 1078, Anselme n'avait publié un second ouvrage, le *Proslogion*. Celui-ci va rendre Anselme immensément célèbre, parmi les philosophes plus que parmi les théologiens, pour une certaine preuve de l'existence de Dieu que la tradition va accueillir sous le nom de preuve ou argument ontologique.

Anselme, en effet, n'est pas satisfait du *Monologion*. Il trouve que, dans cet ouvrage, la réflexion part un peu dans tous les sens, qu'elle est faite d'« un enchaî-

nement d'arguments multiples[1] ». Anselme écrit alors
le *Proslogion,* croyant avoir trouvé un argument
unique, susceptible de prouver que Dieu est et tout ce
que Dieu est. L'argumentation anselmienne du *Proslogion* va d'abord être accueillie et adoptée par une
certaine tradition théologique, la tradition franciscaine
d'Alexandre de Halès et de saint Bonaventure. Elle va
ensuite devenir dans l'histoire de la philosophie, après
Descartes, un lieu traditionnel de la réflexion sur
Dieu. Le texte anselmien lui-même, le *Proslogion,* sera
largement méconnu, il sera résumé du vivant même
d'Anselme, et on ne retiendra de cet ouvrage que les
chapitres 2 à 4, qui traitent de la preuve de l'existence
de Dieu. Descartes lui-même, dans ses *Méditations,*
réinventera une argumentation proche de celle d'Anselme, en ignorant totalement le texte du *Proslogion.*
Ainsi l'argumentation anselmienne, profondément
méconnue, transformée et déformée, va connaître une
fortune immense et engendrer un débat interminable
entre les philosophes, qui prendront parti pour ou
contre la preuve dite « ontologique ». On ne peut faire
ici l'histoire de ce débat, mais il est important de souligner qu'il se caractérise d'abord par un oubli ou une
grave méconnaissance du texte anselmien, et en
conséquence de la pensée d'Anselme.

*
 * *

Dans les premiers chapitres de son premier ouvrage,
le *Monologion,* traitant des preuves de l'existence de
Dieu, Anselme reprenait le point de vue essentialiste et
comparatiste de la réflexion augustinienne. Dans le
Proslogion au contraire, Anselme met en œuvre une
conception nouvelle de la transcendance de Dieu,
comme transcendance absolue et non plus compara-
tive. Cette conception hautement spirituelle et mys-

---

1. *Proslogion,* Préface, trad. B. Pautrat, Paris, GF-Flammarion
nº 717, 1993, p. 35.

tique de la relation à Dieu, cette « expérience de Dieu », devrait-on dire avec plus d'exactitude, est probablement à l'origine de l'invention de l'unique argument qu'Anselme propose pour prouver à la fois l'existence de Dieu et son essence, pour prouver que « tu es, comme nous croyons, et que tu es ce que nous croyons[1] ».

Mais, pour comprendre cette argumentation, il faut commencer par renoncer à une certaine tradition de lecture du *Proslogion* qui a pris la mauvaise habitude de ne retenir de cet ouvrage que les chapitres 2 à 4, qui traitent directement du problème de l'existence de Dieu. Cette sélection s'autorise d'Anselme lui-même, ou de ses proches, qui avaient résumé l'argumentation du *Proslogion* en une sorte de « compendium ». Celui-ci comprenait ces trois chapitres, auxquels on adjoignait la critique présentée par Gaunilo, moine de Marmoutiers, au nom de l'incroyant *(Insipiens)*, le *Pro insipiente* (« Ce qu'on répondrait à cela à la place de l'insensé »), et la réponse faite par Anselme à ces critiques, le *Contra gaunilonem* (« Ce que répondrait à cela l'éditeur de ce petit livre[2] »). Le dossier ainsi constitué, et en partie justifié pour le philosophe qui ne s'intéresse pas aux problèmes théologiques abordés dans la suite de l'ouvrage, risque cependant de donner une idée inexacte de la pensée anselmienne. Aussi, pour bien comprendre celle-ci, il est important de restituer le projet global du *Proslogion*.

*
* *

Dans le *Proslogion*, Anselme reprend le projet qui était le sien dans son premier ouvrage, le *Monologion*. Il s'agit pour lui d'écrire un traité de Dieu, mais Anselme le veut plus synthétique que le *Monologion*. Et la nouveauté du *Proslogion* est bien que la réflexion anselmienne sur Dieu y est tout entière centralisée,

1. *Ibid.*, chap. 2, p. 41.
2. *Ibid*, respectivement p. 77 et p. 87.

focalisée, unifiée, à partir d'un argument unique qu'Anselme présente dès le début de l'ouvrage. Cet argument structure toute la réflexion anselmienne sur Dieu, et c'est lui que la tradition théologique et philosophique va retenir, en le simplifiant sous le nom immérité d'« argument ontologique ».

Le *Proslogion* se présente comme une « allocution », un discours qu'Anselme adresse tantôt à Dieu, sous la forme d'une prière fervente, tantôt à lui-même, sous la forme d'une méditation ou d'une exhortation. Ces textes allocutifs sont la plupart du temps écrits en une très belle prose poétique. Et, enchâssés dans ces textes, apparaissent des textes impersonnels, qui abandonnent la forme dialogale. C'est dans ces textes impersonnels, écrits dans une prose austère, extrêmement difficile à traduire en français, que se trouve la pensée anselmienne. La juxtaposition de ces deux formes, allocutive et impersonnelle, et des deux styles qui y correspondent, poétique et spéculatif, donne à penser qu'Anselme a voulu présenter sa réflexion la plus spéculative dans une démarche existentielle de prière et de méditation. Comme s'il voulait faire sentir l'enjeu existentiel de la pensée mise en œuvre dans le *Proslogion*.

Cela étant souligné, le plan général de l'ouvrage (qui comprend vingt-six chapitres) n'apparaît pas évident et ne va pas sans poser de nombreux problèmes. Après un long chapitre d'introduction, qui précise l'objet et l'enjeu de la recherche, les chapitres 2 à 4 traitent de l'existence de Dieu comme d'une existence nécessaire, à partir d'un argument unique, qui est proposé par Anselme dès le début du chapitre 2. Et à partir de ce même argument, les chapitres 5 à 22 élaborent un traité de Dieu, de l'être de Dieu, tel qu'il est révélé dans la foi catholique. Mais au milieu de cet ensemble de chapitres est introduite brutalement, à partir du chapitre 14 jusqu'au milieu du chapitre 18, une sorte de rupture réflexive : en une méditation pathétique et un peu douloureuse, Anselme se met à douter de sa réflexion et de l'objet qu'elle a effectivement atteint, et il s'interroge sur la valeur et la relativité de la connaissance qu'on peut avoir de Dieu. C'est un peu comme si, à l'intérieur de ce long discours sur Dieu, apparaissait un tel souci de la transcendance de Dieu que ce souci conduisait Anselme à relativiser tout discours et à affirmer la transcendance de Dieu, au-delà de toute transcendance pensable par nous. Et ceci, Anselme le fait au nom même de l'argument qu'il propose au début du chapitre 2. Après cette rupture réflexive, le discours sur Dieu reprend et s'achève au chapitre 23 par un résumé trinitaire. Les trois derniers chapitres, 24 à 26, forment une conclusion générale. Dans une magnifique prière finale, Dieu est célébré comme le Bien qui donne à l'homme la joie et la plénitude de la joie.

Cette présentation rapide de l'ouvrage fait apparaître le caractère théologique et même mystique de la réflexion anselmienne. Mais elle montre aussi que le problème central de cette réflexion porte sur la compréhension et le rôle de cet argument unique sur lequel il prétend fonder toute sa réflexion. Ceci apparaît d'autant plus vrai que c'est à propos de cet argument que s'affrontent les commentateurs d'Anselme. Aussi j'examinerai en premier lieu cet argument proposé par Anselme pour prouver l'existence et l'essence de Dieu, et je m'attacherai plus particulièrement aux trois chapitres les plus célèbres du *Proslogion*, les chapitres 2 à 4. J'essaierai ensuite de déterminer le cadre de l'argumentation anselmienne, dans le but d'en apprécier la portée pour le philosophe. Il est évident que la pensée anselmienne est une tentative théologique originale pour s'approprier rationnellement le donné de la foi. Mais il est moins évident que cette pensée a une valeur philosophique propre, en dehors de l'acte de la foi qui en est la source. Aussi, en deçà des discussions érudites et des prises de position partiales ou contestables des commentateurs, j'essaierai de montrer l'ambiguïté de la pensée anselmienne : elle est un authentique travail de la raison, mais celle-ci s'exerce toujours dans l'expérience vécue de l'acte de

foi d'un croyant. Et la preuve rationnelle que la
pensée anselmienne propose apparaît toujours comme
la mise à l'épreuve par la raison du désir de voir Dieu,
désir engendré par la foi ou, si l'on veut, comme la
première et imparfaite réalisation de ce désir, au cœur
même de l'acte de foi.

L'argument anselmien est présenté et développé, en
ce qui concerne l'existence de Dieu, dans les chapitres 2 à 4, à la fois les plus célèbres et les plus difficiles
de l'œuvre anselmienne. En regroupant les trente-
quatre phrases qui composent ces trois chapitres[1], on
peut résumer ainsi l'argumentation anselmienne, qui
se développe en trois temps :

1. Phrases 1 à 13. — Anselme propose une dési-
gnation ou une « nomination » de Dieu, qui résume
pour l'essentiel l'acte de la foi : « Nous croyons que tu
es quelque chose tel que rien de plus grand ne peut
être pensé. » Cette « nomination » de Dieu va devenir
l'argument unique permettant à Anselme de démontrer non pas directement l'existence de Dieu, mais
l'absurdité de la négation de Dieu par l'insensé qui dit
que Dieu n'existe pas.

2. Phrases 14 à 17. — Toujours par l'absurde,
Anselme démontre à partir du nom de Dieu que non
seulement Dieu existe, mais qu'il existe d'une existence nécessaire.

3. Phrases 18 à 34. — Revenant à la prose allocutive et reconnaissant, dans le Dieu ainsi prouvé, le
Dieu de sa foi (« Et c'est ce que tu es, Seigneur notre
Dieu...[2] »), Anselme s'interroge alors sur la possibilité
de la négation de Dieu par l'insensé. Car si Dieu
existe ainsi d'une existence nécessaire, comment est-il
possible que l'insensé refuse une telle existence ? À
cette question, Anselme apporte une réponse en deux
temps. Si l'insensé nie Dieu, c'est d'abord parce que,
littéralement, il est « insensé », sans raison. Et cette
négation n'est possible que parce que l'insensé pense

1. *Proslogion*, p. 41 à 45.
2. *Ibid.*, p. 43.

selon les mots seulement, et non selon la chose signifiée par les mots. La négation de l'insensé ne rejoint aucune réalité, elle est un « jeu de mots ».

L'argumentation anselmienne se termine par un court résumé (phrases 31-33) et une prière (phrase 34) dans laquelle Anselme affirme la force de son argumentation : la certitude engendrée par la preuve serait capable de suppléer à la conviction donnée par la foi, si celle-ci venait à manquer.

Avant de proposer une interprétation de cette preuve, il me paraît important de faire quelques remarques.

Il faut d'abord souligner l'originalité de la démarche anselmienne. Contrairement à ce que l'on a souvent dit, Anselme ne propose pas une idée de Dieu, dont il montrerait qu'elle implique l'existence de ce qu'elle signifie. Anselme propose un « nom » de Dieu, et ce nom ne dit rien de l'être de Dieu, de son essence. Ce nom affirme seulement négativement que l'être de Dieu, quel qu'il soit, est incommensurable avec tout autre être. La formulation négative du nom (« tel que rien ne peut être pensé de plus grand ») apparaît ici très importante : aucun être ne peut être pensé plus grand que Dieu. Anselme nous dit que ce nom résume pour lui tout ce que la foi chrétienne enseigne sur Dieu. Mais il propose aussitôt de détacher ce nom de son origine, la foi, et de l'examiner avec la seule raison, qui est commune au croyant et à l'incroyant. Or, en posant ce nom, Anselme ne va pas montrer, comme on s'y attendrait (et comme on l'affirme encore souvent à tort, en méconnaissant les textes) que ce nom exige de poser l'existence réelle de l'être qu'il nomme. Anselme montre que la compréhension de ce nom dévoile l'irrationalité et l'absurdité de la négation de celui qui refuse l'existence de Dieu. Cette absurdité est même doublement absurde, tant l'existence de Dieu, à travers ce nom, est dévoilée comme une existence nécessaire. L'affirmation de l'existence de Dieu apparaît donc comme une exigence interne de la raison elle-même. Ainsi est fondée la rationalité essentielle de l'affirmation de la foi, qui se révèle comme l'achèvement de la raison.

En laissant de côté les débats engendrés par cette preuve, je voudrais indiquer ici les points de l'argumentation anselmienne qui posent problème et qui sont à l'origine de la diversité des interprétations.

La première difficulté apparaît à propos de la détermination de l'espace dans lequel se déploie la pensée anselmienne, l'espace de la foi ou celui de la raison. Anselme est un moine et un théologien et jamais il ne prétend être un philosophe. Mais il prétend, au cœur même de sa foi, faire un travail de pensée rationnelle qui ne tire sa cohérence et sa validité que de la raison seule. On ne voit pas pourquoi on ne prendrait pas ces affirmations d'Anselme au sérieux. Anselme ne renonce pas à croire, mais il sait ce que la foi signifie et il ne confond jamais l'acte de la foi et l'acte de la pensée rationnelle. À l'intérieur même de l'acte de foi, Anselme prétend instituer une pensée authentique « *sola ratione* ». À deux reprises, dans le *Monologion* et dans le *Proslogion,* Anselme éprouve le besoin de penser rationnellement le problème de Dieu et de formuler des preuves de son existence. Tel est le paradoxe de la pensée d'Anselme : croire à ce qu'on prouve et prouver ce qu'on croit.

Ce paradoxe n'existe guère que pour des lecteurs modernes qui ont oublié ce qu'est l'acte de foi et ont une conception totalitaire de la raison. Anselme sait bien que la certitude heureuse de la foi n'est pas l'évidence rationnelle, et il éprouve le besoin de comprendre à l'intérieur même de l'acte de sa foi. Il veut éprouver rationnellement ce à quoi il consent dans la gratuité du don de la foi. C'est pourquoi il faut dire que pour Anselme, il s'agit d'une authentique preuve rationnelle, dont il souligne à plusieurs reprises la force, indépendamment de la certitude engendrée par la foi, dira-t-il à la fin du chapitre 4[1].

Ces remarques laissent cependant subsister une certaine ambiguïté. Anselme prétend bien conduire sa

1. *Proslogion,* p. 45.

réflexion avec la seule raison, et toute son argumentation des chapitres 2 à 4 semble bien se développer sur un plan rationnel. Mais alors qu'il affirme que le nom de Dieu, « quelque chose tel que rien ne peut être pensé plus grand », peut être compris par la seule raison, il dit le recevoir de sa foi. Et il ajoute que c'est dans la foi et pour la foi qu'il argumente. La foi est au début et à la fin de l'argumentation. On pourrait à la rigueur l'accepter si, entre ce début et cette fin, il y avait une remise en question critique du contenu de la foi. Or, si on lit attentivement le texte, on s'aperçoit que jamais la foi n'est mise entre parenthèses par Anselme, même par décision de méthode. La foi, qui est au début et à la fin de la réflexion rationnelle, accompagne cette réflexion, la porte et la relance sans cesse. Elle est partout présente. Anselme l'avoue lui-même à la fin du premier chapitre qui sert d'introduction à l'ouvrage en disant qu'il ne cherche pas à comprendre pour croire, mais à croire pour comprendre[1]. Anselme ne pratique donc pas le doute, même méthodique, vis-à-vis de la certitude de la foi. On a donc l'impression que la preuve se déploie à l'intérieur de cette certitude. Non seulement cette certitude est toujours présente, mais on peut à juste titre se demander si elle ne joue pas un rôle décisif à l'intérieur même de la preuve. Et on pourrait légitimement penser qu'Anselme se donne d'emblée ce que par ailleurs il prétend démontrer.

Il apparaît qu'on ne peut lever cette ambiguïté et résoudre cette première difficulté si on ne résout pas auparavant deux problèmes difficiles. Le premier est de savoir ce que signifie exactement pour Anselme le nom de Dieu qu'il propose et dont il prétend qu'il est un résumé de sa foi, d'emblée accessible à l'intelligence de l'incroyant. S'agit-il, comme on l'a dit longtemps en lisant Anselme à partir des *Méditations* de Descartes, d'une idée de Dieu dont le déploiement impliquerait une affirmation d'existence ? Et lorsqu'on aura répondu à cette première question, il faudra se

---

1. *Ibid.*, p. 40.

demander quelle est la valeur probatoire de l'argument anselmien. C'est alors qu'on retrouve le problème dont je viens de parler, celui de l'espace dans
lequel se déploie la preuve, l'espace ouvert par l'acte
d'une foi vivante qui porte l'argumentation rationnelle
de bout en bout et qui s'épanouit dans la prière.

L'argument repose tout entier sur le nom de Dieu
proposé par Anselme. Et cet argument met en œuvre
trois présupposés qu'Anselme donne dans son texte
comme des évidences qui n'ont pas besoin d'être
démontrées. Il affirme d'abord que le nom est celui du
Dieu qui se révèle dans la foi. À l'origine du nom, il y
aurait donc la confession de foi. Ce présupposé n'intéresse pas directement le philosophe, mais il concerne
d'abord le théologien qui doit se demander si ce nom est
bien une expression de la foi. En revanche, les deux
autres présupposés posent problème au philosophe.
Anselme affirme que l'insensé comprend le nom de
Dieu qu'il entend, que ce nom « existe dans son intelligence ». Et Anselme ajoute aussitôt qu'exister à la fois
dans la réalité et dans l'intelligence est « plus grand »
qu'exister dans la seule intelligence.

Le nom qu'Anselme propose a un sens pour l'insensé, il « existe dans son intelligence ». Anselme ici
prétend traduire la relation personnelle qu'il a dans sa
foi avec le Dieu vivant en une nomination abstraite et
anonyme, dans laquelle le « Tu » devient un « quelque
chose » (aliquid). Il ne semble pas qu'Anselme,
contrairement à Descartes et à la tradition ontologique, propose ici une idée de Dieu, idée innée ou
élaborée à partir d'une expérience ontologique de
l'absolu. La traduction opérée par Anselme signifie
plutôt que, pour le temps de la réflexion rationnelle,
Anselme renonce provisoirement à l'existentialité de
son expérience de foi, au pathos existentiel de cette
expérience, pour formaliser cette expérience dans une
« formulation » de Dieu qui ne renvoie ni à une hypothétique expérience humaine de Dieu, ni à une définition, même imparfaite, de son essence. Nous
n'avons pas à contester cette expérience, mais nous

avons à dire si sa formulation dans le nom a un sens
en dehors de l'expérience de foi, comme le prétend
Anselme.

Le nom ne dit rien de l'être de Dieu et il n'exprime
aucune qualité ou attribut de son essence. Ce nom dit
seulement que, quel que soit l'ordre de grandeur envisagé, rien ne peut être pensé plus grand que Dieu. Le
nom ne donne donc pas de contenu de pensée à propos
de Dieu. Mais il pose une exigence : quel que soit le
contenu de pensée qu'on attribue à Dieu, ce contenu de
pensée doit être affecté d'un indice de transcendance
absolue. En réalité, Dieu n'est pas ici nommé, il est
seulement indiqué comme un x tel que « rien de plus
grand ne peut être pensé ». Le nom est donc ici comme
un « indice » de Dieu : il a pour fonction d'affecter tout
contenu de pensée à propos de Dieu de « surtranscen-
dance ». Le théologien exprimerait cela en disant que ce
nom indique que la pensée de Dieu ne peut s'établir que
dans le refus absolu de toutes les idoles.

Ce nom apparaît donc comme une règle dialectique
qu'Anselme impose à la pensée de Dieu. Il indique
qu'il y a une sorte de limite infranchissable imposée à
la pensée : lorsque la pensée pense à Dieu, elle pense
une pensée impossible, une pensée qui se projette
au-delà de toutes les choses pensables. À l'aide de
cette règle, qui ne nous donne aucun contenu de
pensée, Anselme prétend établir l'existence de Dieu et
son essence. À condition toutefois que l'insensé
comprenne ce nom.

Dans le *Proslogion*, Anselme affirme sans le démontrer que l'insensé comprend le nom. Il ne demande
pas à l'insensé de devenir croyant : le nom vient de la
foi, il n'est pas l'acte de la foi. Anselme propose seulement ce nom comme espace de rencontre entre le
croyant et l'incroyant. Anselme imagine donc dans le
Proslogion un incroyant ouvert, qui comprend le nom,
même si par ailleurs il continue de refuser l'existence
de Dieu. Gaunilo, le moine de Marmoutiers, dans sa
critique du *Proslogion,* imagine, lui, un insensé plus
fermé, plus radical, qui refuse de comprendre le nom

proposé par Anselme[1]. Aussi, Anselme va s'efforcer, dans sa réponse à Gaunilo, de démontrer que l'insensé peut comprendre le nom de Dieu qu'il propose, sans pour autant devenir croyant[2]. Anselme commence par souligner l'incompréhensibilité de Dieu et il réaffirme que le nom ne dit pas l'essence de Dieu. Mais cela ne signifie pas que le nom n'a pas de sens pour l'insensé. D'abord, dit Anselme, ce nom peut être compris par certains, par quelques-uns, et cela suffit pour qu'il garde sa force probatoire. Mais, surtout, il peut être compris à partir de l'expérience mondaine de la finitude. Et Anselme reprend ici schématiquement les arguments développés dans le *Monologion* pour prouver l'existence de Dieu à partir des créatures. Pour lui, ce type de réflexion permet à l'insensé de donner un sens au nom qu'Anselme propose. Ce nom ne dit pas Dieu, il dit seulement négativement ce qu'est l'opération de pensée qui pense à Dieu, pensée qui doit penser au-delà de tout le pensable, « plus grand » que tout pensable.

S'il est vrai que l'insensé peut ainsi penser le nom de Dieu, si la réalité signifiée par le mot Dieu est pensée dans la direction indiquée par ce nom et non avec « une signification étrangère », alors, dit Anselme, l'insensé doit renoncer à son « *insipientia* », à sa folie, et admettre que le Dieu ainsi nommé existe aussi dans la réalité, et pas seulement dans son intelligence. Et si l'insensé persiste dans sa négation, c'est précisément parce qu'il est « sot et insensé ».

L'insensé devrait renoncer à sa folie et consentir à l'existence de Dieu parce qu'il est plus grand d'exister dans la réalité que dans l'intelligence seule et parce que, Dieu étant tel que rien ne peut être pensé de plus grand, il doit donc aussi exister dans la réalité.

Là, dans ce dernier présupposé, est le cœur de l'argumentation anselmienne. Là est aussi sa plus grande difficulté. La tradition « ontologique » a cru ici com-

1. *Proslogion*, p. 77-78.
2. *Ibid.*, p. 102-103.

prendre qu'Anselme distinguait deux manières
d'exister pour une chose : exister dans la réalité et
exister en idée, dans l'intelligence. Cette tradition a
aussi compris qu'Anselme affirmait la grandeur supérieure de l'existence réelle sur l'existence idéale. Il y
aurait bien alors ce passage du logique à l'ontologique
que Kant dénonce et refuse, après Thomas d'Aquin.

Mais cette compréhension relève peut-être d'une
lecture rapide et superficielle du *Proslogion*. Une lecture plus attentive montre qu'Anselme ne parle jamais
d'une chose qui existe seulement dans la pensée ou
qui existe aussi dans la réalité. Plus subtilement, il
parle de la manière de comprendre qu'une chose
existe : soit on pense seulement une chose, on la comprend comme existant dans l'intelligence seule, soit on
la pense en comprenant qu'elle existe dans la réalité.
Et pour Anselme, si Dieu est « pensé » à travers le nom
qu'il propose, alors il est le seul objet de pensée que je
suis obligé de comprendre comme existant aussi dans
la réalité. Cet objet de pensée que je nomme « quelque
chose tel que rien ne peut être pensé plus grand » est
toujours affecté par avance d'un indice de réalité. La
force de la preuve anselmienne reposerait donc sur la
distinction entre deux manières de penser une chose :
la penser comme existant seulement dans l'idée qu'on
s'en fait (comme par exemple le tableau que le peintre
va réaliser), ou la penser comme existant dans la réalité (comme le tableau que le peintre vient d'achever).

D'une certaine manière, la preuve anselmienne
apparaît comme une formulation nouvelle et originale
de la preuve par la finitude. La finitude affecte toutes
choses créées et fait que la pensée qui les pense peut
les penser comme non existantes, les penser dans l'intelligence seule. Dans le cas de cet absolu qui est
Dieu, le fait de penser à lui à travers la formulation
négative du nom proposé par Anselme oblige la
pensée à reconnaître dans son objet la nécessité
d'exister non seulement dans l'intelligence, mais aussi
dans la réalité. Aussi Dieu existe-t-il d'une existence
réelle et nécessaire. Car c'est bien parce que Dieu

existe en fait d'une existence nécessaire que l'expérience noétique du nom oblige à poser l'existence réelle de ce que ce nom signifie. Ce qui n'est évidemment pas le cas des choses finies, dont on peut toujours penser qu'elles n'existent pas. Dans le cas de Dieu, la conscience d'idéalité est nécessairement conscience de réalité. On ne doit donc pas dire, comme le font beaucoup de commentateurs, que dans l'argumentation anselmienne l'existence découle de l'essence pensée dans l'idée qu'Anselme propose de Dieu. L'existence de Dieu apparaît comme une exigence noétique du nom de Dieu qui, tel qu'il est négativement formulé, ne dit rien de l'être de Dieu. Penser Dieu à travers ce nom, c'est pour Anselme comprendre que celui qui est ainsi nommé existe réellement et nécessairement.

On peut donc dire que, pour Anselme, l'expérience noétique de la raison est une médiation qui apparaît comme nécessaire à la fondation de la preuve de Dieu. Car à propos de Dieu, deux affirmations sont seulement possibles, exclusives l'une de l'autre : Dieu existe, Dieu n'existe pas. Et si on analyse l'expérience noétique réalisée dans la compréhension du nom, on doit admettre, dit Anselme, l'absurdité de la seconde affirmation. Il en résulte alors que la première affirmation est vraie : Dieu existe, et il existe nécessairement.

S'il apparaît à peu près certain qu'Anselme refuserait la tradition qui se réclame de lui, c'est d'abord parce que sa pensée, telle qu'elle se déploie dans le *Proslogion*, relève de la catégorie du témoignage. Il n'est pas indifférent que le *Proslogion* soit d'un bout à l'autre une « allocution » qui se développe comme une méditation ou une prière. Et la prière n'est pas un simple ornement littéraire ayant pour but d'« enjoliver » la spéculation rationnelle. Au contraire, la prière, et la méditation, sont ici l'expression la plus haute du désir de voir Dieu engendré par la foi. C'est ce désir qui donne naissance à la spéculation rationnelle. Le *Proslogion* raconte donc l'histoire d'un désir qui invente les médiations affectives d'abord, rationnelles ensuite, pour sa réalisation. La spéculation, et la preuve, apparaissent comme une tentative pour réduire la distance entre le croyant et son Dieu, en réduisant la tension du désir et la souffrance qu'elle engendre. Le *Proslogion* est alors une sorte de pèlerinage obstiné, aventureux et magnifique, dans cet écart qui sépare la foi de la vision. Anselme ne cherche une preuve, un « *unum argumentum* », que pour contempler un visage, et il ne s'attache à la vérité du discours que parce qu'il y relève la trace d'une présence[1].

Si cela est exact, on doit se demander si on peut encore faire une lecture purement philosophique du *Proslogion*. Anselme l'affirme, tant il est convaincu de la force rationnelle de son argumentation. Mais cette preuve qu'il a trouvée prouve-t-elle encore, si elle n'est plus éprouvée dans le désir amoureux de Dieu qui l'a fait naître ? Anselme affirme que la preuve a sa cohérence rationnelle propre, que l'incroyant peut expérimenter. Cela autorise, et même exige, toutes les lectures philosophiques du *Proslogion*. Cependant, il me semble que la pensée anselmienne est au-delà de toutes ces lectures, elle est dans cette tentative à la fois nécessaire et désespérée d'une pensée hautement rationnelle, qui en appelle toujours, par avance, à la vie et à l'amour. Le *Proslogion* élabore une preuve rationnelle de la présence de Dieu. Mais en élaborant rationnellement cette présence pour la rendre intelligible, le *Proslogion* en arrive à l'aveu de la radicale et définitive incompréhensibilité de Dieu, c'est-à-dire à l'aveu de son irrémédiable absence. On dirait presque que le *Proslogion* refait le chemin de la foi en sens inverse, en éclairant ce chemin de l'intérieur. La foi va du silence à la parole, celle de la confession et de la louange. Le *Proslogion* s'appuie sur la parole de la confession de foi pour proposer une parole rationnelle déployant et éclairant la parole de foi. Mais il s'achève

---

1. Sur ce point précis, je me trouve en plein accord avec la conclusion de B. Pautrat dans sa préface à la traduction nouvelle du *Proslogion* qu'il propose dans l'édition GF-Flammarion n° 717, p. 31-32.

dans le silence, d'abord ce silence de la raison qui avoue son impuissance à comprendre Dieu, et finalement ce silence de la joie orante dans la foi accomplie.

Yves CATTIN

BIBLIOGRAPHIE

ÉDITION DE RÉFÉRENCE : *Sancti Anselmi Cantuariensis archiepiscopi Opera Omnia*, Stuttgart Bad Cannstatt, Frommann-Holzboog, 1968. Édition critique (en latin) des œuvres complètes d'Anselme de Canterbury établie par Dom F. S. SCHMITT.

AUTRES ÉDITIONS : *L'Œuvre de saint Anselme de Canterbury*, Paris, Éditions du Cerf, 1986 à 1990. Texte latin et traduction française des Œuvres complètes d'Anselme de Canterbury à partir de l'édition critique de F. S. SCHMITT ; 10 volumes annoncés, 5 parus à ce jour. Le *Monologion* et le *Proslogion* se trouvent dans le premier volume (1986). *Fides quærens intellectum, id est Proslogion*, texte latin (non critique) et trad. A. KOYRÉ, Paris, Vrin, 1961. *Proslogion*, suivi de sa réfutation par Gaunilon et de la réponse d'Anselme, traduction, préface et notes de B. PAUTRAT, Paris, GF-Flammarion nº 717, 1993.

COMMENTAIRES : K. BARTH, *Fides quærens intellectum. La Preuve de l'existence de Dieu*, Neuchâtel, Delachaux-Niestlé, 1958. J. VUILLEMIN, *Le Dieu d'Anselme et les apparences de la raison*. Paris, Aubier-Montaigne, 1971. Y. CATTIN, *La Preuve de Dieu*, Introduction à la lecture du *Proslogion*, Paris, Vrin, 1986.

ARISTOTE

Le « Corpus »

La vie d'Aristote est très mal connue. Les propos de ses soi-disant biographes anciens, pauvrement informés, sont truffés de fantaisies. Ils ne servent en rien à la lecture d'un philosophe qui, totalement étranger à la « subjectivité », ne se livre jamais et s'efface toujours devant l'objet qu'il tâche de faire comprendre.

Mort vraisemblablement en − 322, Aristote laissait derrière lui une œuvre immense et extrêmement variée : lettres, poésies, dialogues, enquêtes, études et travaux savants en tout genre. Une partie seulement avait été publiée de son vivant. Elle est aujourd'hui perdue ainsi que, semble-t-il, un bon nombre des textes restés inédits avant sa mort et diffusés ultérieurement. Les documents « naufragés », comme on a coutume de dire, n'ont laissé que des traces, au mieux sous la forme de citations fragmentaires chez les auteurs plus tardifs de l'Antiquité qui les avaient lus.

Ce qui est conservé, néanmoins, forme encore un ensemble imposant : plus de quatorze cents pages in folio dans l'édition canonique procurée par Bekker au siècle dernier[1]. Mais il est difficile, dans cette masse d'écrits, d'opérer le décompte, toujours discutable, des textes apocryphes d'auteurs anonymes que la tra-

1. Voir, à ce sujet, la note bibliographique en fin d'article.

dition a trop généreusement prêtés au philosophe. On estime à environ un tiers les œuvres du *Corpus Aristotelicum* qui ne sont pas attribuables à son auteur présumé. On ne prête qu'aux riches !

Comme en témoignent certains *Catalogues* dressés dans l'Antiquité, les textes probablement authentiques, écrits ou dictés par Aristote lui-même, mêlés aux pages apocryphes, ont été classés avec plus ou moins de bonheur dès l'époque hellénistique et reclassés plus tard, à l'époque romaine, selon des critères en partie fallacieux, et sous les titres parfois aléatoires, sinon énigmatiques, qu'ils ont aujourd'hui conservés. La traduction de ces titres est approximative et d'un usage conventionnel. Les ouvrages les plus longs sont généralement le produit de regroupements. Ce sont des collections de textes qui ont d'abord existé séparément. Distribuées en plusieurs rouleaux d'écriture (livres), ces collections ont rarement l'unité et le plan rigoureux d'une œuvre suivie : ils regroupent, selon un ordre contestable, des études apparentées, mais conçues et rédigées sur des bases autonomes.

Aucun écrit, ou presque, n'est datable absolument. Et, jusqu'ici, les essais de chronologie relative, tentés selon plusieurs méthodes, n'ont pas donné de résultats garantis sûrement. De ce fait, l'évolution, au fil du temps, de la pensée aristotélicienne, quoique probable, reste l'objet de conjectures et de controverses.

On voit mieux les grandes orientations de cette pensée. En effet, la plupart des textes ou collections de textes du *Corpus* se répartissent, quant au contenu, en trois grandes séries principales, que distinguent des points de vue différents dans l'approche du réel. On peut ainsi distinguer, *grosso modo*, et sous réserve d'« inclassables », les écrits intéressant le « naturaliste » (I), les écrits qui intéressent le « moraliste » (II), et ceux qui regardent le « logicien » (III). Toutefois, aucun lien explicite n'unit clairement ces séries entre elles, dans un système rigoureusement organisé. Il faut faire son deuil de pareil système doctrinal, dont l'idée, au cours de l'Histoire, n'apparaît d'ailleurs qu'avec les stoïciens, et plutôt respecter la tendance « analytique » d'Aristote lui-même, qui est de clarifier en distinguant.

*
* *

Il y a d'abord les écrits de philosophie ou de science naturelle, ce qui est tout un. Très nombreux, ils occupent une position centrale, s'inscrivent dans la plus ancienne tradition des penseurs grecs et répondent, semble-t-il, à un plan déterminé, partiellement réalisé par l'auteur. On peut reconstituer ce plan grâce à *Météorologiques*, I, 1. Il se propose d'étudier deux genres de réalités naturelles que nous distinguons encore : les réalités du monde organique, ce qu'Aristote appelle ailleurs la « nature vitale » (animaux et végétaux), et les réalités du monde inorganique, où il défend l'idée d'une opposition radicale entre, d'une part, la nature simple et incorruptible des corps célestes supérieurs, mus circulairement, et, d'autre part, la nature corruptible des corps de notre monde sublunaire, composés de plusieurs éléments, qui se meuvent naturellement en ligne droite. Une telle opposition donne à penser, cependant, que les corps sidéraux, réputés « divins », sont rangés au-delà, plutôt qu'en deçà, des synthèses organiques. De toute manière, les distinctions, dans la nature, ne masquent pas l'unité de celle-ci. Qu'elles soient organiques ou inorganiques, toutes les réalités du monde sont tenues pour naturelles en ceci que, contrairement aux *artefacta,* elles ont en elles-mêmes leur principe de mouvement et de repos, qu'elles manifestent lorsqu'elles ne sont pas contrariées violemment de l'extérieur. Le mouvement et ses principes sont, par conséquent, ce qui s'impose d'abord à l'attention du naturaliste. Aristote a donc intégré à ses recherches sur la nature des réflexions, semble-t-il, introductives, consacrées aux « premières causes » et au « mouvement naturel en général ».

Ces réflexions font aujourd'hui partie d'un ensemble, intitulé globalement *Physique*[1], qui regroupe, en huit livres, des questions relatives à tout ce qui concerne la nature en général. Le regroupement de ces questions, pour former un ensemble, n'est probablement pas, ici, le fait d'Aristote lui-même ; et les morceaux rassemblés, même s'ils sont pratiquement tous de sa main, n'ont vraisemblablement pas été conçus à la même époque. Les réflexions sur les « causes premières » de la nature sont consignées au début ; celles qui concernent le « mouvement naturel », dans la seconde partie.

Le début de la *Physique* (I-II), sous une allure complexe, vise à un résultat très simple, regardé, aujourd'hui encore, comme d'une très haute portée philosophique, car il prétend surmonter l'opposition de l'être (réalité) et du non-être (apparence). D'après Aristote, que la tradition antérieure contraint à tout reprendre *ab ovo*, la réalité des choses sensibles en mouvement est indubitable, et sa négation ne résiste pas à l'examen. L'analyse de cette réalité, par ceux qui l'admettent et refusent d'y voir une apparence, exige effectivement la reconnaissance d'une contrariété à son principe (ce qui change devient contradictoirement ce qu'il n'est pas). Mais, pour en rendre compte, deux principes contraires ne suffisent pas ; il en faut un troisième, « sujet » ou « substrat » des contraires, même dans le cas de la génération. L'apparition d'un être naturel n'est, en effet, jamais le simple passage, inconcevable, du non-être à l'être, que certains prétendent. Elle suppose, dès le départ, un sujet qui se conserve à l'arrivée, cependant que le passage est celui d'une « privation » à son contraire, la « forme », acquise par le sujet, qu'on appelle lui-même « matière ». Cette analyse logique, chez Aris-

---

1. Texte et trad. H. Carteron, 2 vol., Paris, Les Belles Lettres (LBL), 1926-1931 ; *cf. Sur la nature (Physique II)*, introd., trad. et commentaires L. Couloubaritsis, Paris, Vrin, 1991.

tote, est le résultat d'une confrontation incessante avec la pensée de ses prédécesseurs qu'il tient incapables de fonder rationnellement une science de la nature, faute de pouvoir surmonter la contradiction de l'être et du non-être. Aux deux principes contraires du devenir naturel que ceux-ci paraissaient à bon droit exiger, et qu'il conçoit en termes de privation et de forme, le philosophe en a ajouté un troisième, qui non seulement rend compte de la permanence sous-jacente dans tout devenir, mais, à ce titre, permet de transférer le « non-être en soi » sur autre chose que la matière, contrairement à ce à quoi invitait Platon. Le « non-être en soi », soutient Aristote, c'est la privation, cependant que la matière, privée de forme, n'est qu'un « non-être par accident », du reste éternel. Tels sont, au terme du livre I, les principes que pose Aristote dans le but de fonder la science naturelle. De cette science, examinée encore au livre II, il écarte au passage toute approche mathématique, geste d'une portée historique immense. La raison principale en est que la forme, constitutive des choses naturelles, est intimement associée à sa matière, non une forme considérée abstraction faite de celle-ci, comme le sont les objets du mathématicien ; c'est, pour le nez par exemple, la forme « camuse », ignorée du mathématicien, non la forme concave que considère celui-ci, et qui n'est pas, elle, proprement naturelle. En revanche, soutient Aristote, les principes de la science proposée répondent à l'exigence d'une connaissance causale de son objet, s'il est vrai que toutes les causes naturelles, y compris celles qu'on appelle hasard ou fortune, se réduisent à quatre types, suffisant à expliquer chaque être en devenir, et que, de ces quatre types, l'un correspond à la matière et les trois autres à la forme, laquelle est ensemble l'essence de l'être constitué (cause formelle proprement dite), la source prochaine du mouvement qui le constitue (cause efficiente) et la fin que poursuit ce mouvement constitutif (cause finale). Ce dernier point, sur lequel insiste le philosophe avec force arguments, l'incline à proposer, de la nature, la vision téléologique à laquelle son nom reste attaché et qui, loin de nier la nécessité des causes mécaniques, comme on le dit parfois, la suppose au contraire, et en fait la condition indispensable, autant que l'obstacle, au déploiement de la finalité.

Les questions relatives au « mouvement en général » sont rattachées, dans la seconde partie de la *Physique,* à celles, longuement traitées, qui regardent l'infini, le lieu, le vide, le temps et, surtout, le continu. Malgré leur intérêt — elles plaident en faveur d'un univers clos, plein et éternel —, ces longues discussions peuvent être laissées de côté. Deux développements, qui d'ailleurs se répondent, sont d'une importance capitale pour la notion de mouvement. Le premier[1] fournit surtout une définition du mouvement, que le philosophe justifie en détail. Cette définition prend appui, notamment, sur les contrariétés du genre « forme-privation » et sur la distinction fameuse entre deux modalités de l'être, l'être « potentiel », situé du côté de la matière privée de forme, et l'être « réalisé », situé du côté de la forme imprimée à la matière. Le mouvement, dans ces conditions, est donné pour « la réalisation de l'être potentiel en tant que tel[2] ». La précision « en tant que tel » manifeste que le mouvement exprime la potentialité d'un sujet matériel, non la réalité actuelle de ce sujet, qui n'est pas, elle, mouvement. La définition est générale, parce qu'elle vaut également pour toutes les sortes de mouvements ou de changements naturels. L'analyse et la distinction de ceux-ci se trouvent proposées au fil d'un second développement[3]. Dans la multiplicité des changements que présente la nature, Aristote opère une classification des changements non accidentels, qui permet de ranger à part ceux qui produisent (générations) ou détruisent (corruptions) un sujet et de réserver le nom de « mouvement », au sens strict, à

1. *Physique,* III, 1-3.
2. *Ibid.,* 201 a 10-11.
3. *Physique,* V, 1-2.

ceux qui sont compris entre termes contraires, plutôt que contradictoires. La distinction, elle aussi fameuse, selon les genres de prédication de l'être (« catégorie »), également évoquée dans le développement qui propose une définition générale du mouvement, conduit le philosophe à ne retenir ainsi que trois espèces de mouvements proprement dits : l'altération (mouvement dans l'ordre de la qualité), l'accroissement ou le décroissement (mouvement dans l'ordre de la quantité) et le déplacement (mouvement selon le lieu). Les conséquences, telle que l'absence de mouvement substantiel, sont longuement examinées.

La *Physique* contient encore des considérations, souvent commentées par la tradition théologique ultérieure, sur le rapport entre mobiles et moteurs et sur l'impossibilité de reculer à l'infini un premier moteur dans la nature (VII-VIII). Mais telles sont les bases fondamentales, essentiellement conceptuelles, sur lesquelles reposent les autres recherches du naturaliste.

La simple nomenclature de celles-ci suffirait à démontrer la curiosité universelle de leur auteur. Aristote porte le même œil intéressé, sinon admiratif, sur tout ce que contient le monde, des choses les plus sublimes, comme le ciel étoilé, pivotant régulièrement sur son axe, jusqu'aux choses les plus basses, comme la putréfaction et les résidus excrémentiels. Il y a même, chez lui, un paradoxe, du moins en apparence, dans la mesure où il semble inviter à se détourner bientôt du sublime. Raphaël l'a justement représenté ainsi dans *L'École d'Athènes*.

En effet, la régularité quasi mathématique des mouvements célestes le retient peu, elle que mesuraient les astronomes de son temps. Et ses propres recherches consacrées au monde astral et à la cosmologie, que l'on trouve réunies dans la première partie (livres I et II) d'un ensemble de textes intitulé abusivement *Du ciel*[1], sont des recherches relativement peu étendues et

1. Texte et trad. P. Moraux, Paris, LBL, 1965 ; *cf.* trad. fr. J. Tricot, Paris, Vrin, 1949.

se concentrent sur les propriétés du corps astral. Ce n'est pas un paradoxe. Aristote est visiblement gêné par la difficulté d'observations empiriques à distance et le confesse expressément[1]. C'est un aveu qui ne trompe pas. Le naturaliste est d'ailleurs beaucoup plus disert sur les phénomènes atmosphériques, pourtant jugés aléatoires, qui entourent notre monde, et plus encore sur les divers phénomènes géologiques directement observables. En témoigne la collection en quatre livres des *Météorologiques*[2]. Le livre IV, d'authenticité suspectée il est vrai, constitue un véritable traité de minéralogie. Au propre comme au figuré, le naturaliste, chez Aristote, nous ramène sur terre. Il convient encore de noter que ces recherches reposent sur un préalable, en soi plus important et aujourd'hui plus significatif que les développements qu'il soutient : c'est la doctrine des corps simples, élémentaires.

Celle-ci est esquissée, en relation avec les problèmes, très controversés, de la génération, dans le livre III de la collection *Du ciel* (le livre IV est une monographie sur les corps graves ou légers) et développée au fil d'exposés intitulés globalement *De la génération et de la corruption* (deux livres)[3]. Dans ces exposés, Aristote prend position contre plusieurs adversaires, surtout les partisans des atomes, afin d'établir dans les faits la thèse, notée plus haut, de l'irréductibilité du changement générateur ou producteur aux mouvements tels que le déplacement local. Il soutient que la formation des corps naturels, composés à partir d'éléments simples, s'opère par le « mélange » de ceux-ci plutôt que par leur association. Il étudie la combinaison des corps simples élémentaires, qu'on ne peut ramener à l'unité, et leurs transformations réciproques selon un cycle. L'étude illustre par ailleurs les théories de la causalité. Au centre de la

1. *Parties des animaux*, I, 5, 644 b 25-28.
2. Texte et trad. P. Louis, 2 vol., Paris, LBL, 1982 : *cf.* trad. fr. J. Tricot, Paris, Vrin, 1955.
3. Texte et trad. Ch. Mugler, Paris, LBL, 1966 ; *cf.* trad. fr. J. Tricot, Paris, Vrin, 1951.

réflexion aristotélicienne se trouvent les considérations sur le « mélange » des éléments. Le « mélange » est un produit où entrent des éléments qui perdent réellement leur nature propre, mais la conservent potentiellement. C'est, au fond, le principe d'une chimie non atomiste.

Le mélange implique le double processus d'action produite et d'action subie par les corps. Les exposés consacrés à ce double processus[1] semblent avoir constitué d'abord un texte indépendant. Ils sont hautement significatifs d'une tendance, proprement aristotélicienne, à réconcilier des théories adverses en les intégrant dans une synthèse qui leur rend également justice. Il s'agit ici de savoir si l'action, produite d'un côté et subie de l'autre, met en présence des termes semblables ou dissemblables. Aristote refuse l'alternative et montre qu'une telle action exige en présence des termes génériquement identiques, mais spécifiquement différents. Les mêmes développements illustrent aussi la manière dont la position aristotélicienne fait pièce à l'atomisme. Là où ce dernier prétend, par exemple, que l'échauffement d'un solide suppose seulement sa pénétration par des indivisibles subtils configurés de façon particulière (atomes de feu), sans altération du corps pénétré, Aristote soutient, lui, qu'il y a une véritable altération de la masse continue du solide, par contact, avec transfert de chaleur.

Toutes ces thèses du philosophe sur la nature élémentaire et ses transformations servent également d'assises à son étude du monde vivant, un monde complexe, aux formes incroyablement diverses, sur lesquelles la sagacité de l'observateur est mise à rude épreuve. Aristote avait ouvert là d'énormes chantiers qu'il n'a pas tous fermés lui-même. Les textes *Sur les plantes*, que des manuscrits lui attribuent, ne sont très probablement pas son œuvre. En revanche, une très vaste enquête consacrée à la description détaillée de centaines d'animaux et de leurs mœurs, effectuée sur

---

1. *De la génération et de la corruption*, I, 7-9.

la base de documents antérieurs et d'observations personnelles, est certainement de sa main aux neuf dixièmes. C'est la très célèbre *Histoire des animaux* (en dix livres, mais le dixième est apocryphe)[1], qui a servi, durant des siècles, à l'instruction des zoologistes. Parallèlement, Aristote s'est livré à une explication des systèmes vivants qu'il a décrits et dont il a noté précisément la complexité croissante sur l'échelle de la vie, depuis les organismes rudimentaires (comme les « ostracodermes », testacés ou mollusques), jusqu'aux vertébrés supérieurs, bien qu'il fût totalement étranger à l'idée de l'« évolution » des espèces.

L'explication des systèmes, en fait, est celle de leurs parties, reconnues, au prix d'un minutieux examen comparatif, formellement identiques ou analogues d'une espèce à l'autre. Elle se trouve consignée dans des textes intitulés, pour cette raison, *Parties des animaux* (quatre livres)[2], qui représentent une pièce maîtresse au sein des œuvres conservées. Les longues réflexions qui servent d'introduction à l'exposé contiennent, outre une critique des méthodes platoniciennes de division pour définir les espèces animales, un vif plaidoyer en faveur de l'explication par les causes finales auxquelles est subordonnée, on l'a dit, la nécessité mécanique. La nature, pour Aristote, façonne ce dont elle dispose, comme un artisan la matière. L'exposé proprement dit renoue avec les théories sur la synthèse des éléments corporels par mélange et présente, sur cette base, comme une seconde synthèse, la composition organique des parties « homéomères » de l'être vivant, en gros : les tissus carnés ou osseux, et d'abord le sang, dont la fonction nutritive est mise en avant. Aristote donne pour une troisième synthèse la constitution ultime des parties

1. Texte et trad. P. Louis, 3 vol., Paris, LBL, 1964-1969 ; *cf.* trad. fr. J. Tricot, 2 vol., Paris, Vrin, 1957.
2. Texte et trad. P. Louis, Paris, LBL, 1956 ; *cf. Aristote, philosophe de la vie. Le premier livre du traité sur les Parties des animaux*, texte, trad., introd. et commentaires J.-M. Le Blond, Paris, Aubier, 1945.

« anoméomères », en gros : les organes, externes ou internes, formés à l'aide des parties « homéomères ». On a observé depuis longtemps que l'étude de ces organes suit un ordre précis, du haut (orifice d'absorption de la nourriture) vers le bas (orifice d'excrétion des résidus). C'est, pense Aristote, l'ordre de l'Univers, un ordre que l'homme, parmi les vivants, est seul à respecter, puisqu'il présente une stature droite. À l'autre extrême des vivants, les plantes, elles, se nourrissent par le bas (racines). Les organes en question sont d'abord étudiés chez les animaux dits « sanguins », puis chez les autres animaux, crustacés, céphalopodes, testacés, insectes..., non sans retours en arrière, suggérés par les besoins de l'anatomie comparée. C'est dans un de ces passages inspirés par la comparaison que figure d'ailleurs le très fameux développement sur la main de l'homme[1], organe plurifonctionnel, où Aristote insiste pour voir l'effet, non la cause, de son intelligence, récusant ainsi une nouvelle fois le mécanisme aveugle au profit de la finalité : « La nature ne fait rien en vain... »

L'étude des animaux, avec cela, reste incomplète. Aristote a traité à part plusieurs fonctions animales, assumées par certains organes : la nutrition, par exemple, dans un texte perdu, et, dans des textes conservés, la locomotion, ainsi que, plus généralement, le mouvement des animaux[2], mais surtout les fonctions reproductives, qui garantissent, selon lui, la pérennité des espèces. Cinq livres, réunis sous le titre *Génération des animaux*[3], démontrent ainsi longuement la thèse capitale que la finalité, dans la nature, dépasse la conservation des individus et se manifeste dans une volonté de prolongement à l'infini des formes spéci-

1. *Parties des animaux*, 687 a 8 et *sq.*
2. *Marche des animaux* et *Mouvement des animaux* : textes et trad. P. Louis, Paris, LBL, 1973 ; *cf. Aristotle's De motu animalium*, Text with Translation, Commentary and interpretive Essays by M. Craven Nussbaum, Princeton, Pr. University Press, 1978.
3. Texte et trad. P. Louis, Paris, LBL, 1961.

fiques. Aristote y étudie spécialement les organes reproducteurs et rend compte des différences sexuelles en assignant aux éléments mâle et femelle les fonctions respectivement active (ou efficiente) et passive (ou matérielle) dans le processus de fécondation. Il scrute aussi en détail les modes de parturition, selon les différentes classes d'animaux, où il distingue vivipares et ovipares. Il tâche de fixer, dans l'embryogenèse, les étapes de la différenciation sexuelle et fournit un aperçu des éléments tératogènes dans la reproduction. Enfin, il étudie les caractères congénitaux sans finalité. Une foule de problèmes particuliers retiennent son attention au passage, comme la nature du sperme et le phénomène de la superfétation. Les positions d'Aristote en face de ces problèmes font aujourd'hui un peu sourire, à l'heure de la microbiologie. Mais toutes donnent encore à penser, lorsqu'elles dépeignent les efforts de la nature vivante pour atteindre sa fin, en utilisant, dans ce but, jusqu'à ses propres échecs.

Demeure encore la question : qu'est-ce que le principe constitutif du vivant ? Une enquête intitulée *De l'âme* (trois livres)[1] répond à cette question. L'enquête met impitoyablement à l'épreuve les conceptions antérieures, le plus souvent matérialisantes, qui réduisent l'âme au corporel, ou spiritualisantes, qui en font une chose radicalement séparée du corps. Aristote est ainsi conduit à proposer une formule d'équilibre, capable de signifier l'unité de l'âme et du corps, en préservant leur dualité, et valable pour toute espèce d'êtres animés, selon laquelle l'âme serait la « réalisation première d'un corps naturel doué d'organes[2] ». Le concept de « réalisation » *(entélécheia)* sert ailleurs à définir le mouvement, on l'a vu, c'est-à-dire le passage à l'acte. Mais la réalisation, dans le cas de l'âme, n'est pas mouvement ; elle est acte, un acte « premier » en

---

1. Texte A. Jannone, trad. E. Barbotin, Paris, LBL, 1966 ; *cf.* trad. fr. J. Tricot, Paris, Vrin, 1934, nouvelle éd., 1965 ; et *De l'âme*, trad., prés., notes et index R. Bodéüs, Paris, GF-Flammarion n° 711, 1993.
2. *Ibid.*, 412 a 19-b 6.

ce sens qu'il est principe d'activités où se réalise le vivant. L'idée, en fait, typique de ce qu'on appelle l'« hylémorphisme » aristotélicien, est que l'âme représente le principe formel, efficient et final, de l'unité vivante dont le corps représente le principe matériel. Aristote se consacre longuement à l'étude des fonctions (facultés) auxquelles correspond cette « réalisation première », la fonction sensitive, par exemple, qui définit la nature même des organes sensitifs. Et ces facultés fournissent les principes de spécification des différents niveaux du vivant : la faculté nutritive et reproductive, commune à tous les vivants et caractéristique du végétal, les facultés sensitive et motrice, caractéristiques des deux échelons de la vie animale, et la faculté intellective, propre à l'homme, chacune de ces facultés impliquant la ou les précédentes, mais non réciproquement. C'est évidemment surtout la fonction sensitive, dans ses différents aspects, qui retient l'analyse du naturaliste, plutôt que la fonction intellective, par exemple, qui semble, pour une part, échapper à la nature et qui, pour l'autre part, se trouve associée, comme les sens, à la fonction motrice. Les textes qui traitent de cette dernière ont été rattachés, à la fin, à des considérations qui ouvrent à l'étude de problèmes particuliers, tels que la mémoire, les rêves, le vieillissement, etc., abordés dans d'autres petits textes, conservés séparément[1].

Par plusieurs côtés, l'enquête sur l'âme couronne les travaux du naturaliste, dont l'ampleur dépasse significativement celle des autres travaux, très différents, conservés dans le *Corpus*.

*
* *

Contre toute attente, les problèmes traités par le naturaliste n'entraînent pas, chez Aristote, de consé-

---

1. *Parva naturalia* : texte et trad. R. Mugnier, Paris, LBL, 1953 ; *cf.* éd. W. D. Ross (with Introduction and Commentary), Oxford, Clarendon Press, 1955 ; trad. fr. J. Tricot, Paris, Vrin, 1951.

quences pour les questions abordées par le moraliste. Indifférentes, par principe, à l'animalité de l'homme, celles-ci considèrent les implications propres à son humanité et les dimensions irréductibles de son agir. Il y a là une indifférence de principe, contrairement à ce que certains ont cru ou croient encore. Ainsi, les éléments de psychologie que fait valoir le moraliste mettent l'accent sur une raison calculatrice libre, autonome et capable de commander ; elles n'empruntent rien aux analyses du naturaliste proposées dans le traité *De l'âme,* lesquelles n'ont, de la sorte, aucune portée déterministe. Les affaires humaines sont par ailleurs abordées dans une autre perspective. Pour Aristote, en effet, la science ou philosophie naturelle est strictement spéculative (« théorétique »). Elle se borne à connaître son objet, sans préoccupation d'utilité ou de profit pour les arts et techniques, comme la médecine par exemple. En revanche, les réflexions du philosophe sur les affaires humaines sont attentives aux services qu'elles peuvent rendre. Bien que d'un niveau de généralité spéculative, elles aussi, ces réflexions philosophiques visent, par là même, à éclairer les responsables des affaires humaines dans leur action et, spécialement, le législateur, qui, pour Aristote, incarne, à son degré le plus souverain, la science exécutive (« pratique »), en dictant les règles du bien. C'est ainsi que les questions morales dont traite le philosophe, tout comme les questions constitutionnelles, s'adressent principalement aux politiques, chargés de régler la vie des cités.

Comme pour l'étude du monde animal, Aristote avait entrepris de nombreux travaux descriptifs de type historique, aujourd'hui perdus, sur les sociétés grecques et barbares, notamment sur les régimes politiques de cent cinquante-huit Cités, dont il avait recueilli la description et reconstitué le passé. Seule du recueil, la *Constitution d'Athènes*[1], qu'on hésite encore

---

1. Texte et trad. G. Mathieu et B. Haussoulier, Paris, LBL, 1922 ; *cf.* éd. H. Oppermann, Leipzig, Teubner, 1961.

à lui attribuer, nous a été restituée, il y a un siècle, par les sables d'Égypte.

Ces travaux ont partiellement inspiré les réflexions que contient un ensemble de textes intitulés *Politiques* (huit livres)[1]. Cet ensemble n'obéit pas à un plan très clair et correspond mal à un programme esquissé ailleurs[2]. Il expose, en fin de compte (livres VII et VIII, ce dernier fragmentaire), les conditions préalables et le système éducatif d'un régime parfait que le législateur, dans ces conditions, pourrait instituer. Un tel exposé semble avoir d'abord fait suite à une série de réflexions sur le citoyen, le classement usuel des régimes constitutionnels et les mérites relatifs des différentes formes de royauté (livre III). Mais il en est aujourd'hui séparé par plusieurs études (livres IV-VI), elles-mêmes coordonnées de manière assez lâche. Elles sont consacrées principalement aux autres formes de régimes politiques, oligarchiques ou démocratiques, que l'Histoire, dit Aristote, a rendues inévitables et entre lesquelles il faut considérer la meilleure possible. C'est là que le réalisme aristotélicien s'affirme le plus clairement. Il incline en faveur de la classe « moyenne », dont la puissance, lorsqu'elle existe, maintient à l'abri des excès périlleux. C'est là aussi que se mesure le mieux l'inspiration empirique du philosophe, spécialement dans la longue étude qu'il consacre aux causes de révolutions, pour indiquer le moyen de les éviter sous tous les régimes, y compris la tyrannie ! Le propos qu'Aristote adresse aux législateurs est donc, au total, essentiellement critique, de nature à favoriser leur jugement et à les garder par-dessus tout contre les séductions d'un bien apparent. Instructif, à cet égard, est le livre II, totalement voué à la critique des constitutions les plus réputées, comme celles de

1. Texte et trad. J. Aubonnet, 4 vol., Paris, LBL, 1960-1989 ; *cf.* trad. fr. J. Tricot, 2 vol., Paris, Vrin, 1962 ; et *Les Politiques,* trad. inédite, introd., bibliogr., notes et index P. Pellegrin, Paris, GF-Flammarion n° 490, 1990.
2. Fin de l'*Éthique à Nicomaque.*

Sparte ou de Carthage, et des projets utopiques de théoriciens, comme Platon.

Deux genres d'études accompagnent ce propos. L'un concerne les assises économiques de la Cité, fournies par les cellules familiales dont celle-ci est issue. Pour Aristote, qu'inspire l'analogie avec le monde vivant, les familles entrent dans la Cité comme les parties dans un système organique. Chacune permet au système de vivre et réunit typiquement, sous l'autorité du maître de maison, une domesticité d'esclaves, selon des liens que le philosophe tient pour naturels au départ. Cette étude correspond à *Politiques*, I, texte prolongé, dans le *Corpus*, par des écrits apocryphes, les *Économiques*.

L'autre genre d'études concerne la fin ultime de la Cité, qui n'est autre, pour le philosophe, que le bonheur de ceux qui la composent. Elle regroupe toutes les questions dites « morales » qui se posent aux législateurs. La série de ces questions est conservée sous trois versions. Deux d'entre elles paraissent authentiques, sans qu'on sache ni leur rapport mutuel, ni l'origine de leurs titres énigmatiques : *Éthique à Nicomaque* (dix livres)[1] et *Éthique à Eudème* (huit livres)[2]. Elles traitent à peu près les mêmes sujets, dans un ordre semblable, à commencer par la nature du bonheur identifié au bien suprême. Aristote récuse, sur ce point, l'existence et l'utilité d'une idée transcendante du bien, dont la connaissance était assignée au véritable politique par les platoniciens. Aux politiques, il propose, lui, la reconnaissance d'un bien humain, à la portée de chacun, sous la forme d'une activité de l'âme, réglée sur l'excellence (vertu). Ce propos entraîne le philosophe à préciser ce qu'est, en général,

---

1. Éd. I. Bywater, Oxford, Clarendon Press, 1894 ; trad. fr. J. Tricot, 2e éd., Paris, Vrin, 1959 ; *cf. L'Éthique à Nicomaque*, introd., trad. et commentaires R. A. Gauthier et J. Y. Jolif, 2e éd., 4 vol., Louvain-Paris, Nauwelaerts, 1970.

2. Éd. R. R. Walzer et J. M. Mingay, Oxford, Clarendon Press, 1991 ; trad. fr. V. Décarie, Montréal, Presses de l'Université de Montréal-Paris, Vrin, 1978.

l'excellence que l'action humaine confère à l'âme : un état habituel, qui tient de la décision et qui occupe un milieu entre l'excès et le défaut. Chaque élément de cette définition entraîne à son tour des précisions, sur le choix volontaire, en particulier, et sur ce qui est matière à excès ou défaut (les passions). Cela nous vaut une longue analyse des différentes « vertus morales » reconnues par la société, comme autant de justes milieux. Cette analyse, qu'on a dit « phénoménologique » avant la lettre, est au cœur des *Éthiques*. Elle traduit un réalisme proprement aristotélicien, très différent, par exemple, du rigorisme ultérieur des stoïciens, prônant l'éradication des passions. À ce noyau dur se trouve rattachée, un peu artificiellement, une analyse plus longue encore des différentes formes d'amitié et des liens qui unissent les hommes entre eux, cette fois sans référence à l'idée d'un juste milieu[1].

Il est difficile d'apprécier, par ailleurs, la portée des développements qu'ont en propre l'une et l'autre des collections éthiques : ainsi, en particulier, les arguments de l'*EN* en faveur d'une forme de félicité supérieure à celle de l'homme d'action, serait-il parfait politique, et réservée au philosophe qui cultive son intelligence[2]. Difficile aussi de dire pourquoi les deux collections présentent trois livres en commun[3]. Ces textes « communs » traitent de la justice, des vertus intellectuelles, de la bestialité, de l'incontinence et du plaisir. Particulièrement significatif est le traitement des vertus intellectuelles. Détaillées et analysées une à une, celles-ci sont ramenées à deux excellences globales. L'une est spéculative (la sagesse) et n'intéresse pas l'action ; l'autre, au contraire, est exécutive (la sagacité ou prudence) et représente la vertu propre du chef politique. Le rapport entre les deux est à peine esquissé, mais Aristote signale que celle-ci commande en vue de celle-là, ce qui donne à entendre que la

1. *EN*, VIII-IX et *EE*, VII.
2. *EN*, X.
3. *EN*, V-VII = *EE*, IV-VI.

sagesse et la félicité philosophique, qui lui est liée, constitueraient la norme ultime pour l'ordre institué par le politique et ses lois.

Aristote ne s'est pas intéressé, sinon de loin[1], aux techniques de production qui fournissent les biens extérieurs, lesquels, pour le philosophe, ne constituent pas le bonheur et n'en sont que la condition. Mais il a fait une exception au profit de l'art libéral qui assume (en grec) le nom générique de ces techniques productives et, sous le titre de *Poétique*[2], un texte, probablement très mutilé, s'efforce de dégager les règles de composition qui président à l'élaboration des œuvres réussies, spécialement dans le genre épique et dans le genre tragique. Ces règles, pour Aristote, ne sont ni esthétiques ni morales, au sens où nous l'entendons. Ce sont celles qui conduisent à une œuvre susceptible de produire efficacement la crainte et la pitié chez ceux à qui elle s'adresse. D'où l'idée, ultracélèbre mais passablement obscure, d'une épuration *(catharsis)* des passions par l'effet qu'engendre, chez le spectateur, l'« imitation » poétique. Il est fait allusion à cet effet dans le programme d'éducation libérale esquissé par le philosophe[3], où tous les arts musicaux tiennent une place primordiale et visent à la formation de l'âme irrationnelle.

*
* *

De la nature en général à l'homme en ce qu'il a de particulier, il y a pour Aristote, nous l'avons vu, changement de point de vue. Un même changement s'opère, dans l'autre sens, lorsqu'on passe de la nature, complexe de forme et de matière, à ce qui est

---

1. *Cf. Politiques*, I.
2. Texte et trad. J. Hardy, Paris, LBL, 1932 ; *cf.* éd. (Introduction, Commentary and Appendix) D. W. Lucas, Oxford, Clarendon Press, 1968 ; cf. texte, trad., notes R. Dupont-Roc et J. Lallot, Paris, Seuil, 1980.
3. *Politiques*, VIII.

encore plus général et, en un sens, plus abstrait, le monde de la forme pure, si l'on veut, ou de la pure rationalité. C'est à ce niveau (« logique ») que prennent place les plus hautes spéculations du philosophe. Elles portent d'abord sur les formes les plus communes, non scientifiques, de raisonnements que l'on peut appliquer à n'importe quel sujet. Deux procédures se répondent à ce niveau de généralité, qui ressemblent à de véritables techniques. L'une vaut pour le discours suivi, l'autre pour l'entretien par questions et réponses.

La première, qui avait déjà fait l'objet d'études antérieures, forme l'art oratoire. Aristote lui consacre de longues analyses qui sont conservées (*Rhétorique*, trois livres)[1] et où il met l'accent sur la nature des preuves proprement techniques, puisées soit à un mode de raisonnement particulier, l'« enthymème », qui conclut à partir d'une seule proposition, soit à l'expérience ordinaire, qui fournit des « exemples » réputés significatifs. Aristote examine l'efficacité persuasive de ces preuves et d'une foule d'autres choses, la diction, par exemple, dans tous les genres oratoires (judiciaire, politique ou d'apparat).

La seconde technique de la parole, la dialectique, avait été, comme la première, pratiquée par une tradition d'esprits astucieux (les sophistes) et même par les philosophes, mais non, comme elle, étudiée sérieusement. Aristote lui consacre une analyse minutieuse, distribuée en huit livres, conservés sous le nom de *Topiques*[2]. Il en décrit la nature et les fonctions, définit les règles de joute du questionneur et du répondant et, surtout, c'est le corps du travail, il répertorie les genres d'arguments dont ceux-ci peuvent faire l'invention. Le répertoire, illustré par des centaines d'exem-

1. Texte et trad. M. Dufour, 3 vol., Paris, LBL, 1931-1938-1973 (livre III, avec la collaboration de A. Wartelle).
2. Texte éd. (avec celui des *Réfutations sophistiques*) W. D. Ross, Oxford, Clarendon Press, 1958 ; trad. fr. J. Tricot, Paris, Vrin, 1965 ; texte et trad. J. Brunschwig, 1er vol. (Livres I-IV), Paris, LBL, 1967.

ples, est fondé sur la distinction de quatre « outils » maniés par le dialecticien, lorsqu'il assigne ou demande d'assigner, dans une formule prédicative, un attribut à un sujet, l'attribution pouvant être soit accidentelle, soit générique, soit propre, soit définitoire.

Le raisonnement du dialecticien, qui s'appuie sur des prémisses opinatives, mais reçues, est réputé probable, du moins si l'on questionne ou répond de bonne foi et non pour chercher querelle en usant de sophismes. Notons-le au passage : Aristote analyse également ces derniers dans un texte conservé séparément, mais rattaché aux *Topiques*, *Les Réfutations sophistiques*[1]. Les méthodes du dialecticien, qui cherche à éprouver ce qu'on lui donne pour probable, sont toutefois profitables à la philosophie en quête de principes certains. Et Aristote ne se prive pas d'avoir recours à de semblables méthodes dans la plupart de ses travaux, qui commencent par scruter et passer au crible les opinions reçues, pour en dégager ce qu'elles contiennent de véridique. Le procédé est conforme à l'idée d'une science qui ne peut prouver autrement ses principes. Quant aux procédures scientifiques, comparées à celle de la dialectique et de la rhétorique, elles sont étudiées dans des textes distribués en quatre livres, les *Analytiques*, eux-mêmes groupés deux à deux[2].

En fait, les *Analytiques* dits *premiers* portent spécialement sur le raisonnement (« syllogisme »), dont Aristote recense et examine quatorze modes, spécifiés d'après la nature des deux prémisses permettant de conclure nécessairement. Cet examen est d'ordre formel, les termes variables des prémisses étant symbolisés par des lettres (A, B, C...). Il propose une répartition des modes en trois figures, d'après la position du terme moyen (B) et des règles permettant de

1. Texte éd. (avec celui des *Topiques*) W. D. Ross, Oxford, CP, 1958 ; trad. fr. J. Tricot, Paris, Vrin, 1950.
2. Éd. W. D. Ross, Oxford, Clarendon Press, 1964 ; trad. fr. J. Tricot, 2 vol., Paris, Vrin, 1966 ; *cf. Aristote. L'Analytique*, textes P. Trotignon, Paris, PUF, 1968.

réduire les syllogismes « imparfaits » à des syllogismes « parfaits » (indémontrables). C'est donc l'exposé d'une théorie axiomatique, premier ancêtre des théories de logique formelle. Et ce qu'elle cherche à fonder, semble-t-il, c'est ce qu'on appelle aujourd'hui l'« implication » (exemple : si tout A appartient à B et tout B à C, alors tout A appartient à C). L'induction, dans cette théorie, est facilement ramenée à un mode d'implication : si A appartient à tout C (individus de la classe A) et B à tout C, alors A appartient à B. Cela dit, la science, qu'Aristote tient pour démonstrative, n'a pas pour trait distinctif de procéder par mode de syllogismes valides, mais d'appuyer de tels raisonnements sur des prémisses qui expriment des vérités premières. D'autre part, la démonstration ne se réduit pas au syllogisme.

Les *Analytiques* dits *seconds* précisent tout cela. D'ordonnance très complexe, ces textes sont d'abord consacrés aux principes de la science en général, qui sont des vérités immédiates, non démontrées. Aristote insiste sur la nécessité intemporelle de pareilles vérités, évidentes, non seulement pour nous, comme le sont les phénomènes sensibles, mais « en soi », comme le sont les propositions générales qui rendent compte de ces phénomènes, de leur existence, de leur essence et de leurs propriétés. Il observe aussi que ces vérités appartiennent chacune à un genre particulier, celui de la science particulière qu'elles fondent, et que les principes communs à toutes les sciences (le principe de non-contradiction et du tiers exclu) sont illustrés spécialement dans chacune de ces sciences particulières. Les prémisses sont par ailleurs toujours formellement prédicatives et peuvent avoir pour sujet une substance ou une propriété qui appartient à celle-ci. Or l'appartenance d'une propriété à un sujet peut être démontrée, non l'existence, ni l'essence d'un sujet. Aristote montre longuement que la définition, exprimant ce qu'est essentiellement un sujet, ne peut faire l'objet d'une démonstration stricte, parce que l'essence n'appartient pas au sujet comme une propriété. Il montre, en revanche, comment le moyen terme de la démonstration fournit l'expression de la causalité sous ses quatre modes, formel, matériel, efficient et final. La richesse des détails, souvent obscurs, où entrent ces considérations échappe à tout résumé.

Mais un lien unit les recherches sur le raisonnement et les principes de la démonstration scientifique, exposés dans les *Premiers* et les *Seconds Analytiques,* lesquels se suffisent à eux-mêmes. Les anciens commentateurs ont cependant prétendu trouver à ces textes une introduction, sous la forme d'un court développement consacré à l'étude de la proposition (qui entre dans le syllogisme), lui-même précédé d'un autre développement soi-disant consacré à l'étude des termes (qui entrent dans la proposition). Celui-ci, intitulé tardivement *Catégories*[1], est en réalité un morceau erratique, d'authenticité douteuse, qui réunit principalement une description des quatre genres d'objets signifiés le plus souvent par les mots (substance, quantité, relation et qualité) et un répertoire des formes d'opposition. L'autre texte, intitulé *De l'interprétation*[2], offre, en gros, une analyse des éléments du langage et de leurs différentes combinaisons possibles, notamment « la formule déclarative », vraie ou fausse. Ces deux textes n'ont pas grand-chose à voir entre eux, ni avec les *Analytiques (premiers).*

D'autres textes, assez disparates, ont été tardivement réunis en un ensemble. Ils sont d'un niveau de généralité semblable en ce sens qu'ils prennent pour objet ce qui dépasse l'objet des sciences particulières et qui, substantiellement, tient lui aussi de la forme pure. D'interprétation difficile, ils sont connus, depuis l'Antiquité, sous le nom de *Métaphysiques*[3],

1. Texte éd. (avec celui du *De l'interprétation*) L. Minio Paluello, Oxford, Clarendon Press, 1949 ; trad. fr. des deux textes J. Tricot, Paris, Vrin, 1966.
2. *Cf.* note précédente.
3. Éd. W. Jaeger, Oxford, Clarendon Press, 1957 ; trad. fr. J. Tricot, nouvelle éd. entièrement refondue avec commentaires, 2 vol., Paris, Vrin, 1966.

comme si leur ensemble offrait une suite à la *Physique*.

Le fait est que ces textes, pour une part, prétendent à l'étude d'un objet surnaturel, immuable, dont la nature dépend, ou des principes ultimes de ce qu'il y a de plus « divin » dans la nature (le ciel). Ils font ainsi état d'une sagesse suprême ou d'une « philosophie première », à laquelle serait dévolue pareille connaissance. Ils prétendent, pour une autre part, établir ce qui fait l'unité problématique des genres ultimes où se rangent toutes les réalités signifiées par le langage (substances, quantités, etc.) et où s'inscrivent toutes les sciences particulières, en vertu de leurs objets propres. Ils tracent ainsi le programme d'une « science de l'être en tant qu'être ». Et, dans ce qui s'apparente, sous tous rapports, à une recherche des fondements, communs à toutes les sciences, ils s'attaquent à la justification des axiomes dont il a été question plus haut (principe d'identité ou principe du tiers exclu). Tout ceci participe-t-il du même projet ? On en discute. Avons-nous là, au contraire, différents projets, témoins d'une évolution dans la pensée du philosophe ? On en discute encore davantage.

Les quatorze livres de *Métaphysiques,* identifiés traditionnellement par des lettres grecques, posent chacun des problèmes particuliers, souvent fort graves, qui engagent l'interprétation de l'ensemble. Le livre K (XI), dont l'authenticité est sérieusement contestée, est le meilleur exemple. Il présente, dans sa première partie (1-8), un exposé qui paraît condenser les enseignements de B (III), Γ (IV) et E (VI), à moins que cet exposé ne soit la première version des enseignements développés ultérieurement dans la séquence B-Γ-E ! De toutes les façons, cette séquence est interrompue par l'insertion de Δ (V), qui est une sorte de lexique philosophique rédigé indépendamment. La seconde partie de K (9-12), en revanche, ignore la série capitale des livres Z-I (VII-X) ; elle est constituée artificiellement d'extraits tirés de la *Physique,* II, III et IV (sur le mouvement et l'infini), lesquels, d'autre part, ne peuvent décemment passer pour une introduction à Λ (XII), qui traite de la substance, sensible et non sensible. Bref, l'ensemble est fait de pièces le plus souvent authentiques, mais mal cousues les unes aux autres ou même pas cousues du tout. Le livre A (I) et son appendice suspect (α = II) font office d'entrée en matières et, à la fin, M et N (XIII-XIV) étudient le statut des objets mathématiques, sans constituer une conclusion.

Mais il y a une préoccupation sous-jacente, qui parfois sert de fil conducteur à l'organisation des pièces disparates. Aristote a senti les exigences d'un savoir souverain, d'une sagesse propre à saisir les principes de toutes choses, exigences qu'avait pressenties, avant lui, sans les satisfaire, une longue tradition philosophique (cf. A). Il a relevé les apories que soulèvent toutes les conceptions touchant la nature de ces premiers principes universels (cf. B). Et il s'est efforcé de surmonter leurs difficultés, probablement par plusieurs chemins. À la pluralité, difficilement réductible (cf. I), des genres d'êtres, qui sape les racines de toute certitude, faute de la possibilité de dire « être » univoquement, il a substitué une unité de référence, fournie par l'être substantiel et capable de fonder ultimement chaque certitude dans le principe de non-contradiction (cf. Γ). À la tendance qui consiste à ranger la substance, constitutive de l'être premier, du côté des substrats matériels ou du côté des formes universelles séparées, il a substitué la tendance qui consiste à placer cette substance dans les formes individuelles, matérialisées, mais conçues comme actes ou réalisations (cf. Z-H-Θ). Or il apparaît que tels actes, individuels, correspondent à ce que sont, mais à l'état pur, les substances premières, immatérielles, placées au principe de l'Univers. Car à l'immuabilité transcendante d'un monde idéal mathématisé, double inutile d'un devenir qu'il ne peut causer (cf. M-N), Aristote a tenté de substituer celle d'un genre immatériel de substances noétiques, actes purs capables de soutenir le devenir naturel au titre de causes finales (cf. Λ).

L'unité de toutes ces opérations, hissées au rang d'une science « qui tient du discours sur les dieux » (E, 1026 a 19), reste néanmoins problématique, ainsi que l'interprétation de très nombreux passages recueillis dans *Métaphysiques*. Mais les textes de ce recueil manifestent, en plus spectaculaire, ce que laisse apparaître, à sa façon, chacune des autres collections du *Corpus Aristotelicum*. Celles-ci regroupent le plus souvent, dans un cadre général, un ensemble de questions très particulières, dont l'apparentement n'est pas toujours limpide au premier regard. Il faut, pour lire Aristote avec fruit, la patience de l'œil exercé.

Richard BODÉÜS

BIBLIOGRAPHIE

Le *Corpus* des textes grecs attribués à Aristote, édité au XIXe siècle par l'Académie de Prusse (*Aristotelis opera*, 5 vol., Berlin, 1831-1870), a été réédité récemment par O. GIGON (5 vol., Berlin, W. De Gruyter *et alii*, 1960-1987). Les deux premiers volumes de cette réédition (1960) reproduisent le travail d'I. BEKKER et contiennent les œuvres conservées plus ou moins intégralement ; leurs pages, colonnes et lignes sont indiquées depuis Bekker dans toutes les éditions de chacune de ces œuvres et servent universellement de référence ; le troisième volume (1987) présente une nouvelle collection de tous les fragments d'œuvres perdues, collection effectuée par GIGON ; le quatrième volume (1961) reproduit l'édition, par A. BRANDIS, de notes anciennes (scolies) à plusieurs ouvrages, ainsi que le commentaire de SYRIANUS aux *Métaphysiques* édité par H. USENER, et il contient, en outre, la *Vita (Aristotelis) Marciana*, éditée par GIGON ; quant au cinquième volume (1961), il reproduit l'irremplaçable *Index Aristotelicus*, dressé par H. BONITZ en 1870. On a signalé en notes, à propos de chaque œuvre réputée authentique, l'édition aujourd'hui la plus usuelle, ainsi que les traductions françaises les plus courantes, en donnant la préférence, là où elles existent, aux éditions bilingues (grec-français) de la « Collection des Universités de France », publiée à Paris par la société d'édition Les Belles Lettres.

COMMENTAIRES : Pour une introduction générale à la philosophie d'Aristote, nous renvoyons en priorité à J. MOREAU, *Aristote et son école*, 2e éd., Paris, PUF, 1986. Une bibliographie sommaire d'ou-

vrages en langue française consacrés à Aristote est fournie par
P. AUBENQUE à la suite de son article *Aristote* dans le *Dictionnaire
des philosophes,* sous la direction de D. HUISMAN, t. I, Paris, PUF,
1984, p. 118-119. Pour l'état de nos connaissances sur la plupart
des sections du *Corpus,* voir provisoirement la notice *Aristote* dans le
Dictionnaire des philosophes antiques, publié sous la direction de
R. GOULET, t. I, Paris, Éditions du CNRS, 1989, p. 413-590. Cette
notice, toutefois, ne considère pas les œuvres éthico-politiques ; à
leur sujet, voir notre livre *Le Philosophe et la cité. Recherches sur les
rapports entre morale et politique dans la pensée d'Aristote,* Paris, LBL,
1982.

ARNAULD ET NICOLE

La Logique ou l'Art de penser

La Logique ou l'art de penser, publiée sous une première forme en 1662 et augmentée jusqu'en 1683, exprime l'enseignement des Petites Écoles de Port-Royal, même si elle fut d'abord écrite, à l'occasion d'une sorte de pari, pour le duc de Chevreuse, fils du traducteur des *Méditations* de Descartes, le duc de Luynes. La science du grand Arnauld, habile à l'examen des idées, y est constamment tempérée par les analyses du moraliste Nicole. Dite « Logique de Port-Royal », la *Logique* n'est cependant pas du tout un manuel de jansénisme, sans se confondre non plus avec ce que nous entendons aujourd'hui par « logique ». Organisée autour d'un plan, selon les quatre opérations de l'esprit, concevoir, juger, raisonner, ordonner, qui n'est pas original, elle mêle constamment les vues nouvelles — au nombre desquelles on peut compter, par exemple, une théorie du pronom[1], ainsi qu'une analyse des concepts selon la distinction de l'extension et de la compréhension[2] — aux héritages de la tradition comme aux inventions de la philosophie moderne, Descartes et Pascal en tête.

La logique est un art de penser. Cela ne signifie pas du tout qu'il faudrait, pour penser, une nouvelle et

1. *Cf.*, en particulier, II, 1 et II, 12.
2. *Cf.* I, 5-6.

astucieuse technique, dont les recettes seraient
insoupçonnées, et qu'en attendant cette invention
nous penserions toujours mal. Au contraire, l'art ne
s'oppose pas ici à la nature. Nous pensons selon des
règles que nous suivons naturellement. Ordinairement, le bon sens n'a pas besoin des béquilles
d'une logique pour se débrouiller[1]. On pratique ainsi
la logique sans le savoir. Aussi ne faut-il pas dire
que pour bien penser nous devons suivre les règles de
la logique, mais plutôt que nous tirons les règles
de la logique de notre manière naturelle de penser. La
logique savante n'est qu'une réflexion de la logique
spontanée. Elle nous permet une « nouvelle attention[2] », une attention supplémentaire. Seules les défi-
ciences de la première attention naturelle peuvent la
rendre nécessaire. En cela, la logique doit être formulée pour nous permettre d'éviter l'erreur. Cette
nouvelle attention, outre cette nécessité, a aussi l'intérêt de nous aider à mieux nous connaître nous-
mêmes, c'est-à-dire notre esprit. Outre cet intérêt, elle
a enfin son urgence : bien penser, ce n'est pas seulement conduire comme il convient sa raison dans les
sciences, mais aussi mener son jugement dans la vie.
Arnauld et Nicole entendent par là les affaires pratiques, mais également la grande affaire de notre salut[3].
Les fausses idées sont « infiniment plus dangereuses[4] »
en morale qu'en physique.

L'art de penser est une morale accomplie. Si
Arnauld et Nicole doivent beaucoup au *Discours de la
méthode* et reprennent les quatre règles cartésiennes, il
reste que, comme ils les détachent du projet de constitution d'une métaphysique, ils n'ont pas besoin
d'une morale par provision. Il s'agit de s'appliquer, à
la fois dans la pratique et dans la connaissance, et sans

1. Par exemple, p. 60 : « Tout cela se fait naturellement, et
quelquefois mieux par ceux qui n'ont appris aucune règle de
logique, que par ceux qui les ont apprises. »
2. *Ibid.*
3. *Cf.* les dernières lignes de la *Logique*.
4. I, 10, p. 109.

attendre, à son métier d'homme, c'est-à-dire d'honnête homme et de chrétien. C'est une seule logique qui s'occupe de nos actions et de nos raisons, ce qui ne l'empêche pas de se terminer sur la distinction entre une certitude morale, c'est-à-dire probable, qui convient au domaine de l'histoire, et une certitude métaphysique, propre au domaine de la science. Car, que l'on se fonde sur l'autorité du témoignage ou sur l'évidence directe de la raison, une même attention règle nos jugements : la croyance « souvent n'est pas moins certaine ni moins évidente en sa manière[1] » que la science ; en particulier, la certitude de la foi divine est absolue.

Au fondement de cette conception de la logique, il y a une définition de la raison : elle n'est rien d'autre que le bon sens, c'est-à-dire cette lumière naturelle qui nous fait connaître toutes les choses selon l'évidence, et dont le ressort, pour Arnauld et Nicole, est dans l'exactitude ou application attentive de l'esprit à ses objets. La raison ne se définit donc pas par une capacité de calcul ou de démonstration, mais essentiellement par l'attention à nos idées. Elle ne consiste pas dans l'exercice des sciences, car celui-ci n'est qu'une application particulière et, plus généralement, les sciences, soupçonnées de vanité, sont comme rien devant la sagesse. Certes, Arnauld et Nicole comptent au nombre des quatre opérations de l'esprit *raisonner* et *ordonner,* reprennent, pour le raisonnement, la syllogistique aristotélicienne[2], et, pour la disposition des raisonnements en un ordre, les règles cartésiennes de la méthode ; mais le vrai fond de leur logique est éloigné de ces théories de la démonstration et de la science, et se tient plutôt dans les deux opérations plus élémentaires de l'esprit, *concevoir* et *juger,* c'est-à-dire avoir une idée et articuler les idées en un jugement. On remarquera ainsi qu'il est question de l'er-

1. IV, 12, p. 409.
2. On ne devra lire les chapitres 2-16 de la troisième partie qu'avec, pour règle, l'idée que la théorie des syllogismes vaut comme simple exercice.

reur — seul problème qui peut rendre nécessaire la
formulation de la logique — principalement dans les
deux premières parties. L'erreur, en effet, provient de
ce que nos idées sont jointes à des signes linguistiques[1], de ce que notre esprit est uni à un corps[2], correspond à une équivoque dans la formation des propositions complexes[3] ; dans tous les cas elle se ramène
à une confusion, un *quiproquo* de l'esprit. La question
du raisonnement n'est donc plus l'essentiel de la logique : « La plupart des erreurs des hommes (...) viennent bien plus de ce qu'ils raisonnent sur de faux
principes, que non pas de ce qu'ils raisonnent mal
suivant leurs principes[4]. » Quant à la question de
l'ordre, même si « la dernière partie de la logique, qui
regarde la méthode (...), est sans doute l'une des plus
utiles et des plus importantes[5] », il faut maintenir que
ses règles se réduisent à l'exigence d'une exactitude du
jugement.

La logique d'Arnauld et Nicole, si elle n'est que le
bon sens mis en discours, n'a évidemment rien d'une
logique formelle. Le langage est extérieur à une
pensée dont il est l'instrument souvent périlleux. C'est
un vêtement toujours capable de dissimuler ce qu'il
doit signifier. Déjà la *Grammaire générale et raisonnée*
(1660) d'Arnauld et Lancelot supposait, derrière la
diversité des grammaires particulières, les mêmes opérations de l'esprit, impliquait un art de penser indépendant des langues naturelles. La *Logique* pousse
cette voie à son terme, assoit la pensée sur l'évidence
interne des enchaînements des idées, estime superflue
la médiation du formalisme et des symboles. La décision apparaît dès le *Premier Discours :* la marque de la
vérité est la clarté, qui est comme sa lumière[6]. Autant

1. I, 11-15.
2. I, 9-10.
3. II, 5-8. *Cf.*, en particulier, II, 7 : « Et l'on peut même dire que
c'est de là que naissent la plupart de nos erreurs... », p. 172.
4. III, introd., p. 231.
5. IV, introd., p. 357.
6. P. 40.

dire que la vérité n'a pas de marques, et que le seul remède que l'attention puisse trouver à l'erreur est dans l'exercice même de l'attention. Que la vérité soit *éprouvée* marque à la fois l'intention et la limite du projet d'Arnauld et Nicole.

Le lecteur peut être tenté de ne voir dans *La Logique ou l'Art de penser* qu'un mélange curieux de Descartes et de Pascal, en particulier du *Discours de la méthode* et de *De l'esprit géométrique* qu'Arnauld et Nicole lurent sous une forme manuscrite. N'affirme-t-elle pas elle-même que « l'arrangement de nos diverses connaissances est libre comme celui des lettres d'une imprimerie » et qu'« il suffit qu'une matière nous soit utile pour nous en servir, et la regarder, non comme étrangère, mais comme propre[1] » ? Cependant, si le *besoin* commande la réutilisation, les textes de Descartes et de Pascal subissent une déformation qu'expliquent les intérêts propres de la *Logique.* On se bornera à en relever deux exemples. Le *cogito* est ainsi complètement détaché de sa place dans l'ordre des raisons cartésien, ne vaut plus que comme exemple d'idée évidente[2] et comme argument contre le sensualisme. L'opposition de l'analyse et de la synthèse[3], de même, est réduite à une simple réversibilité entre deux méthodes, l'une ascendante, l'autre descendante ; est de la sorte abandonnée l'idée cartésienne d'une différence qualitative entre les deux démarches, et la primauté de l'analyse pour l'invention. La *Logique de Port-Royal* n'est assurément pas un simple collage. Elle poursuit constamment un intérêt qui lui est propre et qui, s'il n'est certainement pas spéculatif, n'est pas vraiment logique, mais pratique et apologétique. Et quand elle doit, comme dans sa troisième partie (dont le long dernier chapitre, œuvre de moraliste, trouve « beaucoup plus utile » d'étudier le raisonnement dans les mœurs que dans les sciences), reprendre une théorie des syllogismes qui, dans la tra-

---

1. P. 44.
2. Par exemple, en I, 9, p. 101-102 et IV, 6, p. 389.
3. IV, 2-4.

dition, constituait le cœur de la logique, elle ne se décourage pas, mais poursuit sa fin jusque dans le choix de ses exemples :

S'il y a un Dieu, il le faut aimer :
Or il y a un Dieu ;
Donc il le faut aimer.

Laurent JAFFRO

BIBLIOGRAPHIE

ÉDITION DE RÉFÉRENCE : *La Logique ou l'art de penser*, éd. de 1683, préfacée par L. MARIN, Paris, Champs-Flammarion, 1970.

COMMENTAIRES : SAINTE-BEUVE, *Port-Royal*, 1840-1859, Paris, rééd. Gallimard, 1964 (en particulier le livre IV, chap. 3). L. MARIN, *La Critique du discours. Sur la « Logique » de Port-Royal et les « Pensées » de Pascal*, Paris, Minuit, 1975. J.-C. PARIENTE, *L'Analyse du langage à Port-Royal, six études logico-grammaticales*, Paris, Minuit, 1985.

Saint Augustin

Les Confessions
Le Maître
La Trinité
La Cité de Dieu

Un saint parmi les philosophes : voilà qui étonne plus d'un de nos contemporains qui, privilégiant la pure rationalité, serait plutôt porté à se méfier de la sainteté en matière de philosophie. Il ne s'agit pas là pourtant d'une donnée secondaire dont on pourrait faire abstraction quand on étudie l'œuvre d'Augustin. Sa pensée est en effet indissociable de son existence : elle prend sa source dans sa conversion. Né en 354 en Afrique du Nord, Augustin était citoyen romain ; il suivit le cursus traditionnel de l'éducation libérale antique et devint professeur de rhétorique ; ayant obtenu un poste à Milan, où résidait l'empereur, il envisageait une brillante carrière... Mais c'est là qu'il se convertit en 386, ce qui orienta bien différemment son existence. De retour en Afrique, il devint prêtre, puis évêque de la ville d'Hippone en 395. Jusqu'à sa mort, il ne cessa de défendre la foi chrétienne et laissa une œuvre immense. Augustin est le témoin de la fin d'un monde : il connut la prise de Rome en 410 et mourut en 430 dans Hippone assiégée par les Vandales. Il est aussi contemporain du triomphe du christianisme : l'Empire est officiellement chrétien et le paganisme, s'il reste vivant, n'y est plus autorisé.

Pour Augustin, la philosophie est quête de la sagesse : c'est un idéal de vie autant que de pensée. Son œuvre s'inscrit, de ce point de vue, dans le cadre téléologique de la philosophie antique : la fonction première de la philosophie est de déterminer le télos de l'existence humaine, c'est-à-dire sa fin, son but suprême, ce qui rendra l'homme véritablement heureux.

L'*Hortensius* de Cicéron l'enflamme à l'âge de dix-neuf ans de l'amour de la sagesse ; après une longue phase manichéenne, la lecture des « Platoniciens », c'est-à-dire de Plotin et de Porphyre, l'initie à la réflexion de l'esprit sur lui-même et le libère d'une conception matérialiste de Dieu : il découvre alors l'Être éternel et immuable, réalité immatérielle transcendant son esprit. Lui restait à trouver la voie qui lui permettrait de « jouir » durablement de Dieu ; la lecture de saint Paul eut un rôle décisif ; il découvrit dans le Christ « la Voie qui conduit à la patrie bienheureuse ». Identifiant le Verbe de l'*Évangile de Jean* à la Sagesse de l'*Hortensius* et à l'Intelligence plotinienne, il avait trouvé le principe de cohérence de sa philosophie. Un tel principe exclut à l'évidence la distinction scolastique de la philosophie et de la théologie. La foi ne met pas en cause l'exercice de la raison, elle l'ouvre à un ordre qui la dépasse ; l'homme accède ainsi à l'intelligence de la foi.

L'œuvre d'Augustin ouvre un itinéraire : un itinéraire à faire soi-même si on veut entrer dans sa philosophie, car elle est moins un système qu'une quête inlassable de Dieu qui requiert une transformation du sujet. Les ouvrages majeurs sont à lire en ce sens, qu'il s'agisse des *Confessions*, de *La Trinité* ou de *La Cité de Dieu* ; il en est de même des dialogues de jeunesse, dont on retiendra ici un exemple, *Le Maître*.

★

★ ★

Le titre des *Confessions* en indique le propos, à condition toutefois de ne pas l'associer d'emblée aux *Confessions* de Jean-Jacques Rousseau ! Le mot signifie à la fois aveu et louange : dans les *Confessions*, Augustin avoue à Dieu ses péchés et le loue pour sa miséricorde. L'œuvre tout entière est adressée à Dieu ; elle est même un dialogue avec Dieu, car Augustin s'y laisse aussi enseigner par lui. Au dire de leur auteur, les *Confessions* « excitent vers Dieu l'esprit et le cœur de l'homme ». Elles ne sont donc pas tant à lire qu'à vivre comme des exercices spirituels. Peuvent-elles alors concerner un incroyant ? Augustin ne l'exclut pas : s'il s'adresse d'abord à ceux qui partagent sa foi, il désire aussi ranimer le cœur de ceux qui désespèrent d'atteindre Dieu. La foi n'est donc pas un préalable requis ; pour ne pas rester extérieur à l'œuvre, le lecteur doit du moins trouver en lui-même un écho de la quête d'Augustin.

Le succès des *Confessions*, qu'Augustin rédigea vers 397-400, fut considérable : après la mise en circulation des neuf premiers livres qui racontent son itinéraire jusqu'au baptême, les lecteurs demandèrent, semble-t-il, une suite... Les quatre derniers livres ne sont donc plus une confession du passé, mais du présent : l'évêque confesse ce qu'il sait et ignore de lui-même et des Écritures[1]. Cette seconde distinction semble rompre l'unité des *Confessions* : quel lien y a-t-il entre les dix premiers livres, où Augustin médite sur sa vie, et les trois derniers, où il commente le récit de la création ? Ce récit confère en fait tout son sens à l'itinéraire personnel de conversion et de re-création, car il lui donne une dimension cosmique. La Bible est la grille de lecture qu'Augustin applique à sa propre existence.

Il faut être conscient de la nouveauté de l'œuvre au Ve siècle : ce n'est pas la première autobiographie, mais le ton en est neuf. Loin de proposer une version

---

1. *Cf. Confessions*, X, 3-5, p. 204-206 et XI, 2, p. 253.

idéalisée de sa vie, Augustin expose ses faiblesses ; il
s'interroge avec anxiété sur ses motivations ; il se
découvre obscur à ses propres yeux, il est pour lui-
même une « terre de difficultés » ; pourtant, note
Augustin, « qu'y a-t-il de plus près de moi que moi-
même[1] ? » Dans cette exploration intérieure de soi par
soi, on a souvent vu l'émergence de la subjectivité
moderne ; ce qui est exact, à condition de ne pas
méconnaître que le sujet qui advient ici est un sujet en
relation avec Dieu : c'est un Je humain qui dialogue
avec le Tu divin d'une façon neuve, un Je qui est
constitué par ce dialogue, loin de se fondre dans l'Un
à la manière de Plotin par exemple.

Les *Confessions* sont plus qu'une autobiographie : en
s'appuyant sur l'Écriture et en utilisant des schèmes
plotiniens, Augustin dégage la portée universelle de
son expérience d'une façon qui annonce l'existentialisme ; il invite tout homme à se reconnaître en lui. La
correspondance entre l'inquiétude que mentionne
l'introduction — « Tu nous as créés pour toi et notre
cœur est inquiet jusqu'à ce qu'il repose en toi[2] » — et
le repos éternel qu'évoque la conclusion éclaire le parcours de toute existence humaine. L'inquiétude, qu'il
faut entendre en un sens ontologique, caractérise l'état
de l'homme en marche vers sa fin, c'est-à-dire vers
Dieu, en qui seul il peut trouver le repos, la plénitude
de son être ; il est un être de désir, constitué par
l'orientation vers Dieu, qu'il en soit conscient ou non.
Connaissance de soi et connaissance de Dieu s'avèrent alors indissociables, comme le montre l'analyse
de la mémoire au livre X. La mémoire n'est pas tant la
faculté de rappeler le passé que l'esprit en sa source ;
Augustin veut provoquer chez son lecteur un effroi
devant ses profondeurs, afin de le préparer à y voir un
« sanctuaire » : si « l'esprit est trop étroit pour
s'étreindre lui-même[3] », c'est qu'il est fait pour plus
grand que lui-même. La présence de Dieu est décou-

1. *Confessions,* X, 16, p. 219.
2. *Ibid.,* I, 1, p. 15.
3. *Ibid.,* X, 8, p. 211.

verte en soi, mais dans un mouvement de dépassement de soi : Dieu est « plus intérieur en moi que mon
fond le plus intime et plus élevé que les cimes de
moi-même[1] ». L'analyse permet en outre d'éclairer le
paradoxe de la recherche ; on ne saurait chercher ce
dont on n'a aucune idée ; comment donc chercher
Dieu si on ne l'a pas déjà trouvé ? Augustin répond en
découvrant dans la mémoire les notions de bonheur et
de vérité : notions si fermes qu'elles suscitent en
chacun un désir et qu'elles l'orientent à son insu vers
Dieu, seule source du bonheur et de la vérité. Une
telle équivalence, toutefois, reste souvent problématique, car on veut le bonheur et la vérité sans en vouloir toujours les conditions. Comment expliquer un tel
écart ?

La condition actuelle de l'homme est une condition
d'errance : il se disperse et s'aliène dans le sensible, il
se méconnaît lui-même et ignore Dieu, il éprouve une
insatisfaction que rien ne peut combler. Le livre II en
propose une explication : le récit du vol des poires
cherche en effet à saisir le mal en sa racine dans l'acte
d'une volonté qui se choisit elle-même contre Dieu.
L'abîme de la volonté mauvaise qui est capable de
choisir le mal pour le mal révèle en creux l'infini de la
liberté humaine qui est faite pour Dieu[2]. L'*auersio Dei*
par laquelle le sujet se détourne de Dieu est donc
peruersio, orientation à contresens, mensonge ontologique : il fait comme s'il pouvait se suffire, alors qu'il
ne peut se suffire que de Dieu. Il en résulte une aliénation progressive : en projetant l'infini de son désir
sur le fini, l'homme enchaîne sa liberté au créé et
devient esclave de la passion[3]. La dispersion dans le
sensible le rend à son tour incapable de connaître sa
vraie nature et d'avoir de Dieu une idée juste.

L'homme ne peut donc revenir à Dieu si Dieu ne
l'illumine et ne le libère. A l'*auersio* qui l'a détourné de
son Créateur, doit correspondre une *conuersio* qui le

1. *Ibid.*, III, 6, p. 57.
2. *Ibid.*, II, 6, p. 44-46.
3. *Ibid.*, VIII, 5, p. 161.

retourne vers lui, mais qui suppose à la fois l'action de la grâce divine et l'adhésion de la liberté humaine. La grâce est la présence de Dieu, présence aimante qui n'abandonne jamais l'homme et ne cesse de le conduire « d'une manière admirable et secrète[1] », extérieurement — par les événements, les rencontres, les lectures, etc. — et intérieurement — par des attraits. L'initiative divine est toujours première, mais elle sollicite une réponse libre, la foi par laquelle l'homme adhère à la vérité révélée et se conforme à la volonté divine. Les livres VII et VIII racontent ce moment décisif de la conversion dans l'itinéraire d'Augustin : la découverte de la transcendance divine et de la « Voie », c'est-à-dire du Christ, d'une part, la libération des liens de la passion, d'autre part. La grâce n'est donc pas à penser en opposition à la liberté ; elle est au contraire ce qui rend à l'homme son libre arbitre[2] : l'attrait divin réunifie en effet le vouloir jusque-là divisé et lui rend son efficacité ; il lui donne de triompher sans peine de l'attachement désordonné aux créatures qui l'avait enchaîné et l'ordonne à nouveau à sa fin transcendante.

L'itinéraire de retour vers Dieu prend sa pleine signification dans la réflexion des livres XI à XIII sur la création. Celle-ci est l'acte par lequel Dieu suscite le monde à partir du néant ; dans le cas de l'esprit, elle n'est pas seulement don de l'être, elle est aussi formation par conversion vers Dieu. La conversion dans l'histoire de l'homme est donc une reprise de la conversion ontologique initiale qui constitue l'esprit comme esprit. La création implique un commencement : on ne peut donc la penser sans préciser les rapports de l'éternité et du temps. « Que faisait Dieu avant de créer le ciel et la terre[3] ? » Confronté à cette question, Augustin répond en opposant l'éternité au temps afin d'exclure une compréhension temporelle de cet « avant ». L'éternité n'est pas un temps indéfini,

---

1. *Confessions*, V, 6, 10, p. 93.
2. *Ibid.*, IX, 1, p. 177-178.
3. *Ibid.*, XI, 10, p. 260.

mais la simultanéité de la présence qui transcende toute forme de succession ; elle caractérise l'Être même, c'est-à-dire Dieu. Par opposition, le temps est le propre des créatures dont l'être procède du néant et dont la mutabilité atteste la contingence. La réflexion sur le temps se heurte à des apories : comment est-il ? et comment le mesurer s'il n'est pas ? Elle aboutit aux conclusions suivantes : l'être du temps est de tendre au non-être ; il ne peut donc être mesuré que dans l'esprit humain qui se tourne à la fois vers le passé par la mémoire, vers le présent par l'attention et vers le futur par l'attente, autrement dit par une *distentio* de l'esprit qui se tend en des directions opposées, tout en demeurant dans une même *intentio*. Au terme de l'analyse, le couple *distentio/intentio* se charge d'un sens existentiel : la *distentio* caractérise le temps de l'errance qui est éparpillement, destruction, exil ; l'*intentio,* par contre, confère au temps une valeur positive, car elle est unification de l'existence, mais elle suppose une *extensio* vers l'éternel, car l'homme ne peut trouver son unité et son identité véritable qu'en s'étendant vers la Vérité divine[1].

*
* *

Cette tension vers la Vérité divine anime *Le Maître,* ouvrage rédigé par Augustin peu après sa conversion, entre 388 et 391. Il s'agit d'un dialogue avec son fils Adéodat, qui fut emporté par la maladie en 389, à l'âge de dix-sept ans ; le jeu des questions et des réponses évoque la maïeutique socratique.

Le lecteur est surpris par l'évidente disproportion entre les longs développements d'ordre linguistique chargés d'introduire le sujet et la finale très brève, consacrée au maître intérieur, qui donne son titre au dialogue. Cette dissymétrie est volontaire : les lenteurs initiales ne sont pas un jeu, mais plutôt un prélude

1. *Ibid.,* XI, 29-30, p. 279-280.

d'ordre ascétique, un exercice qui doit préparer l'esprit encore faible à soutenir et à aimer la lumière de la Vérité divine[1]. Peu avant la rédaction de l'ouvrage, Augustin avait écrit des livres sur les arts libéraux dont le but était d'utiliser les choses corporelles comme des degrés pour parvenir aux choses incorporelles : dans un esprit similaire, l'étude critique du langage extérieur sert ici de moyen pour s'élever jusqu'à l'écoute du maître intérieur.

La question initiale porte sur le but du langage. La réponse immédiatement proposée : « En usant du langage, nous ne visons d'autre but que d'enseigner[2] », détermine l'objet du dialogue. Peut-on vraiment enseigner par les mots, c'est-à-dire par les signes ? On pressent l'enjeu de la question : si la réponse est négative, les maîtres humains ne mériteront pas le nom de maître... Le dialogue se conclut de fait en affirmant que le seul maître est la Vérité divine, c'est-à-dire le Christ, qui enseigne chacun intérieurement[3].

La progression exacte de l'argumentation est peu facile à discerner et reste controversée. Notons toutefois que le passage du dialogue au discours continu correspond à « un examen plus attentif[4] ». On peut y voir l'indice d'une argumentation en deux temps : le premier examine, dans le cadre d'une distinction tripartite, si on peut montrer une chose sans signe et conclut que « rien ne peut être enseigné sans signe » ; après la mise en cause de ce résultat, le second temps établit que rien ne s'enseigne par les signes ; il en résulte que « les mots ne font que nous avertir pour que nous cherchions les choses » et qu'on apprend les choses par les choses elles-mêmes, en les percevant par les sens s'il s'agit d'objets sensibles et en les contemplant dans la lumière intérieure de la Vérité s'il s'agit de réalités intelligibles[5]. La conclusion s'impose

---

1. *Le Maître*, 8, 21, NBA 2, p. 56-57.
2. *Ibid.*, 1, 1, p. 27.
3. *Ibid.*, 14, 45-46, p. 84-85.
4. *Ibid.*, 10, 31-33, p. 70-72.
5. *Ibid.*, 11, 36, p. 75 et 12, 39-40, p. 77-81.

alors : pour tout ce que nous comprenons, le seul maître est la Vérité qui préside intérieurement à l'esprit.

Les théories linguistiques contemporaines ont renouvelé l'intérêt pour les réflexions d'Augustin sur le langage : on a relevé le souci de situer le langage dans le champ plus large de la communication, la stricte distinction de la phonétique et de la sémantique, la définition précise du mot — « ce qui est proféré comme son de voix articulé avec une signification » — ou encore les remarques relatives à la métadésignation, à l'autodésignation et à l'interdésignation[1]. Il ne faut pas majorer l'importance de ces développements. Augustin tire ici parti des acquis de la grammaire de son temps à des fins philosophiques. Ce qui lui importe, ce n'est pas tant le signe que son usage : il met en cause sa fonction cognitive et lui assigne seulement une valeur d'avertissement ou de remémoration ; il n'entend pas nier pour autant l'utilité du langage ; s'il le réduit à son extériorité en dissociant les caractères phonétique et sémantique du mot, c'est pour dissiper l'illusion d'une communication horizontale et révéler l'intériorité, la profondeur de l'esprit.

La visée majeure du dialogue est en effet de manifester la présence du maître intérieur. Pour expliquer la connaissance, Augustin ne fait pas appel, comme Platon, à la théorie de la réminiscence et à l'hypothèse d'une existence antérieure — il les exclut explicitement dans son traité sur *La Trinité ;* il affirme au contraire une illumination actuelle par le Christ présent en l'âme. On peut s'étonner qu'il ne développe pas davantage le mécanisme de la connaissance ; mais là n'est pas son propos. C'est une dépendance ontologique qu'il veut établir : tout comme nous tenons de Dieu notre être, nous dépendons de lui pour connaître. La distinction plus tardive entre la philosophie et la théologie, entre l'ordre naturel de la raison et l'ordre surnaturel de la foi n'a pas de sens ici : toute

1. *Ibid.*, 4, 7, p. 36 ; 8, 22, p. 57-59 ; 4, 9 - 5, 11, p. 39-43.

connaissance de la vérité procède ultimement de l'illumination de l'homme par la Vérité divine, qu'il le sache ou non.

*
* *

Commencé vers 400, alors qu'Augustin achevait les *Confessions,* le traité intitulé *La Trinité* est aussi un effort pour s'élever jusqu'à la contemplation de Dieu ; il fut terminé plus de vingt ans après, car Augustin, conscient de sa difficulté, préférait donner la priorité à des œuvres utiles au plus grand nombre. Lassés d'attendre, des disciples en volèrent une copie et éditèrent les onze premiers livres et le douzième alors inachevé. Augustin aurait abandonné son œuvre sans les instances de ses amis, car il tenait à publier ensemble ces livres qui sont liés les uns aux autres par le progrès de la recherche.

Tout chrétien est baptisé au nom du Père, du Fils et du Saint Esprit ; il ne croit pourtant qu'en un seul Dieu. Comment tenir à la fois l'un et l'autre ? Le but du traité est de « justifier l'affirmation selon laquelle la Trinité est l'unique, le seul, le vrai Dieu, et d'expliquer qu'il est correct de dire, de croire, de comprendre que le Père, le Fils et l'Esprit Saint sont d'une seule et même substance ou essence[1] ». La foi est la base de la recherche : il ne s'agit pas de supprimer le mystère pour le rendre acceptable par la raison, mais il faut en chercher l'intelligence avec l'aide de Dieu.

L'ouvrage comporte deux parties : la première (livres I-VII), d'ordre dogmatique, expose et défend la foi trinitaire en s'appuyant sur l'autorité des Écritures (I-IV), puis sur la raison (V-VII) ; les quatre premiers livres traitent des théophanies et des missions du Fils et de l'Esprit Saint, les trois suivants réfutent l'argumentation des ariens qui soumettaient le dogme trinitaire à la logique aristotélicienne ; la seconde partie

1. *La Trinité,* I, 2, 4, BA 15, p. 95.

(livres VIII-XV), d'ordre spirituel, s'efforce d'accéder à l'intelligence du mystère, « d'une façon plus intérieure », par une recherche de l'image de la Trinité dans l'esprit humain. Elle sera ici privilégiée.

Cette seconde partie est d'abord une *exercitatio animi*. N'y voir qu'une suite d'analogies psychologiques de la Trinité laisse inexpliquées les lenteurs de la progression et la difficulté de concilier en un tout cohérent les analogies proposées. Il est essentiel d'y voir un « exercice » : on ne peut contempler directement « la souveraine Trinité qui est Dieu » sans être ébloui ; il faut au préalable « exercer son intelligence sur les choses inférieures » et « s'élever comme de degré en degré[1] ». Dans ce mouvement d'anagogie, chaque image trinitaire est critiquée et dépassée dans une autre ; les dernières analogies s'avèrent elles aussi incommensurables avec le mystère qu'elles s'efforcent d'approcher, car les dissemblances sont plus fortes que toutes les ressemblances ; la recherche ne peut s'y arrêter comme en un terme définitif ; le mystère n'est entrevu qu'« à travers un miroir et en énigme[2] ». Méconnaître ce dynamisme anagogique expose à des incompréhensions : on risque de figer la recherche en une théorie nécessairement déficiente ; on passe en outre à côté de l'essentiel, car c'est dans le mouvement qui la tend vers Dieu que l'âme est le plus ressemblante à son Créateur. L'exercice dont il s'agit est en effet d'ordre spirituel : l'âme contemple la Trinité à la mesure de sa ressemblance à elle, c'est-à-dire de sa participation à sa vie, car seul le semblable connaît le semblable ; on ne connaît pas Dieu comme un objet quelconque, mais en se laissant transformer par lui. L'exercice spirituel est ici sous-tendu par une anthropologie : l'âme ne pourrait chercher à connaître Dieu si elle n'était créée à son image, c'est-à-dire si elle n'était créée capable de lui et appelée à participer à lui ; elle est image de la Trinité en ce qu'« elle se

1. *Ibid.*, XV, 6, 10, BA 16, p. 443-445 ; XIII, 20, 26, p. 341.
2. *Ibid.*, XV, 8, 14 - 9, 16, p. 457-463.

souvient d'elle-même, se comprend et s'aime », mais
plus encore en ce qu'« elle peut se rappeler, comprendre et aimer celui par qui elle a été faite[1] ». L'ouverture sur l'infini caractérise si fondamentalement
l'homme qu'elle est universelle et inaliénable ; elle
explique qu'il soit pour lui-même un mystère, car il ne
peut se comprendre qu'en référence à celui dont il est
l'image. Il peut certes défigurer en lui cette image,
mais il ne peut la détruire : il reste alors capacité,
désir, mais cherche en vain à se suffire de lui-même ou
du monde, car Dieu seul lui suffit[2]. Aussi a-t-il besoin
d'un salut afin d'être reformé à l'image de Dieu et de
pouvoir se réorienter vers lui. La nature humaine est
donc définie de façon théocentrique et existentielle :
ce qu'est l'homme à chaque moment de son existence
dépend de la manière dont il vit la relation à son
Créateur.

Il est impossible de retenir ici les apports spécifiquement théologiques du traité : la doctrine des relations trinitaires, celle du Verbe, etc. Mais il faut souligner qu'il a marqué de façon décisive la pensée
occidentale en lui révélant ce qu'est l'intériorité spirituelle ; Descartes ou Husserl, par exemple, ont
bénéficié, sur ce point, de l'héritage augustinien.
Qu'on lise le livre X. On y reconnaît des thèmes
néoplatoniciens : la connaissance de soi est identifiée
à l'acte de connaître, elle n'implique nullement la
distinction dans l'âme d'une partie connaissante et
d'une partie connue, elle n'est véritable que si l'âme
se sépare du sensible et rentre en elle-même. Mais on
y trouve aussi une argumentation qui annonce Descartes : Augustin, comme Descartes, s'appuie sur la
certitude immédiate de la pensée pour en déduire la
spiritualité de l'âme ; c'est par un acte de la pensée
pure que l'âme se saisit comme existante ; pour
savoir ce qu'elle est, il lui suffit de distinguer « ce
qu'elle sait avec certitude » de « ce qu'elle se figure »,

1. *La Trinité*, XIV, 8, 11, p. 375 ; XIV, 12, 15, p. 387.
2. *Ibid.*, XIV, 16, 22, p. 405 ; X, 5, 7, p. 134.

donc d'écarter les connaissances qui lui viennent par les sens ; elle sait alors qu'elle n'est pas un corps[1]. L'analyse augustinienne de l'âme n'est plus un chapitre de l'ontologie ou de la cosmologie comme dans le néoplatonisme ; elle est prise de conscience de soi, quête de « mon » âme, non de l'âme en général. Elle opère le passage de l'âme antique au moi moderne.

*
* *

C'est encore un itinéraire vers Dieu qu'ouvre *La Cité de Dieu ;* mais dans cette « œuvre immense et difficile », la réflexion s'élargit aux dimensions de l'histoire. Un événement historique en fut l'occasion : le sac de Rome par Alaric, le 24 août 410. Les païens attribuèrent la chute de la Ville éternelle aux temps chrétiens et à l'interdiction de leur culte. Leur réaction, très significative de la conception antique de la cité où le politique et le religieux étaient inséparables, explique que la question majeure de *La Cité de Dieu* porte sur la « vraie religion » : est-ce le culte païen traditionnel ou bien est-ce le christianisme ?

L'ouvrage s'adresse aux chrétiens, qu'Augustin espère confirmer dans leur foi, mais surtout aux païens, qu'ils soient déjà attirés par le christianisme ou encore attachés à leur tradition religieuse : il s'agit de les convaincre des insuffisances de leur religion et de les amener à reconnaître la valeur du christianisme. Le combat d'Augustin dans *La Cité de Dieu* n'est pas un combat d'arrière-garde. Il s'appuie certes sur une étude archaïque de la religion romaine de Varron ; mais l'explication allégorique des rites païens que défend Varron restait vivante chez les intellectuels païens du Ve siècle. Quant aux Platoniciens, qu'Augustin prend souvent à parti, leur influence était déterminante.

1. *Ibid.,* X, 10, 13-16, p. 145-153.

La Cité de Dieu n'est donc pas à interpréter comme une philosophie de l'histoire ou un traité de théorie politique : elle est d'abord une apologie de la « vraie religion ». La structure de l'ouvrage le manifeste clairement. La première partie (livres I à X) est une réfutation du paganisme ; la seconde (livres XI à XXII), un exposé du christianisme. La réfutation du polythéisme comporte deux temps, suivant qu'il est pratiqué en vue du bonheur de cette vie (livres I à V) ou bien en vue du bonheur éternel (livres VI à X). L'exposé de la religion chrétienne se répartit à son tour en trois sections, consacrées aux origines des deux cités (livres XI à XIV), à leurs développements (livres XV à XVIII) et à leurs fins (livres XIX à XXII).

L'œuvre s'ouvre sur la considération des malheurs temporels de la cité terrestre qu'est Rome ; elle s'achève sur l'évocation du bonheur éternel de la cité céleste. De l'une à l'autre, se dessine un itinéraire qui invite le lecteur à passer du paganisme le plus grossier à ses formes les plus hautes et, de là, à la reconnaissance du Christ, par laquelle on entre dans la cité céleste. L'argumentation cesse alors de s'appuyer en priorité sur les textes païens, pour se fonder sur l'Écriture : l'intelligence se laisse désormais éclairer par la foi[1]. Le thème du bonheur a une valeur apologétique : il permet de montrer que le christianisme répond mieux que le paganisme aux aspirations de l'homme.

L'interprétation des deux cités est une difficulté majeure de l'œuvre. Le même mot, *ciuitas,* est employé pour désigner, au sens propre, une certaine forme d'organisation politique, au sens « mystique », les deux sociétés spirituelles que forment le groupe des justes et le groupe des impies[2]. On est tenté d'évacuer ce paradoxe en réduisant les deux cités à n'être que des institutions visibles ou des entités spirituelles. Dans le premier cas, on risque de juger que l'État est abusivement assimilé à la cité du diable et l'Église

1. *La Cité de Dieu,* XI, 2-3, BA 35, p. 35-39.
2. *Ibid.,* XV, 1, 1, BA 36, p. 35.

visible à la cité sainte ; dans le second, on en vient à supposer l'existence d'une troisième cité, proprement politique, qui serait neutre. Les deux interprétations trahissent la pensée augustinienne : la première méconnaît que l'opposition des deux cités est d'abord de nature spirituelle et qu'elle n'exclut pas leur mélange ; la seconde passe outre aux affirmations d'Augustin répétant qu'il n'y a que deux cités et méconnaît l'impact historique des options spirituelles.

Pour saisir le sens exact de l'antagonisme des deux cités, il faut lire la fin du livre XIV : « Deux amours ont fait deux cités : l'amour de soi jusqu'au mépris de Dieu, la cité terrestre ; l'amour de Dieu jusqu'au mépris de soi, la cité céleste[1]. » Il s'agit d'un choix spirituel : si l'homme choisit d'être à lui-même sa propre fin, il appartient à la cité terrestre ; si au contraire il rapporte toute son existence à son Créateur, il devient membre de la cité céleste. L'option intérieure pour ou contre Dieu a un caractère radical et détermine la valeur de tous les actes posés ; il n'y a donc pas de réalité humaine neutre. L'opposition des deux cités s'inscrit nécessairement dans l'histoire, mais sans être d'emblée discernable au regard humain : « Les deux cités sont mêlées et enchevêtrées l'une dans l'autre en ce siècle, jusqu'au jour où le jugement dernier les séparera[2]. » L'ambiguïté de l'expression *ciuitas terrena* (cité historique ? cité du diable ?) est alors fondée : elle laisse entendre, avec un certain pessimisme, que les sociétés politiques risquent toujours de se laisser emporter par la volonté de domination.

Le même risque pèse sur tous les États : la vision augustinienne de la politique exclut donc la sacralisation de l'Empire chrétien. Augustin ne condamne pas le politique, mais il critique l'idéalisme politique : s'appuyant sur *La République* de Cicéron, qui définit

1. *Ibid.*, XIV, 28, BA 35, p. 465.
2. *Ibid.*, I, 35, BA 33, p. 301.

un peuple comme « le rassemblement d'une multitude d'individus qui se sont associés en vertu d'un accord sur le droit et d'une communauté d'intérêts », il montre qu'il ne peut y avoir de république sans justice et que « Rome ne fut donc jamais une république ». Cette conclusion paradoxale l'amène à définir le peuple comme « le rassemblement d'une multitude d'êtres raisonnables, associés par la participation dans la concorde à ce qu'ils aiment[1] » ; selon cette autre définition, Rome peut être dite une république. L'amour d'un même bien unit donc les membres d'une cité ; ce bien est la paix temporelle : bien réel, mais relatif, car la paix temporelle est à référer à la paix éternelle ; sinon, elle est exclusive de la justice. Ce bien provisoire est pourtant nécessaire aux hommes : Augustin envisage donc une coexistence pragmatique de l'Église avec les pouvoirs publics[2]. Cette coexistence n'a rien d'une théocratie : ce qu'on a appelé improprement « l'augustinisme politique » n'a pas sa source dans *La Cité de Dieu*.

L'opposition des deux cités donne aussi la clé de la vision augustinienne de l'histoire : celle-ci n'est ni décadence, ni progrès, mais tension et mélange des deux cités jusqu'au jugement dernier. L'enjeu en est d'abord spirituel. Les synchronismes établis entre l'histoire d'Israël et celle des autres peuples montrent qu'il n'y a qu'une seule histoire, celle du salut : elle a pour centre le Christ, fondateur de la cité céleste, prophétisé autrefois en Israël, annoncé aujourd'hui par l'Église à toutes les nations. Le Christ est en effet « la voie universelle du salut » : le philosophe néoplatonicien Porphyre dit l'avoir cherchée en vain à travers l'histoire, mais la réalisation des prophéties atteste qu'elle est à trouver dans le Christ[3]. L'histoire, lieu de la révélation de Dieu, peut donc manifester aux païens la vérité du christianisme. Loin d'être cyclique, elle a son origine et sa fin en Dieu

1. *La Cité de Dieu*, XIX, 21-24, BA 37, p. 139-163.
2. *Ibid.*, XIX, 17, BA 37, p. 127-133.
3. *Ibid.*, X, 32, BA 34, p. 547-559.

et prend un sens positif grâce au Christ, Verbe éternel qui s'est inséré dans le temps pour le redresser et le rendre capable d'éternité.

Isabelle BOCHET

BIBLIOGRAPHIE

ÉDITION DE RÉFÉRENCE AVEC TRADUCTION FRANÇAISE : *Œuvres de saint Augustin,* Paris, Bibliothèque Augustinienne, en cours de parution.

TRADUCTIONS FRANÇAISES : *La Cité de Dieu,* trad. G. COMBÈS, Paris, Bibliothèque Augustinienne (BA), 33, 34, 35, 36 et 37, 1959-1960 (à paraître dans la Nouvelle Bibliothèque Augustinienne). *Les Confessions,* trad. J. TRABUCCO, Paris, GF-Flammarion n° 21, 1964. *Le Maître,* trad. G. MADEC, Paris, Nouvelle Bibliothèque Augustinienne (NBA) 2, 1993. *La Trinité,* trad. M. MELLET/Th. CAMELOT et P. AGAËSSE, Paris, Bibliothèque Augustinienne 15 et 16, 1991.

COMMENTAIRES : É. GILSON, *Introduction à l'étude de saint Augustin,* Paris, Vrin, 4ᵉ éd., 1969. I. BOCHET, *Saint Augustin et le désir de Dieu,* Paris, Études augustiniennes, 1982. H. CHADWICK, *Augustin,* trad. A. Spiess, Paris, Cerf, 1987.

BACON

La Nouvelle Atlantide
Essais
Du progrès et de la promotion
des savoirs

Rares ont été les philosophes qui ont exercé des fonctions politiques importantes. Francis Bacon (1560/1-1626), élu membre du Parlement de Londres fort jeune, servira deux monarques, Élisabeth d'Angleterre, puis surtout son successeur à la couronne d'Angleterre, Jacques Ier, qui était déjà roi d'Écosse. Sous le règne de ce dernier, Bacon se verra confier de délicates affaires, à commencer par celle de l'union entre l'Angleterre et l'Écosse. Il sera nommé Lord Keeper, c'est-à-dire garde des Sceaux, en 1617, puis Lord Chancellor. On peut l'imaginer comme un Richelieu britannique, ou, mieux encore, on peut rapprocher trois personnages, Sully, Bacon et Richelieu, en soulignant qu'en ce temps-là l'Histoire a esquissé, pour le régime monarchique, l'idée d'une forme assez particulière, permettant à un souverain de déléguer une part importante de la réflexion politique à un ministre : à tort ou à raison, les Français du siècle de Louis XIII verront dans Bacon un ministre aussi important, voire plus important, que le roi, dans l'instauration et le maintien de la « tranquillité » civile. Nul doute qu'ils projettent sur Bacon ce qu'ils pensent de Richelieu, un Richelieu qui, au reste, patronne des traductions françaises des œuvres de Bacon, tandis que le vieux Sully se fera dédier un volume composé de traductions de divers textes du même auteur.

Au moment de la succession de 1603, quand il se croit écarté des charges politiques, puis en 1621, quand il se sait définitivement dessaisi de toute fonction, la réaction de Bacon, dont des traces écrites nous sont parvenues, montre bien qu'il reconnaissait ces charges au service de l'État comme un devoir prioritaire. Mais, même si la philosophie passait en second dans l'ordre des obligations, elle n'en constituait pas moins sa vocation fondamentale. En outre, dans son premier traité philosophique, *Du progrès et de la promotion des savoirs* (1605), il indique que, même lorsqu'on a la charge d'affaires publiques, on trouve toujours le loisir de s'adonner aussi à la philosophie, ou plus globalement à la poursuite de la connaissance. Parole tenue : pendant les années les plus actives de sa vie politique, Bacon publie un traité, le *De Sapientia Veterum (De la sagesse des Anciens)*, livre qui traite des mythes gréco-latins, une seconde édition de ses *Essays Civil and Moral*, qui triple le volume de la première, le *Novum Organum*, et surtout il écrit une foule d'opuscules ou d'essais inachevés qui ne seront publiés qu'après sa mort[1].

Des contemporains et la postérité n'ont pas épargné au personnage leurs critiques, même si, à côté de celles-ci, on trouve aussi des éloges dithyrambiques. On lui a reproché son manque de fidélité vis-à-vis de son ancien protecteur, le comte d'Essex, quand celui-ci fut accusé de trahison et que la reine Élisabeth confia à Bacon une part importante de l'instruction du procès. La disgrâce de 1621 fut la conséquence d'une condamnation pour corruption. Un jugement plus serein est possible aujourd'hui, étayé sur une analyse historique.

1. *Cf. Le Valerius Terminus, ou De l'interprétation de la nature,* trad. et notes Fr. Vert, préface M. Le Dœuff, Paris, Méridiens-Klincksieck, 1986. *Récusation des doctrines philosophiques et autres opuscules,* trad., introd. et notes D. Deleule et G. Rombi, Paris, PUF, 1987.

Bacon est né dans une famille distinguée par ses talents, qui a déjà fourni quelques serviteurs à la Couronne anglaise, mais qui n'appartient pas à l'ancienne aristocratie propriétaire de fiefs. Ce sont de « nouveaux venus » en politique, des gens qui n'ont pas la légitimité traditionnelle des grands féodaux ni leur puissance. Mais, même s'ils sont bien contraints de recourir à la protection de quelque « patron » aristocratique, ils ont plus clairement en vue le service d'État que les liens de clientélisme qui structurent les jeux d'influence auxquels se livrent les grandes familles. La classe montante de lettrés laïcs à laquelle Bacon appartient a clairement des valeurs opposées à celles de la noblesse d'épée — cela se voit même dans la lutte morale et idéologique qu'il mène littéralement contre les épées en question, quand il propose d'assimiler les duels à de la boucherie. Quant au procès pour corruption, il faut lui rendre sa juste proportion : l'Angleterre de l'époque connaissait, comme la France, la pratique des « épices », cadeaux que tout le monde trouvait normal de verser aux hommes de loi ; accuser quelqu'un de corruption, c'était toujours l'accuser d'en avoir reçu trop ou de trop importantes, et cela n'arrivait que lorsqu'il y avait, par ailleurs, une autre raison de vouloir se débarrasser de lui ou qu'une faction avait trouvé là le moyen de le faire destituer. L'accusation partit de la Chambre des communes, chambre à laquelle Bacon voulait faire accepter une considérable levée d'impôts, rendus nécessaires par l'engagement de la Couronne anglaise dans la guerre de Trente-Ans... À cela il convient d'ajouter que ses fonctions politiques obligeaient Bacon à mener un train de vie fastueux (pour lequel, au reste, il avait plus que vraisemblablement un penchant personnel marqué), alors même qu'il n'était pas toujours rétribué ponctuellement. Dans *La Nouvelle Atlantide*, il met en scène des fonctionnaires de l'État de Bensalem auxquels à plusieurs reprises des voyageurs offrent des cadeaux pour prix de la peine qu'ils prennent à les accueillir, et ces cadeaux sont constamment refusés : l'un d'eux « répondit en souriant qu'il ne faut pas être payé deux fois pour un même travail, par quoi il voulait dire, à mon sens, que l'État lui assurait une rémunération suffisante pour son service. Car, ainsi que je l'appris plus tard, tout agent de l'État qui accepte des récompenses, ils l'appellent un "double solde"[1] ».

Dans sa philosophie de la politique, Bacon se montre plutôt conservateur par principe, les innovations lui semblant apporter toujours des violences. D'où une expression, « *in melius et non in aliud* », « en mieux mais non autrement », maxime qu'il énonce à propos de la réforme des savoirs qu'il juge nécessaire, mais que l'on peut appliquer à toute sa pensée concernant la vie publique. Son utopie, *La Nouvelle Atlantide,* est d'ailleurs structurée de cette manière : tout y est « mieux » qu'en Angleterre, mais l'auteur n'évoque pas une différence de nature entre le régime politique de cette île de Bensalem et celui de l'Angleterre ; tout y est simplement et merveilleusement mieux grâce à l'existence, dans cette île, d'une « Maison de Salomon » consacrée à la recherche scientifique. Compte tenu des données d'une situation, Bacon cherchera toujours (ou prétendra chercher) une optimisation qui ne suppose pas de bouleversements et qui, tout au contraire, assure au maximum la paix civile et la prospérité. La notion forgée par Michel Foucault de « gouvernementalité » traduirait assez bien une des nervures de sa pensée : éviter les troubles, ne pas irriter les gens, veiller à ce qu'il n'y ait pas de pénurie ou de disette, sont autant de préceptes pour une politique s'attachant d'abord à ce que les gens (le Peuple, les Grands, les divers groupes religieux) ne deviennent pas ingouvernables.

Cependant, cette position est paradoxale. Alors même qu'elle se présente comme une sorte de prudence récusant les innovations radicales, elle produit des propositions que, rétrospectivement du moins,

1. *La Nouvelle Atlantide,* Paris, Payot, 1983, p. 42-43.

l'on peut trouver spectaculairement novatrices. En ce qui concerne l'apaisement des luttes religieuses ou les conflits entre la puissance politique et certains groupes religieux (minoritaires ou non), la modération de Bacon prend, dans son contexte historique, une allure proprement révolutionnaire. Comme on sait, la fin du XVIᵉ et le début du XVIIᵉ siècle sont des temps troublés par les querelles religieuses et les conflits civils qui en découlaient. Tout jeune homme, Bacon est arrivé à Paris, comme membre de la suite de l'ambassadeur, quelques années seulement après la Saint-Barthélemy. En 1605, si la fameuse « Conspiration des poudres » (complot catholique qui visait à faire sauter ensemble le roi Jacques et le Parlement de Londres) avait réussi, Bacon aurait pu être au nombre des victimes. On trouve trace de ces deux événements dans son œuvre, et l'on y trouve surtout, ici et là, des développements ou des remarques qui tendent tous à instaurer une pensée de la tolérance. De son point de vue, il n'y a aucune raison, ni théologique ni politique, de vouloir la stricte uniformité religieuse ; différents groupes religieux, différentes confessions, peuvent parfaitement coexister dans un même pays, et il faut faire la différence entre l'unité (d'inspiration) et l'uniformité. Cette proposition vaut pour les diverses nuances de christianisme : Bacon cite un Père de l'Église qui assure que le manteau du Christ est certes d'une seule pièce, mais que l'habit de l'Église est de diverses couleurs. Elle vaut aussi comme principe de reconnaissance de la continuité entre le judaïsme et le christianisme, dont le contenu est le même au degré d'explicitation près. La loi de Dieu s'est d'abord imprimée dans ce qui, après la chute, est resté de la lumière de nature ; elle s'est exprimée plus clairement dans les Tables de la Loi, et mieux encore dans la parole des prophètes, puis elle s'est exposée dans sa vraie perfection dans l'enseignement du Christ, « grand prophète et interprète parfait de la loi[1] ».

---

1. *A Confession of Faith,* in édition Spedding, t. VII, p. 222.

En ceci, Bacon se montre l'héritier d'un mouvement d'idées qui, dans le nord de l'Italie au temps de Pic de La Mirandole, avait rapproché cabalistes chrétiens et cabalistes juifs autour de l'idée qu'il est possible, en reméditant les deux traditions religieuses d'un point de vue spirituel (en laissant donc de côté les rites ou l'organisation interne des groupes religieux), de trouver leur profonde unité. Quand on sait que l'Angleterre du début du XVIIᵉ siècle n'avait toujours pas accepté le retour de la communauté juive, expulsée ou massacrée au XIIIᵉ siècle, on doit reconnaître que le plaidoyer de Bacon en faveur d'une reconnaissance de l'unité de la loi mosaïque et de la loi christique va dans le bon sens de l'Histoire. Bacon aura de nombreux admirateurs parmi les Républicains anglais du XVIIᵉ siècle et sa philosophie a contribué à préparer le retour officiel de la communauté juive en Angleterre, retour qui aura lieu sous Cromwell.

« Il vaudrait mieux ne pas avoir d'opinion de Dieu du tout qu'une opinion qui fût indigne de lui » ; « l'athéisme laisse l'homme entre les mains du bon sens, de la philosophie, de la piété naturelle, des lois et de l'honneur », tandis que la « superstition », c'est-à-dire l'excès de zèle religieux, est une vraie calamité. Non seulement l'athéisme ne perturbe jamais les États, mais on peut même remarquer que les époques enclines à l'athéisme (comme le temps d'Auguste) ont été des époques de vie civile paisible. Ces idées formulées dans les *Essais* [1] de Bacon seront reprises par Bayle, à telle enseigne qu'on les attribue couramment à celui-ci. La défense et illustration de l'athéisme, chez Bacon, fournit stratégiquement une base remarquable pour une tolérance généralisée : du moment que les athées sont reconnus comme pouvant être gens de bien, et que néanmoins l'auteur prononce qu'il préférerait « croire à toutes les fables de la Légende dorée », donc au catholicisme sous sa forme la plus éloignée de la sobriété protestante, « et au Talmud et au Coran »,

---

1. *Essais*, « De la superstition ».

et sans doute à tout cela ensemble, « plutôt que de croire que l'univers est dépourvu d'un Esprit », l'apologie de l'athéisme a valeur d'argument *a fortiori* en faveur de la tolérance des diverses religions. Rien ne tombe en dehors du programme de la tolérance, toutes les religions (le paganisme antique se trouve validé au passage), et l'absence de religion, sont licites. Mais cela fournit aussi un principe régulateur contre la « superstition » : le zèle religieux dévoyé ou excessif détruit bon sens, philosophie, piété naturelle, honneur, il produit le chaos dans l'État et introduit une force « qui viole toutes les instances de gouvernement. ». Le zèle religieux qui assassine les princes et se fait le boucher du peuple est un blasphème exécrable. On peut comprendre ces remarques comme ceci : toutes les religions sont bonnes, du moment qu'elles sont au moins aussi bonnes que l'athéisme, du point de vue de la paix civile et des vertus ordinaires.

Cette pensée de la tolérance est loin d'être seulement la philosophie qu'on pouvait souhaiter au début du XVIIᵉ siècle. Elle implique aussi une pensée du politique qui est fort originale par sa réserve : l'État n'a sûrement pas à prétendre façonner le dedans des cœurs ni même à le scruter. C'est même l'abécédaire le plus évident de la prudence étatique que de savoir se limiter et de surtout ne pas prétendre être l'artisan de ce que sont les gens. Dans la dernière édition des *Essais,* Bacon insère un texte sur les séditions et les troubles, dans lequel il reprend certes la métaphore des politiques comme bergers du peuple, mais à rebours de la tradition : ces bergers ne s'occupent pas de l'âme de chacun, mais des lignes de force collectives, ces grands phénomènes qui peuvent amener des tempêtes : la pénurie ou la pauvreté, l'excessive concentration des richesses, l'oppression générale, certaines factions qui en sont au désespoir, un clergé numériquement trop important... Loin de chercher à avoir une prise sur la subjectivité des individus, la prudence pastorale cherche à traiter strictement les causes globales de tempête et prévoit même d'accorder une

« liberté modérée » à l'expression du mécontentement
et des afflictions, afin que les blessures des gens ne
saignent pas au-dedans, ce qui pourrait causer des
ulcérations. On n'intervient pas sur le cœur des gens,
on le laisse s'épancher au-dehors.

Cette abstention de l'État abandonne à chacun le
soin d'être « l'artisan de soi-même ». *« Ante omnia
custodi cor tuum »*, avant toute chose prends soin de
ton cœur[1]. La morale baconienne se déploie dans l'espace de l'intériorité laissée à l'individu, qui se trouve
être non le berger mais le jardinier de lui-même, la
philosophie morale étant tournée vers une pratique
nommée, d'après Virgile, les « géorgiques » de l'esprit.
Mais ce soin de soi est loin de se clôturer dans une
sorte d'égocentrisme. Tout en validant occasionnellement l'amour de soi *(Self-love)*, Bacon pourfend la
selfwisdom, c'est-à-dire la limitation de la sagesse à l'intérêt propre : « Il y a, formée en toute chose, une
double nature du bien, en tant que chaque chose est
une totalité substantielle en elle-même, et en tant
qu'elle est partie ou membre d'un corps plus grand[2]. »

Bien entendu, poursuivre le bien correspondant à ce
second aspect est plus digne que de seulement prendre
soin de soi-même, et cela est inscrit dans la nature elle-
même : « Dans les plaisirs des créatures vivantes, le
plaisir d'engendrer est plus grand que celui de se nourrir[3] » ; « L'amour enseigne mieux à se conduire qu'un
précepteur » ; « L'amour seul exalte et, dans le même
instant, affermit et rassérène[4]. » Être l'artisan de soi-
même est donc un projet qui se dialectise tout de suite,
et le moyen « le plus bref, le plus condensé, le plus noble
et le plus efficace » qui existe pour faire de soi-même
quelqu'un de vertueux, c'est de se donner un grand
projet, une fin bonne et vertueuse à sa portée. Le souci
de soi bien compris est un vecteur d'extraversion. Ce
passage hors de soi est une idée que Bacon dit avoir

1. *Proverbes*, Salomon, 4, 23, cité dans *Du progrès...*, p. 201.
2. *Du progrès...*, p. 204.
3. *Ibid.*, p. 209.
4. *Ibid.*, p. 232.

reçue « de la Sainte Foi », mais il lui donne une caractérisation précise : « Agir pour le bien de la société plutôt
que rechercher le contentement privé » est une maxime
qui décide contre la vie contemplative et, lorsque Bacon
blâme les philosophes qui se sont retirés des affaires de
la cité trop facilement, pour en éviter les indignités et les
troubles, la critique porte aussi contre les tendances
contemplatives du christianisme monastique. Bacon se
montre d'ailleurs très dur vis-à-vis de toutes les formes
de claustration, et d'une hostilité constante à l'égard des
espaces clos : le travail intellectuel aussi et surtout est
connaissance du monde et travail sur quelque chose,
donc passage hors de soi. Il se plaît à citer la critique
d'Héraclite : « Les hommes cherchent la vérité dans leur
petit monde à eux au lieu de la chercher dans le grand
monde qui est commun », et il explique que les hommes
de l'École (ou scolastiques) étaient des esprits
« enfermés dans les cellules d'un petit nombre d'auteurs
(principalement Aristote, leur dictateur), comme leurs
personnes l'étaient dans les cellules des monastères et
des collèges[1] », des esprits dès lors « rendus furieux par
leur enfermement dans l'obscurité[2] ».

Un grand projet, une fin bonne et vertueuse... :
d'un point de vue philosophique, la vie de Bacon a été
structurée par quelque chose de ce genre, une grande
idée que non seulement il théorise et construit dans
tous ses attendus, mais pour laquelle aussi il milite
avec passion. Les savoirs dont dispose l'humanité doivent augmenter et progresser, non pour satisfaire une
vanité intellectuelle quelconque, mais pour créer la
prospérité et le bien-être de l'humanité. Ceci naturellement rejoint ses vues politiques sur les disettes ou les
besoins non satisfaits, qui sont au nombre des causes
de troubles publics, mais il ne faut pas le voir comme
une théorie subordonnée au projet politique. Car c'est
en fait quand il traite des devoirs de l'État vis-à-vis du
développement des savoirs que l'on voit le mieux

1. *Du progrès...*, p. 34.
2. *Ibid.*, p. 37.

comment il conçoit la machine étatique et quels sont les enjeux de sa philosophie politique : l'État est avant tout une instance qui a des responsabilités, non seulement quant au bien-être des gouvernés, mais encore à l'égard des générations futures. Il n'est pas faux de dire qu'il voit l'État comme une petite Providence terrestre, qui doit pourvoir aux nécessités des gens et qui doit prévoir aussi le bien des siècles ultérieurs.

De son point de vue, la prospérité qui doit découler du progrès scientifique permettrait de remplir le programme du « en mieux mais non autrement », et *La Nouvelle Atlantide* offrirait le tableau d'une société opulente, humaine, édifiante, amicale et tolérante, dans laquelle le travail scientifique et technique a comme réinstauré le Jardin du commencement du monde. Mais, avant d'en arriver là, à cette fable qui constitue le testament intellectuel de l'auteur, il y a eu plus de vingt ans d'efforts philosophiques notables, procédant d'une rupture complète avec la scolastique et introduisant le principe de libre examen dans tous les savoirs : « Le savoir dérivé d'Aristote, s'il est soustrait au libre examen, ne montera pas plus haut que le savoir qu'Aristote avait. » On doit à Bacon la construction du concept de progrès des sciences, sciences qu'il soustrait aux divergences religieuses en les séparant de toute autorité religieuse. Proposant des méthodes pour explorer le grand monde de la Nature, il dessine l'organisation collective de cette exploration et sa structuration temporelle, « non dans l'heure que mesure le sablier d'une vie humaine, mais dans la suite des siècles », et il formule la métaphysique d'une telle entreprise et sa morale, dont la vertu majeure est l'espérance. À la fin de sa vie, Bacon recommandait d'aborder la lecture de son œuvre par *Du progrès et de la promotion des savoirs*. Sans doute sous-entendait-il qu'il fallait continuer par le *Novum Organum*, même si aujourd'hui nous passerions d'abord par les opuscules inédits de son vivant[1]. Quoi qu'il en

1. Le *Valerius Terminus* et les opuscules réunis sous le titre *Récusation*, etc.

soit, s'il suggérait un ordre dans la lecture de ses livres, c'est qu'il pensait que ceux-ci pouvaient opérer sur l'esprit des lecteurs quelque chose comme une conversion intellectuelle, en leur apprenant à penser autrement. Même si beaucoup d'éléments de la pensée de Bacon sont devenus aujourd'hui le sens commun des pratiques scientifiques, cette philosophie foisonnante et extravertie réserve encore quelques surprises, outre celle, majeure, de découvrir comment un philosophe a pensé, sous la forme d'un projet, cette énorme entreprise qu'est la recherche scientifique financée et gérée par l'État, comment en somme, pour une fois, une pensée philosophique a trouvé son chemin jusqu'à la réalité.

Michèle LE DŒUFF

BIBLIOGRAPHIE

ÉDITION DE RÉFÉRENCE : *The Works and Letters of Francis Bacon*, 14 vol., Londres, 1848-1874, textes établis, annotés et au besoin traduits en anglais par SPEDDING, ELLIS et HEATH ; reprint Friedrich Frommann Verlag, Stuttgart, 1963.

TRADUCTIONS FRANÇAISES : *Essais*, trad., intr. et notes M. CASTELAIN, Paris, Aubier, 1948. *Du progrès et de la promotion des savoirs*, trad., avant-propos et notes M. LE DŒUFF, Paris, Gallimard, 1991. *La Nouvelle Atlantide*, trad. et commentaire M. LE DŒUFF et M. LLASERA, Paris, Payot, 1983. Nouvelle éd. à paraître chez Flammarion. *Novum Organum*, trad. et introd. M. MALHERBE et J.-M. POUSSEUR, Paris, PUF, 1986. *Récusation des doctrines philosophiques et autres opuscules*, trad., introd. et notes D. DELEULE et G. ROMBI, Paris, PUF, 1987. *Le Valerius Terminus, ou De l'interprétation de la nature*, trad. et notes Fr. VERT, préface M. LE DŒUFF, Paris, Méridiens-Klincksieck, 1986.

COMMENTAIRES : *Bacon, Science et Méthode* ouvrage coll. éd. par M. MALHERBE et J.-P. POUSSEUR, Paris, Vrin, 1985. *Les Études philosophiques* (nº spécial), nº 3, 1985. *Revue internationale de philosophie* (nº spécial, dir. par M. LE DŒUFF), nº 159, 1986.

BERGSON

*Essai sur les données immédiates
de la conscience
Matière et mémoire
L'Évolution créatrice
Les Deux Sources de la morale
et de la religion*

On peut regretter, à cent ans près, de ne pas avoir
connu Bergson ! Comme on aurait pu mieux comprendre son œuvre ! Pourtant, les témoignages de ses
contemporains nous laissent doublement insatisfaits.
Ils cherchent à expliquer l'œuvre par l'auteur, son
front haut, son regard bleu à la fois retiré et perçant,
sa silhouette fragile et ferme d'escrimeur et de cava-
lier, brisée ensuite par la maladie, ou à la situer dans
son contexte, le cabinet de travail d'un savant austère, la République des « professeurs », selon le mot
de son ami Thibaudet, la société française autour de
la Première Guerre mondiale. Ils nous laissent à
choisir entre une singularité inexprimable et une
figure historique. Il faut certes savoir que Bergson est
né à Paris en 1859, d'un père polonais et d'une mère
anglaise de confession juive, et qu'il y mourut en
1941 en refusant dans son testament de rompre, au
moment des persécutions, avec son origine, qu'il
mena une carrière faite d'honneurs, du concours
général de mathématiques jusqu'au prix Nobel de lit-

térature en passant par le Collège de France et l'Académie française, mais aussi de débats intenses avec la science et la philosophie de son temps, ou enfin qu'il y eut un « bergsonisme », tenu d'abord pour novateur, puis pour installé, voire officiel. Mais tout cela ne nous apprend rien sur l'œuvre, et nous y renvoie. Pour nous, « connaître Bergson », c'est lire ses livres.

Mais comment les lire ? Il semble que, sur ce nouveau plan, nous soyons renvoyés à notre surprise initiale. D'un côté, et Bergson lui-même y insiste à plusieurs reprises de façon rétrospective, tout semble découler d'une « intuition » unique, celle de la « durée », c'est-à-dire d'un temps irréductible à sa mesure spatiale et mathématique, au cadre de l'horloge et aux signes qui le découpent, mais coextensif à *ce qui* s'y passe, nos émotions qui changent sans cesse, nos souvenirs qui s'accumulent, notre corps qui vieillit. De fait, cette distinction, on le verra, semble animer l'œuvre entière. Bergson se conformerait ainsi au critère qu'il énonce lui-même dans sa conférence sur *L'Intuition philosophique,* de 1911 : « Un philosophe digne de ce nom n'a jamais dit qu'une seule chose[1]. » Cependant, à y mieux regarder, son œuvre se compose aussi de tours et détours, polémiques abstraites, critiques de « faux » ou « pseudo-problèmes », recherche de la « théorie » capable de rendre compte de « faits » précis, discussion délibérément placée sur le terrain des sciences les plus avancées de son temps, biologie, psychologie, sciences de l'homme, théorie de la relativité. Bref, par son œuvre, Bergson correspond aussi bien à l'autre définition du philosophe qu'il donne dans la même conférence : « [Il] reste l'homme de la science universelle[2]. » Comment concilier ces deux formules ? L'œuvre même de Bergson le fait-elle vraiment ?

Chacune des définitions citées est assortie dans le texte de 1911 d'une réserve, qui offre peut-être un fil

---

1. *Œuvres,* p. 1350. Toutes les références de pages renvoient à la même édition (*cf.* bibliographie).
2. *Ibid.,* p. 1359.

directeur pour la lecture de Bergson lui-même. Tout
d'abord, le philosophe n'a pas vraiment dit une seule
chose : « [Il a] plutôt cherché à la dire qu'il ne l'a dite
véritablement. » C'est une intention unique qui anime
un discours toujours repris. De plus, si « le philosophe
reste l'homme de la science universelle, [c'est] en ce
sens que, s'il ne peut plus tout savoir, il n'y a rien qu'il
ne doive s'être mis en état d'apprendre ». Là est peut-
être la clé de l'œuvre de Bergson : une double exigence (noter le « doive »), qui ne cesse d'être telle
malgré une double limite. L'œuvre réelle est prise
entre une idée de la philosophie et une contingence du
discours ou une contrainte de la connaissance. L'universalité du savoir est tout aussi inaccessible que l'intuition ineffable : un choix des applications et un
mouvement de signification vont porter l'œuvre entre
ces deux pôles de tension vive. Lire Bergson, c'est
comprendre comment l'on passe de l'intuition de la
durée et de l'apprentissage de la psychologie à l'*Essai
sur les données immédiates de la conscience*[1], la thèse
publiée en 1889, et encore de là à *Matière et Mémoire*
(1896), *L'Évolution créatrice* (1907), ou *Les Deux
Sources de la morale et de la religion* (1932), pour ne
citer que les quatre grands ouvrages qui scandent une
progression apparemment continue, mais où l'écart
des dates peut déjà faire pressentir une discontinuité
tout aussi profonde.

C'est donc l'œuvre réelle, les livres écrits, qu'il faut
apprendre à lire ici comme tels. Deux remarques préalables sont nécessaires encore avant de s'y engager. Le
problème posé par la lecture de Bergson, tout
d'abord, paraît être indissociablement méthodologique et métaphysique. L'unité de l'œuvre, de chaque
livre, voire de chaque texte publié par Bergson, si elle
pose des problèmes d'interprétation, renvoie aussi à la
question même qui anime sa philosophie : la rencontre de l'intuition et de l'expression conduit à celle
de la durée et de l'espace où elle se déploie, de notre

---

1. Parfois abrégé plus loin en *Essai*.

liberté et du monde où elle s'exprime. Telle est du moins l'hypothèse qui pourra nous servir de fil conducteur en chemin.

Mais justement, si parcours il y a, c'est parce que « l'œuvre » de Bergson ne saurait se livrer, on le voit, ni d'un seul coup, dès le départ, ni au terme d'un relevé exhaustif. Entre l'impossibilité de tout lire et celle de se contenter d'un moment d'une démarche qui ne peut par principe s'y résumer, c'est-à-dire s'y arrêter, il ne reste que la solution du *pluriel,* des œuvres, et du lien qui les relie. C'est ainsi à une lecture des quatre grands ouvrages cités que nous voudrions inviter, en visant leur unité commune, mais aussi leurs prolongements respectifs, chaque œuvre étant à la fois le résultat d'un « même » travail d'expression et la matrice d'applications diverses, et trouvant dans ces deux directions le double critère de sa vérité.

★
★ ★

Au point de départ de la philosophie de Bergson, il y a donc une surprise concernant le temps, ou plutôt le rôle que lui fait jouer la science. Ainsi, pour prendre un exemple qui traversera toute son œuvre, et que l'on trouve dès l'*Essai sur les données immédiates de la conscience* (1889) : « Si tous les mouvements de l'Univers se produisaient deux ou trois fois plus vite, il n'y aurait rien à modifier à nos formules, ni aux nombres que nous y faisons entrer[1]. » Pour la science, le temps est une variable comme les autres, et relative à elles. Au contraire, « la conscience aurait une impression indéfinissable et en quelque sorte qualitative de ce changement[2] ». Pour celui qui vit l'accélération, elle change tout. Ainsi, avant même de comprendre en quoi consiste exactement l'opposition du temps

---

1. *Essai,* p. 77-78.
2. *Ibid.,* p. 78.

homogène et mesurable et de la durée qualitative, on
en aurait un critère concret : la durée, c'est à la fois ce
qui change et ce qui change quelque chose ou quelqu'un. Non pas un simple « théâtre du changement »,
lui-même invariable, dira un texte plus tardif, mais la
« variabilité même[1] », absolue, en ce sens du moins
qu'elle constitue un sujet, qui en est à la fois le témoin
et l'acteur. Mais quels sont exactement les critères et
la portée de cette distinction, qui structure le premier
ouvrage publié par Bergson et engage toute sa pensée ?

On le voit, il ne faut pas seulement dire que la
science prend, sur « le » temps, un autre point de vue
que la conscience, mais plutôt que son point de vue
dénature le temps, ou encore que le temps réel lui
échappe. Ce dont parle la science, ce ne serait pas
vraiment le temps, mais, à travers le jeu des symboles
qui le représentent, une dimension spatiale parmi
d'autres ; inversement, ce qu'atteindrait la conscience,
ce n'est plus un temps formel, un cadre extérieur,
mais un pur contenu vécu, sa propre réalité. Bergson
paraît donc amené à distinguer profondément deux
types de connaissance et deux ordres de réalité.

Pourtant, c'est bien *le même* changement qui donne
lieu à deux approches aussi différentes. Après avoir
distingué, il faut unir. Ce qu'il faut comprendre, c'est
l'unité mêlée du phénomène du temps qui est changement pur, mais peut nous apparaître tout autrement. Autant que la distinction qui la fonde, c'est
cette unité qui est manquée, non seulement par la
science, mais aussi et surtout par une métaphysique
qui s'en inspire sans le savoir et réduit le temps à sa
représentation dans l'espace. Appuyée également sur
le langage, sur la vie sociale, sur le sens commun, dont
Bergson montre qu'ils tendent, chacun avec leur système de signes, dans la direction de la science, une
métaphysique se constitue qui ne sait pas reconnaître
le caractère composé des phénomènes qu'elle étudie.

---

1. *Introduction à la métaphysique* (1903), *Œuvres*, p. 1412.

La distinction du temps quantitatif et de la durée pure vise ainsi à lui ouvrir les yeux et à faire s'« évanouir » les problèmes fondamentaux que son aveuglement suscite, au premier rang desquels, selon Bergson qui ne cesse d'y revenir, les arguments de Zénon d'Élée sur l'impossibilité du mouvement[1].

Mais, à cette métaphysique inconsciente de ses symboles, Bergson ne peut opposer seulement une intuition directe de la durée, elle-même presque (la restriction est importante) inaccessible au langage et à l'observation extérieure. Il faut rendre compte non seulement de l'illusion que suscite le « mixte » méconnu, mais aussi de sa genèse réelle, de la façon dont se constitue ce mélange qui est l'élément même de notre expérience et de la vie humaine en tant que telle. Telle est bien la double démarche, nécessairement complexe, qui caractérise l'*Essai sur les données immédiates de la conscience* : à la fois critique et génétique ou généalogique, elle déploie dans ces deux directions les ondes de choc de la surprise initiale. Deux adversaires fondamentaux sont ainsi désignés d'emblée, qui ne cesseront d'être ceux de Bergson : il s'agit d'abord, non pas de la science, mais d'une certaine métaphysique qui entretient avec elle des rapports ignorés (soit qu'il y ait une métaphysique inconsciente du savant, soit que la métaphysique issue de Zénon soit prisonnière des exigences de la science), et ne voit pas la réalité qui s'inscrit dans la représentation que nous en avons. Mais ce n'est pas pour autant que toute métaphysique est impossible, et Bergson refuse aussi la critique de Kant, en tant qu'elle limite la connaissance aux phénomènes prenant place dans ces « formes *a priori* de la sensibilité » que seraient à titre égal l'espace et le temps, sans laisser aucun accès à la réalité « en soi » qui les dépasse et paraît en eux. On pourrait ainsi, selon Bergson, tout à la fois critiquer « la » métaphysique et tenter de la renouveler.

---

1. *Essai*, p. 75-76. Voir ensuite, dans chaque œuvre de Bergson, une nouvelle discussion de ces arguments.

Tel serait l'enjeu de la distinction faite par Bergson. Mais il ne faut pas croire qu'il en soit tiré d'emblée. Au contraire, c'est un patient travail d'élaboration de ses critères et de ses conséquences qui est à l'origine de la structure en trois chapitres de l'*Essai,* nettement ordonné en une progression synthétique.

L'examen de la notion d'intensité permet tout d'abord à Bergson de critiquer une science précise, la psychologie, et d'indiquer déjà sa conception de la vie intérieure. Le premier chapitre de l'*Essai* dénonce en effet, tant dans le langage courant, qui parle des « états psychologiques » en termes de « plus et de moins », que dans la psychologie scientifique naissante, sous la forme de la psychophysique qui vise à calculer de telles différences, une confusion fondamentale. Aux deux extrêmes des sens que recouvre la notion d'intensité, on ne trouve plus rien de commun. D'un côté, un « grand » amour n'est pas, selon Bergson, un amour plus vaste que les autres, ou capable de les contenir comme un récipient plus volumineux, mais un amour qui imprègne toujours plus d'« états » apparemment distincts de lui, nos souvenirs, nos impressions les plus anodines, et en change la signification. Au contraire, une lumière plus grande désignerait d'abord une différence numériquement calculable dans l'émission des ondes lumineuses. Or, entre les deux sens, un mélange s'opère, qui fausse à la fois la compréhension de nos sentiments les plus profonds et de nos impressions les plus simples. Jusque dans la sensation lumineuse, il faut distinguer ce qui relève de l'accroissement quantitatif de la source extérieure de ce qui tient à l'effet progressif de l'éblouissement ressenti. Ainsi Bergson peut-il à la fois se livrer à une critique serrée des prétentions de la « psychophysique » et introduire à sa propre conception de la vie psychologique.

Celle-ci, pour lui, ne sera plus composée d'« états psychologiques » aussi nettement distincts que des objets dans l'espace. Le titre même du deuxième chapitre — « De la multiplicité des états de conscience.

L'idée de durée » — montre que cette multiplicité
n'est plus un éparpillement d'états atomiques, mais se
rassemble en une unité constitutive, « la conscience »,
elle-même fondée sur la durée qui, comme « idée » ou
concept, doit permettre de la penser. C'est en effet
dans ce chapitre que les critères de cette dernière,
nettement opposés à ceux de l'espace, sont mis en
place. Alors que l'espace se définit comme un principe
de distinction extérieure, cadre homogène qui se sur-
ajoute aux distinctions internes des objets pour les
mettre à distance les uns des autres, la durée se définit
par ces distinctions internes mêmes, par une pure
hétérogénéité sans distance, une « interpénétration ».
Alors que le nombre peut s'appliquer à l'espace, et
même le suppose, il ne peut s'appliquer à la multiplicité de la durée sans la diviser et la dénaturer. C'est
que celle-ci est continue, indivisible, forme un tout
organique (on pourrait dire un individu), comme une
mélodie qui ne peut ni se dé-composer, ni se jouer à
l'envers. Mais, au-delà de cette opposition, ainsi pré-
cisée, Bergson explique comment s'opère la « spatiali-
sation » de la durée, sa « projection » ou son « déploiement » dans l'espace, d'où est issu le « temps »
homogène qui est le milieu habituel de notre représentation du changement[1].

De fait, la distinction de l'espace et de la durée
passe aussi bien *en nous* qu'entre nous et le monde
extérieur. Si c'est la durée qui constitue notre personne, nous n'en avons le plus souvent qu'une vision
elle-même divisée, spatialisée et socialisée à la fois. Le
troisième chapitre du livre a alors pour fonction de
montrer que cette confusion, philosophique mais aussi
commune, sur le moi, est à la source des apories de la
liberté, comme de notre servitude ordinaire. Première
« application » de la distinction, la théorie de la liberté
est aussi la première illustration de l'union où elle
culmine. Autant en effet elle passe par la critique des
antinomies du libre arbitre, autant elle permet de

1. *Cf.* le résumé décisif p. 80.

penser l'acte libre comme ce par quoi notre durée s'« exprime » dans l'espace, et d'ajouter à sa description les caractères décisifs de l'imprévisibilité, de la nouveauté, de la « création », qui ne la quitteront plus. On trouvera dans cet ultime chapitre aussi bien une critique qui deviendra celle de « l'illusion rétrospective » (qui prétend expliquer l'acte, mais ne peut que le supposer accompli), que la description d'une subjectivité irréductible à toute détermination extérieure, mais capable d'y inscrire par son activité des significations nouvelles.

Ainsi, loin de se contenter d'une critique abstraite de « la » science ou d'une intuition directe de « la » durée, l'*Essai* approfondit-il en chacun de ses moments le double versant critique et génétique de leur confrontation. Cela se fait certes au prix d'un choix des points d'application. Cependant, un champ général paraît ainsi ouvert, dont on s'aperçoit qu'entre la critique de la psychologie et l'enjeu métaphysique il recouvre celui du dualisme et de la philosophie de l'esprit tout entière. On pressent ainsi que cette démarche porte en elle « du mouvement pour aller plus loin », et que l'œuvre de Bergson, lancée sur le double chemin d'une critique qui doit se diversifier et d'une intuition qui, selon le mot de Merleau-Ponty, « appelle un développement », ne fait qu'en entamer le parcours.

*
* *

Ce qui est vrai de l'*Essai sur les données immédiates de la conscience* l'est peut-être plus encore, malgré les apparences, de *Matière et mémoire* (« Essai sur la relation du corps à l'esprit », publié en 1896). On vient de le voir, en effet, on peut lire l'*Essai* de deux façons ou suivant deux ordres : on peut partir de l'intuition de la durée, et suivre l'ordre de la « découverte », comme aurait dit Descartes, ou partir du commencement du livre, et suivre celui de la synthèse ou de la « présentation ». Or, le célèbre début de *Matière et mémoire* paraît nous inviter, précisément à la manière de Descartes (mais aussi contre lui, puisque le doute ne portera que sur les théories, et non sur le sens commun), à prendre le livre par la première page et en suivre le déroulement : « Nous allons feindre pour un instant que nous ne connaissions rien des théories de la matière et des théories de l'esprit, rien des discussions sur la réalité ou l'idéalité du monde extérieur[1]. » Pourtant, on ne peut s'en tenir à ce seul ordre de lecture.

En effet, l'Avant-Propos de la première édition de l'œuvre (remplacé par un autre à partir de la septième) nous indique sa genèse : « Le point de départ de notre travail a été l'analyse qu'on trouvera dans le troisième chapitre de ce livre », qui consiste en une « conception du rôle du corps dans la vie de l'esprit[2]. » Quoique ne portant plus, apparemment au moins, sur la durée, la méthode de composition de Bergson reste donc la même. Pour en comprendre la nouvelle portée, et la fécondité, suivons donc tour à tour les deux ordres de lecture possibles.

« Nous montrons dans ce [troisième] chapitre, sur l'exemple précis du souvenir, que le même phénomène de l'esprit intéresse en même temps une multitude de plans de conscience différents, qui marquent tous les degrés intermédiaires entre le rêve et l'action : c'est dans le dernier de ces plans, et dans le dernier seulement, que le corps interviendrait[3]. » Si telle est bien l'hypothèse initiale qui anime *Matière et mémoire,* plusieurs conséquences s'ensuivent. Bien que le livre s'ouvre, tout d'abord, sur une description « pure » du corps humain, et de la « perception » en tant qu'elle s'enracine dans l'action, ce ne serait donc que de façon *préparatoire.* Ce qui est décrit ici apparaîtra ensuite comme une surface, un plan d'action, où l'ensemble de la « vie de l'esprit » viendra s'insérer. De même, la théorie « métaphysique » du quatrième et dernier chapitre, sur le sens que prend

1. *Œuvres,* p. 169.
2. *Ibid.,* apparat critique, p. 1490.
3. *Ibid.*

cette insertion comme « union de l'âme et du corps », ne
sera qu'un *supplément,* en quelque sorte, comme l'indique le début du chapitre lui-même[1]. L'essentiel serait
alors dans ces pages des deux chapitres centraux où sont
discutés les rapports de la mémoire avec le « cerveau »
puis avec l'« esprit[2] ». Après avoir tenté de montrer, sur
l'exemple de l'aphasie, que la mémoire ne dépend pas
dans son entier du corps, Bergson en fait en effet le
principe de toute l'activité intellectuelle : celle-ci, « du
rêve à l'action », consiste à insérer progressivement les
« souvenirs purs » dans les cadres dessinés dans le
cerveau pour servir à l'action du corps. La conscience,
originellement vouée à éclairer l'action du corps, peut
explorer sa propre profondeur, et en amener une partie
à la surface de la vie active, mais n'en reste pas moins
bordée par un « inconscient psychologique », dont la
découverte reste aux yeux de Bergson l'une des avancées majeures de l'ouvrage.

On ne peut ici que renvoyer au détail des analyses
menées dans ces deux chapitres, qui se confrontent de
l'intérieur aux théories scientifiques, et où il faut voir
le cœur du livre. Mais on ne peut les lire à part, et
l'ordre de la lecture nous montre à nouveau une succession rigoureuse de chapitres coordonnés et cou-
vrant, à travers une théorie du corps, le champ entier
de la philosophie de l'esprit.

De fait, les quatre chapitres de *Matière et mémoire*
sont rattachés par leurs sous-titres mêmes à une seule
réalité, sur laquelle ils présentent quatre opérations
successives : « De la sélection des images pour la
représentation » ; « De la reconnaissance des images » ;
« De la survivance des images » ; « De la délimitation
et de la fixation des images ». Mais que signifie ici le
terme d'*image* ? Quel travail lui fait subir l'ensemble
de l'ouvrage ?

Le second avant-propos du livre, rédigé par Bergson
en 1911, revient sur cette question, pour répondre aux

---

1. *Matière et mémoire,* p. 317.
2. Titres des chapitres 2 (« La mémoire et le cerveau ») et 3 (« La
mémoire et l'esprit »).

difficultés soulevées par la notion. « Image » est choisi par Bergson pour éviter de rattacher la réalité à une pure extériorité inaccessible au sujet (la « chose »), mais aussi à un pur effet de « représentation » subjective. Pour Bergson, la réalité n'est pas derrière ce que nous en percevons : les images, prises d'emblée dans leur totalité, forment elles-mêmes, avec tous leurs détails et les lois de leurs interactions, la matière de l'univers où nous vivons et agissons. Leur caractère subjectif tient alors aux opérations de « sélection » et de « fixation », qui les isolent les unes des autres comme des objets. Objet et sujet se découpent simultanément sur le fond indifférencié d'une réalité commune. C'est l'activité du corps qui les sépare en s'isolant du reste des images et en les isolant les unes des autres pour mieux les manipuler. Le premier chapitre décrit cette opération par laquelle, loin d'être posés par une conscience, les objets viennent se disposer autour d'un corps, pur « centre d'action[1] », la conscience n'étant que le reflet[2] de cette activité même. Réalisme et pragmatisme caractérisent donc ce chapitre fondamental, à la lecture duquel on doit sans cesse revenir.

Les deux chapitres suivants prennent alors un nouveau sens : si la « reconnaissance » est encore une opération, en ce sens qu'elle nécessite en partie le cadre fourni par les habitudes du corps qui se sont inscrites dans notre cerveau, la « survivance » vise plutôt le nouveau type d'être qui est celui des images passées, dont l'esprit est moins le lieu que la dimension propre. Passant d'un monde anonyme à une mémoire personnelle, elles constituent un sujet psychologique, qui ajoute à celui de l'*Essai* des caractéristiques précises que l'on doit s'attacher à retrouver par soi-même.

C'est le dernier chapitre qui va donner leur sens métaphysique à l'ensemble de ces résultats, en mon-

1. *Matière et mémoire,* p. 172.
2. *Ibid.,* p. 185-187.

trant comment « l'âme » ainsi définie et le corps décrit par sa fonction peuvent se rejoindre. Il y faut une « métaphysique de la matière », la distinguant de l'espace pour la rapprocher par un rythme de durée propre de la conscience, et ajustant la tension de l'une à l'extension de l'autre comme deux ordres de réalité capables cependant de s'accorder par leur nature profonde. Le monde est plongé dans la durée, ou la durée inscrite dans le monde, l'espace n'étant plus que le moyen de notre représentation, c'est-à-dire un instrument fondamental de l'action humaine. La liberté de cette dernière ne rencontre plus une nécessité inflexible, mais une forme atténuée d'elle-même : le « spiritualisme » de Bergson est tout entier dans cette perception des « degrés » de l'être, qu'accompagne d'ailleurs une théorie des degrés de la connaissance ou de la certitude que nous pouvons en prendre.

Ainsi, les deux lectures que l'on peut faire de *Matière et mémoire* se complètent-elles pour former l'image d'une vie de l'esprit reliant deux ordres de la réalité l'un à l'autre. On ne sera pas étonné des multiples prolongements dont ce livre a été la source dans l'œuvre même de Bergson. On en citera trois, en se contentant d'y renvoyer.

Au titre des applications, Bergson traite d'abord, muni des hypothèses fondamentales que l'on vient de résumer, un certain nombre de questions disputées par les sciences de son temps. *Le Rire,* ouvrage publié en 1900, peut et doit se lire dans cette perspective, l'image du « mécanique plaqué sur du vivant » renversant celle de l'insertion souple de l'esprit dans l'action qui caractérise la vie humaine « sérieuse » ; les essais composant la deuxième partie du recueil intitulé *L'Énergie spirituelle* en sont les autres témoignages. Parmi eux, on peut détacher *Le Cerveau et la pensée*[1], effort polémique tourné contre la conception du « parallélisme » du corps et de l'esprit, qui est un

1. *Cf.* p. 959 *sq.*

deuxième fruit de *Matière et mémoire,* et sur lequel Bergson ne cessera d'insister[1]. Enfin, l'*Introduction à la métaphysique,* de 1903, prolonge en un manifeste de méthode la démarche du quatrième chapitre du livre de 1896 : on la trouvera dans la deuxième partie de l'autre recueil publié par Bergson, *La Pensée et le mouvant*[2].

La fécondité de l'hypothèse de *Matière et mémoire,* autant que ses liens avec celle de l'*Essai,* sont donc bien les deux garants de son importance. Le foyer de cette pensée ne peut s'atteindre qu'à travers la diversité de son rayonnement. Son but pratique ne changera plus : s'il n'est pas « pragmatique », au sens de l'action quotidienne que servent la science et le sens commun, il n'est pas non plus « contemplatif », au sens où il se contenterait d'en détourner l'attention. La philosophie a bien pour vocation de convertir le regard, mais c'est pour mieux éclairer la même durée, la même action, la même vie que notre corps manifeste déjà. Son souci de vérité désintéressée, s'il ne vise pas le plaisir immédiat, s'accompagne néanmoins d'une joie qui en est même, pour Bergson, le signe distinctif.

*

* *

L'*Évolution créatrice* noue ensemble une théorie de la vie, une métaphysique, et une critique de notre connaissance, pour ne plus les séparer. Mais ce qui fait la difficulté du livre en est peut-être aussi la clé. On sent bien, en effet (avant même les précisions du livre suivant[3]), que la notion d'« élan vital » ne peut pas être purement explicative, et qu'elle appelle une théorie de la connaissance. De même, la description de « l'intelligence », qui définit notre espèce dans le

---

1. *Cf.* dans les *Mélanges* la conférence de 1901 : « Le parallélisme psychophysique ».
2. *Cf.* p. 1392 *sq.*
3. *Cf.* le passage des *Deux sources...,* p. 1069-1073.

chapitre qui retrace « les directions de l'évolution[1] », ne vaut pas seulement par son opposition avec l'instinct : elle trace le cadre apparent de notre savoir. Ou encore, inversement, la célèbre critique de « l'idée de désordre » n'est pas menée pour elle-même, mais pour accéder à la « signification de la vie », comme l'indique d'ailleurs le titre du troisième chapitre, dont elle occupe curieusement la partie centrale. Mais y a-t-il un point où se rejoignent tous ces fils ?

Il semble bien que les trois dimensions du livre se rassemblent, précisément, dans le chapitre troisième, le plus difficile de l'œuvre. Peut-être en est-il aussi le lieu d'origine et la motivation première. En tout cas, l'hypothèse à valeur empirique ou scientifique, qui porte sur la vie, et l'intuition métaphysique avec ses conséquences critiques ne peuvent plus y être séparées. Si, comme le dit Bergson lui-même, « il en [résulte] d'abord une certaine confusion entre elles », en réalité, chacune tirera « profit de la rencontre[2] », parce que chacune l'exigeait. Ainsi, dans ce livre, en même temps que se trouve prise en compte la singularité de la vie comme question philosophique, se verrait sans doute renouvelée de l'intérieur la métaphysique bergsonienne, déjà mise en place dans les ouvrages précédents. La théorie de la vie oblige certes le philosophe à se déplacer, mais son « intégration » dans la philosophie fait entrer une partie de l'univers extérieur, peut-être même la réalité tout entière, dans le champ de la métaphysique et de la philosophie de l'esprit.

De fait, disons-le tout de suite, ce qui caractérisera ce chapitre central, c'est que l'intuition qui l'anime ne porte pas seulement sur la vie, mais bien sur la vie et la matière, pas seulement sur l'intuition elle-même, mais sur ses rapports avec l'intelligence considérée comme la propriété distinctive de l'espèce humaine. Plus encore, vie et intuition, matière et intelligence y

1. *L'Évolution créatrice*, chap. 2.
2. *Ibid.*, p. 663.

seront indissociables, toute notre connaissance étant partie de la réalité, toute la réalité devenant accessible à la connaissance. Plus qu'ailleurs encore, les grandes distinctions (qui fondent la critique indispensable de nos illusions) s'accompagnent ici de la genèse de l'unité où, dans notre expérience, leurs termes paraissent se confondre. La philosophie devient alors une tâche immense : « Un effort pour se fondre à nouveau dans le tout[1] », « un effort pour dépasser la condition humaine[2] », mais Bergson la veut aussi modeste, car collective : un homme seul ne peut en venir à bout. L'activité philosophique comporte des degrés : elle participe de la réalité intensive que Bergson n'a cessé de décrire.

Il faudrait maintenant montrer comment Bergson retrouve, en quelque sorte, la nécessité de cette intuition, à partir des deux premiers chapitres, consacrés (comme leurs titres l'indiquent) à « l'évolution ». On ne peut le faire que très brièvement.

Bergson paraît repartir de la description de la conscience de son premier livre. Cependant, non seulement il insiste désormais avant tout sur la *création de forme* qui la caractérise (la conscience étant à chaque instant plus dans sa forme totale qu'un simple arrangement des « états » qui la composent), mais il en fait le principe d'une analogie d'ordre ontologique : un *critère de réalité* applicable à l'ensemble des êtres. Au-delà des individus conscients, et de l'univers matériel pris comme un tout (*cf.* l'exemple du verre d'eau sucrée[3]), la vie, sous la double forme du vieillissement des corps individuels et de l'évolution qui lie tous les corps vivants aux formes infiniment variées entre eux, lui pose un nouveau problème. On ne peut que faire allusion à la façon dont il rencontre, discute, puis dépasse les théories « transformistes[4] » de l'évolution de son temps : des considérations empiriques, mais

---

1. *L'Évolution créatrice*, p. 658.
2. *Introduction à la métaphysique*, p. 1425.
3. *L'Évolution créatrice*, p. 502.
4. *Ibid.*, p. 513.

aussi épistémologiques amènent Bergson à l'hypothèse
de l'« élan originel », dont il ne s'agit pas pour lui de
prouver l'existence, mais de vérifier la pertinence. Elle
permet de parler de « création » au sein même de
l'« évolution », l'élan révélant de façon imprévisible ses
potentialités formelles au contact de la matière. Déjà,
elle appelle aussi une critique de la reconstitution
rétrospective qui ne saisit que les effets complexes
d'organisation de ce qui est simple en sa fonction et
son sens[1].

C'est pourtant à une reconstitution que Bergson se
livre lui-même dans le deuxième chapitre du livre. On
ne peut même le résumer ici. Si le but en est clairement fixé, puisqu'il s'agit de situer l'homme dans
l'évolution, le résultat en est paradoxal. D'un côté, en
effet, l'intelligence distingue l'homme des autres
espèces, par la capacité de réflexion et de fabrication,
et rend possible sa liberté, et, comme tendance distinctive, plus que comme caractère figé, elle restera au
cœur de l'anthropologie bergsonienne. De l'autre
côté, pourtant, l'intelligence, par ces mêmes capacités,
se trouverait limitée dans son objet au monde matériel
et solide, ainsi qu'à des reconstructions partielles et
fictives d'une réalité qu'elle ne peut voir surgir de
l'intérieur[2]. Ce n'est pas seulement parce qu'il est
attaché à la vie par la satisfaction des besoins que
l'homme ne peut la connaître, c'est l'instrument
même de sa connaissance, issu de la vie, qui lui
interdit de penser son origine et sa destination. L'histoire de son espèce indique sa tâche au philosophe :
« Le spectacle de l'évolution de la vie nous suggère
une certaine conception de la connaissance et une certaine métaphysique qui s'impliquent réciproquement[3] ». Inversement, « une fois dégagées, cette métaphysique et cette critique pourront jeter quelque
lumière, à leur tour, sur l'ensemble de l'évolution[4] ».

1. *Cf.* notamment le texte sur « la limaille de fer », p. 575-577.
2. « Penser consiste à reconstituer », p. 633.
3. *Ibid.*, p. 652.
4. *Ibid.*

Tel est le double problème du troisième chapitre, auquel nous voilà ramenés.

C'est à la conscience individuelle et intérieure, dont il était parti, que Bergson demande la solution du problème auquel il est parvenu. C'est en elle, donc en chacun de nous (à qui Bergson lance un appel) que se retrouverait le principe commun de la vie et de la matière, de l'intuition et de l'intelligence, sous la forme du mouvement premier et exceptionnel de la tension vers un effort créateur, et de son interruption, geste négatif, qui introduit un second mouvement, d'extension, de descente, de chute. Sans chercher à montrer en détail comment Bergson fait le lien entre cette psychologie et cette métaphysique, notons seulement le sens de ce retour « en soi ». Il livre la dualité de toute la réalité sous la forme d'un mouvement double interne à une conscience. Il en montre ainsi l'unité d'origine, et avec elle celle de la réalité et de notre connaissance, fût-ce en maintenant une distinction radicale, marquée par la bifurcation radicale de l'arrêt, de l'interruption, de la « détente » (entre la tension et l'extension).

C'est l'absence d'une telle distinction qui amène à rétablir à tort, selon Bergson, une distance, aussi bien entre la réalité et notre connaissance, que manifeste l'idée de désordre, qu'entre les deux ordres de réalité, donnant lieu aux deux « illusions fondamentales » de notre entendement que décrit le quatrième et dernier chapitre du livre, et que nous devons laisser ici de côté. Ces ultimes critiques ne sont pas plus gratuites que les autres, puisqu'elles mènent à l'affirmation d'un Être et d'un Absolu[1] qui dépassent même l'enjeu de la philosophie de la vie, et à une théorie générale du devenir et de la forme qui compte parmi les pages les plus importantes de l'œuvre.

Parmi les résultats de ces analyses, on ne saurait compter l'histoire de la philosophie qui clôt l'ouvrage, puisqu'elle en est partie intégrante. Elle mériterait

1. *L'Évolution créatrice*, p. 747.

d'être relue[1]. Mais il faut évoquer les grands essais de la première partie de *L'Énergie spirituelle* (« La conscience et la vie », « L'âme et le corps »), ou de *La Pensée et le mouvant*.

Détachons-en seulement la conférence sur *L'Intuition philosophique,* citée en commençant : on y voit en effet qu'entre l'intuition simple du philosophe et la diversité infinie des faits scientifiques, c'est précisément un mouvement continu de va-et-vient qui doit faire le lien[2]. L'œuvre du philosophe est ainsi emblématique du contenu de sa philosophie. Ainsi en est-il aussi du *style* de Bergson : si fluide, si propre à jouer des temps des verbes à la place des articulations logiques, mais qui ne tient sa force que de conduire en même temps des démonstrations, des réfutations, dans des œuvres à l'architecture toujours soigneusement élaborée.

★
★ ★

Plutôt que de s'y engager, on peut essayer seulement de donner ici les coordonnées générales de la lecture du dernier livre écrit par Bergson, *Les Deux Sources de la morale et de la religion.*

Notons donc quelques points.

La critique des morales de l'intelligence et de la raison pures (utilitarisme ou kantisme) ne s'explique que par le caractère mixte de leurs notions principales. Il faut distinguer deux « sources » de la morale, pression sociale et aspiration individuelle, mais aussi restituer les étapes de leur mélange effectif dans l'histoire concrète de l'humanité[3] (et non dans un système).

Bergson critique aussi la philosophie des religions de ses contemporains sociologues (Durkheim et ses disciples), leur opposant sur leur terrain le recours à la

1. *Ibid.,* p. 762-807.
2. *Ibid.,* p. 1361-1362.
3. *Cf.* les pages décisives sur la justice, p. 1033-1043.

psychologie de l'homme en général, et opposant à la
religion sociale celle des grands mystiques, révélateurs
de vérité métaphysique, pour mieux assister là encore
à leur interpénétration possible au cours de l'histoire
de l'humanité.

Enfin, cette dernière, toile de fond de tout le livre,
fait l'objet d'une synthèse, mais aussi d'une ouverture
sur le moment même de rédaction de l'ouvrage, dans
l'énigmatique dernier chapitre.

Mais il faut réserver au lecteur la recherche de
l'unité de ces analyses, et des surprises qu'elle recèle,
que des notations aussi sèches ne sauraient remplacer.
On conclura ici en faisant seulement trois ultimes
remarques.

L'unité des livres de Bergson ne semble bien s'atteindre que dans leur diversité. La rigueur de leur
lecture dépend peut-être alors de l'articulation entre
ces deux directions de l'interprétation, qui, on a tenté
ici de le montrer, ne font pas cercle.

Cette dualité d'aspects répond peut-être elle-même
au problème philosophique posé dans cette œuvre. La
durée, la mémoire, la vie, unes et multiples, indivisibles et indéfiniment divisées dans l'espace, les corps,
les espèces, ne cessent de nous renvoyer à la même
question. Si la distinction de ces deux aspects, à son
tour, fonde la partie critique de l'œuvre, la recherche
de leur unité inspire sa partie génétique.

C'est donc bien la surprise initiale qui reste
entière, comme le soulignera Bergson dans l'autobiographie intellectuelle qui ouvre *La Pensée et le
mouvant*. Elle n'aurait été qu'un étonnement super-
ficiel si elle avait trouvé une explication ; elle peut
devenir, rétrospectivement, la source de toute une
œuvre si, au terme de celle-ci, elle n'a pas épuisé ses
effets, et garde pour celui même qui l'a rencontrée
sa part d'énigme.

Il ne faut pas regretter de ne pas avoir connu
Bergson. Une illusion rétrospective guette aussi tout
lecteur. À travers même ce qui en elle est daté, temporel, et nous échappe, son œuvre nous renvoie à

notre vie, comme notre vie nous renvoie aux questions que la philosophie a pour tâche de poser.

Frédéric WORMS

BIBLIOGRAPHIE

ÉDITION DE RÉFÉRENCE : *Œuvres,* Éd. du Centenaire (éd. A. ROBINET), Paris, PUF, 1959.

AUTRES ÉDITIONS : *Cours,* éd. H. HUDE, Paris, PUF, coll. « Épiméthée », t. 1, 1990, t. 2, 1992. *Mélanges,* Paris, PUF, 1972.

COMMENTAIRES : M. MERLEAU-PONTY : *Éloge de la philosophie,* Paris, Gallimard, 1953. Rééd. « Folio-Essais ». H. GOUHIER : *Bergson et le Christ des Évangiles,* Paris, Fayard, 1961 ; rééd. Vrin, 1986. G. DELEUZE : *Le Bergsonisme,* Paris, PUF, 1989, 3ᵉ éd. V. JANKÉLÉVITCH : *Bergson,* Paris, PUF, 1975.

BERKELEY

Principes de la connaissance humaine
Alciphron

Vers minuit, aux Tuileries, deux amoureux s'arrêtent devant un jet d'eau. La jeune femme se laisse fasciner par les mouvements de l'eau qui monte et qui tombe, et murmure à son compagnon : « Ce sont tes pensées et les miennes. Vois d'où elles partent toutes, jusqu'où elles s'élèvent, et comme c'est encore plus joli quand elles retombent. Et puis aussitôt elles se fondent, elles sont reprises avec cette même force, de nouveau c'est cet élancement brisé, cette chute... et comme cela, indéfiniment[1]. » André Breton dit alors à Nadja qu'elle a formulé d'elle-même une idée exprimée par Berkeley, et qui a fait l'objet d'une gravure dans une édition de 1750 des *Dialogues entre Hylas et Philonous*. L'image d'une fontaine est accompagnée de ces mots : « La même force lance les eaux vers le ciel et les fait retomber. » Et Philonous, « l'ami de l'esprit », dit que l'élévation et la retombée de l'eau rappellent le mouvement même de la pensée.

Nadja est une berkeleyenne spontanée. Et elle n'est pas la seule. Condillac débute un ouvrage par cette audace-là : « Soit que nous nous élevions, pour parler métaphoriquement, jusque dans les cieux ; soit que nous descendions jusque dans les abîmes, nous ne sor

---

1. *Nadja*, André Breton, Paris, 1928.

tons point de nous-mêmes[1]. » L'origine des connaissances humaines est dans la sensation ; et nous pouvons douter si les sensations sont des connaissances qui nous font sortir de nous-mêmes. Cela ferait, il est vrai, plaisir à Berkeley. Son intuition de base, selon laquelle « exister, c'est être perçu », n'est-elle pas fondamentalement la nôtre ? Il y a chez Berkeley ce sentiment d'évidence qui fait que, souvent, il nous invite à rentrer en nous-mêmes, à consulter nos pensées. Il se sent alors certain que nous ne pouvons penser autrement que lui. Et s'il avait en cela raison ?

Ainsi la pensée de Berkeley pourrait-elle bien être la tentation intérieure de tout philosophe, chez lui radicalement exposée.

Or la tentation est une manœuvre persuasive qui a quelque chose de serpentin ou de diabolique ; et que Berkeley argumente beaucoup, en particulier contre la matière, peut prêter à soupçon. Ainsi Diderot s'est-il inquiété en ce qui concerne Condillac. Et il lui a demandé d'« écarter le Berkeley qu'il porte en lui[2] ». Dès ses premiers textes de fougueux jeune homme, Berkeley fit mal comprendre son « immatérialisme ». Cet Irlandais est trop idéaliste, dit-on. Il est extravagant. Il est fou. Nul ne peut être berkeleyien. Berkeley a essuyé quolibets et refus, en sa vie, et même à titre posthume. Car étant un philosophe franc et clair, qui s'exprime toujours avec la certitude d'être dans le vrai bons sens, irlandais, il a toujours donné à ses lecteurs des démangeaisons de réfutation. Les philosophes français ont vite dit que le fameux « Barclay » ne saurait être cru, même si nul n'arrivait à répondre à ses arguments ; ils lui opposèrent la preuve de l'existence de la matière par sa consommation (les dames de Paris, dit Voltaire, quand elles mangent leur ragoût, ne se soucient de savoir si elles mangent des idées : il leur suffit de faire bonne chère[3]). Plus tard, Lénine fit courir très longtemps sa plume sur le papier pour

1. *Essai sur l'origine des connaissances humaines*, Condillac, 1746.
2. *Lettre sur les aveugles*, Diderot, 1749.
3. *Dictionnaire philosophique, Corps*, Voltaire, 1764.

prouver que Berkeley avait tort, et que le matérialisme était vrai : pourquoi lui fallait-il tant de peine[1] ?

En tout cas, si la philosophie de Berkeley est celle qui nous tente, il semble que pourtant chacun se garde de succomber à cette tentation.

La vie de Berkeley a elle-même quelque chose de surprenant. Elle donne à penser qu'il combine une vocation philosophique, religieuse, humaniste solide avec une grande liberté d'esprit et d'action. Cet « immatérialiste » est curieux du monde et s'engage beaucoup.

Né à Kilkenny (Irlande) en 1685, brillant et vif étudiant du Trinity College de Dublin, il fut tôt enseignant, tôt engagé dans la voie religieuse, écrivain précoce (ses *Notes philosophiques* furent rédigées en 1707) ; il publia coup sur coup un succès : l'*Essai pour une nouvelle théorie de la vision* en 1709, et un semi-échec : *Traité des principes de la connaissance humaine*, en 1710. Il dut réexpliquer sa thèse en 1713, dans les *Trois dialogues entre Hylas et Philonous*. Alors Berkeley a vingt-huit ans. Il se libère de ses tâches, part à Londres, voyage en Italie comme précepteur, en passant par la France. Nous avons ses carnets de voyage. À son retour en 1721, comme un legs imprévu le met à l'aise, il se consacre à un projet, celui des Bermudes. Son idée est de fonder un collège aux Bermudes, qui serait un lieu d'enseignement des Humanités et des Évangiles, où seraient formés de jeunes « sauvages », enlevés enfants de leur continent. Adultes, ils auraient la mission d'évangéliser l'Amérique. Le projet fait des adeptes, obtient l'accord de la Couronne, l'allocation d'une subvention (1726), et des dons privés arrivent. En 1728, à quarante-trois ans, Berkeley se marie et part pour l'Amérique. Il séjournera trois ans à Newport, dans la vaine attente des subsides de l'État. De cette époque date *Alciphron*, publié en 1732, juste au retour d'Amérique. Enfin, en 1734, l'évêché de Cloyne est attribué à Berkeley, et il

---

1. *Matérialisme et empiriocriticisme*, Lénine, 1908.

revient en Irlande, où il vit encore vingt ans. Sa sédentarisation dans la plus pauvre des paroisses irlandaises
amène Berkeley à agir dans toutes les directions : sur
le front religieux il lutte contre les sectes ; s'inquiétant
de l'économie irlandaise, il propose de créer une
banque et une monnaie nationales ; il ouvre des ate-
liers de tissage pour redonner aux jeunes chômeurs un
travail ; il invente de populariser un remède avec
lequel il combat des épidémies graves : l'eau de goudron. Il publie la *Siris*, en 1744, ouvrage où il explique
que l'eau de goudron est probablement la panacée
pour nos corps, et l'élévation de l'âme vers des intérêts
spirituels le remède pour nos âmes. Berkeley meurt à
Oxford en 1753 ; il venait d'y rejoindre un de ses fils.

Il y a donc, manifestement, une constance du souci
philosophique chez Berkeley, mais aussi le sens des
intérêts de la vie, et des appels urgents à l'action.
C'est dans ce domaine qu'il exerce davantage son
« ministère » religieux. Et c'est ce qui introduit des
phases de « silence » dans sa production. Il y a, chez
cet inventeur de l'immatérialisme, une très grande
curiosité vis-à-vis du monde et de toutes les réalités ; il
y a aussi un fort pragmatisme, le sens des engage-
ments. D'ailleurs, en son siècle déjà, ses amis le
disaient bien : comment se fait-il que ce fou, qui
défend que l'on puisse aller au-delà de nos sensations
vers la position d'un monde matériel qui en serait
cause, ce doux rêveur dont on dit à Paris qu'il a fondé
la secte des « égoïstes », incapable qu'il devait être de
sortir de l'île de sa conscience, comment se fait-il que
ce théoricien-là soit si aux prises dans le réel, si actif,
si présent, qu'il s'agisse de la nature ou des affaires
humaines ? Comment se fait-il que ce voyageur et cet
utopiste soit aussi un homme si sage, si bon, si rassis ?
Comment se fait-il encore qu'il ait osé, sans vergogne,
critiquer d'égal à égal les découvertes du chevalier
Newton, réfutant son idée d'un espace absolu, son
calcul des « fluxions », son éther ?

La philosophie comme la personnalité de Berkeley
ont toujours dérouté. Ainsi, a-t-il pensé toujours de la

même façon ? Il bataille en faveur de sa thèse dans les *Principes,* à grand renfort d'analyse du langage et d'arguments, levant des objections et les réfutant. Il institue une discussion à deux dans les *Trois Dialogues* ; puis dans l'*Alciphron* il installe de longues conversations entre amis, partisans et adversaires de la libre pensée, sans que l'on sache trop ce qu'il défend. On le voit enfin, dans la *Siris,* commencer par l'eau de goudron, proposer une chimie, une philosophie de la nature, et déboucher sur la Trinité, le tout dans une ambiance platonicienne, dans le constant recours à l'autorité des anciens.

Enfin, nous constatons un renversement du goût chez les lecteurs de Berkeley. En son temps, les *Principes* furent dépréciés, *Alciphron* bien reçu ; *Siris* fut un grand succès de librairie, diffusé en Europe à mesure que s'ouvraient les boutiques proposant le remède du docteur Berkeley. De nos jours, *Siris* est mal aimé, *Alciphron* conserve une solide réputation, et les œuvres de jeunesse sont extrêmement prisées. Ce sont elles qui contiennent le vrai départ, la position de base de la philosophie berkeleyienne. C'est par elles qu'il faut nécessairement commencer.

*

* *

« Je me permets d'adresser au lecteur une demande personnelle : qu'il suspende son jugement jusqu'à ce qu'il ait lu, au moins une fois, le tout d'un bout à l'autre et avec les degrés d'attention et de réflexion que lui semble mériter le contenu du sujet... Au lecteur qui y réfléchit bien, je me flatte que le contenu de cet ouvrage sera partout clair et évident. » Par contre, prévient Berkeley dans sa Préface au *Traité des principes de la connaissance humaine* (Première partie, 1710), le lecteur qui isole et le lecteur impatient ne comprendront pas, ici plus qu'ailleurs. Berkeley pressent ce qui est arrivé tout de suite : ses premiers lecteurs ont couru à son Principe (Exister, c'est percevoir ou être perçu). Ils ont isolé des phrases comme celle-ci : « Il est impossible qu'une couleur, une étendue, ou toute autre qualité sensible, existent dans un sujet non pensant, hors de l'esprit ou, à vrai dire, il est impossible qu'il existe quelque chose comme un objet extérieur[1]. » Ils ont sauté l'Introduction, qui est difficile. Or il faut absolument procéder par ordre, respecter la « chaîne des raisons ».

Au départ, nous, les chercheurs de vérité, nous sommes sur notre route, et n'y voyons rien, ou du moins pas grand-chose. Serions-nous tous par nature myopes, presbytes, amblyopes, sinon aveugles ? Bien sûr que non ! Même une faculté de voir qui a ses limites naturelles reste une faculté « positive », qui nous donne quelque chose. Le myope voit très bien ce qui est très près, après tout. Donc, ne déjugeons pas nos facultés. « Nous avons d'abord soulevé un nuage de poussière, et nous nous plaignons ensuite de ne pas y voir[2]. » Le but est énoncé : ne nous installons pas dans un scepticisme désespéré. Si nous avons soulevé la poussière, nous pouvons la faire retomber. C'est un quelque chose que nous faisons qui obscurcit tout.

Le coupable est désigné ainsi : « C'est l'opinion que l'esprit a le pouvoir de forger des idées abstraites ou notions des choses[3]. »

La tâche alors s'en déduit : analyser l'opération d'abstraction, montrer qu'elle est faussement évidente, que c'est une fiction de savants, comme Locke. Berkeley avance une preuve et un argument. La preuve est du côté de l'évidence intérieure : l'homme franc, s'il consulte ses facultés, voit bien qu'il n'a pas la capacité d'abstraire ses idées. Il constate qu'il n'a que des idées particulières. L'argument est pris dans l'analyse du langage : les mots ont contribué à cette méprise. Nous croyons qu'à un nom doit nécessairement correspondre une signification, à un nom général une idée générale abstraite. C'est oublier que les noms doués de sens sont toujours des noms rapportés à une sensation (toute idée est particulière), et

1. *Traité des principes de la connaissance humaine*, paragr. 15.
2. *Ibid.*, Introd., paragr. 3.
3. *Ibid.*, Introd., paragr. 6.

qu'il existe une seconde fonction du langage, qui est d'émouvoir ou de faire agir seulement, sans qu'on ait à concevoir un sens.

Or il faut cela pour réfuter l'idée d'une existence matérielle. « Car peut-il y avoir un effort d'abstraction plus subtil que de distinguer l'existence des objets sensibles d'avec le fait qu'ils sont perçus, de manière à les concevoir existants non perçus[1] ? »

Voilà l'essentiel de la méthode qu'applique Berkeley dans ce remarquable début des *Principes*. La simplification nécessaire à cette présentation n'en montre pas assez les enjeux, les présuppositions et les difficultés propres. Il faut remarquer au moins que Berkeley, comme il le dit lui-même, pense spécialement à réfuter Locke, géant sur les épaules duquel il se juche pour essayer de voir par ses propres yeux d'encore un peu plus haut. Nous sentons également dans cette attention au langage, au voile des mots, une perspective « nominaliste », qui privilégie l'extension sur la compréhension des concepts. Un « sensualisme » aussi se profile : une idée est une sensation ; les sensations sont tout à fait étrangères et distinctes ; ce sont des unités hétérogènes. Un cube vu n'est pas un cube touché. C'est là l'acquis des analyses de la *Nouvelle théorie de la vision*. Berkeley est radical : autant de sensations, autant d'objets, autant de qualités attachées, autant d'espaces aussi bien. La construction d'une chose est dans ce contexte difficile à penser. Qu'est-ce qu'une pomme ?

Nous lisons que critiquer les idées générales abstraites n'est pas critiquer les idées générales : mais celles-ci paraissent n'être que des ensembles empiriquement établis.

Le principe est : Exister, c'est être perçu, ou percevoir. Être une idée (chose), ou être un esprit. L'idée est passive, l'esprit actif. De ses opérations et passions nous n'avons pas exactement des idées, mais des notions.

1. *Ibid.*, Introd., paragr. 7.

Mais ce dualisme ontologique est-il tenable ? C'est à lui que tous les lecteurs se sont d'abord arrêtés. C'est de là que sont nés tous les fantasmes autour de la philosophie de Berkeley. Est ce qui est perçu : mais pourquoi pas imaginé ? Ne dois-je point être pris d'angoisse quand j'ouvre la porte de mon bureau : ma table de travail sera-t-elle encore là ? Réapparaît-elle avec mon regard ? C'est à cause de toutes ces questions du lecteur surpris qu'on a inventé un Berkeley idéaliste, égoïste, solipsiste.

Là encore, seule une lecture précautionneuse permet de voir la légitimité de la distinction que l'auteur fait entre le réel et l'imaginaire. Il pense que le Principe laisse les choses en l'état et ne fait pas du monde un songe bien lié. Mais comment ? Et comment le croirons-nous ? Ici, l'attention doit être attirée par l'idée de la nature, interprétée par Berkeley en termes de langage. De même qu'il existe des choses (ensemble d'idées), de même il existe un cours de la nature, qui est aux choses et aux événements ce que la grammaire est à nos mots. La nature s'entend ou s'interprète, elle se lit à livre ouvert, car elle est perçue, pensée par un esprit, Dieu. N'y a-t-il pas un tiers dans cette ontologie, un tiers dont Russell malignement disait qu'il gardait les meubles, une fois la porte fermée ? Dès lors, la discussion continue d'être ouverte. D'autant que la « seconde partie » des *Principes,* qui aurait dû traiter des esprits, ne fut jamais rédigée par Berkeley.

*
* *

Alciphron ou le Petit Philosophe (1732) est sans doute la plus ambitieuse composition de Berkeley. C'est aussi celle qui est le plus en prise sur la pensée de l'époque, la plus polémique. C'est une œuvre à quatre voix, où Alciphron et Lysicles, interprètes de la libre pensée, argumentent avec Criton et Euphranor, les chantres d'une philosophie chrétienne. Qui règle ce quatuor où chaque mélodie est très distincte ? C'est peut-être le discret narrateur, car l'identification n'est pas possible entre Berkeley et l'un des quatre.

Alciphron est une œuvre riche et pleine, composée de Sept Dialogues dont chacun a un thème principal. Rien dans la composition n'est laissé au hasard. Les thématiques principales sont organisées dans le premier dialogue. Et dans l'ensemble du livre, l'examen de la religion naturelle est suivi de celui de la religion révélée.

Dans le *Dialogue 1,* nous cherchons à voir si la libre pensée est caractérisable. Elle tient à batailler contre l'Église et son clergé, et se présente comme favorable à une religion naturelle. Pour elle, il vaut mieux suivre la raison et la nature que d'écouter les puissances.

C'est pourquoi le *Dialogue 2* discute l'idée de Mandeville, celle de l'éventuelle utilité du vice. Un bien commun se construit-il sur les égoïsmes, sur les intérêts, sur les plaisirs, ou faut-il s'appuyer sur la vertu ?

Le *Dialogue 3* s'inquiète de savoir si, à suivre la nature, on ne trouverait pas la voie de la vertu authentique. Ainsi, la vertu ne séduit-elle pas par sa beauté même ? Certains peuvent craindre que cet attrait n'existe que pour quelques esprits éclairés, et qu'il vaille mieux parler un langage plus accessible de punitions et de récompenses dans la vie future. Pourtant, n'y a-t-il pas en nous un sens moral ?

Ce qui ne peut être tranché sur le terrain de la morale doit peut-être être examiné sur le terrain de la vérité religieuse. Le *Dialogue 4* s'inquiète de la question de la croyance, de l'existence puis de la nature de Dieu, et mobilise pour ce dessein des théories subtiles, celle du langage visuel, celle de l'analogie.

Avec ce quatrième dialogue, nous franchissons un col. Les libres penseurs avaient d'abord pris l'initiative de l'attaque ; nous sommes au point d'équilibre et de réflexion fondamentale. Dans la suite du texte, ce seront les penseurs chrétiens qui auront prioritairement l'initiative.

Le *Dialogue 5* défend le christianisme contre les cultures antiques. Il permettrait davantage le progrès de la culture et de la morale.

Cela permet au *Dialogue 6* d'examiner la vérité de la religion révélée. La tradition est-elle incertitude ? Erreur ? Ou peut-on lui accorder sa confiance ?

C'est sur un dialogue passionnant et très dense, le *Dialogue 7*, qu'*Alciphron* s'achève. La théorie du langage est contradictoirement mise en œuvre par les adversaires pour savoir si avec la religion nous touchons un domaine qui est au-delà du sens ou dépourvu de sens. Cela implique nécessairement des prises de position sur la liberté humaine.

Ce résumé ne donne pas l'idée de l'intérêt de chaque dialogue. Certains exposés sont très brillants, d'autres pédants et frôlant l'ennui, d'autres très justes, raisonnables, etc.

Les personnages d'*Alciphron*, chaleureux, cultivés, vifs, sont des porte-parole, qui évoquent les idées récemment soutenues par Shaftesbury, ou Mandeville, ou Collins, ou Toland..., évoqués sous des noms d'emprunt. Berkeley avoue qu'en un sens il « dénonce des livres ». Pourquoi ?

Le souci majeur, dominant, est celui de la valeur de l'édifice que représente la religion chrétienne : valeur théologique, valeur doctrinale, valeur morale et politique. Car Berkeley ressent une forte poussée des théologies naturelles et de l'athéisme. Et, un peu comme s'il anticipait la comparaison que fait Victor Hugo de la cathédrale à un livre, Berkeley voit s'ajouter un à un des volumes, monter les rayons de la bibliothèque de la libre pensée, de l'athéisme. Le Livre est cerné par les livres. La question est de savoir si c'est rassurant ou effrayant. Cela pourrait être rassurant, car chaque auteur n'a qu'une petite voix, prône une « petite philosophie », de son point de vue très limité ; mais c'est effrayant, car l'effet de nombre devient à lui seul constitutif d'une monstruosité. Protée changeait sans cesse de forme, renaissait toujours, en devenait insaisissable et invincible. Aussi l'avertissement modeste en son ton peut-il être entendu avec une sorte d'inquiétude : « Le but de l'auteur [est] d'examiner le libre penseur sous ses différents jours : athée, libertin, enthousiaste, railleur, critique, métaphysicien, fataliste et sceptique. » Comment cela peut-il se constituer en but ? C'est la multiplicité, ce sont les métamorphoses incessantes de la libre pensée qui font problème.

Toutefois, on peut se demander si Berkeley ne suggère pas aussi que les nombreux défenseurs de la légitimité religieuse, dans l'autre camp, souffrent de certains excès et désaccords. L'opposition ne se jouerait pas entre le parti de l'Un et celui du Multiple, si pour la foi il n'y a pas non plus qu'une parole vraie et fiable. Dès lors, la mise en scène sur un théâtre philosophique n'est-elle pas la solution ? Le recours à la forme du dialogue platonicien n'indique-t-il pas que la vérité n'est pas énoncée là, ni par l'un ni par l'autre ? Il semble que Berkeley livre un monde d'antinomies. Et que ce qui aurait pu être un texte militant, ou apologétique, devienne une œuvre dialectique.

C'est surtout parce qu'il posait des thèses audacieuses et les défendait valeureusement par l'argument que le jeune Berkeley séduisait dans les *Principes de la connaissance humaine*. Les pensées y suivaient leur parcours simple, montant et descendant comme l'eau de la fontaine. Le lecteur se sentait invité à sympathiser et à polémiquer directement avec un auteur très engagé dans son œuvre. Le charme d'*Alciphron* tient à des raisons inverses : à un effacement du « moi », même si la vigueur de la pensée et la bataille théorique sont aussi vives. Nous pourrions penser plutôt à une grande fontaine compliquée, où les différents jets d'eau s'entrecroisent, se renforcent ou se contrarient. Dans *Alciphron,* si une pensée d'ensemble, avec par places des rappels des thèses immatérialistes, se fraie son chemin, c'est petit à petit, et discrètement, et dans la relation.

Aussi *Alciphron,* par sa forme, est une œuvre sceptique, ouverte à nos réflexions : philosophique.

Roselyne DÉGREMONT

BIBLIOGRAPHIE

ÉDITION DE RÉFÉRENCE : *The Works of George Berkeley,* edited by LUCE and JESSOP, 9 vol., Edimbourg/Londres, 1948 ; Nelson Kraus reprint.

TRADUCTIONS FRANÇAISES : *Alciphron,* trad. J. PUCELLE, Paris, Aubier-Montaigne, 1952. *Œuvres,* sous la direction de G. BRYKMAN, 3 vol., Paris, PUF, coll. « Épiméthée », 1985, 1987, 1992. *Alciphron* est dans le volume 3. *Principes de la connaissance humaine,* trad. D. BERLIOZ, Paris, GF-Flammarion n° 637, 1991.

COMMENTAIRES : M. GUEROULT : *Berkeley, quatre études sur la perception et sur Dieu,* Paris, Aubier, 1956. G. BRYKMAN : *Berkeley et le voile des mots,* Paris, Vrin, 1993.

COMTE

Cours de philosophie positive
Discours sur l'esprit positif
Système de politique positive
Catéchisme positiviste

Comte a bâti une des grandes philosophies systématiques du XIXe siècle, aux ambitions totalisantes : une philosophie des sciences qui réordonne toute l'encyclopédie et y ajoute une nouvelle science, baptisée « sociologie » ; une philosophie politique et sociale qui se donne pour ambition de réorganiser la société, en France, en Occident, et sur toute la planète, et qui fonde une nouvelle religion, la « religion de l'humanité ». Cette philosophie, le positivisme, grâce à l'active propagande de quelques disciples très influents, est vite devenue une dominante du paysage intellectuel français : avec Émile Littré, elle devient la philosophie officielle de la Troisième République ; on y souscrit, on la discute, on la combat : c'est une référence incontournable. Mais c'est aussi une philosophie exportée : par exemple, c'est en son nom que bien des révolutions sud-américaines – au Brésil particulièrement – ont été faites.

*
* *

Comte vit dans un monde en effervescence. La Révolution n'en finit pas de finir. Les régimes se succèdent : on détruit, on restaure, on combat sur tous les fronts. En ces temps toujours bouleversés, nombreux sont ceux qui essaient avec persévérance de chercher dans les sciences les principes, fins et moyens d'une réorganisation efficace. L'espoir demeure, bien qu'on ne sache plus trop à quelle science se vouer. A l'École polytechnique, où Comte est brillamment reçu en 1816, ont enseigné les plus grands savants révolutionnaires. Les jeunes élèves se sentent investis d'une mission, tant intellectuelle que politique. Exerçant sa vive intelligence et son esprit audacieux, voire frondeur, Comte lie étroitement exigences scientifiques et aspirations à la régénération sociale.

En 1817, Comte renonce aux carrières d'ingénieur, préférant vivre de leçons et d'écrits. Il a rencontré Saint-Simon, dont il devient pour quelques mois le secrétaire, pour quelques années le collaborateur et ami. Ils communient dans les mêmes espérances enthousiastes. Saint-Simon a déjà publié bien des projets de réforme sociale, qui s'appuient tous plus ou moins sur les sciences : refonte de l'Encyclopédie, fondation du « Physicisme », promotion d'une « Science de l'homme ». Il est alors en train de programmer une vaste « réorganisation européenne » et un « industrialisme » généralisé, concernant « l'industrie commerciale et manufacturière », mais aussi « l'industrie littéraire et scientifique » ; tout doit se faire en coordonnant des pouvoirs « temporel » et « spirituel » complémentaires. Comte se charge d'établir en 1822 le *Plan des travaux scientifiques nécessaires pour réorganiser la société*. Cet opuscule, que Comte désignera toujours comme son « opuscule fondamental », devient en 1824 l'occasion de la rupture. Par-delà les raisons circonstancielles, elle révèle les différends importants sur ce que les deux refaiseurs de monde attendent de la science, de la place et de son rôle dans la société. Comte s'irrite de la hâte brouillonne de Saint-Simon, de son impatience à vouloir changer les institutions avant que les doctrines soient refaites ; il juge aussi trop belle la part faite aux banquiers et artistes, défend plutôt le « pouvoir spirituel » des savants ; et il trouve au programme de son ex-associé des relents de « théophilanthropie réchauffée »[1]. Comte, lui, veut construire un système philosophique sur des bases assurées. Fier de son éducation scientifique, il veut, avant d'entreprendre, mettre au point les théories commandant toute pratique, et donc établir les conditions de toute science pour concevoir celle de la politique ; l'urgence lui semble être aussi de trouver le système d'éducation propre à la diffuser et à former une opinion publique garante d'une division des tâches selon une harmonie nouvelle. En politique comme en tout ordre de conceptions, il s'agit de dépasser les chimères « théologiques » et « métaphysiques » qui caractérisent les premiers « états » de l'esprit humain, pour arriver à l'état « positif » apte à saisir les « lois » à partir d'observations contrôlées. Comte choisit donc l'étude patiente des conditions du progrès scientifique afin d'établir les conditions scientifiques du progrès.

Ainsi, les méditations ordonnées sur les sciences ont toujours eu pour Comte, par-delà leur ambition encyclopédique et ce que l'on appellerait maintenant leur portée « épistémologique », des visées sociopolitiques. D'ailleurs, lorsque Comte, jugeant les premières assez affermies, se met à exposer en précision les projets relatifs aux secondes dans ce qu'il appelle « sa seconde carrière », il prend soin d'en souligner le lien en citant Vigny — « Qu'est-ce qu'une grande vie ? Une pensée de la jeunesse exécutée par l'âge mûr[2] » — et il republie à la fin de son œuvre de maturité une sélection de ses textes de jeunesse[3].

1. *Cf. Considérations philosophiques sur les sciences et les savants*, 1825, *Considérations sur le pouvoir spirituel*, 1826, et la *Correspondance* des années 1816-1824.
2. En exergue à la Préface du *Système de politique positive* (ici, *S*).
3. « Appendice général du *Système de politique positive*, contenant tous les opuscules primitifs de l'auteur sur la philosophie sociale. »

Ses disciples comme ses critiques ont parfois voulu déconnecter le philosophe des sciences du premier grand traité, le *Cours de philosophie positive*, et le programmateur des réformes institutionnelles du *Système de politique positive*. Mais il ne saurait être question de dissocier, de désarticuler une œuvre que son auteur a systématiquement reliée et ordonnée. N'en retenir que l'une ou l'autre part, c'est en méconnaître la puissance systématique, et c'est en effacer l'élan ; d'un côté ou de l'autre, c'est aussi durcir le dogmatisme d'une pensée qui s'ancre dans l'Histoire, qui subit des reprises, des corrections, des adaptations, et s'efforce de lier rigueur et ouverture, ordre et progrès.

*
* *

Le *Cours de philosophie positive* se veut une sorte de propédeutique[1]. Il occupa cependant son auteur plus de douze ans ! Ce fut un cours dispensé à tout public. Les deux premières leçons en précisent les visées et le champ : il s'agit d'étudier l'histoire des conceptions humaines, leurs mode et ordre d'accès à la positivité scientifique — la succession des « trois états » « théologique », « métaphysique » et « positif » est donnée comme une « loi » —, et de réordonner l'encyclopédie selon une « hiérarchie des sciences » — les théoriques, abstraites et générales sont fondamentales par rapport aux pratiques, aux sciences particulières, concrètes et appliquées ; et l'astronomie, la physique et la chimie, puis la physiologie, font succéder l'étude des phénomènes, des plus généraux et simples, aux plus spéciaux et

1. « Tout le mécanisme social repose finalement sur des opinions (...) la grande crise politique et morale des sociétés actuelles tient en dernière analyse à l'anarchie intellectuelle... » « Complétant la vaste opération intellectuelle commencée par Bacon, par Descartes et par Galilée, construisons directement le système d'idées générales que cette philosophie est désormais destinée à faire prévaloir dans l'espèce humaine, et la crise révolutionnaire qui tourmente les peuples civilisés sera essentiellement terminée » (*C*, 1re leçon, I, p. 38-39) (*C* désigne ici le *Cours*).

complexes. Ce qui indique aussi le travail restant à faire : après la formation par la mathématique, puis la maîtrise suffisante de la physique céleste, de la physique terrestre et de la physique organique, il est temps de s'intéresser à la « physique sociale ». Ce qui établit aussi le programme d'une éducation bien conduite. Et donc fonde enfin l'espoir de pouvoir maîtriser les conditions d'une réforme sociale valable et durable.

Les deux premières leçons ayant indiqué les enjeux et repères fondamentaux, Comte étudie alors ce que chaque science apporte : méthodes plus affinées, doctrines plus développées. Pour chacune, d'importantes leçons introductives précisent les acquis, les directions programmatives, les rapports avec les autres savoirs et les divisions internes[1]. Selon Comte, la mathématique est une indispensable école de rigueur ; l'astronomie donne le modèle de l'observation et de la prévision scientifiques ; la physique excelle dans l'expérimentation pour laquelle la chimie et la biologie trouvent des méthodes nouvelles et complémentaires. Ces deux dernières sciences développent aussi l'art des nomenclatures et des classifications. La « biologie », terme que Comte préfère à celui de « physiologie », réservé pour en désigner une partie, est présentée comme une science très importante, une science-pivot : avec elle, on a affaire aux phénomènes du monde organique, du monde vivant ; en précisant les lois structurelles et fonctionnelles de tout vivant, en montrant l'importance des liens au milieu et de leurs interactions constantes, elle met aussi l'homme à sa place dans le monde et dans l'échelle des êtres ; il est d'abord un vivant, avec ses structures et ses fonctions, dépendant de son milieu, agissant sur lui dans certaines limites ; il est aussi un animal, fût-il le plus complexe et le plus parfait, c'est-à-dire qu'il est pourvu de tendances instinctives, et l'intelligence, l'affectivité et la morale sont

1. *Cf.* 3e leçon, pour les Mathématiques, 19e leçon, pour l'Astronomie ; 28e leçon, pour la Physique ; 35e leçon, pour la Chimie ; 40e leçon pour la Biologie ; 46e à 51e leçon, pour la Sociologie (et surtout 48e leçon).

à comprendre comme dépendant de fonctions biologiques, en l'occurrence cérébrales[1]. Pour Comte, l'homme n'est vraiment homme qu'en tant que ses complexités supérieures l'ont poussé à s'organiser en société et à avoir une histoire. Et c'est à la « physique sociale » de l'étudier de ce point de vue. Pour cette science nouvelle, Comte forge le terme nouveau de « sociologie[2] » : son objet est à proprement parler l'homme collectif, c'est-à-dire l'« humanité » ; sa méthode est l'histoire ; il s'agit de s'appuyer sur les observations du passé pour comprendre le présent et travailler à l'avenir. La « sociologie » occupe en fait la moitié du *Cours* : Comte développe une vaste philosophie de l'histoire de l'humanité dont l'évolution de la société occidentale lui paraît fournir le modèle. Aux âges « théologiques », où l'ordre social était assuré par la conjugaison des pouvoirs des prêtres et des militaires, a succédé l'état « métaphysique » des sociétés modernes, où l'esprit critique et l'anarchie révolutionnaire ont pris toujours plus d'ampleur jusqu'au paroxysme incarné par la Révolution française. Mais ces désorganisations sont les conditions des progrès et de l'établissement d'un état positif qui s'ébauche en s'appuyant sur la rationalité scientifique et l'activité industrielle, où l'« esprit d'ensemble » doit surmonter les « tendances dispersives ».

Trois leçons d'« Appréciations » finales développent les conséquences de cette revue encyclopédique : la conception restructurée du système des connaissances doit entraîner une conception de la restructuration sociale selon de nouvelles harmonies, qui, de l'Occident, diffuseront dans le monde entier[3]. Et Comte de s'engager de plus en plus résolument. Prolongeant la seule méditation philosophique, il programme dès lors les étapes institutionnelles de la réorganisation, mentionne les associations à constituer, les recrutements envisageables... La philosophie positive engendre une sociopolitique.

1. *C*, 45ᵉ leçon.
2. *Ibid.*, 47ᵉ leçon.
3. *Ibid.*, 58ᵉ à 60ᵉ leçon.

Ainsi, non seulement le *Cours* présente une sorte de bilan encyclopédique des savoirs du temps, mais Comte analyse constamment, dans ce qu'il appelle « la marche de la civilisation », les liens entre les savoirs et les conditions dans lesquelles ils sont produits et dispensés. Il en montre la dynamique progressive ; mais il montre aussi combien les luttes pour le pouvoir, les conflits d'autorité, les contraintes des traditions et le poids des prestiges sont facteurs de résistances. Pour Comte, la science est de part en part politique, que les savants le sachent ou non — qu'ils se le cachent ou qu'on le leur cache.

On a souvent lié positivisme et scientisme. Une telle assimilation est hâtive et fausse. Certes, Comte affirme, au début du *Cours,* que « les idées gouvernent et bouleversent le monde[1] », et semble croire que les sciences positives, fournissant des idées pour repenser le monde, permettront de le refaire ; mais il est prudent, et même méfiant. Le présent des sciences est souvent exposé sur un ton critique : Comte met en garde contre les vieux états d'esprit résurgents là où l'on pouvait croire la positivité la mieux assurée ; il déplore les « inconvénients capitaux » de l'organisation générale du monde savant, « l'excessive particularité des idées », le manque de conception d'ensemble et « l'influence délétère » de la spécialisation trop poussée ; dans certaines joutes de savoirs il décèle des luttes de pouvoirs qui engendrent « confusions de domaines », « usurpations » et « dépècements irrationnels », et il condamne les empiétements de certaines sciences sur les autres, en particulier l'usage des mathématiques dans les sciences organiques ; il stigmatise aussi les savants, qui font trop souvent « vain et puéril étalage de formes scientifiques », engagent d'« oiseuses disputes de mots », usent d'un « lourd verbiage », se comportent en « sophistes et trafiquants de science » au lieu de s'appliquer à une exigeante vulgarisation ; bref, il dénonce tout impérialisme

1. *C,* 1ʳᵉ leçon, p. 38.

scientifique. Dans sa vie professionnelle, Comte a d'ailleurs éprouvé bien des déboires : il les analyse dans une longue Préface du dernier tome du *Cours,* les attribue aux trop courtes vues des savants en place et à leurs coteries de « pédantocrates[1] ». En fait, au fur et à mesure qu'avance le *Cours,* on voit Comte se détourner des savants, penser qu'ils sont pour le moins à re-former, et qu'il faut refondre les institutions[2]. Comte tourne alors ses espoirs vers les prolétaires.

★
★ ★

Depuis longtemps déjà, Comte s'adresse aux prolétaires : en sus du Cours de philosophie positive, il fait aussi, le dimanche, dans une salle de la mairie du IIIe arrondissement, pendant plusieurs heures — quatre, cinq parfois ! — un cours d'astronomie populaire. Comte l'a commencé en 1831 et le poursuit jusqu'en 1848. C'est à partir de 1842 que, libéré de la rédaction du *Cours de philosophie positive,* il songe à rédiger celui d'astronomie. La rédaction du Discours préliminaire prend une telle importance que Comte se décide à le publier séparément, sous le titre de *Discours sur l'esprit positif* (mars 1844) ; le *Traité philosophique d'astronomie populaire* paraît dans son ensemble plus tard.

Comte fait de son *Discours* « une sorte de manifeste systématique de la nouvelle école positive[3] ». D'une part, il dit s'adresser à ceux qui ne peuvent ou ne veulent affronter la lecture de ses six volumes précédents, tout en assurant que « les principales concep-

---

1. *Cf.* Préface personnelle du tome VI.
2. « Les savants proprement dits [sont] une classe essentiellement équivoque destinée à prochaine élimination en tant qu'intermédiaire entre les ingénieurs et les philosophes. (...) Ainsi le pouvoir spirituel futur résidera dans une classe entièrement nouvelle, sans analogie avec aucune de celles qui existent (...) Le contingent scientifique n'y devant même nullement prédominer. » (*C,* 56e leçon.)
3. *Corr.,* à Mill, 6 février 1844.

tions y sont rapidement indiquées avec un caractère convenable d'unité philosophique[1] » ; d'autre part, ses propos ayant été l'objet d'attaques par la presse religieuse[2], il s'agit d'y répondre. Ce *Discours* traduit en tout cas un engagement décidé. De la première partie — « Considérations fondamentales sur la nature et la destination du véritable esprit philosophique » — à la seconde — « Appréciation sommaire de l'extrême importance sociale que présente aujourd'hui l'universelle propagation des principales études positives » — on passe nettement d'un discours sur « la philosophie » et « l'esprit » positif, au programme de « l'école positive », dont Comte parle comme ayant déjà une existence.

Le texte s'ouvre par l'exposé de la « loi des trois états », où ceux-ci sont longuement caractérisés, et justifiés. L'état de « positivité rationnelle » est très précisément décrit, apprécié, et ses qualités confrontées aux autres modes de philosopher. Et c'est ici que Comte dresse la liste des aspects fondamentaux et des acceptions du terme « positif », présenté comme « une admirable condensation de formules » ; Comte recense six propriétés caractéristiques, explicitées par des oppositions : réel — et non chimérique ; utile — et non oiseux ; certain — et non indécis ; précis — et non vague ; organique — et non critique, destructif, dissolvant ou négatif ; relatif — et non absolu[3].

Comte insiste aussi, et bien plus que dans le *Cours*, sur l'importance de la « morale » et la valeur du positif en ce domaine, bien supérieure, dit-il, au « théologisme ». Comte jugeant que les difficultés « sociales » sont d'abord et essentiellement « morales », l'analyse de l'aptitude de l'esprit positif à « systématiser enfin la morale humaine » couronne, et très longuement, l'exposé de ses « hautes propriétés sociales » ; Comte emploie d'ailleurs tout un vocabulaire scientifique

1. *Corr.* à Mill, 6 février 1844.
2. *Cf.* ces incidents relatés dans la *Correspondance* de 1842.
3. *Discours sur l'esprit positif,* p. 50-52 (cité ici dans l'éd. Corpus).

pour décrire, traduire la positivité attendue et étendue à la morale[1].

Enfin, tout en retrouvant pour la classification des sciences et l'analyse de leurs rapports bien des thèses du *Cours*, la synthèse du *Discours* leur donne des inflexions nouvelles. La hiérarchie des études fondamentales est maintenant subordonnée à une science générale qui les englobe toutes : elles sont « directement conçues désormais comme les différents éléments d'une science unique, celle de l'humanité[2] ». Et la présentation des études de la philosophie naturelle, privilégiant la succession des « trois grandes sciences, astronomie, chimie, et biologie[3] », marque un certain déclin de la science physique qui, au départ de la réflexion comtienne, fournissait le modèle de toute science — céleste, terrestre, organique et sociale.

Dans son effort de présentation synthétique des grandes lignes du *Cours*, le *Discours sur l'esprit positif* traduit une sollicitude de plus en plus tournée vers les masses populaires. Les événements donnent bientôt l'occasion de la manifester mieux encore. Alors que Comte prépare son second grand traité, la Révolution de 1848 éclate. Il juge le moment opportun pour tenter de construire la société nouvelle.

*
* *

Le premier tome du *Système de politique positive* — sous-titré « Traité de sociologie instituant la religion de l'Humanité » — paraît en 1851. Mais son

---

1. « D'irrécusables démonstrations, appuyées sur l'immense expérience que possède maintenant notre espèce, détermineront exactement l'influence réelle, directe ou indirecte, privée ou publique, propre à chaque acte, à chaque habitude, à chaque penchant ou sentiment ; d'où résulteront comme autant d'inévitables corollaires les règles de conduite (...) Malgré l'extrême difficulté de ce grand sujet, j'ose assurer que, convenablement traité, il comporte des conclusions tout aussi certaines que celles de la géométrie elle-même » (*Ibid.*, p. 74).

2. *Ibid.*, p. 102.

3. *Ibid.*, p. 103.

très important « Discours préliminaire » est la reprise d'un *Discours sur l'ensemble du positivisme* publié en 1848. Pour bien comprendre ces textes, il faut les replacer dans la fièvre de cette époque. Il faut se souvenir aussi que, depuis la Révolution, il était courant de traduire les espérances politiques en inventions de « religions » nouvelles, et d'en écrire des « Catéchismes ».

En 1848, Comte réagit très vite aux événements. Dès le 25 février, il fonde une Association libre pour l'instruction positive du peuple, qui a d'abord des buts circonscrits : « Elle s'attache exclusivement à développer des cours toujours gratuits, dont le libre accès ne sera jamais restreint[1] » ; mais, dès son annonce, Comte programme d'étendre les services de l'association, placée sous la devise « Ordre et Progrès », pour « tout l'Occident européen », appelé à former la grande « République occidentale ». Le 8 mars, Comte donne une nouvelle version de sa fondation, avec un manifeste plus prolixe : l'Association positive devient la Société positiviste[2]. Le double changement des termes est révélateur : il ne s'agit plus du projet d'une simple « association », mais d'une « société » ; l'expression originale de « positiviste », se substituant à la référence plus commune au « positif », proclame un engagement plus général. La nouvelle « Société » est d'ailleurs présentée comme une « société politique », soucieuse de participer au processus de « la grande révolution » — la référence au modèle de la Société des Jacobins souligne cette vocation ; et un soutien explicite est donné aux événements récents — Comte lie sa fondation à la République[3].

1. *Cf.* le texte fondateur dans *Corr.*, IV, Annexes, p. 263-264 : « Loin de dissimuler jamais la tendance directement sociale de son enseignement, cette Association s'efforcera d'y subordonner profondément l'intelligence à la sociabilité, en considérant toujours l'esprit comme le principal ministre du cœur. »
2. *Cf.* le texte fondateur dans *Corr.*, IV, Annexes, p. 265-271.
3. « La condition intellectuelle ne motivait point assez la formation de la Société positiviste, jusqu'à ce que la merveilleuse transformation politique qui vient de s'opérer en France eût à la fois montré la possibilité et l'urgence d'une telle association » (*Corr.*, IV, Annexes, p. 266).

Le *Discours sur l'ensemble du positivisme* (juillet 1848) exprime tous ces points. Et dès les premiers mots du Préambule général : « Le positivisme se compose essentiellement d'une philosophie et d'une politique, qui sont nécessairement inséparables, comme constituant l'une la base et l'autre le but d'un même système universel[1]. » L'affirmation de cette « combinaison intime » est bien aussi celle d'une distinction : la « philosophie positive » est une partie du « positivisme », mais celui-ci ne saurait se réduire à celle-là ; elle en donne les fondements, mais n'est pas l'édifice. Dans sa promotion du « positivisme » comme nouvelle doctrine générale, Comte insiste aussi sur le souci de satisfaire à la fois la raison, le sentiment et l'imagination[2], et de coordonner les différents aspects de « toute notre existence » — personnelle et sociale, et spéculative, active et affective[3]. Il est clair qu'il vise, par le positivisme, non seulement de nouveaux modes de penser, mais aussi de sentir et d'agir, bref, de nouveaux modes de vie[4].

Le nouveau *Discours* traite de philosophie et de politique pour convaincre de la « destination sociale du positivisme » et de son « efficacité populaire » ; en développant ses idées sur la théorie de la société comme un « grand organisme », le rôle du prolétariat, des femmes, les plans d'éducation, etc., Comte donne les fils directeurs d'un programme politique que les membres de la « société », dans leurs réunions régulières, modulent de façon précise et concrète, tout en essayant de les adapter pragmatiquement aux circonstances. Ainsi s'expriment-ils sur « la grande question de la liberté d'enseignement[5] », sur « la question du travail » (mai 1848), sur la composition souhaitée

1. Discours préliminaire, *S*, I, p. 2.
2. *Ibid.*, I, p. 1.
3. *Cf.* par ex. débuts de la 1re partie et de la Conclusion du DP, *S*, I, p. 321.
4. *Cf.* aussi la phrase choisie par Comte comme épigraphe du Discours préliminaire : « On se lasse de penser, et même d'agir ; jamais on ne se lasse d'aimer. »
5. *Cf.* lettre à De Montègre, 27 mars 1848, *Corr.* IV, p. 144.

d'un « Comité positif occidental » (mai 1848), sur « la nature et le plan du Nouveau Gouvernement révolutionnaire » (août 1848), sur « la nature et le plan de l'École positive » (févr. 1849)[1]. Comte propose aussi un nouveau « Calendrier positiviste[2] », et constitue une « Bibliothèque positiviste[3] ».

Et Comte fonde le « positivisme » en nouvelle « religion[4] » : une « religion de l'Humanité » comprise comme le Grand-Être dont chacun n'est qu'un « organe ». Cette religion est celle qui « re-lie » et « rallie » les hommes entre eux et à l'humanité, qui les dispense de toute « terreur dégradante » et leur inspire « une active sollicitude de perfectionnement[5] » ; des « fêtes » doivent permettre d'éprouver et renforcer les solidarités ; la morale régénérée ne se fonde que sur la conscience des « devoirs » et n'en réfère plus aux « droits », chacun cherchant à faire prévaloir la sociabilité sur la « personnalité ». « L'amour pour principe, l'ordre pour base, et le progrès pour but » est la devise de cette « religion démontrée ». Et l'on pourra alors tirer de la « sociologie » ce que Comte appelle la « sociocratie[6] ».

1. Les textes des rapports sont publiés en Annexes des *Correspondances*, t. IV, p. 271-305 et t. V, p. 273-292.

2. La première édition du *Calendrier positiviste* est d'avril 1849 (*cf.* Annexe du t. V de la *Correspondance*, p. 292-314) ; d'autres éditions en sont ultérieurement faites, qui en diffèrent assez peu.

3. La première édition de la *Bibliothèque positiviste* est d'octobre 1851.

4. *Cf.* la Conclusion du « Discours ».

5. *S*, I, p. 341.

6. Terme justifié dans *S*, I, p. 403, note. Et *cf.* la revendication programmative de la première page de la Préface du *Catéchisme positiviste* : « Nous venons donc ouvertement délivrer l'Occident d'une démocratie anarchique et d'une aristocratie rétrograde pour constituer, autant que possible, une vraie sociocratie, qui fasse sagement concourir à la commune régénération toutes les forces humaines, toujours appliquées chacune suivant sa nature. En effet, nous, sociocrates, ne sommes pas davantage démocrates qu'aristocrates. A nos yeux, la respectable masse de ces deux partis opposés représente empiriquement, d'une part la solidarité, de l'autre la continuité, entre lesquelles le positivisme établit profondément une subordination nécessaire, remplaçant enfin leur déplorable antagonisme. »

Pour développer ainsi la philosophie positive en positivisme, Comte prétend aussi, dans son second grand traité, reprendre d'un autre point de vue la systématisation philosophique menée dans le premier : alors qu'il avait développé le *Cours* selon ce qu'il appelle « la méthode objective » — « qui procède du dehors au dedans, du monde à la vie » —, il veut, dans le *Système de politique positive*, user de la « méthode subjective » — « qui va du dedans au dehors, de la vie au monde ». L'alliance de ces méthodes est, selon Comte, celle de « la logique de l'esprit » et de « la logique du cœur », présentées aussi comme « logique de la raison » et « logique du sentiment », ou encore « logique rationnelle » et « logique morale », et elle fonde ce qu'il appelle « la vraie logique humaine », « la nouvelle logique religieuse »[1].

Cette présentation « religieuse » du positivisme paraît à Comte si importante et tellement plus apte à être diffusée et à aider son installation qu'il juge bon de surseoir à la suite de la publication du *Système* pour en faire une sorte de condensé dans le *Catéchisme positiviste*. Comte le veut d'accès facile : il choisit pour cela une forme dialoguée, et donne au Prêtre une Femme pour catéchumène. Celui-là est donc censé mettre son enseignement à la portée de l'esprit, surtout affectif, de celle-ci. Se succèdent les exposés du « dogme » — il s'agit de connaître l'ensemble des « lois réelles » du monde qu'ont élaborées les sciences positives, car la « religion positiviste » est « démontrée », et non « révélée »[2] ; puis la présentation du « culte », puis celle du « régime », c'est-à-dire de l'ensemble des rites et des pratiques qui règlent les conduites privées et publiques[3] ; le « culte » organise plutôt les conduites par rapport à l'humanité, et vise à développer les sentiments ; le régime règle plutôt les rapports humains, disons l'existence économique, politique, juridique,

1. *Cf.* « Introduction fondamentale » du *Système (S)*, I, p. 443-453. Objet des 2e et 4e entretiens.
3. Le « culte » est l'objet des 5e, 6e et 7e entretiens ; le « régime », des 8e, 9e et 10e.

etc. « Vivre pour autrui » et « Vivre au grand jour » sont des préceptes érigés en impératifs. Avec une telle « religion » nouvelle, Comte juge que les hommes, ou plutôt l'Humanité — composée de tous les hommes vivants, mais aussi morts et à venir — peut enfin « prendre la direction générale des affaires terrestres » « en excluant irrévocablement de la suprématie politique tous les divers esclaves de Dieu ». Cette religion fondée sur les lois de la nature est, selon Comte, évidemment destinée à être universelle ; il en annonce l'installation dans l'Occident, puis l'extension planétaire. L'histoire des religions et de toutes leurs insuffisances confirme l'attente de cet « avènement décisif ».

Ce *Catéchisme* présente-t-il bien, comme le prétendait Comte, le positivisme ? Tout y est, en effet : la philosophie des sciences, les programmes politiques, l'organisation religieuse de la société... Et même avec beaucoup de détails : distribution des sciences et inventaires de leurs lois, échelle encyclopédique complétée par une septième science, la « morale » ; précisions sur les « républiques positivistes » — superficie, nombre d'habitants, modes de gestion ; établissement précis des hiérarchies en tout domaine ; évaluation du nombre nécessaire de savants-prêtres, de chefs industriels, de prolétaires, et des salaires de chacun ; liste des « fêtes » et des « sacrements », etc. — Mais ces condensés dialogués facilitent-ils vraiment la compréhension ? Les raccourcis rendent parfois les exposés du Prêtre assez obscurs et d'un dogmatisme caricatural. La Femme demande quelques éclaircissements, acquiesce en général avec humilité et belle confiance. Le lecteur n'est sans doute pas aussi aisément séduit par ces discours, plutôt paternalistes, aux formes datées.

Pour le lecteur philosophe, la lecture du *Catéchisme* ne saurait remplacer celle du *Système de politique positive,* où la pensée comtienne s'explicite dans toute sa rigoureuse systématicité. On y repère aussi les compléments et variations, les corrections d'une œuvre sans cesse retravaillée. Le quatrième et dernier tome du *Système*, consacré à l'étude de « L'Avenir humain », est de ce point de vue particulièrement intéressant. Comte y réordonne les sciences en proposant divers types de regroupements[1], et établit trois niveaux de systématisation philosophique : la « Philosophie première », qui établit le système des lois universelles ; la « Philosophie seconde », consacrée à ce qu'il appelle « l'encyclopédie abstraite », c'est-à-dire la philosophie des sciences théoriques fondamentales, celle exposée dans le *Cours*, et qu'il se propose de reprendre maintenant d'un nouveau point de vue, celui de la « synthèse subjective » ; la « Philosophie troisième », qui doit étudier « l'encyclopédie concrète », c'est-à-dire les « arts » et les techniques, devrait les compléter. Outre ces développements philosophiques largement ouverts, Comte précise et modifie aussi ses prévisions politiques et socio-religieuses : ainsi juge-t-il que le positivisme mettra encore bien du temps à s'établir dans le monde, et même en Occident ; il rallonge et reprogramme les phases de ce qu'il appelle la « transition ».

★
★ ★

Ces développements politico-religieux du positivisme ont été fortement discutés et critiqués. Et même par des disciples qui continuaient à proclamer leur fidélité à la philosophie positive : Émile Littré, par exemple. La « méthode subjective » lui paraît inacceptable, incohérente. Littré a donc tout fait pour la propagande de la « philosophie positive », mais en l'épurant soigneusement de ce qu'il y jugeait dommageable — le positivisme « religieux ». En dépit des affirmations réitérées de Comte sur la « pleine homogénéité », l'« intime connexité », la « parfaite harmonie », l'« intime combinaison » de ses

1. *Cf.* surtout *S*, IV, chap. III.

ouvrages[1], on a beaucoup glosé sur la continuité ou la discontinuité de l'œuvre comtienne. Il ne saurait cependant être question de méconnaître le lien profond, originel et continu entre la philosophie positive et des visées politico-sociales. D'ailleurs, pour tous les adeptes de la philosophie positive, celles-ci sont capitales : les critiques mêmes des dissidents le confirment, puisque c'est au nom d'autres choix politico-sociaux qu'ils ont refusé ceux de Comte et de sa religion ; la nécessité de l'engagement politique n'a jamais été déniée.

L'œuvre de Comte est impressionnante, parfois effarante dans sa systématicité. C'est celle d'un esprit fort et tenace, en un temps où l'on osait bâtir des édifices grandioses. Et où l'on espérait beaucoup des temps à venir. Témoignage de ces temps audacieux, la philosophie de Comte invite et aide le philosophe d'aujourd'hui à exiger une philosophie exigeante.

Annie PETIT

BIBLIOGRAPHIE

ÉDITION DE RÉFÉRENCE : *Œuvres d'Auguste Comte*, 12 t. (réimpression anastaltique des éditions du XIXe siècle), Paris, Éditions Anthropos, 1968-1970 (en bibliothèque ; éd. citée).

AUTRES ÉDITIONS : *Catéchisme positiviste* (1852), Édition conforme à l'originale : Paris, GF-Flammarion, 1966 (épuisé). L'édition Anthropos suit une réédition avec un plan remanié par les disciples. *Cours de philosophie positive*, 6 t., 1830-1842, rééd. en 2 vol., Paris, Hermann, 1975 — avec présentations et notes : I : Leçons 1-45 ; II : Leçons 46-60. Certains passages ont été réédités en textes choisis : *Philosophie des sciences*, Paris, PUF, coll. « Sup. », « Les grands textes ». Rééd. récentes des deux premières leçons, sous le titre *Comte, Cours de philosophie positive*, avec présentation, commentaires et documents, Paris, Nathan, coll. « Intégrales de philosophie ». L'ouvrage de P. MACHEREY, *Comte, la philosophie et les sciences*, Paris, PUF, 1991, est un commentaire suivi des deux

1. *Cf.* par ex. *S*, I, Préface, p. 1, 3 ; *S*, IV, Conclusion totale, p. 530 ; Préface spéciale de l'Appendice, p. I-II.

premières leçons du *Cours. Correspondance générale et Confessions*, 8 t., Paris, Vrin, coll. « Archives positivistes », publiés de 1973 à 1990. *Discours sur l'esprit positif* (1844). C'est le « Discours préliminaire » du *Traité philosophique d'astronomie populaire*, Paris, Fayard, coll. « Corpus », 1988. Le *Discours* a aussi été réédité seul, avec présentation et notes, Paris, UGE, « 10/18 », 1963 ; rééd. Vrin, toujours disponible. *Opuscules de jeunesse :* « Sommaire appréciation de l'ensemble du passé moderne », 1820 ; « Plan des travaux scientifiques nécessaires pour réorganiser la société », 1822-24 ; « Considérations sur les sciences et les savants », 1825, « Considérations sur le pouvoir spirituel », 1826. Repris dans *Écrits de jeunesse*, Paris, EPHE et Mouton, coll. « Archives positivistes », 1970 ; se trouvent aussi dans l'« Appendice général » du *Système de politique positive*, t. IV. Certains de ces textes ont été présentés en éditions de poche : sous les titres *La Science sociale*, Paris, Gallimard, coll. « Idées », 1972, ou encore *Le Pouvoir spirituel*, Paris, Livre de Poche, coll. « Pluriel », 1978 ; le *Plan des travaux* et la *Sommaire appréciation* ont aussi été réédités aux Éd. Aubier, 1970 et 1971. Une réédition de l'« Opuscule fondamental » – *Plan des travaux* est en cours aux éditions Presses-Pocket, Agora, coll. « Les Classiques ». *Système de politique positive* (1851-1855). Certains passages ont été sélectionnés en éditions de textes choisis : *Sociologie*, Paris, PUF, coll. « Sup », « Les grands textes ». Une réédition de l'ensemble du texte est en cours aux éditions Kimé. Une réédition du *Discours sur l'ensemble du positivisme*, qui est devenu le « Discours préliminaire » du *Système*, est en cours.

COMMENTAIRES : É. LITTRÉ, *Auguste Comte et la philosophie positive*, Paris, Hachette, 1863. L. LÉVY-BRUHL, *La Philosophie d'Auguste Comte*, Alcan, Paris, 1900. H. GOUHIER, *La Jeunesse d'Auguste Comte et la formation du positivisme*, 3 vol., Paris, Vrin, 1933, 1936, 1941. *La Philosophie d'Auguste Comte, Esquisses*, Paris, Vrin, 1987.

CONDILLAC

Traité des sensations

Dans le mouvement de l'Encyclopédie, Condillac occupe une place réservée : éminente et obscure. Longtemps, sa pensée est restée sans visage. Sous son nom, on devine moins une personne qu'un foyer d'influences. Comme si sa réflexion avait fini par se confondre avec le siècle, en se diffusant chez des penseurs plus individualisés : Rousseau, Diderot, Turgot, Cabanis. Le personnage lui-même demeure insaisissable, curieuse synthèse de conformisme et de violence théorique, de célébrité et d'extrême réserve. L'homme était presque aveugle ; lent et réfléchi, austère, il parlait peu et semblait vivre en lui-même. L'œuvre a retracé cette énigme. Sobre, volontiers monotone, elle scrute obstinément le secret des opérations mentales. Sa simplicité est dangereuse : elle ne livre qu'au second regard sa profondeur et son audace ; sous l'aspect d'un raisonnement sec, parfois trivial, en une progression monotone, serpente une analyse sinueuse, préparant ses volte-face.

Au siècle des Lumières, Condillac luit comme un astre froid. S'il fut, en son temps, une autorité majeure, c'est qu'il proposait un modèle aux questions que se posait cette époque raffinée et sceptique : le statut de l'expérience, la formation du symbolisme, les puissances de l'apparence et de l'artifice.

En effet, Condillac n'a cessé de méditer ces trois questions : qu'est-ce que la culture ? en quoi l'expérience est-elle fictive, fabriquée ? en quoi les signes, puissances de l'arbitraire, permettent-ils de produire un monde ? C'est déjà tout le projet de l'*Essai sur l'origine des connaissances humaines* : à partir d'une réflexion sur le langage et l'imagination, Condillac tisse toute une grammaire de l'expérience humaine, qui se double d'une critique minutieuse des fictions, toujours rapportées à leur origine sensible.

Ces réflexions se cristallisent dans un choix philosophique : l'empirisme. On peut définir celui-ci par cette idée centrale : l'expérience n'est jamais assez solide, assez assurée, c'est une construction, une synthèse, une histoire, toujours fragile. L'empirisme condillacien s'appuie tout entier sur les productions imaginaires. Au rebours des métaphysiques qui prétendent justifier l'expérience, il s'attache obstinément à cette question : comment se constitue l'expérience, dans sa genèse, en quoi est-elle active, inventive ? De là vient son ambiguïté : il ne cesse de se référer au sensible, car il s'agit toujours de rapporter le monde, les inventions humaines, à l'épreuve du réel, qui lui sert de norme ; mais en même temps, c'est un formalisme, car l'analyse ne cesse de manifester les puissances de la fiction : jamais l'expérience, les productions de l'artifice ne pourront se réduire à la simple réalité, elles suivent un cours autonome, aux limites incertaines. Comme chez Hume, la philosophie de Condillac se meut dans cet intervalle ; dualiste, tentée par l'idéalisme, elle oppose sans cesse les productions de l'imagination aux truismes du réel : c'est sa valeur critique ; mais c'est aussi un réalisme ; elle rapporte constamment les synthèses fictives à leur origine sensible : d'où l'aspect singulier de cet empirisme, son caractère « génétique », qui a trompé bien des esprits.

*
* *

Au début, bien sûr, est toujours le sensible, l'impression, mais celle-ci n'est jamais que du réel, une simple présence, triviale, que j'éprouve dans toute sa force et sa vivacité, sous le mode physique du choc, ou de l'onde. L'esprit, à ce stade, ne se distingue pas du fait physique : ce n'est qu'un champ de forces, une collection d'impressions qui tournoient comme des atomes[1]. Sans doute, l'impression s'éprouve sous l'aspect de la perception, de la passion, mais ne doit surtout pas se confondre avec ces dernières, qui forment déjà des relations, des complexes[2]. L'impression isolée n'est jamais représentative : c'est une existence simple, quelconque, innommable ; à proprement parler, je ne peux rien en dire, sans déjà la transformer : du système de l'expérience, elle ne désigne que la limite réelle. Mais, dans son essentielle discrétion, elle évoque un fait capital, aux conséquences immenses : dans l'impression, j'éprouve la réalité de façon singulière, sous l'aspect de la partie, jamais du tout. La réalité est partielle, marginale, l'origine de nos idées est toujours singulière[3].

Inversement, l'expérience ne s'établit qu'avec la constitution d'un tout, d'un système. Celui-ci n'est jamais donné dans l'impression, c'est le tissu des relations qui font coexister les impressions, qui les transforment et les ajustent en un monde cohérent, qu'il renvoie à l'expérience privée, au langage ou à la culture. Ce système n'est produit que dans l'imagination, par la « liaison des idées[4] ». Cette liaison, Condillac l'appelle une « réflexion », terme qui désigne non seulement l'activité de jugement, mais plus largement la formation d'une subjectivité[5]. Si l'espace mental, l'esprit ne désigne qu'une collection d'impressions, le sujet suppose un fonds autonome, une activité. Toute

1. *Traité des sensations* (1754), p. 292-293. (Nous renvoyons à l'édition Corpus.)
2. *Essai sur l'origine des connaissances humaines,* p. 115-125. (Nous renvoyons à l'édition Galilée.)
3. *Ibid.,* p. 174-181.
4. *Ibid.,* p. 125-128, 142-148.
5. *Ibid.,* p. 132-134.

la question est de montrer comment peut apparaître une telle activité dans ce pur espace qu'est l'esprit.

Comment apparaît la réflexion ? C'est l'originalité de Condillac que d'avoir associé la liaison des idées à l'intervention des signes. L'empirisme humien identifiait la subjectivité et l'imagination ; à cette équation, Condillac ajoute le paramètre du langage : si l'esprit n'était qu'un champ de forces, le sujet est un acte d'écriture. Car la réflexion ne pourrait jamais apparaître dans un univers a-signifiant : seuls les signes peuvent arracher l'esprit à l'aspect simultané du réel, à son actualité brute[1]. La réflexion, l'habitude et la mémoire supposent déjà un univers linguistique. Si bien que la subjectivité est réductible à la formation progressive d'une langue.

De cette proposition, suit une deuxième conséquence, également dérangeante. Si le réel que j'éprouve est toujours singulier, atomique, le monde de mes expériences est, lui, nécessairement arbitraire.

Comme les impressions, chaotiques et quelconques, ne livrent aucune relation qui soit inscrite dans leur nature, l'association n'est pas donnée dans la nature des choses, c'est un artifice ; il n'y a aucune synthèse préexistante à la constitution du système[2]. Cela veut dire aussi que ce système n'a pas de limites assignables : il est ouvert, potentiellement multiple. La liaison des idées définit une totalité en expansion, toujours révisable ; il n'y aura jamais d'harmonie préétablie pour garantir l'ajustement des fictions au réel. C'est l'audace et le risque de l'empirisme que d'envisager l'expérience sous les traits de la fiction et de l'arbitraire : les régimes coutumiers de la véracité, de la finalité ne sont désormais plus valables.

De ces paradoxes, le *Traité des sensations* donne l'illustration la plus remarquable. Sans doute, il suppose avant lui la lecture de l'*Essai*, véritable matrice de l'œuvre, mais, mieux encore que celui-ci, il montre

1. *Ibid.*, p. 128-132, 259-268.
2. *Ibid.*, p. 142-148.

toute l'audace du projet. Si l'expérience est fictive, il faut vérifier cette thèse au niveau le plus originaire : celui de la sensation, degré minimal de l'intimité comme de l'expérience du monde.

On ne saurait comprendre le *Traité* sans rappeler dans quelle polémique passionnée il prend place. A première vue, il présente la réponse de Condillac au problème de Molyneux, mais on verra qu'il excède largement l'énoncé de la question. Celle-ci fut posée à Locke par son ami William Molyneux et reproduite, en 1690, dans l'*Essai sur l'entendement humain* : « Supposez un aveugle de naissance (...) auquel on ait appris à distinguer par le seul attouchement un cube d'un globe (...) ; supposez que le cube et le globe étant posés sur une table, cet aveugle vienne à jouir de la vue. On demande si en les voyant sans les toucher, il pourra les discerner, et dire quel est le globe et quel est le cube[1]. »

Durant tout l'âge classique, ce problème a obsédé la raison. Né d'une critique de l'innéisme, il devint la pierre de touche de toutes les théories de la connaissance, et partant, des choix métaphysiques : Locke, Leibniz, Berkeley, Voltaire, Diderot s'en emparèrent. Au-delà d'un test ingénieux pour les différentes doctrines de l'époque, William Molyneux avait puissamment formulé tout le problème que devra assumer, bien plus tard, la phénoménologie : c'est qu'en détachant la vision de son objet on demande comment se forme l'expérience du monde visible. Au rebours de la dioptrique cartésienne qui, annulant cette énigme, par avance établissait entre l'œil et l'objet une correspondance réglée, on demande ce que sera la vision, confrontée à l'expérience « sauvage », c'est-à-dire à une réalité qu'on n'a pu intégrer dans cette correspondance.

On conçoit la passion que souleva la figure de l'aveugle : sur l'origine de nos idées, la valeur du modèle géométrique, la doctrine des idées innées, le

1. *Essai sur l'entendement humain*, livre II, chap. 9, Paris, Vrin, p. 100.

problème de Molyneux contraignait à choisir son
camp, et à produire la théorie la plus cohérente. Les
rationalistes affirmaient que l'aveugle-né pourrait distinguer les solides. Le réalisme logique de Leibniz prolonge, contre Locke, la *mathesis* cartésienne, et dans
cette voie, Condillac lui-même, en logicien qu'il était,
commença par s'engager : l'aveugle, s'il est géomètre,
pourra reconnaître une analogie mathématique, une
essence commune entre les deux espèces de figures,
visibles et tangibles[1]. Au contraire, les empiristes
anglais nièrent cette possibilité. Berkeley insistait sur
le caractère hétérogène des différents ordres sensibles,
d'où il déduisait une solution négative, au prix d'un
idéalisme radical. Car si tout ordre perceptif est assimilable à un langage, l'aveugle ne saurait former la
moindre correspondance entre le tact et la vue ;
comme il ignore tout du symbolisme visuel, aucune
traduction n'est possible : « Ce que je vois est seulement une diversité de lumière et de couleurs. Ce que
je sens est dur ou mou, chaud ou froid, rugueux ou
lisse. Quelle similitude, quelle connexion ces idées
ont-elles avec celles-là ?... Il n'y a pas de connexion
nécessaire entre telle ou telle qualité tangible et une
couleur, quelle qu'elle soit[2]. » Pour l'aveugle opéré, la
vision de la lumière, c'est tout simplement un autre
monde, sans lien aucun avec le tact. Ainsi ne verra-t-il
qu'un chaos coloré, sans profondeur, ni rectitude, ni
permanence : puisque le monde visuel n'est pas pour
lui constitué, l'opéré est livré au choc de l'impression
pure.

Le problème en était à ce point quand parut, en
1749, la *Lettre sur les aveugles*. Dans une gerbe de
paradoxes étincelants, Diderot en mesurait pour la
première fois toute la profondeur : en fréquentant les
aveugles on voit surgir des mondes inconnus, où se
tissent entre les sens des correspondances insoupçonnées, tout un système d'anamorphoses ; seuls les

1. *Essai sur l'origine des connaissances humaines*, p. 182-192.
2. *Nouvelle Théorie de la vision*, 1709, paragr. 103.

aveugles peuvent nous guider dans le labyrinthe du monde sensible[1].

Aux énigmes de la *Lettre,* Condillac offre une synthèse méditée. Il faut répondre à Berkeley comme aux rationalistes. Si les sens sont bien hétérogènes, comment comprendre l'unité du corps et la réalité du monde ? Inversement, peut-on admettre une analogie entre les sens, des idées générales, des perceptions objectives, sans supposer un sens commun ou des idées innées ? Bref, entre la diversité des sens (attestée par l'analyse) et leur objectivité (garantie par l'expérience courante et la géométrie), entre le chaos sensible et l'unicité de l'expérience, il faudrait choisir.

Pour résoudre la question, imaginons une statue, « organisée intérieurement comme nous, et animée d'un esprit privé de toute espèce d'idées[2] ». C'est tout simplement la machine humaine, mais réduite à l'état d'automate. En effet, placée dans un espace raréfié, isolée du monde extérieur par les soins du philosophe, et par une pellicule de marbre qui recouvre sa peau, la voici privée de toute expérience. Le but de Condillac est simple : il faut montrer comment la statue, pur esprit vide au départ, pourra, d'un même mouvement, acquérir la conscience de soi, devenir sujet, et organiser les flux des impressions en système, passer du choc sensible au spectacle du monde.

Allégorie provocante, la statue de Condillac est donc un laboratoire : en simulant une expérience, il reprendra, dans le sens d'une genèse, ce que l'*Essai* avait dégagé par la seule analyse : entre la simple sensation, plaisir ou souffrance, et la conscience réflexive, entre l'impression brute et l'expérience du monde, toute la variation qu'opère le philosophe entre les différentes perceptions de la statue sert à montrer l'indispensable intervention du symbolisme. Seule la médiation du signe permet de franchir

---

1. Sur ce point, *cf.* plus loin l'article « Diderot ».
2. *Traité des sensations,* p. 11.

l'abîme qui sépare la simple sensibilité de l'expérience concrète. Mais à ce formalisme, déjà présent dans l'*Essai,* s'ajoute à présent un souci de description génétique, qui, par transitions continues, doit relier les sensations à leurs transformations imaginaires. Ainsi, on pourra éviter le paradoxe idéaliste. Qu'on prenne garde à ce point délicat : au rebours des interprétations « sensualistes », cette analyse générative ne réduit pas l'« idée » au choc de l'impression ; si « toutes les opérations de l'âme ne sont que la sensation transformée » ; si « toutes nos facultés viennent des sens, ou, pour parler plus exactement, des sensations (...) dans le vrai, les sens ne sont que cause occasionnelle. Ils ne sentent pas, c'est l'âme seule qui sent à l'occasion des organes ; et c'est des sensations qui la modifient qu'elle tire toutes ses connaissances et toutes ses facultés[1] ».

« Le *Traité des sensations* est le seul ouvrage où l'on ait dépouillé l'homme de ses habitudes[2]. » Dans la première partie, la statue se réduit à un seul sens, l'odorat, auquel on rajoute progressivement le goût, l'ouïe, puis la vue. Mais à aucun stade l'automate n'a conscience de lui-même, comme du monde extérieur. Il n'est que l'écran de ses sensations, mieux : il *est* ses propres sensations, puisque l'écran ne peut se distinguer des événements qui l'envahissent. « Si nous lui présentons une rose, elle sera par rapport à nous une statue qui sent une rose ; mais par rapport à elle, elle ne sera que l'odeur même de cette fleur. Elle sera donc odeur de rose[3]... » Pourtant, elle n'est pas purement passive : une activité la traverse. En effet, il suffit qu'elle puisse éprouver peine ou plaisir, il suffit d'une légère « inquiétude » pour que l'attention soit possible[4] : c'est que, « parmi ces différents degrés, il n'est pas possible de trouver un état indifférent : à la première sensation, quelque faible qu'elle soit, la sta-

1. *Ibid.,* p. 285.
2. *Ibid.,* p. 287.
3. *Ibid.,* p. 15.
4. *Ibid.,* p. 17-26.

tue est nécessairement bien ou mal[1] ». Pour peu que
les sensations varient d'intensité, disparaissent, ou se
répètent, elle pourra développer un embryon d'habitude, de mémoire et de comparaison. Même au
niveau le plus minimal, son espace intérieur peut s'organiser : l'« attention », qui désigne la plus légère
variation d'intensité, la plus petite différence, est le
premier degré de la « liaison des idées ». *A fortiori,* si
plusieurs ordres sensibles, comme les différents registres d'un orgue, entrent en résonance, « alors il lui
semble que son être augmente, et qu'il acquiert une
double existence[2] ». Ce qui se constitue dans l'esprit,
c'est une chaîne de différences et de correspondances
sensitives, tels une variation musicale ou un dictionnaire ; elle forme déjà un système, mais pas encore un
sujet ou un monde : dépourvues de référence extérieure, les traces sensibles ne peuvent que renvoyer les
unes aux autres. Elles se répondent dans les échos de
la mémoire, mais leur liaison reste soumise aux variations d'intensité : leur « sens » s'épuise dans la chaîne
des associations. De même, la statue ne peut se dissocier des multiples sensations qu'elle subit : son « âme »
est divisée en autant d'atomes ou de séries sensibles.
Ainsi les séries d'impressions n'ont ni centre ni limite :
elles sont proprement indéfinies.

C'est l'intervention du tact qui viendra organiser le
monde sensible et assurer l'indispensable synthèse.
Alors que les autres sens ne procuraient que des séries
intensives, seul le tact peut fournir l'idée de l'extension : il est dans son essence de réunir au sein d'une
même sensation deux impressions impossibles à
confondre, « deux choses qui s'excluent l'une hors de
l'autre » : « Voilà donc une sensation par laquelle
l'âme passe d'elle hors d'elle, et on commence à comprendre comment elle découvrira des corps[3]. » C'est
parce que le corps est simultanément sentant et senti
qu'est possible l'expérience des objets. Condillac la

1. *Traité des sensations,* p. 26.
2. *Ibid.,* p. 66.
3. *Ibid.,* p. 103.

présente sur le modèle de l'écho, qui déjà commandait les associations intensives : « si la statue effleure telle ou telle partie de son propre corps, « elle sentira, pour ainsi dire, sous sa main, une continuité de moi ; (...) le même être sentant se répond en quelque sorte de l'une à l'autre : c'est moi, c'est moi encore ! » Par contre, « si elle touche un corps étranger, le moi, qui se sent modifié dans la main, ne se sent pas modifié dans le corps. Si la main dit moi, elle ne reçoit pas la même réponse[1] ». L'idée du monde extérieur est donc impliquée dans toute sensation tactile où le moi ne se répond pas à lui-même. Dans ce chiasme, cette double relation interne au tact, est contenu tout le germe de l'expérience : la formation de l'unité corporelle, comme l'appréhension des objets extérieurs. Ainsi, c'est avec le tact que le monde prend consistance, et que l'esprit devient sujet. En effet, par le tact, les sensations peuvent se rapporter à une référence unique, qui ne sera plus modifiée par leur apparition : le sujet peut persister dans la variation sensible, et se différencier progressivement de ses impressions. À ce stade, l'attention s'est muée en réflexion, l'imagination est autonome, une différence est désormais possible entre l'objectivité et la simple image mentale[2].

C'est d'un même mouvement que se forment la subjectivité et l'expérience du monde. On doit en tirer plusieurs conséquences. D'abord, à l'exception des autres sens, qui ne livrent que de simples et fugaces apparitions, dont l'esprit est l'écran, seul l'entrelacs du toucher implique en même temps une réflexivité et une référence extérieure : sans lui, la vie sensible ne serait qu'un théâtre d'ombres ; avec lui, la statue, de scène passive qu'elle était, devient un sujet, un corps parmi les corps : l'expérience sensible acquiert une profondeur. De l'analyse de tous les sens, seule celle du tact permet de surmonter le paradoxe idéaliste. Pour assurer

1. *Ibid.*, p. 104-105.
2. *Ibid.*, p. 126.

l'objectivité de nos perceptions, il devient alors inutile de supposer des idées innées, ou une garantie divine : il suffit pour ainsi dire d'un simple coup de main.

D'ailleurs, seul le toucher « apprend aux autres sens à juger des objets extérieurs ». C'est la seconde consé-quence : puisque la double synthèse du corps et du monde sensible exige une unité préalable, et que seul le toucher peut l'assurer, c'est donc celui-ci qui four-nira l'analogie nécessaire aux autres constructions per-ceptives. La constitution du monde sensible se fait donc par extension progressive du modèle tactile aux autres sens, tout simplement parce que, dans la double implication du tact, la vision, l'ouïe, etc., pour-ront se rapporter à l'unité d'un même sujet, comme à la profondeur d'un espace. C'est la main qui, en ser-vant de cache, en localisant les objets, apprendra à l'œil à regarder[1]. Dans l'appréhension objective du monde, le tact forme l'unique sens originaire ; tous les autres ne sont que des traductions en langue étran-gère. Alors, Condillac peut répondre à la question de Molyneux : l'aveugle ne pourra rien distinguer, puisque « des yeux sans expérience ne verraient qu'en eux-mêmes la lumière et les couleurs, et que le tact peut seul leur apprendre à voir au-dehors[2] ». On s'en doutait. Mais, au détour, on a dépassé le simple exemple de l'aveugle ou de la statue. En fait, l'acquis philosophique est immense : c'est qu'on a pu aperce-voir comment se forment le système de l'expérience, l'intimité du sujet et la profondeur du monde. Si l'on a évité l'écueil du phénoménisme, qui réduirait le sujet à ses représentations, on est bien loin des syn-thèses toutes faites que professaient les rationalistes : il n'y a pas de sens commun originaire. En effet, puisque entre les ordres perceptifs, il n'existe aucune correspondance préalable, puisque le tact doit venir suppléer à la vision défaillante pour constituer l'espace visible, la synthèse n'est ni première ni centrale : elle

1. *Traité des sensations,* p. 170-182.
2. *Ibid.,* p. 193.

se fait par traductions partielles, par superposition difficile d'univers hétérogènes. L'analyse du tact, c'est l'anéantissement de toute harmonie préétablie au sein de l'expérience. Le monde objectif n'a plus ce caractère immédiat, cette unité lisse qu'offrait l'intuition visuelle : c'est un livre déchiré où se mêlent plusieurs langues, dont la cohérence est à chercher, par des voies indirectes, obliques. De même, la subjectivité n'est plus une essence, mais un processus. On se souvient que la réflexion apparaît avec le tact. Plus précisément, elle surgit d'une double relation, où le corps se perçoit dans son essentiel dédoublement : le sujet naît d'une communication originaire, le « moi » n'existe que par réponse. C'est pourquoi, enveloppée dans les possibilités du langage, la subjectivité est potentiellement infinie, aussi vaste et multiple que peut l'être l'expérience.

Ainsi, des notions aussi lourdes que « l'âme » ou « le monde » apparaissent pour ce qu'elles sont : non point des essences ou des natures, données à l'intuition, mais des productions complexes, toujours révisables : elles dépendent de nous. Dans l'artifice des inventions et des langues, on peut imaginer, en nombre infini, toutes les formes possibles de subjectivité ou d'expérience mondaine, et plus généralement d'« humanité ». Hors de toute finalité ferme, certaines pourront se montrer bien aberrantes, sublimes ou monstrueuses : des statues expérimentales aux aveugles philosophes, des variations inépuisables du monde animal aux menaces de la folie, l'idéal des Lumières doit prendre à charge tous les possibles qu'enveloppe l'imagination. Cela suppose qu'on renonce aux sécurités de l'évidence, comme aux charmes de l'origine. « Nous ne saurions, il est vrai, nous rappeler l'ignorance dans laquelle nous sommes nés : c'est un état qui ne laisse point de trace après lui[1]. »

Xavier PAPAÏS

---

1. *Ibid.*, p. 10.

BIBLIOGRAPHIE

ÉDITION DE RÉFÉRENCE : *Condillac*, édition établie et présentée par
G. LE ROY, 3 vol. in-4°, Corpus général des philosophes français,
Paris, PUF, 1947-1949.

AUTRES ÉDITIONS : *Le Commerce et le gouvernement*, Paris, Slatkine,
1980. *Essai sur l'origine des connaissances humaines*, précédé d'une
étude de J. DERRIDA : *L'Archéologie du frivole*, Paris, Galilée, 1973.
La Langue des calculs, éd. de S. AUROUX, Lille, PUL, 1981. *La
Logique ou les premiers développements de l'art de pensée*, fac-similé de
l'édition de 1796 (« Œuvres choisies »), Paris, Vrin, 1981. *Les
Monades*, éd. de L. L. BONGIE, The Voltaire Foundation, New
York, 1980. (Dissertation anonyme proposée à l'Académie de
Berlin, et attribuée à Condillac.) *Œuvres complètes*, fac-similé de
l'Édition de Paris 1821-1822, Paris, Slatkine, 1970. *Traité des animaux*, fac-similé de l'édition de 1796 (« Œuvres choisies »), introd.
de F. DAGOGNET, Paris, Vrin, 1987. *Traité des sensations*, Corpus
des Œuvres de philosophie en langue française, Fayard, 1984.
(L'édition comprend aussi le *Traité des animaux*.) *Traité des systèmes*,
éd. de F. MARKOVITS, Corpus des Œuvres de philosophie en
langue française, Fayard, 1991.

COMMENTAIRES : J.-B. MÉRIAN, *Sur le problème de Molyneux*, Berlin,
1770-1780, rééd. avec une postface de F. MARKOVITS, *Diderot,
Mérian et l'aveugle*, Paris, Flammarion, 1984. J. DERRIDA, *L'Archéologie du frivole*, Paris, Galilée, 1973 ; Paris, Denoël, 1976 ; Paris,
rééd. Galilée, 1990.

DESCARTES

Discours de la méthode
Méditations métaphysiques
Principes de la philosophie
Les Passions de l'âme

Paru en 1637 avec trois essais scientifiques dont il est la préface, le *Discours de la méthode* ouvre la première publication d'un homme de quarante et un ans, déjà réputé comme philosophe et mathématicien, aussitôt identifié comme l'auteur de l'ouvrage qu'il avait voulu anonyme. Cette préface a vite été perçue comme un manifeste, un texte fondateur de la philosophie moderne, et le *Discours de la méthode* a acquis au cours des temps une renommée allant en France jusqu'à la popularité. La tradition universitaire et scolaire, le détachant des *Essais*, en a fait un texte classique. Cet écrit si célèbre n'en est pas moins problématique par divers aspects.

La principale raison de sa notoriété vient de ce qu'il est écrit en français. Descartes n'était pas le premier à publier un ouvrage de science dans la langue de son pays. Le fait n'était pas rare en Italie, où Galilée avait publié en 1632 son *Dialogo sopra i due massimi sistemi del mondo*. En France, sans parler de Montaigne, dont les *Essais* sont d'un autre genre, ni de Charron, Scipion Dupleix avait publié au début du siècle plusieurs manuels en français. Mais le *Discours* est assurément de lecture plus facile et plus accessible à tous que les écrits précédents. Cette préface n'est pas un manuel ou un traité, mais une histoire, et cette histoire ne s'encombre pas, comme chez Montaigne, de citations surtout latines et d'exemples lointains. Descartes proclame qu'il écrit en français pour être lu et compris par « ceux qui ne se servent que de leur raison naturelle toute pure[1] », et non pas seulement à l'intention des doctes. Déjà connu par ses activités et ses échanges épistolaires au sein de la *Respublica literarum*, Descartes tient à conquérir un plus vaste public et à créer ainsi une nouvelle République des lettres, élargie, et d'expression française. Refus de l'autorité, ou plutôt indifférence à son égard, confiance en l'universalité de la raison ou du bon sens : le choix du français a pour Descartes une signification philosophique, c'est-à-dire aussi politique.

Or, du point de vue de la langue et du style, le *Discours* est un chef-d'œuvre incontesté qui a sa place dans l'histoire de la littérature française. Le génie de Descartes est d'avoir dépassé le débat qui avait concerné d'abord la prose néo-latine et s'était étendu au français : le mouvement cicéronien, respectueux des modèles, des conventions et des convenances, ami de l'abondance et de l'ampleur, se heurtait au mouvement anticicéronien, s'inspirant de Sénèque, plus soucieux d'expression personnelle et cultivant davantage la brièveté, la vivacité et le trait. Descartes réussit une synthèse harmonieuse des deux tendances, par quoi il est un grand classique. On peut penser qu'il y est parvenu consciemment ; sa prise de position sur les lettres de Balzac[2] témoigne de son intérêt pour les questions d'écriture. Cette réussite du style a aussi une signification philosophique : le *je* personnel et individualisé de l'autobiographie s'élève dans le *Discours* à l'universalité du sujet de toute connaissance.

---

1. *Discours de la méthode,* 6ᵉ partie, AT VI 77.
2. *Cf. Censura quarumdam epistolarum Domini Balzacii,* AT I 7-11.

Paradoxalement, ce texte devenu si célèbre ne connut pas en son temps tout le succès que l'auteur pouvait escompter. Descartes reçoit sans doute un bon nombre de lettres qui montrent l'intérêt des lecteurs, mais ce sont les *Essais* autant que le *Discours* qui provoquent des discussions. Et il semble que l'ouvrage sera plus demandé dans la traduction latine parue en 1644 en même temps que les *Principia philosophiæ* que dans le texte original français ; celui-ci en effet n'a que cinq éditions au cours du siècle, alors que la traduction latine en a deux fois plus.

Les contemporains de Descartes auraient-ils été d'emblée sensibles au caractère composite du volume et en particulier de la préface elle-même ? L'ensemble résultait effectivement d'un compromis et reflétait un certain embarras de Descartes. Il faut ici faire un peu d'histoire et retracer les circonstances de cette première publication.

Descartes avait rédigé un traité de physique intitulé *Le Monde ou Traité de la lumière* et s'apprêtait à le faire imprimer en 1633 quand il apprend, en novembre, que le Saint-Office vient à nouveau de condamner Galilée, qui continuait à soutenir, quoique seulement comme une opinion extrêmement probable, le mouvement de la Terre et la stabilité du Soleil. Il renonce aussitôt à divulguer, dans ce contexte, un traité qui soutenait « le mouvement défendu ». « Il est tellement lié avec toutes les autres parties de mon traité que je ne l'en saurais détacher sans rendre le reste tout défectueux[1]. » Descartes n'avait sans doute rien à craindre, en Hollande et même en France, sinon d'interminables controverses, mais il préférait les éviter. Désireux malgré tout de présenter au public les fruits de son travail et pressé par quelques amis de ne pas les laisser cachés, Descartes songe alors à des publications plus limitées, tout en gardant l'espoir que son *Monde* « puisse voir le jour avec le temps[2] ». Il reprend et

1. Lettre à Mersenne, fin novembre 1633, AT I 271.
2. Lettre à Mersenne, avril 1634, AT I 288.

revoit des textes anciens qu'il avait intégrés au *Monde,*
et envisage en 1635 de publier deux échantillons de sa
physique, *La Dioptrique* et *Les Météores,* sans y révéler
ses principes, en ajoutant une préface ; il écrit probablement alors ce qui deviendra la sixième partie du
Discours de la méthode, où il explique sa décision de ne
pas publier son *Monde.* Mais la préface prend de l'ampleur et devient le *Projet d'une science universelle.* Descartes joint aux deux essais de physique un essai de
mathématique, la *Géométrie,* composée pendant l'impression des *Météores* à partir de textes rédigés bien
avant. L'ensemble qui paraît à Leyde en juin 1637 est
ainsi comme la compensation d'un grand renoncement, le résultat de retranchements, d'hésitations, de
reprises et de refontes, d'additions presque de dernière minute. La préface elle-même, finalement intitulée *Discours de la méthode pour bien conduire sa raison
et chercher la vérité dans les sciences,* est dans cet
ensemble le texte le plus hétéroclite, peut-être
constitué à partir de fragments de natures et d'origines
diverses. Sa cohérence a été mise en question et sa
composition surprend. Sa longueur déjà en fait plus et
autre chose qu'une préface. Descartes y propose sa
méthode, certes, mais aussi des règles de morale, un
abrégé de sa métaphysique, ainsi que des considérations scientifiques, l'une des parties résumant le traité
qu'il renonce provisoirement à publier : la méthode,
mais aussi, déjà, des essais de cette méthode. L'unité
des six parties vient du fil conducteur de l'autobiographie qui relie ces pensées diverses en les rapportant
toujours à celui qui les a pensées.

Même sans la juger incohérente, on ne peut manquer de reconnaître que certains points de cette préface font problème. Au premier chef, dans ce *Discours
de la méthode,* les préceptes de la méthode formulés
dans la seconde partie. Plusieurs lettres de Descartes
précisent qu'il ne prétend pas y « enseigner » ni « expliquer » la méthode, mais seulement « en parler », « en
dire quelque chose », ce pourquoi il a intitulé son écrit
non pas *Traité de la méthode,* mais *Discours de la*

méthode. Il ne l'expose pas comme telle, mais en
donne des preuves par les trois traités publiés qui sont
des « essais de cette méthode », laquelle « consiste plus
en pratique qu'en théorie[1] ». Nous n'avons donc pas à
chercher dans le *Discours* l'explicitation d'une
méthode, encore moins de *la* méthode, puisque Descartes va paradoxalement jusqu'à mettre en retrait
l'idée d'une universalité de sa méthode. « Mon dessein
n'est pas d'enseigner la méthode que chacun doit
suivre pour bien conduire sa raison, mais seulement
de faire voir en quelle sorte j'ai tâché de conduire la
mienne[2]. » Cet air de modestie recouvre en fait l'assurance de celui qui estime suffisant de montrer ses
œuvres pour les justifier ; et c'est déjà une manière de
nous inviter à poursuivre la lecture du *Discours* par
celle des *Essais* qui éprouvent et prouvent sa méthode.
Le *Discours de la méthode* en lui-même ne découvre pas
toute la méthode. Descartes ne le voulait pas. Est-ce
pour cela que la seconde partie la réduit à quatre préceptes d'apparence limpide et même banale, mis à
part le troisième, surtout en sa dernière ligne ? Descartes y affirme en effet hautement que la méthode
instaure un ordre qui est l'œuvre de l'esprit. « En supposant même de l'ordre entre ceux qui ne se précè-
dent point naturellement les uns les autres » : ordre
des pensées, des raisons, et non ordre des choses subi
par l'esprit. En réalité, ces préceptes sont loin d'être
faciles à élucider. On pourrait penser qu'ils conden-
sent les règles plus nombreuses d'un écrit latin antérieur, inachevé et non publié, *Regulæ ad directionem
ingenii*, *Règles pour la direction de l'esprit* — de même
que la quatrième partie du *Discours* résume un
« commencement de métaphysique » écrit antérieurement en latin et non publié. Mais bien des éléments
des *Regulæ* sont passés sous silence, et bien des questions demeurent. Est-il sûr, par exemple, que les
deuxième et troisième préceptes correspondent pure-

---

1. *Cf.* lettres à Huygens, 25 février 1637, AT I 620 ; à Mersenne,
mars 1637, AT I 349 ; à Vatier, 22 février 1638, AT I 559.
2. *Discours de la méthode*, 1re partie, AT VI 4.

ment et simplement aux deux moments de la cinquième des *Regulæ* ? S'agit-il, dans le deuxième, d'une analyse qui précéderait la synthèse ? Ne convient-il pas de rapprocher ce précepte de division de la treizième des *Regulæ* ? La comparaison des deux textes inégaux rend les préceptes du *Discours* encore plus problématiques.

Il est du reste étrange que Descartes n'ait jamais fait mention de l'ouvrage abandonné. Ne serait-il pas significatif qu'il ait renoncé à l'explicitation des règles d'une méthode, plus proche en cela de Spinoza qu'on ne le dit souvent ? La discrétion du *Discours de la méthode* sur la méthode elle-même est à mettre en rapport avec ce renoncement sur lequel, à la différence du report de l'édition du *Monde*, Descartes ne s'est pas expliqué, et qui transmet aux préceptes du *Discours*, reprise partielle et rapide de l'ouvrage tenu secret, quelque chose de son caractère énigmatique.

La méthode consiste bien en pratique plus qu'en théorie. Cela explique la curieuse composition du *Discours* : Descartes tient à faire voir sans tarder, dès cette préface, des exemples de sa méthode, en y insérant quelque chose de métaphysique, de physique et de médecine[1].

Quelque chose aussi de morale ? d'une morale « tirée de cette méthode » ? C'est ainsi que la première page du *Discours* annonce les maximes de la troisième partie, et ces quelques mots font aussi problème. Descartes se forme en effet une morale par provision, en attendant d'avoir édifié le système qui donnera à ses actions l'assurance de la science. Sa formulation précède l'entreprise de destruction des opinions qui inaugure la mise en œuvre de la méthode. Comment pourrait-elle être tirée de la méthode ? Ses maximes, par leur contenu autant que par leur place, apparaissent tout à fait extérieures à la méthode. Descartes précise, il est vrai, que celles-ci « ne sont fondées que sur le

1. *Cf.* lettres à Mersenne, mars 1637, et à ˣˣˣ 27 avril 1637 (?), AT I 349 et 370.

dessein [qu'il a] de continuer à s'instruire[1] ». Ce dessein qui fonde l'énoncé et l'observation des maximes,
c'est aussi le projet d'une science universelle. On sait
que Descartes avait envisagé d'intituler ainsi sa préface. La méthode s'inscrit dans ce projet et dans cette
mesure appelle avec lui et exige, en attendant mieux,
des maximes de vie provisionnelles. Une telle morale
vient en premier, comme le dira la préface des *Principes de la philosophie,* dans l'ordre qu'on doit suivre
pour s'instruire[2]. Mais si l'on peut comprendre ainsi
que la morale soit tirée de la méthode, c'est au prix
d'un élargissement et d'un affaiblissement de la signification du terme, car la méthode au sens strict
constitue le second moment de l'ordre qu'il faut
suivre pour s'instruire, et la morale qui vient en premier ne saurait en être tirée. Une morale tirée de cette
méthode : la formule reste problématique.

Ces questions et quelques autres laissent parfois le
lecteur dans l'incertitude. Mais elles n'enlèvent rien à
la force avec laquelle s'imposent certains thèmes qui
dominent la philosophie de Descartes. Le développement des maximes de morale, justement, entre
l'énoncé de la méthode et la présentation de la métaphysique, met en lumière la distinction à faire entre la
connaissance et l'action. Le contraste entre les deux
domaines est frappant dans le traitement du probable.
S'il s'agit de connaître, le probable, et même le très
probable, n'a pas plus de valeur que le faux ; il ne doit
pas plus être affirmé que le faux. Le probable est douteux, et même le moins douteux est traité comme le
faux. Tel est le doute radical qui fait partie de la
méthode pour chercher la vérité, et le doute est le
dernier mot du premier précepte du *Discours,* le premier acte de celui qui commence à conduire ses pensées. S'il est question d'agir, il faut parfois, souvent,
dans l'ignorance de la vérité, se déterminer pour le
probable, et même pour le très peu probable, s'y tenir

1. *Discours de la méthode,* 3e partie, AT VI 27.
2. *Cf.* lettre-préface de l'édition française des *Principes,* AT IX
(2) 13.

et le suivre ; même le plus douteux est traité comme le vrai. Telle est la résolution, qui s'oppose au doute, exigée de celui qui veut conduire ses actions. L'opposition va jusqu'à la symétrie dans deux progressions comparables. Dans l'ordre de la connaissance, le douteux n'est pas seulement rejeté et traité comme le faux, il est traité de faux, par une supposition méthodique qui devient feinte dans le *Discours* comme dans les *Méditations*. « Je me résolus de feindre que toutes les choses qui m'étaient jamais entrées dans l'esprit n'étaient non plus vraies que les illusions de mes songes[1]. » Dans l'ordre de l'action, non seulement il faut suivre les opinions les plus douteuses avec autant de constance que les plus assurées, le douteux étant traité comme le vrai, mais il faut finalement les traiter de vraies, « les considérer (...) comme très vraies et très certaines[2] ». Sans doute la symétrie n'est-elle pas, en ce point ultime, absolument parfaite : là où il y a, dans le champ spéculatif, feinte et exercice forcé, justifié seulement par la difficulté de la réalisation, il y a, dans le champ pratique, réflexion et justification rationnelle : « à cause que la raison qui nous y a fait déterminer se trouve telle[3] ». Mais cette dissymétrie recouvre une relation très étroite. Car le doute lui-même, en son plan, est résolution : « Je me *résolus* de feindre... » Il s'exerce et se poursuit en tenant pour faux le douteux dans l'ignorance de sa réelle valeur, sans raisons théoriques suffisantes de le traiter ainsi. Les deux ordres n'en restent pas moins distincts, et le doute ne peut se développer avec une telle audace et jusqu'à l'excès qu'à la faveur de cette distinction, les maximes d'action ayant libéré l'esprit de tout souci d'application pratique. Descartes approfondira les rapports entre les deux domaines, mais toujours en reconnaissant leur nécessaire distinction.

L'abrégé de métaphysique que présente magistralement la quatrième partie donne déjà de l'existence de

1. *Discours de la méthode*, 4e partie, AT VI 32.
2. *Ibid.*, 3e partie, AT VI 25.
3. *Ibid.*

l'âme et de Dieu des preuves fortes et rigoureuses.
Même si le doute, apparemment, n'a pas dans le *Discours* l'intensité troublante des *Méditations,* il est beaucoup plus que le doute du savant, et la certitude de
Dieu apparaît déjà nécessaire à la certitude des idées
claires et distinctes que la méthode requiert pour
construire la science. Quant à celle, qui précède dans
le temps, de l'existence de mon âme, « par laquelle je
suis ce que je suis », de « ce moi », elle s'impose avec
un éclat durable à partir de la formule célèbre, boudée
parfois par les commentateurs, *je pense, donc je suis,*
que Descartes n'a jamais reniée et qui souligne par le
donc la présence d'une déduction rationnelle dans
cette intuition première.

Le thème de l'animal-machine, en mettant en évidence par contraste l'universalité du pouvoir de la
raison, apporte comme le second volet de cette
reconnaissance de l'esprit, ou de l'âme distincte du
corps. La physique de cette cinquième partie
confirme avec bonheur la métaphysique. Sur la
nature de l'animal, Descartes sera ensuite plus
prudent et plus nuancé, de même qu'en maintenant
la distinction entre connaissance et action il modifiera quelque peu, une fois certaines vérités assurées,
les maximes de sa morale ; il expliquera plus exactement les deux questions de Dieu et de l'âme
humaine[1] avant de poursuivre son itinéraire métaphysique. Mais ces thèmes sont lancés, et l'essentiel
des thèses.

*
* *

En publiant en latin, à Paris en 1641 et à Amsterdam en 1642, ses méditations de métaphysique, *Meditationes de prima philosophia,* Descartes ne
tient plus à être lu de tout le monde ; il ne s'adresse
qu'à « ceux qui pourront et voudront méditer

1. *Cf. Méditations,* Préface au lecteur, AT VII 7 ; GF p. 53.

sérieusement[1] » avec lui. Il est curieux de le voir ainsi désireux de restreindre le cercle des lecteurs après l'avoir voulu assez large. C'est que le développement de sa métaphysique et l'explication exacte de ses raisons exigent une attention dont peu de gens sont capables et dont la lecture du latin apparaît comme la condition. Descartes présente alors un texte qui a retenu tous ses soins au cours des deux années précédentes[2] et qu'il a peut-être lentement élaboré au cours de plus de dix ans. Car le petit traité de métaphysique commencé en 1629 et dont Descartes parle à plusieurs reprises[3], qui fut sans doute le point de départ de l'abrégé du *Discours,* n'est peut-être pas perdu. Ce « commencement de métaphysique » est probablement la première couche des premières méditations dont nous savons que le brouillon — perdu ! — était plein de ratures[4].

La partie métaphysique du *Discours,* comme il est naturel pour un résumé, avait provoqué quelques objections, et Descartes s'emploie à les prévenir dans cette seconde publication. Mais, loin de se fermer à de nouvelles objections, il en souhaite d'aussi fortes qu'il se pourra. « J'ai plus peur, écrit-il, que les objections que l'on me fera soient trop faibles que non pas qu'elles soient trop fortes[5]. » Il les suscite en faisant circuler des copies de son manuscrit envoyé à Mersenne le 10 novembre 1640 et s'attache pendant plusieurs mois à y répondre. En juillet 1641, les *Méditations* paraissent à Paris avec six séries d'objections et de réponses ; une septième série et une lettre adressée à un certain Père Dinet s'y ajoutent dans l'édition d'Amsterdam, en mai 1642. Ces échanges voulus par Descartes, comme d'autres dialogues dont témoigne la correspondance, laissent intact, immuable, le texte

1. *Méditations,* AT VII 9 ; GF p. 55.
2. *Cf.* lettre à Mersenne, 9 janvier 1639, AT II 491-492.
3. *Cf.* lettres à Gibieuf, 18 juillet 1629 ; à Mersenne, 25 novembre 1630 et 27 février 1637, AT I 17, 182 et 350.
4. *Cf.* lettre à Colvius, 14 novembre 1640, AT III 247.
5. Lettre à Mersenne, 21 janvier 1641, AT III 283.

des *Méditations,* à une addition près, que Descartes concède au grand Arnauld[1]. Les objections avaient été l'occasion non pas de modifier ses pensées, mais de les confirmer. Il est clair aussi que Descartes ne se contente plus, comme dans le *Discours,* ou ne prétend plus se contenter de faire voir aux lecteurs son propre cheminement en le proposant sans l'imposer comme le meilleur. Sûr de la vérité de ses raisons, il engage maintenant le lecteur à le suivre et pense pouvoir persuader ceux qui sont capables d'attention.

« Méditations de philosophie première dans lesquelles l'existence de Dieu et la distinction entre l'âme humaine et le corps sont démontrées. » Mais Dieu et l'âme ne sont pas les seuls objets de la métaphysique, ou plutôt ne constituent pas à eux seuls l'objet de la métaphysique. Lorsque, dans le titre proposé à Mersenne le 11 novembre 1640 pour les Méditations qu'il lui a envoyées la veille, Descartes nomme *prima philosophia* ce qu'il appelle aussi métaphysique, il le justifie en disant : « Car je ne traite point en particulier de Dieu et de l'âme, mais en général de toutes les premières choses qu'on peut connaître en philosophant », ou encore, dans une autre lettre du même jour : « Car je n'y traite pas seulement de Dieu et de l'âme, mais en général de toutes les premières choses qu'on peut connaître en philosophant par ordre[2]. » Toutes les premières choses qu'on peut connaître en philosophant : tel est l'objet de la philosophie première. Elle est la science des commencements, c'est-à-dire des fondements. Si elle traite de Dieu, c'est en tant qu'il est connu en premier (et non en tant qu'il est le premier des êtres). Si l'âme s'ajoute à Dieu (et Descartes se sépare sur ce point d'Aristote), c'est qu'elle est aussi connue d'abord, plus aisée à connaître que le corps. La connaissance de Dieu et de ses principaux attributs, celle de l'immortalité de nos âmes sont au nombre des principes de la connaissance, mais la cla-

1. *Cf.* lettre à Mersenne, 18 mars 1641, AT III 335.
2. *Cf.* lettres à Mersenne, 11 novembre 1640, AT III 235 et 239.

rification de l'idée d'étendue, la détermination de l'essence des choses matérielles, la démonstration de leur existence et de l'union de notre âme à un corps sont aussi au nombre de ces principes qui fondent les sciences mathématiques et physiques. Au mouvement ascendant qui, à partir du doute le plus radical, en passant par l'émergence du sujet pensant, nous élève jusqu'à Dieu, les *Méditations* font succéder un mouvement descendant qui ramène au monde et à l'homme, étrange mélange d'esprit et de corps. Dieu n'est pas le terme du parcours. Les *Méditations* démontrent scrupuleusement son existence, mais ne s'arrêtent pas à expliciter tous ses attributs. Le retour au monde était esquissé dans la métaphysique du *Discours,* les *Méditations* l'effectuent patiemment. L'itinéraire métaphysique conduit jusqu'au seuil de la physique en traitant de l'âme et de Dieu et en retrouvant le monde et l'homme : telle est la généralité ou l'ampleur de son objet.

Le parcours métaphysique est toujours démonstratif. « Toutes les premières choses qu'on peut connaître en philosophant par ordre. » L'ordre, inspiré des mathématiques, est un ordre des raisons[1]. Pour sa métaphysique plus que pour toute autre science, Descartes souligne le recours exclusif à cette lumière naturelle qu'est la raison et la nécessité de suivre sans manquement l'enchaînement et la liaison des vérités qu'elle reconnaît en les déduisant les unes des autres comme autant de raisons. Jusque dans l'ouverture à l'apport des sens qui permet de retrouver le monde et l'homme, l'entendement ne cesse jamais de conduire de véritables preuves.

Les *Méditations* veulent aussi être persuasives, et cela non seulement par la solidité et la perfection des démonstrations, mais encore par l'appel à l'épreuve des vérités démontrées. Et si Descartes, voulant persuader le lecteur de la vérité qu'il a atteinte, l'invite à

1. *Cf.* lettre à Mersenne, 24 décembre 1640, AT III 266. *Cf.* aussi la définition de l'ordre dans les Réponses aux secondes objections, AT VII 155. IX (1) 121 ; GF p. 253.

s'en pénétrer et à la faire sienne, c'est qu'il s'en est
d'abord pénétré lui-même et l'a méditée en la faisant
sienne. « Tout ce qui est contenu dans mes Méditations a été converti, si je puis dire, en sève et en
sang[1]. » Cette appropriation de la vérité qu'il félicite
son correspondant d'avoir opérée, Descartes l'effectue
pour lui-même, par une sorte d'ascèse. Les *Méditations* sont aussi une expérience. L'expérience, que le
résumé du *Discours*, même inséré dans le récit auto-
biographique, ne pouvait laisser paraître, s'unit étroitement ici à la démonstration. Les deux aspects ne
sont pas simplement juxtaposés : comme les raisons
parfois dans la démonstration se nouent et s'entrecroisent, raisons et exercices se lient et s'entrelacent dans
la méditation. Par là ils se fécondent mutuellement.
Les raisons, éprouvées, ne restent pas extérieures au
sujet méditant, et l'expérience, plus qu'ailleurs, s'élève
à l'universalité de la raison. Le genre méditatif associe
la démonstration et l'expérience, la science et l'exercice, le système et l'ascèse.

L'aspect ascétique est présent dès la Première méditation, quand les raisonnements qui justifient suffisamment la décision de douter de tout se révèlent
insuffisants pour me faire effectivement douter, parce
qu'ils se heurtent à la résistance de fait des croyances
habituelles et à la force du probable. L'idée d'un mauvais génie, invoquée pour résister à cette résistance,
n'est pas un argument, mais un instrument forgé pour
réussir à pratiquer ce que les arguments m'ont
convaincu de devoir faire. Elle s'inscrit dans un exercice, non dans une démonstration. Absent des autres
exposés cartésiens du doute, cet épisode tient à la spécificité des *Méditations* qui ne se contentent pas
d'énoncer, de dire, mais s'attachent aussi à effectuer,
à faire, et dans lesquelles les conclusions des raisonnements prennent effet sur le sujet. La fiction du
malin génie représente dans toute sa pureté l'aspect
ascétique des *Méditations*. Elle n'est pas pour autant

1. Lettre à ˣˣˣ, 1643, AT V 545.

extérieure au système. Sa compréhension comme
exercice éclaire, précise et confirme la nature du doute
cartésien. Le doute est lui-même essentiellement exercice ; il doit s'effectuer pour qu'en surgisse la première
vérité, qui sera performance en même temps que raisonnement. Démonstration et expérience sont ainsi
associées dès les premiers pas de celui qui médite.

Elles ne cessent pas d'être conjointes, quoique
moins manifestement, lorsque, plus loin dans l'ordre
des raisons, la démonstration devient plus complexe et
exige le rassemblement d'éléments divers. Ainsi dans
la Sixième méditation la preuve de l'existence des
corps noue savamment des vérités déjà démontrées — la véracité divine et la distinction réelle de
l'esprit et du corps — et des principes évidents déjà
mis en œuvre — comme celui de causalité — avec
certains faits depuis longtemps remarqués mais toujours écartés jusqu'ici comme non fiables : la
contrainte subie dans les sensations et l'inclination
naturelle à la rapporter à l'action d'une chose matérielle. Si ces données sont enfin prises en compte, c'est
au terme d'une lente récapitulation des croyances et
des doutes concernant le sentir, conduite au cours
d'un préambule plus long dans cette dernière méditation que dans les autres. Le lecteur trouve en réalité
ici, tout autant que dans les autres préambules, un de
ces moments ascétiques, remémoration et réeffec-
tuation plutôt que résumé, effort pour dégager et
retenir de la sensation toujours contestée un résidu
incontestable, aussi irréductible à sa manière que
l'idée d'infini, dont il faut se résoudre à reconnaître la
cause, et ce pour quoi, grâce aux premières certitudes
acquises, nous sommes maintenant mieux armés.
Après l'effort d'abstraction des sens, l'accueil raisonné
du sensible exige aussi un exercice patient, une longue
épreuve de la vérité. L'espoir qui naît en moi de la
confiance retrouvée dans les enseignements de la
nature n'est-il pas vécu comme un moment de l'expérience du vrai ? La traduction française du duc de
Luynes laisse tomber ce beau mot d'espoir, curieuse-

ment qualifié de certain *(certa spes)*, sans doute parce qu'elle est plus distante de la méditation vécue que le texte original latin. Cet espoir assuré, le sujet méditant l'éprouve comme l'effet d'une certitude nouvelle, promesse d'autres certitudes qu'il est aussitôt invité à chercher.

Ainsi, l'argumentation suscite chez le sujet certaines attitudes, appelle certains actes ou produit certains effets, dont l'expression prend place dans le parcours et le discours méditatif. L'ordre de la méditation ne se réduit pas à l'ordre des raisons.

C'est que celui-ci peut se réaliser selon des voies diverses et que la voie analytique suivie dans les *Méditations* peut accueillir sans perdre son efficacité ces moments d'exercice comme les pauses contemplatives. L'analyse montre en effet « la vraie voie par laquelle une chose a été méthodiquement inventée[1] ». Découverte de la vérité, elle part de ce qui s'offre à nous d'abord, sans être clairement et distinctement saisi, pour en dégager ce qui l'éclaire et l'explique, les principes ou notions premières. L'âme ou esprit, le sujet pensant, apparaît comme la condition de l'exercice du doute ; Dieu, un être infini existant, comme ce qui rend compte de la présence de l'idée d'infini dans un esprit fini ; le monde matériel, comme la cause de ce qui est incontestablement subi dans la sensation ; et l'union de l'esprit à un corps, comme la condition de ce qui est irrémédiablement confus dans la sensation. On comprend que cette régression des conséquences aux principes ou des effets aux causes, du moins connu au plus connu, soit difficultueuse, parfois sinueuse, allongée par des détours, et qu'en exigeant du lecteur une attention soutenue, aussi ample que vive, de la persévérance et même de la bienveillance, elle prenne la dimension ascétique que nous avons relevée.

Descartes sait qu'il est possible de satisfaire aux exigences de l'ordre selon une autre voie, la voie synthé-

1. Réponses aux secondes objections, AT VII 155. IX (1) 121 ; GF p. 253.

tique, illustrée par les géomètres dans l'exposition de leur science. La synthèse pose au départ, comme autant de notions premières, définitions et principes, et en déduit progressivement une série de propositions dont la vérité apparaît aisément[1]. Pour déférer au conseil de certains lecteurs, Descartes consent à présenter suivant cette autre voie une partie de sa métaphysique. Les Réponses aux secondes objections s'achèvent par un exposé dit géométrique qui dispose les démonstrations de l'existence de Dieu et de la distinction entre l'âme et le corps *more geometrico,* c'est-à-dire selon le mode d'exposition habituel en géométrie. Mais ce n'est qu'un abrégé, qui ne peut qu'imiter une manière de démontrer impropre à la métaphysique. À dissocier ainsi l'exposition et la découverte, on perd la force persuasive du cheminement inventif, et le lecteur ne peut guère accéder à la vérité. Car si en géométrie les notions posées en premier, tout en étant objet d'intellection, ne heurtent pas l'apport des sens, il en est autrement en métaphysique, où la saisie des premières notions exige un effort d'abstraction des sens et ne peut être séparée du mouvement de la pensée qui les produit. La voie de l'invention, que suivent les *Méditations,* est aussi la meilleure voie d'exposition, « la plus propre pour enseigner ». C'est pourquoi même en composant en vue d'un éventuel usage dans les écoles les *Principes de la philosophie,* Descartes n'adoptera pas dans la partie métaphysique de l'ouvrage la manière de démontrer de la pure synthèse.

*
* *

Dans le même temps où circulaient les copies des *Méditations* et où s'échangeaient objections et réponses, Descartes entreprend la rédaction de ce

1. *Cf.* Réponses aux secondes objections, AT VII 156. IX (1) 122 ; GF p. 254.

qu'il appelle en janvier 1642 *Summa Philosophiæ*[1] (*Somme de philosophie*) et qui paraît en 1644 sous le titre *Principia Philosophiæ* (*Principes de la philosophie*). Dès novembre 1640, en effet, après l'envoi du manuscrit des *Méditations*, Descartes fait part à Mersenne de sa résolution d'employer l'année suivante à écrire tout un cours de sa philosophie[2]. En 1642, dans la lettre au Père Dinet imprimée à la suite des Septièmes objections et réponses, il parle longuement de son dessein de publier « dans un an ou deux » la philosophie qu'il est en train de rédiger. L'ouvrage paraît effectivement à Amsterdam en juillet 1644, en même temps que, sous le titre *Specimina Philosophiæ* (*Échantillons de philosophie*), la traduction latine, faite par Étienne de Courcelles et revue par Descartes, du *Discours de la méthode*, de la *Dioptrique* et des *Météores ;* les deux ouvrages, l'ancien et le nouveau, sont alors souvent réunis en un seul volume.

Descartes donne ainsi au public toute sa philosophie : métaphysique et physique. Après avoir laissé mûrir son *Monde*[3] pendant plusieurs années, après la production, en 1637, pour « sonder le gué[4] », de quelques échantillons et la publication soigneusement préparée, en 1641, de sa métaphysique, il livre en 1644 l'ensemble de sa physique, dont les principes sont enfin exposés à la suite d'une nouvelle présentation de la métaphysique. « Je vous dirai, entre nous, écrit-il à Mersenne le 28 janvier 1641, que ces six méditations contiennent tous les fondements de ma physique. Mais il ne faut pas le dire... » Cela est désormais dévoilé. Descartes est conscient et fier de la tâche accomplie. À celui qui le raillait de faire attendre si longtemps son ouvrage, il rétorquait : « Il fait bien rire, s'il pense que d'un homme qui n'est pas encore vieux

1. *Cf.* lettre à Huygens, 31 janvier 1642, AT III 523. *Cf.* aussi lettre à Mersenne, 22 décembre 1641, AT III 465.
2. *Cf.* lettres à Mersenne, 11 novembre et 31 décembre 1640, AT III 233 et 276.
3. *Cf.* lettre à Huygens, 6 juin 1639, AT II 553.
4. Lettre à ˣˣˣ, mai 1637, AT I 370.

on a pu attendre longtemps ce que personne au cours des siècles n'a encore fait[1]. » C'est véritablement une somme philosophique que Descartes publie, ou presque. « Toute la philosophie est comme un arbre, dont les racines sont la métaphysique, le tronc est la physique, et les branches qui sortent de ce tronc sont toutes les autres sciences, qui se réduisent à trois principales, à savoir la médecine, la mécanique et la morale[2]. » Les *Principes* nous donnent la racine et le tronc, mais non les branches, et s'arrêtent au seuil de la science des vivants et de celle de l'homme.

Une intention didactique préside à la composition de l'œuvre. « Écrire par ordre tout un cours de ma philosophie en forme de thèses... » Le projet confié à Mersenne le 11 novembre 1640, lié à la volonté de réfuter expressément la philosophie de l'École, se modifiera quelque peu et ne s'encombrera plus de cette préoccupation critique. Il reste celui d'« écrire ma philosophie en tel ordre qu'elle puisse aisément être enseignée[3] ». La résolution de Descartes est en tout cas issue des polémiques, notamment avec les jésuites, qui se sont succédé depuis la parution des *Essais*. « Peut-être que ces guerres scolastiques seront cause que mon Monde se fera bientôt voir au monde, et je crois que ce serait dès à présent, sinon que je veux auparavant lui faire apprendre à parler latin, afin qu'il s'introduise plus aisément en la conversation des gens de l'école, qui maintenant le persécutent et tâchent à l'étouffer avant sa naissance[4]. » Les *Principes de la philosophie* seront, bien sûr, beaucoup plus que la traduction latine du *Monde*. Descartes pense qu'un exposé complet de sa philosophie pourrait mettre fin aux discussions qui lui ont pris du temps et que sa Somme philosophique

1. Lettre au Père Dinet, AT VII 576.
2. Lettre-préface de l'édition française des *Principes* (1647), AT IX (2) 14.
3. Lettres à Mersenne, 11 novembre et 31 décembre 1640, AT III, 233 et 276.
4. Lettre à Huygens, 31 janvier 1642, AT III 523.

pourrait se substituer dans les écoles aux manuels scolastiques. Il est alors amené, en proposant quasi les mêmes choses que les *Méditations* dans la première partie de l'ouvrage et en intégrant dans les parties suivantes le contenu du *Monde*, à adopter un autre style, « plus accommodé à l'usage des écoles[1] », et, en satisfaisant toujours à l'ordre, à faire place à cette méthode d'exposition qu'est la synthèse. Nous n'avons pas, sans doute, avec l'ensemble des *Principes*, un exposé purement synthétique, mais le style de ce manuel est tout à fait différent de celui des écrits précédents.

La première partie, métaphysique, ne pouvait se couler dans le moule de la synthèse. Pas plus que les *Méditations*, les *Principes* ne commencent par l'énoncé des notions premières. Du doute à l'existence du moi pensant et à l'existence de Dieu, le mouvement est globalement le même : une montée vers les principes de la connaissance. Avec des étapes plus marquées, plus nombreuses et plus brèves, le parcours des *Principes* jusqu'à l'article 23 est parallèle à celui des trois premières méditations : l'approche analytique est indispensable. Une fois Dieu atteint, l'article 24 annonce un mouvement synthétique descendant des causes aux effets. Retardé par l'explication de l'erreur qui appelle comme dans la Quatrième méditation des remarques sur la liberté humaine, le recensement des notions premières commence à l'article 47 et s'effectue selon les exigences d'explicitation et de définition de la synthèse. Une sorte de généalogie des préjugés clôt cette première partie, dont on voit qu'elle a associé l'analyse et la synthèse et mis en œuvre leur complémentarité. Non seulement, en effet, un moment synthétique succède à un mouvement analytique, mais encore dans celui-là même on relève certains aspects synthétiques. La preuve *a priori* de l'existence de Dieu y précède les preuves par les effets, et il y a bien quelque chose de synthétique, comme Des-

1. Lettre au Père Dinet, AT VII 577.

cartes l'a dit à Burman[1], à commencer par la démonstration qui s'appuie sur la notion de Dieu considérée
en elle-même. En outre, un certain souci d'explicitation formelle des définitions se remarque au cours du
mouvement de remontée analytique : l'article 9, par
exemple, formule une définition de la pensée — très
proche de la première définition de l'abrégé géométrique — que la seconde méditation ne s'était pas
arrêtée à expliciter, mais que ses patientes analyses
impliquaient. On saisit sur cet exemple l'efficacité
pédagogique de ce trait synthétique : en fixant l'attention sur une formule qui explicite l'implicite, l'énoncé
de la définition est comme un temps de repos accordé
aux esprits rebelles à l'effort requis par l'analyse. Plus
généralement, enfin, la division en articles, faite aussi
pour soulager l'attention et faciliter le rappel, est une
exigence de la synthèse. Rien de tel dans les *Méditations,* dont les premières ne comportent même pas
d'alinéas ; les *Principes de la philosophie* sont bien d'un
autre style que les *Méditations.*

Cet autre style est manifeste dans les parties suivantes. Le passage de la métaphysique à la physique,
des racines au tronc de l'arbre qui figure la philosophie, s'effectue suivant une progression synthétique.
Si la preuve de l'existence des corps est placée en tête
de la seconde partie, c'est pour assurer à la physique
un objet existant et lui donner son fondement ontologique ; ce qui pourrait paraître un curieux déplacement par rapport aux méditations métaphysiques qui
contiennent cette preuve souligne en fait la continuité
de la métaphysique à la physique. La détermination
de la nature des corps comme étendue était présente
dans les méditations métaphysiques et elle prend place
dans la seconde partie du nouvel ouvrage parmi les
principes de la physique, la première partie ayant déjà
recensé l'étendue corporelle au nombre des premières
notions qui tombent sous notre connaissance. Maintenant, il est important d'affirmer l'unité et l'homogé-

1. *Cf. Entretien avec Burman,* AT V 153.

néité de la matière étendue, qui assure l'unité de la science, et de dégager le mouvement comme principe de diversification des corps. L'idée innée d'étendue préside ainsi à l'explication de tous les phénomènes de la nature. Le grand moment de cette seconde partie, qui marque avec éclat l'enracinement de la physique dans la métaphysique, est l'explicitation des lois de la nature à partir de l'idée que Dieu est immuable et agit de manière constante[1]. Il en était ainsi dans le *Monde,* mais le *Monde* n'avait pas vu le jour. L'unité de tout le système n'apparaît qu'avec les *Principes.* Une fois que la métaphysique a donné les fondements de la physique, l'explication des phénomènes se développe aussi selon la voie synthétique, qui procède des premières causes aux effets, en commençant par les plus généraux, dont dépendent les plus particuliers que nous apercevons par l'entremise des sens[2].

En fait, ce mouvement descendant ne peut s'effectuer jusqu'au bout. Les possibilités ouvertes par les premiers principes et par la puissance de Dieu débordent de beaucoup les effets réels que nous constatons. Pour expliquer ceux-ci et non d'autres seulement possibles, il faut, selon la formule présente dès le *Discours,* aller au-devant des causes par les effets, en un sens contraire au mouvement synthétique. La description des principaux phénomènes à expliquer est nécessaire pour orienter la démarche, et l'appel à l'expérience pour choisir entre plusieurs explications possibles[3]. La déduction *a priori* rencontre inévitablement en cours de route sa limite. Comme en outre il n'est pas toujours aisé, même quand il s'agit de physique, de poser les notions premières sans combattre les préjugés, l'exposé des *Principes* ne se déroule pas toujours dans le pur style synthétique. Il reste que le mouvement d'ensemble est celui de la synthèse à l'intérieur de la physique comme dans l'enracinement de la physique dans la métaphysique.

1. *Cf. Principes de la philosophie,* 2ᵉ partie, articles 36 et *sq.*
2. *Cf.* 3ᵉ partie, article 1.
3. *Cf.* 3ᵉ partie, articles 4 et 46.

Mais pour beaucoup de lecteurs, bien plus que leur justification métaphysique, c'est le contenu des principes et des lois de la nature, dont Descartes a longuement mûri la formulation, qui fait l'intérêt de ces articles. Sans doute la science a-t-elle rejeté ensuite l'idée de la conservation dans l'univers d'une égale quantité de mouvement, posée comme un principe avant l'explication de ces lois, ainsi que la troisième de celles-ci ; mais les deux premières contiennent l'idée de l'inertie de la matière, qui constitue l'un des principes fondateurs de la physique moderne. Descartes n'est pas le premier à avoir conçu cette idée, et il n'en a pas donné l'énoncé le plus exact, mais il l'a saisie et exprimée assez justement pour que son nom lui reste attaché, autant que ceux de Galilée et de Newton. Les physiciens ne font pas trop de difficultés pour lui attribuer le principe d'inertie. En niant toute force ou puissance intérieure au corps, ces lois s'accordent avec la réduction de la matière à l'étendue homogène. Les *Principes* développent une explication mécaniste des phénomènes en ne considérant que des grandeurs, des figures et des mouvements, « comme fait la Mécanique[1] » : pas de frontière entre le naturel et l'artificiel, et la nature est dépouillée de toute magie. À la fin de la dernière partie de l'ouvrage, l'explication mécanique est étendue à nos sensations.

Quant au mouvement de la Terre sur lequel Descartes avait préféré garder le silence, l'élucidation de la nature du mouvement ainsi que les considérations sur sa relativité et sa réciprocité permettent maintenant de préciser en quel sens il peut être affirmé, en quel sens il peut être nié. Emportée dans le tourbillon céleste, la Terre est transportée en lui sans se mouvoir en lui. Non sans malice, après avoir dit qu'il nierait le mouvement de la Terre avec plus de soin que Copernic et plus de vérité que Tycho, Descartes montre que, selon l'hypothèse de Tycho, on doit dire que la Terre se meut autour de son centre, et aussi qu'elle se meut

1. Lettre à Plempius, 3 octobre 1637, AT I 420.

autour du Soleil[1]. Faut-il voir dans les articles 15 à 40
de la troisième partie des circonlocutions de pure
diplomatie ? Il ne faudrait pas le penser trop vite. Descartes avait encore moins à craindre en 1644 qu'en
1633. Surtout, il a toujours soutenu que la physique
doit faire place à des hypothèses ou des suppositions
dont le statut délicat à définir retient souvent sa
réflexion.

Les *Principes* ne devinrent pas le manuel pour les
écoles. Mais l'ouvrage eut une audience considérable et
l'intérêt qu'il suscita fut assez grand pour justifier une
traduction française, faite par l'abbé Picot, avec des
modifications et des additions parfois importantes de
Descartes. Elle paraît en 1647 à Paris, la même année
que la traduction française des *Méditations* faite par le
duc de Luynes, suivie de celle des Objections et
réponses menée à bien par Clerselier, l'ensemble ayant
été aussi revu par Descartes. Les discussions se poursui-
vent et les polémiques se multiplient. Mais Descartes
peut être satisfait de la diffusion de sa pensée.

*
* *

Sur les questions touchant à la morale, Descartes
était réticent à écrire, et surtout à livrer au public sa
pensée. Il fit toutefois paraître, mais seulement en
1649, un « petit Traité des passions », où l'examen du
physicien se prolonge en considérations morales.
L'ouvrage est né à l'occasion des questions posées
dans ses lettres par Élisabeth de Bohême. Descartes
l'avait rencontrée à La Haye en 1642 ; dès 1643, une
correspondance philosophique s'était engagée entre
eux, assez riche et féconde pour qu'en 1644 Descartes
dédie les *Principia philosophiæ* à la jeune princesse. Les
difficultés soulevées par Élisabeth amènent tout de
suite Descartes à préciser sa pensée sur l'union de

---

1. *Cf. Principes de la philosophie*, 3ᵉ partie, notamment les articles 19, 28, 38, 39.

l'âme au corps, dont il reconnaît dans sa première réponse n'avoir jusqu'alors quasi rien dit[1], puis, en 1645, après un échange sur leur lecture commune du *De vita beata* de Sénèque, à examiner plus particulièrement les passions, pour pouvoir les définir et les dénombrer[2]. Descartes rédige alors dans le courant de l'hiver et envoie à Élisabeth au printemps de 1646 ce que tous deux appellent déjà *Traité des passions,* mais qui n'est qu'un « premier crayon » écrit sans intention de publier[3]. Une autre copie, probablement déjà remaniée, est adressée l'année suivante à la reine Christine de Suède, en même temps que, non sans scrupules, la copie de quelques lettres envoyées par Descartes à Élisabeth au sujet du *De vita beata*[4]. Descartes continue à travailler son « petit traité » et l'augmente considérablement. Pressé par quelques amis, il le donne finalement à l'imprimeur, peu avant de quitter la Hollande en septembre 1649 pour la Suède, invité par la reine Christine. En novembre 1649, *Les Passions de l'âme* sont publiées à Amsterdam et des exemplaires sont aussitôt envoyés et distribués à Paris. En Suède, avant sa mort qui devait bientôt survenir (le 11 février 1650), Descartes reçut quelques exemplaires de l'ouvrage. Cette dernière publication était, comme la première, écrite en français.

On peut considérer *Les Passions de l'âme* comme la suite des *Principes de la philosophie,* auxquels Descartes avait mis fin sans traiter la nature des animaux et des plantes ni celle de l'homme, qui auraient dû faire l'objet d'une cinquième et d'une sixième parties[5]. Leur première partie s'intitule *Des passions en général, et par occasion de toute la nature de l'homme.* Par occasion :

1. *Cf.* lettre à Élisabeth, 21 mai 1643, AT III 664 ; GF p. 67.
2. *Cf.* lettre à Élisabeth, 6 octobre 1645, AT IV 309-313 ; GF p. 141-144.
3. *Cf.* lettre d'Élisabeth, 25 avril 1646 ; lettre à Élisabeth, mai 1646 ; lettre à Chanut, 15 juin 1646, AT IV 404, 407, 442. GF p. 163, 166, 244.
4. *Cf.* lettres à Christine, à Chanut et à Élisabeth du 20 novembre 1647, AT V 86-92 ; GF p. 273, 210-212.
5. *Cf. Principes de la philosophie,* 4e partie, article 188.

parce que l'ordre l'exige. Dans l'esprit de Descartes, les explications physiologiques du « petit traité » comblent en partie une lacune du gros ouvrage[1]. On peut même voir dans ce traité où se rencontrent la médecine et la morale, bien qu'il ne présente pas la plus haute et la plus parfaite morale, des éléments pour les deux dernières branches de l'arbre philosophique.

Le *Traité des passions* veut en tout cas être un ouvrage de science. « Mon dessein n'a pas été d'expliquer les passions en orateur, ni même en philosophe moral, mais seulement en physicien[2]. » En physicien : cela veut dire en cherchant à les expliquer comme des phénomènes naturels et à en déterminer les causes, sans commencer par les juger bonnes ou mauvaises et par exhorter l'homme à les maîtriser, comme le font le philosophe moral et l'orateur. La tâche n'est pas facile. Descartes identifie aussitôt le corps comme la cause des passions de l'âme : c'est le corps auquel elle est jointe qui agit sur l'âme quand celle-ci est passive. Mais la définition précise des passions au sens strict exige l'appel à trois considérations : il faut non seulement prendre en compte leur nature de perception ou de passion au sens général, mais aussi leur cause prochaine, un mouvement particulier des esprits animaux, et ce à quoi elles sont rapportées, l'âme, justement, car leurs effets sont sentis, à la différence d'autres perceptions, « comme en l'âme même[3] ». La méthode se trouve ici exemplifiée, de même que dans le dénombrement des passions, que Descartes a eu du mal à mener à bien[4]. En physicien : cela ne signifie pas réduire les passions à des phénomènes corporels. Ce sont des passions de l'âme, du fait de son union au corps. Avec les mouvements volontaires, elles sont un phénomène spécifique de l'union. Le *Traité des pas-*

1. *Cf.* lettre à Morus, 15 avril 1649, AT V 344.
2. *Les Passions de l'âme*, Préface, AT XI 326.
3. *Ibid.*, article 27-29.
4. *Cf.* lettres à Élisabeth, 6 octobre et 3 novembre 1645, AT IV 313, 332 ; GF p. 144, 151.

sions approfondit cette union pour mieux comprendre les passions. C'est en ce sens qu'il traite « par occasion » de toute la nature de l'homme. L'homme étant doué d'une volonté libre, le physicien devient moraliste. « Je m'arrête aussi quelquefois à penser aux questions particulières de la morale. Ainsi j'ai tracé cet hiver un petit Traité de la Nature des Passions de l'Âme... ». Il ne s'agit que de questions particulières, mais Descartes dit en même temps « en confidence » que sa physique lui a permis d'établir « des fondements certains en la morale[1] ». Physique, ou plus précisément médecine, et morale sont ainsi nécessairement liées dans le dernier ouvrage du philosophe.

C'est au cœur de la première partie des *Passions*, comme sur un haut plateau dominant tout le reste, que se trouve le plus beau passage de toute l'œuvre de Descartes sur l'union de l'âme et du corps. Il ne s'agit plus de la prouver : c'était l'œuvre de la métaphysique qui donne les fondements de la physique. Il s'agit de l'expliciter et de comprendre comment l'union de l'âme avec tout le corps appelle une union plus particulière avec une partie du corps. Ces deux aspects de l'union, à la fois globale et locale, la Sixième méditation les présentait dans son ordre à une certaine distance l'un de l'autre[2], le second n'intervenant qu'au cours de la réponse donnée à l'objection que constitue l'erreur des sens. Ils sont maintenant rapprochés en deux articles successifs qui, sans se borner à les juxtaposer, éclairent leur accord et leur complémentarité[3]. On voit alors comment l'âme, absolument indivisible, s'unit à un corps en quelque façon indivisible, par son unité fonctionnelle ; en quelque façon seulement, puisqu'il a différentes parties dont l'organisation impose à l'âme un siège principal. « La mort n'arrive jamais par la faute de l'âme[4]. » Descartes concluait ainsi le rappel, qui avait nécessairement précédé, de la distinction réelle des

1. Lettre à Chanut, 15 juin 1646, AT IV 441 ; GF p. 243.
2. AT VII 81 et 86. IX (1) 64 et 69 ; GF p. 178-179 et 188-189.
3. *Les Passions de l'âme,* articles 30 et 31.
4. *Ibid.,* article 6.

deux substances. L'expérience de la mort, c'est-à-dire de la séparation de l'esprit et du corps, est toujours présente dans l'élucidation de leur union. C'est elle qui met en évidence le rapport de l'indivisibilité absolue de l'âme à l'indivisibilité relative du corps, lequel est rendu défectueux lorsqu'il perd une de ses parties, alors que l'âme n'est pas diminuée quand on retranche certaines parties du corps, mais s'en sépare absolument quand on dissout l'assemblage des organes. La détermination de l'union locale manifeste les qualités du physicien qui explore avec soin l'organisation de ce corps qui est aussi divisible en parties, dont certaines sont plus importantes que d'autres dans le fonctionnement de la machine ; car il s'agit de chercher en quel lieu, plus particulièrement ou principalement, l'âme exerce ses fonctions. Ces fondements explicités, Descartes peut préciser l'interaction de l'âme et du corps, et le chemin est ouvert pour expliquer les passions, leur effet sur la volonté, ainsi que l'intervention de la volonté sur le cours des passions.

Car c'est sur la volonté que la passion prend effet. « Il est besoin de remarquer que le principal effet de toutes les passions dans les hommes est qu'elles incitent et disposent leur âme à vouloir les choses auxquelles elles préparent leur corps[1]. » On pourrait s'inquiéter de ce que la volonté soit ainsi disposée et semble perdre toute liberté si l'article suivant ne proclamait aussitôt qu'elle est « tellement libre de sa nature qu'elle ne peut jamais être contrainte ». Si forte que soit une passion, la volonté n'est jamais entièrement soumise à son effet. De même que dans le jugement l'entendement par la lumière qu'il apporte incline la volonté à le suivre, mais qu'il est toujours possible à celle-ci de se détourner du vrai ou du bien clairement connu, de même dans la passion la volonté est sans doute incitée et poussée d'un côté, mais elle peut toujours, quoique indirectement, reprendre l'initiative, résister, et maîtriser la passion. Ainsi rassurés,

1. *Ibid.*, article 40.

nous retiendrons surtout de la « remarque » qu'elle introduit curieusement un nouveau point de vue sur la passion, la pensée d'une interaction se dépassant dans la reconnaissance d'une unité plus profonde. Car voici maintenant que s'accordent la passion et la volonté, le corps et l'âme, puisque l'âme est incitée à vouloir ce à quoi le corps se prépare ; et c'est l'homme, union d'une âme et d'un corps, et non l'âme seule, qui apparaît ici comme le sujet de la passion, l'homme, « une seule personne qui a ensemble un corps et une pensée ». Chacun l'« éprouve toujours en soi-même sans philosopher[1] » ; la philosophie retrouve ici, sans nier la réalité de la distinction des substances toujours susceptibles de se séparer, cette unité de l'homme en qui l'âme et le corps ne se combattent pas toujours, mais aussi s'accordent pour agir et pâtir ensemble[2]. Aussi bien, la classification des passions dans la seconde partie du traité laisse en retrait l'idée d'une action du corps sur l'âme et ne rapporte pas la diversité des passions à la diversité des objets qui les causent, mais à l'importance qu'ont pour nous ces objets, pour nous, hommes, âme et corps à la fois, conjoints et comme mêlés. Ce dépassement du dualisme ne contredit en rien l'explication première et fondamentale de la passion de l'âme comme action du corps sur l'âme, ni la distinction réelle entre l'âme et le corps qui, en s'unissant étroitement en un seul être, ne réalisent pourtant qu'une unité de composition, et non une unité de nature[3]. Mais l'examen de la passion conduit Descartes à creuser davantage le fait étrange de l'union.

Cet examen le conduit aussi, peut-être paradoxalement, à reconnaître à côté des passions une affectivité active. La définition générale des passions, déjà, pouvait le laisser prévoir. Descartes en effet les insère, comme une espèce dont l'autre est constituée par les

1. Lettre à Élisabeth, 28 juin 1643, AT III 694 ; GF p. 75.
2. Cf. lettre à Élisabeth, 21 mai 1643, AT III 664 ; GF p. 67.
3. Cf. Réponses aux sixièmes objections, AT VII 423-424. IX (1) 226-227 ; GF p. 396.

volontés, dans le genre des émotions de l'âme ; et celles-ci peuvent être causées par l'âme même[1]. Plus loin, la définition de l'amour distingue de celui qui est une passion, dont la cause est physiologique, un amour excité par le seul jugement, quand la connaissance d'un bien incite la volonté à s'y joindre. Il y a de même une joie purement intellectuelle, excitée par la représentation d'un bien comme nôtre, distincte de celle qui est une passion et dépend du corps[2]. Cet amour et cette joie viennent en l'âme « par la seule action de l'âme » : ce sont des affections actives, des émotions que Descartes qualifie d'intérieures, on le comprend, puisqu'elles sont excitées en l'âme par l'âme même. Si en fait elles s'accompagnent souvent des passions du même nom, elles n'en sont pas moins distinctes et manifestent une dimension active de l'affectivité qu'il dépend de nous de développer de manière à devenir toujours plus actifs que passifs, et toujours plus joyeux que tristes, toute passion pouvant être l'occasion de joie intérieure[3]. *Les Passions de l'âme* nous indiquent ainsi le chemin vers le souverain contentement dont Descartes parlait à Élisabeth[4].

Les Passions de l'âme eurent bientôt leur traduction latine, publiée après la mort de Descartes. Un exemplaire se trouvait dans la bibliothèque de Spinoza, qui en a retenu quelque chose dans sa théorie des affects.

★
★ ★

Aux quatre ouvrages que Descartes fait paraître de son vivant, il faut ajouter, pour compléter son œuvre, les publications posthumes, parmi lesquelles *Le Monde ou le traité de la lumière* et *L'Homme,* les *Regulæ ad directionem ingenii* et *La Recherche de la vérité,* sans oublier les *Lettres.* Retiré loin de son pays d'origine

1. *Les Passions de l'âme,* article 29.
2. *Ibid.,* articles 79 et 91.
3. *Ibid.,* articles 147-148.
4. *Cf.* lettre à Élisabeth, 4 août 1645, AT IV 264 ; GF p. 111.

pour limiter les relations sociales, Descartes était un grand épistolier, et sa correspondance philosophique et scientifique contient des enseignements précieux. Certaines lettres sont de véritables petits traités. Certains ensembles, comme les lettres à Élisabeth, se détachent presque comme un ouvrage à part entière. Avec ces lettres philosophiques, un autre genre littéraire s'ajoute à la variété de ceux que Descartes a pratiqués : l'autobiographie, la méditation, le manuel et, avec *La Recherche de la vérité*, le dialogue. On ne sait trop où ranger le « petit traité des passions », dont la division en articles fait penser à un manuel, qu'il n'est pas. Peut-être Descartes lui aura-t-il donné cette forme pour éviter, sur un sujet qui pouvait le favoriser, tout risque de rhétorique.

Michelle BEYSSADE

BIBLIOGRAPHIE

ÉDITION DE RÉFÉRENCE : *Œuvres de Descartes,* publiées par Ch. ADAM et P. TANNERY (AT), 11 vol., Paris, Rééd. CNRS-Vrin, 1964-1974.
On pourra également consulter *Œuvres philosophiques de Descartes,* présentées par F. ALQUIÉ, 3 vol., Paris, Garnier, 1963-1973.

AUTRES ÉDITIONS : *Discours de la méthode,* présenté par G. RODIS-LEWIS, Paris, GF-Flammarion n° 109, 1966. *Méditations métaphysiques,* présentées par J.-M. BEYSSADE et M. BEYSSADE, Paris, GF-Flammarion n° 328, 1979. *Les Passions de l'âme,* Introd. et notes par G. RODIS-LEWIS, Paris, Vrin, 1970. (Également mentionnée dans notre texte, la *Correspondance avec Élisabeth et autres lettres,* présentées par J.-M. BEYSSADE et M. BEYSSADE, Paris, GF-Flammarion n° 513, 1989.)

COMMENTAIRES : H. GOUHIER, *Essais sur Descartes,* Paris, rééd. Vrin, 1973. G. RODIS-LEWIS, *Descartes, textes et débats,* Paris, Le Livre de Poche, 1984. Sous la direction de N. GRIMALDI et de J.-L. MARION, *Le Discours et sa méthode* (Actes du colloque pour le 350e anniversaire du *Discours de la méthode*), Paris, PUF, 1987.

DIDEROT

Lettre sur les aveugles
Entretien entre d'Alembert et Diderot

Il n'est plus à démontrer que Diderot, le maître d'œuvre de l'*Encyclopédie,* la plume élégante et acérée des *Salons,* l'auteur enfin de quelques romans libertins qui firent scandale, fut d'abord philosophe. Plus que n'importe lequel de ses contemporains, face aux censeurs, critiques en tout genre et professeurs de philosophie attachés à l'institution, il revendiqua le droit de philosopher librement au péril de sa liberté. Au siècle dit « des Lumières », le milieu intellectuel auquel il appartenait, avec d'Alembert, Grimm, d'Holbach, Helvétius, et d'autres, était volontiers désigné par le mot de « secte », terme regroupant sous le nom générique de « philosophes » des espèces aussi différentes que les spinozistes, les matérialistes, et les athées, mais que l'époque confondait dans une même vindicte. Et parmi les œuvres qui, en 1749, valurent à Diderot trois mois d'emprisonnement à Vincennes, figurent certes *Les Bijoux indiscrets,* mais aussi la *Lettre sur les aveugles,* les *Pensées philosophiques,* et la *Promenade du sceptique.*

Ce n'est pas d'abord en auteur de fictions romanesques ou théâtrales que Diderot abandonne son esprit à « tout son libertinage », selon la formule connue du *Neveu de Rameau :* il joue pleinement de l'ambiguïté de ce terme qui, en son temps, s'appliquait à la fois aux mœurs, à la religion et aux choses de la philosophie. Une condition est posée à l'amour de la sagesse : la séduction des rencontres multiples. Le refus de s'attacher à quelque système que ce soit embarrassera naturellement autant le lecteur que le commentateur. Mais la séduction opère ses charmes, et, bien vite, au lieu de voir en Diderot un fanatique de la contradiction, on aime en lui l'amoureux du paradoxe, au sens platonicien du terme : il s'agit de fuir toutes les opinions, y compris celles qui fondent les systèmes les plus élaborés de la philosophie. Loin d'être un scepticisme caricatural, la pensée de Diderot se découvre dans une philosophie mouvante comme l'est le polype, modèle cher au philosophe. D'une œuvre à l'autre, les idées se retournent sans qu'on puisse se rattacher à l'idée rassurante d'évolution d'un système. Les domaines se confondent ; on traite sans transition de « politique, d'amour, de goût ou de philosophie », pour reprendre encore *Le Neveu de Rameau.* Souvent se superposent plusieurs étapes de rédaction, soit que Diderot ait retouché son texte avant de le publier, soit que l'œuvre n'ait jamais été éditée du vivant de son auteur. Aussi, pour entamer ce parcours, deux choses sont-elles requises : accepter de suivre une pensée se cherchant sans cesse au fil des expériences de l'Histoire et de la vie ; accepter aussi de s'en tenir à deux œuvres, dont la lecture n'est qu'un avant-goût susceptible d'aiguiser l'appétit du lecteur.

$$\begin{array}{c} \star \\ \star \quad \star \end{array}$$

Commençons par une question. Supposons un aveugle de naissance qui sache distinguer, à l'aide du seul toucher, une sphère d'un cube ; supposons qu'une opération lui rende l'usage de la vue ; cet aveugle sera-t-il en état de discerner les deux volumes, « en les voyant sans les toucher[1] » ? Comment imaginer un sujet plus propice au libertinage que cette

1. Diderot, *Lettre sur les aveugles,* dans *Le Neveu de Rameau et autres textes,* postface de J. Proust, Paris, Le Livre de Poche, 1972, p. 205.

question adressée à Locke à la fin du XVIIᵉ siècle par Molyneux ? Si des philosophes aussi divers que Locke, Leibniz, Berkeley, Voltaire et Condillac se sont emparés de ce qu'on a fini par appeler « le problème de Molyneux », c'est d'abord parce que les conséquences de cette question s'étendent à des domaines multiples. Ce qui semble n'engager que la physiologie ou la médecine se révèle être d'une importance capitale en matière de morale, d'esthétique, de religion et d'épistémologie. En outre, ce problème est le lieu de confrontation des divers systèmes s'opposant à l'innéisme cartésien. Pour Descartes, la question de Molyneux ne pouvait se poser, puisque le caractère inné des idées garantissait le jugement des sens : une fois la vue recouvrée, l'aveugle sait associer adéquatement l'image visuelle du cube et l'idée de ce cube. Dès qu'au contraire on pense que le jugement ne s'élabore qu'à partir de sensations répétées, l'aveugle devenu clairvoyant constitue un problème idéal pour tenter d'expliquer la genèse des idées à partir des sensations. Et depuis Molyneux, la question était passée dans la réalité, puisque à la suite de Cheselden en 1728, Réaumur, en 1749, l'année même de la *Lettre sur les aveugles,* venait d'effectuer une opération de la cataracte sur une jeune aveugle.

Chez Diderot, le problème de Molyneux n'est examiné qu'en fin de parcours. En effet, l'aveugle n'est pas en premier lieu un modèle abstrait servant à étayer un système, ce système fût-il aussi séduisant que le sensualisme condillacien. Il est d'abord un homme en quelque sorte privilégié parce que son mal l'a obligé à inventer des substituts au processus normal d'apprentissage de la morale, du goût, de la science, bref, de la philosophie. C'est un homme dépourvu de préjugés philosophiques, un homme qui pose un regard neuf sur le monde. L'aveugle intéresse aussi Diderot parce qu'il lui permet de mettre en question tous les systèmes agités par ses contemporains, aussi bien le rationalisme de Descartes que l'idéalisme de Berkeley, l'optimisme déiste de Voltaire, et, même, l'empirisme de Locke ou le sensualisme de Condillac. Dans un texte qui joue sans cesse des digressions et des éloignements opérés par rapport au sujet initial, les seuls points qui ordonnent la lecture sont trois figures d'aveugles, dont chacune joue un rôle spécifique : l'aveugle-né du Puiseaux, le célèbre aveugle-géomètre Saunderson, et enfin l'aveugle imaginaire de Molyneux.

Le premier est un homme que le lecteur pourrait bien, un jour, rencontrer. Un homme étrange, qui tient si peu au sens qu'il n'a pas qu'il préférerait un perfectionnement du toucher à la restitution de la vue. L'aveugle du Puiseaux, « qui ne manque pas de bon sens[1] », est d'ailleurs peut-être plus philosophe qu'il y paraît : on l'aura deviné, Diderot joue l'aveugle contre Descartes et la théorie des idées innées. La différence perceptive existant entre l'aveugle et les clairvoyants révélera que les idées que nous nous faisons du vrai, du beau et du bon ne sont ni innées ni universelles : telle est la leçon que le lecteur tirera peu à peu, s'il veut bien suivre Diderot dans le labyrinthe où l'aveugle lui sert de guide.

D'abord le beau. Certes, on devrait bien plaindre l'aveugle : ne pouvant jouir des beautés gratuites de la vue, il assimile le beau à l'utile. Ironie de Diderot, qui conclut au contraire que l'aveugle doit « avoir des idées du beau, à la vérité moins étendues, mais plus nettes que des philosophes clairvoyants qui en ont traité fort au long[2] ». Car l'aveugle, conscient de sa différence, sait bien qu'il ne peut faire de son cas particulier une loi universelle : il ne croit pas que ses propres opérations soient la norme des opérations d'autrui. Il récuse la méthode de l'« induction (...) de ce qui se passe en nous à ce qui se passe au-dedans des autres[3] » pratiquée par Descartes, par exemple. Plus profondément, c'est l'avantage du clairvoyant sur l'aveugle qui est en question : s'il est vrai que l'aveugle

1. *Lettre sur les aveugles*, p. 154.
2. *Ibid.*, p. 156.
3. *Ibid.*

a « éprouvé cent fois combien nous lui cédions à d'autres égards[1] », c'est que la différence séparant le clairvoyant et l'aveugle n'est pas celle qu'on imagine. Et, s'il en est ainsi, ne pouvons-nous pas aussi mettre en question l'avantage de l'homme sur l'animal, avantage fondé sur l'idée d'une raison spécifiquement humaine ? « Si l'animal raisonne, comme on n'en peut guère douter, balançant ses avantages sur l'homme, (...) ne porterait-il pas un semblable jugement[2] ? » L'aveugle du Puiseaux permet ainsi à Diderot d'énoncer une thèse scandaleuse : l'homme et l'animal se distinguent non par une différence qualitative, mais par un partage d'avantages et d'inconvénients, qui n'est peut-être pas toujours en faveur de l'homme. Surtout, entre l'aveugle et les clairvoyants, de même qu'entre les animaux et l'homme, la différence dépend de « l'état de nos organes et de nos sens ». Il suffit alors de poser que nos idées « tiennent de fort près à la conformation de notre corps[3] », pour ruiner les fondements d'une morale et d'une métaphysique qui ont pour présupposé l'existence d'idées universelles : on peut imaginer que la morale de l'homme privé de vue n'est pas moins fondée que celle de l'homme sain. Par exemple, pour l'aveugle, le vol, qui le menace plus directement, sera un mal plus grave que le manquement à la pudeur, qui n'a de sens que pour un clairvoyant. Voilà qui semble ouvrir la porte au relativisme, et faire ressurgir l'ombre de Calliclès.

Mais le propos de Diderot n'est pas de ruiner toute norme morale. Il ne nous propose pas l'immoralité d'un relativisme sceptique, mais nous engage à relativiser la façon dont nous posons, *a priori*, des universaux moraux. La conception que nous nous faisons de la norme morale n'est pas innée, mais dépend de la manière dont les choses extérieures affectent nos sens ; et ceux-ci diffèrent d'un individu à l'autre. L'aveugle nous apprend ainsi qu'il peut exister d'au-

1. *Ibid.*, p. 161.
2. *Ibid.*
3. *Ibid.*, p. 165.

tres morales, tout aussi justifiées que la nôtre : « Ah ! madame, que la morale des aveugles est différente de la nôtre ! Que celle d'un sourd différerait encore de celle d'un aveugle ; et qu'un être qui aurait un sens de plus que nous trouverait notre morale imparfaite, pour ne rien dire de pis[1] ! »

En ce qui concerne la métaphysique, le témoignage de l'aveugle du Puiseaux annonce ce qui sera développé par l'aveugle Saunderson : la preuve de Dieu par les merveilles de la nature ne vaut que pour les clairvoyants. Diderot ne prétend pas substituer à notre métaphysique celle des aveugles, mais il entend mettre en garde contre les tentations d'universalisation propres à un discours métaphysique ou religieux : un concept est toujours tributaire de ses conditions matérielles d'élaboration, c'est-à-dire des sens et de leurs opérations.

C'est pourquoi Diderot, rejoignant le sensualisme de Condillac, s'attache à montrer comment l'aveugle peut se faire des « idées des figures[2] » et des autres choses qui l'entourent. L'aveugle constitue un exemple privilégié pour montrer la genèse des idées à partir des impressions successives des sens, car le toucher exige un contact immédiat avec l'objet. L'aveugle, pour lier les objets aux mots qui les désignent, est forcé de se constituer une mémoire tactile et de tout rapporter « à l'extrémité de ses doigts[3] ». Par conséquent, il ne fait pas de doute pour un aveugle que l'origine des idées se trouve dans le toucher, et non dans l'âme. Voici l'occasion rêvée pour contester à la fois l'innéisme des idées et la distinction de la substance pensante d'avec le corps : « Si jamais un philosophe aveugle et sourd de naissance fait un homme à l'imitation de celui de Descartes, j'ose vous assurer, Madame, qu'il placera l'âme au bout des doigts[4]. » L'aveugle est donc le contre-exemple qui

1. *Lettre sur les aveugles*, p. 167.
2. *Ibid.*, p. 169.
3. *Ibid.*
4. *Ibid.*, p. 172.

ruine l'idéalisme cartésien, car, pour penser, il doit d'abord toucher : « Les sensations qu'il aura prises par le toucher seront, pour ainsi dire, le moule de toutes ses idées[1]. »

On pourrait estimer que, dans ces conditions, l'aveugle possède un vocabulaire limité aux seules choses concrètes qu'on peut désigner par le toucher. Bien au contraire, il est, pour Diderot, un familier de l'abstraction. En effet, il est sans cesse obligé de distinguer entre elles les qualités sensibles propres aux corps qu'il touche, par exemple la forme d'une sphère, de la résistance du matériau dont elle se compose ; il doit en outre séparer ces qualités du corps lui-même, pour dégager l'idée de sphéricité, ou de masse. Le clairvoyant, lui, court le risque de mélanger ces qualités sensibles et de confondre les qualités et les corps eux-mêmes. L'idée de l'invention d'une « langue nette et précise pour le toucher[2] » ne correspond donc pas seulement à un souci humanitaire, mais aussi à une volonté de reconsidérer l'abstraction philosophique.

C'est pourquoi la seconde figure de l'aveugle est celle de Saunderson, un des meilleurs géomètres de l'époque, inventeur d'un système d'abstraction lui permettant de calculer, et de communiquer avec les autres savants. Saunderson a conçu une machine minutieusement décrite par Diderot, sur laquelle on peut pratiquer l'algèbre et la géométrie à l'aide d'épingles qui se distinguent par la grosseur de leur tête. Mais c'est en priorité aux clairvoyants que les leçons de Saunderson s'adressent, et ces leçons seront meilleures que celles d'un géomètre clairvoyant. Car notre aveugle, à la fois géomètre et poète, est l'inventeur d'une langue. Usant d'expressions empruntées au toucher qui sont des métaphores pour la vue, il s'écarte du parler commun, ce qui le libère aussi des façons ordinaires de penser.

1. *Ibid.*
2. *Ibid.*, p. 175.

Cependant, la figure de l'aveugle géomètre peut aussi servir de modèle négatif pour critiquer certains systèmes philosophiques : une hypertrophie du toucher peut conduire à un excès d'abstraction métaphysique. À force de se fier à son tact, l'aveugle pourra croire que les objets n'existent pas hors de la sensation qu'il en a ; on peut embrasser un paysage du regard ; mais quel aveugle possédera des mains capables de palper tout ce qui l'entoure ? Autrement dit, la métaphysique de l'aveugle n'est pas à l'abri de la tentation d'idéalisme. Surtout, Diderot renvoie dos à dos l'idéalisme de Berkeley et le sensualisme de Condillac, d'une manière certes caricaturale, mais séduisante : ne croire qu'en l'existence de soi-même et de ses sensations, ou croire que « nous ne sortons jamais de nous-mêmes[1] », cela ne revient-il pas au même ?

Ces restrictions posées, Diderot peut à nouveau faire de l'aveugle un modèle positif, lui permettant de mettre en doute l'existence d'un dieu créateur, grâce à une mise en scène particulièrement efficace : au moment de mourir, Saunderson refuse de se fier au dieu de celui qui vient le confesser. L'argument cher à Voltaire, déjà évoqué par l'aveugle du Puiseaux, et fondé sur les merveilles que la nature offre à nos yeux, est de peu de portée pour l'aveugle : il pourrait fort bien être athée. En outre, même si, par le toucher, l'aveugle peut constater l'ordre admirable de ses organes, pourquoi rapporter cette perfection à l'existence d'un dieu ? Derrière l'argument de Saunderson se profile la critique de l'anthropocentrisme, déjà formulée par Spinoza : nous n'avons besoin d'un dieu que pour nous conforter dans l'idée que l'ordre du monde a été créé en vue de l'homme. Enfin, même si le système de Newton exprime mathématiquement l'ordre du monde — ce que Saunderson finit par admettre —, l'ordre actuel ne prouve pas l'ordre passé. Là, le clairvoyant n'a pas les idées plus nettes : rien ne dit que la matière n'ait pas été désordonnée au

1. *Lettre sur les aveugles*, p. 192.

départ, et ne se soit organisée que peu à peu, sans créateur, par élimination des combinaisons vicieuses. Sans voir ici la préfiguration d'une théorie de l'évolution, on peut lire quelque chose qui, pour l'époque, relève du scandale : la critique d'un ordre divin, et d'un homme empire dans un empire. Il aurait très bien pu se faire que l'homme « dissous et dispersé entre les molécules de la matière » soit « resté, peut-être pour toujours, au nombre des possibles[1] ». Il pourrait se faire que l'âme ne soit pas immortelle.

Au moment de quitter Saunderson, le lecteur, encore séduit par la clarté de vue du non-voyant géomètre, comprend pourquoi Diderot a rejeté l'aveugle de Molyneux à la fin de sa lettre : « Il y a bien autant à profiter pour la philosophie en questionnant un aveugle de bon sens[2]. » Le problème mérite pourtant qu'on s'y attarde. Locke et Molyneux jugent que l'aveugle ne sera pas en mesure de distinguer, par la vue seule, la sphère du cube. Condillac pense que l'aveugle saura distinguer ces volumes, sans toutefois être sûr de son jugement. Diderot, projetant ce modèle imaginaire dans la réalité, remarque d'emblée que personne ne s'est demandé d'abord si, après le choc de l'opération, les organes de l'aveugle seraient en état de voir.

Grâce à cette question préliminaire, Diderot peut tenir une position intermédiaire. S'il s'agit de savoir si l'aveugle verra aussitôt après l'opération, Diderot penchera pour Locke : « C'est à l'expérience que nous devons la notion d'existence continuée des objets ; (...) il ne serait pas étonnant que le secours d'un sens fût nécessaire à l'autre[3]. » S'il s'agit de se demander si l'aveugle pourra, par la vue seule, discerner les figures, Diderot optera pour Condillac : « Je ne pense nullement que l'œil ne puisse (...) s'expérimenter de lui-même[4]. »

1. *Ibid.*, p. 199.
2. *Ibid.*, p. 203.
3. *Ibid.*, p. 211.
4. *Ibid.*, p. 214.

Mais quant à savoir si l'aveugle saura nommer les volumes qui lui sont présentés, alors, aucun modèle systématique ne pourra répondre. Contre l'exigence philosophique qui refuse les cas particuliers, Diderot suggère une analyse presque sociologique : il faudra distinguer quatre catégories de personnes. Et le seul jugement à retenir sera celui d'un géomètre comme Saunderson qui — du moins pour ce qui est du carré et du cercle —, parvient, malgré la différence des sensations, à juger d'une identité existant entre les formes de la vue et celles du toucher. On peut admettre qu'il jugera de même du cube et de la sphère.

Cependant, dès qu'il est question de goût, de métaphysique, de morale, on s'aperçoit combien la conformation de nos sens entre pour beaucoup dans nos jugements, et combien un langage commun risque d'être difficile à trouver. En esthétique, l'expérience de l'aveugle sera « l'occasion d'une excellente satire de ce que nous appelons le bon goût[1] ». En métaphysique, on pourra dire de même : « Combien nos sens nous suggèrent de choses ; et que nous aurions de peine, sans nos yeux, à supposer qu'un bloc de marbre ne pense ni ne sent[2] ! » Autrement dit, l'aveugle de Molyneux nous ramène aux deux premiers aveugles et à la question de l'existence d'une norme du vrai, du beau, et du bon : que décider, entre le risque du relativisme, et la critique d'une norme arbitraire posée comme universelle ?

*
* *

La *Lettre sur les aveugles* se termine sur un constat où se lit l'héritage de Socrate et de Montaigne : « Car, que savons-nous ? (...). Nous ne savons (...) presque rien[3]. » Ne soyons pas déçus : il reste à tenter de comprendre en philosophe pourquoi l'homme et le

---

1. *Lettre sur les aveugles*, p. 225.
2. *Ibid.*, p. 226.
3. *Ibid.*, p. 228.

monde qui l'entoure défient ainsi la pensée. C'est ce à quoi Diderot s'emploiera pendant les quelque quarante années qui séparent la *Lettre* de la date de sa mort. Qu'il s'agisse de textes esthétiques comme la *Lettre sur les sourds et muets,* les *Entretiens sur le fils naturel,* ou le *Paradoxe sur le comédien ;* qu'il s'agisse d'une œuvre aussi prolixe que *Le Neveu de Rameau,* mêlant morale, esthétique et métaphysique ; qu'il s'agisse même des articles de l'*Encyclopédie* ou des *Salons,* partout on retrouve cette hésitation entre la critique d'un système établi et la nécessité de trouver une norme. Parmi tous ces textes, l'*Entretien entre d'Alembert et Diderot,* élaboré en 1769, révélé seulement en 1782 sous forme nanuscrite au petit nombre des lecteurs de la *Correspondance littéraire* de Grimm, et publié bien plus tard, en 1830, constitue un exemple privilégié. On y voit à l'œuvre une philosophie cherchant ses fondements métaphysiques, essayant de penser l'organisation de la nature et de l'homme sans recourir à un dieu créateur, sans confondre toutefois critique de la croyance religieuse et philosophie du désordre et du relativisme. Le titre générique de l'œuvre recouvre trois textes : un « Entretien entre d'Alembert et Diderot », dans lequel le philosophe, soupçonnant l'existence d'une sensibilité propre à la matière, tente d'acquérir le géomètre à ses idées ; le « Rêve de d'Alembert », mêlant le « délire » de d'Alembert et les commentaires de Julie de Lespinasse, maîtresse de d'Alembert, et du médecin Bordeu ; enfin, la « Suite de l'entretien », réunissant ces deux derniers personnages qui, pesant les conséquences du rêve précédent, s'interrogent notamment sur la question du mélange des espèces.

L'idée de poser la « sensibilité » comme une « qualité générale et essentielle de la matière[1] » avait déjà été élaborée par certains médecins vitalistes de l'époque, dont Bordeu. Mais pour Diderot la sensibi-

---

1. *Entretien entre d'Alembert et Diderot,* préface de Jacques Roger, Paris, GF-Flammarion n° 53, 1973, p. 35.

lité est plus qu'une caractéristique physiologique : elle possède un statut métaphysique. Et d'Alembert n'a pas tort d'y voir une conséquence directe du refus de croire en l'existence du dieu des théologiens. Car avec la sensibilité générale est posée l'idée de chaîne continue des êtres : le minéral, le végétal, l'animal, l'humain, ne se distinguent que par le degré de leur sensibilité, inerte pour le premier, active pour les autres. L'hypothèse ne nous dit pas comment s'opère le passage de l'inerte à l'actif, même si, ingénieusement, Diderot fait reconnaître à d'Alembert que le marbre pilé, mêlé à de l'humus, peut nourrir la plante, qui elle-même nourrira l'homme. Sans résoudre la question, Diderot glisse subrepticement de ce problème à celui du passage du sentir au penser, et à l'idée que l'âme est une « matière activement sensible[1] » : il se peut que le grand mathématicien d'Alembert ne soit que le produit d'« agents matériels dont les effets successifs seraient un être inerte, un être sentant, un être pensant, (...) mourant, dissous et rendu à la terre végétale[2] ». S'il en est ainsi, il faut, dans le vif débat qui oppose la théorie des germes préexistants — la préformation —, et celle de l'épigénèse, prendre position en faveur de cette dernière, avec Diderot et les esprits avancés de l'époque : l'éléphant ne vient pas d'un germe miniature déjà formé, mais se génère peu à peu à partir de quelque chose qui ne ressemble pas à sa forme achevée. Du coup, c'est la création du monde qui est en question : il semble plus raisonnable de croire en une génération progressive à partir d'une matière initiale, qu'en une création divine.

Cependant, le problème du passage, pour un homme donné, de la sensation à la pensée, n'est toujours pas résolu : comment cet homme en vient-il à la première pensée, au sentiment de l'existence de lui-même, défini comme la « conscience d'avoir été lui,

---

1. *Entretien ...*, p. 41.
2. *Ibid.*, p. 43.

depuis le premier instant de sa réflexion, jusqu'au moment présent[1] » ? Cette conscience se fonde sur la mémoire des actions et des sensations, elle-même résultant de l'organisation de l'individu, c'est-à-dire de conditions physiologiques. Contre l'immédiateté du « je pense » cartésien, Diderot, dans une perspective inspirée du sensualisme condillacien, fait de la pensée le résultat des impressions des sens : « Si donc un être qui sent et qui a cette organisation propre à la mémoire, lie les impressions qu'il reçoit, forme par cette liaison une histoire qui est celle de sa vie, et acquiert la conscience de lui, il nie, il affirme, il conclut, il pense[2]. »

Mais d'Alembert ne s'estime pas satisfait : comment s'élabore alors le jugement, opération autrement complexe que la simple conscience de soi-même ? C'est là que Diderot, peut-être à cours d'argument, imagine la célèbre métaphore du clavecin philosophe — dont il n'est d'ailleurs pas l'inventeur —, comparant les fibres de nos organes à des cordes vibrantes sensibles. La résonance d'une corde pincée est le modèle de la persistance de l'objet, auquel l'entendement pourra appliquer les qualités nécessaires au jugement. Le phénomène des harmoniques fournit l'image de l'association d'idées, expliquant que l'esprit puisse sauter aussi facilement d'un objet à l'autre. Mais en suivant un tel modèle, Diderot ne renoue-t-il pas avec le dualisme cartésien et avec la distinction des substances, l'entendement étant le musicien — l'âme — qui s'exerce sur un instrument à jamais séparé de lui — le corps ? Il faudra donc insister sur le caractère non mécaniste, mais vitaliste de cette image : « L'instrument philosophe est sensible ; il est en même temps le musicien et l'instrument. Comme sensible, il a la conscience momentanée du son qu'il rend ; comme animal, il en a la mémoire[3]. » La métaphore peut faire sourire, aujourd'hui. Mais au

1. *Ibid.*, p. 47.
2. *Ibid.*, p. 48.
3. *Ibid.*, p. 50.

temps de Diderot, elle avait quelque chose de scanda-
leux, qui était déjà ébauché dans la *Lettre sur les aveugles* : contre la théologie, contre Descartes même, tout
animal est un clavecin sensible, qu'il soit homme ou
serin. Au risque de blesser l'orgueil humain, il faut
bien admettre que la différence repose seulement sur
des variations de degré de la sensibilité générale.

Et si la dernière réticence de d'Alembert ne consiste
qu'à objecter l'incompatibilité existant entre une qualité indivisible comme la sensibilité, et la divisibilité de
la matière, alors, Diderot aura convaincu le géomètre :
la pensée, le mouvement, également qualités simples
et unes, ne s'accordent pas mieux avec la notion de
matière. On peut, sans remords, renoncer à la distinction des substances et adhérer au monisme tel que le
conçoit Diderot : « Il n'y a plus qu'une substance dans
l'univers. (...) Le serin est de chair, le musicien est
d'une chair diversement organisée ; mais l'un et
l'autre ont une même origine, une même formation,
les mêmes fonctions et la même fin[1]. »

Seulement, il y a plus problématique. Passe encore
que la pensée dérive de la sensibilité, que l'homme ne
soit qu'un animal parmi d'autres. Mais s'il est vrai que
les idées ne sont pas innées, qu'est-ce qui me garantit
que mes idées auront quelque chose en commun avec
celles de mon semblable ? Qu'est-ce qui fonde l'existence d'un langage commun qui permette aux clave-
cins sensibles de communiquer entre eux ? Là est le
point le plus embarrassant de l'hypothèse de Diderot.
Car, refusant l'universel inné des idées tout en étant
soucieux de fonder la possibilité d'un discours
commun, il trouve l'universel dans l'identité de
conformation de tous les instruments sensibles. Qu'on
soit au pôle ou à l'équateur, les éléments minimaux du
langage sont les mêmes, car l'organisation physiologique est la même chez tous les hommes. L'universel
physiologique remplace l'universel des idées, et la
nature fonde nos connaissances. D'un seul trait

1. *Entretien ...*, p. 55.

semble s'effacer ce que la *Lettre sur les aveugles* nous avait appris des différences liées à l'éducation des sens et à l'effet culturel. L'homme ne tire jamais à proprement parler de conséquences. « Elles sont toutes tirées par la nature. Nous ne faisons qu'énoncer des phénomènes conjoints, dont la liaison est ou nécessaire ou contingente, phénomènes qui nous sont connus par l'expérience[1]. »

Mais, à y regarder de plus près, il s'agit moins d'un retournement que d'une manière pour Diderot de concilier l'exigence d'une norme et d'un langage commun avec la prise en considération des différences individuelles. Si les conséquences des sciences exactes sont nécessaires, en revanche, dans le domaine de la morale, de la politique, du goût, les conclusions gardent leur caractère contingent. Si l'aveugle juge du cube de la même façon que n'importe quel homme, en revanche, sa morale reste différente de la nôtre. C'est, en dernier ressort, cette étrange conciliation d'exigences apparemment contradictoires qui, sur la fin de l'« Entretien », laisse d'Alembert « sceptique[2] ». Et ce, malgré la croyance de Diderot en une certaine manière de penser qui, à force de devenir habituelle par-delà ses propres remises en question, constitue la vraie philosophie.

C'est cela que méditera d'Alembert dans son « Rêve », en imaginant, secondé par Julie de Lespinasse et par Bordeu, d'autres modèles dérivés de celui du clavecin. Le monde est une grappe d'abeilles individuellement sensibles, liées entre elles par une relation de continuité et non de contiguïté. Ce tout organisé est un polype, continu et divisible, étendant à l'infini ses ramifications sensibles. Le monde n'a ni fin ni commencement ; la théorie de l'épigénèse oblige à imaginer ce qui sera plus tard considéré comme une hypothèse fausse, l'idée d'une génération spontanée expliquant le passage de la matière inerte à l'état sensible. Même la raisonnable Julie donne dans le délire

1. *Ibid.*, p. 56.
2. *Ibid.*, p. 58.

métaphorique autorisé par l'« Entretien » » : l'homme est une araignée dont les fils sont l'analogue de nos réseaux nerveux, son âme est l'extrémité du faisceau de fibres, une instance qui commande ou qui exécute, sans toutefois se distinguer de la matière des fibres sensibles.

Cette profusion de modèles, rendant difficile la lecture du « Rêve », cache les raisons profondes du désarroi du géomètre d'Alembert et de son délire. En le quittant, à la fin de l'« Entretien », Diderot lui avait rappelé un des dogmes de la théologie chrétienne : « Souviens-toi que tu n'es que poussière. » Et ce, non pour montrer, comme dans l'orthodoxie biblique, la soumission de l'homme à Dieu, mais pour souligner l'appartenance de l'homme à une nature dont il n'est pas le point d'aboutissement. Ainsi, « l'homme n'est qu'un effet commun », « le monstre un effet rare[1] » et non la marque d'une punition divine. Dieu lui-même, s'il existe, ne peut être que nature, ou encore, « matière dans l'univers, portion de l'univers, sujet à vicissitudes[2] ».

Dire que l'homme n'est rien de plus qu'un animal est une façon d'arracher la philosophie au dogme de l'existence de Dieu. Mais cela pourrait bien ouvrir la porte à un autre dogme, qui ferait de la simple condition organique qu'est la sensibilité une valeur. Un dogme qui se proposerait comme modèle de l'humain, un être se distinguant des autres animaux par son hypersensibilité : c'est dans cette voie ouverte que s'engouffrera le XIXᵉ siècle. Or, si Diderot a pris la peine de détacher l'homme de Dieu, ce n'était certes pas pour en faire un animal trouvant la raison de son orgueil dans le fait d'être sensible. Ainsi, il n'y a pas à s'étonner si, par la bouche de Bordeu, l'excès de sensibilité se voit condamné : « L'extrême mobilité de certains filets du réseau est la qualité dominante des êtres médiocres[3]. » Ce qui apparaît déjà comme un « blasphème » pour Julie de Lespinasse en plein siècle

1. *Entretien* ..., p. 93.
2. *Ibid.*, p. 100.
3. *Ibid.*, p. 148.

des Lumières ne pourra être que choquant pour ceux qui, au siècle romantique, se réclameront de Diderot comme du philosophe de la sensibilité : ils seront surpris que le *Paradoxe sur le comédien* exige de l'acteur qu'il soit insensible. Et pourtant : l'homme est un réseau de fibres, mais il lui appartient d'en maîtriser l'extrémité, d'être le monarque — de droit non divin — prévenant l'anarchie animale des fibres sensibles qui le composent. « Il régnera sur lui-même et sur tout ce qui l'environne. (...) il (...) se sera en même temps affranchi de toutes les tyrannies en ce monde[1]. » Tant de libertinage pour une morale déjà tirée par les stoïciens, pourra-t-on dire. On aurait tort, car le libertinage nous aura au moins appris ce qu'on ne saurait trop répéter : qu'il s'agisse de métaphysique, de morale, d'esthétique, la philosophie ne sert qu'à apprendre à vivre. Et c'est peut-être pour cela que, lorsqu'il s'agit enfin de définir le philosophe, Diderot s'en remet au médecin Bordeu : « C'est à l'être tranquille et froid comme moi qu'il appartient de dire : cela est vrai, cela est bon, cela est beau... Fortifions l'origine du réseau, c'est tout ce que nous avons de mieux à faire. Savez-vous qu'il y va de la vie[2] ? »

Claire CHEVROLET

BIBLIOGRAPHIE

ÉDITIONS DE RÉFÉRENCE : *Correspondance,* éd. G. ROTH et J. VARLOOT, 16 vol., Paris, Minuit, 1955-1970. *Œuvres complètes,* éd. commencée en 1975 sous la direction de H. DIECKMANN, J. PROUST, J. VARLOOT, 21 vol. parus, Paris, Hermann, 1975-.

AUTRES ÉDITIONS : *Entretien entre d'Alembert et Diderot ; Le Rêve de d'Alembert ; Suite de l'entretien,* préface de J. ROGER, Paris, GF-Flammarion n° 53, 1973. *Lettre sur les sourds et muets,*

1. *Ibid.,* p. 150.
2. *Ibid.,* p. 152.

introd., chronol. et notes C. CHEVROLET, Paris, GF-Flammarion (à paraître). *Le Neveu de Rameau,* introd., notes et dossier J.-C. BONNET, Paris, GF-Flammarion n° 143, 1983. *Le Neveu de Rameau et autres dialogues philosophiques,* préface J. VARLOOT, notes N. ÉVRARD, Paris, Gallimard, « Folio », 1972. *Le Neveu de Rameau et autres textes* (dont la *Lettre sur les aveugles,* et les trois textes de l'*Entretien entre d'Alembert et Diderot*), postface J. PROUST, Paris, Le Livre de Poche, 1972. *Œuvres esthétiques,* introd., chronol., et notes P. VERNIÈRE, Paris, Garnier, 1988. *Œuvres philosophiques,* introd., chronol. et notes P. VERNIÈRE, Paris, Garnier, 1968. *Paradoxe sur le comédien,* introd. et notes S. LOJKINE, Paris, Armand Colin, 1992. *Supplément au voyage de Bougainville ; Pensées philosophiques ; Lettre sur les aveugles,* introd. A. ADAM, Paris, GF-Flammarion n° 252, 1972.

COMMENTAIRES : Y. BELAVAL, *L'Esthétique sans paradoxe* de Diderot, Paris, Gallimard, 1950. A. M. WILSON, *Diderot,* Oxford University Press, 1957 et 1972. Paris, Laffont/Ramsay, 1985, pour la traduction française.

ÉPICTÈTE

Manuel

Épictète, comme Socrate, n'a pas écrit son œuvre ;
c'est son disciple Arrien qui nous l'a léguée, en
commémorant dans les *Entretiens* ses dialogues vivants
et une partie de son enseignement, de même que
Xénophon a écrit les *Mémorables* de Socrate. Né vers
50 après Jésus-Christ, en Phrygie, contrée d'Asie-
Mineure, Épictète fut amené à Rome comme esclave,
mais sa condition ne l'empêcha pas de suivre l'enseignement du stoïcien romain Musonius Rufus. Après
avoir été affranchi, il ouvrit une première école de
philosophie à Rome, tout en menant une vie de pauvreté. On peut concevoir le stoïcisme d'Épictète
comme une forme de résistance à la tyrannie impériale. Comme le montrent les cas des sénateurs
romains qui s'opposèrent farouchement, au nom du
stoïcisme, à Néron ou Vespasien, l'idéal philosophique des stoïciens ne doit absolument pas être
confondu avec une simple passivité ou un individualisme apolitique. En délimitant ce qui m'est propre et
qui dépend de moi, le stoïcisme énonce également ce
à quoi je ne dois jamais renoncer, ce sur quoi aucun
compromis n'est possible : la liberté. Cette exigence
m'interdit de céder devant le despotisme et de me
désintéresser du bien de la communauté ; au
contraire, je dois tenir un rôle public qui soit digne
d'elle et qui — contrairement à l'image qu'on se fait

communément du stoïcien — n'implique pas une soumission aveugle. C'est bien dans ce cadre politique
qu'il faut comprendre le bannissement d'Épictète,
vers l'an 94, par l'empereur Domitien, avec tous les
philosophes. Il se réfugia sur la côte grecque, à Nico-
polis, et continua ses leçons dans une nouvelle école,
attirant en particulier un auditoire de jeunes Romains
appelés à des responsabilités publiques. Et c'est
encore un homme politique, en la personne d'Arrien,
qui, après avoir suivi ces cours, a rassemblé ses notes
dans les huit livres des *Entretiens,* dont les quatre derniers sont perdus.

Le *Manuel* reprend et réorganise l'essentiel des
Entretiens, et c'est, en ce sens, à un degré supérieur
une œuvre d'Arrien. Le *Manuel* ne doit cependant pas
être compris comme un simple résumé des *Entretiens ;*
bien des aspects des *Entretiens* ne se retrouvent pas
dans ce texte qui est tout entier orienté par un nouveau souci éditorial, à savoir une fin purement pratique. Le *Manuel,* c'est-à-dire l'*encheiridion,* le poignard qu'on a sous la main pour affronter toute
éventualité, est voué à l'efficacité éthique. Il est bref et
incisif par nécessité. Telle est la singularité du
Manuel : il ne faut pas attendre de lui l'exposition de
la doctrine d'Épictète, il n'a pas pour but de manifester ce qu'Épictète aurait voulu dire à un lecteur,
mais plutôt de faire accomplir au lecteur quelque
chose.

Quel est le lecteur du *Manuel ?* L'intention d'Arrien
ne fait pas de doute : le *Manuel* ne s'adresse pas au
sage, qui n'en a pas besoin, mais à ceux qui, parmi les
non-sages, sont en progrès, c'est-à-dire s'exercent à la
sagesse. Il convient d'insister sur le fait que voir dans
le *Manuel* un texte de philosophie comme un autre, ou
tout simplement un texte au sens où les modernes
peuvent l'entendre, constitue déjà un risque de
contresens : le *Manuel* n'invite ni au commentaire, ni
à la spéculation, mais d'abord à l'exercice[1]. Ce contre-

1. *Manuel,* chap. LII, p. 208.

sens est pour nous presque inévitable : il correspond à
notre manière de comprendre la philosophie et sa lecture : la philosophie comme un discours sur la philosophie ; et sa lecture, un discours sur ce discours.
Contre ce risque, Épictète mettait déjà en garde son
auditoire. Son enseignement est certes un discours sur
la philosophie, mais il vise à affecter et émouvoir son
auditoire en sorte qu'il n'en reste pas au discours et
qu'il pratique la philosophie comme exercice. Il nous
est difficile de mener cette lecture éthique (la meilleure façon serait de nous considérer nous-mêmes
malades et de suivre le texte d'Épictète comme une
prescription médicale), parce que nous avons largement perdu cette idée que la lecture peut être un exercice spirituel, une gymnastique, c'est-à-dire un moyen
d'agir sur soi-même et non simplement un moyen de
s'informer.

Et même si nous ne menons pas effectivement cette
lecture éthique, même si nous ne lisons pas pour
appliquer les principes, il nous faut toujours avoir à
l'esprit que c'est pourtant cette lecture éthique idéale
qui constitue le seul point de vue pour comprendre la
progression et l'organisation du *Manuel*. Ce serait sans
doute une singerie que de jouer à l'apprenti sage,
mais il faut pourtant tenter de se mettre dans cette
situation, exigée par le *Manuel*, où le seul intérêt de la
lecture est le progrès moral et où la philosophie est un
art de vivre avant d'être un savoir. À cet égard, la
composition du *Manuel* n'est pas laissée au hasard.
Arrien organise les textes d'Épictète selon un ordre
qui donne au lecteur les éléments, puis les instruments
du progrès et les consignes qui lui permettront de
ménager ses relations avec les autres tandis qu'il
s'exerce, enfin les derniers bagages. Après avoir en
effet énoncé les principes fondamentaux de l'exercice,
c'est-à-dire essentiellement la distinction entre ce qui
dépend de nous et ce qui n'en dépend pas (chap. I),
Arrien a rassemblé ce qu'on peut appeler les conseils à
celui qui est en progrès, pour l'essentiel l'entraînement au détachement (chap. II-XXI) ; la série sui-

vante de chapitres porte plus particulièrement sur ce
que signifie être philosophe et vouloir le paraître aux
yeux d'autrui (chap. XXII-XXIX) ; ensuite, Arrien
rappelle la position d'Épictète sur la question des
« conduites convenables », c'est-à-dire des devoirs
familiaux, religieux, civils (chap. XXX-XXXII) qui
sont appropriés à une nature raisonnable, et dont le
respect règle nos rapports avec les autres. Enfin,
Arrien énumère les lois qui doivent gouverner nos
manières, essentiellement une attitude réservée
(chap. XXXIII-XLVII), puis récapitule l'enseignement du *Manuel* dans l'énoncé des signes qui permettent d'évaluer l'avancée de l'exercice, les ultimes
injonctions et prescriptions éthiques, les exemples
commodes qu'il faut garder sous la main (chap.
XLVIII-LIII).

Le *Manuel* s'ouvre sur le principe directeur, la distinction entre ce qui dépend de nous et ce qui n'en
dépend pas[1], c'est-à-dire l'opposition entre ce qui
nous est propre et ce qui nous est étranger. Être libre,
c'est s'en tenir à ce qui nous est propre et ne pas se
laisser troubler par le reste[2]. Il faut voir dans cette
distinction une règle pratique, un critère auquel on
doit avoir recours pour résoudre une situation particulière. C'est l'opposition à laquelle on doit toujours
revenir, chaque fois qu'on est en difficulté, et c'est
pour cette raison que le *Manuel* commence par elle.
Celui qui a un choix à faire, dans sa vie, s'il reprend
cette règle, n'hésitera pas et n'errera pas : seul ce qui
dépend de moi peut et doit être véritablement choisi.

Cette distinction entre ce qui dépend de nous et ce
qui n'en dépend pas est cependant très délicate à
interpréter, et elle n'est pas totalement éclaircie dans
ces premières lignes du *Manuel*. Qu'est-ce, en effet,
que ce « nous » dont certaines choses dépendent ? Ou
encore : où s'arrête ce qui nous est propre et où commence ce qui nous est étranger ? Arrien donne dès les

---

1. *Cf.* chap. I, 1, p. 183.
2. *Ibid.*, chap. I, 2 et 3, p. 183.

premières lignes un signe de la nécessité d'une délimitation très précise de ce que nous sommes : notre
corps, rappelle-t-il, ne nous est pas propre. La maladie
peut l'atteindre, la mort l'attend, n'importe quoi peut
lui arriver. On serait tenté de régler la question et
d'estimer que ce qui m'est propre, si ce n'est pas mon
corps, est du moins mon individualité, mon caractère,
moi. Épictète voudrait simplement dire que si je me
contente de suivre mon propre intérêt, je ne peux
jamais être déçu ; et qu'en me préoccupant de ce qui
dépend d'autrui, je risque l'aliénation. Mais une lecture attentive du *Manuel* montrera qu'Épictète n'entend pas aussi simplement l'opposition du propre et
de l'étranger. Ainsi, il nous faut apprendre à traiter ce
qui nous touche de près, par exemple la mort d'un
proche, de la même façon que le plus lointain[1]. Ainsi
encore, il nous faut cesser de nous identifier aux qualités dont nous sommes fiers et dont nous pensons
qu'elles nous sont propres[2]. Et encore : si le monde
est comme un théâtre, et si c'est assurément notre
affaire de bien jouer le rôle que le dramaturge nous a
donné, ce n'est pas notre affaire de le choisir[3]. Dans le
Manuel, ce qui nous est propre, et ce que nous devons
entendre par « nous » ou par « nôtre », ne cesse de se
réduire davantage, pour se ramener enfin à cette chose
qui, absolument propre, est pourtant étrangère à notre
corps, à notre personne et à ses intérêts ordinaires,
peut-être même à ce que nous entendons communément par âme, toutes choses dont nous devons nous
détacher.

Épictète appelle le résidu ultime de cette réduction
l'*hēgemonikon*, le principe directeur : « Comme tu
prends garde en te promenant à ne point marcher sur
un clou ou à ne pas te tordre le pied, prends garde, de
même, à ne point nuire aussi à ton principe directeur.
Si, en toute entreprise, nous gardons ce souci, nous

1. *Ibid.*, chap. XI, p. 187, et chap. XXVI, p. 194.
2. *Ibid.*, chap. XLIV, p. 204.
3. *Ibid.*, chap. XVII, p. 189-190.

serons plus sûrs de nous en l'entreprenant[1]. »
Qu'est-ce que le principe directeur ? C'est ce qui,
dans mon âme, est responsable de mes représentations. Ma première tâche est de me ramener moi-
même, de m'identifier à ce principe directeur qui est
la raison en moi. Dans ce cas, ce qui dépend de moi,
ce que je peux vouloir sans frustration possible, c'est
très exactement ce qui existe tel que je le veux et parce
que je le veux et qui, par conséquent, ne peut être ni
imposé ni empêché. Cette chose dont je suis toujours
maître, et dont l'être est entièrement déterminé par
ma seule volonté, est l'usage de mes représentations :
« Qu'est-ce donc qui est à toi ? L'usage des idées.
Lorsque tu fais usage des idées conformément à la
nature, dès ce moment enorgueillis-toi, car alors tu
t'enorgueillis d'un bien qui est à toi[2]. » Tel est le terme
du processus de réduction et de détachement qui est
notre travail, à nous qui sommes en progrès. En ce
sens, le partage inaugural *de ce qui dépend de nous* n'est
véritablement compris qu'à l'issue de l'ascèse. Toute
la tâche du *Manuel* est de réduire notre souci, de le
régler sur l'étendue étroite mais souveraine de notre
intérêt véritablement propre.

À l'intérieur du domaine où doit s'exercer le
contrôle intégral de l'*hēgemonikon*, Épictète distingue
trois opérations, trois façons d'user de nos représentations : le désir, *orexis,* quand nous recherchons un
bien, le penchant ou impulsion, *hormē,* qui nous fait
agir, le jugement, *hypolēpsis,* par lequel nous évaluons
toute chose[3]. Mais les deux premiers usages se ramènent au troisième : si nous désirons telle chose ou si
nous tendons à telle action, c'est que préalablement
nous avons jugé qu'il y a là un bien. Et inversement,
lorsque l'aversion nous fait fuir une chose qui ne
dépend pas de nous, comme la maladie ou la mort,
c'est que nous imaginons qu'il y a là un mal : « Ce
qui trouble les hommes, ce ne sont pas les choses,

1. *Manuel,* chap. XXXVIII, p. 202.
2. *Ibid.,* chap. VI, p. 186.
3. *Ibid.,* chap. I, 1, p. 183.

mais les jugements *(dogmata)* qu'ils portent sur les choses[1]. » La clé de nos désirs et nos impulsions est dans ce que nous nous disons à nous-mêmes, nos évaluations intérieures. Bien user de ses représentations revient à n'estimer un bien que ce bien qui dépend de nous, c'est-à-dire à prendre soin de cette partie qui nous permet d'user de nos représentations. En sorte que, réduction ultime, le bien moral n'est nulle part ailleurs que dans l'usage même des représentations.

Un paradoxe du *Manuel* que nous a laissé Arrien est qu'il développe presque exclusivement la question de l'usage du désir (en particulier au chap. II) et celle de l'usage de l'impulsion (chap. XXX-XXXII, à propos des choses qui, indifférentes en elles-mêmes, doivent cependant être l'objet de notre action quotidienne), pour ne faire qu'allusion à l'usage du jugement, pourtant le plus fondamental. Mais c'est que l'essentiel est dans l'application pratique des principes[2] ; les spéculations sur la logique du jugement ici n'ont pas leur place. Il ne faut donc pas espérer découvrir dans le *Manuel* de quelle manière l'esprit comprend lui-même ses représentations dans l'assentiment[3], ni attendre sur ce point davantage d'une œuvre entièrement tournée vers l'exercice. Mais c'est déjà bien assez pour nous qui ne sommes même pas en mesure de mener une véritable lecture éthique, et qui avons plus de facilité à commenter un texte qu'à appliquer les principes. Reprenons à notre propre compte ce qu'Épictète disait à propos de l'explication des livres d'un des pères anciens du stoïcisme : « Lorsque j'ai trouvé l'interprète, il reste à mettre les préceptes en pratique, et cela seul est glorieux. Mais si je n'admire que l'interprétation, n'ai-je pas abouti à n'être rien d'autre, au lieu de philosophe, que grammairien ? Seulement, au lieu d'Homère, j'explique Chrysippe. Aussi, quand on

---

1. *Ibid.*, chap. V, p. 185.
2. *Ibid.*, chap. LII, p. 208.
3. Sur cette question, voir les *Entretiens*, III, 8.

me dit : "Explique-moi Chrysippe", je rougis, si je ne suis pas en état de montrer une conduite adéquate et conforme à ses doctrines[1]. »

Laurent JAFFRO

BIBLIOGRAPHIE

ÉDITION DE RÉFÉRENCE : Texte grec dans *Epictetus, The Discourses as Reported by Arrian, the Manual, and Fragments,* trad. anglaise W. A. OLDFATHER, 2 vol., vol. 2, Londres, Loeb Classical Library, 1928. Une nouvelle édition du texte grec par G. BOTER est en préparation.

TRADUCTIONS FRANÇAISES : *Manuel d'Épictète :* Trad. M. MEUNIER, Paris, GF-Flammarion n° 16, 1992 (Nos notes renvoient à cette édition). *Entretiens,* éd. et trad. J. SOUILHÉ, Paris, Les Belles Lettres, 1969.

COMMENTAIRES : A. J. VOELKE, *L'Idée de volonté dans le stoïcisme,* Paris, PUF, 1973. P. HADOT, *Exercices spirituels et philosophie antique,* Paris, « Études augustiniennes », 3e éd., 1992. *La Citadelle intérieure,* Paris, Fayard, 1992, p. 69-117.

---

1. *Manuel,* chap. XLIX, p. 206-207.

ÉPICURE

Lettre à Hérodote
Lettre à Pythoclès
Lettre à Ménécée

Des traités composés par Épicure, en particulier le
Sur la nature, en trente-deux livres, il ne nous reste
que des fragments. Seules subsistent trois présentations résumées qu'il a données de sa philosophie, et
que le biographe Diogène Laërce a fort heureusement
reproduites dans son ouvrage *Vies et sentences des philosophes illustres :* ce sont les lettres respectivement
adressées à Hérodote, à Pythoclès et à Ménécée.
Outre cela, nous avons aussi de lui, toujours grâce à
Diogène Laërce, les *Maximes capitales (Kuriái doxai),*
et enfin un recueil de sentences (découvert dans un
manuscrit de la Bibliothèque vaticane par un philologue, seulement à la fin du XIXᵉ siècle) qui partiellement recoupe les précédentes maximes, les *Sentences
vaticanes.*

*
* *

La principale des trois lettres conservées par Diogène Laërce est la première, la *Lettre à Hérodote,* dans
laquelle Épicure résume les principes fondamentaux
de la physique (une des trois parties de la philoso-

phie) ; ce faisant, il est aussi conduit à aborder indirectement les questions de canonique (deuxième partie de la philosophie, qui concerne le domaine du jugement, équivalente de la logique ou de la dialectique des doctrines adverses, bien qu'Épicure récuse un tel rapprochement), et d'éthique (troisième partie, en fait la plus essentielle).

L'on pourra préciser le rapport qu'entretiennent ces trois parties en disant que la physique se constitue en prenant appui sur les critères du vrai que recense la canonique (les trois critères reconnus par Épicure sont les sensations, les prolepses ou notions générales, et les affections), dont elle permet de dégager en retour les fondements et les modalités. Ainsi, la physique applique la canonique, qu'au sens fort elle vérifie. Enfin, l'éthique est constamment présente dans cette introduction à la physique, car le seul motif impérieux qui nous appelle à pratiquer cette « science de la nature » (Épicure parle en effet de *phusiologia*) n'est pas le pur désir de savoir, mais la recherche d'une vie paisible[1] que nous ne connaissons pas naturellement, parce que nous sommes entraînés par les craintes et les angoisses, vaines pour la plupart. Bien sûr, certaines craintes pourraient être justifiées sur le plan pratique, telles la crainte de l'agression par un ennemi, un animal, mais sur le plan gnoséologique, rien ne nous apparaît en soi et de façon permanente redoutable. Et Épicure a tout spécialement en vue la crainte de la mort et la crainte des dieux, les deux faces d'une angoisse liée à notre finitude individuelle, sous le rapport du temps d'une part, de l'espace d'autre part : je n'ai pas le pouvoir de repousser indéfiniment les limites de ma vie dans le temps, pas plus que je n'ai le pouvoir de maîtriser les forces naturelles, qui me menacent ou paraissent me menacer. Je confonds ainsi, sans autre raison que l'angoisse qui m'étreint, par excès de précipitation dans mon jugement, la

---

1. *Cf.* introd. de la *Lettre à Hérodote*, paragr. 37, et conclusion, paragr. 83.

pensée des phénomènes célestes et la pensée des dieux[1], m'imaginant que les dieux ordonnent le monde, et accompagnant finalement cet acte d'imagination d'un jugement qui fait alors apparaître l'erreur (les hommes ne vont-ils pas jusqu'à redouter un châtiment divin ?).

La *Lettre à Hérodote* vise donc à rappeler les opinions fondamentales[2], les principaux jugements vrais, des principes du tout (les deux natures invisibles que sont le vide et les atomes dont sont envisagées les caractéristiques) et du tout lui-même, à la formation et à l'organisation des corps et des mondes[3], jusqu'à l'organisation des vivants et des hommes[4]. Il est au demeurant capital de noter que ce résumé n'est pas destiné aux débutants plus qu'aux philosophes confirmés : Épicure insiste particulièrement sur le fait que l'on a besoin à tout moment d'un tel résumé, qui offre une vue synthétique sur les principes, quel que soit son degré d'avancement dans la sagesse[5]. Le savoir en effet n'est pas cumulatif, il vise à maîtriser ce qui est connaissable, en l'isolant de ce qui ne l'est pas (que cela soit inconnaissable ou qu'il s'agisse de faux problèmes). Aussi le savoir doit-il être appliqué, doit-il servir la vie ; et pour cette raison, le résumé occupe une place essentielle dans la formation philosophique.

Une importante section de la lettre est consacrée à l'exposition du mécanisme de la sensation[6], et un peu plus loin à la structure de l'âme[7]. Par là, l'exposition systématique en vient à se fonder elle-même, car c'est à partir de la sensation que l'on accède au vrai. Le mode d'exposition se révèle ainsi régressif : ayant commencé par exposer les principes du tout, atomes et vide[8], Épicure effectue un pas en arrière pour ana-

1. *Ibid.*, paragr. 81.
2. *Ibid.*, paragr. 35.
3. *Ibid.*, paragr. 38-45, 54-62, 68-77.
4. *Ibid.*, paragr. 63-68.
5. *Ibid.*, paragr. 35-37, et 83.
6. *Ibid.*, paragr. 46-53.
7. *Ibid.*, paragr. 63-68.
8. *Ibid.*, paragr. 38-45.

lyser la façon dont la sensation se produit ; celle-ci est l'effet de structures atomiques, tandis que la connaissance des atomes est inversement l'effet d'une pratique de la sensation bien comprise, correctement mise en œuvre. Aussi, après un approfondissement concernant les caractéristiques des atomes, Épicure en vient à considérer la structure de l'âme, corps subtil qui caractérise le vivant, lui assure cohésion et sensibilité. Par un mouvement de va-et-vient, Épicure nous fait ainsi passer des principes de la connaissance à l'analyse des mécanismes de la connaissance, avec une nouvelle application aux principes, et enfin une analyse de la structure de la connaissance. Jusque dans la construction de sa lettre-résumé, Épicure peut donc suggérer à son lecteur (qu'il le lui rappelle ou le lui apprenne) qu'une des confirmations de la validité de la science de la nature tient à ce qu'elle peut rendre compte de la constitution des structures cognitives mêmes (par combinaison atomique). Cette cohérence prouve à quel point canonique et science de la nature sont indissociables ; d'ailleurs, ce sont ici les principes épistémologiques majeurs de l'épicurisme qui retentissent : est vrai ce que nous livre la sensation, et ensuite toute proposition qui apparaît confirmée par les données sensibles, ou qui du moins n'est pas infirmée par elles. Telle est la condition pour qu'un discours sur l'invisible — les atomes et le vide — puisse être tenu.

*
* *

Il faudrait avant tout retenir de la *Lettre à Pythoclès,* dont le contenu est à la fois plus restreint et plus technique, le caractère non dogmatique de la recherche scientifique. Certes, le résultat de la recherche n'est jamais aporétique, comme c'est le cas dans l'école sceptique, et les questions sont traitées succinctement, les unes après les autres. Mais à la différence de la recherche touchant les principes, qui aboutit à la détermination unique des atomes et du

vide, l'examen, auquel Épicure procède ici, des phénomènes météorologiques, c'est-à-dire célestes, ne
permet pas de dégager un type d'explication unique.
La raison en est simple : toute proposition vraie ou
bien est en accord avec les données sensibles, ou bien
n'est pas infirmée par elles. Or les phénomènes
célestes sont invisibles non pas structurellement,
comme les atomes et le vide, mais accidentellement,
de fait ; nous percevons des effets sans avoir accès
expérimentalement aux causes. Nous sommes donc
condamnés à conjecturer, et ainsi il se trouve que plusieurs explications, également plausibles, peuvent être
avancées pour rendre compte de l'éclipse de lune ou
de soleil, ou encore de la foudre. Ces explications
multiples ne sont pas valables en même temps, mais
nous n'avons pas les moyens de savoir laquelle est
dans tel cas opérante. Ainsi, la formule du paragraphe 96, qui a été jugée très délicate, et que l'on
peut traduire de la manière suivante : « Il faut considérer ensemble les modes apparentés les uns aux
autres, et voir que le concours simultané de certains
modes n'est pas impensable », signifie que les schémas
explicatifs que l'on établit peuvent éventuellement se
recouper. Cette méthode des explications multiples
n'est pas un raffinement gratuit, destiné à éviter le
choix plus franc et toujours un peu risqué d'une hypothèse causale. Elle a pour résultat, dans la perspective
d'Épicure, de réaliser l'apaisement de l'âme dans le
domaine des réalités célestes, désormais circonscrit
par un réseau de causes qui toutes excluent, en vertu
de leur non-nécessité, les explications finalistes, théologiques, génératrices d'angoisse.

*
* *

   En exposant l'éthique, la *Lettre à Ménécée,* beaucoup plus brève que la *Lettre à Hérodote,* se dispense
entièrement d'aborder les questions de physique, toutefois présupposées en vertu même de la cohérence

parfaite, pour le sage, entre connaissance et mobiles de l'action. Les quatre « lieux » majeurs de l'éthique — les dieux, la mort, le bien, le mal — sont abordés tour à tour, et sont traités (au sens médical) par ce que la tradition épicurienne désigne sous le nom de « quadruple remède » *(tetrapharmakos)*, dont le contenu est développé dans la lettre (voir aussi les *Maximes capitales* I à IV d'Épicure) : les dieux ne sont pas à craindre, la mort n'est pas un mal, le bien est facile à atteindre, le mal facile à écarter.

Dans l'apprentissage éthique, se présentent une face négative, la suppression des angoisses, et plus généralement des douleurs — ce qu'exprime le concept d'ataraxie, littéralement « absence de trouble », mais aussi une face positive, à laquelle prépare la première, qui est la vie libre, libérée de la crainte de la mort et des dieux, s'adonnant à la joie de l'existence sereine.

Si bien que la lettre, qui commence par examiner la question du dieu, en ramenant ce dernier à ce par quoi il a pour nous une existence, à savoir la pensée d'un vivant bienheureux et incorruptible[1] (c'est la prolepse, ou notion commune du dieu que chaque homme forme originellement), s'achève sur la promesse d'une vie en dieu parmi les hommes, pour qui aura su surmonter tous les embarras de la pensée et de l'action[2]. Par là aussi, celui qui ne craint plus la mort connaît en quelque sorte la vie de l'immortel.

La mort est en effet le deuxième thème traité par la lettre[3], et Épicure s'efforce alors de montrer que la mort n'est pas un mal, parce qu'elle n'est rien pour nous, ne nous atteignant qu'en pensée, sous la forme de la crainte, donc vainement, puisque dans une perspective strictement physique l'état de vivant exclut par définition la mort.

Lorsqu'il aborde en troisième lieu la question de la classification des désirs et du calcul des plaisirs qui rend possible le choix rationnel dans l'action, Épicure

1. *Lettre à Ménécée*, paragr. 123.
2. *Ibid.*, paragr. 133-135.
3. *Ibid.*, paragr. 124-127.

fait comprendre en quoi le bien est facile à atteindre, et le mal facile à écarter : ne retenant comme indispensables que les désirs naturels et nécessaires, enjoignant de ne pas dépendre des désirs non naturels, ni même des désirs naturels non nécessaires, à ne satisfaire qu'occasionnellement, il montre que le bonheur dépend essentiellement pour se réaliser de la libération des besoins — il s'agit là du thème très important de l'autarcie[1]. Parallèlement, l'on découvre que le plaisir ne se définit pas par le mouvement, mais plutôt par un état de stabilité, par un apaisement de tout l'être. Et au-delà ? Cette morale paraîtrait viser un idéal peu exaltant de renoncement, s'il ne fallait garder en mémoire, comme je l'indiquais tout à l'heure, la promesse pour le sage de vivre en dieu parmi les hommes.

C'est la joie qui est la face positive de ce mode de vie, mais de fait le résumé de la morale que livre ici Épicure n'en parle pas : en ce sens, la lettre est exotérique, car elle s'en tient à peu près constamment aux déterminations négatives (comment écarter tous les objets d'angoisse ?) ; c'est que le reste suit, se donne à partir du moment où l'on applique les remèdes. La partie « ésotérique », qui demeure dissimulée dans la lettre, est ce qui se donne à vivre, s'éprouve, et ne prête plus à discussion.

À cet égard, on ne peut éviter d'aborder un dernier aspect de l'éthique en acte, qui apparaît encore en négatif : il n'est pas de bonheur sans amitié, comme nous le voyons par les *Sentences vaticanes* notamment. Or ce point n'est pas traité par la lettre, sans doute pour la même raison qui fait que le plaisir de penser et d'exister ne peut pas être présenté schématiquement, et en fait n'a pas à l'être. Pourtant, la lettre ne peut pas être pensée indépendamment de l'amitié, puisque c'est elle qui suscite la lettre elle-même, que le sage adresse au disciple désireux de suivre son enseignement. Entre l'un et l'autre s'échange l'amitié qui

1. *Ibid.*, paragr. 130.

signifie le don de soi : l'un — Épicure — n'a que
l'avantage du découvreur, mais les différences s'effacent dans la réalisation du bonheur qui n'est pensable que par cet échange, que par la perspective de
réaliser une communauté d'amis philosophes, faisant
l'apprentissage du vrai en vue de la paix de l'âme. La
lettre est donc tout entière l'indice de l'amitié en acte,
l'immortalité donnée à lire en partage au lecteur, en
vue d'une communauté virtuelle d'amis. La philosophie est, au-delà de ce qui se dit, ce qui s'éprouve.

Jean-François BALAUDÉ

BIBLIOGRAPHIE

ÉDITION DE RÉFÉRENCE : *Epicuro, Opere*, G. ARRIGHETTI, Turin,
Einaudi, 1960, 1973, 2ᵉ éd.

TRADUCTIONS FRANÇAISES : *Épicure. Lettres et maximes*, M. CONCHE,
Paris, PUF, 1990, 2ᵉ éd. Livre X des *Vies et sentences des philosophes
illustres* de Diogène Laërce, consacré à Épicure (contenant les trois
lettres et les *Maximes capitales*), par J.-F. BALAUDÉ dans la traduction collective de Diogène Laërce, sous la direction de
M.-O. GOULET-CAZÉ, Livre de Poche, à paraître (1995).

COMMENTAIRES : J. BOLLACK, *La Pensée du plaisir. Épicure : textes
moraux, commentaires*, Paris, Minuit, 1975. J. SALEM, *Tel un dieu
parmi les hommes — L'éthique d'Épicure*, Paris, Vrin, 1989.
A. A. LONG et D. N. SEDLEY, *The Hellenistic Philosophers*, 1, « Epi-
cureanism », ch. 4 à 25, Cambridge University Press, 1987 (réimpr.
1990), trad. par P. PELLEGRIN et J. BRUNSCHWIG, Paris, GF-Flammarion (à paraître).

FICHTE

La Destination de l'homme

La Destination de l'homme[1] se présente comme un ouvrage de philosophie populaire[2]. Comment l'entendre ? Faut-il y voir cette condescendance naïve qu'auraient certains philosophes pour le peuple des profanes, et qui les pousse, eux qui croient posséder la langue des dieux, à emprunter les formes imprécises et inappropriées de la langue des hommes ? La qualité de la prose fichtéenne, sa mesure, son irrésistible et tranquille puissance d'édification, montrent au contraire assez combien l'authentique philosophe populaire, loin d'abîmer son savoir supérieur par la vulgarisation qu'il en propose, parle déjà la langue divine en parlant la langue poétique des hommes. La philosophie est populaire, fondamentalement, car ce n'est point en se plaçant au-dessus de la communauté des hommes que l'on accède au vrai, mais en laissant se déployer la réalité vivante et féconde de l'expérience partagée par un peuple dont la Réforme luthérienne — Fichte le sait bien — a proclamé la dignité sacerdotale. Plus sûrement encore que l'homme du XVIIIe siècle, le lecteur de cette fin du XXe siècle saura

1. J. G. Fichte, *La Destination de l'homme* (1800), trad. et présent. J.-C. Goddard, Aubier, 1994 (nous renvoyons dans la suite du texte à la pagination de l'édition Fritz Medicus révisée par Erich Fuchs, et indiquée dans le corps de notre traduction : *Die Bestimmung des Menschen*, Felix Meiner, Hamburg, 1979).
2. *Cf.* l'Avant-Propos de *La Destination*, p. 3-4.

évaluer la portée du refus fichtéen de former la vie par la doctrine. La philosophie populaire de *La Destination de l'homme* dénonce, comme le mal même en philosophie, le dessein de substituer la théorie scientifique à la conscience commune du peuple. En ce sens, le texte fichtéen est un avertissement, négligé par l'Histoire moderne, et un manifeste, la proclamation que la philosophie n'a pas de contenu propre à imposer au monde, mais cherche uniquement à manifester la vie en son mouvement singulier et sa richesse propre. Inlassablement, Fichte le répète à ses interprètes contemporains, qui ne veulent l'entendre : l'on ne comprendra rien à la philosophie tant qu'on lui prêtera l'intention de devenir une façon de penser dans la vie courante, car elle ne crée rien elle-même, mais observe seulement l'agir nécessaire par lequel l'homme réel se constitue lui-même, et n'atteint son terme qu'en ayant retrouvé l'homme en sa présence concrète. Tel le peintre, qui dans son œuvre retrace et fixe par son propre geste les architectures et les harmonies mobiles en lesquelles s'unissent les couleurs élémentaires du réel, le philosophe laisse apparaître le monde donné comme s'il l'avait lui-même fait, mais ne le fait résolument pas. Sa contemplation est tout aussi active que son activité est contemplative. Il apprend à voir une harmonie, un ordre, qu'il construit, mais auquel il ne saurait donner vie.

C'est cette position de principe qui commande la composition même de *La Destination de l'homme*. Le point de départ du texte fichtéen est le *Doute* [1], l'indécision de l'homme découvrant en lui-même la fracture originaire, la dualité de son propre moi partagé entre la tentation d'un enfouissement servile dans l'opaque nécessité des forces naturelles, que lui commande son intelligence [2], et le mystère du déchirement de cette nuit par l'éclair de la liberté qui brille au fond de son cœur [3]. Cet antagonisme entre son essentielle ouverture au monde, dont il reçoit passivement ses déter-

1. *La Destination de l'homme*, Premier Livre — Doute (p. 5 à 34).
2. *Ibid.*, p. 7-26 ; particulièrement p. 25-26.
3. *Ibid.*, p. 27-28.

minations, et son existence absolue, en retrait du
monde, sa disposition rationnelle à produire activement le réel à partir des concepts qu'il esquisse librement, est pourtant ce qui le constitue comme homme,
aussi ne peut-il exister qu'à condition de franchir cette
faille ouverte en lui-même, par l'accomplissement
d'une synthèse de la réception passive de ses déterminations et de la libre activité par quoi il est lui-même
une force déterminante.

Or c'est une tout autre voie que suit la conscience
divisée et inquiète pour échapper au doute qui la
ronge : celle de l'affranchissement à l'égard de la réalité extérieure. Elle érige en absolu sa tendance à la
libre activité, l'émancipe de sa communauté conflictuelle avec le moment opposé de la rencontre et de
l'accueil, la laisse empiéter sur le domaine de la capacité réceptive, la substituant à elle en sa fonction
même : le monde apparaît alors comme un pur produit du moi, le résultat de son autolimitation, d'une
limitation qui ne résulte pas du choc imprévisible de la
réalité[1]. Ce point de vue d'une conscience blessée et
fourvoyée, que caractérise le refus du don, et en
laquelle la pensée prend la place de la sensation,
Fichte le nomme le point du vue du *Savoir*[2] ; car il
met fin au Doute par l'établissement de la première
des certitudes : celle du moi.

En voulant faire abstraction du moment de réalité,
ce second point de vue entraîne toutefois, en raison
même de la communauté de l'actif et du passif en
l'homme, un effondrement égal du pouvoir de détermination active. Privée de tout point d'application
extérieure, la liberté s'évanouit dans l'abstraction d'un
moi sans monde, d'une forme pure et vide, pleine de
sa seule tautologie sans mouvement : moi = moi[3].
Plongée dans les eaux froides de l'égoïsme de la
raison, l'incessante agitation du Doute ne s'apaise peu

1. *Cf.* la longue réplique de l'Esprit, p. 64-66 ; celle du Moi,
p. 70-71 ; et, sur la négation de l'extériorité, p. 74-76.
2. *La Destination de l'homme,* Second Livre – Savoir (p. 35-83).
3. *Cf.* la réplique du Moi sur l'effondrement de tout être, p. 81.

à peu que pour faire place à l'abattement d'une conscience mélancolique — au sens clinique du terme —, indifférente à tout ce qui lui est étranger, enlisée dans sa propre inconsistance et incapable d'un vouloir effectif.

En décrivant ainsi ce que nous pourrions appeler la psychose intellectualiste du point de vue du Savoir, caractérisée par la double déficience de la réceptivité sensible et de l'action formatrice, Fichte réduit à néant le reproche qui lui était fait — et qui continuera de lui être fait — de vouloir ramener la totalité de l'expérience humaine au libre jeu du moi avec lui-même et en lui-même. Le nihilisme ne saurait être du côté du philosophe populaire, qui, dans son travail, compte sur la force intérieure et autonome des phénomènes qu'il observe. Il est plutôt du côté de ces esprits orthodoxes, qui font mourir la vie en l'accablant de formalités, de rites et de dogmes, et perdent par là même leur pouvoir de détermination active.

C'est en s'élevant du Savoir à la *Croyance* [1] qu'il nous est possible de retrouver la réalité. Celle-ci ne s'établit par aucune raison démonstrative, mais par un pur acte de décision fondé dans notre intérêt moral. Nous ne sommes certains de la réalité du monde que parce que nous y avons des devoirs à accomplir [2]. Toutefois, l'exigence morale va dès à présent au-delà du monde sensible [3], et notre croyance est croyance dans l'effet éternel de notre intention dans un monde suprasensible tissé par le libre lien des esprits, quel que soit l'insuccès de nos actions ici-bas.

Cette affirmation d'une efficacité du propos intérieur sur la réalisation du divin indépendamment de l'action exercée sur la nature paraîtra sans doute inintelligible à plus d'un, et le lecteur de Fichte pourrait y voir l'abandon de la thèse, soutenue dans *Le Système de*

1. *La Destination de l'homme,* Troisième Livre — Croyance (p. 84 à 155).
2. *Ibid.,* p. 97-99.
3. Ce que Fichte développe à partir de la troisième section du Troisième Livre ; *cf.* particulièrement p. 116-124.

l'éthique [1], selon laquelle l'action sur le sensible est le seul moyen de la réalisation du suprasensible. Mais ne peut-on décidément admettre que la philosophie est sans thèse, et se contente simplement de prêter toute son attention au phénomène dont elle traite sans chercher à l'élaborer artificiellement ? La différence entre *Le Système de l'éthique* et *La Destination de l'homme* n'est que la différence du point de vue moral et du point de vue religieux ; la différence des thèses n'est que la différence des objets. Or, le philosophe populaire ne peut rien ajouter ni soustraire au contenu même de la religiosité historique commune qu'il prend pour objet : l'idée maîtresse de *La Destination de l'homme,* que d'aucuns ont jugée incompréhensible ou confuse, celle de la valeur absolue de l'acte de décision inconditionnelle en lequel s'abolit la dualité originaire de l'homme et s'accomplit l'unité du monde comme la réalité de Dieu —, cette idée n'est que l'antique principe de la foi populaire hérité par nous des grands peuples de l'Orient à travers la révélation juive, et le principe dynamique même de la religiosité chrétienne.

Tandis que le point de vue moral du *Système de l'éthique* faisait du suprasensible l'aboutissement *idéal* de la transformation infinie du monde sensible[2], le point de vue religieux reconnaît à l'acte de décision, d'unification intérieure, une puissance *actuelle* de renouvellement de l'existence, de répétition de l'acte unique et singulier de la création. L'affirmation de l'actualité de l'Absolu ne signifie pas le rétablissement d'une transcendance au-delà de la sphère d'activité du moi fini, mais au contraire la suppression de l'écart du sensible et du suprasensible[3] : tout acte humain inconditionnel résulte de quelque chose d'infini, et quelque chose

1. J. G. Fichte, *Le Système de l'éthique* (1798), trad. P. Naulin, PUF, 1986.
2. Ce point de vue est encore traité dans *La Destination de l'homme,* dans la seconde section du Troisième Livre concernant le but de la vie terrestre (p. 100-114).
3. *Cf.* p. 125 : « Le monde suprasensible n'est pas un monde futur, il est actuel. »

d'infini en résulte, que l'on ne saurait saisir au moyen des concepts par lesquels nous mesurons l'efficacité mécanique de nos actions dans le monde. Avant d'être action sur la nature, l'action humaine est créatrice d'un monde irréductible aux lois du déterminisme causal et consistant dans une pure relation d'actes décidés, libres et réciproques.

En ce sens, *La Destination de l'homme,* loin d'annuler l'ici-bas dans l'attente rêveuse d'un monde meilleur, en augmente plutôt la valeur : l'ici-bas n'agit pas seulement sur l'ici-bas, mais sur l'en-haut ; c'est de l'ici-bas qu'existe et agit l'en-haut. Les justes accroissent la puissance du règne d'en-haut et lui remettent la force par l'anéantissement de toute hésitation, de toute demi-mesure, par la ferme résolution de faire ce qui doit nécessairement être fait. Le divin n'est pas un transcendant placé au-dessus de toute chose, il est l'inconditionnalité jaillissant au cœur de la conditionnalité, le passage à la détermination, l'être décidé de l'homme au sein d'une communauté spirituelle, et cette communauté même.

Jamais Fichte ne propose à son lecteur de répondre à la question de la destination de l'homme par l'énoncé d'un dogme ou d'un code éthique, par l'indication d'un quelconque contenu ; toute action est sainte dès lors qu'elle est exécutée dans l'inconditionnalité : seule la force de la décision empêche l'acte accompli de se dissiper dans le domaine des apparences et lui permet de pénétrer dans le saint des saints. Le philosophe populaire ne peut donc que renvoyer son lecteur à lui-même, à sa libre décision comme à l'unique fondement d'une indémontrable réalité. Il n'y a point là une pensée de l'intention qui paresseusement remettrait le pouvoir d'effectuation à une force étrangère, mais une pensée de la fermeté et de la force exigées de chacun pour le choix salutaire de l'unité et de la réalité du monde.

Jean-Christophe GODDARD, CNRS

BIBLIOGRAPHIE

ÉDITION DE RÉFÉRENCE : J. G. FICHTE, *Gesamtausgabe der Bayerischen Akademie der Wissenschaften*, Herausg. von R. Lauth und H. Jacob ; en trois séries de volumes (Œuvres : I ; Nachlass : II ; Correspondance : III) ; Stuttgart, à partir de 1962.

TRADUCTIONS FRANÇAISES : *Le Caractère de l'époque actuelle*, trad. I. RADRIZZANI, Paris, Vrin, 1990. *Conférences sur la destination du savant*, trad. J.-L. VIEILLARD-BARON, Paris, Vrin, 1969 (rééd. corrigée : 1980). *Considérations sur la Révolution française*, trad. J. BARNI, rééd. Paris, Payot, 1974. *La Destination de l'homme*, trad. J.-C. GODDARD, Paris, Aubier, 1994. *Discours à la nation allemande*, trad. S. JANKÉLÉVITCH, Paris, Aubier, 1975. *Doctrine de la science* (exposé de 1801-1802), *Sur le fondement de notre croyance en une divine Providence, Sonnet*, trad. A. PHILONENKO, Paris, Vrin, 1987. *La Doctrine de la science Nova Methodo*, trad. I. RADRIZZANI, Lausanne, L'Âge d'homme, 1989. *Essai d'une Critique de toute révélation*, trad. J.-C. GODDARD, Paris, Vrin, 1988. *L'État commercial fermé*, trad. D. SCHULTHESS, Lausanne, L'Âge d'homme, 1980. *Fondement du droit naturel selon les principes de la doctrine de la science*, A. RENAUT, Paris, PUF, 1984. *Initiation à la vie bienheureuse*, trad. M. ROUCHÉ, Paris, Aubier-Montaigne, 1944. *Opuscules de politique et de morale (1795-1811)*, trad. J.-C. MERLE, Centre de philosophie politique et juridique, Université de Caen, 1989. *Les Principes de la doctrine de la science (1794-1795), Précis de ce qui est propre à la doctrine de la science au point de vue de la faculté théorique, Première et seconde introduction à la doctrine de la science*, trad. A. PHILONENKO, in *Œuvres choisies de philosophie première*, Paris, Vrin, 1972. *La Querelle de l'athéisme, Sermons, Les Intentions de la mort de Jésus, Idées sur Dieu et l'immortalité*, trad. J.-C. GODDARD, Paris, Vrin, 1993. *Rapport clair comme le jour*, trad. A. VALENSIN, Paris, Vrin-Reprise, 1986. *Sur le concept de la doctrine de la science, Sur l'esprit et la lettre dans la philosophie, De la faculté linguistique et de l'origine du langage*, trad. L. FERRY et A. RENAUT, Paris, Vrin, 1984. *Sur la dignité de l'homme, Aphorismes sur l'éducation, Au sujet de l'homme sans nom, Discours à ses étudiants*, trad. P.-Ph. DRUET, in *Fichte*, Paris, Seghers, 1977. *Sur Machiavel écrivain, Dialogues patriotiques, Sur le concept de la doctrine de la science, Compte rendu du projet de paix perpétuelle de Kant*, trad. L. FERRY et A. RENAUT, in *Machiavel*, Paris, Payot, 1981. *Le Système de l'éthique selon les principes de la Doctrine de la science*, trad. P. NAULIN, Paris, PUF, 1986. *La Théorie de la science* (exposé de 1804), trad. D. JULIA, Paris, Aubier-Montaigne, 1967.

COMMENTAIRES : A. PHILONENKO, *La Liberté humaine dans la philosophie de Fichte*, Paris, Vrin, 2ᵉ éd. revue et augmentée, 1980. A. PHILONENKO, *L'Œuvre de Fichte*, Paris, Vrin, 1984. A. RENAUT, *Le Système du droit, Philosophie et droit dans la pensée de Fichte*, Paris, PUF, 1986.

FREUD

L'Interprétation des rêves
(Die Traumdeutung)

La question du rêve, telle que Freud l'a posée au
début du XXᵉ siècle, va bien au-delà d'un simple problème psychologique. Freud lui-même en est aussitôt
conscient quand il écrit, dans *L'Interprétation des
rêves* : « Nous avons ici le sentiment que l'interprétation des rêves pourrait nous donner sur la structure de
l'esprit des notions que jusqu'à présent nous avons
vainement attendues de la philosophie[1] ». Est-ce une
manière de dire que l'analyse des rêves permettrait de
résoudre des questions que la *Critique de la raison pure*
aurait laissées en suspens ? Toutefois, Freud ajoute
après la remarque précédente : « Mais laissons là ce
sujet, et, maintenant que nous avons élucidé le déguisement du rêve, retournons à notre point de départ.
Nous nous étions demandé comment on pouvait
considérer des rêves à contenu pénible comme
accomplissant un désir. » Il n'est pas indifférent que ce
soit au moment de tirer des conclusions sur le statut
de la contradiction et sur les rapports du désir et de la
pensée, questions éminemment philosophiques, que
Freud éprouve le besoin de situer son travail par rapport au champ de cette discipline. Mais on voit aussi
de quelle manière il s'en tient soigneusement à dis-

1. *L'Interprétation des rêves*, p. 132.

tance. Les réflexions freudiennes ont donc une importance pour la philosophie, mais elles ne sont pas de nature philosophique.

Et en effet, on pourrait douter qu'une introduction à la lecture de Freud trouve normalement sa place à l'intérieur d'un ensemble d'études consacrées à des philosophes. Car la nature de sa recherche et le style même de sa pensée et de son écriture appartiennent à un autre horizon, celui de la science, de la médecine et de la thérapie. Tout au début de l'avertissement de la première édition, Freud écrit : « Je me suis efforcé d'exposer, dans ce volume, l'interprétation du rêve. Ce faisant je ne crois pas sortir du domaine de la neuropathologie[1]. » Cette appartenance explique l'organisation et l'allure d'un ouvrage qu'il n'est pas possible de lire comme un livre de philosophie. Loin d'y trouver le déploiement systématique et ordonné habituel aux ouvrages des philosophes, on assiste à la recherche aventureuse et tâtonnante de réponses à des questions surgies dans le champ empirique de la clinique, à une théorisation progressive qui ne craint pas la contradiction et qui se rectifie sans cesse. S'il y a une difficulté de lecture de l'œuvre de Freud, elle se trouve d'abord dans le risque de chercher une doctrine achevée là où l'on ne trouvera jusqu'au bout qu'une démarche perpétuellement remaniée, des résultats remis en question, des problèmes maintenus ouverts par un esprit d'une exigence jamais satisfaite.

Pour cette raison, la première grande œuvre de Freud qu'est *L'Interprétation des rêves* constitue une bonne introduction générale. On n'y trouve certes pas les concepts cardinaux de la « doctrine » (la seconde topique, « ça, moi et sur-moi », la théorie des pulsions, le concept de pulsion de mort, élaboré à la fin de sa vie, dans les années 30...), mais on y rencontre mieux encore : la manière dont une recherche s'amorce, et ce par quoi l'œuvre de Freud conserve toute son actualité, c'est-à-dire la découverte des voies d'accès vers

1. *Ibid.*, p. 1.

l'inconscient. Parler de méthode serait même excessif, supposant par là la mise au point d'un outil définitif applicable dans toutes les circonstances, alors que Freud, au détour de ses notes d'analyse, a vigoureusement résumé sa démarche en faisant remarquer qu'il convient finalement de reconstruire la théorie à l'occasion de chaque cas. Dans son examen de la logique des rêves, on verra que ses contradictions et ses hésitations sont aussi intéressantes que ses trouvailles.

L'organisation de l'ouvrage est révélatrice : si le chapitre III fait vingt pages, le chapitre VI en fait presque deux cents. Des questions cruciales, comme celle du symbolisme, font l'objet d'une approche en plusieurs temps qui se déploie au travers de multiples contradictions ; dans le chapitre V, Freud affirme que l'interprétation d'un rêve ne peut se faire en l'absence du discours du rêveur[1], ce qui interdit toute idée d'une méthode générale de lecture, d'une symbolique dont la signification ne varierait pas selon les personnes ; mais c'est pour introduire aussitôt des considérations sur les « rêves typiques », qui semblent avoir la même signification pour tous. Toutefois, il n'analyse en ce lieu que quelques-uns d'entre eux pour ne reprendre le problème plus longuement que dans le chapitre VII sur le travail du rêve. On voit s'y déployer alors avec surprise un catalogue général de symboles, en principe universels ; mais Freud les assortit aussitôt de restrictions telles qu'elles leur retirent une bonne part de leur portée : n'importe quel rêveur peut en fait utiliser ces symboles en leur conférant un sens tout à fait personnel, et la méthode symbolique n'est qu'un auxiliaire à la fois utile et dangereux de la véritable interprétation, dont elle n'est en aucun cas la démarche représentative.

On comprend pourquoi des lecteurs rapides ont pu résumer la théorie freudienne du rêve à travers quelques thèses simplistes que leur auteur dément explicitement, comme le symbolisme ou le contenu sexuel de

---

1. *L'Interprétation des rêves*, p. 210.

tous les rêves[1] ; c'est qu'ils ont voulu lire un système de réponses dans ce qui est en réalité un système de questionnement incessant. Aussi faut-il lire d'abord cet ouvrage dans son détail, et ne pas se contenter des exposés ou résumés pédagogiques que Freud en a donnés par la suite[2].

On peut donner le fil conducteur de l'ouvrage : tout commence par la découverte, à partir d'un exemple, que tout rêve complètement analysé est l'accomplissement d'un désir. Mais la plupart des rêves paraissent beaucoup plus complexes, voire tout à fait à l'opposé de la réalisation d'un désir (cauchemar)[3]. Comment comprendre cette apparente contradiction ? En analysant les médiations qui s'intercalent entre ce désir originel et le résultat méconnaissable que constitue le rêve, et que Freud appelle le « travail du rêve ». Au bout du compte, on découvre que l'analyse de ces médiations, tout en éclairant le cheminement intermédiaire, fait également comprendre pourquoi le point de départ originaire reste inaccessible.

Lorsque Freud achève *L'Interprétation des rêves* en 1899, à quarante-trois ans, il a déjà accompli un long parcours. De formation strictement médicale, il a longuement étudié la physiologie, puis la neurologie, dans un milieu scientifique agnostique et déterministe. Un séjour d'un an à Paris auprès du docteur Charcot, qui enseigne la neuropathologie à la Salpêtrière, l'a conduit à concevoir une origine des névroses qui ne serait pas purement physiologique, ainsi qu'une étiologie peut-être en rapport avec la sexualité. Aussi, de retour à Vienne, tout en poursuivant les traitements électrothérapiques classiques, commence-t-il à essayer l'hypnose. Pendant plusieurs années, il mène en compagnie de son collègue Breuer une réflexion sur la suggestion qui l'entraîne de plus en plus loin du regard organiciste des psychiatres, mais qui l'amène en même temps à remettre progressivement en cause

1. *Ibid.*, p. 341.
2. *Le Rêve et son interprétation* (1901), Gallimard, « Folio-Essais », 1985.
3. *L'Interprétation des rêves*, p. 123.

sa propre méthode, au moins sur deux points. Tout d'abord, la révélation faite au malade de ce qu'il a dit en état d'hypnose ne fait pas disparaître définitivement le symptôme, mais le diffère ou le déplace et le laisse réapparaître sous une autre forme ; la guérison n'est pas acquise. Ensuite, les récits obtenus semblent être des reconstructions après-coup, des affabulations issues d'un désir secret bien plus que des événements réels. L'idée d'un traumatisme psychique subi par le malade laisse peu à peu la place à l'identification d'une activité intentionnelle bien qu'inconsciente qui s'exprime d'une manière déguisée. Mais toutes ses hypothèses encore incertaines ne vont pouvoir trouver leur assise que dans cette « expérimentation » systématique que Freud va mener sur ce matériel privilégié qu'est le rêve.

Comme il est de mise dans un ouvrage scientifique, Freud commence par dresser un état de la question sous la forme d'une recension commentée des travaux de ses prédécesseurs. Ce premier chapitre, assez long, peut être parcouru assez rapidement, son intérêt consistant essentiellement à faire percevoir la nouveauté de l'approche freudienne. Jusqu'à Freud, le rêve, de multiples manières, est l'« autre » de la raison : ensemble d'images chaotiques, de pensées décousues, échappant à la volonté du rêveur et se produisant dans cette période d'inconscience qu'est le sommeil, il ne peut qu'être rattaché à une instance extérieure à elle. Les médecins, les devins, les poètes se partagent le privilège d'en désigner l'origine : le corps (« les rêves viennent de l'estomac »), l'au-delà (les rêves, messages des dieux), la puissance de l'imagination (« Le sommeil de la raison engendre des monstres. Abandonnée par la raison, l'imagination engendre des monstres impossibles ; unie à elle, elle est la mère des arts et produit des merveilles », Goya).

Avec la psychanalyse, le rêve va cesser d'être un simple phénomène marginal de la vie mentale, car la compréhension de ses mécanismes internes bouleverse la représentation, qui avait cours jusqu'alors, du fonctionnement et de la nature de la pensée dans son ensemble. « Le rêve n'est, au fond, qu'une forme particulière de pensée que permettent les conditions propres à l'état de sommeil[1]. » Freud montre que le rêve est une forme de raison, qu'il est l'une des modalités de l'activité intellectuelle la plus sophistiquée et que son analyse, loin d'aboutir à quelque profondeur opaque, mystique ou organique, conduit la pensée humaine à reconnaître dans cette activité psychique inconsciente son essence même. Le rêve a donc un sens. Il s'agit d'un phénomène pleinement psychique, d'une activité intellectuelle « élevée et compliquée ». Il doit être intercalé dans les actes mentaux intelligibles de l'état de veille. Par un renversement total, c'est la conscience alors qui paraît n'être plus qu'un aperçu partiel, incomplet, de la pensée[2].

C'est dans le cadre de ses recherches thérapeutiques sur les troubles mentaux (névroses, angoisses, hystéries) que Freud fut amené à s'intéresser aux rêves. Pour retrouver l'origine du symptôme et le faire disparaître en l'énonçant, il avait eu, on l'a dit, recours à l'hypnose ; mais devant les résultats très instables de cette méthode, il en vint à confier, en quelque sorte, au malade éveillé le soin de retrouver par lui-même les connexions pathologiques. L'« association libre » par laquelle le patient énonce, comme elles lui viennent, et sans opérer de sélection, toutes les idées qui sont associées à tel ou tel de ses symptômes, fit apparaître un grand nombre de récits de rêves. Cette similitude de fonction entre le rêve et le symptôme, renforcée par l'analogie avec le délire hallucinatoire des psychoses aiguës, conduisit Freud à traiter pour elle-même cette production particulière de la vie mentale nocturne. Déjà des psychiatres contemporains voyaient dans l'hallucination une manière détournée de réaliser un désir et Freud se demanda s'il n'en était pas de même du rêve en général.

1. *L'Interprétation des rêves*, p. 431.
2. *Ibid.*, p. 113.

Dans ce domaine, une double tradition existait : l'une issue de l'Antiquité, qui cherchait dans le rêve un sens, l'autre, propre au monde médical auquel appartenait Freud, qui voyait dans le rêve une manifestation dénuée de sens entraînée par des troubles corporels. La solution freudienne dépasse cette opposition : en poussant jusqu'au bout l'exigence déterministe de la pensée médicale de son temps, Freud refuse d'abandonner le rêve à son incohérence et rejoint le projet des déchiffreurs d'énigmes en découvrant dans le rêve un sens caché. Mais ce sens n'est pas la révélation d'un message divin, c'est la possibilité d'« insérer parfaitement » le rêve « dans la suite des activités mentales de la veille[1] », dans la mesure où il est le fruit d'une activité intellectuelle propre au sujet, « une création de l'esprit du rêveur[2] » obéissant à un déterminisme aussi rigoureux que celui qui règne dans le corps, mais d'un autre type.

Ainsi s'explique le titre de l'ouvrage dans lequel Freud consigne sa découverte majeure : *L'Interprétation des rêves*. « Interpréter », c'est se mettre à l'écoute du rêve pour entendre ce qu'il dit dans une langue inconnue, et non pas le regarder comme un objet inerte qu'on pourrait expliquer par des causes extérieures ; c'est cesser de n'y voir que l'effet hasardeux d'un processus obscur pour l'identifier comme le lieu d'une activité originale : d'où l'idée dominante d'analyser sa formation en termes de « travail » (titre du chapitre VI).

À partir du chapitre II (« La Méthode d'interprétation des rêves »), Freud entreprend, à partir d'exemples, de mettre sur pied ses procédures de lectures. La confusion qui règne généralement dans les rêves le conduit à les décomposer afin d'en chercher la signification non pas dans l'ensemble, mais d'abord dans chacune des parties. Ce qui signifie que

---

1. *L'Interprétation des rêves*, p. 11.
2. *Ibid.*, p. 13.

l'analyste, à l'inverse du mage, ne doit pas commenter le récit global du rêve, son histoire ou son anecdote explicite en les rapportant à une signification prévue d'avance, mais qu'il doit faire éclater le désordre apparent pour recomposer une totalité d'un autre niveau ayant son sens en elle-même. Il s'agit de décrypter un langage, et non d'identifier une histoire. À propos de chaque élément, il s'impose, ou impose au rêveur une totale impartialité à l'égard de tous les contenus, images ou idées qui surviennent dans un désordre apparent : aucun ne doit être écarté sous prétexte d'absurdité ou d'insignifiance. C'est ainsi que le sens du rêve surgit d'une accumulation d'éléments qui, séparément, ne signifient rien de décisif.

Une lettre du poète Schiller à un jeune écrivain se plaignant de son manque d'inspiration est utilisée par Freud pour résumer sa pensée : « Il me semble que la racine du mal est dans la contrainte que ton intelligence impose à ton imagination. Je ne puis exprimer ma pensée que par une métaphore. C'est un état peu favorable pour l'activité créatrice de l'âme que celui où l'intelligence soumet à un examen sévère, dès qu'elle les aperçoit, les idées qui se pressent en foule. Une idée peut paraître, considérée isolément, sans importance et en l'air, mais elle prendra parfois du poids grâce à celle qui la suit ; liée à d'autres, qui ont pu paraître comme elle décolorées, elle formera un ensemble intéressant. L'intelligence ne peut en juger si elle ne les a pas maintenues assez longtemps pour que la liaison apparaisse nettement. Dans un cerveau créateur, tout se passe comme si l'intelligence avait retiré la garde qui veille aux portes : les idées se précipitent pêle-mêle, et elle ne les passe en revue que quand elles sont une masse compacte. Vous autres critiques, ou quel que soit le nom qu'on vous donne, vous avez honte ou peur des moments de vertige que connaissent tous les vrais créateurs et dont la durée, plus ou moins longue, seule distingue l'artiste du rêveur. Vous avez renoncé trop tôt et jugé

trop sévèrement, de là votre stérilité[1] ». Ainsi l'analyste-
créateur doit-il laisser proliférer les associations que
chaque élément du rêve est susceptible d'entraîner,
en se gardant bien de décider *a priori* de leur pertinence
explicative. Au bout du compte, une cohérence insoup-
çonnée se dégage qui s'évalue selon sa capacité d'intégration du plus grand nombre d'éléments possibles.

La procédure la plus curieuse mise en œuvre par
Freud consiste à utiliser d'abord chacun des éléments
du rêve non comme un indice renvoyant à quelque
chose de caché derrière lui, mais comme prétexte à
une multiplication horizontale du discours qui nivelle
de manière absolue tous les éléments du matériel et
tous les événements de l'entreprise analytique. Tout
est mis sur le même plan : rêve, récit du rêve,
commentaires, idées, images, sons, silences, refus,
moments, formes. Ce qui produit du sens, ce n'est
pas la signification des éléments du discours considérés dans leur rapport terme à terme avec un autre
discours situé en arrière d'eux, mais la logique ou la
cohérence nouvelle, tout autre, qui se dégage d'elle-
même, au bout d'un certain temps, de la « masse
compacte » du matériel provoqué. La comparaison
du rêve avec un rébus[2], va dans le même sens :
composé d'éléments disparates, images, lettres, morceaux de dessins, son sens ne s'éclaire que lorsque,
une fois envisagées toutes les substitutions possibles
de ces éléments avec des syllabes, un sens global
apparaît qui permet d'établir celles qui sont valides.
Dans les deux cas, comme dans le langage en
général, c'est le contexte qui décide du sens, et non
l'élément.

Ainsi, l'analyse accompagne une prolifération du
discours dont la valeur de vérité n'est jamais interrogée ni critiquée, mais admise par principe à partir de
ses effets de sens. À aucun moment, et c'est là l'un des
aspects les plus surprenants de la méthode freudienne,

1. *L'Interprétation des rêves,* p. 96.
2. *Ibid.,* p. 242.

il n'est question de se demander si le récit du rêve, ou son commentaire, voire l'interprétation qui l'accompagne, sont vrais, puisque le principe de l'analyse repose sur la suspension de tout critère et de toute critique, et que le déterminisme intégral « étendu aux faits psychiques » fonde et justifie, à partir de sa seule présence, la valeur de toute idée qui « vient à l'esprit » ou de toute décision, en apparence arbitraire, de poursuivre dans telle ou telle direction la chaîne associative. Les exemples sont très nombreux, la substitution des « mauvaises dents » aux « fausses dents » dans le « rêve de l'injection faite à Irma » étant l'un des plus simples[1]. Même face au problème qu'on pourrait croire, à tort, crucial, du rapport entre le rêve et son récit, Freud conserve la même orientation : quand un récit de rêve semble insatisfaisant (par son ton, ou son imprécision particulière), il recommande de le faire répéter au patient (donc, d'ajouter un second récit au premier), non dans l'intention d'atteindre à une plus grande authenticité, mais afin d'« analyser » les écarts entre les deux versions qui pour lui ont une valeur équivalente. Cette prolifération n'aboutit pas à un désordre, car elle est scandée, ponctuée et finalement ordonnée par l'événement des « sentiments » du psychanalyste, tout aussi nécessaires, et pour les mêmes raisons, que l'ensemble du matériel psychique.

La vérité de l'interprétation ne se décide donc pas à partir de l'isolement d'un élément exemplaire qui servirait de critère pour le choix des autres (comme l'idée claire et distincte cartésienne), mais à partir de la productivité même des associations : produire un sens, c'est avant tout rendre possible la production d'un autre sens, en faisant apparaître peu à peu une configuration signifiante non close qui se dégage toute seule de la masse globale du matériel interprétatif, à condition qu'on lui ait laissé la possibilité de se produire.

1. *Ibid.*, p. 103.

Ainsi se forme l'un des principes d'interprétation qui distingue radicalement la psychanalyse de toutes les autres théories du rêve : il est impossible d'analyser un rêve indépendamment des associations formulées à sa suite par le rêveur : « Nous ne pouvons pas interpréter les rêves des autres s'ils ne veulent pas nous dire quelles pensées inconscientes se cachent derrière[1]. » On verra que l'utilisation épisodique dans les rêves de matériel symbolique, à portée plus générale, relativise une telle affirmation ; néanmoins, l'interprétation symbolique est irrémédiablement rétrogradée au rang de méthode auxiliaire[2].

Cette démarche, immédiatement mise en œuvre par Freud sur ses propres rêves autant que sur ceux de ses patients, lui permet de formuler deux thèses fondamentales : dans tout rêve, on peut découvrir par analyse, sous le contenu manifeste, un contenu latent ; ce contenu latent révèle en fin de compte l'accomplissement d'un désir. Le premier rêve analysé par Freud de manière détaillée, le 24 juillet 1895, est désormais connu sous le nom du « rêve de l'injection faite à Irma ». Il met en scène Freud et l'une de ses patientes dont la guérison, au moment du rêve, est encore problématique. Il est exemplaire parce qu'il exprime l'ensemble des préoccupations de son auteur en ce moment crucial de la naissance de la psychanalyse : hésitations, inquiétudes, besoin de se laver de toutes les accusations déjà portées par le milieu médical sur les hypothèses freudiennes, en bref, désir qu'on ne puisse pas profiter d'un échec thérapeutique partiel pour ruiner l'échafaudage complexe d'une théorie naissante qui en serait tenue pour responsable, tout cela surgit comme en filigrane derrière le rêve anodin d'une consultation médicale au cours d'une réunion mondaine[3].

« Ce caractère des rêves est souvent si apparent que l'on se demande comment le langage des rêves n'a pas

1. *L'Interprétation des rêves,* p. 210.
2. *Ibid.,* p. 309.
3. *Ibid.,* p. 98-109.

été compris depuis longtemps[1]. » Toutefois, si le désir
accompli en imagination dans le rêve est immédiatement visible dans les rêves d'enfants et dans certains
rêves dits « de commodité » (qui permettent par
exemple au rêveur de ne pas se réveiller, en lui montrant déjà réalisée une activité qui nécessiterait l'interruption de son sommeil), comme l'expose le très court
chapitre III (« Le rêve, accomplissement de désir »),
dans la plupart des autres, il semble être obscur (rêves
indifférents), voire franchement contredit (rêves péni-
bles, cauchemars). L'analyse de cette opposition entre
contenu manifeste et contenu latent occupe l'essentiel
de l'ouvrage (soit les chapitres IV, V et VI) : quelle est
la nature de la « déformation », ou transformation, que
subit le désir inconscient du rêve, d'où vient cette
modification, à quelles règles obéit-elle ?

L'analyse fait peu à peu saisir l'étonnante
complexité des procédures qui conduisent de la
pensée inconsciente à sa manifestation explicite. Il
s'agit tout d'abord de faire l'inventaire du « matériel
du rêve ». Il est constitué principalement de trois éléments : des impressions secondaires, anodines, qui
évoquent de manière indirecte les pensées importantes
du rêve et qui sont donc le résultat d'un « déplacement » ; des impressions du jour précédent qui sont
toujours le point d'arrivée des chaînes associatives
inconscientes ; enfin, des souvenirs de la petite
enfance qui se trouvent, en fin d'analyse, à l'autre
bout de ces chaînes. Ainsi, le rêve présente une
« superposition de significations ». « Non seulement il
accomplit plusieurs désirs, mais, en un sens, l'accomplissement d'un désir peut en cacher d'autres, jusqu'à ce que, de proche en proche, on tombe sur un
désir de la première enfance. »

De plus, Freud remarque que certains rêves se répètent tout au long de la vie de l'individu et présentent
une structure identique chez tous les rêveurs. C'est en
analysant complètement l'un de ces « rêves typiques »,

1. *Ibid.*, p. 114.

celui de « la mort de personnes chères », qu'il est
amené à formuler pour la première fois une esquisse
de sa théorie de l'Œdipe[1]. Le fait de rêver à la mort
d'un proche ne traduit pas un désir actuel, mais la
persistance inconsciente d'un désir infantile, expression des sentiments d'inimitié radicale que les enfants
éprouvent à l'égard de leurs rivaux directs (frères,
sœurs, parents), tout particulièrement à l'égard des
parents de même sexe, comme la tragédie de
Sophocle, ainsi que l'*Hamlet* de Shakespeare, en
offrent des récits exemplaires.

On voit que le contenu est largement, comme le
dit Freud, « surdéterminé ». Les deux facteurs essentiels de ces modifications sont la « condensation » et
le « déplacement ». Par la première, le travail du rêve
concentre en une seule idée ou image un amoncel-
lement d'éléments disparates (par exemple, plusieurs
personnages ou plusieurs souvenirs en un seul) ; par
le second, le contenu du rêve est en quelque sorte
décentré, l'attention est détournée de la signification
importante vers des éléments secondaires. Dans tous
les cas, Freud constate que ces modifications ont
pour effet de dissimuler la signification véritable du
rêve à la conscience du rêveur : « Le rêve est l'accomplissement (déguisé) d'un désir (réprimé,
refoulé)[2]. » Il faut donc supposer l'existence d'une
censure très puissante qui, dans ce moment de relâ-
chement de la vigilance qu'est le sommeil, interdit
néanmoins aux désirs inacceptables de se présenter
tels quels à la conscience. Cette activité qui refoule,
déplace, déguise et défigure est donc à la fois positive
et négative : elle interdit mais en même temps
permet l'expression du désir sous certaines conditions. Cette activité intellectuelle, très originale, qui
constitue une rupture radicale avec l'usage traditionnel de la raison, puisque, comme le note Freud,
elle consiste à produire des messages qui ne sont

1. *L'Interprétation des rêves*, p. 216-233.
2. *Ibid.*, p. 145.

« pas faits pour être compris[1] », manifeste une ingé-
niosité et une virtuosité déconcertantes.

L'une des caractéristiques les plus remarquables du
« travail du rêve » consiste dans la « figuration »,
c'est-à-dire dans les mille et une manières de représenter, à travers une image ou une scène, une idée :
ainsi la négation par l'intermédiaire d'une scène où
une action est empêchée, la fréquence par la multiplication de choses semblables, etc. Les éléments
du matériel du rêve sont alors dépouillés de toute
représentativité fonctionnelle : dans la vie éveillée,
les mots sont utilisés comme représentant des
contenus (idées ou choses) — du moins, c'est à cet
aspect seul que le discours ordinaire, prosaïque, veut
prêter attention ; dans le rêve au contraire, ils sont
transformés en pur matériau, c'est-à-dire ramenés
à leur présence originelle telle que l'activité poétique ou musicale par exemple la souligne. C'est leur
sonorité, les jeux de mots qu'ils permettent d'évoquer, leur forme, leur rythme, leur répétition, leur
ordre qui deviennent significatifs indépendamment
de leur « sens » ordinaire (ainsi ce lieu de « cure »
auquel rêve un patient qui a rencontré sa future
femme pour la première fois dans le cabinet du docteur Freud : c'est la « cour » qu'il lui a faite qui est
ici évoquée).

Freud réserve même un sort particulier à des rêves
dont le contenu est explicitement contraire à un désir :
il découvre derrière ce désir nié le désir réalisé que le
docteur Freud ait tort dans sa théorie du rêve-
réalisation d'un désir. Le patient sacrifie tel ou tel
désir à son désir plus profond d'échapper à l'investigation de son psychanalyste, en se mettant en situation d'exception. Et Freud montre, en vertu du principe qu'un désir peut toujours en cacher un autre, que
derrière le désir de ne pas laisser interpréter son rêve,
le patient dissimule un désir plus profond encore, plus
archaïque, dont il repousse à tout prix la divulgation.

1. *Ibid.*, p. 293.

Ici, c'est dans la forme du rêve qu'apparaît son contenu.

Ainsi, l'analyse du rêve impose l'hypothèse d'une topique générale de l'activité psychique qui dresse en quelque sorte la carte de ses différentes fonctions. C'est l'objet du chapitre VII, « Psychologie des processus du rêve », qui clôt l'ouvrage. Non seulement deux forces ou deux instances sont nécessaires pour rendre compte de cette contradiction, de ce conflit qu'exprime le rêve, mais seule une troisième, intercalée, permet de faire comprendre la multiplicité des maillons intermédiaires que le rêve recèle de manière presque infinie. L'inconscient, réserve de forces pulsionnelles « indestructibles » qui cherchent à se satisfaire de façon inextinguible, est le point de départ, en dernière instance, de tout rêve. Le préconscient, lieu de la « censure » ou « résistance », est la voie d'accès obligée pour toute représentation d'un désir qui s'achemine vers l'extrémité du système psychique, c'est-à-dire vers la réalisation motrice. La conscience, enfin, siège ou plutôt moment de la représentation et de la volonté, est l'aboutissement du processus. On peut se représenter le préconscient comme une sorte de chambre d'échos ou de palais des glaces dans lesquelles les désirs gênants, indéfiniment diffractés, déformés, perdent la lisibilité qui permettrait leur accomplissement : le seul lieu de leur réalisation reste alors cette « autre scène » qu'est le rêve.

Si l'on se rappelle l'incursion effectuée par Freud dans le domaine des pulsions infantiles, à propos du mythe d'Œdipe, on peut se faire une idée de ce qui motive le refoulement et la censure. Il s'agit de raisons internes bien plus qu'externes : le psychisme refoule sans doute tous les désirs qui entrent en contradiction avec la moralité et la vie sociale « normales », mais il refoule surtout les désirs que le sujet ne peut s'avouer à lui-même, non qu'il en ait honte, mais parce qu'il en redoute le contenu même, le désir de mort de l'autre impliquant en retour le risque du châtiment. Ce caractère originaire du refoulement ne sera théorisé que plus tard par Freud. Mais, dès *L'Interprétation des rêves*, l'importance décisive de l'infantile est soulignée : le rêve n'est pas simplement la réalisation d'un désir isolé, il accomplit un désir qui n'est lui-même pris en compte que dans la mesure où il est investi par l'énergie d'une chaîne de désirs plus profonds et plus archaïques avec lesquels il entre en résonance. « Je me représente que le désir conscient ne suscite le rêve que lorsqu'il parvient à éveiller un autre désir, inconscient et de même teneur, par lequel il se trouve fortifié. La psychanalyse des névroses m'a persuadé que ces désirs inconscients sont toujours actifs, toujours prêts à s'exprimer, lorsqu'ils peuvent s'allier à une excitation venue du conscient et transférer sur lui leur intensité supérieure[1]. » Ce qui fait comprendre le lien apparemment énigmatique qui relie l'inconscient au matériel caractéristique du rêve : les impressions de la veille et les idées sans importance qui représentent ce qu'il y a de plus éloigné des souvenirs marquants de l'enfance et favorisent donc la méconnaissance et le refoulement. On parvient donc à la conclusion que « le désir représenté dans le rêve est nécessairement infantile[2] », qu'il est « un substitut d'une scène infantile modifiée par le transfert dans un domaine récent[3] ».

La question de l'intelligibilité de l'inconscient se pose alors dans toute sa complexité. Pour un esprit non averti, un paradoxe se dégage des analyses précédentes. D'une part, la mise en évidence d'une activité de refoulement s'opposant à la volonté d'expression du désir semble attribuer à une activité que nous ne percevons pas en nous-mêmes toutes les caractéristiques de la conscience : tout se passe comme si l'inconscient était le lieu de la pensée d'un autre que nous-mêmes. D'autre part, cette « pensée inconsciente », contrairement à ce qu'on pourrait attendre d'une réalité intellectuelle, n'est pas intégralement intelligible : « Il faut bien dire que tous les

1. *L'Interprétation des rêves*, p. 470.
2. *Ibid.*, p. 471.
3. *Ibid.*, p. 464.

rêves ne peuvent pas être interprétés. Il ne faut pas oublier que les forces psychiques qui ont déformé le rêve s'opposent au travail d'interprétation... Les rêves les mieux interprétés gardent souvent un point obscur ; on remarque là un nœud de pensée que l'on ne peut défaire... C'est l'ombilic du rêve, le point où il se rattache à l'inconnu[1]. » L'analyse des rêves en effet, parcourant à rebours le processus de déformation, parvient toujours en un point où le refoulement a produit ce qu'on pourrait appeler un inconscient absolu qui ne peut en aucune manière être amené au jour, et qui pourtant continue de produire ses effets, sous la forme des « messages » énigmatiques du rêve, ou des symptômes pathologiques. Ce paradoxe d'une pensée qui ne peut être re-pensée jusqu'au bout parce qu'elle est en définitive et définitivement inconsciente n'est pas une objection à la théorie freudienne, mais l'essentiel de sa découverte. « Les activités de pensée les plus compliquées peuvent se produire sans que la pensée y prenne part... L'inconscient est le psychique lui-même et son essentielle réalité[2]. » Dans cette perspective, « la conscience jadis toute-puissante et qui recouvrait et cachait tous les autres phénomènes (...) n'est plus qu'un organe des sens qui permet de percevoir les qualités psychiques », du moins celles qui lui sont accessibles[3]. L'inconscient n'est pas une autre conscience : c'est la conscience qui n'est qu'une forme particulière, et subordonnée, de notre psychisme, essentiellement inconscient. Ainsi, l'être humain découvre que « sa nature intime lui est aussi inconnue que la réalité du monde extérieur », et que « la conscience nous renseigne sur lui d'une manière aussi incomplète que nos organes des sens sur le monde extérieur[4] ». Contrairement à ce que soutenait Descartes, l'âme n'est pas plus aisée à connaître que le corps. C'est ce déplacement radical du centre de gra-

1. *L'Interprétation des rêves*, p. 446.
2. *Ibid.*, p. 504.
3. *Ibid.*, p. 522.
4. *Ibid.*, p. 520.

vité de l'être pensant, cette « blessure narcissique » qui a fait scandale dans la théorie freudienne, bien plus que l'accent mis sur la sexualité, dont il est loin d'être le premier à avoir parlé. « L'inconscient est pareil à un grand cercle qui enfermerait le conscient comme un cercle plus petit. Il ne peut y avoir de fait conscient sans stade antérieur inconscient, tandis que l'inconscient peut se passer de stade conscient et avoir cependant une valeur psychique[1]. »

La théorie freudienne débouche ainsi sur un projet iconoclaste : « Se donner pour tâche de traduire la métaphysique en métapsychologie[2]. » Contrairement à l'idée dominante de la philosophie occidentale, le « Connais-toi toi-même » ne pourrait se réaliser par une prise de conscience, ni par une introspection qui rende la raison transparente à elle-même, car c'est « l'interprétation des rêves qui est la voie royale menant à la connaissance de l'inconscient », c'est-à-dire à l'essentiel du psychisme. Le désir, que l'oreille analytique entend au fin fond du rêve, ce n'est pas la voix du corps, mais une pensée, la pensée elle-même. Et cette pensée, la nôtre, dans ses requisits fondamentaux, nous demeure, en dernier ressort, inaccessible.

Bertrand OGILVIE

BIBLIOGRAPHIE

ÉDITIONS DE RÉFÉRENCE DES ŒUVRES COMPLÈTES : *Gesammelte Werke*, 24 vol., Londres, Imago, 1940-1952. *Standard Edition*, 24 vol., Londres, Hogarth Press, 1953-1968. Une édition complète est en cours de parution aux PUF, Paris.

TRADUCTION FRANÇAISE : Pour l'ouvrage ici présenté, il n'existe à ce jour qu'une traduction française de *Die Traumdeutung*, publié en allemand chez Franz Deuticke, Leipzig und Wien, le 4 novembre

1. *Ibid.*, p. 520.
2. *Psychopathologie de la vie quotidienne*, p. 276-277.

1899, mais datée par l'éditeur de l'année 1900 : *L'Interprétation des rêves*, trad. I. MEYERSON, Paris, PUF, 1926. Nouvelle édition augmentée et entièrement et révisée par D. BERGER, 1967 (édition à laquelle nous nous référons). La même édition, Paris, France-Loisirs, 1989.

Le reste des œuvres de Freud en français est éparpillé entre les PUF et des collections de poche Gallimard et Payot. On trouvera une bibliographie détaillée dans l'ouvrage indiqué ci-dessous.

COMMENTAIRES : Il n'existe pas de commentaire particulier de *L'Interprétation des rêves*. On consultera avec profit une introduction générale simple mais remarquable, celle d'O. MANNONI, *Freud*, collection « Écrivains de toujours », Paris, Seuil, 1979, ainsi que l'indispensable instrument de travail de J. LAPLANCHE et J.-B. PONTALIS, *Vocabulaire de la psychanalyse*, Paris, PUF, 10e éd., 1990.

GUILLAUME D'OCKHAM

Somme de logique
Prologue au Commentaire sur la physique

On imagine volontiers, de nos jours, Guillaume d'Ockham en infatigable pèlerin de l'esprit critique, jouissant d'une grande autorité tout en étant sans cesse suspecté, côtoyant l'hérésie tout en sachant se garder des excès qui le perdraient. Tout n'est pas également exact dans ce portrait : du vivant de Guillaume d'Ockham, son prestige ne fut sans doute pas tel qu'on pourrait le penser aujourd'hui ; la diplomatie et la clairvoyance politique ne furent pas son fort lorsque, après avoir mis sa plume au service de Louis de Bavière, il s'entêta dans d'interminables polémiques ecclésiologiques contre les papes successifs. L'impression générale n'en est pas moins juste. Car Guillaume d'Ockham est bien représentatif d'un vaste mouvement de métamorphose du discours et de la pensée qui affecte le savoir médiéval au début du XIVe siècle. Mieux, il en est l'un des initiateurs. Soucieux de récuser toute confusion entre l'ordre du réel et l'ordre du langage, toute unité trop immédiate de l'essence et du concept, il inaugure un style de philosophie qui accorde la première place à l'analyse logico-linguistique du discours, et il souligne la nécessité de se plonger dans le monde des signes pour comprendre comment le langage se réfère à un monde composé d'étants singuliers.

*
* *

Né en Angleterre vers 1285-1290, Guillaume d'Ockham entre jeune dans l'ordre des franciscains. À Londres et à Oxford, il étudie les arts du langage et la philosophie naturelle, puis il s'initie à la théologie. Entre 1317 et 1319, il commente le *Livre des Sentences* de Pierre Lombard, à la suite de quoi il devient « bachelier formé », ou *inceptor*. Mais il n'aura jamais la possibilité de devenir « maître régent », puisque, en 1324, il est convoqué à Avignon, où certaines de ses thèses, suspectes, doivent être examinées.

Pour les universitaires du Moyen Âge, de tels déplacements sont courants. Mais Guillaume ne devait pas imaginer à quel point cette année 1324 marquerait pour lui une rupture. Sa carrière universitaire est brisée ; toute sa vie il restera *inceptor*. L'ordre des Franciscains est en conflit avec la papauté au sujet de la thèse de la pauvreté du Christ et des Apôtres. En 1327, Michel de Césène, général de l'ordre, arrive lui aussi à Avignon pour s'expliquer. Mais, en 1328, Guillaume, Michel, et deux autres franciscains décident de s'enfuir pour chercher protection auprès de l'empereur Louis de Bavière, qui est également en conflit avec le pape. À partir de cette date, vivant au monastère franciscain de Munich, Guillaume d'Ockham rédige des traités polémiques sur des questions politiques ou ecclésiologiques, jusqu'à sa mort, en 1347.

L'œuvre de Guillaume d'Ockham est donc partagée en deux pans. Les œuvres politiques ou ecclésiologiques occupent la seconde partie de sa vie. Avant sa fuite hors d'Avignon, il s'était consacré à la logique, avec la *Somme de logique* et des commentaires sur Aristote, à la philosophie naturelle avec des commentaires et des questions sur la *Physique,* et à la théologie, principalement avec son *Commentaire des Sentences* et ses *Quodlibeta*.

*
* *

Dans cet ensemble, on ne saurait réduire l'apport de Guillaume d'Ockham à la logique et à la philosophie du langage. La *Somme de logique* occupe cependant une place privilégiée. Elle formule systématiquement les principes d'une analyse sémantique qui va marquer de son empreinte toute la pensée du XIVᵉ siècle, aussi bien en philosophie naturelle qu'en théologie, aussi bien à Paris qu'à Oxford. On résume souvent l'apport historique de Guillaume d'Ockham au « nominalisme ». Sans être fausse, cette vision est insuffisante. Il est incontestable que pour Guillaume d'Ockham n'existent que des êtres singuliers — substances individuelles ou qualités particulières. C'est l'un des principes constitutifs de toute sa pensée, conjointement avec la toute-puissance divine, qui ne connaît de limite que la non-contradiction. Il invoque la singularité de l'être contre toutes les réifications de l'universel. C'est l'un des facteurs du « principe d'économie », selon lequel il ne faut pas multiplier les êtres sans nécessité. Plus tard, au XVᵉ siècle, les courants qui se revendiqueront du nominalisme invoqueront le patronage de Guillaume d'Ockham. Mais son impact repose plus fondamentalement sur un style d'analyse du langage dont il est à la fois le théoricien et l'un des pratiquants les plus fins, une démarche qui marquera certes le « nominalisme parisien », à la suite de Jean Buridan et de son école, mais qui se retrouvera aussi chez certains de leurs adversaires. S'il fallait résumer en quelques mots la singularité de l'ockhamisme, on pourrait la voir dans cette féconde combinaison d'une théorie générale du signe, d'une reprise de la logique dite « terministe » qui s'était épanouie au XIIIᵉ siècle dans le cadre d'une ontologie différente, et de la thèse de la singularité de l'existant.

La première partie de la *Somme de logique*, consacrée au terme, s'ouvre sur de brefs éléments de sémiologie générale qui vont marquer toute cette partie de la logique ockhamiste, voire l'ensemble de l'ouvrage.

La présentation générale du signe reprend en la transformant une célèbre définition d'Augustin : « En un sens, on entend par signe tout ce qui, en étant appréhendé, fait connaître quelque chose d'autre[1] ». Si l'on y retrouve la dimension gnoséologique (le signe engendre une connaissance), le point de départ de la relation signifiante n'est pas forcément sensible, comme chez Augustin. Ainsi, un élargissement du champ des signes au domaine conceptuel devient possible[2]. Le concept lui-même est un signe, et le signifié n'est pas l'intelligible, vers lequel le sensible nous inviterait à nous tourner, mais la chose extra-linguistique[3].

Le signe dont s'occupe plus précisément la logique est en outre susceptible d'être utilisé dans une proposition pour tenir lieu de quelque chose dont il est le substitut. Ainsi se met en place un dispositif où le langage est constitué par un enchaînement de signes dont les principaux termes sont les substituts de choses réelles (on les appelle des « catégorèmes »), tandis que d'autres n'ont qu'une fonction de liaison syntaxique et de modification de la signification ou de la référence des premiers (on les nomme des « syncatégorèmes »).

Ces éléments de sémiologie confèrent une portée inédite à l'analyse « terministe » qui s'était développée dès la fin du XIIe siècle, centrée sur les propriétés sémantiques des termes, en des traités qui n'avaient pas leur équivalent dans le corpus aristotélicien. Le concept de supposition — au sens technique du mot : le fait qu'un terme tienne lieu de choses dans une proposition — est mis au premier plan et conduit à une approche extensionnelle et référentielle de la signification.

La signification des termes écrits, vocaux ou mentaux doit se résoudre en renvois directs aux choses

1. *Somme de logique*, chap. 1, p. 7 ; *Le Magistère chrétien*, II, I, 1, Bibliothèque augustinienne, vol. 11, p. 238-239 : « Un signe est en effet une chose qui, en plus de l'impression qu'elle produit sur les sens, fait venir d'elle-même quelque chose d'autre à la pensée. »
2. *Ibid.*, chap. 3, p. 10.
3. *Ibid.*, chap. 1, p. 5.

pour lesquelles ils sont susceptibles de supposer, et en significations secondes ou connotations. C'est sur cette base qu'est analysée la différence entre le concret et l'abstrait, que sont interprétées les dix catégories d'Aristote puis les prédicables de Porphyre. L'universel lui-même n'est qu'un terme, un signe renvoyant à une pluralité de choses singulières[1].

Alors que la signification est une propriété du terme considéré isolément, la supposition est une propriété du terme en contexte propositionnel. Chez Guillaume d'Ockham comme chez tous les logiciens terministes, la théorie de la supposition se développe en théorie des modes de supposition. Il faut d'abord distinguer la supposition personnelle, référence du terme aux choses qu'il signifie, la supposition matérielle, référence du terme à lui-même, par exemple « Socrate est un nom », et la supposition simple, référence du terme au concept (signe mental) auquel il est subordonné sans pour autant le signifier (puisqu'il signifie les choses elles-mêmes), par exemple dans « l'homme est une espèce[2] ». Au-delà, la supposition personnelle est elle-même subdivisée en différents modes selon que l'on peut ou non inférer des propositions singulières, conjonctivement ou disjonctivement, à partir d'une proposition contenant un terme universel — pour ne prendre ici qu'un exemple, on parlera de « supposition déterminée » quand on peut descendre aux singuliers par une proposition disjonctive, par exemple « un homme court, donc cet homme-ci court, ou cet homme-là court... », et ainsi de suite pour chaque homme[3].

La démarche ockhamiste revêt ainsi une dimension critique en ce qu'elle traque toute projection dans l'être de traits logico-linguistiques, comme l'illusion d'une nature commune, et dénonce un certain nombre de faux problèmes, tels que le problème de l'individuation.

1. *Cf.* chap. 14 et 15, p. 49-55.
2. *Cf.* chap. 64 à 69, p. 201-214.
3. *Cf.* chap. 70, p. 214-217.

La suite de la *Somme de logique* développe une théorie des propositions et une théorie du raisonnement. La transition se fait par la théorie de la vérité. « Vrai » renvoie à la proposition et connote un rapport entre cette proposition et des choses extra-linguistiques. Comment penser ce rapport ? Grâce à la supposition. Guillaume d'Ockham expose les conditions de vérité des propositions catégoriques, puis des propositions modales. Retenons simplement qu'une proposition catégorique affirmative est vraie si le sujet et le prédicat se réfèrent aux mêmes choses singulières. Après avoir ainsi étudié les différentes sortes de propositions, leurs conditions de vérité, ainsi que les conversions entre propositions, Guillaume d'Ockham présente longuement, dans la dernière partie de sa *Somme,* ce qui a trait aux raisonnements : théorie du syllogisme en général, puis du syllogisme démonstratif, théorie des conséquences ou inférences simples, théorie des raisonnements fallacieux. Dans sa doctrine des raisonnements, Guillaume d'Ockham n'est guère inventif. Il esquisse toutefois une théorie de la démonstration qu'il met en œuvre dans d'autres textes, en particulier théologiques. La contingence radicale du monde créé conduit en effet à reporter la nécessité sur l'enchaînement démonstratif. Ainsi, c'est une nécessité conditionnelle qui permet de transmettre aux conclusions l'évidence de principes qui peuvent être soit des principes premiers, soit des principes tirés de l'expérience.

La logique n'étant qu'un instrument pour développer les autres sciences[1], la conception du langage exposée dans la *Somme de logique* prend toute sa portée dans d'autres ouvrages.

★
★ ★

---

1. *Cf. Lettre-Préface* de la *Somme de logique,* p. 3 ; Proème du *Commentaire sur les livres de l'art logique,* p. 53-56.

Le Prologue du *Commentaire des Sentences* est antérieur à la *Somme de logique*. Néanmoins, la théorie de la connaissance qu'il contient est parfaitement cohérente avec ce que développera la *Somme*. Guillaume d'Ockham fait reposer la connaissance sur le contact direct avec la chose telle qu'elle est dans sa singularité. Il y a deux sortes de connaissance : la connaissance intuitive, par laquelle je puis juger avec évidence si une chose existe ou n'existe pas, et la connaissance abstractive, qui ne me permet pas de juger si la chose existe ou non. Guillaume d'Ockham admet donc un contact intuitif de l'intellect avec la chose, même si cette intuition intellectuelle présuppose, dans notre état présent, une sensation. À son tour, la connaissance intellective intuitive est accompagnée d'une connaissance intellective abstractive qui peut être réitérée en l'absence de la chose. Tout cet édifice repose sur un contact primitif et sur une relation causale entre la chose et le concept. C'est pourquoi le concept pourra ensuite être pensé comme signe naturel de la chose qui l'a causé.

Au cours de cet exposé, Guillaume d'Ockham introduit l'idée d'une connaissance intuitive du non-existant. Pour caractériser en lui-même cet acte de l'intellect qu'est l'intuition, il faut en effet le distinguer de son objet. Or, de par la toute-puissance divine, ce qui est réellement distinct pourrait être séparé. C'est pourquoi si, *de potentia dei ordinata,* c'est-à-dire selon le cours naturel des choses, le concept est causé par la chose, *de potentia dei absoluta,* selon la puissance absolue de Dieu, on peut imaginer une connaissance intuitive sans la présence de l'objet. Mais cet appel à la puissance absolue remplit, ici comme toujours, une fonction méthodologique d'analyse, et l'on ne saurait en conclure à un quelconque scepticisme ou phénoménisme de Guillaume d'Ockham.

Dans le Prologue au *Commentaire sur les huit livres de la physique*, Guillaume d'Ockham réfléchit sur l'idée de science. Celle-ci renvoie d'abord à une qualité de l'âme, qui se différencie de l'opinion ou de l'erreur. Guillaume d'Ockham distingue ensuite plusieurs acceptions, dont la plus restreinte est que « "science" signifie la connaissance évidente du vrai nécessaire, capable d'être causée à partir de la connaissance évidente de prémisses nécessaires au moyen d'un discours syllogistique[1] ». Mais sur quoi porte une telle connaissance ? Au sens strict, elle porte sur des propositions. C'est ce que Guillaume désigne parfois comme l'« objet » de la science, alors que le « sujet » désigne soit le sujet de la proposition, soit la chose à laquelle il se réfère[2]. Ainsi se met en place une approche logico-linguistique du discours scientifique qui se trouvera développée chez Jean Buridan.

Dans le champ de la théologie, l'analyse du langage conduit, par exemple, à reconsidérer l'idée d'attributs divins. Il ne s'agit ici encore que de noms ou de concepts : des concepts connotatifs communs (tels que « juste »), des concepts relatifs (comme « créateur ») ou des concepts négatifs (« éternel », « sans cause »). C'est seulement par composition que je puis former un concept qui soit propre à Dieu. Par conséquent, je ne puis déduire de l'idée de Dieu telle ou telle de ses propriétés, contrairement à la conception scotiste de la théologie. Guillaume d'Ockham applique la conception de la démonstration définie plus haut, dans un domaine où l'absence d'expérience en réduit singulièrement la portée.

Sans faire école à proprement parler, Guillaume d'Ockham marque la pensée du Moyen Âge dans tous ces domaines. La dimension critique de sa pensée ne le conduit pas à récuser toute métaphysique, même si sa théorie de la connaissance repose sur un certain empirisme, et ne le dispense pas de positions ontologiques, même si le discours général sur l'être est réduit au minimum. Mais, loin de tout verbalisme, la tâche

---

1. Prologue au *Commentaire sur la physique*, p. 295.
2. *Ibid.*, p. 299.

principale qu'il assigne à la philosophie consiste à démêler sans cesse ce qui relève du langage et ce qui relève du réel extra-linguistique.

Joël BIARD

BIBLIOGRAPHIE

ÉDITIONS DE RÉFÉRENCE : *Opera philosophica et theologica*, 7 vol. et 10 vol., New York, St. Bonaventure, 1967-1988. *Opera politica*, 3 vol., Manchester, 1940-1956.

TRADUCTIONS FRANÇAISES : *Commentaire des Sentences*, Livre I, dist. 2, qu. 8, trad. H. POITEVIN dans « Sur l'universel », in *Philosophie*, 30 (1991), p. 3-28. Extraits de la 1ʳᵉ question du « Prologue » du *Commentaire des Sentences* in A. de MURALT, *La Connaissance intuitive du néant et l'évidence du « Je pense »*, Bâle, *Studia philosophica*, XXXVI, 1976, texte p. 109-128. *Commentaire sur le livre des Prédicables de Porphyre*, précédé du Proème du *Commentaire sur les livres de l'art logique*, trad. R. GALIBOIS, Univ. de Sherbrooke, 1978. « Prologue » au *Commentaire sur les huit livres de la Physique*, in R. IMBACH et M.-H. MÉLÉARD, *Philosophes médiévaux des XIIIᵉ et XIVᵉ siècles*, Paris, UGE, 1986. *Somme de logique*, 1ʳᵉ partie, trad. J. BIARD, Mauvezin, TER, 1988, rééd. 1993.

COMMENTAIRES : R. GUELLUY, *Philosophie et théologie chez Guillaume d'Ockham*, Louvain-Paris, 1947. P. VIGNAUX, *Nominalisme au XIVᵉ siècle*, Montréal, 1948, Vrin-reprises, Paris, 1981. P. ALFÉRI, *Guillaume d'Ockham, le singulier*, Paris, Minuit, 1989.

HEGEL

La Relation du scepticisme avec la philosophie
Phénoménologie de l'esprit
Encyclopédie des sciences philosophiques

Hegel n'a pas laissé le moindre « écrit populaire », au sens où un Fichte l'entend, et a toujours affiché une grande défiance envers les introductions. Contre tous ceux qui multiplient les préalables ou s'épuisent en des approches indéfinies, il ironise en demandant quel sens il peut bien y avoir à apprendre à nager avant de s'être jeté à l'eau[1], ou à déterminer toutes les conditions de possibilité chimiques, anatomiques et physiologiques de la digestion avant de pouvoir seulement manger[2]. Tout éclaircissement préliminaire est non seulement superflu, mais impropre, voire contraire à la nature de la recherche philosophique[3].

Pourtant, si un lecteur aventureux se risque sans préparation dans les développements de la *Phénoménologie de l'esprit* ou de la *Science de la logique*, convaincu que c'est bien avec la « chose même » *(die Sache selbst)* qu'il faut commencer, il s'expose à être

1. *Encyclopédie*, paragr. 10, Remarque.
2. *Ibid.*, paragr. 2, Remarque.
3. *Phénoménologie de l'esprit*, trad. Hyppolite, t. I, p. 5 ; trad. Lefebvre, p. 27.

immédiatement bloqué dans son élan par la densité et
la difficulté du texte.

Il faut cependant dépasser cet apparent dilemme
d'une introduction à la fois illégitime et indispensable.
De ce que les introductions ne sont pas la science
même, il ne faut pas conclure qu'elles sont absolument dénuées de sens. Tout en proclamant sa
méfiance, Hegel n'a jamais manqué de faire précéder
ses œuvres principales d'une préface, d'une introduction ou d'un « concept préliminaire » *(Vorbegriff)*,
voire des trois à la fois. Notre but n'est ni de proposer
un résumé de la philosophie hégélienne, ni d'en offrir
un bilan critique, mais de disposer à *un* parcours de
lecture.

★
★ ★

Après des études au Stift de Tübingen (avec Höl-
derlin et Schelling) et des années de préceptorat à
Berne (1793-1796), puis à Francfort (1796-1800),
Hegel quitte la relative solitude de ses premières
méditations politiques et religieuses et s'engage à Iéna
dans les débats philosophiques et la vie universitaire.
Aux côtés de Schelling, il fonde le *Journal critique de la
philosophie*, dans lequel les deux amis mènent une
virulente « explication » *(Auseinandersetzung)* avec ce
qu'il est convenu d'appeler les postkantiens. Dans
l'article sur *La Relation du scepticisme avec la philosophie*, qui paraît en 1802, Hegel se sépare à la fois de
ceux qui, comme Reinhold, ont voulu fonder la philosophie kantienne sur un principe et de ceux qui,
comme Schulze, ont cru voir dans un retour au scepticisme la véritable réalisation de l'exigence de s'en
tenir aux phénomènes. Contre ces nouveaux dogma-
tismes et ces prétendus scepticismes, Hegel cherche à
préserver l'unité, l'ouverture et la consistance de la
philosophie.

Le couple dogmatisme/scepticisme, que Kant avait
cru définitivement dépasser par la philosophie cri-

tique, ressurgit donc chez les penseurs qui recueillent son héritage. En 1789, dans sa *Tentative d'une nouvelle théorie du pouvoir de représentation*, Reinhold cherche à donner une forme systématique à la philosophie kantienne (dont l'unité demeure à ses yeux problématique) et à rendre compte de la chose en soi qui restait chez Kant irréductible à la raison. En partant de la conscience représentative et en substituant à l'analyse transcendantale une « construction », il tente de déduire les facultés seulement trouvées par Kant, et à partir de là les concepts, l'espace et le temps, etc. Pourtant, en voulant parachever l'entreprise kantienne, Reinhold ne trahit-il pas plutôt la philosophie critique pour effectuer un retour au dogmatisme ?

De manière anonyme en 1792 avec l'*Aenésidème*, puis ouvertement dans la *Critique de la philosophie théorique* (1801), Schulze dénonce le néodogmatisme de Reinhold et, loin de prendre la défense de Kant, montre que tout était déjà en place chez lui pour une dérive dogmatique et que c'est donc contre Kant lui-même qu'il faut défendre et promouvoir un scepticisme seul capable de maintenir la raison dans les limites de l'expérience et de la guérir de « la maladie » dogmatique.

Hegel, à l'occasion d'une réfutation à certains égards circonstancielle et très polémique de Schulze, nous offre ici une image claire et forte de sa conception naissante de la philosophie et plus précisément de l'*unité* de la philosophie. Au lieu de simplement s'inscrire dans le débat ouvert par Schulze, il met à jour ses présupposés et propose un dépassement de l'opposition du scepticisme et du dogmatisme. Il ne s'agit pas de tracer une troisième voie qui en tant que telle s'exposerait aussitôt au relativisme (n'être qu'une thèse possible parmi d'autres) ou au dogmatisme (isoler une zone de vérité exclusive de toutes les autres), mais de sortir de cette opposition stérile en l'intégrant dans l'unité de la philosophie : « Si on ne détermine pas le vrai rapport du scepticisme avec la philosophie et si on ne discerne pas que le scepticisme lui-même est foncièrement un avec toute philosophie vraie, qu'il y a donc une philosophie qui n'est ni scepticisme, ni dogmatisme, mais les deux à la fois, toutes les histoires, tous les récits et les éditions récentes du scepticisme ne mènent à rien[1]. »

Au nom de quel scepticisme Schulze s'érige-t-il en recours contre le dogmatisme reinholdien ? En réclamant un retour à Hume contre Kant et en s'inscrivant explicitement dans la lignée pyrrhonienne, il exige une pensée qui suspende son jugement sur tout ce qui dépasse les données des sens. Ce faisant, remarque Hegel, il fait des impressions sensibles « le réel irréfutable auquel on doit rapporter toutes les spéculations philosophiques[2] ». Son scepticisme n'est dès lors qu'un plat dogmatisme des faits de conscience. Il trahit l'exigence authentique du scepticisme ancien (que Hegel relie à tort à Parménide et aux néo-académiques) de remettre en cause aussi bien les données sensibles que les constructions rationnelles, c'est-à-dire toute forme de dogmatisme.

Mais qu'est-ce que le dogmatisme, auquel Hegel accorde une si large extension ? « L'essence du dogmatisme [consiste] à poser comme absolu quelque chose de fini[3]. » Ce n'est donc pas seulement une pensée qui fige ses déterminations, mais une pensée qui érige cette finitude en absolu. La vraie question n'est donc plus pour Hegel de savoir si l'on doit isoler le principe de toute vérité dans l'objet ou dans le sujet, dans les données sensibles ou dans le pouvoir de représentation, mais de comprendre que toute thèse déterminée qui s'érige en principe est en fait contingente.

C'est précisément ce que révèle l'authentique scepticisme. Il fait éclater toute affirmation unilatérale, la dissout par les tropes que Hegel nomme de manière significative « un arsenal d'armes[4] ». Mais où conduit-

1. *La Relation du scepticisme avec la philosophie*, p. 34.
2. *Ibid.*, p. 28.
3. *Ibid.*, p. 57.
4. *Ibid.*, p. 55.

il ? Au lieu de quitter l'unilatéralité du dogmatisme pour trouver l'unité de la philosophie, ne risque-t-il pas de ne laisser derrière lui que des cendres ? Pas plus que le dogmatisme, les scepticismes ne peuvent parvenir à l'énoncé de la vérité. 1. Le scepticisme moderne ou bien dégénère en dogmatisme des faits de conscience, ou bien s'évanouit en un plat relativisme qui renonce à dire le vrai. Commentant l'exigence de Sextus Empiricus d'ajouter mentalement à chaque affirmation « selon moi » ou « à ce qui me semble », Hegel déclare brutalement : « Celui qui demeure fermement attaché à cette vérité du "il me semble" (...), il faut le planter là ; sa subjectivité n'intéresse personne, encore moins intéresse-t-elle la philosophie[1]. » 2. Le scepticisme authentique (l'ancien) est bien pour Hegel cette force corrosive qui détruit toute thèse unilatérale, mais il risque de s'épuiser en son œuvre seulement négative.

Quelle est donc la relation du scepticisme avec la philosophie et, partant, quelle est cette philosophie ? Comme nous l'avons suggéré, la philosophie que prône Hegel ici ne peut se présenter comme une troisième voie distincte et du dogmatisme (dont le scepticisme moderne n'est qu'un avatar) et du scepticisme véritable. Elle ne peut être que l'*unité* des pensées qu'elle englobe et dépasse. Elle acceptera donc les « dogmata » au sens où elle se déclare, se détermine, ne se ruine pas dans une aphasie ou dans la certitude ineffable d'un sentiment intérieur. Cependant, elle contiendra aussi ce que Hegel appelle déjà la « négativité[2] » ou encore « l'aspect libre de toute philosophie[3] » c'est-à-dire ce travail de la négation qui n'oppose pas seulement son contraire à une affirmation pour la *neutraliser* mais l'ouvre, la met en relation aux autres affirmations pour les *articuler*. Que cet aspect négatif du sceptique se coupe

1. *La Relation du scepticisme avec la philosophie*, p. 61.
2. *Ibid.*, p. 48.
3. *Ibid.*, p. 37.

de l'unité philosophique qui l'englobe, qu'il se crispe sur sa négation, et le voilà transformé en simple dogmatisme du non.

La lecture de cet article de 1802 nous dispose à celle des grands textes de la maturité en mettant en place un certain nombre de thèmes qui ne trouveront leur articulation systématique que plus tard. Au lieu de nous en livrer une image figée, elle met l'œuvre hégélienne en perspective. Signalons donc trois thèmes dans leur émergence, puis mettons au jour les problèmes encore non résolus que notre parcours de lecture doit retrouver.

1. Le *recours à l'histoire* de la philosophie, d'abord, n'est pas simplement commandé par la réfutation circonstancielle de Schulze. Pour Hegel, dès cette époque, l'histoire de la philosophie n'est plus ce champ de bataille où s'exercent les « jouteurs en combats de parade » dont parlait Kant. Lorsque Hegel interroge le scepticisme antique et l'oppose à ses « dégénérescences » modernes, il ne cède ni à une simple doxographie informative, ni à la représentation naïve de l'histoire de la philosophie comme succession de « montages » conceptuels arbitraires. Il montre que la tradition est l'élément même du déploiement de la vérité. *Les* philosophies ne sont en fait que les aspects de *la* philosophie.

2. La distinction des scepticismes antique et moderne est définitivement acquise. L'authentique scepticisme est défini non point comme doute et suspension du jugement, mais comme travail logique, négation rationnelle du dogmatisme d'entendement. Outre cette distinction entre entendement et raison, notre article offre donc une ébauche de leur articulation : la raison ne s'oppose pas simplement à l'entendement mais l'englobe, et l'exercice négatif du sceptique occupe une place intermédiaire entre l'unilatéralité des affirmations d'entendement et l'unité positive de la raison[1].

1. L'expression définitive de cette distinction entre entendement, aspect négatif et aspect positif de la raison est offerte aux paragr. 80, 81 et 82 de l'*Encyclopédie*.

3. Enfin, Hegel indique avec netteté que la philosophie n'est pas le simple exercice d'une subjectivité finie. Il n'exclut certes pas que ce sont les individus qui philosophent, mais il montre qu'ils ne peuvent philosopher qu'en dépassant leur particularité. La faiblesse commune du dogmatisme d'un Reinhold, du pseudo-scepticisme de Schulze (et même du scepticisme véritable, lorsqu'il retombe dans un dogmatisme du non) est d'en rester à une subjectivité qui se crispe sur sa représentation, ses impressions sensibles ou son pouvoir de nier. Lorsque Hegel déclare qu'il faut « planter là » celui qui s'attache trop à sa subjectivité, cela ne conforte pas l'image d'atrabilaire qu'un Heine par exemple a contribué à forger, mais montre la distance qui sépare la conscience naturelle de la conscience philosophante.

Mais comment dépasser la finitude de la subjectivité en opposition à un objet extérieur ? Comment concevoir cette « négativité » sceptique ? Comment penser l'unité de la philosophie qui dépasse l'opposition sujet/objet et intègre le négatif ? La philosophie hégélienne est *une philosophie de l'Absolu*. L'unité de la philosophie est liée à celle de l'Absolu. Or cette unité de l'Absolu est encore pensée en 1802 comme *identité*. Il serait réducteur de dire qu'à cette époque la conception hégélienne ne fait que reproduire celle que Schelling exprime alors. Il ne faut pourtant pas oublier que l'épisode du *Journal critique de philosophie* est marqué par une collaboration étroite avec Schelling. Si l'*Écrit sur la différence des systèmes fichtéen et schellingien* (1801) a déjà montré que l'Absolu n'est pas « indifférence » mais « identité de l'identité et de la non-identité[1] », le terme de « dialectique » est encore absent des écrits de Hegel et n'apparaîtra en marge de la *Logique* d'Iéna qu'en 1804-1805. C'est dans la deuxième œuvre de notre parcours de lecture que l'unité de la philosophie, la signification logique du

---

1. *Différence des systèmes philosophiques de Fichte et de Schelling* in « Premières publications », trad. M. Méry, Ophrys, Gap, 1964, p. 140.

négatif et le mode de réconciliation sujet-objet vont être enfin exprimés en toute netteté à partir d'une conception mûrie et originale de l'Absolu.

★
★ ★

La *Phénoménologie de l'esprit* a peu à peu acquis dans la culture philosophique une image prométhéenne. Elle témoigne, dit-on, d'une puissance spéculative capable d'embrasser dans un seul et même mouvement le développement de la conscience individuelle et le déploiement de l'esprit dans l'histoire humaine. Le lecteur scrupuleux doit cependant se méfier de cette image « trop bien connue » qui risque de produire deux contresens parmi les plus défigurants qui soient : d'abord réduire la *Phénoménologie de l'esprit* au récit des progrès de la conscience dans la pensée occidentale, ensuite y voir une sorte de théorie génétique des stades de la conscience qui s'élèverait par complexification graduelle de la sensation à la perception puis à l'entendement, etc.

En fait, le statut même de la *Phénoménologie de l'esprit* n'a rien d'évident. Que lit-on effectivement en l'abordant ? Nous ne dirons rien sur l'extrême diversité des interprétations (on y a vu aussi bien un manifeste de l'athéisme qu'une nouvelle version de l'itinéraire de l'esprit vers Dieu). La difficulté tient plus gravement aux propos de Hegel lui-même : est-elle une introduction qui n'atteint pas le cœur de la science comme il l'écrit à Schelling (1er mai 1807) ? Est-elle « un maillon organique dans le cercle de la philosophie[1] » ? Est-elle partie du système ou présentation de tout le système d'un certain point de vue ? Ces hésitations de Hegel ne sont-elles pas dues à une construction défectueuse de l'ouvrage ? Devait-il s'arrêter à la fin de la section « Raison » pour rester fidèle à son projet phénoménologique d'histoire de la

1. *Encyclopédie*, éd. 1817, paragr. 36.

conscience ? Est-elle au contraire organisée de façon cohérente, et si oui, à partir de quelle logique : celle des premières années de Iéna ou celle qui paraîtra à Nüremberg ? Sans pouvoir véritablement résoudre ici ces problèmes, disons cependant qu'il est indispensable de ne pas les éluder et de ne pas, sous prétexte de clarté, lancer notre lecteur dans un parcours dont on gommerait les difficultés. Disons encore, pour dévoiler sans ambages notre perspective de lecture, 1° que nous adhérons à l'idée de la cohérence de la composition du texte, 2° que le double statut d'introduction et de système ne nous paraît pas contradictoire, 3° que la *Phénoménologie de l'esprit* fait pleinement partie des œuvres de la maturité (même si l'on ne doit pas gommer des variations significatives, avec l'*Encyclopédie* par exemple), 4° que toute justification des trois thèses précédentes passe par la compréhension du cœur spéculatif de l'œuvre, dont l'essentiel est exprimé dans la préface et l'introduction.

L'introduction de la *Phénoménologie de l'esprit*[1] retrouve les figures rencontrées dans l'article de 1802. Mais au lieu de se concentrer sur les héritiers infidèles de Kant, elle remonte à Kant lui-même comme à la racine des difficultés. En dépassant le dogmatisme naïf qui croit aller tout droit aux choses et se saisir d'une vérité « prête à être encaissée », en exigeant une enquête transcendantale préalable à toute prétention à connaître la vérité, Kant a provoqué une scission irrémédiable entre le sujet et l'objet. Malgré tous les efforts des trois critiques (et en particulier de la *Critique de la faculté de juger*) pour combler ce gouffre, il n'a pu établir l'unité du sujet et de l'objet que dans la limite des seuls phénomènes. L'adéquation entre le savoir et les choses telles qu'elles sont en elles-mêmes dépasse les pouvoirs de la raison dans son usage légitime. « Il n'y a de vérité que dans l'expérience[2] », toute

---

1. *Phénoménologie de l'esprit*, trad. Hyppolite, p. 65-67 ; trad. Lefebvre, p. 79-81.
2. *Prolégomènes à toute métaphysique future*, Paris, Vrin, 1968, p. 171.

prétention à réconcilier l'Absolu et le savoir est illusoire.

Cet interdit kantien tient à une conception représentative de la connaissance qui pense la relation sujet/objet comme un face-à-face et la vérité comme adéquation ou correspondance de ces termes extérieurs. Le scepticisme de Schulze et le néodogmatisme de Reinhold restent tributaires de cette conception représentative. Leur opposition n'est donc que superficielle ; le problème n'est pas d'affirmer que le principe de la vérité est dans le sujet représentant ou que la saine limitation de la connaissance aux représentations sensibles exclut toute vérité qui dépasse nos impressions, mais de remettre en question cette conception du vrai. Comment penser la vérité hors du présupposé représentatif de l'adéquation ?

« Le vrai est le tout » *(Das Wahre ist das Ganze)*[1]. Le sujet et l'objet, la pensée et l'être, le phénomène et l'essence ne sont pas à suturer comme les bords d'une plaie. La vérité ne s'atteint pas en cherchant à l'infini à faire correspondre ce que l'on a d'avance présupposé comme irréductiblement séparé. Dans l'économie du tout, le faux n'est plus l'inadéquat, il est le partiel, l'élément coupé de sa relation aux autres. Comme le dogmatisme était crispation sur une thèse finie, le faux est l'ab-strait, c'est-à-dire ce qui se prétend illusoirement séparé du Tout. Mais qu'est-ce que ce tout ? N'y a-t-il pas là une formidable rechute dans un dogmatisme plus exorbitant que ceux que l'article de 1802 débusquait ?

La vérité en tant que totalité n'est pas une chose, un contenu figé et monolithique. La vérité est relation non point comme correspondance, mais comme totalité se différenciant. Cette totalité n'est pas un simple agrégat *(Agregate, Allheit)*, addition *partes extra partes*. La vérité est mouvement relationnel, ouverture et articulation de toutes les thèses entre elles. C'est en

1. *Phénoménologie de l'esprit*, trad. Hyppolite, t. I, p. 18 ; trad. Lefebvre, p. 39.

ce sens que « la vraie figure dans laquelle la vérité existe ne peut être que le système[1] ». Le système n'est pas un instrument de torture, mais l'expression même du vrai — différenciation du contenu unique et unification des différences.

Mais pourquoi en est-il ainsi ? Qu'est-ce qui fonde cette unité, cette totalité ? Comment s'effectue cette unification systématique ? « Selon ma façon de voir, qui sera justifiée seulement dans la présentation du système, tout dépend de ce point essentiel : appréhender et exprimer le vrai non comme substance, mais précisément aussi comme sujet[2]. » Le sujet en question n'est pas ici le moi (qu'il soit empirique ou transcendantal), mais l'Absolu même. Il ne se réduit pas à la présence englobante mais inerte d'une substance infinie (injuste critique de Spinoza), mais est « mouvement de se poser soi-même ou médiation entre son devenir autre et soi-même[3] ». L'Absolu comme sujet n'est pas cette vérité transcendante à laquelle la conscience finie aspire sans jamais la trouver. Il est mouvement immanent de manifestation[4] totale de soi-même.

Comment cette manifestation de l'Absolu s'effectue-t-elle ? Ne s'agit-il que d'une procession continue et sans heurt, que du déroulement en quelque sorte mécanique de moments tirés analytiquement d'un sujet ? C'est ici qu'il nous faut retrouver le thème du négatif entrevu à propos de l'authentique scepticisme dans l'article de 1802. La vie de l'Absolu, la manifestation totale du vrai est *négativité*[5]. Cette négativité

1. *Phénoménologie de l'esprit*, trad. Hyppolite, t. I, p. 8 ; trad. Lefebvre, p. 30.
2. *Ibid.*, trad. Hyppolite, t. I, p. 17 ; trad. Lefebvre, p. 37.
3. *Ibid.*, trad. Hyppolite, t. I, p. 17 (trad. modifiée) ; trad. Lefebvre, p. 38.
4. C'est à partir de là qu'il faut comprendre le terme de « phénoménologie » non point comme doctrine de l'apparence (et encore moins de l'illusion), mais comme exposition du savoir dans son apparition phénoménale *(die Darstellung des erscheinenden Wissens)*. Le contenu de la *Phénoménologie* est la vérité même se déployant ou apparaissant dans l'élément de la conscience *(Phénoménologie de l'Esprit*, trad. Hyppolite, t. I, p. 68 ; trad. Lefebvre, p. 83).
5. *Ibid.*, trad. Hyppolite, t. I, p. 19 ; trad. Lefebvre, p. 39.

n'est pas la négation unilatérale d'un scepticisme pris par la passion du néant, elle est mouvement de la contradiction ou dialectique. La dialectique ne peut donc être une méthode extérieure au contenu, un procédé formel, mais la manifestation de ce contenu même. Reprenons, très librement et à titre d'exemple, la relation dogmatisme/scepticisme dont nous sommes partis. Une manière caricaturale de présenter la dialectique hégélienne consisterait à dire que le dogmatisme est affirmation ou thèse, le scepticisme négation ou antithèse et la philosophie unité des deux ou synthèse. En présentant ainsi la relation, on confondrait opposition extérieure *(Gegensatz)* et contradiction *(Widerspruch)*. Ce qui caractérise la relation dialectique est que chaque terme intériorise son contraire, c'est-à-dire ici que la thèse dogmatique s'ouvre, par sa finitude même, à la négation et que la négation sceptique, sous peine de n'être que vacuité, est négation déterminée[1].

Il est possible, à partir de là, de comprendre le sens de la *Phénoménologie de l'esprit* et sa méthode. Quittons la Préface (qui, comme on vient de le voir, ouvre sur tout le système), et retrouvons l'Introduction[2]. Au point de départ, la conscience naturelle est cette conscience qui trouve seulement son objet comme son opposé — cet autre qui semble être toujours déjà là, avant elle, sans elle. Elle est donc prisonnière du préjugé représentatif selon lequel son contenu lui vient du dehors, de l'objet. Comment passer de cette conscience naïve à la conscience philosophique, ou encore comment dépasser l'apparence d'extériorité de l'objet et accéder au savoir de l'unité, à la reconnaissance du sujet dans l'objet ?

La réponse à cette question est le parcours phénoménologique en son ensemble. C'est en ce sens que l'on peut qualifier la *Phénoménologie de l'esprit* d'introduction comme mouvement vers l'unité de l'objet et

1. *Ibid.*, trad. Hyppolite, t. I, p. 52 ; trad. Lefebvre, p. 67.
2. *Ibid.*, trad. Hyppolite, t. I, p. 69 *sq* ; trad. Lefebvre, p. 83 *sq*.

du sujet, mais à condition toutefois de ne pas concevoir cette intro-duction comme un passage de l'extérieur à l'intérieur de la philosophie. Si le vrai est bien
la totalité en médiation de soi-même, alors les figures
de la conscience, et plus largement de l'esprit, sont
toujours déjà dans l'appartenance de la philosophie.
L'antinomie évoquée plus haut entre introduction et
partie du système disparaît dès lors dans la mesure où
« le chemin vers la science est lui-même déjà
science[1] ». La conscience naturelle n'est donc pas
étrangère à la philosophie, mais est déjà en soi (mais
pas encore pour soi) philosophique. Ce n'est donc
plus, en toute rigueur, à une entrée en philosophie
que la *Phénoménologie de l'esprit* nous fait assister, mais
à une prise de conscience d'une immanence ou d'une
appartenance au départ ignorée.

Mais comment accéder à ce savoir ? Pas d'intuition
immédiate, pas d'illumination fulgurante, mais « un
long chemin de culture » qui n'a rien pour la
conscience qui s'y livre d'une calme médiation, mais
est une progression difficile dans laquelle la
conscience se « purifie[2] » en désespérant de ses certitudes les plus fortes. C'est là l'épreuve « d'un scepticisme venu à maturité[3] », c'est-à-dire délivré de la
double tentation du relativisme et de la négation abstraite. Hegel, en reliant doute *(Zweifel)* et désespoir
(Verzweiflung), n'en revient pas à une suspension du
jugement, mais voit dans le sceptique l'œuvre d'une
négativité désormais identifiée au mouvement dialectique. Chaque détermination de cette dialectique phénoménologique, que Hegel nomme aussi « expérience[4] » est une « figure[5] ». À chaque étape, la
conscience naturelle s'identifie à la figure incarnée et

---

1. *Phénoménologie de l'esprit*, trad. Hyppolite, t. I, p. 77 ; trad.
Lefebvre, p. 90.
2. *Ibid.*, trad. Hyppolite, t. I, p. 69 ; trad. Lefebvre, p. 83.
3. *Ibid.*, trad. Hyppolite, t. I, p. 69 ; trad. Lefebvre, p. 83 : « Ce
scepticisme qui s'accomplit *(sich vollbringend).* »
4. *Ibid.*, trad. Hyppolite, t. I, p. 75 ; trad. Lefebvre, p. 88.
5. *Ibid.*, trad. Hyppolite, t. I, p. 69-70 ; trad. Lefebvre, p. 84
(« *Gestaltungen* » est traduit par « configurations »).

cherche à s'y « cramponner[1] » — résurgence de cette passion de la fixité, de cet aveuglement à l'ouverture relationnelle de toutes les déterminations que l'article de 1802 dénonçait dans l'attitude dogmatique. Il y a donc, dans le mouvement phénoménologique, un double regard qui impose au moins une double lecture. Regard de la conscience naturelle toujours borné et toujours bouleversé ou « désespéré » par l'arrachement à ses certitudes et regard philosophique — ce « pour nous » qui sait qu'« en soi » la conscience naturelle n'est pas seulement ce qu'elle se sait être ou ce qu'elle est « pour soi ». Lecture immédiate dans laquelle le lecteur épouse chaque expérience de la conscience naturelle et lecture seconde effectuée en possession du sens, c'est-à-dire à la lumière du parcours total.

Puisque notre but est de disposer à la lecture de Hegel et non d'en dispenser, nous ne résumerons pas les étapes de ce parcours phénoménologique et nous nous contenterons d'aborder deux difficultés : d'abord la relation entre histoire et *Phénoménologie de l'esprit*, ensuite la signification du savoir absolu.

Quelle est la place de l'histoire dans la *Phénoménologie de l'esprit ?* Comme nous l'annoncions dès le départ, le premier contresens à écarter consiste à prendre la suite des figures selon l'ordre linéaire d'une chronologie. Une fréquentation, même brève, du texte suffit à dissiper une telle méprise. Mais alors, la tentation peut être grande de prétendre que l'ouvrage n'entretient aucune relation fondamentale avec l'histoire et que les emprunts historiques ne sont qu'illustrations et exemples à la seule valeur « pédagogique ». S'il est indéniable que la place de l'histoire ne se limite pas à cela, le problème consiste à penser le lien entre histoire et discours philosophique (ce qui dépasse la seule *Phénoménologie de l'esprit* et engage la signification de Hegel « philosophe de l'histoire »). Proposons une direction de lecture : l'histoire ne constitue pas le

1. *Ibid.*, trad. Hyppolite, t. I, p. 71 ; trad. Lefebvre, p. 85.

sens qui s'exprime en elle, mais s'éclaire au contraire à partir de ce sens. Autrement dit, la philosophie hégélienne n'est pas un historicisme, si l'on entend par là une pensée qui enregistre une évolution chronologique à elle seule productrice du sens. Pour Hegel, le sens est intemporel ou éternel. La tâche de la philosophie est de penser l'éternel dans le temps ou, plus exactement, le temps dans la lumière du sens intemporel. Pas de fuite vers une éternité transcendante mais une *reconnaissance* toujours à accomplir de l'Absolu dans le temps ou, comme le dira la préface des *Principes de la philosophie du droit,* de « la Raison comme la rose dans la croix du présent[1] ».

Mais comment s'effectue une telle reconnaissance ? Cette question nous conduit à notre deuxième problème : comprendre le sens du « savoir absolu ». L'ultime section de la *Phénoménologie de l'esprit* se présente d'abord comme totalisation : réconciliation du sujet et de l'objet non seulement dans la dimension individuelle de la raison (conscience et conscience de soi), mais encore dans sa dimension universelle (esprit et religion). Cette totalisation, qui est unification de la pensée et de l'être, de l'infini et du fini, ne doit pas être comprise comme accumulation de connaissances et d'expériences. Elle est tout à la fois enrichissement et purification. Cette purification que l'introduction annonçait enrichit non parce qu'elle fait posséder, mais parce que la réconciliation qu'elle offre est ouverture. Ouverture à la logique spéculative, c'est-à-dire, comme nous allons le préciser, non point à une combinatoire, mais au déploiement du sens dans sa pureté, ouverture aussi à l'immédiateté naturelle et à la contingence historique avec lesquelles la conscience naturelle est aux prises. Le savoir absolu n'est pas totalité des savoirs, mais regard qui pense la contingence temporelle dans la lumière du sens éternel, auquel la *religion manifeste* a introduit sur le mode

1. *Principes de la philosophie du droit,* trad. Dérathé, Paris, Vrin, 1975, p. 58.

représentatif, et que la *Science de la logique* permet de concevoir. Cette ouverture essentielle du savoir absolu à l'immédiat, au fini, à la contingence est l'accomplissement de la liberté qui ne consiste ni à détruire son autre ni à le fuir en se repliant jalousement sur l'identique (Hegel n'est pas un philosophe de la seule identité), mais à être chez soi dans son autre. Pourtant, cette ouverture, cette liberté résistent-elles à la systématisation berlinoise qui culmine avec l'*Encyclopédie* ?

★
★ ★

L'*Encyclopédie des sciences philosophiques* (1827-1830) ne mérite pas sa réputation d'œuvre figée et dogmatique. C'est un ouvrage sur lequel Hegel a travaillé pendant plus de vingt ans de professorat depuis les premières esquisses de Nüremberg (1808) jusqu'à Berlin (1830), en passant par l'édition de Heidelberg (1817). Aboutissement d'une pensée philosophique dans l'écriture dense des paragraphes et d'une parole de professeur qui dans les additions[1] distille commentaires et rapprochements et laisse naître parfois des images puissantes et originales. Présentation systématique qui récapitule l'essentiel de tout ce que Hegel a produit depuis la *Phénoménologie de l'esprit* : la logique sous une forme ramassée, mais pour l'essentiel fidèle à ce que l'on appelle la « Grande Logique » de Nüremberg, les cours de Heidelberg et Berlin et les *Principes de la philosophie du droit* (1827). Une telle récapitulation n'est pas un croquis, encore moins une caricature, mais une épure.

Avant de dégager la signification des trois grandes sphères de l'*Encyclopédie* et de dire quelques mots sur les types de lectures auxquels la structure du système nous invite, portons notre attention sur l'introduction

---

1. Additions disponibles en français grâce à l'édition de B. Bourgeois de l'*Encyclopédie*.

de l'*Encyclopédie*[1], qui constitue la reprise et l'accomplissement des réflexions sur la signification du philosopher qui ont été au cœur de nos préoccupations depuis le début de ce parcours. En énonçant l'aporie du commencement, le paragraphe 1 retrouve l'exigence d'une philosophie irréductible au scepticisme comme au dogmatisme. Pourquoi commencer avec cette thèse plutôt qu'avec cette autre ? Tout commencement est présupposition *(Voraussetzung)*. Or la philosophie comme telle ne peut ni se contenter d'affirmer dogmatiquement sans rendre raison de ce qu'elle avance, ni se condamner au silence en niant purement et simplement toute thèse sous prétexte qu'elle n'apparaît immédiatement que contingente. Bref, « présupposer » semble à la fois inévitable et illégitime. À partir de là, l'introduction de l'*Encyclopédie* va donner une réponse en deux moments dont le premier retrouve l'inspiration de l'unité essentielle de la philosophie et le second introduit le thème plus original de la décision[2].

Passons rapidement sur le premier moment en ayant seulement soin d'écarter une simplification abusive de la solution hégélienne. La présupposition ne surmonte sa contingence qu'en étant reprise dans la vérité du tout. Il ne faudrait cependant pas penser, comme une exploitation rapide de l'image du cercle[3] pourrait le faire croire, que les thèses initialement présupposées sont purement et simplement « logées » dans les sphères encyclopédiques. L'*image* du cercle ne doit pas renvoyer aux phantasmes de l'incarcération ou de la clôture si récurrents chez les contempteurs de Hegel. Le cercle n'est à comprendre qu'à partir du mouvement de la *réflexion* dont la *Doctrine de l'essence* livre la signification et qui doit être relié à la compréhension du vrai comme sujet dont nous venons de parler. Toute présupposition, toute thèse contingente dans son isolement ou abstraction est reprise

1. *Encyclopédie*, paragr. 1 à 18.
2. *Ibid.*, paragr. 17.
3. *Ibid.*, paragr. 15.

dans le système encyclopédique comme en un vaste mouvement de réflexion du tout ; cette réflexion n'est pas surajoutée aux déterminations, mais chaque détermination ou chaque thèse est un moment de cette réflexion. C'est ainsi, par exemple, qu'en logique l'apparence n'est pas une couche superficielle masquant une essence plus profonde mais est, comme le dit Hegel, le « paraître » ou la manifestation réflexive de l'essence même. Le système est cette réflexion totale du vrai qui s'expose en sa pureté dans la logique et s'éprouve dans la nature et l'esprit.

Mais comment prendre conscience de cela ? Comment entrer en philosophie ? Là où la *Phénoménologie de l'esprit* insistait sur le long chemin de culture de la conscience naturelle, l'*Encyclopédie* met en valeur le thème de la *décision*. Il n'y a pas de parcours introductif, pas de commencement obligé par telle ou telle sphère du système : « Le commencement n'a de relation qu'avec le sujet en tant que ce dernier veut se décider à philosopher *(sich entschliessen (...) zu philosophieren)*[1]. » Philosopher est un acte de liberté. Cette liberté n'est pas un pur arbitraire. Elle consiste dans la résolution de penser conceptuellement[2] non pas pour manipuler à sa guise des « idées », mais pour s'ouvrir à l'autodéploiement du concept comme au sens qui est toujours déjà là, avant nous, qui est plus que nous, mais que notre parole philosophante contribue à manifester. Une belle formule du paragraphe 12 dit bien cela : il faut « naître librement dans le sens du penser originel, et selon la seule nécessité de la chose même[3] ». Mais qu'est-ce que le déploiement de ce sens ? Disons quelques mots sur les trois grandes sphères de l'*Encyclopédie*.

La science hégélienne de la logique ne prétend pas purement et simplement rompre avec la tradition, mais l'assumer et l'accomplir. Lorsque Hegel critique

1. *Ibid.*, paragr. 17.
2. *Ibid.*, paragr. 3.
3. « *Frei im Sinne des ursprünglichen Denkens nur nach der Notwendigkeit der Sache selbst hervorzugehen.* »

la logique formelle et le raisonnement mathématique, ce n'est pas pour leur substituer un discours soustrait à tout contrôle rationnel, mais pour mettre en garde contre une logique qui dégénère en calcul vide. La logique ne doit pas consister à faire l'inventaire des formes de raisonnements corrects ou à juxtaposer extérieurement des signes sans contenu. Ce n'est pas par incompétence ou cécité que Hegel refuse le formalisme mais en pleine connaissance de cause, comme en témoigne par exemple sa critique des tentatives de Leibniz[1].

Si la logique transcendantale de Kant a eu le mérite de ne pas faire abstraction de tout contenu (en cherchant à déterminer les formes *a priori* qui rendent l'expérience possible), elle est restée tributaire de cette scission représentative qui, comme nous l'avons vu, maintient les déterminations logiques comme à distance de l'existence considérée comme un donné irréductiblement extérieur à la raison. La logique hégélienne est une onto-logique dans la mesure où elle est à la fois science de l'être et science de la pensée. Elle est logique du contenu fidèle à l'enseignement aristotélicien selon lequel les catégories de la pensée sont aussi les catégories de l'être et fidèle au Platon du *Sophiste* et du *Philèbe,* qui pense les idées ou les genres de l'être dans leur relation. Au lieu de fournir une simple énumération plus ou moins rhapsodique de catégories, la logique présente l'auto-diction ou le développement dialectique de l'être à travers la multiplicité de ses déterminations. La *Science de la logique* accomplit ainsi la tâche de la métaphysique puisque ses catégories sont la présentation *(Darstellung)* même de Dieu ou de l'Absolu.

Pourtant, la logique ne manifeste que « *l'idée pure,* c'est-à-dire l'idée dans l'élément abstrait de la *pensée*[2] ». Cette abstraction n'est pas une rechute dans le formalisme ou un renoncement au caractère pro-

1. *Encyclopédie,* paragr. 459, Remarque.
2. *Ibid.,* paragr. 19.

cessuel et relationnel du contenu logique. Hegel indique seulement ici que la logique présente les déterminations de la pensée de l'être et de l'être pensé en deçà des « sphères réelles » du système : la nature et l'esprit. Loin de se replier sur soi, la logique est le principe, ou plutôt la matrice à partir de laquelle le sens se déploie dans les autres sphères en respectant leur altérité.

Il ne faut pas, donc, s'attendre à trouver dans la nature le docile reflet de l'ordre logique que Marx, dans les *Manuscrits de 1844,* reproche à Hegel d'avoir abusivement plaqué sur le réel. Dès l'introduction de la deuxième sphère de l'*Encyclopédie,* la nature est décrite comme le lieu d'une « contingence débridée et effrénée[1] », comme un royaume de nuit où l'idée semble s'être engloutie. Au lieu d'être « l'esprit visible » dont parlait le jeune Schelling, la nature est « impuissance » *(Ohnmacht)* à coïncider avec son concept[2], impuissance qui « assigne des limites à la philosophie », à tel point qu'il serait insensé aux yeux de Hegel qu'une philosophie de la nature se fixât pour tâche une « déduction » des êtres naturels[3]. Est exclue également l'idée d'une « métamorphose » immanente aux êtres naturels qui mènerait des formes élémentaires aux plus complexes en une régulière élévation[4]. Ce n'est pas du fait de la nature elle-même, mais seulement à la lumière du concept, que le philosophe de la nature peut penser la rationalité de ce qui semble se dérober au rationnel. Une telle entreprise passe par le respect de l'expérience[5] et par la reprise spéculative (et non l'exclusion) de la démarche des sciences. C'est ainsi par exemple que la première section de la philosophie de la nature entreprend de repenser la mécanique classique dialectiquement à partir des concepts de l'espace et du temps. Quelles que soient ses fai-

1. *Ibid.,* paragr. 248, Remarque.
2. *Ibid.,* paragr. 250.
3. *Ibid.,* paragr. 250, Remarque.
4. *Ibid.,* paragr. 249.
5. *Ibid.,* paragr. 246, Remarque.

blesses souvent dénoncées (et à juste titre), la philosophie de la nature hégélienne nous invite de façon originale à concevoir la tâche de la philosophie par rapport aux sciences non point comme une fondation préalable, mais comme une reprise dialectique des démarches et des acquis des connaissances de la nature.

Alors que la nature est le royaume de la contingence et de la nécessité, alors que le dernier mot du naturel n'est que la mort[1], l'esprit est liberté. Cette liberté de l'esprit n'est pas un ascétisme héroïque décidé à exclure le naturel, à mourir au monde ou à tuer la nature en soi. La liberté est l'indépendance à « l'égard de l'autre conquise dans l'autre[2] ». En trois expressions, le paragraphe 386 caractérise les trois moments du développement de l'esprit dans sa relation avec son autre (ici, « le monde ») : l'esprit subjectif *trouve* un monde devant soi *(das Vorfinden einer Welt)*, l'esprit objectif *engendre (erzeugen)* un monde, et l'esprit absolu est libération « de ce monde dans ce monde » *(von ihr und in ihr)*. Développons rapidement ces trois aspects.

L'esprit subjectif n'apparaît pas comme une brusque lumière prenant la place de l'obscurité naturelle. La physique organique montrait déjà l'émergence d'une « subjectivité » dans l'organisme animal. L'âme (première dimension pré-consciente de l'esprit subjectif) est encore décrite à l'orée de cette sphère, comme « esprit-nature » *(Naturgeist)*[3], comme participation à la vie cosmique et planétaire[4]. Elle n'est pas une pure substance pensante à distance d'une substance étendue[5], mais unité immédiate avec le corps. Sa libération ne sera pas effort pour rompre avec la vie organique, mais, dans « l'âme effective », résultat d'un processus de culture qui, dans le sourire du visage,

1. *Encyclopédie*, paragr. 381, Addition.
2. *Ibid.*, trad. Bourgeois, p. 392.
3. *Ibid.*, paragr. 385, Addition.
4. *Ibid.*, paragr. 391 *sq.*
5. *Ibid.*, paragr. 389, Remarque.

dans le geste d'une main ou dans l'inflexion de la voix humaine, montre une âme qui s'exprime comme corps et une chair *(Leib)* pénétrée d'esprit[1]. Devenu conscience, l'esprit subjectif doit s'approprier et se reconnaître dans l'objet-monde qui lui fait face pour s'avérer, au terme d'un parcours phénoménologique, raison. L'esprit subjectif accompli est « esprit libre[2] » lorsqu'il est à la fois théorique et pratique, c'est-à-dire capable d'intérioriser son objet et de s'extérioriser en lui. Réalisant ainsi l'unité de l'intelligence et de la volonté, l'esprit dépasse ce que sa subjectivité pouvait avoir d'unilatéral et de simplement individuel. Il devient esprit qui ne trouve plus un monde devant soi mais engendre une « seconde nature ».

L'esprit objectif est ce « royaume de la liberté réalisée ». L'ensemble de ces « déterminations de la liberté[3] » constitue ce que Hegel appelle, en un sens très large, « le droit ». Si l'esprit objectif est bien réalisation de la liberté, il s'avère difficile, à moins de réduire la politique hégélienne à une image-repoussoir, de stigmatiser la froideur et la monstruosité de l'État hégélien comme le fait un Nietzsche[4], ou de confondre une pensée de la totalité et une pensée totalitaire. Quelles que soient les tensions et les ambiguïtés de la pensée hégélienne, une lecture attentive ne montre ni un écrasement de la liberté individuelle (l'État n'est rationnel que s'il est voulu) ni l'idéal d'un contrôle total de la société. Le thème de l'unité, dégagé dès le début de notre parcours, peut nous aider à comprendre cela. Hegel est d'abord attentif à désamorcer le dogmatisme des solutions partielles du politique, c'est-à-dire de doctrines qui isolent un « moment » qui n'a de sens que dans l'unité de l'esprit. On voit ainsi Hegel montrer

1. *Ibid.*, paragr. 411.
2. *Ibid.*, paragr. 481.
3. *Ibid.*, paragr. 486.
4. Nietzsche, *Ainsi parlait Zarathoustra*, livre I, « De la nouvelle idole », trad. Goldschmidt, Paris, Librairie générale française, 1972, p. 63.

comment le droit juridique — nécessaire pour penser la personne ou la propriété[1] — ne peut donner lieu, en se coupant du monde historique, qu'à une théorie du contrat[2] qui n'est qu'une fiction d'entendement incapable de respecter la dimension morale du sujet en ne voyant que l'abstraction juridique du propriétaire[3]. La moralité *(Moralität)*, en cherchant à surmonter l'injustice sur laquelle débouche le droit, est exposée soit à sombrer dans l'impuissance de principes purs, mais pas nécessairement réels[4], soit à instaurer la terreur d'un fanatisme des justes qui cherche à régenter le comportement intérieur, la pureté morale des citoyens. L'éthicité *(Sittlichkeit)*[5] permet la réalisation d'une liberté politique fortement enracinée dans la vie concrète du peuple. Sur un tel sol, l'État n'a pas pour vocation d'étouffer mais d'unifier les dimensions juridiques, morales et économiques (société civile) de la vie sociale. L'individu s'accomplit comme citoyen en renonçant à n'être qu'un atome d'égoïsme, et l'État est conforme à son essence en respectant « le principe moderne de la subjectivité[6] ».

Comme celle de l'esprit subjectif, la libération de l'esprit objectif reste dans l'ordre de la finitude : « Le défaut de cette objectivité de l'esprit consiste en ce qu'elle n'est qu'une objectivité posée. L'esprit doit, à nouveau, laisser aller librement *(frei entlassen)* le monde [hors de lui] (...), ce qui se produit dans le troisième degré de l'esprit au niveau de l'esprit absolu, c'est-à-dire de l'art, de la religion et de la philosophie[7]. » N'insistons pas sur ces trois moments de manifestation de l'Absolu selon l'intuition, la représentation et le concept, pour nous concentrer plutôt sur le statut de l'esprit absolu et sa relation avec ses

1. *Encyclopédie*, paragr. 488 *sq.*
2. *Ibid.*, paragr. 493.
3. *Ibid.*, paragr. 496.
4. *Ibid.*, paragr. 510-511.
5. *Ibid.*, paragr. 513 *sq.*
6. *Principes de la philosophie du droit*, paragr. 260.
7. *Encyclopédie*, paragr. 385, Addition.

deux moments subjectif et objectif. L'esprit absolu est libération accomplie de l'esprit, dans la mesure où il ne rencontre pas son monde comme un donné, ne l'engendre pas en le livrant ainsi à la contingence dévorante de l'Histoire, mais pose un monde qui, en retour, le manifeste. Comme l'infini n'est pas au-delà du fini, l'esprit absolu n'est pas l'au-delà de l'esprit subjectif et objectif, mais le fondement et le terme du procès total de liberté qui s'accomplit dans la nature et l'histoire.

Disons pour finir que la lecture de Hegel nous semble devoir accorder deux exigences : non seulement celle de respecter la nécessité logique du système, mais encore celle de reconnaître l'essence de l'esprit comme liberté. 1. Ne se pliant pas à la première exigence, une lecture partielle ne peut être que partielle. Dans une philosophie qui se veut système, on ne peut se promener en choisissant et en excluant selon son bon plaisir. Impossible de faire l'éloge de la dialectique en la séparant du spéculatif, impossible de s'émouvoir légitimement devant une pensée qui semble identifier tout réel au rationnel en limitant sa lecture au seul paragraphe 6 de l'*Encyclopédie* et en oubliant que ce que l'on traduit par « réel » est en fait « *das Wirkliche* », c'est-à-dire l'effectif de « la doctrine de l'essence »[1] : non plus l'être-là, le donné empirique, mais l'être pénétré de raison qui n'est pas *tout* l'être.

2. À l'inverse, cette attention indispensable au système ne doit pas faire de notre lecture un acte de soumission qui n'engendre que des paraphrases. Hegel lui-même nous invite, dans les derniers paragraphes de l'*Encyclopédie*[2], d'abord à une méditation sur la structure du système, mais aussi à varier nos parcours de lecture. C'est ainsi qu'à une lecture linéaire du système qui donne l'image d'un processus extérieur (logique-nature-esprit), il faut en ajouter une autre dans laquelle l'esprit occupe une position de

1. *Ibid.*, paragr. 142 *sq.*
2. *Ibid.*, paragr. 575, 576 et 577.

moyen terme au sein d'un mouvement d'arrachement
à la nature et d'élévation au logique. La lecture n'est
plus dès lors l'enregistrement d'un contenu, mais
devient une expérience spirituelle et un exercice de
liberté.

Bernard MABILLE

BIBLIOGRAPHIE

ÉDITION DE RÉFÉRENCE : *Gesammelte Werke* in Verbindung mit der
deutschen Forschungsgemeinschaft hg. v. der Rheinisch-
Westfälischen Akademie der Wissenschaften, Hamburg,
Felix Meiner Verlag, 1968 (en cours de réalisation).

ÉDITION ACCESSIBLE : *Werke in zwanzig Bänden, Theorie Werkaus-
gabe,* Frankfurt, Suhrkamp Verlag, 1971-1979.

TRADUCTIONS FRANÇAISES : *Comment le sens commun comprend la philosophie,* trad. J.-M. LARDIC, Arles, Actes Sud, 1989. *La Constitution
de l'Allemagne,* trad. M. JACOB, Paris, Vrin, 1974. *Correspondance,*
trad. J. CARRÈRE, Paris, Gallimard, 1962-1967. *Des manières de
traiter scientifiquement du droit naturel,* trad. B. BOURGEOIS, Paris,
Vrin, 1972. *La Différence entre les systèmes philosophiques de Fichte et
de Schelling,* trad. B. GILSON, Paris, Vrin, 1986. *Le Droit naturel,*
trad. A. KAAN, Paris, Gallimard, 1972. *Les Écrits de Hamann,* trad.
J. COLETTE, Paris, Aubier, 1981. *Écrits politiques,* trad. M. JACOB et
P. QUILLET, Paris, Champ Libre, 1977. *Encyclopédie des sciences
philosophiques,* trad. B. BOURGEOIS, 1. La logique, Paris, Vrin,
1970, 3. Philosophie de l'esprit, Paris, Vrin, 1988. *Encyclopédie des
sciences philosophiques en abrégé* (1830), trad. M. de GANDILLAC,
Paris, Gallimard, 1970. *L'Esprit du christianisme et son destin,* trad.
J. MARTIN, Paris, Vrin, 1948. *L'Esprit du christianisme et son destin,*
nouvelle traduction Fr. FISCHBACH, Paris, Presses-Pocket, 1992.
Esthétique, trad. S. JANKÉLÉVITCH, Paris, Flammarion, « Champs »,
1979. *Foi et savoir,* trad. A. PHILONENKO-C. LECOUTEUX, Paris,
Vrin, 1988. *Le Fragment de Tübingen,* in R. LEGROS, *Le Jeune Hegel
et la naissance de la pensée romantique,* Bruxelles, Ousia, 1980. *Frag-
ments de la période de Berne,* trad. R. LEGROS-F. VERSTRAETEN,
Paris, Vrin, 1987. *Hamann jugé par Hegel,* in P. KLOSSOWSKI, *Les
Méditations bibliques de Hamann,* Paris, 1948, p. 57-117. *Journal
d'un voyage dans les Alpes bernoises,* trad. R. LEGROS-F. VERS-
TRAETEN, Grenoble, J. Millon, 1988. *Leçons sur l'histoire de la philosophie, Introduction,* trad. J. GIBELIN, Paris, Gallimard, 1954.
Leçons sur l'histoire de la philosophie, trad. P. GARNIRON, Paris, Vrin,
à partir de 1971. *Leçons sur la philosophie de l'histoire,* trad.

J. GIBELIN, Paris, Vrin, 1963. *Leçons sur la philosophie de la religion,*
trad. A. VÉRA, Paris, 1876-78 (réimpr. : Bruxelles, Culture et civilisation, 1969). *Leçons sur la philosophie de la religion,* trad.
J. GIBELIN, Paris, Vrin, 1954-59. *Leçons sur Platon,* trad. J.-L. VIEIL-
LARD-BARON, Paris, Aubier, 1976. *Leçons sur les preuves de l'existence
de Dieu,* trad. J.-M. LARDIC, Paris, Aubier, 1994. *Logique de Hegel,*
trad. A. VÉRA, Paris, 1874 (réimpression : Bruxelles, Culture et
civilisation, 1969). *Logique et métaphysique,* trad. D. SOUCHE-
DAGUES, Paris, Gallimard, 1980. *Morceaux choisis de Hegel,* trad.
H. LEFEBVRE et N. GUTERMAN, Paris, Gallimard, 1939. *Notes et
fragments Iéna 1803-1806,* trad. collective Collège international de
Philosophie, Paris, Aubier, 1991. *Les Orbites des planètes,* trad.
F. De GANDT, Paris, Vrin, 1979. *La Phénoménologie de l'esprit,* trad.
J. HYPPOLITE, Paris, Aubier, 1939-41. *Phénoménologie de l'esprit,*
nouvelle trad. J.-P. LEFEBVRE, Paris, Aubier, 1991. *Philosophie de
l'esprit de Hegel,* trad. A. VÉRA, Paris, 1867-69 (réimpression :
Bruxelles, Culture et civilisation, 1969). *La Philosophie de l'esprit
1805,* trad. G. PLANTY-BONJOUR, Paris, PUF, 1982. *Philosophie de
la nature de Hegel,* trad. A. VÉRA, Paris, 1863-66 (réimpression :
Bruxelles, Culture et civilisation, 1969). *La Positivité de la religion
chrétienne,* trad. CRDHM, Paris, PUF, 1983. *Précis de l'encyclopédie
des sciences philosophiques,* trad. J. GIBELIN, Paris, Vrin, 1952. *Préface
à la Philosophie de la religion de Hinrichs,* trad. F. GUIBAL et
G. PETITDEMANGE, in *Archives de Philosophie,* t. 33 (1970), p. 885-
916. *La Première Philosophie de l'Esprit,* trad. G. PLANTY-BONJOUR,
Paris, PUF, 1969. *Premières Publications : Différence des systèmes phi-
losophiques de Fichte et de Schelling, Foi et savoir,* trad. M. MÉRY,
Paris, Ophrys, 1952. *Principes de la philosophie du droit,* trad.
A. KAAN, Paris, Gallimard, 1940. *Principes de la philosophie du droit,*
trad. R. DÉRATHÉ et J.-P. FRICK, Paris, Vrin, 1975. *Propédeutique
philosophique,* trad. M. de GANDILLAC, Paris, Minuit, 1963. *La
Raison dans l'histoire,* trad. K. PAPAIOANNOU, Paris, UGE, 1965.
Recension des œuvres de F.H. Jacobi, trad. A. DOZ, Paris, Vrin, 1976.
La Relation du scepticisme avec la philosophie, suivi de *L'Essence de la
critique philosophique,* trad. B. FAUQUET, Paris, Vrin, 1972. *Le
Savoir absolu,* trad. B. ROUSSET, Paris, Aubier, 1977. *Science de la
logique,* t. 1. *L'Être,* t. 2. *La doctrine de l'essence,* t. 3. *La Logique
subjective ou doctrine du concept,* trad. P.-J. LABARRIÈRE et
G. JARCZYK, Paris, Aubier, 1972-1981. *Système de la vie éthique,*
trad. J. TAMINIAUX, Paris, Payot, 1976. *Textes pédagogiques,* trad.
B. BOURGEOIS, Paris, Vrin, 1978. *La Théorie de la mesure,* trad.
A. DOZ, Paris, PUF, 1970. *Vie de Jésus,* trad. D. ROSCA, Paris,
Gamber, 1928.

COMMENTAIRES : B. BOURGEOIS, Présentation du t. I de l'*Encyclopédie des sciences philosophiques : Science de la logique,* Paris, Vrin,
1970. T. LITT, *Hegel, essai d'un renouvellement critique,* Paris,
Denoël, 1973. G. JARCZYK, *Système et liberté dans la logique de Hegel,*
Paris, Aubier, 1981.

HEIDEGGER

Lettre sur l'humanisme
Être et Temps
Qu'est-ce que la métaphysique ?
L'Origine de l'œuvre d'art

L'ambition de restituer à la pensée une place qu'elle aurait perdue dans le monde de la technique inscrit la méditation de Martin Heidegger (1889-1976) dans un siècle qu'elle veut exhorter à se comprendre lui-même et à trouver son destin. En ce sens, sa pensée est politique, mais, paradoxalement, rares sont les philosophies d'un sens politique si équivoque. C'est pourquoi elle prête particulièrement à malentendu.

Plus encore que la pensée de Descartes, la philosophie de Heidegger est une mise en question radicale de tous les *a priori* de notre héritage métaphysique, et surtout de la langue dans laquelle celui-ci s'est sédimenté. C'est pourquoi Heidegger a construit un langage, de prime abord surprenant, fondé sur une attention extrême au sens parfois caché des mots, constellé d'archaïsmes réactivés, ainsi que de néologismes qui libèrent en force des routines et des distractions du langage.

Heidegger vécut et écrivit dans le sud-ouest de l'Allemagne, en Forêt-Noire. On en trouve l'empreinte dans une langue boisée soucieuse de son cheminement. De là peut-être ces mots inscrits au seuil de

l'édition de ses œuvres complètes : *Wege, nicht Werke,*
« des chemins, non des œuvres », à garder en mémoire
dans la quête d'une orientation qui donne le sens,
lorsqu'on introduit à la question étrange et radicale de
la vérité de l'Être. Ce cheminement n'est pas tant la
métaphore de l'œuvre, que l'œuvre une métaphore de
cette orientation toujours recherchée.

Parmi les nombreux écrits qui visent ce pôle
commun, qu'ils soient publiés du vivant de Heidegger
ou posthumes, quatre présenteront ici les diverses
approches de l'Être et le retournement méthodologique *(Kehre)* que Heidegger dut opérer pour pouvoir
questionner sur l'Être d'une manière adéquate, en se
laissant investir par ce qu'il appelle communément
« affaire de la pensée », affaire dont aucune saisie
volontaire, aucune dialectique, aucune ratiocination
ne garantissent la prise, et qui de ce fait relève d'un
empirisme suprême[1] et déroutant, caractérisé par un
rapport non tant aux choses qu'à l'Être lui-même. Cet
étrange empirisme cherche à gagner l'orée de la philosophie, son commencement ou sa fin, pour, de cette
position charnière, risquer une vue dehors, sans
renoncer pourtant aux ressources nécessaires du
dedans, c'est-à-dire de la tradition métaphysique avec
laquelle Heidegger engage encore le débat dans les
moments où il semble s'en écarter le plus.

La *Lettre sur l'humanisme* servira de guide, non
qu'elle soit d'un abord plus « facile » que d'autres
textes : elle est dense au contraire, et mobilise pratiquement toutes les approches de la pensée à sa grande
affaire, ce qui fait d'elle un centre rayonnant. Mais,
réponse à des questions précises et explicites, elle tient
compte de nombreux malentendus qu'elle recense ou
prévient, et précise la situation de Heidegger par rapport à la tradition philosophique, en particulier l'existentialisme de Sartre. *Être et Temps* est l'ouvrage
incontournable, véritable *Discours de la méthode* à

1. *Être et Temps,* Paris, Gallimard, 1986, p. 139. La pagination
est, comme de coutume pour cet ouvrage, celle de l'édition allemande, toujours reportée en marge de l'édition française.

déconstruire les méthodes élaborées par plus de deux millénaires de philosophie, et dans lequel il faut retrouver l'impulsion qui oriente toute l'entreprise, les analyses concrètes qui ont permis de redécouvrir l'homme depuis son être quotidien, de saisir la structure du rapport au monde qui le constitue, et d'entrevoir le sens de l'Être, ainsi que de la temporalité qui y point, sans toutefois s'y révéler de manière achevée. *Qu'est-ce que la métaphysique ?* développe phénoménologiquement la saisie de l'Être comme ce rien qui diffère de l'étant, et confère à l'affectivité toute la valeur qu'*Être et Temps* avait annoncée. Enfin, l'*Origine de l'œuvre d'art* achève de donner congé à la pensée de la subjectivité en découvrant les œuvres comme sites qui, avec l'homme, manifestent à la fois l'Être et sa finitude.

Autant de manières de développer un même refus du subjectivisme — qui ne considère les choses et le langage que comme des « outils », et interprète l'homme comme un sujet maître de soi destiné à dominer ce à quoi il se rapporte — et de déplacer de l'ego vers l'Être le centre de ce qui doit être pensé comme « fondamental ».

*
* *

La *Lettre sur l'humanisme*[1] résume trois questions — 1. Comment redonner un sens au mot « humanisme » ? 2. Préciser le rapport d'une ontologie et d'une éthique. 3. Comment éviter l'arbitraire dans le discours philosophique et être certain de son orientation ? — en une question générale : Qu'est-ce que l'homme ? Heidegger refuse les réponses traditionnelles fondées sur l'interprétation de l'homme par rapport à l'animal, ou sur la définition de l'homme par des caractères substantiels comme l'âme immortelle ou la raison. Mais, plutôt que de les réfuter, Heidegger réoriente l'attention et le questionnement vers une méditation sur l'Être, ce qui implique l'abandon

---

1. *Lettre sur l'humanisme*, Heidegger, Paris, Aubier, 1983.

de l'interprétation technicienne et logique de la pensée comme instrument, car la logique ne peut penser que l'étant, c'est-à-dire les choses, mais non l'Être, comme saisie du *fait que l'étant soit,* ce qui relève d'une tout autre démarche.

La pensée de l'Être doit s'entendre au double sens du génitif : à la fois comme celle d'un acteur qui, sans être rien, rend possible et donne la relation de l'homme à l'Être, et comme ce qui, de ce fait, peut être pensé sans être pourtant une chose particulière. Dans le duo de l'homme et de l'Être, l'homme est tourné vers l'Être par l'Être en un rapport circulaire de celui-ci à soi. Ainsi, l'Être n'étant pas une chose, on ne peut totalement le manquer pour autant qu'on le cherche, car si on le cherche, il nous trouve, au moins un peu. La pensée véritablement engagée n'a donc pas tant pour Heidegger le sens d'un engagement politique (volontariste mais peut-être aveugle) que d'être engagée elle-même par l'Être. C'est pourquoi, à la question de savoir ce qu'est l'action, Heidegger répond qu'agir, c'est être agi par l'Être et que le sens de l'action ou de l'éthique ne peut se décider qu'en fonction de l'expérience de l'Être qui ne vise aucun résultat concret, ne produit rien. Il s'agit d'être qui on est destiné à être par l'Être, c'est-à-dire de correspondre à notre essence d'existant. La condition humaine ne se comprend donc ni depuis l'homme seul, ni depuis l'homme dans sa situation sociale, économique ou politique, mais en fonction de l'histoire de l'Être qui se manifeste comme histoire de la pensée, et sur laquelle la volonté de l'homme n'a aucune prise. Car en fait l'homme ne décide jamais que de façon superficielle. S'il croit décider, c'est qu'il oublie le terme essentiel, l'Être, qui, remémoré, rappelle sa finitude et le caractère erroné de son auto-interprétation courante. Ceci entraîne certains paradoxes, en particulier concernant ce qu'on appelle les valeurs. En effet, en accordant de la valeur aux choses, on croit leur reconnaître une dignité particulière, alors qu'on les réduit à n'être qu'objets d'une évaluation qui les asservit à un jugement nécessairement subjectif.

Cette remise en cause du subjectivisme repose sur le fait que l'existence humaine est absolument irréductible au mode d'existence des autres étants parce que l'homme seul comprend qu'il est. Pour signifier que, contrairement par exemple à la roche ou à l'animal, l'homme se tient toujours *hors de lui-même* auprès de l'Être, Heidegger appelle « *ek*-sistence » cette compréhension. Il est le site de sa manifestation, le « là » où l'Être se manifeste. « Homme » peut donc se dire : « être-le-là », expression qui signifie son ouverture, et non sa situation dans l'espace. Il ne s'agit pas non plus de dire que l'existence précède l'essence, comme Sartre, mais de déterminer l'exister comme entente du fait qu'« il y a », c'est-à-dire comme entente de la « vérité de l'Être ». La vérité a ici le sens nouveau auquel Heidegger se tient constamment : par compréhension littérale du mot grec *alētheia*, elle est découvrement, ouverture, et donc pure éclosion, non pas une conquête du sujet, mais le fait que l'Être de l'étant se manifeste, faisant de l'homme le « berger[1] » qui en assume la garde. Cette ouverture à l'Être ne détermine pas le monde comme système d'objets, ni comme ensemble de choses additionnées les unes aux autres, mais comme fait que cet ensemble structuré *est*. En ne voyant pas cela dans sa recherche de l'essence de l'humanité, l'humanisme ne pense jamais suffisamment la spécificité de l'homme. À cet égard, Heidegger veut plus d'humanisme, mais sa compréhension de l'homme n'ayant pas l'homme pour source, et comme l'essentiel n'est pas tant l'homme que l'Être[2], il refuse cette appellation et laisse sa pensée sans nom.

Maintenant, comment se manifeste la relation à l'Être qui fait que « l'homme est cet étant dont l'être

1. *Lettre sur l'humanisme*, p. 77, 109.
2. *Ibid.*, p. 119.

comme ek-sistence consiste en ceci qu'il habite dans la proximité de l'Être[1] » ? En quoi consiste ce (prime) abord de l'Être avenant, ce voisinage ? Il est le fait du langage : le langage est la « maison de l'être[2] », ce qui fait de lui un enjeu majeur, et explique la tension de la pensée de Heidegger avec la logique : il nous faut, en plus de la pensée technique du langage, une pensée qui permette de le saisir comme manifestation de l'Être et non seulement comme système de règles. Or la logique détournerait d'une telle entente, qui, au contraire, est à l'œuvre dans la poésie, seule véritablement libre par rapport à la grammaire et à la logique. La philosophie doit donc retrouver ce qui est à l'œuvre dans la poésie.

*
* *

Avec *Être et Temps*, il ne s'agit plus de réfléchir à l'Être en général, sans tenir compte de celui qui engage la réflexion. Au contraire, *Être et Temps* pense explicitement l'Être depuis celui qui pense et dont il faut pour cela mettre au jour le mode d'existence. L'être de l'homme doit être compris à titre préparatoire pour une visée qui l'excède. *Être et Temps* cherche donc à penser l'Être et sa structure temporelle depuis l'étude du *Dasein* tel qu'il est le plus souvent, c'est-à-dire dans sa quotidienneté, puis par l'étude de sa structure temporelle. L'ouvrage devait ainsi se diviser en deux parties, dont seule la première parut. Encore devait-elle se diviser en trois parties dont les deux premières seules furent publiées. La troisième, traitant de « Temps et être » ne fut reprise, profondément repensée, qu'en 1962.

Dasein est le nom que Heidegger donne à l'existence de l'homme. Il a pour caractère absolument propre de comprendre qu'il existe et de pouvoir se

1. *Ibid.*, p. 109.
2. *Ibid.*, p. 85.

penser comme site de la manifestation de l'Être[1]. Dans un premier temps, Heidegger montre que le mode d'être du *Dasein* est radicalement différent de celui des autres étants, même s'il les prend volontiers pour modèle afin de se comprendre lui-même, et se pense sur le mode des choses, ce qui a pour conséquence de le fermer à son soi propre.

Les modes d'être qui, au contraire, lui sont propres, sont caractérisés comme existentiaux. Leur étude permet de déterminer la structure fondamentale du *Dasein* comme *souci*, et la visée essentielle de l'ouvrage tel qu'il est paru est d'en déterminer le sens temporel. Et si le *Dasein* est temporel, l'être du *Dasein,* et donc l'Être tout court, devront aussi être compris comme temporels.

Les existentiaux se découvrent depuis le fait primordial de l'ouverture du *Dasein* au monde. L'être-au-monde n'est pas le fait d'être dans le monde comme on est sur terre ou dans l'espace, mais bien que le *Dasein* manifeste toujours le monde qui, ainsi, apparaît comme une de ses structures propres. La manière dont il se rapporte au monde est la préoccupation. Le *Dasein* est toujours occupé à quelque tâche, même si c'est à rêvasser. Ce qui le préoccupe a toujours un sens. Mais, pour avoir du sens, il doit au préalable avoir été situé dans un contexte. Par exemple, je sais ce que sont un marteau, une voiture, une maison parce que j'existe avec eux et connais le contexte qui leur donne sens : l'atelier, la route, la ville, le monde. Le monde est ainsi la structure familière qui donne du sens aux choses, le cadre général de notre préoccupation. De ce fait, nous sommes toujours accordés à lui en des modes variables qui définissent chaque fois une disposition particulière, ou un état d'humeur, comme par exemple la peur ou l'angoisse. Le *Dasein* découvre toujours son là, c'est-à-dire sa manière d'être au monde, dans une telle disposition.

1. *Être et Temps*, Heidegger, p. 15. *Cf.* plus haut l'explication de « être-le-là ».

Les relations qui constituent le contexte dans lequel tout étant est compris sont elles-mêmes rapportées au *Dasein,* de sorte que tout sens se constitue finalement depuis le *Dasein* préoccupé. Ainsi, sans monde, le *Dasein* n'a aucun sens, il n'existe pas, de même que sans *Dasein* il n'y aurait pas de monde, puisque le *Dasein* structure cette totalité de choses qui se donnent sens en étant renvoyées les unes aux autres. Et si le sens d'autrui ne se constitue pas de la même manière, c'est qu'il apparaît comme un autre *Dasein* ouvert au même monde que moi. Ceci doit être pris en compte par chaque *Dasein* qui découvre qu'il n'est pas que pour lui-même, mais essentiellement aussi à dessein d'autrui[1]. L'être-avec constitue une structure originaire du *Dasein.*

L'ouverture dans laquelle le *Dasein* et le monde sont saisis ensemble n'est donc pas la pensée de quelque chose de substantiel, mais la saisie de possibilités. En effet, la compréhension de la structure du monde comme jonction des étants les uns avec les autres manifeste chaque fois pour quoi ils sont faits, ainsi que ce dont ils sont capables. Elle exprime la compréhension des possibilités qui constituent le sens des choses. Or cette manière de comprendre les choses vaut aussi pour le *Dasein :* il est ses possibilités, lesquelles ne sont pas abstraites ou vides, mais toujours saisies depuis une situation déterminée. C'est depuis la manière dont il est disposé que le *Dasein* saisit ses possibles et peut, le cas échéant, les expliciter sous forme d'énoncés. « Jeté » dans sa propre existence sans être cause de lui-même, le *Dasein* peut alors s'appréhender lui-même et se saisir en propre, par ce que Heidegger nomme l'« appel de la conscience[2] ». Le mode d'être du *Dasein* se décide alors selon le type de possibilité saisie : en effet, si le *Dasein* est ses possibilités, son essence se décide en fonction d'elles. De ce fait, il peut se penser proprement lorsqu'il saisit ses

---

1. *Ibid.,* p. 124.
2. *Ibid.,* p. 274 *sq.*

possibles propres et sa structure temporelle originale, ou improprement comme un des étants rencontrés dans le monde, et comme ce « on » impersonnel qui n'est personne en particulier, mais qui est tout le monde sous le règne de l'opinion publique où chacun se fuit soi-même.

Quelle est alors la structure temporelle originale du *Dasein* ? En analysant la structure de la disposition de l'angoisse, Heidegger montre que « le devant-quoi de l'angoisse est l'être-au-monde jeté » et que le « pour quoi de l'angoisse est le pouvoir être-au-monde[1] ». À partir de là, l'être du *Dasein* peut se saisir dans son unité. En effet, par la saisie de ses possibilités, le *Dasein* est déjà en avance sur lui-même, « tendu vers un pouvoir-être qu'il est lui-même[2] », et c'est ce qui lui permet aussi de comprendre la destination des ustensiles en libérant pour eux comme pour soi-même la dimension du futur. Mais ce pouvoir-être par lequel le *Dasein* s'attend lui-même (« existence ») ne s'ouvre, on l'a vu, que parce que le *Dasein* est déjà là, jeté au monde et disposé de telle ou telle manière (« facti-vité »), ce qui libère la dimension du passé. Dans le cadre ainsi ouvert, le *Dasein* peut se rapporter à l'étant rencontré à l'intérieur du monde comme son vis-à-vis (« dévalement »), ce qui libère enfin la dimension du présent. Le *Dasein* n'existe ainsi qu'en se projetant vers son futur et en reprenant son passé. Loin d'être une chose fermée sur elle-même, il est une structure éclatée, non pas dans le temps, mais, ouvrant le futur et le passé, créatrice de temps. Dans cet éclatement, il ne se perd pas, ne se disperse pas, mais peut au contraire venir à soi en s'ouvrant temporellement au monde. Heidegger appelle souci le tout de cette struc-ture.

Chaque fois qu'il choisit un possible, le *Dasein* en délaisse d'autres ; en outre, il n'est pas l'instigateur de son ouverture : il la découvre comme étant déjà là,

1. *Être et temps*, p. 191.
2. *Ibid.*, p. 192.

sinon il ne serait pas « jeté ». Cette absence de maîtrise que découvre ainsi la temporalité du *Dasein* constitue son *être en faute* et la part de négativité qu'il lui faut toujours assumer pour être lui-même.

Si maintenant le *Dasein* projette des possibilités, est-ce de manière infinie, ou au contraire dans le cadre d'une certaine limite ? La réponse est clairement qu'il ne peut rien projeter au-delà de sa propre mort. La mort apparaît dès lors comme la seule possibilité absolument certaine, incontournable et déterminée du *Dasein*. Et c'est paradoxalement celle par laquelle il cesse d'être. Sa possibilité la plus propre est celle de l'impossibilité de son existence. C'est elle que révèle l'angoisse et à quoi appelle la voix de la conscience qui atteste au *Dasein* son pouvoir-être authentique en lui manifestant sa propre négativité. Cette ouverture que le *Dasein* découvre comme étant son être, il la sait limitée : son pouvoir le plus propre est de se refermer. Le *Dasein* a donc toujours le choix entre se comprendre depuis le monde ou saisir la possibilité de sa mort, non pas comme un phénomène futur et lointain, mais comme toujours imminente en tant que possible. À cette condition, il peut se saisir comme un tout, rassembler ses possibles et les garder ouverts pour se rapporter librement à eux[1]. C'est le seul moyen de conquérir sa liberté, car il n'est pas, alors, soumis à la causalité matérielle, ni aux déterminations mondaines, mais à un pur possible qui n'a rien de matériel ni de substantiel, et en lequel il se détermine non pas depuis une raison universelle dont il ne sait pas en quoi elle lui est propre, mais depuis ce qui est le plus authentiquement sien : sa mort inaliénable.

Si l'idéalisme a toujours été incapable de penser la mort, c'est que, comme dans la *Critique de la raison pratique,* la raison postule un au-delà de la mort pour penser la moralité et la liberté. Le matérialisme est quant à lui tout bonnement incapable de penser l'existence au sens heideggerien, et donc aussi la

---

1. *Ibid.,* p. 308.

mort et la liberté. L'être au monde n'est vu ni par l'un, ni par l'autre, ce qui leur interdit de comprendre le temps original fini[1] et, en masquant l'être pour la mort, leur ferme tout accès à la compréhension de la temporalité originale du *Dasein* depuis son avenir également fini. Pas plus qu'il ne doit être compris comme situé dans le monde, le *Dasein* ne doit être pensé comme situé dans le temps. Le temps doit être pensé à partir du souci dont il est le sens ontologique : étant ses possibles, le *Dasein* est à venir. L'avenir est donc « la venue dans laquelle le *Dasein* s'en vient jusqu'à soi[2] ». En cela il reprend ce qu'il a été, c'est-à-dire qu'il est son passé. Ces deux ouvertures ménagent la possibilité de rencontrer « ce qui entre en présence au sein du monde ambiant[3] » comme présent. Ceci ne correspond pas au temps tel qu'on l'entend couramment comme succession d'avant et d'après, mais est la manière dont le *Dasein* existe en se temporalisant. La temporalité est ainsi l'« hors de soi original » dont les modes sont autant d'« *ekstases*[4] » qui tendent vers un horizon depuis lequel se révèle le sens de l'étant. La manière dont se révèle ce sens[5] reste cependant mystérieuse dans *Être et Temps,* car l'ouvrage ne va pas plus loin dans son élucidation du sens de l'Être, sa méthode étant trop liée à la question initiale de savoir ce qu'est l'être de l'homme pour saisir cet horizon en lui-même. Ainsi, le travail de déconstruction du sujet est certes réalisé sans faille, mais la perspective encore trop subjective de ce commencement compromet l'entreprise dans sa visée ultime et la condamne à l'inachèvement. Cette impasse appelle un retournement *(Kehre)* qui donne toute sa mesure à la rupture qu'il faut accomplir en visant d'emblée l'Être dans la manière dont il peut se révéler ou rester obscur,

1. *Être et temps,* p. 331.
2. *Ibid.,* p. 325.
3. *Ibid.,* p. 326.
4. *Ibid.,* p. 329.
5. *Ibid.,* p. 324.

pour, le cas échéant, progresser de là jusqu'au *Dasein,* au lieu d'en partir.

*

* *

Toute vraie rupture implique une compréhension approfondie de ce dont on veut se défaire. Ceci conduit Heidegger, dans *Qu'est-ce que la métaphysique* [1] ? à méditer la métaphysique dans son caractère historique. La métaphysique est une pensée de l'étant, même lorsqu'elle dit penser l'être de celui-ci. Du fait d'une amphibologie qui lui est essentielle, elle dit penser l'Être, mais pense l'étant, soit comme totalité de tout ce qui est, soit par ses caractères les plus généraux, soit comme étant suprême (Dieu). Elle se déploie donc comme ontologie et comme théologie. Pour autant, la métaphysique n'est pas sans rapport avec la pensée de l'Être, de même qu'un arbre n'est pas sans rapport avec la terre dont il se nourrit, et dans laquelle seule il peut tenir droit. Mais la métaphysique a sur l'Être une vue tellement oblique qu'il reste pour elle impossible à formuler, tant au fond il n'entre pas véritablement dans son projet de le dire. Y a-t-il alors un sens à cette omission, et quel est-il ? La réponse renvoie à l'« histoire de l'Être ». En effet, si l'Être était toujours pensé de la même façon, s'il se donnait de manière entière et définitive, une fois pour toutes, il ne saurait y avoir d'histoire, il n'y aurait — à supposer que ceci se laisse penser — que la suite chronologique des événements. L'histoire n'est que parce qu'il se donne tantôt ainsi, tantôt autrement, et garde le reste caché, hors d'atteinte et incompréhensible. S'il y a donc histoire, c'est que l'Être se donne en modes variés, et que cette variation est essentiellement une manière de se voiler et de se dévoiler, ce qui par exemple se

1. In *Questions I,* Paris, Gallimard, coll. « Tel », 1990, pour l'Introduction de 1949 et la Postface de 1943 ; in *Cahiers de l'Herne Martin Heidegger,* Paris, L'Herne, 1983, pour le texte de 1929.

traduit par le fait que l'humanité parfois comprend un certain sens de l'Être, parfois ne le comprend plus, parfois l'oublie et s'en désintéresse, sans que la manifestation ou l'oubli soient jamais le fait d'une décision individuelle ou collective. Il ne s'agit pas alors de comprendre le « pourquoi » de tel ou tel événement, mais les sens divers impliqués par la mise en jeu de l'Être, comme dans les manières dont on prétend énoncer ce qu'« il y a ». Le secret de ces variations est la manière dont l'Être se donne à chaque époque, toute époque se déterminant fondamentalement par un mode de donation de l'Être.

C'est donc par une telle détermination que l'Être est resté hors de l'horizon de la métaphysique qui a toujours pensé l'étant à partir de ce qui s'y manifeste (par exemple l'étendue de la substance corporelle que Descartes appelle *res extensa*[1]), de ce que l'on peut en abstraire (par exemple les prédicats généraux comme l'un ou le vrai), ou encore à partir de ce qu'on peut déduire de lui (par exemple Dieu comme cause du monde), mais jamais depuis ce qui se « cèle » en lui sans pourtant être quelque chose d'étant. Y a-t-il donc « autre chose » que l'étant ? Celui-ci n'épuise-t-il pas ce qui est ? S'il y avait « autre chose » que l'étant, ne serait-ce pas le pur *rien* ? Si. Mais justement, s'il y a, selon Heidegger, un oubli proprement métaphysique et partagé par toutes les sciences, il tient à cette visée exclusive qui élimine le « rien » de ce qui mérite d'être pensé. Heidegger en prend pour témoin la question « pourquoi il y a plutôt quelque chose que rien[2] » qui pose comme allant de soi qu'il n'y a pas « rien », et qu'il n'y a que « quelque chose ». C'est ce que Heidegger remet en question au centre de ce texte. Car si l'homme de la métaphysique et de la science (c'est en fait le même) ne s'occupe que de l'étant, et de rien d'autre, ce « rien », qui est l'« autre » par rapport auquel, sans s'en rendre compte, on pense l'étant, doit

1. *Principes*, Descartes, II, 4.
2. *Principes de la nature et de la grâce fondés en raison*, Leibniz, art. 7, PUF, 1986, p. 45.

retenir l'attention de celui qui veut penser l'essence de la métaphysique.

Penser le rien[1] est contradictoire, car si on le pense, on pense qu'il est. Or s'il est, il n'est plus rien. D'où l'alternative suivante : soit la logique met le « rien » en déroute soit — et c'est ce qu'affirme Heidegger — le « rien » met en déroute la logique.

Si pour la logique le « rien » n'est « rien », c'est qu'il n'est que la négation de quelque chose. Inversement, si on pense que le « rien » a sa positivité propre, et affirme que « le rien est plus originel que le ne-pas et la négation[2] », cela implique qu'on puisse le rencontrer en lui-même. Il n'y a qu'une telle présentation qui puisse faire valoir l'affirmation de la phénoménologie contre la restriction logique.

Or, même si nous ne sommes jamais face à tout l'étant, car il déborde infiniment notre capacité de nous le représenter, nous sommes toujours au cœur de tout ce qui est. En ce sens, nous sommes toujours rapportés à l'étant dans son ensemble, par exemple avec l'ennui, où c'est bien tout ce qui est qui n'offre plus d'intérêt pour nous, et dont nous nous désintéressons. De manière opposée, l'être aimé nous dispose joyeusement face au « tout ». Je n'ai pas alors besoin de faire l'inventaire des choses pour être concerné par elles : tourné vers elles sans saisir chacune dans sa particularité, mais toutes en ce qu'elles sont, je saisis en mon ennui ou en ma joie le *fait d'être* plutôt que le détail et les structures particulières de ce qui est. Ce qui ainsi se manifeste d'un seul tenant, c'est toujours l'être « là ». Mais c'est avec l'angoisse qu'il se manifeste dans sa plus pure différence d'avec l'étant, car par opposition à la peur ou à la crainte qui sont toujours des dispositions devant quelque chose de déterminé, comme Heidegger le montre aux paragraphes 30 et 40 d'*Être et Temps*, l'angoisse est une disposition pure qui ne manifeste rien de particulier,

1. *Cf. Être et Temps*, p. 273.
2. *Qu'est-ce que la métaphysique ?* in *Martin Heidegger*, Cahiers de l'Herne, p. 49.

sinon le simple fait d'être disposé. Et parce que alors
« rien » n'angoisse, c'est bien le « rien » qui angoisse.
Ainsi sans objet, « l'angoisse manifeste le rien[1] ». On y
perd l'étant dans son ensemble, comme aussi son
propre soi, pour n'être plus disposé que de façon
impersonnelle devant l'indétermination du néant.
Dans la mesure où alors le néant peut être pensé
comme ce qui provoque l'angoisse en se manifestant
au cœur de l'étant, l'essence du rien se manifeste
comme néantissement. D'où la formule qui a fait
frémir une génération de logiciens : « Le rien lui-
même néantit[2]. »

Le « rien » est la condition de manifestation de
l'étant dans son ensemble, car c'est dans le cadre de la
saisie de cette différence entre le « rien » et l'étant que
celui-ci peut se manifester. Où il n'y a pas de saisie du
« rien » il n'y a pas non plus saisie de l'étant. C'est
parce qu'il excède l'étant dans son ensemble et saisit
le rien que l'homme saisit aussi l'étant. Sa structure
extatique excède le tout vers le rien qui en délivre la
manifestation. C'est pourquoi le rien n'est ni négatif
ni destructeur : il est la possibilité de manifestation de
l'étant dont il permet, dès lors, à la fois la saisie et, de
manière dérivée, la négation.

★
★ ★

La logique, la métaphysique ou la science étant
autant d'impasses pour comprendre la vérité de l'Être,
reste la voie de l'art, déjà annoncée dans la *Lettre sur
l'humanisme,* et plus précisément celle de la poésie.
Dans *L'Origine de l'œuvre d'art*[3], Heidegger questionne
l'essence de l'art et de son origine, afin de déterminer
si l'Être ne s'y manifeste pas d'une façon privilégiée.
Sa perspective ne correspond donc pas à ce qu'on
appelle aujourd'hui couramment « esthétique », mais

1. *Qu'est-ce que la métaphysique ?* p. 51.
2. *Ibid.,* p. 52.
3. In *Chemins qui ne mènent nulle part,* Paris, Gallimard, 1962.

vise encore une nouvelle élaboration de la question de l'Être. Il s'agit toujours de rompre avec la subjectivité et ce qui va avec elle, en particulier justement l'esthétique, pour préciser l'ambiguïté de la manifestation de l'Être, qui est en même temps retrait.

L'artiste intervient évidemment dans la constitution de l'œuvre, mais il est aussi bien constitué par elle. Il faut donc être attentif à cette différence entre celui qui effectue (la cause qui met en œuvre, par exemple le sculpteur) et ce qui rend possible et nécessaire l'effectuation (l'origine secrète qui dispose une époque à construire temples ou cathédrales). Le but est donc de trouver la source commune de l'œuvre et de l'artiste.

Parce que l'œuvre est volontiers considérée comme une chose, Heidegger critique les préjugés qui concernent l'essence de la chose (la « choséité »), afin ensuite d'examiner si l'œuvre d'art est une chose et, si elle ne l'est pas, de mettre en évidence sa spécificité.

On considère généralement la chose comme substrat de propriétés, comme unité de pures sensations ou comme matière informée (cette dernière détermination convenant surtout aux produits, intermédiaires entre la chose et l'œuvre, et témoignant par sa popularité de notre tendance à interpréter tout ce qui existe sur le modèle des produits fabriqués). Si maintenant on cherche à savoir ce qu'est un produit, il apparaît qu'il se caractérise avant tout par le fait d'être fiable. Mais, selon Heidegger, nous ne le connaissons comme tel que par l'œuvre d'art, et c'est pourquoi il ne décrit pas le produit « chaussures de paysan » depuis une paire de chaussures, mais depuis le tableau de Van Gogh qui manifeste ce que sont les souliers en leur vérité. Pourquoi ? Parce que le produit a pour vocation de disparaître dans l'usage, alors que l'œuvre au contraire a pour vocation de manifester. Pour comprendre ce qu'est une chose ou un produit, il faut donc passer par l'œuvre. Ainsi, bien loin de se préoccuper de beauté ou de copier une chose ou une idée, l'art manifeste d'une part que la chose est, d'autre part ce qu'elle est, en manifestant les choses autant que leur présence. En ce sens, l'essentiel de l'œuvre d'art, ce qui est manifesté par elle, n'est pas de l'ordre des choses, mais de l'Être. L'œuvre est une manière dont l'Être manifeste historiquement sa vérité. On ne comprend donc pas le monde depuis le sujet qui pourrait à sa convenance s'installer dans ce monde-ci ou ce monde-là, mais depuis l'œuvre, et surtout depuis l'Être qui se manifeste en elle, et qui peut aussi cesser de s'y manifester, modifiant par là même le monde qu'il éclaire.

L'œuvre d'art expose la limite du retrait et de la manifestation de l'Être sous la forme de l'opposition entre le monde, qui est le domaine du visible, du sens et des relations, et de la terre qui reste cachée, mais peut se dévoiler par secteurs. Cette possibilité de dévoilement en fait la condition de possibilité de la manifestation du monde. Tout monde se découpe sur la terre, toute visibilité s'ouvre sur un fond qui lui-même n'apparaît pas. C'est pourquoi l'œuvre est essentiellement paradoxale, claire et obscure à la fois, elle parle et reste muette, proche et lointaine, annonce d'une dérobade.

Chaque innovation en art initie une époque où se modifie ce qui de la terre apparaît comme monde. Les œuvres créées dans sa mouvance manifestent le monde nouveau avec elle. Mais qui innove ici ? Non pas l'artiste qui déciderait en maître de ce qui va se montrer, mais l'Être lui-même. Le grand artiste ne décide pas d'être novateur, mais reçoit sa capacité de commencer comme un don : l'origine de l'œuvre d'art est donc bien ailleurs que dans la subjectivité de l'artiste, qui de ce fait exerce simplement sa maîtrise à bien recevoir. L'artiste, qu'il soit individu ou collectivité, travaille à laisser par l'œuvre se manifester dans le visible du monde ce qui, de la terre, se soustrait au retrait. Ainsi, le temple grec éclaire le monde grec, la cathédrale éclaire le monde chrétien, etc. Cette installation donne à la création son sens comme un choc subi, alors que pour toute fabrication le sens précède le produit qui, de ce fait, est et doit pour l'essentiel toujours être sans surprise. Sans la surprise ni le choc d'une inauguration radicale, il n'y a que produit, non œuvre.

Mais il n'y a pas d'installation éternelle, et l'œuvre se neutralise quand elle ne produit plus son monde. Sans sa puissance de découvrir, elle devient un phénomène du passé. Elle est alors un objet à conserver, étudier, restaurer, etc., mais plus une œuvre, car, ne manifestant qu'elle-même, elle ne donne plus la présence ni l'Être des choses. Elle perd sa puissance instauratrice lorsque finit son monde[1], c'est-à-dire lorsque se modifient les options fondamentales de chaque époque et la manière dont les choses s'y présentent de façon unitaire et structurée : monde grec d'hommes et de dieux, monde médiéval d'un Dieu et de sa création, monde calculable moderne dominé par des sujets. Ce dernier monde — le nôtre — a pour trait particulier que l'art n'y a pas seulement modifié son pouvoir révélateur : il l'a perdu. En effet, d'autres modes de manifestation que lui sont possibles, en particulier l'action politique qui fonde l'État, ou la philosophie, ou la pensée de l'être, ou la foi[2]. L'art n'est plus aujourd'hui l'instance primordiale de la manifestation du monde. La question est donc de savoir quelle instance originale manifeste l'Être de notre époque. Serait-ce la science ? Non, car la science ne découvre pas une région de l'étant, mais exploite toujours une région déjà ouverte. Il est donc clair pour Heidegger que, tant que nous remettrons à la science de révéler l'Être de notre époque, nous répéterons toujours la même compréhension de l'Être, jusqu'à en oublier l'origine et le sens. Or, comme c'est de la science, dans ses diverses applications, qu'on attend aujourd'hui la donation d'un tel sens, le malentendu est à son comble, car le projet légitime de la science est d'une tout autre nature. Que faire alors, sinon reprendre l'étude (Heidegger dit : revenir à l'écoute)

1. *Être et Temps*, p. 380.
2. *Chemins qui ne mènent nulle part*, p. 69.

d'une œuvre où véritablement se donne la vérité de l'Être ? Rien, selon Heidegger, n'est plus urgent que cette tâche, même si rien ne semble plus intempestif. C'est donc dans le cadre de ce projet que Heidegger questionne l'essence de la langue, de manière à y découvrir, par une méditation de la poésie, le déploiement originel de l'éclaircie de l'Être, afin de comprendre « l'appartenance réciproque de l'être et de la parole[1] », puisque, avant d'être un moyen de communiquer des informations, la langue découvre le monde. C'est à cette discrète entreprise de déterminer le sens d'une politique qui ne repose pas sur l'opinion du on, mais sur une compréhension de l'Être et de sa limite. Une telle détermination est pour Heidegger l'essence même du projet poétique.

Est-ce la seule voie ? En posant d'autres modes de manifestation de l'éclaircie de l'Être, comme l'action politique qui fonde l'État ou, étrangement, le sacrifice[2], Heidegger a indiqué certains chemins dans lesquels il ne s'est pas engagé. Leur radicale mise en question reste ouverte pour frayer un chemin parallèle au chemin parcouru. Sommes-nous capables d'en faire notre affaire ? Conduisent-ils quelque part ? Que valent-ils ? À nous de voir, maintenant.

Max MARCUZZI

BIBLIOGRAPHIE

ÉDITION DE RÉFÉRENCE : *Gesamtausgabe*, publiée depuis 1976 par V. Klostermann à Francfort-sur-le-Main.

TRADUCTIONS FRANÇAISES : *Être et Temps,* trad. F. VEZIN, Paris, Gallimard, coll. « Bibliothèque de philosophie », 1986. *Lettre sur l'humanisme,* trad. R. MUNIER, in *Questions III,* Paris, Gallimard, coll. « Tel », 1966. *Lettre sur l'humanisme,* éd. bilingue, trad. R. MUNIER, Paris, Aubier-Montaigne, 1983. *L'Origine de l'œuvre*

1. *Chemins qui ne mènent nulle part,* p. 98.
2. *Ibid.,* p. 69.

d'art, in *Chemins qui ne mènent nulle part*, trad. W. BROKMEIER, J. BEAUFRET, F. FÉDIER, F. VEZIN, Paris, Gallimard, coll. « Idées », 1962. Rééd. en coll. « Tel ». *Qu'appelle-t-on penser ?* trad. A. BECKER et G. GRANEL, Paris, PUF, 1959. *Qu'est-ce que la métaphysique ?* trad. H. CORBIN et R. MUNIER, in *Questions* I, Paris, Gallimard, coll. « Tel », 1968.

COMMENTAIRES : *Martin Heidegger*, Paris, Les Cahiers de l'Herne, 1983 (Textes et commentaires). J. BEAUFRET, *Dialogue avec Heidegger*, Paris, Minuit, 1973-1985 (quatre tomes regroupant des textes explicatifs qui reprennent l'esprit de la méditation heideggerienne sur divers thèmes ou auteurs de la tradition métaphysique). F. DASTUR, *Heidegger et la question du temps*, Paris, PUF, 1990 (introduit à l'une des questions essentielles de la pensée de Heidegger depuis la lecture des nombreux textes — publiés ou inédits en français — qui développent *Être et Temps*).

HOBBES

Éléments de la loi naturelle et politique
Du citoyen
Léviathan

Thomas Hobbes ne s'engagea que tardivement dans l'élaboration des conceptions novatrices qui devaient constituer sa pensée philosophique. Sa vie eut, à peu de chose près, la dimension d'un siècle (1588-1679). Mais elle ne comporta rien, dans sa première moitié, qui pût laisser soupçonner en lui un des plus grands penseurs de son temps, au même rang que Descartes, Spinoza ou Leibniz. Ni son activité de précepteur, ni ses premiers travaux sur l'histoire et la rhétorique, ni son intérêt naissant pour la philosophie naturelle ne semblaient porter les prémices d'une réflexion qui devait donner des fondements nouveaux à la connaissance de l'homme et de l'État. Rien ne laissait non plus supposer qu'il serait, avec Spinoza, l'un des philosophes les plus décriés de son siècle. Attaqué dans sa personne, au cours de la deuxième moitié de sa vie, comme hérétique et traître à sa patrie, et dénoncé dans son œuvre comme matérialiste, athée, destructeur des principes de la morale et de la religion et fauteur de despotisme, il tâcha de se défendre à plusieurs reprises sans pouvoir toutefois se soustraire à la détestable réputation que lui firent des adversaires dont la préoccupation principale était en général assez éloignée de la recherche de la vérité.

Quelle était la teneur de sa philosophie ? L'élaboration de celle-ci se situe au point de rencontre d'un projet et d'une crise. Le projet était considérable et, par certains aspects, comparable à ceux de quelques-uns de ses grands contemporains. Hobbes entendait, en effet, entreprendre une reconstruction rationnelle de l'ensemble du savoir humain afin d'y introduire l'ordre, la certitude et la vérité. Cette reconstruction rationnelle supposait une double démarche. La première était analytique : elle visait à atteindre, par l'application d'une méthode résolutive, les concepts les plus universels et les termes les plus généraux, au-delà desquels la connaissance humaine ne pourrait remonter. La seconde était synthétique : elle visait, par l'application d'une méthode compositive, à retrouver ou à produire progressivement, selon une déduction rigoureuse, toutes les connaissances auxquelles l'homme pourrait parvenir. À la différence de Descartes, dont l'ambition était également de parvenir à la connaissance déductive de toutes les choses que l'homme peut savoir, la spécificité du propos de Hobbes tenait, d'une part, à ce que les préoccupations linguistiques retrouvaient une place prépondérante et, d'autre part, au fait qu'il entendait réintroduire la politique dans le champ de la philosophie. La crise était d'un autre ordre que le projet, mais tout aussi considérable que lui. Il s'agissait du commencement de la guerre civile anglaise, dont Hobbes devait lui-même écrire plus tard l'histoire dans un ouvrage intitulé *Béhémoth*. Les premières lignes de cet ouvrage soulignent suffisamment l'importance que cette crise eut pour le philosophe : « Si dans le temps comme dans l'espace il y avait des degrés de haut et de bas, je crois véritablement que le point le plus élevé dans le temps serait la période qui s'est écoulée entre les années 1640 et 1660. Car celui qui, de cet endroit comme de la montagne du Diable, aurait considéré le monde et observé les actions des hommes, particulièrement en Angleterre, aurait pu contempler le spectacle de toutes les sortes d'injustice et de toutes les formes de folie que le monde pût fournir[1]. » La guerre civile, qui ébranla profondément les structures politiques et sociales de l'Angleterre, confirma Hobbes dans l'idée qu'il appartenait à la philosophie de fonder à nouveaux frais le savoir politique de manière à éclairer les hommes sur la nécessité de l'État et sa structure interne, en vue d'éviter la discorde, le conflit et la guerre. La philosophie civile devait donc construire théoriquement un savoir dont la fonction serait pratique. C'est cette utilité pratique de la philosophie civile que Hobbes devait souligner dans le *Léviathan*, en l'opposant à la vaine philosophie des inventeurs d'utopies : « Ni Platon, ni, jusqu'ici, aucun autre philosophe, n'ont mis en un ordre, et prouvé d'une façon adéquate, ou seulement probable, tous les théorèmes de morale propres à apprendre aux hommes à gouverner et à obéir ; je me remets à espérer quelque peu qu'à un moment ou à un autre mon présent travail pourrait tomber entre les mains d'un souverain qui en prendra connaissance par lui-même (car il est court, et, me semble-t-il, clair) sans l'aide d'un interprète intéressé et envieux, et qui, par l'exercice de sa pleine souveraineté, en donnant sa protection à l'enseignement officiel de mon ouvrage, convertira cette vérité spéculative en utilité pratique[2]. » Il y avait dans cette affirmation moins de candeur qu'on pourrait le croire à première lecture. Il y avait, en revanche, beaucoup de foi en la raison. Contrairement à l'image caricaturale qui en a été souvent donnée, l'efficacité pratique de la philosophie politique reposait chez Hobbes sur l'idée que l'usage et le développement de la raison, aussi bien du côté du détenteur du pouvoir que du côté des sujets, était le moyen le plus sûr de maintenir la stabilité de l'État et la paix civile, c'est-à-dire en définitive l'être et le bien-être des individus.

1. *Béhémoth*, I, trad. L. Borot, Paris, Vrin, 1990, p. 39.
2. *Léviathan*, XXXI, trad. F. Tricaud, Paris, Sirey, 1971, p. 392.

Les deux œuvres que nous venons de citer, *Béhémoth* et *Léviathan*[1], définissent ainsi une antinomie : celle qui oppose l'existence conflictuelle et misérable des hommes lorsque l'État est détruit, d'une part, et l'existence paisible et industrieuse qu'ils mènent lorsque l'application de la justice est garantie par la puissance souveraine de l'État, d'autre part. L'expérience du processus de décomposition sociale qui accompagne la dissolution de l'État a contribué à la formulation, par notre philosophe, des questions qui vont animer de l'intérieur sa pensée : pourquoi les sociétés et les États sont-ils susceptibles d'être détruits ? Pour quelles raisons les hommes sont-ils parfois conduits à la révolte, à la sédition et à la guerre ?

Cependant, cette double interrogation ne serait aucunement nouvelle si elle avait conduit Hobbes à la seule recherche des causes factuelles de la naissance et de la chute des États. Or tel ne fut pas le cas. Reprise dans le cadre du projet philosophique général du philosophe anglais, la recherche des causes changeait tout à fait de sens : elle ne pouvait plus se maintenir sur le plan d'une analyse des faits historiques. Elle impliquait au contraire que l'on passât de la connaissance des causes factuelles à celles des causes principielles, c'est-à-dire du récit à la déduction, des circonstances particulières aux principes universels, ou encore de l'histoire civile à la philosophie civile. L'un des tournants majeurs que Hobbes accomplit dans le domaine de la philosophie politique ou civile consista à donner à celle-ci un statut démonstratif en en découvrant les principes non dans l'Histoire, mais dans la nature humaine. Par là même, il inventa un nouveau style de pensée ou, si l'on préfère, une nouvelle manière de poser le problème politique, lequel était désormais

1. « Béhémoth » et « Léviathan » sont deux noms d'animaux, l'un terrestre, l'autre marin, que Hobbes emprunte au livre biblique de Job. Le premier symbolise chez lui la violence irraisonnée de la guerre civile, tandis que le second signifie la puissance éminente et incomparable de l'État.

détaché des circonstances particulières liées aux époques, aux lieux ou aux mœurs des peuples. Autrement
dit, l'Histoire devenait une source d'exemples dont on
pouvait éventuellement tirer des leçons, mais non une
source de principes dont on aurait pu déduire des
conséquences. C'est pourtant bien en de telles conséquences déduites de principes que devait, selon
Hobbes, consister la philosophie politique. Ce nouveau style de pensée allait, bien entendu, rejaillir sur le
contenu du problème politique lui-même : pourquoi
les hommes naturellement libres, égaux et indépendants sont-ils amenés à s'associer pour constituer un
État ? Comment une multiplicité de volontés individuelles peuvent-elles donner naissance à une volonté
politique unique ? Quelles sont les causes internes qui
affaiblissent et finissent par détruire l'État ? Nous
disions que l'élaboration de la philosophie se situait au
point de rencontre d'un projet et d'une crise, mais le
projet modifie le sens de la crise pour donner naissance à un savoir éthique et politique nouveau.

*
* *

Hobbes a réécrit et réélaboré à plusieurs reprises sa
doctrine éthique et politique. Les *Éléments de la loi
naturelle et politique* en sont la première version. Deux
faits significatifs, l'un externe, l'autre interne, permettent d'introduire à lecture de cette œuvre.

Le fait externe consiste en ce que l'ouvrage, rédigé en
anglais en 1640, fut publié dix ans plus tard sous la
forme de deux traités séparés dont le premier fut intitulé
La Nature humaine (Human Nature) et le second *Du
corps politique (De corpore politico)*[1]. Bien que les titres de
ces deux traités n'aient pas été choisis par Hobbes lui-
même, ils ne désignent pas moins les thèmes principaux
abordés dans l'ouvrage. Ainsi, au moment de transi-

---

1. Ce titre latin fut paradoxalement donné à un traité rédigé en
anglais.

tion[1], Hobbes écrit : « La première partie de ce traité a été entièrement consacrée à l'étude de la puissance naturelle et de l'état naturel de l'homme (...) Dans cette [seconde] partie, on étudiera donc la nature du corps politique et ses lois, qu'on appelle également lois civiles[2]. » Cette simple présentation du plan de l'œuvre engage deux décisions fondamentales qui déterminent son contenu. D'une part, l'étude de la constitution interne de l'individu ainsi que celle des rapports qui s'établissent naturellement entre les hommes pourront se faire indépendamment de toute considération sur l'État. Mieux, ce que Hobbes appelle état de nature désigne précisément la condition des hommes hors de l'existence du pouvoir politique. D'autre part, l'État ou corps politique ne pourra plus être considéré comme une réalité naturelle produite par une tendance spontanée, mais au contraire comme une réalité artificielle créée par la volonté. Cette double décision aura des conséquences qui dépasseront l'œuvre de Hobbes lui-même. D'un côté, elle ouvre la voie aux nombreux traités sur la nature humaine qui se succéderont au XVIIᵉ et au XVIIIᵉ siècle et, de l'autre, elle trace le chemin des théories politiques pour lesquelles l'existence de l'État est subordonnée à la préservation de l'être et du bien-être des individus. Mais Hobbes ne se contente pas d'ouvrir des voies et de tracer des chemins, il entreprend lui-même résolument de définir la constitution des facultés cognitives et passionnelles de l'homme, pour montrer ensuite comment le déploiement des relations interhumaines conduit irrésistiblement à un conflit universel qui met l'existence de chaque homme en péril, et enfin rendre compte de la création volontaire de l'État.

Sur le plan de la constitution affective et cognitive de l'individu, l'homme se trouve caractérisé comme

1. Ce moment de transition ne correspond pas au lieu où les éditeurs de 1650 avaient divisé l'œuvre originale pour en faire deux traités.

2. *Éléments de la loi naturelle et politique*, II, I, 1, trad. L. Roux (sous le titre *Éléments du droit naturel et politique*), Lyon, L'Hermès, 1977, p. 239 (la traduction sera souvent modifiée par nous).

un être de désir et de parole. L'homme est d'abord un être de désir. Les six passions primitives (appétit/aversion, amour/haine, plaisir/douleur) qui définissent son individualité ne sont que des modalités ou des spécifications d'une tendance primitive : le désir. Qu'est-ce que le désir ? Le désir est un effort *(conatus, endeavour)* par lequel nous tendons à rechercher ce qui contribue à la préservation de notre être. L'objet du désir est bien entendu tel ou tel objet extérieur susceptible d'aider au maintien de notre être, mais c'est aussi, et plus fondamentalement, notre être lui-même. Ce que nous désirons avant toute autre chose, ou encore ce qui fonde le désir des choses extérieures, c'est le désir de continuer à être. Le désir est donc d'abord un désir de soi. À partir de ce désir fondamental de soi s'opère une première différenciation en fonction de nos rapports aux objets extérieurs. Selon que nous recherchons un objet susceptible de contribuer au maintien de notre être ou que nous nous éloignons d'un objet qui pourrait nous nuire, nous sommes affectés respectivement d'appétit ou d'aversion. Ce premier couple de passions connaît deux modalités. Premièrement, lorsque l'objet de l'appétit ou l'aversion est présent, on parle d'objet d'amour ou de haine. Deuxièmement, lorsque l'appétit ou l'aversion est considéré en ce qu'il produit en nous un effet subjectif agréable ou désagréable, on parle alors de plaisir ou de douleur.

Cette définition de la vie affective de l'homme en fonction du désir de soi permet de comprendre qu'il ne puisse y avoir de fin dernière extérieure à l'existence humaine elle-même. Par conséquent, le bonheur ne saurait consister dans le repos et la satisfaction que procurerait la possession d'un objet ultime d'amour, mais au contraire dans la poursuite constante et constamment renouvelée du plaisir : « Vu que tout plaisir est appétit, et que l'appétit présuppose une fin plus lointaine, il ne saurait y avoir de satisfaction que dans la continuation. (...) Par conséquent, la félicité (par quoi on entend le plaisir continu) ne consiste pas à avoir atteint, mais à atteindre présentement le succès[1]. » Ainsi, l'homme, comme être de désir, sera sans cesse en mouvement, à la recherche de satisfactions et de plaisirs nouveaux, de sorte que « abandonner la course, c'est mourir[2] ». Mais cette constitution dynamique de l'affectivité ne suffit pas à définir l'homme, il faut en effet que s'y ajoute un élément spécifique de sa constitution cognitive.

L'homme n'est pas seulement un être de désir, mais aussi un être de parole. La parole, ou plus précisément la puissance qui lui donne naissance, est ce qui distingue foncièrement l'homme de l'animal. En effet, si l'on s'en tient à la sensation et à l'imagination, rien ne permet de tracer une ligne de différenciation nette entre la vie animale et la vie humaine. Comme l'animal, l'homme éprouve des sensations qui résultent de l'action des objets extérieurs sur les organes des sens. À partir de ces sensations se forment des images qui persistent lorsque l'objet extérieur s'éloigne ou disparaît. Ces images elles-mêmes se lient entre elles selon l'ordre qui s'était d'abord présenté entre les sensations. Ce qui fait la spécificité de l'homme, et émancipe sa constitution mentale de celle de l'animal, est une puissance tout à fait particulière : une capacité d'arbitraire d'où naît le langage. « Une dénomination ou appellation est donc le vocable qu'un homme impose arbitrairement comme marque destinée à lui rappeler une conception ayant trait à la chose à laquelle il l'impose[3]. » La parole modifie de fond en comble la constitution mentale et affective de l'homme en l'arrachant à la condition animale et en faisant de lui un être pour lequel la science, la justice ou la loi ont un sens. Significativement, Hobbes dira plus tard dans le *Léviathan* que, sans la parole, « il n'y aurait pas eu parmi les hommes plus de République, de société, de

1. *Éléments de la loi naturelle et politique*, I, VII, 7, p. 159.
2. *Ibid.*, I, IX, 21, p. 177.
3. *Ibid.*, I, V, 3, p. 148.

contrat et de paix que parmi les lions, les ours et les loups[1]. »

Cependant une difficulté saute immédiatement aux yeux : comment la parole peut-elle entrer dans la définition de la constitution individuelle de l'homme alors qu'elle suppose l'existence d'un rapport à autrui ? Mieux encore, comment la parole pourrait-elle expliquer l'existence de la société ou de l'État, alors qu'elle semble bien être elle-même une institution sociale ? Hobbes ne tombe-t-il pas sous le coup du reproche qu'on lui fera plus tard, de parler de l'homme naturel en décrivant l'homme civil ? La réponse à ces questions se trouve dans une distinction opérée par Hobbes lui-même entre la notion de marque et celle de signe. Autrement dit, avant même la création et l'usage du langage par lequel les hommes se signifient mutuellement leurs pensées, chaque individu peut, en vertu de la puissance d'arbitraire inhérente à sa nature, utiliser de manière entièrement privée des marques comme aide-mémoire : « Une marque est donc un objet perceptible par les sens qu'un homme établit volontairement pour lui-même, afin de se souvenir ainsi d'une chose passée, lorsque cette chose se présente à nouveau à ses sens. Ainsi font les hommes qui, étant passés près d'un rocher sur la mer, y laissent une marque pour se rappeler leur premier danger et l'éviter[2]. » L'homme a donc une capacité privée d'instituer des marques, ce n'est qu'au fur et à mesure de la complexification des relations interhumaines que cette puissance de marquer se transformera en une pleine et entière puissance de parler.

La définition de l'homme comme être de désir et comme être de parole conduit donc nécessairement de la considération de l'individu à celle des relations interrhumaines. Hobbes se situe ici hors de toute configuration historique : il s'agit moins de dire ce que fut l'existence humaine lorsque l'État n'existait pas ou

---

1. *Léviathan*, IV, p. 27.
2. *Éléments de la loi naturelle et politique*, I, V, 1, p. 147.

lorsqu'il n'existe plus que de dessiner un modèle théorique. Or, ce qui définit les relations entre les hommes
dans l'état de nature, c'est une double inquiétude.
Premièrement, chaque homme est inquiet d'avoir à
trouver constamment de nouveaux objets susceptibles
de lui permettre de se persévérer dans l'être. Deuxièmement, chaque homme est également inquiet des
intentions de chaque autre. Autrement dit, la présence
d'autrui introduit un facteur d'incertitude qui
redouble l'inquiétude de l'individu solitaire. Mieux,
cette incertitude transforme l'inquiétude en crainte.
Les relations interhumaines vont dès lors être minées
de l'intérieur par la défiance, la rivalité et la recherche
mutuelle de supériorité. Ce que Hobbes appelle l'état
de guerre n'est rien d'autre que cette condition où les
hommes, écartelés intérieurement entre la crainte de
la mort et la recherche de la gloire, sombrent inévitablement dans des relations d'inimitié. Mais c'est également l'état où s'éveille en chacun la conscience de la
nécessité d'instituer un pouvoir politique qui, en les
tenant tous en respect, pourra établir les principes
d'une paix et d'une concorde civile.

La préservation de l'être et du bien-être des individus est donc suspendue à l'institution volontaire de l'État ou corps politique. Celui-ci est défini
par Hobbes comme « une multitude d'hommes, unis
en une seule personne par un pouvoir commun,
pour leur paix, leur défense et leur profit communs[1] ».
L'État ou le corps politique est donc l'union d'une
multitude antérieurement démunie et conflictuelle.
Quelle est la nature de cette union et comment se
réalise-t-elle ? L'union est le produit d'un accord entre
les volontés des hommes, elle est donc artificielle.
L'État est un être artificiel comparable, dit Hobbes,
« à une création à partir du néant opérée par l'esprit
humain[2] ». Cet artifice politique, qui a pour but de
défendre la vie et les biens des individus, doit être

1. *Ibid.,* I, XIX, 8, p. 234.
2. *Ibid.,* II, I, 1, p. 240.

doté du pouvoir et des droits susceptibles de lui permettre de remplir sa fonction, c'est-à-dire d'une souveraineté absolue et indivisible. Absolue, au sens où
elle est indépendante de tout autre pouvoir ou de tout
autre droit humain, et au sens où elle dispose d'une
puissance de contrainte à laquelle, en principe, rien ni
personne ne peut résister. Indivisible, au sens où la
souveraineté ne peut se partager entre différentes personnes ou différentes instances sans se nier elle-même.
Comment cette souveraineté absolue est-elle instituée ? Par une convention : le pacte social. Les termes
et les modalités de ce pacte restent largement indécis
dans le cadre de l'ouvrage que nous analysons.
Hobbes indique simplement que chaque homme
« s'oblige envers un seul homme, ou envers un seul
conseil, nommé et établi par tous, à faire les actions
que ledit homme ou conseil leur commandera de
faire[1] ». Hobbes réélaborera sa conception du pacte
social dans son traité *Du citoyen,* où il deviendra un
pacte de chaque membre de la multitude avec chaque
autre, et surtout dans le *Léviathan,* où il recevra un
contenu substantiellement différent en fonction d'une
théorie nouvelle de l'autorisation.

Reste cependant une question importante concernant précisément le passage de l'état de nature à l'état
civil : on voit encore mal ce qui rend possible ce passage. Comment, en effet, peut-on passer d'une
logique d'affrontement et de guerre à un pacte social
qui relève d'une logique juridique ? Autrement dit,
comment passer du fait au droit ? C'est en ce point
que trouve à s'investir le second fait significatif, cette
fois interne, susceptible d'introduire à l'étude des *Éléments de la loi naturelle et politique.* Le titre original de
l'œuvre est en effet : *The Elements of Law Natural and
Politic.* Or, s'il s'agissait d'un autre auteur que
Hobbes, il faudrait traduire ce titre par « Éléments du
droit naturel et politique » et non, comme nous
l'avons fait, par « Éléments de la loi naturelle et poli-

---

1. *Éléments de la loi naturelle et politique,* I, XIX, 7, p. 234.

tique ». Il s'agit là d'un fait significatif interne, parce que Hobbes force le vocabulaire anglais pour faire correspondre terme à terme la notion de *law* au terme latin *lex* (loi) et la notion de *right* au terme latin *jus* (droit), alors que le sens du couple de mots anglais n'est pas entièrement superposable au couple de mots latins. Cette question terminologique renvoie, en fait, à un point doctrinal extrêmement important, qui engage précisément le passage des questions de fait aux questions de droit. Le droit naturel est en effet défini par Hobbes comme la « liberté irréprochable d'user de notre capacité et de notre puissance naturelles[1] » en vue de préserver notre vie. Ce droit est donc rationnel tant qu'il a pour finalité la conservation de notre être. Cependant, ce même droit devient contradictoire dans l'état de nature parce que, conférant à chacun un droit sur toutes choses, il justifie la poursuite de l'état de guerre. Pour éviter cette contradiction, la raison humaine est amenée à former l'idée d'une loi naturelle qui a un contenu tout différent du droit naturel. La loi naturelle consiste en effet en une obligation ou une interdiction par laquelle notre raison nous enjoint de faire ou de ne pas faire quelque chose. Les préceptes de la loi naturelle sont « ceux qui nous montrent les voies de la paix[2] ». Autrement dit, la clé du passage de l'état de nature à l'état civil ne consiste pas seulement dans le déploiement de la vie passionnelle interhumaine, mais aussi dans le déploiement de la capacité à déterminer rationnellement ce qui convient le mieux à la préservation de notre être.

*
* *

Malgré des changements parfois importants, le contenu du traité *Du citoyen (De Cive)* reste dans l'ensemble tout à fait concordant avec celui des *Éléments*

1. *Ibid.*, I, XIV, 6, p. 202.
2. *Ibid.*, I, XV, 1, p. 206.

de la loi naturelle et politique. Notons que les changements les plus massifs concernent d'une part l'absence, dans le traité *Du citoyen,* du long développement sur la nature humaine et, à l'inverse, l'ajout dans
la même œuvre d'une partie finale concernant la religion qui ne figurait pas dans les *Éléments de la loi.* Il
n'est donc pas vraiment nécessaire de reprendre ici les
points que nous venons d'examiner. En revanche, ce
que nous retiendrons du traité *Du citoyen* est lié au fait
que ce traité a été la première œuvre politique publiée
de Hobbes (1642). Comme la première édition donna
lieu à des objections, notre philosophe ressentit le
besoin d'y répondre dans la seconde édition (1647).
Les réponses aux objections (anonymes) sont
consignées dans des remarques particulièrement
importantes. C'est donc par l'examen de trois d'entre
elles que nous aborderons cette œuvre.

Le contenu de la première remarque[1] consiste en
une réponse de Hobbes à une objection portant sur sa
critique de la définition aristotélicienne de l'homme
comme « animal politique ». Pour Hobbes, en effet, la
critique de cette définition, c'est-à-dire la négation de
la présence en l'homme d'une disposition naturelle à
la société, est capitale parce qu'elle commande à la
fois sa conception de l'état de nature et sa conception
de l'État. Cependant l'objecteur voit d'emblée la difficulté : nier qu'il y ait une disposition native de
l'homme à la société, n'est-ce pas poser une pierre
d'achoppement au seuil de la doctrine civile ? Car
enfin, s'il n'existe pas de tendance naturelle à la
société, n'est-ce pas dire que la solitude convient à
l'homme par nature, ou en tant qu'homme ? Mais,
dans ce cas, n'annule-t-on pas dans son principe
même le projet d'une philosophie civile ? Pour que
l'idée d'une politique ait un sens, il faut donc surmonter l'objection de la solitude. C'est pour résoudre
cette difficulté que Hobbes opère dans sa remarque

1. *Du citoyen,* I, I, 2, remarque, trad. S. Sorbière, Paris,
GF-Flammarion n° 385, 1982, p. 93-94.

une distinction capitale entre le désir de société, au sens très large d'un désir de compagnie, c'est-à-dire de réunion ou de rencontre, et la capacité à vivre en société au sens strict de société politique. Il s'agit donc de distinguer la disposition à la relation avec autrui, que l'on doit supposer même dans l'état de nature, de la relation constitutive de la société politique. Le fondement de la première doit rendre compte de la rencontre et du rassemblement des hommes, et le fondement de la seconde, de l'union civile. Or ces deux fondements sont différents, car si les hommes sont amenés à se rassembler, c'est parce que la solitude perpétuelle leur est pénible. On peut facilement le vérifier aussi bien dans le cas des enfants qui ont besoin des autres pour les aider à vivre que dans le cas des adultes qui en ont besoin pour bien vivre. La nature contraint donc les hommes à se rassembler pour se maintenir dans l'être ou le bien-être. Cependant, cette disposition à la relation ne peut être en aucune manière considérée comme une disposition à la société politique. L'exemple des enfants est à nouveau particulièrement éclairant, puisque, tout en ayant besoin des autres pour vivre, ils ignorent tout de la force des pactes qui constituent la société civile. D'où l'affirmation selon laquelle ce n'est pas la nature, mais l'éducation — par quoi il faut entendre ici la connaissance des maux de l'état de nature — qui rend l'homme propre à la société. Cette distinction permet à Hobbes d'établir l'existence d'une disposition naturelle des hommes à se rassembler, tout en niant l'existence d'une disposition naturelle à la société politique, laquelle est fondée volontairement par le pacte social.

La seconde remarque[1] concerne l'affirmation de Hobbes selon laquelle quoi qu'un homme fasse dans l'état de nature, il ne commet pas d'injustice à l'égard d'autrui. Pour rétablir contre son objecteur le sens de cette affirmation, Hobbes reprend le principe du droit naturel de chacun à se conserver lui-même. Chacun

1. *Ibid.*, I, I, 10, remarque, p. 97-98.

étant seul juge des moyens les plus propres à assurer sa conservation, il n'y a rien dans ce que fait un homme que l'on puisse humainement (sinon divinement) dire injuste. Mais l'objection a également une autre portée, sans doute plus profonde, clairement exprimée par la question : « Si quelqu'un commet un parricide, ne fait-il point tort à son père[1] ? » Au-delà de la réponse ponctuelle que fournit la remarque, l'enjeu véritable de l'objection concerne en fait la méchanceté de l'homme. L'homme de Hobbes est-il, comme le dira plus tard Rousseau, un « étrange animal (...) qui croirait son bien attaché à la destruction de toute son espèce » ? En somme, l'homme est-il naturellement méchant ? La réponse à cette question doit être absolument sans équivoque : non. Il n'y a, selon Hobbes, ni haine de l'humanité, ni désir effréné de puissance qui résulterait de la constitution interne de l'homme. Si le désir de puissance et de domination devient prédominant dans l'état de nature, et si la violence qui s'ensuit transforme les hommes en ennemis les uns des autres, ce n'est en aucune manière du fait de la nature de l'individu. Autrement dit, l'inimitié n'est pas le résultat d'un tendance spontanée de la nature humaine. Chaque homme par nature désire simplement persévérer dans l'être. Ce qui rend les hommes agressifs et violents, c'est bien plutôt la dynamique passionnelle qui s'établit dans le contexte de l'état de nature. Lorsqu'il n'existe pas de pouvoir politique, l'inquiétude qui habite chaque individu se transforme inévitablement en crainte d'autrui, en raison de l'incertitude générale qui règne sur les intentions des autres hommes. C'est pourquoi, lorsque l'État sera institué, une dynamique pacifique des relations interhumaines pourra s'établir.

La troisième remarque[2] est directement politique. Elle comporte en effet les réponses à deux objections présentées contre l'idée que le pouvoir de l'État doit

1. *Du citoyen*, p. 98.
2. *Ibid.*, II, VI, 13, remarque, p. 157-158.

être absolu. La première objection concerne les conséquences d'un tel pouvoir sur les conditions d'existence des hommes qui y sont soumis. En effet, conférer un pouvoir absolu aux rois, n'est-ce pas leur délier totalement les mains en leur donnant la liberté et les moyens de soumettre leurs sujets à une condition très misérable ? Qui les empêchera d'accomplir toutes espèces d'extorsions et de violences ? Mais, dès lors, où est cet avantage, si fortement souligné par Hobbes, du passage de l'état de nature à l'état civil ? A-t-on vraiment gagné quelque chose en substituant l'arbitraire et la violence d'un seul à qui on ne peut résister à la violence de plusieurs contre lesquels il était possible et légitime de se défendre ? À la conception du pouvoir absolu, l'objecteur anonyme oppose donc l'existence chez certains peuples d'une procédure solennelle par laquelle les princes prêtent serment de ne pas violer les lois.

L'objection est forte. La réponse est donc argumentée : elle comporte trois arguments. 1. Hobbes assume d'abord totalement sa conception du pouvoir absolu. Oui, l'État doit détenir un pouvoir absolu, parce que sans cela il ne disposerait pas des moyens nécessaires pour atteindre son but, à savoir assurer la défense et la protection des sujets. Oui, il est vrai que cette conception du pouvoir politique implique que celui qui le détient n'est pas lui-même soumis aux lois civiles qu'il édicte, il ne peut donc, quoi qu'il fasse, commettre d'injustice à l'égard des sujets, mais seulement à l'égard de Dieu. 2. Cependant, pourquoi devrait-on craindre que les rois usent mal de ce pouvoir ? Pourquoi formeraient-ils le dessein de ruiner leurs sujets ? En agissant ainsi, ne remettraient-ils pas en cause leur propre pouvoir ? La réponse de Hobbes à l'objection est celle-ci : le pouvoir des rois est équivalent à celui que leurs sujets leur donnent, par conséquent, nuire à ses sujets, c'est pour un roi se nuire à lui-même. 3. Reste que cette réponse est insuffisante, parce qu'elle suppose que les rois agissent toujours rationnellement, et qu'ils voient toujours clairement que leur pouvoir réside dans la prospérité de leurs sujets. Hobbes le sait, et le souligne lui-même : « J'avoue qu'il se peut rencontrer des princes de mauvais naturel. » Mais l'existence d'un serment ou d'une limitation du pouvoir des rois ne changerait rien au risque d'un mauvais usage toujours possible du pouvoir qui leur reste. En effet, outre que le serment n'a pas en lui-même de valeur juridique propre, il faudrait, quelque limitation qu'on imagine, laisser à un prince assez de puissance pour tenir tout un peuple sous sa protection. Or, ce pouvoir de protéger sera toujours suffisant, lorsque le prince en fait un mauvais usage en le détournant de sa finalité légitime, pour devenir un instrument d'oppression du peuple. L'objection est donc largement ébranlée, mais non complètement détruite. Il est vrai que la vie en société comportera toujours quelques risques ou quelques incommodités, mais il n'y a rien là qui puisse être comparable à l'état de misère et au risque permanent de mort qui prévalait de l'état de guerre de tous contre tous. Si les hommes voulaient éviter ces incommodités, il eût fallu qu'ils fussent suffisamment vertueux pour se gouverner eux-mêmes selon les lois morales que leur dicte leur raison. Comme ce n'est pas le cas, chacun doit se tenir au moins comme partiellement responsable de l'amertume que peut parfois occasionner la vie civile.

La seconde objection est plus historique. Elle consiste à soutenir qu'il n'a jamais existé un tel pouvoir absolu dans la chrétienté. La réponse de Hobbes est ici sans nuance : cette affirmation est fausse. Tout pouvoir politique, pour autant qu'il est souverain, est, a été, et sera absolu, même si cela n'est pas explicitement reconnu. Sans pouvoir absolu, il n'y a pas de souveraineté et, par voie de conséquence, il n'y a pas d'État. Ce principe est en outre valable quel que soit le régime politique que l'on envisage. Le pouvoir dans une démocratie est exactement le même que dans une aristocratie ou dans une monarchie. Mais, au-delà de ce principe, il faut reconnaître que l'État n'assume pleinement son but que lorsque le souverain use de prudence, c'est-à-dire lorsqu'il agit en fonction de la connaissance des règles qui gouvernent l'artifice politique.

*
* *

Publié en anglais en 1651, *Léviathan* fut traduit et publié en latin par Hobbes lui-même en 1668. Cet ouvrage constitue la forme pleinement achevée de sa doctrine éthique et politique. Son ampleur, sa densité et sa richesse interdisent que l'on puisse en donner ici une présentation qui en aborderait les principaux thèmes. Certes, Hobbes reprend et développe plusieurs thèmes que nous avons déjà examinés. Mais l'ensemble de la doctrine est repensé, refondu et réélaboré en vue de surmonter quelques-unes des difficultés, voire des contradictions, qui figuraient dans les ouvrages que nous avons déjà envisagés. À défaut d'une présentation d'ensemble, nous nous attacherons à esquisser trois points majeurs de cet écrit monumental, parce qu'ils modifient, précisent ou complètent le contenu des ouvrages antérieurs.

Le premier point concerne la théorie de la convention sociale. Si *Léviathan* réitère — et avec quelle force ! — l'idée selon laquelle l'État est fondé par un acte volontaire au moyen duquel chaque homme s'engage envers chaque autre à conférer à un tiers (le futur souverain) le droit de le gouverner, la formulation du pacte ainsi que son contenu sont profondément modifiés. Voici la nouvelle formulation du pacte social : « Une convention de chacun avec chacun [est] passée de telle sorte que c'est comme si chacun disait à chacun : *j'autorise cet homme ou cette assemblée, et je lui abandonne mon droit de me gouverner moi-même, à cette condition que tu lui abandonnes ton droit et que tu autorises toutes ses actions de la même manière.* Cela fait, la multitude ainsi unie en une seule personne est appelée une République, en latin *Civitas*[1]. » L'une des notions centrales de ce texte, en tout cas celle qui mobilisera notre attention, est la notion d'autorisation. Le pacte social est en effet une convention d'autorisation. Que faut-il entendre par là ? Pour répondre à cette question, il importe de préciser le type de rapport que l'autorisation établit entre les sujets et le souverain, ainsi que le statut de la volonté souveraine (celle de l'État ou de la république). Concernant tout d'abord le rapport entre les sujets et le souverain, l'autorisation permet de résoudre une difficulté considérable des *Éléments de la loi* et du traité *Du citoyen,* laquelle consistait en ce que les hommes, en devenant sujets de l'État, apparaissaient comme des êtres passifs, dépourvus de tout droit, soumis à l'omnipotence du pouvoir politique. Désormais, avec la notion d'autorisation, un tout autre type de rapport s'établit par lequel les sujets sont les auteurs d'un vouloir politique dont le souverain est l'acteur. Autrement dit, le rapport d'autorisation implique que le souverain agit au nom des sujets, et que les sujets agissent par le souverain. Les sujets ne peuvent donc plus être considérés comme soumis à une obéissance simplement passive, ni comme dépourvus de tout droit. Ensuite, concernant la volonté souveraine, la convention d'autorisation permet de concevoir celle-ci non comme étrangère aux volontés des sujets, mais au contraire comme en étant l'expression. Par là même, Hobbes apporte une solution à un problème politique central qu'il a du reste lui-même inventé, celui de la formation d'un être politique dont la volonté soit également celle de tous les particuliers.

Le deuxième point concerne la théorie de la loi, plus particulièrement celle de la loi civile ou loi positive. Une formule de la version latine du *Léviathan* fournit dans un raccourci saisissant la signification de la loi : « *Authoritas, non veritas, facit legem* », c'est

1. *Léviathan*, XVII, p. 177.

l'autorité, non la vérité, qui fait la loi[1]. La loi est l'expression de la volonté de celui qui dispose du droit de commander. Comme telle, elle n'a comme critère de validité ni la raison des particuliers ni celle des juristes. Hobbes fait ainsi du souverain l'unique législateur et, par conséquent, la seule source de la légalité politique. C'est une tradition fortement enracinée dans la pensée juridique anglaise qui se trouve ainsi théoriquement remise en cause, celle qui consistait à faire de la coutume ou du droit commun *(Common Law)* la source principale d'une jurisprudence qui gouverne la société. Mais, en faisant de la loi le produit de l'autorité et non de la vérité, ne risque-t-on pas d'en faire quelque chose d'irrationnel ? Doit-on interpréter le principe comme l'expression d'un décisionnisme politique opposé à un rationalisme juridique ? Pas du tout. Hobbes le dit lui-même clairement : « Aussi la loi ne procède-t-elle pas de cette *juris prudentia* ou sagesse des juges subalternes, mais de la raison de cet homme artificiel que nous étudions ici, c'est-à-dire de la République et de ses commandements[2]. » En outre, la notification, c'est-à-dire le fait d'être portée à la connaissance des sujets, est la condition *sine qua non* de l'obligatoriété de la loi. Nul en effet ne peut être obligé à ce qu'il ne connaît pas ou à ce qu'il ne comprend pas. Autrement dit, loin d'ouvrir la voie à une obscure et dangereuse conception de la transcendance irrationnelle de la volonté de l'État, la théorie de la loi est au contraire un des lieux privilégiés où il est possible de saisir pourquoi chez Hobbes la raison de l'État ne saurait en définitive être d'une autre nature que celle des particuliers.

Enfin, le troisième point concerne une question qui occupe une bonne moitié du *Léviathan*. Il s'agit de l'interprétation de l'écriture sainte. Pourquoi une

---

1. *Ibid.* XXVI, p. 295, note 81. La même idée est reprise dans un ouvrage extrêmement important de Hobbes sur la loi, le *Dialogue entre un philosophe et un légiste sur les Common Laws d'Angleterre*, trad. L. et P. Carrive, Paris, Vrin, 1990, p. 29.

2. *Léviathan*, XXVI, p. 288.

place aussi considérable est-elle accordée à l'étude de l'exégèse biblique dans un ouvrage éthique et politique ? Pour deux raisons : d'une part, parce que la Bible comporte la loi divine révélée, et qu'il convient de savoir si, en obéissant au souverain, nous agissons conformément ou non aux lois divines. D'autre part, parce que le récit biblique a fait l'objet de multiples interprétations très divergentes les unes des autres, qui ont suscité la constitution de sectes opposées et fourni le prétexte de guerres de religion au cours desquelles la paix civile fut détruite. On comprend donc que la doctrine politique du *Léviathan* devait inclure une réflexion sur les conséquences politiques de la religion. Mais on comprend également que l'intention de Hobbes n'était nullement de définir la vérité en matière de foi, mais seulement de soumettre le pouvoir ecclésiastique au pouvoir politique pour que la paix civile se perpétue.

Yves-Charles ZARKA

BIBLIOGRAPHIE

ÉDITIONS DE RÉFÉRENCE : Édition critique des *Œuvres complètes de Hobbes*, trad. fr. sous la direction de Y.-C. ZARKA, 17 tomes prévus dont 4 parus (*cf.* les références dans la rubrique des œuvres disponibles en français), Paris, Vrin, 1990-1993. *English Works*, édition W. MOLESWORTH, 11 vol., Londres, 1839-1845, réimpr. Aalen, 1966 ; en 12 vol. chez Thoemmes Press, Bristol, 1992. *Opera latina*, édition W. MOLESWORTH, 5 vol., Londres, 1839-1845, réimpr. Aalen, 1966.

TRADUCTIONS FRANÇAISES : *Béhémoth*, éd. critique en trad. L. BOROT, t. IX des *Œuvres complètes de Hobbes*, Paris, Vrin, 1990. *Court traité des premiers principes*, trad. J. BERNHARDT, Paris, PUF, 1988. *De la liberté et de la nécessité*, éd. critique en traduction F. LESSAY, t. XI-1 des *Œuvres complètes de Hobbes*, Paris, Vrin, 1993. « *De Principiis* », *Notes sur une version ancienne du* « *De Corpore* », trad. L. BOROT, in *Philosophie*, n° 23, 1989, p. 5-21. *Dialogue des Common Laws*, éd. critique en traduction L. et P. CARRIVE, t. X des *Œuvres complètes de Hobbes*, Paris, Vrin, 1990. *Du citoyen*, trad.

S. SORBIÈRE, Paris, GF-Flammarion n° 385, 1982. *Éléments du droit naturel et politique*, trad. L. ROUX, Lyon, L'Hermès, 1977. *Histoire et hérésie*, éd. critique en trad. F. LESSAY, t. XII-1 des *Œuvres complètes de Hobbes*, Paris, Vrin, 1993. *Léviathan*, trad. F. TRICAUD, Paris, Sirey, 1971. *Traité de l'homme*, trad. P.-M. MAURIN, Paris, Blanchard, 1976. *Troisièmes Objections aux Méditations métaphysiques de Descartes*, trad. CLERCELIER, *Œuvres de Descartes*, édition ADAM et TANNERY, IX-1, Paris, CNRS-Vrin, p. 133-152.

COMMENTAIRES : M. MALHERBE, *Thomas Hobbes ou l'œuvre de la raison*, Paris, Vrin, 1984. Y.- C. ZARKA, *La Décision métaphysique de Hobbes — Conditions de la politique*, Paris, Vrin, 1987. F. LESSAY, *Souveraineté et légitimité chez Hobbes*, Paris, PUF, 1988. J. BERNHARDT, *Hobbes*, Paris, PUF, 1989. Y.- C. ZARKA (dir.), *Hobbes et son vocabulaire*, Paris, Vrin, 1992. Y.-C. ZARKA, *Études sur Hobbes et la pensée politique moderne*, Paris, PUF, 1994 (à paraître).

HUME

Enquête sur l'entendement humain
Enquête sur les principes de la morale

D'abord, on imaginerait l'homme, gros, le visage plat, le regard vide. Ensuite, on forgerait un décor où cette image prendrait vie : il y aurait un salon, français, Mme du Deffand, Mlle de Lespinasse et des philosophes illustres (d'Alembert, Diderot, Condorcet...), tous entourant le fin esprit venu d'Écosse, fascinés par la lourdeur de l'apparence physique et l'agilité du propos. L'homme parlerait de l'*Histoire de l'Angleterre*. C'est pour cela qu'on l'aurait invité ; c'est pour cela surtout qu'il serait célèbre. Un jour, au beau milieu de la conversation, son siège s'effondrerait sous son poids. On rirait.

Puis on oublierait l'*Histoire de l'Angleterre* parce que l'Histoire elle-même l'a oubliée. Mais l'imagination retiendrait le portrait pour le transporter dans un autre lieu. Ce serait le même homme, des années plus tôt, dans la plus extrême solitude. Il viendrait de publier une œuvre touffue, aux ambitions affichées, le *Traité de la nature humaine*, mais n'aurait pas trouvé lecteur. Ce serait un auteur malheureux. Assurer soi-même sa publicité dans un *Abrégé*, changer d'éditeur ne changerait rien. Toujours seul, il se remettrait à l'ouvrage. Dire autrement dans l'espoir d'être enfin entendu. Question de style : il renierait la première œuvre en la tissant de manière différente et cela donnerait des essais dont certains, plus tard, furent rebaptisés *Enquêtes*. Le public accourrait, l'homme, enfin lisible, serait déjà moins seul, bientôt célèbre. On imaginerait encore que, des années plus tard, il mourrait serein. On attendrait le temps de la reconnaissance : Hume en bonne place face aux géants de la philosophie, salué par Kant pour avoir été le premier à ébranler la métaphysique ; Hume philosophe empiriste et sceptique, dit-on ; Hume dont on se souvient parfois, mais qu'on ne lit pas *d'abord,* quand on est français.

Le parcours insolite de l'œuvre de David Hume, tant de son vivant qu'après sa mort, l'indifférence ou l'enthousiasme qu'elle suscita ou suscite encore ne sont pas insignifiants au regard de la lecture de l'œuvre. Lire Hume n'est ni facile ni difficile. Hume est déroutant, parce que l'œuvre, partagée entre l'édifice systématique du *Traité* et les approches circonstanciées des *Enquêtes* et des *Essais* ne livre à aucun moment son mode d'emploi. Le bon sens, c'est-à-dire la raison, veut que l'on aborde une œuvre philosophique par le plus facile. Mais nous devons le bon sens à Descartes, et Hume préféra accorder la philosophie au sens commun[1], tout en se méfiant de sa nature dogmatique. Le bon sens veut encore que l'ouvrage le plus concis soit aussi le plus complet. Mais Hume n'a cessé d'enrichir sa collection d'essais, suite ouverte de variations dont l'enchaînement échappe à la sagacité du lecteur. Bref, avec Hume, il pourrait bien devoir apprendre à lire la philosophie étrangère. On s'autorisera ici du précepte de Hume déconseillant en 1751 à l'un de ses amis de s'atteler à la lecture du *Traité.* Non point qu'on puisse faire l'économie de cette lecture, mais parce que, plus que la philosophie de cabinet de l'homme tourmenté, la philosophie

---

1. *Enquête sur l'entendement humain,* XII, p. 243-244 : « Les réflexions philosophiques ne sont que les réflexions de la vie courante rendues méthodiques et corrigées ». (Nous citons toujours l'éd. GF-Flammarion.)

mondaine, nourrie des règles de la conversation ou du dialogue, sait faire du plaisir de lire une exigence première.

*
* *

L'*Enquête sur l'entendement humain* est une reprise du *Traité de la nature humaine,* mûrie, refondue au cours des dix-neuf ans qui séparent la publication et l'échec de la première œuvre du baptême définitif de la seconde. Mais l'*Enquête* ne résume pas le *Traité,* elle le repense. Le terme d'enquête dit assez bien ce qui distingue le genre : patiemment, recueillir les faits, accumuler les indices sans préjuger du résultat et, en même temps, s'enorgueillir de l'incertitude ou plutôt du jeu qui accompagne le travail de l'enquêteur. La philosophie est une chasse, un jeu, un jeu sérieux s'entend, mais un jeu tout de même, dont il importe de connaître les règles. Celles de l'*Enquête sur l'entendement humain,* plus tard respectées dans l'*Enquête sur les principes de la morale,* participent d'un projet dont Hume ne se départ jamais : appliquer la méthode expérimentale à la nature humaine, et, ce faisant, devenir le Newton de la métaphysique ; dans la lignée de l'illustre savant, revendiquer le choix des phénomènes contre les hypothèses, non plus seulement dans le domaine physique, mais aussi dans le domaine moral. Le genre de l'enquête nous demeure étranger tant que nous n'avons pas compris ce qu'il impose, une complète sujétion à l'expérience jointe au projet d'aboutir à une science humaine. Toute la difficulté de la lecture dérive de cette double exigence : comprendre l'homme dans ses actions, dans ses affaires, dans ses jugements ; mais aussi être compris de lui. Ou encore, savoir en parler, délimiter ce qu'il peut, ce qu'il fait vraiment, comme le géographe déchiffre un territoire[1] ; savoir lui parler sans céder à la facilité.

1. *Enquête sur l'entendement humain,* I, p. 55.

« Soyez philosophe, mais au milieu de toute votre philosophie, soyez toujours un homme[1]. » Philosophie mixte et philosophie acceptable : il y a de l'humilité et de la grandeur dans le projet de Hume. Entre ces deux pôles, il s'agit d'apprendre l'homme. Mais cet apprentissage n'impose pas un choix entre le facile et le difficile, entre l'abstraction des grands systèmes métaphysiques et la clarté superficielle des conversations de salon. Il s'agit plutôt d'apprivoiser la profondeur, de trouver les chemins après avoir pratiqué les avenues[2], d'être précis et prudent. Après beaucoup de précautions, on n'évite pourtant pas la question : qu'appelle-t-on penser ?

Penser, c'est copier en composant. Au commencement est l'impression, perception originelle et vive qui nous fait entendre, voir, toucher, aimer, haïr, désirer, vouloir. Penser vient après cette expérience, quand l'esprit réfléchit, se remémore les impressions, les mélange pour en faire des idées. Impressions et idées sont les deux noms de l'expérience. Les idées viennent chronologiquement après les impressions ; elles sont aussi qualitativement moins vives, moins fortes que les premières. On ne sera donc assuré de bien penser qu'à la condition expresse de toujours chercher l'impression dont dérive l'idée[3]. Vous avez vu de l'or ; vous avez gravi une montagne. Vous savez donc pourquoi vous rêvez à une montagne d'or.

Vous le savez d'autant plus que les idées sont méthodiques. La pensée n'est pas aventurière ; elle établit des connexions. Dans le langage scolaire, cela s'appelle faire un plan[4] et, dans la langue de l'honnête homme, composer selon des règles. Hume en relève trois qui épuisent les modalités d'actions de la pensée : la ressemblance, la contiguïté, la relation de cause à effet. Par exemple, la ressemblance mène l'esprit du portrait peint de David Hume à son physique

1. *Ibid.*, I, p. 51.
2. *Ibid.*, I, p. 53.
3. Sur les idées et les impressions, *Cf. ibid.*, V.
4. *Ibid.*, III, p. 73.

réel ; la contiguïté dans l'espace et dans le temps, du salon où il tenait conversation à la retraite qui l'abritait quelques années plus tôt ; la relation de causalité anime enfin l'itinéraire qui conduit la pensée à comprendre la composition des *Essais* en rapport avec l'échec du *Traité*.

Cet inventaire des opérations de l'esprit ne saurait en aucun cas être compris comme l'énoncé dogmatique d'un empirisme aveugle. Ballon d'essai destiné à susciter la curiosité[1], il tire son origine de la seule considération de l'expérience, et en même temps impose l'expérience comme seul guide. Au-delà de l'expérience, l'esprit divague ; dans les limites de l'expérience, il doute. Il peut divaguer, mais il doit le savoir ; il doit douter, mais il peut en tirer satisfaction. Car l'expérience n'est jamais décevante, elle est seulement instructive.

Égrener les leçons de l'expérience ne signifie pas que l'on se résigne au constat de l'impuissance de l'esprit à se départir de ses attaches sensibles. L'expérience nous enseigne au contraire l'immense pouvoir de notre imagination, doublé de notre immense capacité à croire. Seule l'expérience m'autorise à inférer un effet d'une cause[2]. Et pourtant, je me couche en me disant que le soleil se lèvera demain, sachant que le contraire d'un fait, aussi régulier qu'il ait pu être dans le passé, est toujours possible et ne revêt même aucun caractère choquant ou contradictoire[3] ; sachant encore que l'expérience ne me permet pas de prouver la ressemblance du passé au futur. Ainsi ma raison se trouve-t-elle incapable de démontrer que le soleil se lèvera demain ; c'est là une défense et illustration de l'empirisme sceptique. Mais je persiste cependant dans ma croyance : je crois que le soleil se lèvera demain et c'est là un indice de ce que mon action combat mon

---

1. *Enquête sur l'entendement humain*, III, p. 80-81. Sur les règles d'association des idées, *cf.* l'ensemble de la section III.
2. *Ibid.*, IV, p. 90. *Cf.* l'ensemble de la section IV, deuxième partie.
3. *Ibid.*, IV, p. 85-86.

ignorance. En d'autres termes, le projet de Hume ne consiste pas à désespérer l'humanité mais à comprendre la façon dont la nature humaine s'invente à partir de l'expérience. Alors apparaît le principe qui constitue le grand guide de la nature humaine, c'est-à-dire l'accoutumance qui, de la répétition dans le passé, nous mène à anticiper le futur ; l'accoutumance qui nous fait croire et signe l'emprise de l'imagination sur notre esprit[1].

En demandant : « Comment croit-on ? », Hume n'entend nullement dénoncer les approximations de l'esprit humain. Il en prend acte. Qu'il veuille par là montrer que la raison n'est pas le guide de l'action, nul n'en doutera. Mais, si Hume s'attarde sur la difficile question des modalités de la croyance, c'est tout autant et plus encore parce qu'il y a là un mystère[2], que la philosophie affronte rarement faute de moyens, faute de goût aussi peut-être pour ce qui oriente notre action coûte que coûte. La réponse de Hume tient en peu de mots. Autant dire qu'elle est difficile, incomplète sans doute : croire, c'est sentir d'une manière particulière, c'est avoir une idée dont la vivacité est proche de celle de l'impression et qui nous conduit à adhérer à ce qui n'est pas encore comme s'il était déjà. Croyance : une boule de billard est sur le point de heurter une autre boule de billard. Vous croyez que la première va communiquer son mouvement à la seconde, et vous n'avez pas tort, dans la plupart des cas. Fiction : dans la même situation, vous imaginez que la première boule s'arrête au contact de la seconde[3], et vous n'avez pas tort, si vous avez affaire à un maître de l'exercice. Dans le premier cas, vous croyez par habitude ; dans le second, vous pariez sur un coup de maître, mais n'y croirez qu'après coup, comme on croit *a posteriori* aux victoires improbables. Vous pourrez dire que vous y avez cru, mais vous n'atteindrez jamais à l'intensité du sentiment de celui

1. *Cf. Ibid.*, section V.
2. *Ibid.*, V, p. 111.
3. *Ibid.*

qui croit, au présent. « En philosophie, nous ne pouvons jamais aller plus loin que l'affirmation suivante : la croyance, c'est quelque chose de senti par l'esprit qui distingue les idées du jugement des fictions de l'imagination. Cela leur donne plus de poids et d'influence ; les fait paraître de plus grande importance ; les renforce dans l'esprit et en fait le principe directeur de nos actions[1] »

Ainsi, l'homme croit parce qu'il imagine. Aux lenteurs de la raison sujette à de fallacieuses déductions[2], Hume oppose l'évidence de l'expérience que l'imagination plie à ses règles d'association. Nous sommes irrationnels, mais imaginatifs. Nous avons tendance à tout confondre, mais cette confusion se fait dans l'ordre : force tranquille qui caractérise l'extrême liberté de l'imagination[3]. Elle peut façonner n'importe quoi, des chimères, des feux qui ne brûlent pas, des montagnes que l'on déplace. Elle peut aussi imposer une harmonie entre le cours de la nature et la succession de nos idées[4].

On jugera d'autant mieux de ses capacités qu'on comprendra qu'elle invente la nécessité et l'idée de pouvoir, là où il n'y a que constance[5]. L'expérience nous apprend la conjonction des événements dans le passé ; l'imagination en tire, par transition coutumière, une règle de connexion. Elle extrapole, et il le faut bien pour agir. C'est l'œuvre de l'imagination que de nous faire sentir la nécessité[6]. Un homme a acquis de l'expérience quand, à force de coutume, il a appris à en tirer les leçons pour l'avenir[7]. Pour autant, il n'en sait pas plus que le jeune débutant, parce que l'expérience ne livre rien au-delà d'elle-même. Le vieillard est aussi peu capable de prouver la nécessité que le nouveau-né, même si le sentiment qu'il en a est plus

1. *Enquête sur l'entendement humain*, V, p. 112.
2. *Ibid.*, V, p. 118.
3. « Rien n'est plus libre que l'imagination humaine », *ibid.*, V, p. 110.
4. *Ibid.*, V, p. 117.
5. *Cf. ibid.*, section VI.
6. *Ibid.*, V, p. 142 et 145.
7. *Cf. ibid.*, V, note 1, p. 106-108.

vif[1]. Le privilège de l'âge n'est que le signe d'une plus grande installation de l'imagination dans le monde. Si nouveau soit le décor, si étranger soit le lieu, nous apprenons à l'habiter, nous y prenons nos habitudes.

Il est clair alors pour qui oserait encore s'interroger sur la liberté de l'homme que la question est résolue : l'expérience nous offre l'évidence d'une conjonction de causes et d'effets et nous agissons sans autre arme que notre tendance à inférer de la répétition dans le passé la constance dans le futur. Autant dire : nos actions ont des causes, et cela suffit à régler la question. « Si nous choisissons de rester en repos, nous le pouvons ; si nous choisissons de nous mouvoir, nous le pouvons aussi[2]. » Être libre, c'est ne pas être prisonnier dans des chaînes. Au-delà, il n'y a rien à dire[3]. Mais dans l'espace de cette liberté conditionnelle, l'action se déploie et engendre des comportements sociaux, des conduites individuelles que nous jugeons bonnes ou mauvaises. La méthode empirique de Hume ne peut éviter la morale et son cortège de règles et d'appréciations. Le scepticisme que cette méthode induit n'est pas une fuite, encore moins un renoncement à expliquer ; c'est un regard naïf porté sur l'homme, une pratique de la modestie philosophique.

*
* *

On ne peut donc attendre de l'*Enquête sur les principes de la morale* qu'elle nous propose une morale prescriptive. On ne peut pas non plus espérer qu'elle nous offre des éléments de réponse à la question : que dois-je faire ? L'investigation de Hume a pour objet ce que l'on fait, ce que l'on juge bien ou mal, avec encore et toujours l'expérience pour guide et pour question : quelles causes ? Si principes de la morale il y a, ils ne peuvent être tirés que d'une enquête sur l'origine de

1. *Cf. ibid.*, VIII, p. 151.
2. *Ibid.*, VIII, p. 164.
3. *Ibid.*

nos sentiments. Comme l'entendement, ceux-ci ont une histoire dont l'observation rigoureuse autorise à quelques conclusions. Pour déterminer l'origine de la morale[1] et départager ceux qui défendent une morale rationnelle de ceux qui se rallient à une morale du sentiment[2], quelle autre solution que d'établir un catalogue des vertus et des vices[3] ? La réponse est certes donnée d'entrée de jeu : « Il est probable que la sentence finale qui déclare les caractères et actions aimables ou odieux, dignes d'éloge ou de blâme, qui les marque du sceau de l'honneur ou de l'infamie, de l'approbation ou de la condamnation, qui fait de la moralité un principe actif, de la vertu notre bonheur et du vice notre désespoir, il est probable, dis-je, que cette sentence dépend de quelque sens ou impression intime, que la nature a universellement distribué à toute l'espèce[4]. » On reconnaît la méthode : rechercher l'impression derrière l'approbation ou la désapprobation. Mais il reste à fonder ce constat d'un sens moral.

Ne s'embarrassant pas des sinuosités qui caractérisent parfois le *Traité*, l'*Enquête sur les principes de la morale* va rapidement à l'essentiel. Il n'est pas dans le projet de Hume de dresser le portrait d'un homme égoïste ou intéressé. Ou plutôt, l'homme s'intéresse aux autres, à la société qui le fait vivre. Ici, les loups n'ont pas leur place, car ils répugnent à l'œil humain[5]. Hume veut combattre les tenants de l'égoïsme en apportant la preuve d'une sympathie entre les hommes[6]. On commence donc par le portrait de qui « nourrit les affamés[7] », c'est-à-dire de l'homme inspiré par la bienveillance, vertu dont on constate d'emblée qu'elle est liée, pour le regard d'autrui, à l'utilité

---

1. *Enquête sur les principes de la morale*, I, p. 74.
2. *Ibid.*, I, p. 70-73. Sur le débat entre la morale rationnelle et la morale du sentiment, *cf.* l'ensemble de la section I.
3. *Ibid.*, I, p. 74.
4. *Ibid.*, I, p. 73. Sur le sens moral, *cf.* aussi *ibid.*, appendice I.
5. *Ibid.*, II, p. 80.
6. *Cf. ibid.*, appendice II.
7. *Ibid.*, II, p. 80.

qu'elle procure. La bienveillance est la manifestation exemplaire d'une morale dont l'expérience n'a de cesse de souligner le caractère utile. Nous sommes vertueux parce que la vertu est bénéfique au vu de la précarité de notre situation. L'expérience ne nous offre pas le spectacle d'un paradis, mais celui d'un monde où il faut composer des intérêts. Dès lors, la vertu de justice s'explique dans les mêmes termes que la bienveillance. Une société d'abondance n'aurait que faire des règles de justice car on ne demande pas à qui appartient un bien quand on possède soi-même à profusion[1]. La justice tient son mérite et tire son obligation morale de son utilité. On suspend les règles de justice quand il n'y a plus avantage à les respecter. C'est alors que l'on substitue les lois de la guerre momentanément plus utiles[2].

Obligation naturelle et première qui nourrit la bienveillance ou obligation artificielle portant le poids de l'Histoire qu'est la justice : dans les deux cas, la cause est la même, ce sentiment moral qui nous pousse dans l'action. On dira donc que s'il entre du calcul dans la vertu, ce calcul n'entame en rien la confiance dont Hume témoigne envers l'homme : « Nous sommes naturellement partiaux envers nous-mêmes et nos amis ; mais nous sommes capables d'apprendre les avantages qui résulteraient d'une conduite plus équitable[3]. » On dira encore qu'un homme n'est pas plus intéressé quand il recherche son propre bonheur que quand il désire celui de ses amis[4].

En effet, si l'homme ne se montre pas d'abord égoïste, il se révèle naturellement passionné. La vraie cause de l'action morale est la passion, c'est-à-dire une impression seconde ou réflexive. De la passion ou encore du plaisir ou du déplaisir naissent l'approbation et la désapprobation. Morale de l'utile et de

1. *Ibid.*, III, p. 86. *Cf.* aussi *ibid.*, appendice III.
2. *Ibid.*, III, p. 90.
3. *Ibid.*
4. *Enquête sur l'entendement humain*, I, note, p. 56-57.

l'agréable[1] : c'est une seule et même morale que celle qui sait calculer, y prendre plaisir et se rendre à l'évidence du sentiment. « Il n'est pas de créature humaine à laquelle la vue du bonheur (quand l'envie ou la rancune n'interviennent pas) ne donne du plaisir, et celle du malheur, du déplaisir[2]. » Cette morale n'est pas celle d'un moralisateur, mais d'un homme qui, pour avoir fréquenté les salons, sait que l'on préfère toujours le gai luron à l'être taciturne[3]. On dira enfin que la morale est moins affaire de froid calcul que de bon goût : vous n'aimez pas plus les êtres bas que vous n'aimez les corps mutilés ou les visages ingrats[4]. C'est pourquoi Hume sait se prémunir du double écueil de l'utilitarisme et de l'hédonisme. Pour tempérer l'utile, l'agréable ; pour tempérer la recherche du plaisir, le constat que le plaisir est naturel, comme un supplément qui accompagne l'action mais ne la détermine pas[5]. On en vient alors à l'ultime constat : la raison, pour n'être pas totalement absente de la vie morale, n'y joue cependant pas un rôle actif. En marge du plaisir ou du déplaisir, après la passion qui nous inspire dans l'action, la raison peut désigner des objets à la passion et lui donner des moyens. Mais elle ne peut rien contre elle. La raison sait dire le vrai et le faux ; elle est froide. La passion, elle, agit et invente[6]. L'homme joue de ce mélange d'indifférence raisonnée et de chaleur naturelle, la première réglant la seconde à force d'expérience conquise ; la seconde trouvant, sans l'avoir cherché, dans la première de quoi se frotter durablement à l'épreuve de l'expérience sociale.

Il ne faut pas conclure davantage. Le propre d'une enquête est de se ménager l'horizon d'un rebondissement. Le rythme de la conversation laisse toujours place aux questions, aux reprises. Et comment conclu-

1. *Cf. Enquête sur les principes de la morale*, sections V, VI, VII et VIII.
2. *Ibid.*, IV, note a, p. 144-145 ; *cf.* aussi *ibid.*, VI, p. 155.
3. *Ibid.*, VII, p. 163.
4. *Ibid.*, VII, p. 167.
5. *Ibid.*, appendice, II, p. 224.
6. *Ibid.*, appendice I, p. 215-216.

rait-on quand l'expérience proscrit les réponses aux questions qu'elle ne sait pas résoudre seule ? Mais on peut dialoguer parce que l'expérience invite à l'échange contradictoire. Introduit au terme de l'*Enquête sur les principes de la morale*, déployé pour lui-même dans l'œuvre posthume que sont les *Dialogues sur la religion naturelle*, le genre du dialogue ne revêt pas, chez Hume, les allures d'une coquetterie stylistique, encore moins d'un archaïsme. Il couronne une démarche qui ne conçoit pas la philosophie sans écoute et sans débat, qui, de surcroît, veut, à l'épreuve du relativisme, promouvoir un scepticisme tempéré. Épreuve apparemment redoutable que celle qui oppose la diversité des mœurs à la relative constance de la nature humaine décrite au cours de l'enquête. On peut forcer le trait, imaginer un pays où le parricide est vertu[1] et le suicide la fin la plus noble[2]. Mais l'épreuve tourne court. « Les principes d'après lesquels les hommes raisonnent en morale sont toujours les mêmes, bien que les conclusions qu'ils en tirent soient souvent très différentes[3]. » Bref, savoir lire l'expérience dans sa diversité pour en inférer une unité ; ne pas gommer les différences ou les exceptions car une expérience qui réussit dans l'air ne réussit pas toujours dans le vide[4] ; mais, en même temps, ne pas s'arrêter aux différences qui ne sont parfois que différences d'angles ou de regards[5]. La nature humaine est une et multiple et il faut dialoguer avec elle pour combattre l'idée que la philosophie puisse s'enorgueillir d'être doctrinale. La philosophie de Hume s'exprime autant chez les contradicteurs fictifs qu'il se donne dans les dialogues qu'au cœur des monologues revendiqués. Il est des sujets où il s'agit moins de conclure que d'apprendre à penser, où la solution impossible n'interdit pas de parler, où la banalité peut être bonne à dire

1. *Ibid.*, un dialogue, p. 253.
2. *Ibid.*, un dialogue, p. 254.
3. *Ibid.*, un dialogue, p. 264.
4. *Ibid.*, un dialogue, p. 273.
5. *Ibid.*, un dialogue, p. 265.

pourvu qu'elle se refuse à adopter le ton pontifiant[1] qui a cours dans les écoles. Tel est le scepticisme de Hume, joyeux et modeste mais à coup sûr gratifiant pour qui en accepte les règles de lecture.

Le scepticisme de Hume est un gai savoir qui ne consiste pas à renoncer l'homme mais à apprivoiser les surprises qu'il réserve[2] ; une philosophie modérée à l'adresse d'un homme excessif qui n'en a jamais fini de transgresser les limites de l'expérience pour laisser son imagination forger un monde, un moi. Après avoir pratiqué les deux *Enquêtes,* il faut bien enfreindre l'interdit de lecture proféré par Hume au sujet du *Traité de la nature humaine* et se colleter d'autres énigmes, et non des moindres : comment, moi qui suis un tissu d'impressions particulières, puis-je concevoir l'idée d'un « je » doté d'une permanence ou d'une unité ? Comment cette identité qui passe peut-elle durer ? Comment décide-t-on d'une identité quand l'expérience ne nous assure que de sentiments et d'impressions successives[3] ? Pour avoir su tolérer l'ignorance, Hume se devait d'en marquer l'étendue et d'en faire la matière d'une philosophie. Après l'échec du *Traité de la nature humaine,* il fallait sans doute la circonscrire : les *Enquêtes* ne donnent pas la pleine mesure de notre incompétence. À charge pour ceux que lasse la fréquentation des salons d'arpenter, dans le *Traité,* tout le territoire de nos défaillances.

Monique LABRUNE

BIBLIOGRAPHIE

ÉDITION DE RÉFÉRENCE : *The Philosophical Works of David Hume,* edited by T. H. GREEN and T. H. GROSE, 4 vol., London, 1874-1875 ; 2nd ed. 1882-1886 ; reprint Scientia Verlag Aalen, Darmstadt, 1964.

1. *Dialogues sur la religion naturelle,* trad. M. Malherbe, p. 54.
2. Sur le scepticisme, *cf. Enquête sur l'entendement humain,* XII.
3. *Cf. Traité de la nature humaine,* I, II, section I, et I, IV.

TRADUCTIONS FRANÇAISES : *Abrégé du Traité de la nature humaine,* éd. bilingue, trad. D. DELEULE, Paris, Aubier, 1971. *Dialogues sur la religion naturelle,* trad. M. MALHERBE, Paris, Vrin, 1987. *Enquête sur l'entendement humain,* trad. A. LEROY, revue par M. BEYSSADE, Paris, GF-Flammarion n° 343, 1983. *Enquête sur les principes de la morale,* trad. Ph. BARANGER et Ph. SALTEL, Paris, GF-Flammarion n° 654, 1992. *L'Entendement. Traité de la nature humaine, livre I et Appendice,* trad. Ph. BARANGER et Ph. SALTEL, Paris, GF-Flammarion, à paraître. *Essais esthétiques,* trad. R. BOUVERESSE, 2 t., Paris, Vrin, 1973-1974. *Essais politiques,* trad. anonyme reproduite par R. POLIN, Paris, Vrin, 1972. *L'Histoire naturelle de la religion et autres essais sur la religion,* trad. M. MALHERBE, Paris, Vrin, 1971 et 1980. *Lettre d'un gentilhomme à son ami d'Édimbourg,* trad. D. DELEULE, Paris, Les Belles Lettres, 1977. *Ma Vie,* trad. J.-B. SUARD (1777), Versailles, l'Anabase, 1992. *La Morale. Traité de la nature humaine, livre III,* trad. Ph. SALTEL, Paris, GF-Flammarion n° 702, 1993. *Les Passions. Traité de la nature humaine, livre II et Dissertation sur les passions,* trad. J.-P. CLÉRO, Paris, GF-Flammarion n° 557, 1991.

COMMENTAIRES : G. DELEUZE, *Empirisme et subjectivité,* Paris, PUF, 1953. M. MALHERBE, *La Philosophie empirique de David Hume,* Paris, Vrin, 1976.

HUSSERL

Philosophie première, I et II
Idées directrices pour une
phénoménologie et une philosophie
phénoménologique pures
Méditations cartésiennes
La Crise des sciences européennes
et la phénoménologie transcendantale
Recherches logiques

Si Husserl a beaucoup écrit — en témoignent les quelque quarante mille pages de manuscrits déposés aux Archives de Louvain, ainsi que les trente volumes des *Œuvres complètes* à ce jour édités —, fort peu de textes, en comparaison, ont été publiés de son vivant. Surtout, il n'a quasiment rien fait paraître de son propre chef. La très grande majorité des « œuvres » aujourd'hui disponibles est, en fait, le résultat de cours, parfois de conférences, enfin, et cela de plus en plus à mesure qu'il avançait en âge, de textes de recherche qu'il écrivait pour lui, une sorte de dialogue intérieur.

C'est dire que la phénoménologie, cette nouvelle manière de regarder les choses autour de nous et de les décrire scientifiquement, à laquelle Husserl donna l'impulsion fondatrice durant la première décennie du XXe siècle, n'est en rien un corpus d'écrits autonomes formant, comme on dit, de belles totalités. Ces termes sont d'emblée disqualifiés en phénoménologie. Aucun système doctrinal bouclé sur lui-même n'est plus de mise, là où est cherché, en une exploration toujours recommencée, le sens des phénomènes, c'est-à-dire de cela qui m'apparaît selon des modes multiples et singuliers.

Partant d'un univers de pensée logico-mathématique qu'il hérite de sa formation, Husserl s'efforce de rejoindre, par la description qu'il érige en méthode, le monde concret et vécu, d'en ouvrir les horizons de sens en multipliant les analyses des phénomènes. Il part d'une structure de la conscience immédiatement ouverte sur les objets du monde, c'est-à-dire intentionnelle. Le caractère indéfini des descriptions prête le flanc à l'objection, devenue classique, de l'impossibilité qu'aurait la phénoménologie à se présenter en un système ; pourtant, Husserl n'a cessé de rechercher une telle synthèse.

*
* *

Philosophie première, cours qui fut prononcé en 1923-1924, apparaît comme le témoin presque unique d'une telle quête. Depuis une dizaine d'années, Husserl s'efforce de présenter de façon synthétique cette nouvelle façon de philosopher qu'est la phénoménologie : les *Idées directrices (I, II, III)* correspondent à un tel projet. Mais les nombreuses réélaborations des deux derniers volumes le placent devant des difficultés théoriques insurmontables. C'est l'activité pédagogique, dominante durant cette période, qui lui permet de sortir pour une part de ces difficultés. Quoiqu'il ne s'estime pas totalement satisfait de ce cours et le considère, ainsi que toutes ses autres présentations, comme introductif et programmatique, *Philosophie première* constitue pourtant, à deux titres au moins, une véritable « première ». D'une part, c'est dans ce texte que la thématique de l'histoire apparaît en toute lumière. D'autre part, Husserl s'y livre à la première formulation méthodologique de la phénoménologie, fournissant ainsi un socle aux analyses des phénomènes qui, sans cela, se perdraient dans une prolifération sans fin.

Dans une première partie, Husserl offre une investigation critique de « motifs phénoménologiques » qui apparaissent chez des philosophes antérieurs, depuis Platon[1] jusqu'à Kant[2], en passant par Descartes d'une part, par Locke, Berkeley et Hume d'autre part[3]. Pour la première fois, il retrace une histoire de la phénoménologie : elle fait apparaître l'émergence progressive, contre le dogmatisme naïf de l'« objectivisme » et le scepticisme du « psychologisme » — le premier traite toute réalité comme une détermination purement naturelle et positive, tandis que le second réduit à l'inverse toute propriété à un état psychique du sujet —, d'une science transcendantale de la subjectivité. Cette science, qui rapporte l'expérience objective à ses conditions subjectives de possibilité, trouve sa formulation pré-phénoménologique la plus vigoureuse chez Kant. Chacun des philosophes étudiés, qu'il s'agisse de Descartes ou des empiristes anglais, se voit ainsi attribuer un rôle dans le dégagement de la science transcendantale, même si l'un (Descartes) retombe dans le subjectivisme, l'autre dans l'objectivisme (Galilée), un troisième enfin (Hume) dans le scepticisme. Dans une deuxième partie, la méthode de la phénoménologie est synthétiquement exposée, sous la figure exemplaire de la réduction[4]. Cette opération avait déjà été examinée à plusieurs reprises, dès 1905, puis deux années plus tard dans *L'Idée de la phénoménologie*, en 1913 enfin, dans les *Idées directrices...*, mais n'avait jamais été aussi systématiquement exposée : par la réduction, je cesse de porter mon regard sur les « objets » pris en eux-mêmes dans leur être inacces-

---

1. *Philosophie première I*, 2ᵉ leçon, p. 14-23. (Nous renvoyons toujours aux trad. fr. Voir bibliographie.)

2. *Ibid.*, Appendice, p. 287-369.

3. *Ibid.*, respectivement 11ᵉ leçon et 2ᵉ et 3ᵉ section.

4. *Philosophie première II*, 2ᵉ section, chap. III, p. 97-117, et 4ᵉ section, chap. I, p. 185-203.

sible (la table, l'arbre, la ville), pour diriger mon attention vers les actes de la conscience qui me permettent
d'y accéder (ma vision de la table, mon souvenir de
l'arbre, mon imagination de la ville). La réduction
phénoménologique est, au sens strict, une conversion
du regard qui m'ouvre le champ des vécus de la
conscience et me permet d'atteindre tout objet sous
un aspect non pas purement « objectal », mais vécu
d'après son sens pour moi. À la différence de ses présentations antérieures, la réduction est ici inscrite dans
l'ensemble d'un cheminement, c'est-à-dire d'une
méthode.

À ces deux titres — récapitulation de l'enracinement historique de la phénoménologie ; méthode de la
réduction —, *Philosophie première* est l'exemple même
d'un état d'équilibre de la recherche phénoménologique, où la systématicité, loin d'abolir la richesse
indéfinie du réel, la porte à son accomplissement.
Jamais Husserl n'avait trouvé ni ne retrouvera une
telle mesure entre analyses descriptives du vécu phénoménal et rigueur méthodologique de la synthèse.

Philosophie première est le seul texte où Husserl présente, de la manière la plus explicite comme la plus
complexe, ce qu'on appelle les voies de la phénoménologie[1]. Cet exposé, contenu dans la deuxième
partie, a une teneur essentiellement méthodologique,
mais demeure de part en part phénoménologique : il
préserve la singularité des phénomènes décrits. C'est
dire, à nouveau, qu'il n'y a pas d'« exposé doctrinal »
des voies, mais une explicitation de l'expérience dans
la pluralité même de ses chemins d'accès. Husserl en
présente ici deux : la « voie cartésienne », voie royale
de la phénoménologie, trouve son enracinement dans
la démarche du doute ; la « voie de la psychologie »,
bien souvent sous-estimée, offre l'exploration la plus
différenciée des structures intentionnelles vécues de la

---

1. *Ibid.*, 2e section, « Critique de l'expérience mondaine. Le premier chemin vers la réduction transcendantale » ; 3e section, « La
phénoménologie de la réduction phénoménologique. Ouverture
d'un second chemin vers la réduction transcendantale ».

conscience[1]. L'existence d'une multiplicité de voies d'accès aux phénomènes est en effet essentielle.

Pour pouvoir comprendre en quoi la présentation de ces deux voies est dans *Philosophie première* plus complète qu'ailleurs, il convient de la comparer avec d'autres exposés. Commençons par la voie cartésienne, avec laquelle on confond le plus souvent la démarche phénoménologique. Cette confusion s'explique, certes, par l'importance que Husserl a lui-même accordée à cette voie, avant de la relativiser.

*
* *

C'est dans le premier volume des *Idées directrices...*, en 1913, que Husserl présente pour la première fois explicitement cette voie qui prend son départ dans « l'attitude naturelle[2] » : attitude de la conscience naïve qui accepte tout ce qu'elle voit comme allant de soi et ne considère rien comme problématique. Le phénoménologue remet en cause l'évidence massive dans laquelle se tient une telle attitude. Pour lui, en effet, tout doit être soumis à sa juridiction critique. Une telle critique de la naïveté se nomme « réduction » des positions existentielles et des thèses axiologiques[3]. La réduction, contrairement au doute cartésien dont elle s'inspire pourtant, ne nie pas le monde pour le regagner ensuite, n'est donc pas provisoire, mais définitive, nous installant ainsi dans un régime critique de pensée qui est à lui-même sa propre fin. C'est pourquoi l'évidence « apodictique » atteinte par la réduction, c'est-à-dire cette certitude dans laquelle le doute n'est plus concevable et où la justification est absolue, n'est pas un résultat objectif, mais plutôt le mode d'être du phénoménologue lui-même, qu'il doit toujours à nouveau

---

1. *Philosophie première*, respectivement, 1ʳᵉ et 2ᵉ section d'une part, 3ᵉ et 4ᵉ section d'autre part.
2. *Idées directrices... I,* paragr. 27-30, p. 87-96.
3. *Ibid.*, paragr. 31, p. 96-101, et paragr. 56-62.

conquérir sur lui-même. Ce nouveau mode d'être suppose une conversion du regard qui n'est pourtant pas motivée par l'attitude naturelle, mais doit s'opérer en toute liberté, par la seule autodétermination de celui qui cherche la vérité. La nouvelle attitude ainsi gagnée sur soi-même — sur son moi naturel — se nomme « attitude philosophique » ou « transcendantale ». Cette attitude n'est pas transcendantale parce qu'elle se situerait au plan kantien des conditions de possibilité *a priori* de l'expérience, mais au sens où elle offre par la réduction des thèses un regard affranchi de toute position donnée, c'est-à-dire, si l'on peut dire, dépolarisé par rapport aux objets ; à partir de ce regard peut être constitué leur sens intentionnel. Réduction du donné thétique et constitution de son sens sont ainsi deux opérations méthodiques solidaires l'une de l'autre, qui transforment la subjectivité naturelle, caractérisée par son intériorité et opposée aux objets conçus en extériorité, en une subjectivité transcendantale, d'emblée ouverte sur l'objet compris comme unité de sens, c'est-à-dire comme noème. L'attitude transcendantale rompt avec le dualisme naïf de l'intérieur et de l'extérieur, et pose la subjectivité dans sa corrélation la plus étroite avec les objets du monde. Ce lien entre la pensée et ce qui est pensé, nommé dans le vocabulaire technique de 1913 « corrélation noético-noématique », est l'intentionnalité elle-même[1]. Les *Idées directrices...* déploient ainsi avec minutie les structures noético-noématiques de la conscience, en suivant le fil conducteur de la perception, mais en convoquant également souvenir et imagination[2].

Toutefois, ce texte de 1913 infléchit la présentation de la réduction et, parallèlement, celle de la voie cartésienne, dans un sens idéaliste. Par-delà la radicalisation du doute cartésien opérée par la réduction, Hus-

---

1. *Ibid.*, paragr. 84, « L'intentionnalité comme thème capital de la phénoménologie » ; voir aussi paragr. 90.
2. *Ibid.*, chap. IV, « Problématique des structures noético-noématiques », p. 335 *sq.*

serl expose ici celle-ci comme une annihilation et une perte du monde ; la subjectivité transcendantale qu'elle découvre est son résidu sauvé. Husserl renoue à son insu avec un motif proprement cartésien : l'idéalisation de la subjectivité qui la referme sur elle-même[1]. Dès lors, la voie cartésienne emprunte les traits d'une fondation de la subjectivité comme sphère immanente d'évidence apodictique, c'est-à-dire absolue, d'où le monde et les objets, n'étant que présomptifs, se voient exclus[2]. Autre conséquence de ce qu'on a appelé la conversion idéaliste de la phénoménologie : la réduction tend à apparaître comme une opération de délimitation entre deux sphères, l'une immanente et apodictique, l'autre transcendante et hypothétique, ce qui réintroduit un dualisme séparateur là où l'intentionnalité nous avait appris à penser l'unité de la conscience et du monde. Ce dualisme subreptice conduit à rejeter « dehors » le non-apodictique, et à chercher sans cesse à réintégrer toujours plus de transcendances dans l'immanence de la conscience, selon un schème d'élargissement indéfini encore commandé par l'opposition naïve du dedans et du dehors. Pour parer à une telle difficulté, inhérente, semble-t-il, à cette présentation de la réduction, Husserl propose dans la quatrième section une « phénoménologie de la raison » qui a pour caractère d'être téléologique : le résidu transcendant, qui restait extérieur à la réduction, est transformé en un idéal de la raison. Il s'agit d'une idée régulatrice qui unifie à l'infini toutes les facettes de l'objet. Cette solution de type kantien apparaît de manière récurrente dans les textes « cartésiens », pour tenter de répondre à une difficulté structurelle liée à la manière même dont a été conçue la réduction. On peut donc, à bon droit, douter de la validité définitive d'une telle solution.

En comparaison des *Idées directrices*, *Philosophie première* offre une présentation moins idéaliste de la voie

1. *Idées directrices ...*, paragr. 49, p. 160-164.
2. *Ibid.*, paragr. 54, p. 181-183.

cartésienne : son point de départ ne réside pas dans la recherche de l'apodicticité de la conscience subjective, mais dans la situation existentielle du philosophe commençant[1].

★
★ ★

Comment les *Méditations cartésiennes*, ces confé-rences prononcées en 1929 à la Sorbonne, haut-lieu du cartésianisme, empruntent-elles la voie royale de la phénoménologie ? Elles se réclament de Descartes, de son doute, reprennent à leur compte la radicalité de la table rase qu'il opère[2], tout en rejetant cependant la quasi-totalité du contenu doctrinal de sa philosophie (le dualisme substantiel du corps et de l'âme, notamment)[3]. La référence cartésienne est ainsi, dès le départ, ambiguë. Sans tomber dans un néocartésia-nisme, les conférences parisiennes épousent pourtant de très près la présentation de la voie cartésienne des *Idées directrices*... Vont-elles, sans plus, s'enferrer à leur tour dans l'aporie de l'*idéalisme* transcendantal ? Un certain nombre d'assertions, tout au long du texte[4], ainsi que la consécration de l'égologie transcendan-tale — déjà présente en 1913 — au cours de la IVe Méditation, pourraient nous en persuader. La mise en avant de l'ego transcendantal comme pôle d'identité des vécus[5] ne risque-t-elle pas, en effet, de nous enfermer dans une position solipsiste, alors même que la démarche intentionnelle nous porte, au contraire, à nous ouvrir sur le monde ?

Quoique la voie cartésienne soit bel et bien direc-trice en 1929, elle ne reconduit pas purement et sim-

---

1. *Philosophie première II*, 29e leçon, « L'instauration d'une forme de vie habituelle au philosophe naissant à la philosophie », p. 13-23, 32e leçon, p. 49-61.
2. *Méditations cartésiennes*, paragr. 1 et 2, p. 1-5.
3. *Ibid.*, paragr. 3, p. 6-7.
4. *Ibid.*, paragr. 40 et 41, p. 68-74, par exemple.
5. *Ibid.*, paragr. 31, p. 55-56.

plement à un idéalisme égologique. En effet, tandis que la perspective de 1913 se mouvait principalement dans le cadre de la « phénoménologie statique », mettant au premier plan la structure noématique qui engage la constitution des objets par la conscience, l'égologie de 1929 a subi une conversion de sens. Elle reçoit un approfondissement génétique : le regard n'est plus orienté sur les objets constitués intentionnellement par l'ego, mais sur l'ego lui-même. L'autoconstitution de l'ego par lui-même est génétique, en ce sens qu'elle livre la loi d'engendrement des vécus eux-mêmes[1]. La mise en évidence de l'orientation génétique des *Méditations cartésiennes* est également ce qui permet de comprendre le sens de la question de l'intersubjectivité dans l'ultime Méditation.

La compréhension husserlienne d'autrui est en effet souvent présentée comme une aporie. Comment penser autrui comme tel en prenant son départ en soi-même comme ego ? Cette objection semble pertinente. Elle demeure cependant naïve, puisqu'elle fait à nouveau jouer l'opposition entre intérieur et extérieur. Elle ignore par là le caractère purement méthodologique du solipsisme transcendantal[2], ainsi que la portée génétique de l'égologie. Celle-ci approfondit et enrichit l'ego transcendantal à un point tel qu'il en vient à former une « sorte de monde », monde primordial coïncidant par anticipation avec le monde lui-même[3]. C'est au fond la mise au jour de ce que Husserl nomme la « sphère du propre » (*Eigenheitssphäre*), découverte par le biais d'une nouvelle réduction (« la réduction à la sphère du propre »), qui permet, ce qui semble de prime abord paradoxal, d'accéder au mieux à autrui comme tel. Mettant entre parenthèses toutes les positions existentielles qui incluent une référence à quelque chose qui me serait étranger (*fremd*), j'isole ainsi un noyau qui m'est originairement propre, ma chair (*Leib*), et qui correspond à un microcosme originairement donné à

1. *Méditations cartésiennes,* paragr. 33, p. 57-58, et paragr. 37-39, p. 63-68.
2. *Ibid.,* paragr. 42, p. 74-75.
3. *Ibid.,* paragr. 44-48, p. 77-88.

partir duquel autrui peut également m'être co-donné. La donation d'autrui sera dite « analogique » par rapport à ma donation originaire (« en chair ») à moi-même, selon une association vécue de son corps avec le mien. Autrui n'est plus seulement corps, mais chair, dès lors que je reconnais, analogiquement, ses vécus psychiques comme siens. Recompris génétiquement, en sa cooriginarité avec l'alter ego, l'ego transcendantal ne fait au fond qu'un avec le monde, et découvre une subjectivité qui est tout entière intersubjectivité[1].

Pour relire sous leur vrai jour les *Méditations cartésiennes*, il convient d'avoir présent à l'esprit le fait que les diverses voies d'accès au phénomène jouent toujours plus ou moins ensemble, selon leur inflexion propre, pour déterminer la complexité de son sens. Ainsi, la portée génétique de la IVᵉ Méditation suppose acquise la voie de la psychologie déployée dans *Philosophie première*. Cette voie est la seule qui soit rigoureusement génétique et elle modifie la voie cartésienne. La subjectivité peut alors être appréhendée comme immédiatement ouverte sur les autres consciences, grâce à une réduction qui n'est plus seulement « égologique », mais proprement « intersubjective »[2]. Parallèlement, le thème de l'unité de la conscience et du monde fait appel à une troisième voie qui court implicitement dans les *Méditations cartésiennes*, mais qui ne sera déployée pour elle-même que dans *La Crise des sciences européennes et la phénoménologie transcendantale* : celle du « monde de la vie ».

★
★ ★

Dans cet ouvrage ultime et inachevé, qui correspond à des manuscrits écrits entre 1934 et 1937, Husserl prend acte, en tentant d'en ressaisir le sens, de la crise que traverse le monde dans lequel il vit en cette période

1. *Ibid.*, paragr. 55, p. 102-109.
2. *Philosophie première II*, 4ᵉ section, 53ᵉ leçon, b, p. 239-249.

troublée de l'histoire européenne[1]. On a trop souvent affirmé que Husserl avait très tard pris conscience de la réalité historique et sociale du monde qui l'entoure. Ce serait oublier l'importance du thème de l'histoire dans *Philosophie première* ; de surcroît, Husserl a été personnellement affecté par la Première Guerre mondiale. Mais, ni militant politique ni sociologue engagé, il ne réagit aux événements qu'en philosophe instruit, dès ses débuts, par les sciences, et porte son attention sur leur état, pour en retracer ensuite[2] la généalogie critique. Leur avancée est positive, assurément, pour les résultats et l'exactitude de la méthode. Elle est catastrophique pour ce qui est de l'état d'aveuglement où se trouve le scientifique à l'égard de ses propres opérations, du fait de son obnubilation par l'objet de sa recherche[3]. Ce constat pessimiste est alimenté par la méthode généalogique qui, comme dans *Philosophie première,* dégage des motifs préphénoménologiques ou bien, au contraire, objectivistes, dans l'histoire de la philosophie[4]. Retrouver le sens des vécus de la science elle-même, et pour cela exhiber son enracinement génératif dans le monde historique et traditionnel de la vie *(Lebenswelt)*[5], telle est l'originalité du propos. La spécificité de cette réduction réside avant tout dans la mise au jour d'un sol originaire de donation du monde, sol sensible recouvert par les opérations d'abstraction logique de la science[6]. Il s'agit de montrer par ce moyen la « corrélation transcendantale du monde et de la conscience du monde[7] ». L'« ontologie fondamentale » de Heidegger doit beaucoup à cette thématique du monde de la vie.

Le troisième temps du texte est précisément consacré à l'exploration de ce chemin inédit vers la réduction[8],

1. *La Crise des sciences européennes et la phénoménologie transcendantale,* I, paragr. 1-7, p. 7-25 (abrégé désormais *Krisis*).
2. *Ibid.,* II, paragr. 8-27, p. 25-114.
3. *Ibid.,* paragr. 9, h, p. 57-62, paragr. 13, p. 78-79.
4. *Ibid.,* paragr. 14-27.
5. *Ibid.,* paragr. 34.
6. *Ibid.,* paragr. 36.
7. *Ibid.,* paragr. 41, p. 172-173.
8. *Ibid.,* III, A, paragr. 28-55.

puis au parcours de la voie de la psychologie[1], déjà
empruntée dans *Philosophie première*. Il faut remarquer
que ce dernier chemin subit lui aussi, tout autant que la
voie cartésienne, des inflexions de présentation d'un texte
à l'autre : alors que la sphère du psychisme est atteinte
dans les années trente par la mise hors circuit de toute
compréhension psycho-physique, c'est-à-dire naturali-
sante[2], la voie de la psychologie telle qu'elle est empruntée
en 1923-1924 s'installe immédiatement dans la structure réflexive du psychisme. Après avoir dégagé par réductions successives chaque acte de la conscience de la
polarisation purement objectale (« noématique »), elle
opère une réduction universelle de tous les vécus de la
conscience[3].

Husserl cherche, dans la *Krisis,* à renvoyer dos à dos
la tendance au naturalisme inhérente aux sciences de
la nature et le risque de psychologisme présent dans
les sciences de l'esprit. Tous deux portent la marque
de l'objectivisme, polarisé soit sur l'objet « corps », soit
sur l'objet « âme ». Tous deux omettent d'élucider
l'acte de la conscience qui vise les objets.

En tout état de cause, on peut noter l'absence, dans
ce texte terminal, de la voie cartésienne[4]. Elle est remplacée par des voies qu'il est convenu de nommer
« non cartésiennes » ; on signifie par là un approfondissement de la voie cartésienne elle-même plutôt
qu'une négation. En effet, alors que cette dernière,
jusque dans sa version la moins idéaliste et fondatrice,
nous fait passer « comme en un saut » de l'attitude
naturelle à l'attitude transcendantale, les réductions
« non cartésiennes » ménagent une médiation explicite : une conversion réflexive préalable, en vue de la
réduction comme conversion définitive. Cette médiation se nomme *épochè,* « mise en suspension » de toute
thèse naïve, et correspond à un premier geste de détachement ou de retrait par rapport à l'immersion et

1. *Ibid.,* III, B, paragr. 56-73.
2. *Ibid.,* paragr. 61, p. 238-241.
3. *Philosophie première II,* 50e et 51e leçon, p. 211-227.
4. *Krisis,* paragr. 43, p. 175-176.

l'enferrement dans le donné qui caractérise l'attitude naturelle. La notion d'*épochè* apparaissait déjà dans la présentation cartésienne de la réduction. Toutefois, elle n'avait pas véritablement atteint ce statut préparatoire et intermédiaire entre naturalité et réduction, ni ce rôle de *sas réflexif* [1].

L'intérêt croissant de Husserl pour les thèmes de l'histoire, du monde ou de l'intersubjectivité, du moins durant la dernière décennie (1928-1938), pourrait nous faire oublier un instant combien les mathématiques, qui furent sa formation initiale, et, plus généralement, la logique jouent un rôle décisif en vue de la compréhension du sens radical de l'investigation phénoménologique. Cette attention constante du scientifique qu'il n'a cessé d'être à la rationalité logique explique la technicité et la rigueur des analyses phénoménologiques.

*
* *

C'est pourquoi il convient, pour finir, de revenir sur le premier grand exposé philosophique de Husserl paru en 1900-1901, les *Recherches logiques* : sa technicité, parfois aride, nous a conduit à le rejeter à la fin de ce parcours, malgré son caractère inaugural. Ce sont ses longs développements consacrés à la critique du psychologisme et aux théories empiristes de l'abstraction[2], ses analyses méticuleuses de la signification et de la grammaire pure logique[3], sa découverte de l'intentionnalité et de l'évidence comme vécu de vérité[4], l'élucidation de l'« intuition catégoriale » comme intuition du général, et de son cas particulier, l'« intuition éidétique » (c'est-à-dire de l'essence)[5], qui essaiment dans tous les écrits ultérieurs. Sans doute la problématique des voies est-

---

1. *Krisis*, paragr. 41, p. 172-173.
2. *Recherches logiques*, respectivement, I, « Prolégomènes à la logique pure », et II, 2ᵉ Recherche.
3. *Ibid.*, II, respectivement 1ʳᵉ et 4ᵉ Recherche.
4. *Ibid.*, II, 5ᵉ Recherche.
5. *Ibid.*, III, 6ᵉ Recherche.

elle largement postérieure à ce premier exposé logique de la phénoménologie. Elle n'en apparaît pas moins, rétrospectivement, pour une part héritière d'une structuration de l'expérience élaborée dès le début, à partir d'une lutte menée sur deux fronts à la fois, le psychologisme et le logicisme. Ce qui peut encore apparaître alors comme une oscillation donne lieu dès 1905 à une démarche phénoménologique proprement dite qui, ni logique ni psychologique, s'affranchit de cette opposition stérile en dotant les phénomènes qu'elle étudie d'une structure vécue de sens.

Remarquons que la critique du psychologisme est bel et bien une constante du combat de Husserl jusque dans la *Krisis,* que l'intuitionnisme affirmé dès les *Recherches logiques* devient un « principe des principes » de la phénoménologie en 1913, au titre de l'intuition donatrice originaire[1] ; l'intuition de l'essence prend à la même époque la forme d'une réduction, dite « éidétique », qui convertit tout fait brut en essence vécue[2], préparant ainsi la réduction transcendantale. Enfin, le paragraphe 7 des *Prolégomènes...* de 1900 traite d'un « principe de l'absence de présupposition » qui n'est rien d'autre que la forme embryonnaire de la réduction. Autant de fils qui assurent la continuité et l'unité de la recherche durant cette quarantaine d'années. En outre, la préoccupation de Husserl pour la dimension logique de l'expérience n'est pas seulement initiale : elle traverse les décennies, jusqu'à former le cœur de deux écrits tardifs, *Logique formelle et logique transcendantale* et *Expérience et jugement,* qui prennent acte du bouleversement que la phénoménologie imprime à la logique formelle, d'une part en la rapportant à la problématique transcendantale, d'autre part en montrant son enracinement génétique dans la sphère sensible et passive du vécu.

Natalie DEPRAZ

---

1. *Idées directrices...*, paragr. 24.
2. *Ibid.*, 1re section.

BIBLIOGRAPHIE

ÉDITION DE RÉFÉRENCE : *Husserliana, Edmund Husserl Gesammelte Werke*, La Haye, Martinus Nijhoff (1950-1980, Vol. I à XXII), Dordrecht/London/Boston, Kluwer Academic Publishers (à partir de 1980, Vol. XXIII à XXX à ce jour).

TRADUCTIONS FRANÇAISES : « L'arche-originaire terre ne se meut pas » (1934), trad. D. FRANCK, *Philosophie* n° 1, Paris, Minuit, p. 5-21, republiée dans *Edmund Husserl, La terre ne se meut pas*, Paris, Minuit, 1989, p. 11-29, avec deux autres textes de Husserl, « Notes pour la constitution de l'espace » (1934), trad. D. PRADELLES, et « Le monde du présent vivant et la constitution du monde ambiant extérieur à la chair » (1931), trad. J.-F. LAVIGNE. *Articles sur la logique* (1894-1913), trad. J. ENGLISH, Paris, PUF, 1975. *Chose et espace* (1908), trad. J.-F. LAVIGNE, Paris, PUF, 1989. *La Crise de l'humanité européenne et la philosophie* (1935) trad. P. RICŒUR, Paris, Aubier (édition bilingue, aujourd'hui épuisée) ; trad. G. GRANEL, 1976, insérée dans *La Crise des sciences européennes et la phénoménologie transcendantale*, p. 347-383 (voir plus bas) ; trad. N. DEPRAZ, Hatier, Coll. « Profil », 1992. *La Crise des sciences européennes et la phénoménologie transcendantale* (1934-37), trad. G. GRANEL, Paris, Gallimard, 1976. *La Doctrine de la signification* (1908), trad. J. ENGLISH. *Textes sur l'intersubjectivité* (1929-31), trad. P. VANDEVELDE et N. DEPRAZ (à paraître). *Expérience et jugement* (textes de 1936 rassemblés par L. Landgrebe après la mort de Husserl), trad. D. SOUCHE-DAGUES, Paris, PUF, 1970. *L'Idée de la phénoménologie* (1907), trad. A. LOWIT, Paris, PUF, 1985. *Idées directrices pour une phénoménologie et une philosophie phénoménologique pures* (1913), trad. P. RICŒUR, Paris, Gallimard, 1986. *Leçons pour une phénoménologie de la conscience intime du temps* (1905), trad. H. DUSSORT, Paris, PUF, 1983. *Logique formelle et logique transcendantale, Essai d'une critique de la raison logique* (1928-29), trad. S. BACHELARD, Paris, PUF, 1984. *Méditations cartésiennes. Introduction à la phénoménologie* (1929-1931), trad. G. PEIFFER et E. LÉVINAS, Paris, Vrin, 1993. *L'Origine de la géométrie* (1936 ?), trad. J. DERRIDA, Paris, PUF, 1974, insérée dans *La Crise des sciences européennes et la phénoménologie transcendantale*, p. 403-428 (voir plus haut). *La Phénoménologie et les fondements des sciences — Idées directrices... III* (1912-1915), trad. D. TIFFENEAU, Paris, PUF, 1993. *La Philosophie comme science rigoureuse* (1911), trad. Q. LAUER, Paris, PUF ; trad. B. DELAUNAY, 1991. *Philosophie de l'arithmétique, Études psychologiques et logiques* (1891), trad. J. ENGLISH, Paris, PUF, 1992. *Philosophie première I-II* (1923-24), trad. A. L. KELKEL, Paris, PUF, 1990. *Problèmes fondamentaux de la phénoménologie* (1910-11), trad. J. ENGLISH, Paris, PUF, 1991. « Postface à mes *Idées directrices... I* » (1930), trad. A. L. KELKEL, *Revue de Métaphysique et de Morale* n° 4, p. 369-398, insérée dans *La Phénoménologie et les fondements des sciences, Idées directrices... III*, p. 173-210 (voir plus haut). *Recherches logiques I, II, III* (1900-1901-1913), trad. H. ELIE, A. L. KELKEL et R. SCHÉRER, Paris, PUF, 1969-1974. *Recherches phénoménologiques pour la constitution, Idées directrices... II* (1912-18), trad. E. ESCOUBAS, Paris, PUF, 1982.

COMMENTAIRES : E. FINK, *De la phénoménologie* (1930-1939), trad.
D. FRANCK, Paris, Minuit, 1974. E. LÉVINAS, *La Théorie de l'intuition
dans la phénoménologie de Husserl* (1930), Paris, Vrin, 1984.
P. RICŒUR, *À l'école de la phénoménologie* (articles de 1949 à 1980),
Paris, Vrin, 1986.

KANT

Lettre à Marcus Herz
Écrits dits précritiques
Critique de la raison pure
Fondements de la métaphysique
des mœurs
Critique de la raison pratique
Anthropologie

Lorsque Emmanuel Kant (1724-1804) embrasse la carrière philosophique, la physique newtonienne est en train d'emporter les derniers bastions du cartésianisme. La métaphysique, en revanche, offre le spectacle de déchirements sans fin : rationalistes et empiristes, dogmatiques et sceptiques s'affrontent, dans un conflit où « aucun champion n'a jamais su se rendre maître de la plus petite place et fonder sur sa victoire une possession durable[1] ». Kant propose ses bons offices pour apaiser ce conflit de la raison avec elle-même, dont il décide de faire la théorie, sous le titre d'antinomie, plutôt que de rester dans l'arène. Délimiter rigoureusement le territoire de la métaphysique, redéfinir les frontières entre les facultés de l'homme, mettre en garde la raison contre ses prétentions excessives dans les recherches métaphysiques (l'âme, le monde, dieu, la liberté), morales

---

1. *Critique de la raison pure*, 2ᵉ préface, B XV.

(le plaisir, le bien, le devoir), esthétiques (le goût, le sublime, le beau) et téléologiques (c'est-à-dire concernant les liaisons et les formes de la nature jugées d'après des fins), voilà la tâche assignée par Kant à une critique de raison. Ainsi la solution « critique » apportée aux antinomies de la raison pure théorique (touchant les objets de la connaissance) mais aussi pratique (touchant les fins de la volonté), de la faculté de juger esthétique (le goût) et téléologique permettra l'*Annonce d'un prochain traité de paix perpétuelle en philosophie*[1].

C'est en tout cas le titre de l'opuscule qui paraît en 1796, au terme de quarante années d'enseignement à l'université de Königsberg.

La paix, oui, mais à quelles conditions ?

Fort du progrès des sciences mathématiques et physiques, Kant prétend expliquer leur succès (comment la mathématique pure, comment la physique pure sont-elles possibles [2] ?) pour en faire profiter la métaphysique : une même raison n'est-elle pas à l'œuvre dans la partie pure — c'est-à-dire indépendante de toute expérience — de ces connaissances ? Mais Kant ne reconduit pas pour autant les mathématiques comme modèle de la connaissance métaphysique : elles ne donnent qu'un exemple, certes éclatant et instructif[3], de ce que peut la raison, libre de toute expérience. Le modèle d'un enchaînement déductif complet des connaissances, auquel Wolff a donné sa suprême illustration, ne pouvait donc satisfaire Kant. C'est en un tout autre sens qu'il proposera une déduction des catégories ou concepts purs de l'entendement : celui d'une preuve qui doit faire paraître de droit ou la légitimité des prétentions de l'entendement. La philosophie expérimentale de Newton, dans laquelle les propositions sont déduites des phénomènes et rendues générales par induction, ne constitue pas davantage un nouveau modèle de la

---

1. VIII, 413-422. Paru en GF-Flammarion nº 573, 1991.
2. *Critique de la raison pure*, Introduction, B 20.
3. *Ibid.*, B 8, B 740.

connaissance métaphysique. Mathématiques et sciences physiques servent de pierre de touche à l'examen de l'extension légitime des connaissances *a priori*, c'est-à-dire indépendantes de toute expérience. En aucun cas de pierre d'angle pour la reconstruction de toute la connaissance de la raison pure dans son ensemble[1].

★
★ ★

Avant de visiter les trois monumentales critiques (*Critique de la raison pure, Critique de la raison pratique, Critique de la faculté de juger*), le lecteur pourra saisir le projet de Kant tel qu'il se définit dans la *Lettre à Marcus Herz du 21 février 1772*[2]. « Sur quel fondement repose le rapport de ce qu'on nomme en nous représentation à l'objet ? » : telle est la question clé de la métaphysique « jusqu'ici encore cachée à elle-même ». Nous sommes bien, reconnaît Kant, en possession de concepts purs, indépendants de la sensibilité : ils ne sauraient être abstraits des impressions des sens. Mais alors le mystère reste entier de leur application aux objets. Comment expliquer, dans notre cas, la conformité de nos représentations aux objets, étant donné que « notre entendement n'est pas, par ses représentations, la cause de l'objet (à l'exception des fins bonnes, en morale), pas plus que l'objet n'est cause des représentations de l'entendement[3] ». Pour échapper à ce dilemme, Leibniz proposait une doctrine de l'harmonie préétablie entre perception interne et phénomène extérieur. Dans cette doctrine, l'âme était créée « (...) en sorte que tout lui naisse de son propre fonds, par une parfaite spontanéité à l'égard d'elle-même, et pourtant avec une parfaite conformité aux choses de

1. *Critique de la raison pure — Théorie transcendantale de la méthode*, B 735.
2. X, 129-135.
3. *Ibid.*, X, 130.

dehors[1] ». Privé de la ressource d'une harmonie préétablie, Kant va devoir penser à nouveaux frais la concordance que doivent avoir nos représentations intellectuelles avec des objets qu'elles ne produisent pourtant pas.

La *Dissertation de 1770* soulignait avec force l'indépendance des représentations intellectuelles par rapport à la connaissance sensible : il faut bien expliquer leur collaboration, décrire leur conformité, justifier leur congruence. Laissant son lecteur en suspens, Kant annonce qu'il est « en état de présenter une critique de la raison pure contenant la nature de la connaissance théorique aussi bien que pratique, dans la mesure où elle est purement intellectuelle ». Une première partie, qui contient les sources de la métaphysique, sa méthode et ses limites, doit précéder l'élaboration des principes purs de la moralité. La moralité ne peut en effet recevoir de fondement *a priori* qu'une fois que la métaphysique aura assigné leur place et leur compétence aux facultés de l'homme. En attendant, promet Kant, « ce qui tient à la première partie sera publié dans environ trois mois[2] ». Ces trois mois dureront presque dix ans. L'activité professorale de Kant — une vingtaine d'heures par semaine sous forme de lecture commentée de manuels (logique de Meier, métaphysique et éthique de Baumgarten, mathématique et mécanique de Wolff...), mais aussi de recherches originales (géographie, anthropologie) — n'explique pas seule un tel délai. La recherche de l'origine de la concordance des représentations intellectuelles avec l'objet n'est pas une mince affaire. Il y va en effet du fondement de la morale mais aussi, Kant s'en avisera au moment de la seconde édition de la *Critique de la raison pure* (1787), du jugement de goût[3]. L'une comme l'autre attendent encore leur fondation *a*

1. *Système nouveau de la nature et de la communication des substances*, 14.
2. Ak X, 132.
3. X, 488. Voir aussi *Critique* B 35, note.

priori. Pour lors, Kant s'interroge sur « la forme pure du phénomène sensible » (l'espace) et « la forme de la sensibilité interne » (le temps). Tous les éléments d'une critique de la raison pure sont en place.

*
* *

Avant la *Critique,* Kant est-il sous le charme de l'empirisme, ou encore plongé dans un sommeil dogmatique ? Il est difficile de soutenir qu'à partir de 1772 Kant efface tout et recommence. L'épithète de « précritique » donnée aux Écrits est chronologiquement indiscutable. Mais pas philosophiquement. Donnons-en deux indices.

L'Histoire générale de la nature et la théorie du ciel, toute débordante qu'elle soit d'enthousiasme pour le système du monde de Newton, substitue à la question : « Comment le monde s'est constitué ? » cette autre : « Comment un monde doit se constituer[1] ? » Question transcendantale, s'il en est, que les *Premiers principes métaphysiques de la science de la nature* (1786) reformuleront. La physique commence certes avec l'expérience, mais n'en dérive pas toute. La constitution du monde en un système n'est pas un objet d'expérience : elle participe d'une réflexion *a priori* sur la possibilité de l'expérience en général. S'il n'y a pas d'expérience du Tout, il n'en faut pas moins garantir la cohérence et la continuité d'un Tout de l'expérience.

Quant à l'*Unique fondement possible d'une preuve de l'existence de Dieu* (1763), il repose sur la proposition que l'existence n'est « prédicat ou détermination pour aucune chose[2] » et non, comme la définissait Wolff, quelque « complément de la possibilité ». La *Critique,* traitant dans sa partie dialectique de l'impossibilité d'une preuve ontologique de l'existence de Dieu, réi-

1. Préface : I, 230.
2. II, 72.

térera, vingt ans après : « Être n'est manifestement pas un prédicat réel[1]. »

Déjà, par conséquent, Kant a cessé de centrer son propos sur des considérations d'existence pour cerner davantage les opérations de l'entendement dans la constitution de ses objets. Déjà la philosophie n'est plus pour lui une doctrine systématique des êtres, mais une analyse des facultés de l'esprit. Déjà « le nom orgueilleux d'une ontologie fait place à celui, plus modeste, d'une analytique de l'entendement pur[2]... » Point de vue transcendantal, puisque Kant appellera de ce nom « toute connaissance qui s'occupe en général non pas tant d'objets que de notre mode de connaissance des objets en tant qu'il est *a priori* possible en général[3] ».

L'*Essai pour introduire en philosophie le concept des grandeurs négatives* peut encore familiariser le lecteur avec la manière kantienne. C'est sur le mode de l'essai, de la tentative que Kant interroge l'applicabilité du concept des grandeurs négatives à la psychologie des sentiments, à la dynamique des représentations[4] ou encore à la métaphysique du monde[5]. Jusque dans ses affirmations en apparence les plus péremptoires, il restera chez Kant quelque chose de l'expérimentateur[6].

★
★ ★

À partir de 1770, les essais vont se concentrer autour des formes *a priori* de la sensibilité et de l'entendement, de leur limitation réciproque et de leur collaboration. La *Critique de la raison pure* s'élabore.

---

1. B 626.
2. B 303.
3. B 25.
4. II, 189, 191.
5. II, 202-4.
6. Voir par exemple *Critique*, 2ᵉ Préface, BXVIII, note, et BXXI, note.

Une *Théorie transcendantale des éléments* de la connaissance est en gestation, qui doit permettre d'évaluer les ressources et la quantité de matériaux disponibles pour une refondation et une reconstruction de l'ensemble de toute la connaissance de la raison pure[1].

Une *Esthétique transcendantale* décrira tout d'abord les conditions sous lesquelles les objets de la connaissance humaine sont *donnés* au moyen de la sensibilité, qui seule nous fournit des intuitions. Elle mettra en évidence des formes *a priori* de la sensibilité, espace et temps, propriétés formelles que notre esprit a d'être affecté par des objets, et non attributs des choses telles qu'elles sont, indépendamment de notre pouvoir de les connaître. Faute de ces représentations nécessaires *a priori*, ni la géométrie ni la théorie générale du mouvement ne seraient explicables comme connaissance *a priori*[2]. Ce type de justification par le fait accompli des sciences est constant dans la *Critique*.

Une *Logique transcendantale* devra, dans sa partie analytique, décrire et justifier les conditions sous lesquelles, une fois données par la sensibilité, les intuitions peuvent être rapportées à un objet, ce qui est proprement la fonction de l'entendement[3]. Car le *phénomène* n'est que l'objet *indéterminé* de l'intuition empirique[4] : indéterminé par ce qui en lui correspond à la sensation, la *matière ;* mais déterminable par ce qui fait que le divers du phénomène peut être ordonné suivant certains rapports, *sa forme*[5], grâce à laquelle la conformité de l'objet avec notre représentation est possible, et, partant, une connaissance pure *a priori*.

Une fois pour toutes, le lecteur de la *Critique* doit cesser d'entendre par phénomène ou par objet une réalité indépendante de notre mode de connaissance

1. B 735.
2. *Esthétique,* paragr. 3 et 5.
3. *Critique,* B 304.
4. *Ibid.,* B 34.
5. *Ibid.,* B 34.

sensible ou intellectuel. Le phénomène, c'est la chose
« pour autant qu'elle est objet de l'intuition sensible[1] ».
Quant à l'objet, véritable corrélat de l'activité de l'entendement, pouvoir de lier *a priori*, Kant le définit par
« ce dans le concept duquel le divers d'une intuition
donnée est réuni[2] » ou encore par « ce qui, dans le
phénomène, contient la condition d'une règle nécessaire de l'appréhension[3] », par exemple le caractère
successif des perceptions d'un phénomène qui
contient un événement, comme un bateau descendant
le courant[4].

Dans sa partie dialectique, la *Logique transcendantale* montrera comment seul le respect des conditions de la connaissance objective établies par l'*Esthétique* et l'*Analytique* permet d'éviter les contradictions auxquelles la raison pure s'expose quand elle
prétend s'en affranchir, dans sa recherche aventureuse d'un absolu des phénomènes ou « inconditionné ».

Une théorie transcendantale de la méthode esquissera
un système de la raison pure : un système de la précaution et de l'examen de soi-même ou *discipline*[5], un
ensemble des principes *a priori* de l'usage légitime de
certains pouvoirs de connaître ou *canon*[6], une théorie
de l'unité systématique des connaissances de la raison
pure ou *architectonique*[7] et une esquisse de classification des philosophies par rapport à la découverte critique : Kant y renvoie dos à dos Aristote et Platon,
Locke et Leibniz, Hume et Wolff. C'est l'idée d'une
histoire de la raison pure, bien peu historique au demeurant[8].

1. *Critique*, B XXVI.
2. *Ibid.*, B 137.
3. *Ibid.*, B 236.
4. *Ibid.*, B 237.
5. *Ibid.*, B 739.
6. *Ibid.*, B 824.
7. *Ibid.*, B 860.
8. *Ibid.*, B 881, comme plus tard « l'histoire philosophante » des
*Progrès de la métaphysique en Allemagne depuis le temps de Leibniz et
Wolff*.

La *Critique de la raison pure* se présente donc comme l'autocensure d'un pouvoir[1] porté à l'abus par un besoin d'absolu aussi irrépressible qu'impossible à satisfaire[2]. Cette illusion naturelle et inévitable, Kant la nomme apparence transcendantale[3] : elle pousse la raison à dépasser la frontière de l'expérience et de tous les phénomènes, où elle cherche en vain à connaître l'inconditionné, cause suprême ou totalité de la série des phénomènes, cette dernière recherche donnant lieu à l'antinomie.

La question critique ne peut donc être confondue avec une vague question de conditions de possibilité de la pensée. « Car la question capitale reste toujours de savoir : Que peuvent connaître, et jusqu'où, l'entendement et la raison, libres de toute expérience, et non : Comment est possible le pouvoir de penser lui-même[4] ? » La tâche critique consiste à délimiter l'exercice d'un pouvoir bien réel — qui s'est illustré dans les sciences mathématique et physique, et ridiculisé dans la métaphysique. C'est pourquoi Kant propose au lecteur de suivre, en métaphysique, le procédé et la voie sûre de la science. La *Critique de la raison pure* est « un essai de changer la démarche jusqu'ici suivie en métaphysique, opérant ainsi en elle une complète révolution, à l'exemple des géomètres et physiciens[5] ». Le lecteur trouvera dans les *Préfaces* (1781 et 1787) et l'*Introduction* de la *Critique* le scénario original de la révolution kantienne imitée de Copernic[6].

Le progrès des sciences mathématiques et physiques repose sur l'utilisation de connaissances *a priori*, c'est-à-dire absolument indépendantes de toute expérience[7]. Procédant par construction *a priori* d'après des concepts, ou anticipant la forme générale de l'ex-

1. *Critique,* 2ᵉ Préface, B XXIII.
2. *Ibid.,* 1ʳᵉ Préface, A VII.
3. *Ibid.,* B 354.
4. *Ibid.,* 1ʳᵉ Préface, A XVII.
5. *Ibid.,* 2ᵉ Préface, B XXII.
6. *Ibid.,* BXVI. *Cf.* surtout la note en BXXII, qui corrige notablement la trajectoire de la révolution.
7. *Ibid.,* Introduction, I et II (B 1-4).

périence, le mathématicien ou le physicien parviennent à étendre la sphère des connaissances *a priori,* au moyen de jugements qui ne se contentent pas d'expliciter analytiquement un sujet, mais proposent une liaison synthétique du prédicat avec le sujet. Tels sont les jugements synthétiques *a priori* comme 7 + 5 = 12. La proposition arithmétique est selon Kant une opération synthétique de construction progressive, non une simple analyse de concept[1]. De même, en physique, cette proposition : « Dans tous les changements du monde corporel, la quantité de matière reste inchangée[2]. »

L'usage imprudent qu'une prétendue métaphysique a fait des jugements synthétiques *a priori* — sur le commencement du monde, par exemple[3] — l'a livrée au jeu autocontradictoire de l'antinomie. Pour la délivrer et la faire accéder au titre de science, il n'est que d'étudier les règles du fonctionnement de la pensée dans la production de jugements synthétiques *a priori.* C'est pourquoi l'*Analytique* procède à l'inventaire systématique et raisonné des concepts souches qui constituent la table des catégories[4], instrument au moyen duquel l'entendement exerce sur les intuitions empiriques son pouvoir de lier *a priori,* lequel repose sur une unité subjective non empirique appelée aperception transcendantale[5].

Ainsi le mystère de la métaphysique commence-t-il à s'éclaircir. Pour que je puisse connaître quelque chose *a priori* d'un objet, il faut en quelque façon que celui-ci se règle sur mon pouvoir de connaître. Cette exigence comporte deux degrés. D'abord, l'objet (comme objet des sens ou phénomène) doit se régler sur la nature de mon intuition. C'est ce qu'établissait l'*Esthétique transcendantale :* tout le divers de l'intuition est soumis aux conditions formelles de l'espace et du

1. *Ibid.,* Introduction, V, B 16.
2. *Ibid.,* Introduction, V, B 17.
3. *Ibid.,* B 19 et B 22.
4. *Ibid.,* B 106.
5. *Ibid.,* B 131-2.

temps. La sensibilité, par laquelle les objets me sont donnés, contient ainsi des représentations *a priori* au moyen desquelles le divers sensible peut être ordonné suivant certains rapports de coexistence et de succession[1]. Mais pour que l'objet de l'intuition sensible devienne une connaissance, il doit encore être inséré à la trame de l'expérience. Or l'expérience est, pour Kant, bien plus que l'intuition empirique, c'est un « mode de connaissance qu'exige l'entendement, dont je dois présupposer la règle en moi-même, avant que des objets me soient donnés, par conséquent *a priori*[2] ». C'est la tâche de l'*Analytique transcendantale* que de pourvoir de leurs preuves suffisantes, au terme d'une déduction, les lois qui sont *a priori* au fondement de la nature comme ensemble des objets de l'expérience[3].

L'accord des lois des phénomènes dans la nature avec la forme *a priori* de l'entendement n'est alors en rien plus étrange que l'accord des phénomènes avec la forme de l'intuition sensible *a priori*[4]. La révolution kantienne en métaphysique retourne ainsi la définition de la vérité comme conformité de la connaissance avec l'objet : elle devient conformation de l'objet à notre connaissance sensible et intellectuelle. Quel est le bénéfice de cette double révolution ? D'abord, des restrictions : n'est-ce pas le sort de toutes les révolutions ? C'est l'entendement qui constitue l'objet, certes, mais seulement à l'égard de sa connaissance *a priori*[5]. Les catégories sont applicables à tous les objets qui peuvent nous être donnés dans l'intuition, mais seulement à titre de phénomènes[6]. Toutefois, l'effort consenti, ou imposé aux vues extravagantes de la raison pure spéculative, doit être récompensé par l'extension de l'usage moral de la raison pure.

1. *Critique*, B 34.
2. *Ibid.*, B XVII.
3. *Ibid.*, B XIX.
4. *Ibid.*, B 164.
5. *Ibid.*, B 26 et B XVIII.
6. *Ibid.*, B 150-1.

La raison ne constitue la connaissance objective que de phénomènes en général, c'est-à-dire d'objets d'une expérience possible. Elle doit renoncer à connaître les choses en soi. Mais pas, du moins, à les penser. La distinction de l'objet de l'expérience et de la chose en soi, comme celle du connaître et du penser, permettent de lever la contradiction de la liberté avec le mécanisme de la nature[1]. En quelques pages décisives, Kant abat ses cartes. Le jeu difficile de la critique en vaut la chandelle : il s'agit de sauver la moralité en la débarrassant de l'obstacle que représente pour elle une volonté libre et en même temps soumise à la nécessité naturelle, en un mot de l'hétéronomie de la volonté. À défaut de servir la théologie naturelle, la métaphysique servira la morale. Détournement ou reconversion ? Quoi qu'il en soit, la *Critique* implique sa théorie de la connaissance dans un système des facultés de l'homme.

La *Critique de la raison pure* peut embarrasser le lecteur par la radicalité d'un texte aux contours difficiles. Certains commentateurs se sont étonnés que le talent d'écrivain de Kant ne soit pas à la mesure de son génie philosophique. La langue de Kant serait en retard sur la révolution qu'il opère dans la manière de penser. Bref, Kant penserait mieux qu'il n'écrit. Pourtant, les aspérités de l'écriture kantienne sont précieuses. Le lecteur aurait tort de les dédaigner. Elles lui offriront maintes prises, irremplaçables, pour escalader le monument. La paroi abrupte de *L'Analytique transcendantale* — face nord de la *Critique* — serait impraticable sans ces failles.

Le style de Kant porte la trace d'un remaniement permanent. Notes ou fins de phrase interminables, nuances, restrictions, clauses résolutoires mettent sous surveillance l'entendement, la raison et leurs prétentions à s'envoler pour de dangereuses destinations. Tantôt l'excès de didactisme produit l'impression étrange d'une vaine répétition. Puis des déplacements

---

1. *Ibid.*, B XXVI-XXVII.

d'accent se produisent. Des distinctions inattendues interviennent, qu'estompent aussitôt recoupements et chevauchements de vocabulaire, puis à nouveau un grand écart qu'il devient nécessaire mais impossible de réduire tout à fait[1]. Kant ne vise pas l'élégance et s'en explique clairement[2]. Le lecteur aura peut-être l'impression d'une marche entravée, voire d'une rétrogradation : un pas en avant, deux pas en arrière. Donnons quelques échantillons de cette autorestriction de la raison pure : « Tout ce que l'entendement tire de lui-même, récapitule Kant, sans l'emprunter à l'expérience, n'a pourtant d'autre destination que le seul usage de l'expérience[3]. » Inversement, si « toute notre connaissance commence avec l'expérience, l'expérience n'est pas pour autant sa seule source[4] ». C'est pourquoi Kant traite la connaissance d'expérience comme « un composé de ce que nous recevons par des impressions et de ce que notre propre pouvoir de connaître (à l'occasion simplement des impressions sensibles) produit de lui-même[5] ». L'entendement sous-traite la donnée sensible, tout en conservant son autarcie par rapport à elle. Pourtant, la composition de la connaissance à partir des éléments distincts de la sensibilité et de l'entendement s'effectue sur le mode de l'union[6]. C'est le problème du schématisme. Concepts de l'entendement et objets de l'intuition sensible doivent être représentés de façon homogène, malgré l'hétérogénéité de leurs sources[7].

À peine familiarisé avec ces restrictions imposées au pouvoir de connaître *a priori,* le lecteur découvrira

1. *Cf.* la longue note de B 200-201, typique de ce procédé, ou encore la distinction du noumène (objet pensé seulement par l'entendement, ne pouvant tomber sous l'intuition sensible) au sens positif et au sens négatif — B 306-308.
2. Par exemple, 1ʳᵉ Préface de la *Critique,* ou Préface des *Prolégomènes,* IV, 262.
3. *Critique,* B 295, *in fine.*
4. *Ibid.,* B 1.
5. *Ibid.,* B 1.
6. *Ibid.,* B 314, ou encore B 185-6 et B 187 : la sensibilité restreint et réalise l'entendement.
7. *Ibid.,* B 176.

sous la plume de Kant des restrictions de restrictions :
« Que l'espace et le temps ne soient que des formes de
l'intuition sensible, donc seulement les conditions de
l'existence des choses comme phénomènes, que nous
n'ayons pas en outre de concepts de l'entendement, et
donc pas d'éléments, pour connaître les choses, sinon
dans la mesure où l'intuition correspondant à ces
concepts peut être donnée, que par suite nous ne puissions avoir connaissance d'aucun objet comme chose
en soi, mais seulement en tant que c'est un objet de
l'intuition sensible, c'est-à-dire comme phénomène,
voilà qui est prouvé dans la partie analytique de la
critique, d'où suit assurément la restriction de toute la
connaissance spéculative seule possible de la raison
aux simples objets de l'expérience. Cependant, et il
faut bien le remarquer, cette réserve est toujours à
faire, que bien que nous ne connaissions pas ces objets
comme choses en soi, du moins devons-nous pouvoir
les penser[1]. » Le lecteur aura l'impression que Kant
retire d'une main ce qu'il va redonner de l'autre.

La Dialectique transcendantale et son long appendice[2]
ont beau restreindre les idées transcendantales
(concepts auxquels aucun objet ne correspond dans
l'expérience) à un usage seulement régulateur[3], la
nécessité d'une extension ou d'un redéploiement aussi
loin que possible ne s'en fait pas moins sentir[4]. « Car
la loi régulatrice de l'unité systématique porte que
nous devons étudier la nature, comme si partout à
l'infini se rencontrait une unité systématique et finale,
dans la plus grande variété possible[5]. » Cette loi régulatrice est bien plus qu'un « simple procédé économique de la raison[6] », c'est une exigence inflexible :
« La raison ici ne prie pas, mais commande, bien

1. *Ibid.*, B XXV-XXVI.
2. *Ibid.*, B 670-B 732.
3. *Ibid. Cf.* définition en B 221-223 et 670-B 696, notamment B 675.
4. *Ibid.*, B 680, B 691.
5. *Ibid.*, B 728.
6. *Ibid.*, B 681.

qu'elle ne puisse pas déterminer les limites de cette unité[1]. »

Aussi l'assignation de limites au pouvoir de la raison fait-elle l'objet de fréquentes révisions. Sans doute les frontières sont-elles inviolables qui séparent les Idées de la raison des objets de l'expérience. Les Idées de la raison ne déterminent aucun objet. Elles n'en présupposent pas moins l'unité systématique de la nature comme inhérente aux objets mêmes[2], et nécessaire, au point que Kant l'appelle une « loi interne de la nature ». La philosophie critique de Kant pourrait bien n'être pas seulement une philosophie du « comme si », comme on l'a appelée, mais une philosophie du « pas seulement comme si ». C'est l'intérêt d'un texte comme la *Critique de la raison pure* que de porter la trace d'une approche précautionneuse mais exigente de la « constitution de la nature[3] ». Mais cette nature, comme le souligneront avec force les *Prolégomènes,* c'est l'existence des choses pour autant que — aussi loin que — elle est déterminée suivant des lois universelles[4], et non l'existence des choses en soi.

Les *Prolégomènes à toute métaphysique future qui pourra se présenter comme science* (1783) permettent au lecteur de ressaisir le projet critique dans ses grandes lignes. Kant y retrace, en première personne, l'histoire de ses pensées[5]. C'est peu dire que David Hume y tient la vedette. Le grand cas que fait Kant de ses attaques contre la légitimité d'une connaissance *a priori* en métaphysique ne saurait être confondu avec l'éloge complaisant que le vainqueur fait parfois du vaincu. L'attaque décisive de Hume portait sur le concept de l'enchaînement de la cause et de l'effet, auquel il contestait toute légitimité *a priori*. Rétablir

1. *Ibid.,* B 681-2. *Cf.* également dans le même sens B 680 et B 696, B 678, B 691.
2. *Ibid.,* B 678.
3. *Ibid.*
4. *Prolégomènes,* paragr. 14, IV, 294.
5. *Ibid.,* Préface IV, 260 et paragr. 39, IV, 322-327.

dans son droit le concept d'une liaison nécessaire indépendante de toute expérience, et néanmoins applicable à toute expérience, c'est le souci de Kant. Plus que dans la *Critique*, l'ordre des questions est souligné avec force[1]. L'écriture des *Prolégomènes* s'en ressent, plus linéaire, plus décidée, plus didactique, mais aussi moins passionnante : un professeur s'adresse à des maîtres avec l'autorité de la chose jugée. Passé la révolution, il s'agit de faire école. Enfin, l'intérêt de Kant pour les fondements de la morale y conforte sa place[2].

★
★ ★

Il n'y a pas, à proprement parler, de « morale kantienne ». La philosophie morale ou éthique[3] est selon Kant une science des lois de la liberté, non un recueil des préceptes ni une doctrine de l'action. Même la *Doctrine de la vertu,* deuxième partie de la *Métaphysique des mœurs* de 1796-1797, restera un exposé systématique de la connaissance *a priori* de la législation de la volonté. À plus forte raison, les *Fondements de la métaphysique des mœurs* (1785) explorent, dans le sillage de la *Critique de la raison pure,* l'élément rationnel de l'action humaine, tout comme les *Premiers principes métaphysiques de la science de la nature* vont le faire l'année suivante pour la physique. « Savoir tout ce que la raison pure peut faire dans les deux cas, et à quelles sources elle puise elle-même cet enseignement *a priori* qui est le sien[4] », voilà la tâche : « (...) Élaborer une bonne fois une philosophie morale pure qui serait complètement expurgée de tout ce qui ne peut être qu'empirique et qui appartient à l'anthropologie[5]. » Pour radicale qu'elle soit, cette recherche n'est pas

1. *Ibid.,* 5, IV, 275-280.
2. *Ibid.,* 53, IV, 343-347.
3. *Fondements,* Préface, IV, 387-8.
4. *Ibid.,* IV, 388.
5. *Ibid.,* IV, 389.

détachée de l'idée commune du devoir et des lois morales : mieux, elle s'en réclame[1]. Il s'agit bien pourtant d'atteindre à la loi morale dans sa pureté et son authenticité[2]. Cette pureté est-elle accessible ? Voilà qui importe peu.

« En fait, il est absolument impossible d'établir par expérience avec une entière certitude un seul cas où la maxime d'une action d'ailleurs conforme au devoir ait uniquement reposé sur des principes moraux et sur la représentation du devoir[3]. » Est-ce à dire que les exemples vivants ne sont d'aucun pouvoir ? Incontestablement, ils ont valeur d'encouragement parce qu'ils mettent hors de doute la possibilité d'exécuter ce que la loi ordonne[4]. Garants visibles de la « faisabilité », ils ne tiennent pas lieu de principes de la moralité. Seuls des principes *a priori*, dont il s'agit d'explorer la source, peuvent servir de fil conducteur et de règle suprême pour apprécier exactement la moralité. « Car, lorsqu'il s'agit de ce qui doit être moralement bon, ce n'est pas assez qu'il y ait conformité à la loi morale ; il faut encore que ce soit pour la loi morale que la chose se fasse ; sinon, cette conformité n'est que très accidentelle et très incertaine, parce que le principe qui est étranger à la morale produira sans doute de temps à autre ces actions conformes, mais souvent aussi des actions contraires à la loi[5]. » Cette exigence d'une universalité vraie et rigoureuse, pour laquelle aucune exception n'est possible, n'est-elle pas typique ? Le lecteur pourra s'en convaincre en lisant *Sur un prétendu droit de mentir par humanité,* où Kant prend la morale de l'intention à son propre piège. Une précaution donc, au moment d'aborder les *Fondements de la métaphysique des mœurs.* On n'examine pas des fondements par simple prélèvement d'échantillons. Les *Fondements* sont un texte court, assez pédagogique

1. *Fondements,* IV, 389.
2. *Ibid.,* IV, 390.
3. *Ibid.,* 2ᵉ section, IV, 407.
4. *Ibid.,* 2ᵉ section, IV, 408 et 409.
5. *Ibid.,* Préface, IV, 390.

et des plus accessibles — à condition d'en faire une lecture suivie. La loi morale y fait l'objet d'une déduction[1]. Sans cette déduction, les formulations de la loi morale dégénèrent en recettes inapplicables.

La Première Section développe « le concept d'une volonté souverainement estimable en elle-même, d'une volonté bonne indépendamment de toute intention ultérieure[2] ». Ce n'est pas son objet qui rend la volonté bonne ou mauvaise, mais la façon dont elle veut. Moralement, la façon de vouloir vaut mieux que ce qu'on veut. Le seul mobile de la moralité est ainsi la moralité. La seule force moralement admissible d'un intérêt pris à la loi est alors le respect, auquel Kant consacre une note[3] digne d'attention (comme d'ailleurs toutes les notes du texte kantien). Dans la *Deuxième Section,* où la rigueur des principes prétend avoir raison du pessimisme d'un La Rochefoucauld (nos vertus ne sont que des vices déguisés), on suivra de près la typologie kantienne des impératifs[4], les énoncés de l'impératif catégorique[5], sans sauter l'intéressante note où Kant distingue l'impératif catégorique du simple : « Ne fais pas aux autres ce que tu ne voudrais pas qu'on te fît[6]. » Considérées comme probantes, ses formulations autorisent Kant à proclamer « l'autonomie de la volonté comme principe suprême de la moralité[7] ». Mais sur quoi repose à son tour l'autonomie de la volonté ? C'est la question du *Passage de la Métaphysique des mœurs à la critique de la raison pure pratique* (intitulé de la *Troisième Section*)[8].

La propriété qu'a la volonté d'être à elle-même sa loi définit son autonomie, laquelle suppose la liberté. Ici, Kant déclare atteindre une limite[9]. Ce n'est pas l'affaire d'une métaphysique des mœurs d'expliquer comment la liberté est possible. « Car nous ne pou-

---

1. *Fondements*, IV, 402 et suivantes.
2. *Ibid.,* IV, 397.
3. *Ibid.,* IV, 402.
4. *Ibid.,* IV, 413 et suivantes.
5. *Ibid.,* IV, 421, 436 et 437.
6. *Ibid.,* IV, 430.
7. *Ibid.,* IV, 440.
8. *Ibid.,* IV, 446.
9. *Ibid.,* IV, 458-9.

vons expliquer que ce que nous pouvons ramener à des lois dont l'objet peut être donné dans quelque expérience possible[1]. »

Faute d'explication, Kant se réclame d'un fait[2].

L'incompréhensibilité de l'impératif moral n'enlève rien à l'effectivité du sentiment moral : il est « l'effet subjectif que la loi produit sur la volonté[3] ». C'est à la *Critique de la raison pratique* qu'échoit la tâche de garantir la réalité objective du concept de liberté jusqu'alors inexpliqué.

*
* *

Le prétendu formalisme éthique de Kant fait une large place à la conscience morale du devoir, au sentiment populaire de la moralité[4]. Pourvoir ces convictions d'un fondement incontestable, c'est le but d'une *Critique de la raison pratique*. Si les *Fondements de la métaphysique des mœurs* « nous font faire provisoirement connaissance avec le principe du devoir[5] », ils reconnaissent le concept de liberté comme indispensable, mais aussi totalement incompréhensible[6]. Dans une précieuse note de sa préface, la *Critique de la raison pratique*[7] revendique une nouvelle formule de la moralité, mais non un nouveau principe. L'entreprise kantienne est ici une entreprise de fondation, non de découverte. Trouver un ordre des concepts de la moralité, voilà le but de Kant[8]. Ce problème, éclairci par une autre note de la Préface[9], est traité dans l'important scolie du paragraphe 6 de *l'Analytique,* pre-

1. *Ibid.,* IV, 459.
2. *Ibid.,* IV, 460.
3. *Ibid.*
4. *Critique de la raison pratique,* par exemple en V, 36.
5. *Ibid.,* Préface, V, 8.
6. *Ibid.,* V, 7.
7. *Ibid.,* V, 8.
8. *Ibid.,* V, 29-30, scolie du paragr. 6 ; *cf.* aussi *Dialectique,* V, 110.
9. *Ibid.,* V, 4.

mière partie de la *Critique de la raison pratique*.
« (...) Par où, demande Kant, commence notre
connaissance du principe pratique inconditionné[1],
par la liberté ou par la loi pratique[2] ? » Une fois établie pour nous la subordination du concept de la
liberté à la conscience de la loi morale, Kant assure
que « l'expérience aussi confirme cet ordre des
concepts en nous[3] » : la loi morale me permet de
reconnaître l'autonomie de ma volonté, qui en est la
condition. Mais cette confirmation ne tient pas lieu de
preuve.

Le caractère immédiatement législateur de la raison
pure pratique, la détermination de la volonté libre par
la simple forme de la loi constituent ce que Kant
appelle un fait de la raison, et non une donnée empirique. C'est ce fait[4] que l'*Analytique de la raison pure
pratique* se propose de développer, en mettant hors jeu
les préceptes moraux qui comportent une condition
matérielle, comme les maximes de l'amour de soi, ou
le principe du bonheur. À tous ces principes pratiques
matériels, Kant oppose le principe pratique formel
« d'après lequel la seule norme d'une législation universelle possible par nos maximes doit constituer le
principe déterminant suprême et immédiat de la
volonté[5] ». Le lecteur peut alors entrer dans la *Déduction des principes de la raison pure pratique*. Kant en
compare la démarche avec celle de la *Critique de la
raison pure*. La distinction du caractère empirique et
du caractère intelligible, dans le sujet de l'action, y est
renouvelée[6]. Toutefois, un progrès décisif est
accompli. La *Critique de la raison pure* ne garantissait
au concept de liberté que la possibilité, il s'agit à présent de lui attribuer une réalité objective.

1. C'est-à-dire (V, 30) « un principe déterminant de la volonté
sur lequel ne doit prédominer aucune condition sensible, et même
qui est tout à fait indépendant de ces conditions ».
2. *Critique de la raison pratique*, V, 29.
3. *Ibid.*, V, 30.
4. *Ibid.*, V, 3 ; V, 31 ; V, 42 ; V, 55 ; V, 104.
5. *Ibid.*, V, 41.
6. On la trouvait déjà en B 566-9.

Pour ce faire, Kant doit s'autoriser du droit qu'a la raison pure, dans son usage pratique, à une extension qui lui est absolument impossible dans son usage spéculatif[1].

Dans une récapitulation saisissante de ses recherches sur la causalité, Kant développe la distinction de la chose en soi et de l'objet de l'expérience. Le concept de volonté libre trouvera sa place dans ce dispositif. En attendant, le chapitre II de l'*Analytique* propose une dissertation philologique sur les notions de bien et de mal, soigneusement distingués de l'agréable et du désagréable, comme l'élément *a priori* de la donnée empirique. C'est pour Kant l'occasion de formuler une véritable révolution copernicienne en morale : « (...) Le concept du bien et du mal ne doit pas être déterminé antérieurement à la loi morale (à laquelle, suivant l'apparence, il devrait pourtant servir de fondement), mais seulement (comme il arrive ici) après cette loi et par cette loi[2]. » La loi morale ne se règle pas sur les objets de la raison pratique (le bien et le mal), mais ce sont eux qui sont des conséquences de la détermination *a priori* de la volonté[3].

Dès lors, le lecteur peut comprendre la symétrie de plan des deux premières *Critiques*. Toutes deux procèdent d'un changement dans la manière de penser la relation de l'objet (quant à sa forme) avec la loi. Dans l'*Examen critique de l'analytique de la raison pure pratique*, Kant compare les deux *Critiques*, et met en jeu la doctrine métaphysique de l'idéalité de l'espace et du temps dans la doctrine pratique de l'autonomie de la volonté. Si l'espace et le temps sont les déterminations des choses en soi, alors il n'y a plus de place pour une causalité par liberté. Si en revanche, espace et temps ne sont que des formes *a priori* inhérentes au sujet, conditions sous lesquelles nous sont donnés les phénomènes sensibles et eux seuls, alors s'ouvre une carrière non phénoménale pour la volonté libre. Dès lors

1. *Critique de la raison pratique*, V, 50.
2. *Ibid.*, V, 63.
3. *Ibid.*, V, 65.

est levée « la contradiction apparente que nous trouvons entre le mécanisme de la nature et la liberté dans
une seule et même action[1] ». « On dira, avoue Kant,
que la solution proposée ici présente encore beaucoup
de difficultés, et qu'il est à peine possible de l'exposer
clairement[2]. » À défaut d'une évidence suffisante,
Kant en appelle à la sincérité du chercheur [3]. Tel est
bien d'ailleurs le fondement de la moralité, faute
duquel on se débattrait en vain dans les pièges de la
Dialectique de la raison pure pratique.

La *Dialectique* représente les périls auxquels s'expose la raison pure pratique dans la recherche d'un
inconditionné sous le nom de souverain bien. L'exposé sous forme d'antinomie est beaucoup plus suc-
cinct que celui de !a *Critique de la raison pure.* Le
conflit de la raison pratique avec elle-même se réduit
au dilemme suivant : « Il faut donc ou que le désir du
bonheur soit le motif de maximes de la vertu, ou que
la maxime de la vertu soit cause efficiente du bonheur[4]. » La solution critique de l'antinomie[5] va trancher ce problème de précession ou de préséance, en
développant l'idée d'un contentement qui résulte de la
détermination immédiate de la raison par le seul
mobile digne d'une volonté libre, savoir le respect
pour la loi morale elle-même. En un sens, la moralité
fait mon bonheur dans la mesure où je ne le cherche
pas : cette indépendance à l'égard des inclinations,
c'est le souverain bien lui-même que nous devons travailler, sous le commandement de la raison pure pratique, à réaliser, autant que nous le pouvons[6]. Or, la
progression indéfinie vers l'entière conformité de la
volonté à la loi morale, qui seule donne réalité au
souverain bien, exige que soient remplies certaines
conditions. Par exemple, « le souverain bien n'est pratiquement possible que dans la supposition de l'im-

1. *Ibid.,* V, 97.
2. *Ibid.,* V, 103 et V, 95, V, 100.
3. *Ibid.,* V, 103 et 106.
4. *Ibid.,* V, 113.
5. *Ibid.,* V, 114-119.
6. *Ibid.,* V, 119.

mortalité de l'âme[1] », « condition pratiquement nécessaire d'une durée appropriée à l'accomplissement entier de la loi morale[2] ». Cette exigence, avec celle de la liberté et de l'existence d'un auteur du monde, forment les postulats de la raison pure pratique. L'inconditionné, l'élément absolu refusé à la connaissance théorique, du moins comme objet, est ainsi proposé à la connaissance pratique.

Le lecteur prendra garde à ne pas confondre ces postulats avec des dogmes théoriques. Ce sont des exigences propres à l'exercice de la volonté pure dans sa conformation à la loi morale[3]. Kant souligne d'ailleurs la proximité de ces postulats avec une « croyance de la raison pure pratique[4] ».

Croyance qui n'a plus grand-chose à voir avec la révélation : loin d'être commandée, cette croyance « dérive de l'intention morale même comme une libre détermination de notre jugement[5] ». Son utilité morale s'accorde en outre au besoin théorique de la raison. L'existence d'un sage Auteur du monde est désormais fondement de l'usage de la raison, tant spéculative que pratique. Plus que jamais, c'est d'un ordre des concepts en nous qu'il s'agit — non d'un ordre des choses. « Il est facile, annonçait Kant, de trouver la réponse à la question de savoir si le concept de Dieu est un concept relevant de la physique (par conséquent aussi de la métaphysique, laquelle contient seulement les principes purs *a priori* de la première au sens général) ou de la morale[6] ». Là n'est pas le moindre intérêt de la *Dialectique* que de produire un déplacement sans précédent du concept de Dieu, de la raison pure théorique vers la raison pure pratique. Quant à la *Méthodologie de la raison pure pratique,* elle se présente comme une péda-

1. *Critique de la raison pratique,* V, 122.
2. *Ibid.,* V, 132.
3. *Sur les postulats de la raison pure pratique en général,* V, 132-4.
4. *Ibid.,* V, 144.
5. *Ibid.,* V, 146.
6. *Ibid.,* V, 138.

gogie de la moralité. Il s'agit de « rendre la raison
objectivement pratique également subjectivement
pratique[1] », c'est-à-dire de faire coïncider la loi
morale dans sa pureté avec sa représentation, de produire un intérêt pour la loi morale même, dont la
force libératrice révèle à l'homme son pouvoir intérieur, son indépendance à l'égard des inclinations et
de la fortune, et finalement ce respect pour lui-
même[2].

Qui donc est dépositaire de la pure moralité ? Les
philosophes ? Non pas, mais la raison commune des
hommes, déclare Kant, ici débiteur de Rousseau. Il
y a donc bien une évidence morale, à laquelle on
parvient, « non sans doute par des formules générales
et abstraites, mais par l'usage habituel, comme la distinction de la main droite et de la main gauche[3] ».

*
* *

Après cela, qui peut encore douter que la « morale
kantienne » ait des mains ? Loin d'ailleurs de dédaigner la partie empirique de l'éthique, Kant lui a
consacré, pendant trente ans, un enseignement
semestriel sous le titre d'*Anthropologie,* en alternance
avec le cours de *Géographie physique[4].* Le lecteur
découvrira, dans la *Didactique anthropologique,* première partie de l'*Anthropologie du point de vue pragmatique,* un Kant sociable, raffiné mais débonnaire,
mêlant ses lourdes locutions latines à une apologie
en faveur de la sensibilité[5], cherchant à concilier
l'inclination à la vertu et l'inclination à l'agrément de
la vie[6]. L'objet de la didactique anthropologique est
en ce sens la faisabilité *(facilitas)* du devoir, qui doit

1. *Ibid.,* V, 151.
2. *Ibid.,* V, 160-1.
3. *Ibid.,* V, 155.
4. *Anthropologie,* VII, 122, Note.
5. *Ibid.,* 1re partie, I, paragr. 8-11, VII, 143-146.
6. *Ibid.,* 1re partie, III, paragr. 88, VII, 277.

être conçue comme entraînement *(habitus)* et non facilité *(promptitudo)*[1]. Dans cette perspective *pragmatique* (Kant justifie le terme dans sa Préface[2]), le bien-vivre doit pouvoir s'unir à la vertu, dans un dosage permettant « la limitation de la première inclination [le bien-vivre] par la loi de la seconde [la vertu][3] ».

Ce n'est plus autour de la table austère des catégories que cette union du bien-vivre et de la vertu se fait, mais dans « un bon repas en bonne compagnie[4] ».

Et Kant de régler le protocole de la convivialité, dans des pages qui ne sont pas, décidément, d'un pur esprit[5]. « Si insignifiantes que puissent paraître ces lois de l'humanité raffinée, surtout lorsqu'on les compare avec celles de la pure moralité, tout ce qui favorise la sociabilité, fût-ce sous la simple forme de maximes et de manières plaisantes, n'en est pas moins pour la vertu un habillement avantageux qu'il convient de lui recommander, même dans une perspective sérieuse. Le purisme du cynique et la macération de l'anachorète, coupés du bien-vivre social, sont des caricatures de la vertu qui n'engagent pas à sa pratique ; abandonnés des grâces, ils ne peuvent, bien au contraire, prétendre à l'humanité[6]. »

Le point de vue pragmatique, comportant « une connaissance de l'homme en sa qualité de citoyen du monde[7] », doit permettre une description du caractère du genre humain, qui transcende collectivement les singularités (le caractère de la personne, du sexe, du peuple, de l'espèce)[8]. C'est l'objet de la *Deuxième Partie* de l'*Anthropologie*. Kant définit ainsi la tâche d'une « organisation progressive des citoyens de cette terre, dans la forme et dans l'intention, en une espèce

1. *Anthropologie*, 1ʳᵉ partie, I, paragr. 12, VII, 147.
2. *Ibid.*, Préface VII, 119-120.
3. *Ibid.*, 1ʳᵉ partie, III, paragr. 88, VII, 277.
4. *Ibid.*, 1ʳᵉ partie, III, paragr. 88, VII, 278.
5. *Ibid.*, 1ʳᵉ partie, III, paragr. 88, VII, 278-280.
6. *Ibid.*, 1ʳᵉ partie, III, paragr. 88, VII, 282.
7. *Ibid.*, Préface, VII, 120.
8. *Ibid.*, 2ᵉ partie, VII, 285 et VII, 328.

qui soit un système lié par l'esprit cosmopolitique[1] ».

L'*Idée d'une Histoire universelle au point de vue cosmopolitique* proposait déjà, en 1784, les jalons de cette organisation progressive de l'humanité. Au lecteur de juger si les dispositions naturelles, le plan caché de la nature étouffent ou développent la liberté du vouloir humain[2]. Le dispositif kantien de la liberté du vouloir comme causalité nouménale n'empêche pas les manifestations phénoménales de ce vouloir, les actions humaines, d'être déterminées selon des lois universelles de la nature[3]. Un dessein de la nature est donc compatible avec la liberté du vouloir — et « un fil conducteur *a priori* » peut être proposé pour l'histoire du monde, au moins « dans une certaine mesure[4] ». Voilà bien Kant : toujours en train de proposer une extension de la connaissance *a priori*, une anticipation de la forme de l'expérience, de la connaissance ou même de l'histoire, sans toutefois déterminer *a priori* le degré de leur unité. Comme s'il s'agissait de tenir le milieu entre les abus dogmatiques et le désabus sceptique, de naviguer au milieu des seuls phénomènes en se réglant sur les noumènes, de s'orienter dans la pensée, tout en se contentant de ce qui est pour nous objet de connaissance.

Il appartiendra à la *Critique de la faculté de juger* de tenter d'enjamber la faille, l'abîme infranchissable[5] qui sépare le suprasensible des phénomènes, la liberté du mécanisme, les fins de l'homme des fins de la nature. La métaphysique s'accomplit alors en un système des facultés qui tâche de concilier la liberté et la légalité, la nécessité et la subjectivité — au moyen d'une réflexion sur les productions de l'art, de la nature et de la connaissance. Que reste-t-il de cet accomplissement de la philosophie critique ?

1. *Ibid.*, 2ᵉ partie, fin VII, 332.
2. *Idée d'une histoire universelle au point de vue cosmopolitique*, VIII, 17.
3. *Ibid.*, VIII, 17.
4. *Ibid.*, VIII, 30.
5. *Introduction*, II, V, 175.

Enseveli sous les décombres d'une présentation archiscolaire, Kant a été enrôlé sous les bannières les plus diverses : formalisme, subjectivisme, idéalisme, moralisme, rigorisme, relativisme et même utilitarisme. Qu'il s'intéresse de très près à la chimie, à la physique, à l'anthropologie, que l'idéalisme soit pour lui « le scandale de la philosophie et de la raison humaine en général[1] », que l'applicabilité de ses recherches ait été son souci constant, voilà qui ne change rien à l'affaire. La cause est entendue : la philosophie kantienne a les mains pures, mais elle n'a pas de mains... Où l'on voit que, si Kant est le philosophe de l'*a priori*, il en est également la victime. Aussi le lecteur fera bien d'aller puiser à la source la signification de l'entreprise kantienne. À quoi Kant l'exhorte : « Aie le courage de te servir de ton propre entendement ! Voilà la devise des Lumières[2]. »

Paul CLAVIER

BIBLIOGRAPHIE

ÉDITION DE RÉFÉRENCE : *Kant's gesammelte Schriften, herausgegeben von der Königlich PreuBischen Akademie der Wissenschaften*, Berlin, Druck und Verlag von Georg Reimer — puis Walter de Gruyter & Co, 28 vol., 1904.
Les références à cette édition se composent du volume (chiffres romains), suivi de la page (chiffre arabe).
Pour la *Critique de la raison pure*, nous donnons, comme c'est plus souvent l'usage, la pagination des éditions originales Hartknoch, notées A (1781) et B (1786).

TRADUCTIONS FRANÇAISES : *Lettre à Marcus Herz, Écrits* dits *précritiques, Critique de la raison pure, Critique de la raison pratique, Critique de la faculté de juger*, in *Œuvres philosophiques*, 3 t., sous la direction de F. ALQUIÉ, Paris, NRF Gallimard, coll. Pléiade, 1980, 1985, 1986. *Anthropologie du point de vue pragmatique*, trad. A. RENAUT, Paris, GF-Flammarion n° 665, 1993. *Critique de la raison pure*, trad. J. BARNI, Paris, GF-Flammarion n° 257, 1987. *Fondation de la*

---

1. *Critique de la raison pure*, 2ᵉ Préface, BXXXIX, note.
2. *Réponse à la question : Qu'est-ce que les Lumières ?* VIII, 35.

métaphysique des mœurs, trad. A. RENAUT, Paris, GF-Flammarion
n° 715, 1994. *Opuscules sur l'Histoire,* trad. S. PIOBETTA, Paris,
GF-Flammarion n° 522, 1990. *Vers la paix perpétuelle. Qu'est-ce que
les Lumières ? Que signifie s'orienter dans la pensée ?* trad. F. PROUST
et J.-F. POIRIER, Paris, GF-Flammarion n° 573, 1991.

COMMENTAIRES : A. PHILONENKO, *L'Œuvre de Kant,* 2 vol., Paris,
Vrin, 1969. G. LEBRUN, *Kant et la fin de la métaphysique,* Paris,
A. Colin, 1970. F. MARTY, *La Naissance de la métaphysique chez
Kant,* Beauchesne, 1980.

KIERKEGAARD

Miettes philosophiques
Post-scriptum
Le Concept d'angoisse
Crainte et tremblement

Kierkegaard naît à Copenhague en 1813 : Hegel est alors recteur du Gymnase de Nüremberg, Schelling traverse à Munich une longue période de silence, Fichte a démissionné de l'université de Berlin en 1812 et mourra en janvier 1814, Schleiermacher enseigne à Berlin depuis 1810. Hegel meurt à Berlin en 1831, Schleiermacher y meurt en 1834. Schelling y est appelé en 1841 : Kierkegaard soutient la même année son doctorat en philosophie, rompt définitivement ses fiançailles avec Régine Olsen, part pour l'Allemagne suivre les cours de Schelling. L'essentiel de son œuvre est écrit à Copenhague de 1842 à 1855, en des années de créativité fiévreuse vécues en marge du monde universitaire. Quelques noms, quelques dates, qui peuvent suffire. Mais qui appellent immédiatement le commentaire.

Les auteurs nommés, sous l'extrême diversité des constructions systématiques, partagent un souci théorique auquel on donnera un nom vague : penser la religion. On s'accorde pour dire que les *Discours sur la religion* publiés par Schleiermacher en 1799 fondèrent la discipline philosophique connue sous l'intitulé de

« philosophie de la religion ». De Hegel et de Schelling, nous connaissons des écrits théologiques de jeunesse, mais savons surtout que les œuvres de leur maturité ou (pour Schelling) de leur vieillesse sont traversées d'intérêts théologiques plus importants encore. Père du traitement philosophique moderne du fait religieux, Schleiermacher est aussi le plus influent des théologiens protestants du XIXe siècle. De Hegel, dont les *Cours sur la philosophie de la religion* donnés à Berlin entre 1821 et 1831 constituent, entre autres, une charge violente contre la somme de Schleiermacher, *La Foi chrétienne*, publiée en 1821, la postérité compte autant de théologiens professionnels que de philosophes, et ceux-là ont autant de droit que ceux-ci à se réclamer de leur maître. Et la dernière philosophie de Schelling est couronnée par une fascinante et obscure *Philosophie de la révélation* – celle-là même que Schelling enseignait lorsque Kierkegaard fut, assez brièvement, son auditeur déçu.

Le XIXe siècle n'est pas peuplé que de théologiens : Kierkegaard après tout défendit sa thèse de doctorat la même année que Marx la sienne... Mais de ce siècle, qui est aussi celui de Nietzsche, on ne peut douter que les premières décennies aient été d'abord consacrées à une réhabilitation de la connaissance religieuse, puis à une remarquable redéfinition des frontières entre discours philosophique et discours théologique (en entendant par là le discours rationnel tenu sur l'Absolu dans la tradition chrétienne).

Dans les *Discours* de 1799, Schleiermacher clôt une époque, celle des Lumières. L'âge des Lumières ne fut pas un âge irreligieux : le siècle de Voltaire est aussi celui de Rousseau ou de Kant. Mais il est philosophiquement ce temps où la religion, le titre du livre publié par Kant en 1793 le dit exemplairement, se pense et s'autorise « dans les limites de la simple raison ». Le concept de raison utilisé par les Lumières (Hegel nous dit en fait que les Lumières ne connaissent que l'« entendement », et ignorent la « raison ») a-t-il contribué à maintenir dans l'ombre une dimension essentielle de l'expérience, et à lui interdire d'être pensée comme elle demande à être pensée ? Le religieux doit-il être pensé à partir de lui-même et de sa propre cohérence ? Dans les années où Kierkegaard étudia théologie et philosophie, bien peu de penseurs auraient refusé de répondre affirmativement à ces deux questions.

Qui dit religion, et saisie philosophique de la religion, ne dit pas théologie. Pascal n'innovait pas, même s'il exacerbait une distinction, en opposant le Dieu d'Abraham et de Jésus-Christ au Dieu « des philosophes et des savants ». Entre l'usage philosophique de la raison et son usage théologique, la frontière semblait claire. Ici était le domaine protégé de la foi, là le domaine tout aussi protégé d'une enquête méthodologiquement ignorante de ce qui doit être cru d'abord pour être compris ensuite. Il appartint à Hegel de mettre la distinction en cause. La théologie dit de Dieu qu'il s'est « manifesté ». Mais s'il s'est manifesté, n'est-il donc pas manifeste ? Et si le travail de la pensée est banalement de s'emparer du pensable, la réalité manifeste de l'Absolu ne lui est-elle pas tout aussi livrée que la réalité de tout procès naturel ou de tout procès historique ? La philosophie, telle que Hegel la conçoit, est plus riche en savoir que ne l'est la religion – rien de ce que sait la religion, rien de ce que sait l'expérience religieuse chrétienne, ne lui est cependant inaccessible. Le Dieu de l'hégélianisme est le Dieu d'Abraham et de Jésus-Christ, et nul autre.

Ces indications schématiques serviront à rendre moins étrange le propos de Kierkegaard. Le premier problème de l'interprète (mais certes pas le dernier) apparaît peut-être dans la comparaison d'un titre et du livret qui porte ce titre. En 1844, Kierkegaard publie ses *Miettes philosophiques*. En exergue, quelques lignes annoncent une problématique. « Peut-il y avoir une conscience éternelle basée sur un point de départ historique ? comment un tel point de départ peut-il offrir un intérêt plus qu'historique ? peut-on fonder une félicité éternelle sur un savoir historique[1] ? » Ces questions nous parlent de la condition du croyant. Un des auteurs favoris de Kierkegaard, G. E. Lessing, avait dit en 1777 que « des vérités historiques contingentes ne peuvent devenir la condition d'une béatitude éternelle » ; et Fichte avait dit, dans son *Introduction à la vie bienheureuse* de 1806, que « seul le métaphysique, et non pas l'historique, rend bienheureux ». Les interrogations liminaires de Kierkegaard sont claires. Il est certainement possible de tenir, sur la béatitude, un langage qui ne se fonde que sur des données universelles d'expérience – sur ce qui vient à l'expérience toujours, partout, et pour tous. Le présent peut suffire à donner les conditions de la vie vécue en plénitude. Or c'est ce que la foi conteste. L'Absolu dont elle se réclame, en effet, est apparu et a parlé « en ce temps-là ». L'acte de foi exige un acte de mémoire. Et les *Miettes,* placées donc sous la protection de la raison philosophique, ne s'assignent pas d'autre but que d'introduire à la logique de cet acte de mémoire, et aux perplexités théoriques qu'elle soulève : pas d'autre but en fait que de contribuer à une théorie « théologique ».

Le commentaire d'un titre ne suffit pas, il mérite cependant l'insistance. Kierkegaard avait consacré sa thèse à Socrate, le nom de Socrate est aussi celui qui apparaît le plus souvent dans les *Miettes,* et c'est là le « nom philosophique » par excellence, le nom auquel les philosophes font rituellement appel lorsqu'il s'agit pour eux d'évoquer leurs origines et l'expérience qu'ils veulent répéter. Il faut cependant s'alarmer quelque peu lorsqu'on s'avise que le problème du livre est de rendre patente une expérience dont on ne peut rendre compte en termes socratiques, et tout simplement dans les termes classiques de la philosophie. Un nom en effet est absent du livre, où le remplacent des périphrases, et les questions mises en liminaire ne reçoivent toute leur prégnance que quand ce nom a été

---

1. *Œuvres complètes,* t. 7, p. 1.

prononcé, ou quand ont été déchiffrées les périphrases qui le remplacent : celui de Jésus, dont les chrétiens confessent qu'il est le Christ, et qu'en lui sont « les paroles de la vie éternelle ». De Socrate, nous avons entre autres à apprendre une attitude, l'ironie. Mais nous serions nous-mêmes victimes de l'ironie kierkegaardienne si nous ne percevions que Socrate, et ce qu'il représente, est ce dont il faut prendre congé pour accéder aux questions ultimes. Bref, si nous ne percevions que l'ouvrage n'est plus vraiment philosophique, ou ne restera philosophique que si nous consentons à une réorganisation du champ philosophique telle que ce qui se passa à Jérusalem sous le principat de Tibère y pèse d'un poids plus lourd que ce qui se passa à Athènes à la fin du Vᵉ siècle...

On ne s'étonnera pas, alors, de découvrir que le but assigné par Kierkegaard à son activité d'auteur n'est pas le but classique de la philosophie — faire aimer la sagesse et y conduire (Kierkegaard, il est vrai, ne prétend pas au titre de philosophe) —, et que la catégorie maîtresse de cette pensée soit celle du « devenir-chrétien ». Et on ne s'étonnera pas alors de découvrir l'existence d'un volumineux corpus de sermons et de commentaires bibliques, qui ne constituent absolument pas une marge de l'œuvre. Un titre ici encore peut servir d'index, celui de *L'École du christianisme* (1850). L'ouvrage s'ouvre par une « invocation » au Christ, dont on peut retenir quelques lignes. « Puissions-nous Te voir tel que Tu es, as été et seras jusqu'à Ton retour dans la gloire, signe de scandale et objet de foi, homme humble, sauveur pourtant et rédempteur de l'humanité, venu par amour sur la terre pour y chercher ceux qui étaient perdus[1]... » Kierkegaard sait faire œuvre de pensée, disons de pensée « pure », de construction conceptuelle. Les sermons, « discours chrétiens » ou « discours édifiants » ne signalent pas dans son œuvre une fuite hors de la pensée conceptuelle faute de pouvoir en honorer les

1. *Œuvres complètes*, t. 17, p. 7.

exigences. Ils signalent en revanche, et le point est de
première importance, que l'on ne peut pas vraiment
tenir un discours nourri d'ambitions théologiques si
l'on n'accepte que ce discours ne se nourrisse du
commentaire biblique, d'une part, et qu'il ne
reconduise d'autre part au texte biblique. Il n'y a pas
de théologie (et *a fortiori* de théologie protestante) qui
ne naisse et s'organise comme lecture des témoignages
scripturaires. Le travail philosophique classique, d'une
certaine manière, a pour fin de rendre lisible un autre
livre que celui du philosophe : le livre du monde, ou
de la nature. De la même manière, le travail du théologien s'accomplit en rendant lisible un autre texte
que le sien, le Texte ou Livre par excellence, la Bible,
ou en rendant témoignage à la lisibilité perpétuelle de
cet autre texte. On ne comprendrait pas vraiment
Kierkegaard si l'on ignorait le paradoxe de textes
écrits d'abord pour s'effacer devant un autre texte.

On rejoint en mentionnant cet effacement la question théologique qui hanta le plus Kierkegaard, et
pour laquelle il a un nom, celui de « contemporanéité ». Quelques lignes de l'invocation qui ouvre
L'École du christianisme rappellent une thèse posée
dans les *Miettes,* puis en 1846 dans le volumineux
*Post-Scriptum définitif et non scientifique aux Miettes phi-
losophiques :* « Voilà dix-huit cents ans que Jésus-Christ
cheminait ici-bas ; mais cet événement n'est pas
comme les autres qui, une fois passés, entrent dans
l'histoire et qui, depuis longtemps passés, tombent
dans l'oubli. (...) Mais aussi longtemps que subsiste
un croyant, il faut aussi que pour l'être devenu il ait
été, et qu'il soit comme croyant, contemporain de la
présence de Christ exactement comme la génération
d'alors[1]. » La foi est acte de mémoire : elle est le
parcours d'une distance. Ce parcours toutefois peut
sembler impossible. La mémoire en effet se penche
sur ce qui a été ; dans ce qu'elle a été, elle ne peut
reconnaître que des « vérités historiques contin-

1. *Ibid.*

gentes » ; ces vérités ne lui sont elles-mêmes livrées que dans les traces qu'elles nous ont laissées ; et l'acte de mémoire est ainsi menacé de n'avoir d'autre visage que celui d'une enquête inachevable, tout entière suspendue à l'utopie d'un savoir historique sans lacune, et nourrissant la nostalgie d'une présence aux événements dans l'acte où ils eurent lieu. Faut-il envier, en 1844, ceux qui furent « sous Ponce Pilate » les exacts contemporains de l'homme en qui l'Absolu s'était donné des traits humains ? À cette question répond chez Kierkegaard un concept forgé pour nier que les hasards et les certitudes de la connaissance historique puissent gouverner la logique de la foi, celui de « paradoxe absolu ». La foi en effet dit — et son dire prend alors la forme de la « confession » — que l'Absolu s'est manifesté. La manifestation ne peut toutefois ni ne doit s'entendre comme un dévoilement dans lequel l'Absolu (Kierkegaard dit dans les *Miettes* « le dieu ») contraindrait l'assentiment. La présence en effet déjoue les apparences — ce qui est la définition du paradoxe. Nous croyons naïvement que Dieu nous est de nouveau caché, qu'il se serait dévoilé et montré pour regagner le royaume de l'inapparent. Il faut en fait renverser les termes : nous croyons naïvement que Dieu s'est dévoilé et montré tel quel — or, sa présence charnelle parmi les hommes était celle d'un Dieu caché, auquel l'assentiment ne pouvait être donné que contre toute apparence. Nous croyons naïvement que les contemporains purent « voir » et qu'il nous faut « croire ». Mais le paradoxe absolu, le paradoxe de l'Absolu se donnant un visage d'homme, ne peut qu'être cru. Et si toute connaissance, évidemment, ne peut être mise hors jeu (la présence du paradoxe absolu n'a pas été sans réalité événementielle), le poids de l'acte de croire ne repose pas sur elle : « (...) la foi n'est pas une connaissance mais un acte de la liberté, une manifestation de la volonté[1] » ; « La conclusion de la foi n'est pas une conclusion, mais

1. *Miettes philosophiques*, p. 78.

une décision[1]. » Et la décision rend tout croyant contemporain des faits et gestes posés par l'Absolu dans l'histoire. La contemporanéité est l'élément de la foi. L'acte de foi ne met pas les siècles de l'histoire entre parenthèses pour parvenir à une situation de transparence originelle. Sa structure au contraire force à abandonner le rêve d'une telle transparence. Donc à assurer le primat du libre vouloir. En des termes classiques, Thomas d'Aquin définissait la foi comme « acte de l'intelligence mue par la volonté ». Une génération après Thomas, chez Duns Scot, l'accent pesait plus lourdement sur le vouloir. Une génération avant Kierkegaard, Hegel fournissait une théorie strictement intellectualiste de la foi. Un volontarisme s'impose donc ici à nouveau, contre tout désir de déduire le croire du savoir en laissant l'enquête historique détenir les clés du savoir.

Nous parlons d'histoire, nous parlons d'enquête historique, les mots appellent quelque précision. L'histoire en effet a deux réalités : elle est le royaume des devenirs, elle est le savoir qui scrute ces devenirs, et les deux sont totalement distincts (l'histoire pouvant absolument se dérouler sans avoir besoin que les historiens l'écrivent...). Pouvons-nous donc écrire l'histoire ? Quiconque lit les textes consacrés par Hegel à la philosophie de l'histoire doit observer que la question n'est pas posée : pour celui qui tente de penser l'histoire, celle-ci est supposée connaissable ; le philosophe de l'histoire n'a pas à faire œuvre d'historien, il présuppose que l'historien a déjà fait son travail, et que ce travail a pu être mené à bien sans rencontrer d'obstacles majeurs. Quiconque lit Kierkegaard apprend vite, en revanche, à ne pas croire trop vite à un triomphe de la connaissance historique qui garantirait, en un second temps, un triomphe de la philosophie de l'histoire. Le *Post-Scriptum* reprend et approfondit la thèse posée dans les *Miettes*, nous ne pouvons attendre pour croire que tout le travail de la

1. *Ibid.*, p. 79.

connaissance historique soit achevé. Plus brutalement : nous ne pouvons l'attendre parce ce travail est
un travail inachevable, en tout cas un travail inachevé,
et que la décision de croire ne peut être différée.
Hegel et d'autres peuvent penser les devenirs de l'histoire (l'histoire 1), parce que l'écriture critique de
l'histoire (l'histoire 2) leur en livre tout ce qu'il faut
connaître. Une des forces de Kierkegaard est de savoir
les hypothèques que l'histoire 2 fait peser sur nos
constructions et reconstructions conceptuelles de
l'histoire 1. L'histoire 1 est passée, l'histoire 2 nous
permet seule de la connaître — et elle ne peut abolir la
part d'opacité dont le passé demeure enveloppé pour
nous. L'historiographie des Lumières le savait déjà,
sans doute. Kierkegaard savait fort bien qu'elle le
savait, d'autre part. Kierkegaard en sait cependant un
peu plus parce qu'il sait, pour s'être posé la question,
que l'essentiel de notre rapport au passé n'est pas sus-
pendu aux hasards de l'histoire 2 et à la part d'in-
connaissance qui frappe pour nous l'histoire 1. À sa
doctrine de la foi, il faut demander de nous fournir
ensemble les éléments d'une critique de la philosophie
de l'histoire et les éléments d'une critique des pouvoirs de l'historiographie.

Le concept de contemporanéité en impose la
constatation, les coordonnées historiques de l'acte de
foi sont suprêmement accidentelles. Le secret théologique de la proximité est d'affronter au « paradoxe
absolu », le secret théologique des distances historiques est de pouvoir être abolies. Une expérience privilégiée — l'expérience que Kierkegaard veut penser
plus que toute autre — fournit plus encore : elle offre
une entrée dans la logique de *toute* expérience où
l'homme décline son identité. Sous la forme qu'elle
revêt chez Hegel, ou sous celle qu'elle revêt chez
Marx, la pensée de l'histoire vit d'une thèse majeure :
l'histoire est productrice d'être — elle fait être l'inédit,
ce qui est aujourd'hui et n'était pas hier —, et elle est
productrice de notre être. L'homme, la conscience,
l'esprit, tout cela n'est pas figé dans la possession défi-

nitive d'une nature, mais devient, quitte à ce que ce
devenir ait un jour un terme. Il n'y a sans doute pas
équivoque : les mots ne nous trompent pas, le
contemporain de Hegel est un homme, le contemporain de Socrate était un homme. C'est autrement, toutefois, que l'un et l'autre sont hommes ; et si nous
voulons savoir ce qu'il en est de nous, nous devrons
peser la part du même et la part de l'autre, peser ce
qui unit transhistoriquement tout homme à tout
homme, peser aussi ce qui nous distingue et n'est pas
qu'anecdote et superficie. À chaque âge correspond
chez Hegel une manière d'être homme, à chaque
organisation des rapports de production économique
et à chaque situation occupée à l'intérieur de ces rapports correspond chez Marx un mode propre d'être
conscient. Mais les différences affectent-elles vraiment
le fondamental, l'humanité de l'homme ? L'essentiel
est-il vraiment en devenir ?

La réponse kierkegaardienne est un non sans
nuances, et son interrogation sur l'identité de
l'homme effort constant de déployer une topologie de
l'expérience dans laquelle n'apparaît d'une part que ce
qui peut venir à l'expérience toujours, partout et pour
tous, et dans laquelle d'autre part cela, et cela seulement, rend témoignage à l'essentiel. L'existence est en
histoire, mais l'existence n'a pas d'histoire, ou n'a
d'autre histoire que l'histoire privée de chaque
homme. Et cela veut dire qu'à la reconstruction his-
toriciste qui scrute dans ce que nous sommes les
traces de ce que nous avons été, et qui interprète ce
que nous sommes dans les termes du résultat, est proposée alors l'alternative d'une pensée descriptive atteignant l'essentiel comme toujours disponible, et
comme immuablement donné au commencement. Où
donc est l'immuable, qui définit perpétuellement
l'homme comme homme ? En 1844, quelques mois
après les *Miettes,* le titre seul du *Concept d'angoisse*
fournit un élément de réponse. Or, ici encore, le titre
ne suffit pas. Des miettes dites « philosophiques »
exposaient une problématique purement théologique,

le sous-titre du second livre abat les cartes : il s'agit là d'une « simple réflexion psychologique pour servir d'introduction au problème dogmatique du péché héréditaire ». L'homme est capable d'angoisse, et en est seul capable. Il ne fut aucun temps où l'angoisse, où sa possibilité en tout cas, ne nous affectait pas : nous sommes là dans le champ de l'universel, qui détermine toute situation historique et que nul ne détermine. L'histoire toutefois est-elle sans commencement ? Le sous-titre du livre en nie bien la thèse. Penser ce que nous sommes de fait, aux dimensions de toute l'histoire, conduit en effet Kierkegaard à penser aussi l'origine : non certes à penser l'homme avant l'histoire, mais à penser cet *a priori* contingent de l'histoire qu'est la faute, en termes théologiques soit dit le péché. Les *Miettes* forçaient à concéder à la liberté un privilège sur le savoir, la liberté apparaît ici comme liberté coupable, qui a toujours déjà failli. L'homme — le mot hébreu pour homme est « *adam* » — est angoissé parce que essentiellement fautif ; l'angoisse fait donc affleurer psychologiquement l'être même de l'homme ; son interprétation n'est pas celle d'une région de l'expérience (à côté d'autres régions qui pourraient être celle de la joie, celle de l'ennui, etc.), mais celle d'un secret latent de toute expérience. « À l'instant où le péché est posé, la temporalité est culpabilité[1]. » Le péché, bien sûr, pour l'homme qui fait l'expérience de l'histoire, a toujours déjà été posé ; et l'histoire se laisse ainsi définir par la continuité plus forte que toute discontinuité, plus forte que toutes les nouveautés dans lesquelles nous sommes tentés d'apercevoir un plus d'être ou un plus d'essence, qu'impose notre participation à une même logique de faute. Le « même » l'emporte sur l'« autre ». On ne refuse pas ainsi de penser l'histoire (l'histoire, après tout, est une réalité dont la théologie a pris conscience un nombre appréciable de siècles avant que la philosophie n'en fasse autant...). Mais tout

1. *Œuvres complètes*, t. 7, p. 191.

assurément semble dit lorsque nous est donné le
moyen conceptuel de comprendre l'entrée de
l'homme dans cette temporalité coupable qu'est le
temps historique. Il est un devenir — le premier
péché — qui eut prise sur l'être même de l'homme. Il
n'en est pas d'autre, à part peut-être celui dans lequel
est introduit l'acte de foi.

Le cadre ainsi posé permet alors de mettre en
exacte perspective la logique propre de l'existence,
telle que prise entre son premier mot, le péché, et son
dernier mot, l'acte de foi poussé jusqu'au martyre
(Kierkegaard, comme Pascal, ne croit qu'aux témoins
qui se font égorger pour la vérité...). En 1843, *L'Alternative* propose — encore une fois sous un titre qu'il
suffit de laisser parler — un premier balisage de ce qui
recevra plus tard le nom de « chemin de la vie ».
Qu'est-ce que vivre, ou exister ? Deux catégories servent ici à indiquer deux sphères, celle de l'« esthétique » et celle de l'« éthique ». L'homme peut exister
esthétiquement, il peut exister éthiquement. Il peut
vivre pour le beau et la jouissance de l'immédiat, il
peut vivre sous le gouvernement du devoir. Et en
1845, les *Stades* introduiront la troisième sphère, celle
du « religieux » : l'homme peut aussi vivre devant
Dieu. Est-ce à dire, puisqu'il est question d'un
« chemin », que la logique de l'existence est celle d'un
devenir où le premier moment engendre le second, et
où le second engendrera le troisième ? Assurément
pas. On vient d'employer le terme de « sphère », et il
faut l'entendre aussi précisément que possible. La
définition de la sphère est en effet d'être close, de se
suffire à elle-même. La clôture de l'esthétique et celle
de l'éthique, leur cohérence sans faille et sans pénurie,
n'est sans doute pas une figure du destin. Celui qui vit
aujourd'hui le culte romantique du génie et du beau
n'est pas voué à ignorer le sérieux superficiellement
prosaïque et en vérité sublime de la morale. Et ni
l'« esthéticien » ni l'« éthicien » n'est condamné à
demeurer à distance du contenu d'expérience propre
au « religieux ». Reste, et c'est le point majeur, que la

logique de l'existence se présente d'abord comme une
logique d'attitudes mutuellement exclusives, entre lesquelles il n'est possible de choisir que par mode, donc,
d'« alternative ». L'image du chemin demeure, certes,
pour nous dire que tous nos choix ne se valent pas, et
que la sphère religieuse est celle de l'existence fidèle à
sa finalité ou à sa vocation propre. Mais aucune dialectique ne contraint l'homme à ne pas rester en
chemin. Et aucune dialectique ne réconcilie non plus
les rapports d'opposition mutuelle entre les sphères.
La liberté de choisir règne ici encore sur l'histoire
privée de la conscience. Aucune logique immanente
aux termes des choix ne décide à notre place.

En 1843, quelques mois après *L'Alternative*, *Crainte
et tremblement* fournissait l'exemple pur d'une logique
d'expérience dans laquelle la contradiction des styles
de l'existence ne s'accommode d'aucune conciliation.
L'ouvrage est consacré à l'épisode biblique du sacrifice d'Isaac, et nul texte scripturaire ne soulève de
problème plus aigu d'interprétation philosophique ou
théologique. Dieu peut-il commander à l'homme un
acte contraire aux exigences de la morale ? La question a un long passé. On gardera seulement en
mémoire, pour déchiffrer la réponse de Kierkegaard,
ce que Kant observait du Christ dans les *Fondements
de la métaphysique des mœurs*, en 1785 : « Même le
saint de l'Évangile doit être d'abord comparé à notre
idéal de perfection morale avant qu'on le reconnaisse
pour tel. » C'est comme législateur moral, plus encore,
comme communicateur d'un savoir moral auquel
l'homme en fait peut avoir immédiatement accès, que
l'Absolu se fait connaître à l'homme. Dieu donc ne
peut rien exiger de moi que je ne sache de toute façon
être bien. Contre une telle théorie, la thèse kierkegaardienne tient en un concept provocant, celui de « suspension téléologique de l'éthique ». Le domaine de
l'éthique est celui du « général », celui d'un devoir qui
n'existe qu'en liant universellement tous les hommes :
il n'y a pas d'exception au devoir, pas de casuistique
qui nous excuse de ne pas en observer les préceptes.

Mais la vérité du particulier (ici, de l'existence particulière) n'est-elle que d'incarner le général ? C'est ce que Kierkegaard nie. L'idée que le devoir moral puisse être licitement suspendu, le temps seulement d'ébaucher un geste, est une absurdité morale. À la logique du « général » s'oppose ici toutefois une autre logique, celle d'une particularité qui ne se laisse intégrer à aucune généralité. Face au bien à vouloir et à faire, l'homme doit vouloir n'être qu'un homme ; toute particularité s'évanouit en celui qui n'est plus, dans l'obéissance aux préceptes de l'éthique, que le représentant d'une humanité fidèle à son essence. Or l'homme, devant Dieu, est toujours seul. Il est l'individu, ou le singulier, ou l'unique (ces trois mots pour traduire l'unique terme danois que le lecteur de Kierkegaard ne peut manquer d'apprendre, *den Enkelte*). Et pour le singulier, la relation qu'il entretient avec Dieu peut tout mettre en crise, jusqu'aux devoirs universels de l'éthique : « (...) le singulier détermine son rapport au général par son rapport à l'absolu, et non son rapport à l'absolu par son rapport au général[1] ». L'éthique ne s'en trouve pas abolie : le « rapport au général » demeure. Mais ses exigences peuvent bel et bien se trouver provisoirement suspendues. L'exemple d'Abraham ne prouve pas que Dieu peut vouloir de nous, jusqu'au bout, que nous fassions ce qui est mal — mais il prouve que la raison morale ne vaut pas comme dernière instance dans le monde de la foi.

Nous sommes ainsi conduits à ce qui pourrait aussi bien constituer le premier mot d'une lecture de Kierkegaard, le paradoxe d'une pensée qui s'assigne pour tâche de penser ce qui se dérobe à toute universalisation. Nous savons qu'il n'y a de connaissance que du général. Et nous savons aussi que l'individuel est comme tel ineffable. La philosophie s'écrit avec des concepts, qui figurent dans les dictionnaires comme autant de « noms communs », elle ne s'écrit pas avec des noms propres. Ce en quoi Pierre ou Kierkegaard

---

1. *Œuvres complètes*, t. 5, p. 161.

diffèrent de tout autre homme, ce que Pierre ne peut
communiquer à Kierkegaard ni Kierkegaard communiquer à Pierre, ce qui en eux se refuse à toute géné-
ralisation : voici, non pas ce dont la philosophie s'interdit la pensée, mais ce qu'elle semble ne pas pouvoir
penser. C'est cependant en direction de cet impensable que se meut toute l'œuvre de Kierkegaard. Nous
commencions ces pages en notant ce qu'il faut savoir
à tout prix, ce qui de façon peut-être surprenante lie le
penseur danois à Schelling, ou encore et surtout à
celui dont il refusait toute la philosophie en bloc,
Hegel : et ce qui les lie est le refus de toute séparation
du philosophique et du théologique. Or, de ce qu'il y
a ici et là délimitation d'un même territoire, il ne s'ensuit pas tout à fait que la même raison soit à l'œuvre
en ce même territoire. Il faut s'entraîner à savoir que
nous pensons après Hegel, Schelling et Kierkegaard, il
faut donc s'entraîner à ne pas toujours croire Kierkegaard sur parole lorsqu'il nous dit qu'entre lui et
Hegel il faut choisir par mode de dilemme. Mais si
nous acceptons que le vieux mur de séparation qui
réglait classiquement les rapports de la raison philosophique et de la raison théologique s'abattit dans la
première moitié du XIXᵉ siècle sous les coups de penseurs dont Kierkegaard fut le dernier venu, il nous
faut avouer que Kierkegaard doit aussi être cru. Hegel
définit la religion comme « conscience de soi de l'esprit absolu », en une formule qui ne prend pas le
temps de nommer ce qui semble aller de soi, à savoir
que cette conscience de soi n'a d'autre lieu que la
conscience d'hommes concrets. Là, toutefois, chez
Kierkegaard, où le seul exercice urgent de la pensée
est de respecter les droits de ce qui ne peut former
système avec rien d'autre — du singulier qui rompt
dans son affrontement à l'Absolu tous les liens qui le
rattachent à quelque universalité que ce soit —, rien
de tel ne va plus de soi. On a ainsi pris congé de toute
logique du concept, pour une logique nouvelle où
n'entrent plus à chaque fois que deux noms propres,
celui du croyant — Pierre, Jean ou Sören Kierke-

gaard — et celui de Dieu. Sur la cohérence de cette nouvelle logique, et sur son aptitude à rendre compte du plus important tel qu'il est et advient, il convient d'interroger sans relâche les textes.

Jean-Yves LACOSTE

BIBLIOGRAPHIE

ÉDITIONS DE RÉFÉRENCE : Deuxième édition danoise, *Samlede Vaerker* 2, Copenhague, Éd. Drachmann, Heiberg et Lange, 15 vol. 1920-1936 ; les textes posthumes sont regroupés dans les *Papirer*, Copenhague, Éd. Heiberg, Kuhr et Torsting, 2e éd., 20 vol., 1967-1978 ; édition française des *Œuvres complètes* (incluant plusieurs textes posthumes), trad. P.-H. TISSEAU et E.-M. TISSEAU, Paris, Éditions de l'Orante, 20 vol, 1966-1985.

TRADUCTIONS FRANÇAISES : *Journal*, trad. K. FERLOV et J.-J. GATEAU, Paris, Gallimard, 5 vol., 1941-1961 (choix peu heureux de textes autobiographiques tirés des *Papirer* et traduction souvent incertaine). Il existe par ailleurs une édition de *Crainte et tremblement*, trad. P.-H. TISSEAU, Paris, Aubier, 1984.

COMMENTAIRES : J. COLETTE, *Histoire et Absolu. Essai sur Kierkegaard*, Paris, Desclée, 1972 ; N. VIALLANEIX, *Écoute, Kierkegaard. Essai sur la communication de la parole*, Paris, Cerf, 2 vol., 1979 ; H.-B. VERGOTE, *Sens et répétition, Essai sur l'ironie kierkegaardienne*, Paris, Cerf/Orante, 2 vol., 1982. A. CLAIR, *Kierkegaard. Penser le singulier*, Paris, Cerf, 1992.

LEIBNIZ

Correspondance avec Arnauld
Discours de métaphysique

Leibniz est né le 1er juillet 1646, à Leipzig, d'un
père professeur de philosophie morale et d'une mère
elle-même fille d'un juriste éminent. Nous possédons,
écrit de sa main, un autoportrait clinique qu'il a rédigé
à l'âge de quarante ans[1]. L'homme est de taille
moyenne, plutôt menu, peu poilu, dit-il, et peu porté
à boire ; il dort d'un sommeil profond et ne se donne
jamais trop de mouvement : ses pieds sont souvent
froids. Sa voix est grêle et presque ridicule ; elle le
dessert en société, ainsi qu'un léger défaut de pronon-
ciation. Mais son intelligence prévient en sa faveur, et
ses esprits animaux semblent avoir hérité de la vivacité
que son corps n'a jamais eue. Il aime les méditations
longues, déteste, quoi qu'on dise, les exercices purement calculatoires, qu'il préfère laisser aux autres. Il
est tenace ; revient toujours plusieurs fois sur le même
problème, s'il le faut à plusieurs années d'intervalle, se
citant volontiers lui-même, marquant par d'infimes
variations d'un texte à l'autre ses propres évolutions,
ou soulignant au contraire les quelques ruptures dont
il eut conscience (l'abandon de l'atomisme, la relati-

1. Reproduit dans K. Müller et G. Krönert, *Leben und Werk von
G. W. Leibniz, eine Chronik*, Frankfurt am Main, 1969, p. 1-2 ; on
en trouve une paraphrase dans Y. Belaval, *Leibniz, Initiation à sa
philosophie*, p. 192-193.

visation de l'espace et du temps) et les nombreuses découvertes dont il revendiqua haut et fort la paternité : le calcul infinitésimal, bien sûr, mais également le calcul logique et ses prolongements géométriques, la loi de conservation physique de la force et finalement aussi, presque sur le même plan, le « système de l'harmonie préétablie ».

Il peut donc rester des heures durant à sa table de travail, pourvu que l'étude vaille la peine et que l'effort soit récompensé par une « nouvelle ouverture », ou bien simplement par une mise en ordre du savoir. Car il se plaint souvent de l'état d'éparpillement des connaissances humaines, qui font comme « une espèce de boutique, très riche en marchandises diverses, mais dépourvue d'ordre et d'inventaire[1] ». Il voudrait pouvoir tout classer, tout archiver, et que chacun puisse accéder au plus vite aux résultats des autres, s'évitant ainsi la peine d'avoir à tout reprendre, même une fois dans une vie, par le commencement. D'où son projet d'une Encyclopédie, ses multiples notes en forme de tables ou de liste[2], qui rassemblent des définitions collectées ici et là et auxquelles se mêlent, en une sorte de mixte inextricable, des éléments qui viennent de son propre fonds ; d'où, également, son goût pour les Académies, ses efforts pour être élu très tôt à Paris et à Londres (il adresse aux deux Académies des Sciences son premier grand texte de physique, l'*Hypothesis Physica Nova*), et la rédaction, sur le tard, des statuts de l'Académie de Berlin, dont il fut le fondateur. Il ne croit pas, à la manière d'un Descartes, qu'il y ait lieu de tout reconstruire à partir d'une expérience singulière et fondatrice. La certitude y gagnerait peu et l'entreprise, nécessairement dépassée par l'ampleur de la tâche, ne saurait couvrir tout « l'horizon de la doctrine humaine ». Il préfère compter sur une organisation collective du travail scientifique pour laquelle

1. GP VII, 296. La liste des abréviations figure dans la bibliographie.
2. C, 437 *sq.*

il milite auprès des princes et tente parfois d'obtenir de l'argent : « La plupart de ceux qui ont traité les sciences n'ont fait que se copier ou que s'amuser ; c'est presque une honte au genre humain de voir le petit nombre de ceux qui ont travaillé véritablement à faire des découvertes ; nous devons presque tout ce que nous savons (les expériences du hasard mises à part) à une dizaine de personnes, les autres ne s'étant pas seulement mises en chemin d'avancer[1]. » Il faut certes s'assurer des critères du vrai et les adapter au niveau de probabilité qu'exige la chose étudiée. Mais le plus grand espoir réside dans le progrès de la communication entre les savants, qui devraient par eux-mêmes agencer l'ordre du savoir comme Dieu son monde et sa création, et faire en sorte que « ce qui est particulier à l'un soit public à tous[2] ».

On ne s'étonnera pas que Leibniz ait eu l'obsession de la dispersion. Son œuvre est tout entière dispersée. Il a laissé à Hanovre, où il passa l'essentiel de son existence, un énorme *Nachlaß* dont la publication est à peine achevée. Mais combien de livres ? Il rédigea à partir de 1703 les *Nouveaux Essais sur l'entendement humain,* un livre certes, mais un livre écrit sur un autre, l'*Essay* de Locke, dont il avait la traduction française, et qu'il a annoté, comme il avait annoté les *Principes* de Descartes ou l'*Éthique* de Spinoza, donnant à sa pensée la forme d'une réponse et suivant pas à pas un plan étranger. Le livre, de plus, resta inédit. La *Théodicée* eut plus de chance, elle parut en 1710. Mais c'est un livre « fait par lambeaux », dont Leibniz a lui-même reconnu (et parfois exagéré) le caractère populaire. Et c'est encore dans une large mesure un livre-réponse : à Bayle cette fois, l'auteur du *Dictionnaire* et des *Réponses aux questions d'un provincial.* Et pour deux livres effectivement écrits, combien de projets ? Dans

---

1. *Nouveau Plan d'une science certaine,* C, 334.
2. *Discours de métaphysique,* paragr. 14, Vrin, p. 50.

les années 1672-1676, c'est-à-dire durant son séjour parisien, Leibniz entreprend un *De Summa Rerum* ; il en rédige le plan, et une vingtaine de fragments préparatoires[1]. Plus tard, il se propose de reprendre en une Somme complète les méthodes et les résultats du nouveau calcul infinitésimal : c'est le *De Scientia Infiniti*, dont il parle au Marquis de L'Hospital en 1694 et qu'il n'écrivit jamais, laissant Newton publier un petit traité de calcul intégral en annexe à l'*Optique*.

Peu de livres donc. Leibniz, on l'aura compris, préfère les fragments, qu'il écrit pour lui-même quand sa pensée se cherche, les articles, les échantillons ou opuscules qu'il publie dans les revues savantes ou ne publie pas, et surtout la forme épistolaire. La lettre, en effet, offre toutes les conditions de l'écriture leibnizienne. Elle est courte et adressée. On doit y enfermer le plus de réalité dans le moins de volume qu'on peut, comme le « savant auteur » du *Discours de métaphysique*[2]. On y utilise, quand on peut, les formules et les définitions qui sont autant de raccourcis pour la pensée. Et l'on sait qui la lira. S'il faut défendre une position, on sait ce que le correspondant peut entendre, et par avance ce qu'il faut éviter de lui dire. On a fait trop souvent de Leibniz un esprit conciliateur, toujours prêt à accorder les points de vue. Leibniz est un plaideur. Il n'accorde que ce dont il peut tirer profit en retour. Il tient sur l'essentiel et sur l'incontestable : les suites de définitions en forme qui sont l'ossature des démonstrations. Pour le reste, il argumente. Il accepte le plus souvent le vocabulaire de son correspondant, faisant parfois de ses lettres un véritable exercice de traduction. Et il n'hésite pas à reprendre. Car chaque lettre envoyée est l'attente d'une réponse et chaque réponse suscite une reprise. La correspondance offre à cet égard l'avantage d'une continuité spécifique ;

---

1. AK VI iii, 461-591.
2. *Discours de métaphysique,* paragr. V, Vrin, p. 40.

un texte qui s'écrit lui-même dans le jeu des questions et des réponses, des résistances et des effets de persuasion, un texte qui passe dès l'origine par l'épreuve de l'intersubjectivité ou, pour le dire comme Leibniz, par la « variété réduite à l'unité[1] », c'est-à-dire par l'harmonie.

Considérons un exemple. À Arnauld, théologien d'obédience augustinienne et grand cartésien, il expose sa doctrine de la substance. Tout individu est une substance. Mais qu'est-ce qu'un individu ? S'il existe effectivement des questions qui permettent d'approcher les intuitions fondamentales des grands philosophes, alors celle-ci constitue sans aucun doute la question leibnizienne par excellence, tant il est vrai qu'elle a traversé toute son œuvre. À l'âge de dix-sept ans, il rédige sa thèse de baccalauréat sous la direction de son maître Jacques Thomasius (1622-1684) et l'intitule : *Dispute métaphysique sur le principe d'individuation*[2]. En 1673, il achève la *Profession de foi du philosophe* sur un petit traité de l'individu[3], où il affirme encore que les esprits sont individués par le lieu et par le temps. En 1679, au contraire, dans la *Méditation sur le principe de l'individu*[4], il prétend que l'individu est un Esprit, c'est-à-dire quelque chose qui retient la mémoire de sa raison.

En 1686, lorsqu'il entreprend de correspondre avec Arnauld, Leibniz considère qu'il a fait sur ces questions « de beaux progrès ». Une substance individuelle est un être qui existe comme possible dans l'entendement de Dieu, sous la forme d'un concept qui a la particularité d'être « complet[5] ». Tous les concepts sont composés de concepts plus simples (ou prédicats) dont Leibniz dit qu'ils sont dans le sujet ou qu'ils lui sont inhérents[6]. Le concept du cercle

1. AK VI i, 477.
2. AK VI i, 3-21.
3. *Confessio Philosophi*, Vrin, p. 105.
4. *Meditatio de Principio Individui*, AK VI iii, p. 490-491.
5. *Discours de métaphysique*, paragr. VIII, Vrin, p. 43.
6. *Ibid.*

contient par exemple le concept de figure, ou encore le concept de figure régulière isopérimètre. De même, le concept d'Adam contient celui de premier homme, et même de premier homme qui fut placé par Dieu dans un jardin de plaisir. Un concept est complet lorsqu'il est suffisant pour déduire tous les prédicats qui peuvent être affirmés de lui. Ainsi, le concept du cercle n'est pas complet, parce qu'il existe des cercles rouges, alors que la rougeur n'y est pas contenue. Le concept d'Adam est au contraire complet, et c'est la thèse de Leibniz, parce que tout ce qui peut être dit d'Adam (qu'il a été le premier homme placé par Dieu dans un jardin de plaisir d'où il a par la suite été chassé, etc.) pourrait aussi bien être déduit de sa notion et l'est effectivement par Dieu. Et si le concept d'Adam est complet, alors Adam est lui-même une substance.

Arnauld résiste. Il conçoit mal qu'on ait besoin d'une telle technologie logico-philosophique pour comprendre ce qu'est une substance, quand Descartes en a donné des critères suffisants et simples. Il faut d'abord consulter la notion que j'ai de moi-même, écrit-il, « comme il faut consulter la notion spécifique de la sphère pour juger de ses propriétés ». Leibniz accorde la moitié de la thèse, confessant que la connaissance que nous avons de la substance doit beaucoup à l'expérience de soi, mais refuse l'analogie, « car la notion de moi et de toute autre substance individuelle est infiniment plus étendue et plus difficile à comprendre qu'une notion spécifique comme est celle de la sphère (...). Ce n'est pas assez que je me sente une substance qui pense, il faudrait concevoir ce qui me distingue de tous les autres esprits, mais je n'en ai qu'une expérience confuse[1] ». Nous sentons effectivement que nous pensons, nous sentons même que nous pensons des choses diverses : ce sont les premières vérités de fait[2]. Mais nous ne

1. *Correspondance avec Arnauld*, Vrin, p. 111-112.
2. *Nouveaux Essais IV*, ii, paragr. 1, GF p. 289.

savons pas exactement ce que c'est que penser. Leibniz risque bien parfois une définition (« pensant : un seul être qui, par une action immanente, en exprime plusieurs[1] »), il reste néanmoins dans la pensée une sorte de « réalité absolue » qu'il est difficile d'expliquer par des mots. Nous avons toujours de la pensée une expérience confuse. Peu de probabilité, donc, pour qu'elle puisse constituer un critère suffisant pour comprendre ce qu'est une substance. En revanche, le moi, c'est-à-dire, au sens de Descartes, la « chose qui pense », en offre un exemple privilégié. Suivons donc Arnauld lorsqu'il propose d'en consulter l'idée, et remarquons que celle-ci, dans le rapport qu'elle a avec ses prédicats, est bien différente de celle d'une sphère et de ses propriétés. En effet, « quoiqu'il soit aisé de juger que le nombre des pieds du diamètre n'est pas enfermé dans la notion de la sphère en général, il n'est pas si aisé de juger si le voyage que j'ai dessein de faire est enfermé dans ma notion, autrement il nous serait aussi aisé d'être prophète que d'être géomètre[2] ». Dans le mouvement d'accorder et de rejeter, Leibniz utilise les présupposés de son correspondant comme autant d'arguments en faveur de sa thèse, et déplace ainsi la question. En allant de la pensée au moi et du moi à sa notion, il fait voir la différence qui lui tient à cœur : la notion de la sphère est incomplète, la notion d'une substance, au contraire, et c'est sa définition réelle, doit enfermer tous ses prédicats.

La lecture des textes philosophiques de Leibniz doit impérativement prendre en compte cette dimension de son écriture. Rares sont ceux en effet qui ne s'appuient pas sur une théorie d'arrière-plan (le calcul logique, la dynamique, le calcul infinitésimal, etc.) ; rares également ceux dans lesquels Leibniz ne tente pas d'insérer sa réflexion dans le débat du temps. Et

1. C, 359.
2. *Correspondance avec Arnauld*, Vrin, p. 112.

c'est tout particulièrement le cas pour sa première grande œuvre systématique, le *Discours de métaphysique*.

*

* *

Composé au début de l'année 1686, le *Discours* suit plus ou moins librement le plan du *Traité de la nature et de la grâce* de Malebranche. Leibniz a reçu à Hanovre les échos de la vaste polémique qui oppose Malebranche à Arnauld depuis la parution de la *Recherche de la vérité*. Il voudrait pouvoir dire son mot. Il a déjà essayé (en vain) d'attirer l'attention deux ans auparavant, en publiant les *Méditations sur la connaissance, la vérité et les idées*[1], un texte court, dans lequel il tâchait de clarifier les controverses sur les « vraies et les fausses idées » grâce aux acquis du calcul logique. Une traduction française de ces *Méditations* figure dans le *Discours*[2], et les *Nouveaux Essais* en donnent encore un résumé[3]. Puisque toutes les notions sont composées, le travail de la pensée consiste dans l'analyse. Plus nous décomposons une notion donnée, plus nous nous approchons des notions simples, et plus la connaissance est parfaite. Et Leibniz distingue dans ce mouvement certains paliers, auxquels il donne à chaque fois un nom emprunté aux théories contemporaines de l'idée, montrant ainsi qu'il considère lui-même son analyse logique comme la véritable clé de la philosophie de la connaissance. Une notion que nous ne pouvons pas distinguer d'une autre est obscure, une notion pour laquelle nous disposons d'un nom et que nous pouvons ainsi isoler des autres est claire. Une notion claire que nous ne savons pas analyser est confuse : c'est le cas en général de tous les « phénomènes des sens », ainsi que de certains termes de la tradition scolastique. Une notion claire dont l'analyse est commencée et pour laquelle nous disposons d'un

---

1. Prenant, p. 151.
2. *Discours de métaphysique*, paragr. 24, Vrin p. 61.
3. *Nouveaux Essais II*, xxxi, paragr. 1, GF p. 206.

certain nombre de « réquisits » suffisants est distincte.
Si ces réquisits ne sont pas eux-mêmes analysés
(quand, par exemple, nous définissons l'or comme un
métal jaune et très dense sans être capable de dire
en quoi consiste la notion de densité), alors la notion distincte est inadéquate. Elle est au contraire adéquate quand son analyse a été poussée jusqu'à son
terme, ce qui n'est possible pour nous que pour certaines notions abstraites et incomplètes, comme les
nombres. Enfin, lorsque nous employons, pour accéder
à une connaissance adéquate, un certain nombre de
signes ou de caractères qui résument une analyse déjà
faite par nous-même ou par d'autres, dans ce cas notre
connaissance est aveugle (Leibniz, cette fois, revendique la paternité du terme). Enfin, lorsque nous avons
présents à l'esprit, dans l'unité d'un seul regard, la
totalité des éléments qui composent une notion à partir
des simples, alors seulement notre connaissance est
intuitive.

Si Leibniz a été si content de ce texte, s'il l'a
considéré comme un de ses meilleurs ambassadeurs
(auprès de Locke notamment, à qui il conseille de
lire les *Méditations* en 1697 en guise de premier
contact), c'est non seulement parce qu'il y voit une
version publique de son calcul, et donc une entrée
dans son système, mais également parce qu'il utilise
cette série de dichotomies comme une formidable
arme polémique, en particulier contre Descartes. Il
faut se méfier de l'évidence ; tant qu'une notion n'est
pas complètement analysée, tant que la connaissance
que nous en avons n'est pas adéquate, il peut s'y
cacher du contradictoire. Nous avons l'idée du plus
grand nombre. Descartes lui-même l'a admise. Pourtant, le plus grand nombre implique contradiction.
Tout nombre en effet peut être doublé. Si le plus
grand nombre est possible, il peut aussi être doublé,
de sorte que dans son cas le tout n'est pas plus grand
que la partie, ce qui est contradictoire[1]. Plus géné-

---

1. *À Malebranche,* 22 juin/2 juillet 1679, Prenant, p. 142.

ralement, le principe cartésien, selon lequel « tout ce que je conçois clairement et distinctement sur quoi que ce soit est vrai et peut en être dit[1] », n'est pas suffisant tant qu'on n'a pas les critères du clair et du distinct[2], et il devient inutile quand on les a mis au jour par l'analyse. Enfin, le texte des *Méditations* permet de dresser à nouveau la liste des notions distinctes dont est désormais exclue l'étendue. Car « on peut démontrer que la notion de la grandeur, de la figure et du mouvement n'est pas si distincte qu'on s'imagine, et qu'elle enferme quelque chose d'imaginaire et de relatif à nos perceptions comme le sont encore (quoique bien davantage) la couleur, la chaleur et autres qualités semblables dont on peut douter si elles se trouvent véritablement dans la nature des choses hors de nous[3] ».

Si Leibniz a pu intégrer les *Méditations* de 1684 dans le texte du *Discours*, c'est que le projet d'ensemble est toujours le même. Mais l'entreprise est considérablement élargie. Il s'agit pour lui désormais de rassembler toute sa pensée, ou plutôt d'en mentionner tous les éléments qui peuvent avoir une pertinence dans le débat du temps. Parmi eux figurent en bonne place la « réforme de la dynamique » et le concept de force. Le *Discours* contiendra donc le résumé d'un autre article antérieur : la *Brève Démonstration d'une erreur mémorable de Descartes*. Dans la seconde partie des *Principes*, Descartes fait précéder l'analyse des lois du choc[4] par l'énoncé des « trois grandes lois de la nature[5] », qui elles-mêmes dépendent directement de l'immutabilité divine. « Dieu est la première cause du mouvement » et « il en conserve toujours une égale quantité dans l'univers[6] ». Des-

---

1. Prenant, p. 155.
2. Ces critères sont donnés pourtant par Descartes dans les *Principes de la philosophie I*, paragr. 45.
3. *Discours de métaphysique*, paragr. 12, Vrin, p. 46.
4. *Principes de la philosophie II*, paragr. 46 et *sq.*
5. *Ibid.*, paragr. 37-40.
6. *Ibid.*, paragr. 36.

cartes pensait avoir isolé un invariant, qu'il calculait en multipliant la grandeur du corps par sa vitesse : mv. Leibniz construit un contre-exemple et montre que l'invariant n'est pas la quantité de mouvement, mais la « quantité de force motrice », mv^2. Le mouvement est relatif. On ne sait pas exactement à quel corps on doit l'attribuer et on peut le mesurer de mille manières, selon le repère choisi. « Mais la force ou cause prochaine de ces changements est quelque chose de plus réel, et il y a assez de fondement pour l'attribuer à un corps plus qu'à un autre ; aussi n'est-ce que par là qu'on peut connaître à qui le mouvement appartient davantage. Or cette force est quelque chose de différent de la grandeur de la figure et du mouvement, et on peut juger par là que tout ce qui est conçu dans le corps ne consiste pas uniquement dans l'étendue et dans ses modifications, comme nos modernes se persuadent[1]. » De plus, la force est quelque chose de réel « dès à présent ». Elle enveloppe l'effet futur et se mesure par lui. « Le présent est gros de l'avenir. »

Après 1686, Leibniz prend de plus en plus la mesure du parti qu'il peut tirer du concept de force. La substance est une unité absolue, simple, indépendante de toutes les autres. Elle s'appelle désormais la *Monade*. Elle est sans partie, mais elle n'est pas sans qualité ; sinon, toutes les substances seraient identiques. Elle a en elle-même le principe de ses changements et « enveloppe une multitude dans l'unité et dans le simple[2] ». Cette multitude dans l'unité s'appelle « perception » et caractérise un état particulier. Le changement interne, c'est-à-dire le passage d'une perception à une autre, est « l'appétition[3] ». Toutes les âmes ont des perceptions et des appétits, et l'univers est composé des âmes seules. Mais la plupart d'entre elles sont comme « étourdies » : elles n'*aperçoivent* pas ce qu'elles perçoivent. Leibniz les appelle les

1. *Discours de métaphysique*, paragr. XVIII, Vrin, p. 55.
2. *Monadologie*, paragr. 12-13.
3. *Ibid.*, paragr. 15.

« monades toutes nues[1] », elles composent la matière. Les monades animales sont capables d'aperception et de mémoire, et forment ainsi certaines consécutions empiriques dont nous pouvons faire l'expérience en nous-mêmes, car « nous sommes empiriques dans les trois quarts de nos actions[2] ». Enfin, les âmes raisonnables ou Esprits accèdent à la perception des rapports (la « réflexion ») et avec elle aux vérités éternelles. Dieu arrange les monades entre elles, établit des correspondances réglées et « cette liaison ou cet accommodement de toutes les choses créées à chacune et de chacune à toutes les autres fait que chaque substance simple a des rapports qui expriment toutes les autres et qu'elle est par conséquent un miroir vivant perpétuel de l'univers[3] ». C'est « l'« harmonie préétablie ».

Il faut ici dire un mot de ce Dieu ordonnateur. Dieu est l'être absolument parfait, c'est-à-dire l'être qui possède toutes les perfections au suprême degré. Mais qu'est-ce qu'une perfection ? Est une perfection ce qui est susceptible du dernier degré. Or « la plus grande science ou la toute-puissance n'enferment point d'impossibilité ». Elles sont donc des perfections. « Il s'ensuit que Dieu, possédant la sagesse suprême et infinie, agit de la manière la plus parfaite, non seulement au sens métaphysique, mais encore moralement parlant, ce qu'on peut exprimer ainsi à notre égard, que plus on sera éclairé et informé des ouvrages de Dieu, plus on sera disposé à les trouver excellents et entièrement satisfaisants à tout ce qu'on aurait même pu souhaiter[4]. » Quand on considère attentivement la notion de Dieu, on est obligé d'en accepter les suites : si Dieu est l'être « tout-parfait », il ne peut vouloir que le meilleur.

Il existe des possibles dans l'entendement divin. Dieu les consulte, les compose en une infinité de

1. *Ibid.*, paragr. 24.
2. *Ibid.*, paragr. 28.
3. *Ibid.*, paragr. 56.
4. *Discours de métaphysique*, paragr. I, Vrin, p. 37.

« séries » ou mondes possibles. Il calcule. Procède selon une « mathématique divine ou mécanique métaphysique », et finalement choisit. Si par extraordinaire quelqu'un était capable de demander à Dieu pourquoi il a choisi ce monde plutôt qu'un autre, et si de plus il pouvait entendre la réponse, alors Dieu lui donnerait la raison de son choix. Car rien n'arrive sans raison. C'est « le principe fondamental du raisonnement humain[1] » et la volonté de Dieu y est soumise : « Comme il y a une infinité d'univers possibles dans les idées de Dieu et qu'il n'en peut exister qu'un seul, il faut qu'il y ait une raison suffisante du choix de Dieu qui le détermine à l'un plutôt qu'à l'autre[2]. » Dieu a choisi ce monde parce qu'il était, de tous les possibles, le plus parfait. Et il n'a pas créé tout le possible. Sans quoi il ne serait pas Dieu mais une nature, et l'on tomberait dans la nécessité absolue de Spinoza[3]. Il n'a pas non plus créé un monde de manière arbitraire, parce que telle était sa volonté : c'est, aux yeux de Leibniz, la thèse de Descartes et de Hobbes, le Dieu-tyran, qui décide du juste et de l'injuste selon son plaisir[4]. En vérité, Dieu est un Esprit. En lui « la puissance va à l'être, la sagesse ou l'entendement au vrai, et la volonté au bien. Et cette cause intelligente doit être infinie de toutes les manières, et absolument parfaite en puissance, en sagesse et en bonté, puisqu'elle va à tout ce qui est possible. [...] Son entendement est la source des essences et sa volonté est l'origine des existences[5] ». Dieu est absolument sage. Il choisit le bien librement, car rien n'est plus libre qu'une volonté éclairée par la plus parfaite raison[6].

Leibniz n'a pas cessé de méditer sur cette conséquence qui fonde ce qu'on a appelé son « optimisme

1. C, p. 11.
2. *Monadologie*, paragr. 53.
3. *Théodicée I*, paragr. 7.
4. *Discours de métaphysique*, paragr. 2, Vrin, p. 38.
5. *Théodicée I*, paragr. 7.
6. *Théodicée II*, paragr. 228.

métaphysique », et qui l'a amené à plaider la « cause de Dieu ». On peut en suivre la genèse, depuis la *Profession de foi du philosophe* de 1673 jusqu'à la *Théodicée*. Si Dieu veut nécessairement « le meilleur », comment a-t-il pu vouloir le péché du premier homme et la suite de tous les maux dont l'Histoire porte le témoignage ? Le mal tient à la limitation des créatures. Car, « si chaque substance prise à part était parfaite, elles seraient toutes semblables ; ce qui n'est point convenable ni possible[1] ». Dieu aime tous les hommes et veut qu'ils soient tous sauvés[2]. Mais il existe une inertie des esprits relativement aux grâces, comme il existe une inertie des corps. Deux bateaux diversement chargés ne descendent pas également le courant d'une rivière. La matière est « portée originellement à la tardivité[3] » et modère l'impression qu'elle reçoit à proportion de sa masse. De même les esprits. Et « Dieu est aussi peu la cause du péché que le courant de la rivière est la cause du retardement du bateau[4] ».

Une autre question demeure. Si Dieu a créé le monde « à partir des termes », c'est-à-dire en formant par avance les notions possibles de tous les individus qui le composent, et si les notions enferment une fois pour toutes tout ce qui arrivera jamais aux individus qui leur correspondent, comment peut-on encore croire à la liberté humaine ? La liberté est la plus haute spontanéité, c'est-à-dire la spontanéité jointe à l'intelligence. La spontanéité a quant à elle deux réquisits : l'absence de contrainte (« Est contraint ce dont le principe vient de dehors »), et l'absence de nécessité : « La spontanéité est une contingence sans coaction, ou bien on appelle spontané ce qui n'est ni nécessaire ni contraint[5]. » Il convient donc de sauver la contingence des événements humains, et de la conci-

1. *Ibid.*, paragr. 200.
2. *Confessio Philosophi*, Vrin, p. 33.
3. *Théodicée I*, paragr. 30.
4. *Ibid.*
5. GP VII, 110.

lier avec la science de Dieu, qui « préordonne » toute
chose. Savoir, écrit Leibniz, n'est pas vouloir[1]. Et
Dieu a pu prévoir le résultat de nos actions sans que la
liberté en souffre. Mais s'il a choisi tel monde possible
comme le meilleur candidat à l'existence, n'a-t-il pas
également choisi le détail de tout ce qui y a lieu, et par
suite également les actions des hommes ? C'est le
« labyrinthe de la liberté ». Et Leibniz, qui n'a pas
accepté une liberté créatrice de possibles, n'a probablement jamais réussi à en sortir. Reconnaissons-lui au
moins le mérite de nous l'avoir fait visiter, ce labyrinthe, jusque dans ses recoins les plus secrets.

Jean-Baptiste RAUZY

BIBLIOGRAPHIE

ÉDITIONS DE RÉFÉRENCE : *Sämtliche Schriften und Briefe, herausgegeben
von der deutschen Akademie der Wissenschaften zu Berlin*, la série II pour
la correspondance philosophique et la série VI pour les écrits philosophiques (AK). *Die philosophischen Schriften*, herausgegeben von
C. Gerhardt, Berlin, 1890 ; reprint Georg Olms Verlag, 1978 (GP).
Opuscules et fragments inédits, éd. L. COUTURAT, Paris, Félix Alcan,
1903, reprint Georg Olms Verlag (C). *Textes inédits*, publiés et
annotés par G. GRUA, Paris, PUF, 1948 (Grua).

TRADUCTIONS FRANÇAISES ET AUTRES ÉDITIONS : *Confessio Philosophi, la
profession de foi du philosophe*, éd. et trad. Y. BELAVAL, Paris, Vrin,
1970. *Discours de métaphysique et Correspondance avec Arnauld*, éd.
G. LE ROY, Paris, Vrin, 1984. *Essais de Théodicée*, éd. J. BRUNS-
CHWIG, Paris, GF-Flammarion n° 209, 1969. *L'Être et la relation*, avec
trente-cinq lettres de Leibniz au R.P. Des Bosses, éd. C. FRÉMONT,
Paris, Vrin, 1981. *Œuvres*, éd. L. PRENANT, Paris, Aubier-
Montaigne, 1972 (épuisé). *Nouveaux Essais sur l'entendement humain*,
éd. J. BRUNSCHWIG, Paris, GF-Flammarion n° 582, 1990.

COMMENTAIRES : Y. BELAVAL : *Leibniz critique de Descartes*, Paris,
Gallimard, 1960. Y. BELAVAL : *Leibniz, Initiation à sa philosophie*,
Paris, Vrin, 1962. M. GUEROULT : *Leibniz, Dynamique et métaphysique*, Paris, Aubier-Montaigne, 1967. Y. BELAVAL : *Études leibni-
ziennes*, Paris, Gallimard, 1976.

---

1. *Confessio Philosophi*, Vrin, p. 55.

LOCKE

Lettre sur la tolérance
Deux Traités sur le gouvernement civil
Essai sur l'entendement humain

En France, Locke ne passe pas pour l'une des grandes figures de la philosophie. Dans les pays anglo-saxons en revanche, il tient une place comparable à celle de Descartes chez nous : aux yeux du grand public cultivé, il inaugure la pensée moderne ; mais, contrairement à Descartes, il doit autant cette réputation à son œuvre politique et morale qu'à sa critique de la connaissance. Car Locke n'a pas la sobriété de Descartes : ses livres traitent de sujets fort divers (religion, politique, théorie de la connaissance, pédagogie, économie, physique), et l'on est bien en peine de dire ce qu'ont en commun des ouvrages aussi différents. Locke d'ailleurs, qui n'a accepté de reconnaître qu'un de ses livres, l'*Essai*, n'aide guère ses lecteurs. Une façon intéressante de se plonger dans la lecture de ces ouvrages est de se demander ce qui différencie chacun et ce qui les réunit. Y a-t-il un rapport entre le théoricien du contrat social et le fondateur de l'empirisme ? Ou, plus profondément, quels rapports peuvent avoir tolérance, libéralisme politique, empirisme et pédagogie naturelle, dont on attribue généreusement à Locke la paternité ? Les livres de Locke ont encore un intérêt parce qu'ils traitent de questions qui sont les nôtres (ou à peu près) tout en justifiant les réponses par des arguments d'un autre âge. Il est intéressant de découvrir que nos thèses modernes avaient un fondement bien classique. Comprendre Locke, c'est comprendre, par différence, notre propre tolérance, notre propre libéralisme, et notre propre façon d'être empiriste.

Délaissant les *Pensées sur l'éducation,* deux traités économiques et des études bibliques, délaissant aussi les écrits de circonstance appelés par son travail de gestionnaire de colonies américaines ou son travail de médecin, nous nous en tiendrons à la lecture de la première de ses *Lettres sur la tolérance* (1689), des *Deux Traités sur le gouvernement civil* (1690), de l'*Essai sur l'entendement humain* (1690).

Pour comprendre l'orientation de ces œuvres, il est, pour une fois, utile de prendre une perspective biographique. Locke a fort mal vécu en effet les troubles politico-religieux qui ont secoué l'Angleterre entre 1641 et 1689 ; aussi a-t-il souhaité réfléchir sur ces événements, intervenir sur leur cours ; et c'est dans cet esprit qu'il rédige ses œuvres, comme un amateur qui se spécialise pour traiter jusqu'à la racine le mal qui l'afflige. Un véritable philosophe, en somme.

Cent cinquante ans avant la Révolution française, la première Révolution anglaise met en procès et exécute un roi, et dans ce conflit se joue la primauté du roi ou du Parlement. Mais le conflit a aussi des caractères de guerre de religion — conflit entre d'un côté une Église établie, avec sa hiérarchie, sa conception du salut et des rites obligatoires, et de l'autre une religion du cœur forcément individualiste, puisque chaque croyant possède en lui seul l'inspiration divine et l'autorité pour juger de tout comportement moral, religieux et politique. Et enfin, pour compliquer le tout, politique et religion se mêlent en conflit de pouvoirs : entre le roi, le Parlement et la hiérarchie religieuse, qui a autorité pour gouverner l'Église ? Entre une organisation sociale qui impose une pratique religieuse uniforme et un spontanéisme individualiste qui accroît les rivalités, le clivage est aussi bien religieux que politique, moral qu'épistémologique. Après la phase révolutionnaire et la mort de son leader Cromwell, la Restauration des rois Stuart ne diminue pas les controverses : le roi favorise en sous-main un retour du catholicisme et de l'influence française, et le Parlement aussi bien que la religion nationale se sentent mis en infériorité. Où trouver la paix publique, entre ces deux extrêmes : dans l'ordre imposé par un roi qui décide en matière politique et religieuse, et fait ainsi, d'autorité, l'accord de tous, au risque de ne laisser aucune liberté à la conscience individuelle ? Hobbes, croit-on (alors et parfois encore maintenant) a défendu de façon radicale cette thèse. Faut-il au contraire suivre d'autres radicaux et laisser au peuple et à l'inspiration de chacun le soin de décider de ce qui est bon pour lui et bon pour tous ? La question est évidemment politique : monarchie ou démocratie ? La question est aussi religieuse : comment Dieu mène-t-il les hommes ? Par ses « lieutenants » que sont les rois, désignés une fois pour toutes grâce à une succession remontant aux patriarches, ou par l'Esprit qui inspire, au coup par coup, chacun des membres du peuple ? La question est enfin épistémologique : quelle est la connaissance qui doit fonder cette pratique, soit une intuition des vérités éternelles qui guident l'univers et qui sont cachées en Dieu, soit une révélation immédiate (par illumination divine) de ce qu'il faut croire, dire et faire. Assurer la paix exige une position moyenne sur ces trois points : en pratique, ni l'obéissance aveugle, ni l'irrationalisme individualiste, mais la reconnaissance d'un juge qui décide en matières conflictuelles ; en politique, ni le droit divin des princes, ni le spontanéisme du peuple, mais la représentation réglée ; en épistémologie, ni la soumission aux idées innées rationalistes, ni l'illuminisme fidéiste, mais la patiente élaboration des connaissances.

Dans cette époque troublée, Locke cherche à travers toutes ses œuvres une solution qui tienne compte de la nature humaine ; pas une nature humaine au sens où l'entend le XXᵉ siècle (un sujet angoissé par la conscience exacerbée de sa solitude et de ses limites,

livré à ses seules pulsions), mais un homme qui se
trouve soumis à un malheur qui lui est extérieur et qui
est réparable ; il peut trouver en lui et autour de lui
trace de l'intention divine et les moyens d'y correspondre : Dieu est suffisamment sage pour avoir donné
à chaque homme de quoi se débrouiller seul pour
assurer sa subsistance et son salut. Il suffit donc de se
servir de son entendement, quitte à le corriger, à le
régler, au besoin ; paix sociale, survie matérielle et
salut individuel sont au bout du chemin. On comprend donc pourquoi, si les thèmes abordés sont proches des nôtres (tolérance, démocratie représentative,
solitude de l'homme livré à sa seule raison, dressage
de l'animal en l'homme), il faut découvrir dans le
détail de chaque discipline abordée par Locke, dans
chacun de ses ouvrages, combien ces thèmes sont
fondés sur une argumentation théologique, métaphysique, qui nous semblera d'un autre âge.

   C'est la raison pour laquelle il est bon de
commencer la lecture de Locke non par ce qui
demeure le plus actuel, sa théorie de la connaissance,
son empirisme, mais au contraire par une cure de
dépaysement, par une immersion dans les questions
politico-religieuses qui sont à l'origine des questions
de connaissance, que nous aborderons en un second
temps. À cet avantage s'ajoute le fait que le texte de la
Lettre sur la tolérance est plus abordable que celui d'autres livres. La *Lettre sur la tolérance* ne défend pas les
droits d'une liberté individuelle contre l'emprise d'un
État tentaculaire. Cette conception de la tolérance est
l'aboutissement actuel de tout un cheminement qui ne
fait dans ce texte que commencer. Aussi la question
intéressante est-elle plutôt celle des fondements que
donne Locke à sa défense de la tolérance ; elle est
aussi de savoir comment peuvent se justifier des positions qui à nos yeux n'ont rien de tolérant, comme
l'exclusion des athées et des catholiques. Il ne s'agit
pas de défendre le droit de l'individu à une liberté
indéfinie. Il s'agit au contraire de trouver les moyens
de vivre en paix, et de déterminer la contrainte la plus

efficace en ce sens. La diversité des rites religieux est-elle acceptable, et peut-elle se concilier avec l'unité de la Nation, ou peut-on reconnaître au souverain le droit de décider entre les différentes Églises dans l'intérêt de la paix ?

La solution — du moins pour un esprit porté à la philosophie — exige un détour théorique : quelle est la fonction de chaque société, société civile et société religieuse ? Question orientée, bien sûr, car mettre sur le même plan, comme deux sociétés comparables, Église et État, c'est déjà prendre une option sur la solution. À côté de la cité des hommes, qui a pour but la réussite matérielle, il y a la cité de Dieu, qui a pour but la réussite éternelle. Partant de cette séparation stricte, on peut concevoir les sociétés comme exclusives l'une de l'autre et tracer les limites de chacune : le conflit se résout entre les mains de Locke par une division entre deux zones sans interférence. Il est vrai qu'une séparation aussi mécanique ne peut correspondre à la réalité, et le lecteur notera non seulement les présupposés de la séparation, mais aussi ceux qui introduisent des liens, notamment une confiance implicite en Dieu : il n'a pu créer deux sociétés dont les intérêts soient inconciliables.

Autre voie pour résoudre cette question des frontières entre les deux cités, et définir la tolérance : analyser la nature de la croyance et ce que peut être la religion exigée par Dieu. Ce qui est toujours un détour typiquement philosophique ! Mais, ici encore, l'option philosophique se dessine déjà dans le cadre imposé par la question. Locke répond par une analyse de la nature humaine ; est-il possible de croire sous la contrainte, est-ce encore une véritable croyance, et l'État pourrait-il espérer assurer le salut des âmes avec les moyens qui sont les siens, à savoir la force ? Inversement, peut-on admettre que Dieu sauve quelqu'un qui ne croit qu'extérieurement ?

En croisant ces quatre facteurs, le statut de chacune des deux sociétés, la psychologie de la croyance et la foi authentique, on obtient une palette d'arguments, ceux que présente, pour l'essentiel, Locke. Repérer dans chaque argument ce qui tient à chaque facteur, mais aussi repérer comment la façon même de poser la question implique des présupposés qui sont, non point faux, mais différents des nôtres (notamment cette façon de résoudre les problèmes en ordonnant les choses en deux classes opposées, ou cette façon d'observer la nature humaine pour y trouver la source d'un ordre), c'est se garantir une lecture fructueuse. On découvrira une justification de la tolérance fort éloignée de la nôtre, qui s'appuierait plutöt sur les droits de l'homme. Par quelles modifications conceptuelles, sous quelles influences sociales, est-on passé d'une justification à l'autre ?

*
* *

La lecture de la *Lettre sur la tolérance* a révélé deux ordres de problèmes, d'une part la fonction de la société politique, d'autre part la nature de la croyance humaine. Deux livres de Locke traitent chacun d'une de ces questions, et nous allons maintenant les aborder. Pour être complet et approfondir l'étude de chacun des quatre facteurs de la tolérance, il aurait fallu envisager aussi la nature de la vraie religion et celle de la société religieuse ; même si Locke a rédigé des livres sur ces questions (*Le Christianisme raisonnable* et la *Paraphrase sur les Épîtres*), nous nous en tiendrons aux deux premiers thèmes.

La fonction de la société civile et de son gouvernement est étudiée pour elle-même dans les deux traités que Locke publie à peu près en même temps que la *Lettre sur la tolérance*. Il s'agit toujours de « comprendre le pouvoir politique » pour régler son exercice et produire la paix sociale. Mais, pour ce faire, Locke oppose deux conceptions, l'une basée sur de faux principes, l'autre sur la véritable origine. Car le tort de la thèse combattue, celle des traditionalistes, que Locke critique dans le *Premier Traité sur le gouvernement civil,* consiste à croire que l'histoire s'est déroulée conformément à leurs principes théoriques, que le pouvoir royal actuel n'est que la suite du pouvoir paternel d'Adam sur ses enfants, transmis de génération en génération jusqu'au roi actuel. L'erreur des traditionalistes est triple : historique, théologique et philosophique. L'erreur historique tient, par exemple, à cette illusion que la succession depuis Adam est ininterrompue, qu'elle est réservée au seul roi, alors que tous nous descendons d'Adam. L'erreur théologique consiste à croire d'une part que la Bible défend cette thèse historique, et d'autre part que Dieu a pour habitude d'agir de façon aussi directe dans l'histoire humaine. L'erreur philosophique des traditionalistes, enfin, est de pas ne se rendre compte de la différence du statut de la société familiale et de celui de la société politique ; il y a une telle rupture entre famille et État que l'on ne peut passer insensiblement de l'une à l'autre ; le deuxième *Traité* reviendra sur ce thème (chap. VI et VII).

Définir la nature de la société politique par son « origine » (terme ambigu s'il en est !), tel est en effet l'objet du *Deuxième Traité*. En France, on a souvent édité cette deuxième partie seule, et c'est sous cette forme que le livre a inspiré la mutation des idées politiques françaises. Mais la tradition fait dire à l'auteur bien plus qu'il n'en disait lui-même, en ignorant le premier livre et le contexte historique dans lequel il a été écrit (Locke était alors un exilé en lutte secrète contre le pouvoir établi, et s'inquiétait de la légitimité d'une reconquête de la souveraineté par le « peuple » ; en outre, Locke est loin d'être le seul à avoir alors réfléchi sur ce thème et à avoir trouvé des réponses en ce sens ; enfin l'œuvre est loin d'être unifiée, et un certain nombre d'affirmations sont difficiles à concilier). Une fois encore, un problème de lecture : comment se défaire de la tradition qu'a engendrée l'ouvrage lui-même, pour lire le texte à la fois en ce qu'il est et dans son influence ?

Tous les thèmes de la pensée politique classique sont mis en œuvre dans le *Deuxième Traité*, ce qui risque de fausser la lecture plus que de l'aider. Aussi serait-il bon de se donner pour principe de lecture la recherche de la spécificité de Locke sur chacun de ces points. L'état de nature est le premier de ces thèmes : s'agit-il de la même nature que celle de Hobbes, ou n'est-ce pas plutôt contre une nature humaine marquée par la seule agressivité que Locke tente de définir l'homme comme être libre, égal à autrui, tout en étant cependant soumis à une loi, celle de la raison ? Celui qui est tant soit peu au fait de la pensée de Hobbes répondra que son point de vue ne doit pas être « noirci » outre mesure, et que la raison a chez lui, sous la forme de la « loi de nature », également une place. La question renaît alors : quelle différence entre la raison définie par Locke et celle que définit Hobbes, quelle différence y a-t-il entre la loi de nature chez l'un et chez l'autre, et comment en arriver à ce qui les distingue assurément, à savoir que l'homme est pour Locke d'emblée et foncièrement moral, alors qu'il ne l'est (ou ne peut l'être) pour Hobbes que dans la société ?

Le contrat social est un autre thème fondamental de la pensée politique classique. Mais il se trouve que le terme est relativement peu employé par Locke ; il préfère soit le terme psychologique de *consent* (consentement), soit le terme juridique de *trust* (mandat), soit encore le terme de *compact*. Locke ne souhaite pas accorder au contrat social une place aussi importante que certains de ses contemporains : faire du contrat l'origine de la société, c'est se prêter à la critique des historiens, qui vous diront qu'ils n'ont jamais vu d'êtres humains se réunir avant d'être déjà dans un État. Faire du contrat l'origine de la société, c'est aussi laisser croire que la propriété — et la moralité publique — ne naissent que par une convention, seconde et artificielle. Le chapitre II tente de trouver une solution qui évite ces écueils.

Pourquoi chercher à vivre dans un État ? Une importante réflexion sur la propriété et l'argent permet à Locke de proposer une réponse, intéressante dans la mesure où elle lie économique et politique. La propriété ne peut avoir pour origine une décision de l'État : ce serait rendre l'individu entièrement dépendant. Il faut au contraire reconnaître une forme embryonnaire et naturelle de propriété, une propriété sur soi-même, et sur ses moyens d'agir. Cette propriété-là en crée d'autres : si j'agis, si je travaille pour me nourrir, je m'approprie une part de ce que Dieu a donné à tous en propriété commune. C'est pour protéger contre autrui et contre mes propres abus cette propriété que l'État devient nécessaire. Et la place de l'argent dans cette naissance de l'État n'est pas la dimension la moins intéressante. Le besoin, la rareté, la crainte jouent donc un rôle dans la création de l'État, chez Locke comme chez Hobbes mais, pour bien comprendre Locke, il faut aussi remarquer, dans ces chapitres III à V, qu'aux yeux de Locke l'État ne fait que rétablir un ordre naturel, que particulariser sous forme de propriété privée une propriété déjà existante, thèse qui s'oppose aux propos de Hobbes.

Le principe de la vie politique est établi ; il reste à établir le processus : comment naît l'État ? C'est une des difficultés classiques de la philosophie politique, et Locke en traite aux chapitres VII et VIII du *Traité*. Ou bien la société comme telle n'existe que grâce au souverain auquel chacun a remis individuellement sa liberté, ou bien la société existe avant même de se choisir un souverain. Dans le premier cas, les citoyens dépendent entièrement du souverain qui a un pouvoir absolu et dans l'autre cas, le souverain n'a qu'un pouvoir limité, puisqu'il dépend du peuple, c'est-à-dire de l'assemblée qui s'est réunie spontanément et qui l'a élu. Le philosophe doit choisir entre l'asservissement des citoyens dans le premier cas et l'inefficacité du pouvoir dans le second. La solution que propose Locke dans ces chapitres a d'autant plus d'importance qu'elle conditionne la suite, et notamment la question qui lui importait au moment où il rédigeait son livre : la fin des sociétés politiques (chap. IX) en effet, le droit de conquête (chap. XVI), l'usurpation et la tyrannie du souverain (chap. XVII et XVIII), la dissolution du gouvernement et le droit de révolte (chap. XIX) dépendent de la solution choisie aux chapitres VII et VIII ; si le peuple (ou la société) existe comme tel avant le choix du souverain, il peut destituer un souverain et s'en choisir un autre ; mais si le peuple n'existe que grâce au souverain, la révolte détruit, en même temps que le gouvernement, le peuple et la société ; chacun se retrouve seul dans l'anarchie et la lutte de tous renaît. Il n'est guère facile de choisir entre avantages et inconvénients des deux conceptions, et la solution de Locke n'est d'ailleurs pas très facile à cerner. Il existe des livres qui proposent des solutions simples et claires aux problèmes ; la postérité les a souvent oubliés. Il en est d'autres qui, par souci du réel, ne parviennent pas à une réponse claire et définitive. Le second *Traité sur le gouvernement civil* est de ceux-là ; et la postérité ne l'a pas oublié.

*
* *

L'*Essai sur l'entendement humain* est certainement l'œuvre la plus riche de Locke : un volume dans lequel on ne sait comment pénétrer tant sa masse est impressionnante et son désordre apparent. À deux conditions, cependant, sa lecture peut se révéler passionnante : d'abord, saisir la question centrale dont il traite, et autour de laquelle s'ordonnent les analyses secondaires ; puis, deuxième clé de lecture, commencer par le quatrième livre, et dans ce livre se consacrer d'abord à un chapitre caractéristique.

D'abord, donc, la question dont Locke veut traiter dans ce livre. Elle se comprend facilement après le parcours que nous venons d'effectuer. Il s'agit essentiellement de paix civile, de tolérance au sens lockien, précisé ci-dessus. Le souverain a pour mission d'imposer à tous les principes moraux qui fondent la vie civile : existence de Dieu, vie morale qui en découle et, notamment, respect de la parole donnée. Le but premier de Locke est de manifester que la morale imposée par le souverain est rationnelle, ou, pour employer une expression fréquente dans le néo-stoïcisme, qu'elle fait partie de la *religion naturelle* : l'homme peut découvrir par lui-même qu'il existe un Dieu, et que ce Dieu lui impose une liste minimale d'obligations, celles notamment qui conditionnent la vie sociale. Chacun peut-il déduire par sa raison, selon la méthode géométrique (*more geometrico* — celle qui paraît à l'époque la méthode idéale de toute connaissance certaine), une morale fondamentale ? Pour répondre à cette question, Locke s'attelle à ce qui constitue l'objet principal du livre : définir les capacités et les limites de l'entendement humain livré à lui-même. Ainsi l'on saura si la morale peut être une science accessible à chacun (c'est-à-dire, pour Locke, chacun de ceux qui ont les moyens de penser), et si la société peut s'appuyer sur cette morale démontrable.

C'est pourquoi Locke compare le savoir moral avec les autres savoirs. Il existe deux ordres de savoir : d'abord le savoir qui résulte des idées, qui progresse par analyse de ces idées et par mise en rapport explicite des composants ainsi dégagés — à peu de chose près ce que l'on appellera plus tard la connaissance analytique ; l'autre forme de savoir réunit des idées que l'expérience nous pousse à associer mentalement (nous les trouvons unies dans la réalité) — ce savoir correspond à peu de chose près à ce que l'on appellera plus tard le savoir synthétique. Or, de ces deux formes de savoir, seule la première peut être démonstrative, et donc certaine ; la seconde repose sur des constatations factuelles, occasionnelles, non généralisables : le savoir courant, les sciences naturelles, la physique et la prudence morale relèvent de cette forme de savoir seulement probable. Pour être démontrable, la morale théorique doit donc suivre la première méthode, celle que Locke appelle *connaissance* au sens strict, et qui ne se trouve, selon Locke, que dans la géométrie. Tout l'enjeu de l'ouvrage, et surtout du livre IV, est donc d'analyser les diverses formes de savoir, de préciser ce que Locke appelle connaissance au sens strict, de montrer à quelles conditions la morale s'en approche et pourquoi les autres savoirs ne peuvent y parvenir.

On laissera au lecteur le plaisir de découvrir dans l'ouvrage la façon dont Locke utilise les conceptions de Descartes sur l'intuition intellectuelle, mais montre comment cette intuition n'a rien d'inné : elle est l'effet d'un apprentissage qui repose sur la seule chose innée en l'homme, la capacité de se servir de son entendement. On laissera aussi le lecteur découvrir la façon dont Locke reconnaît que tout savoir a pour origine l'expérience sensible, et que pourtant l'expérience sensible produit ce que l'on ne peut appeler qu'en un sens analogique connaissance. Et on espère qu'alors le lecteur s'étonnera d'une chose au moins : celui que l'on appelle le fondateur de l'empirisme est fort réservé à l'égard de l'expérience ; toutes nos idées trouvent leur origine dans l'expérience, qui est donc vraie — mais vraie uniquement au sens où on ne peut la questionner. La connaissance, en revanche, est vraie par mise en relation d'idées entre elles, et par intuition d'un rapport entre ces idées, donc par un acte de l'entendement, et nous n'avons affaire ici qu'à nos idées. Tout ceci paraît bien intellectualiste, bien « idéaliste » pour un empiriste. L'un des effets de la lecture de Locke est de faire sauter les classifications simplistes en « intellectualiste », « empiriste », « idéaliste », que nous utilisons trop souvent.

Mais, pour en revenir à ce que Locke considérait comme l'essentiel, la morale produite par cette méthode *more geometrico* est une morale de tolérance : elle ne porte que sur des idées et n'impose aucun savoir de fait. Les devoirs déduits avec certitude ne portent que sur l'homme tel qu'il est donné par la définition, non sur l'homme dont on a l'expérience ; la morale, qui porte sur ce que Locke appelle des *modes mixtes* (des concepts), n'a pas le même objet que la physique, qui porte sur des idées générales induites de l'expérience (des *idées de substances*, dit Locke). La certitude a priori de la morale ne peut reposer sur la simple probabilité de la physique ; la question de savoir si ce fœtus est un homme est une question de fait, et le respect de l'humanité est une question de droit dépendant de la seule définition donnée au terme « homme » ; on ne peut passer immédiatement du fait au droit, car il s'agit de deux savoirs différents.

La démonstration de la morale était vraisemblablement la préoccupation principale de Locke lors des premières ébauches de l'*Essai ;* mais Locke ne s'est pas cantonné dans ces limites, et l'examen des autres savoirs l'a entraîné à des développements si importants que son livre vaut pour son analyse générale de la connaissance plus que pour sa réflexion morale initiale.

Après avoir défini l'orientation générale de l'œuvre, entrons un peu plus dans le détail. C'est par le livre IV qu'il faut commencer, nous l'avons dit ; et dans le livre IV, le chapitre XII est sans doute un texte suffisamment complet pour donner une première vue d'ensemble sur tout l'ouvrage. Les sections 1 et 2 de ce chapitre critiquent l'illusion selon laquelle il existerait des principes tout faits, principes qu'il suffirait de saisir et de poser comme base du savoir (le livre I de l'*Essai* est tout entier consacré à la critique d'une forme de cette illusion : les principes innés) : partir de principes tout faits, c'est s'asservir au dogmatisme et se jeter dans les illusions. La section 3 propose un autre point de départ : les idées simples, que procure la sensation ; ce point de départ est indubitable, et sa certitude initiale rejaillira sur toutes les étapes ultérieures : il suffira d'associer plusieurs idées, d'abstraire ce qu'elles ont de commun, etc., en conservant l'authenticité de l'idée simple initiale.

À partir de ces idées, l'entendement compose des propositions, propositions ou jugements que Locke présente à la section 6 : un jugement est formé par la liaison de deux idées ; et la vérité de ce jugement est découverte par la perception en l'esprit de l'accord entre les deux idées ; le jugement, et la connaissance qui en découle, sont donc bien affaire de perception, perception intellectuelle, appelée aussi intuition ; comme s'il suffisait de rapprocher la perception par l'esprit et la vision par les yeux pour que la question de la vérité soit réglée. L'intuition est l'élément de toute connaissance. Et cette intuition ne porte pas sur des choses, mais sur des idées ; c'est un des exemples de ce que l'on a plus tard appelé « théorie de la représentation ».

Après l'idée simple et le jugement, on parvient à l'association de plusieurs jugements en un raisonnement. Le raisonnement fait l'objet de la fin du chapitre. Le raisonnement sur les idées abstraites, d'abord, qui seul produit la *connaissance* au sens strict du terme : les mathématiques en sont le meilleur exemple, dont Locke traite à la section 7. La morale, on le sait déjà, doit copier la méthode mathématique, ce dont traite la section 8. La section 9 traite de cette autre forme de savoir qui n'atteint pas le niveau de la connaissance : elle porte sur les substances, autrement dit sur les choses ; il n'est pas possible de connaître complètement les choses, d'avoir connaissance de leur principe d'existence, de leur essence, donc de raisonner sur elles. Aussi faut-il en rester, pour les choses, à l'observation des cas particuliers sans prétendre raisonner, déduire ou énoncer des vérités universelles. D'où la conclusion du chapitre : la section 10 recommande une attitude prudente (ou sceptique) à l'égard des connaissances que l'on prétend universelles, la section 11 détermine ces limites et les sections 12 à 14 suggèrent la meilleure méthode pour faire progresser notre savoir. En deux pages claires, Locke achève ce que l'on peut considérer comme un résumé significatif de l'essentiel de l'*Essai*.

Éclairé ainsi sur l'essentiel, on pourra pousser plus loin la lecture, et compléter le tableau : en lisant notamment le livre III, qui traite du langage, partie de l'œuvre qui est restée la plus célèbre pour les problèmes qu'elle pose. On s'attaquera alors au livre II, qui contient l'essentiel de la thèse empiriste : l'origine de toutes nos idées dans l'expérience, et leur abstraction, leur composition par l'entendement. On pourra finir par le livre I, plus attaché aux controverses de l'époque, par la critique de l'innéisme des principes et des idées défendu autour de Locke.

De la justification de la tolérance à l'analyse du langage, l'itinéraire suivi par Locke n'est pas évident. Si Locke traite pourtant des mots, c'est toujours, comme il le souligne lui-même à plusieurs reprises (par exemple livre III, chap. X), parce qu'il a expérimenté que la plupart de nos désaccords viennent d'un manque de clarté des mots. Fonder chacun des mots sur une idée claire et commune, c'est construire la paix civile. À elle seule, cette affirmation suffit à justifier la lecture de Locke.

Jean-Michel VIENNE

BIBLIOGRAPHIE

ÉDITION DE RÉFÉRENCE : *The Clarendon Edition of the Works of John Locke,* Oxford University Press (édition en cours). Parmi les œuvres non encore publiées dans cette collection et disponibles ailleurs : *Two Treatises of Government, a critical edition...,* P. LASLETT, Cambridge University Press, 1967.

TRADUCTIONS FRANÇAISES : *Le Christianisme raisonnable,* éd. et notes H. BOUCHILLOUX, Paris, Universitas (à paraître). *De la conduite de l'entendement,* trad. Y. MICHAUD, Paris, Vrin, 1975. *Draft A,* trad. M. DELBOURG-DELPHIS, Paris, Vrin, 1974. *Essai philosophique concernant l'entendement humain,* trad. COSTE, Paris, Vrin, 1972 (reprint par E. Naert de l'édition de 1755). Nouvelle trad. M. MALHERBE et J.-M. VIENNE à paraître chez Vrin-Poche, Paris. *Essais sur la loi de nature,* Centre de philosophie politique et juridique de l'université de Caen, 1986. *Examen de la vision en Dieu de Malebranche,* trad. J. PUCELLE, Paris, Vrin, 1978. *Lettre sur la tolérance et autres textes,* trad. J. LE CLERC et J.-F. SPITZ, introd. et notes J.-F. SPITZ, Paris, GF-Flammarion n° 686, 1992. *Morale et loi naturelle, textes sur la loi de nature, la morale et la religion,* J.-F. SPITZ, Paris, Vrin, 1990. *Quelques pensées sur l'éducation,* trad.

G. COMPAYRÉ, introd. et notes J. CHATEAU, Paris, Vrin, 1966.
Traités sur le gouvernement civil, trad. J.-F. SPITZ, Paris, PUF,
1993.

COMMENTAIRES : Y. MICHAUD, *Locke*, Paris, Bordas, 1986.
J.-M. VIENNE, *Raison et expérience, les fondements de la morale selon
Locke*, Paris, Vrin, 1991. J. TULLY, *Locke, Droit naturel et Propriété*,
Paris, PUF, 1992.

LUCRÈCE

De la nature

De la vie de Titus Lucretius Carus on ne sait rien
de sûr, sinon qu'il vécut durant la première moitié du
premier siècle avant Jésus-Christ et écrivit, sans le
publier, *De la nature,* poème exposant le système
d'Épicure. On ne peut vivre dans la sérénité et le
contentement sans avoir compris ce qu'est l'*univers,*
infinité d'atomes en mouvement dans le vide infini, et
ce que sont *les mondes* et les êtres, composés finis
d'atomes et de vide. De son vivant, Lucrèce n'est pas
mentionné à Rome et, après sa mort, il l'est peu ;
silence peut-être dû à sa critique de la religion. Le
poète philosophe vécut la longue agonie de la République romaine : violents affrontements d'ambitieux,
guerres et révoltes de tout genre, sur fond de crise
économique et morale. Il s'indigne et il compatit :
« L'avidité, le désir aveugle des honneurs, poussent les
hommes misérables hors des bornes du droit et parfois
même les font complices ou même agents du crime[1]... » Suit une allusion probable aux massacres
consécutifs aux guerres civiles romaines. Le poète
moraliste plaint aussi les mineurs qui, jusqu'à la mort,
endurent les émanations des mines d'or et d'argent de
Thrace[2].

1. III, vers 59-61, p. 88.
2. VI, vers 808-815, p. 220.

De la nature, seule œuvre que nous ayons de Lucrèce, est un grandiose poème scientifique et philosophique — en hexamètres latins. On n'a pas assez souligné sa cohérence et son originale puissance tant d'argumentation logique que de persuasion poétique. L'auteur le dédia à son ami Memmius, vraisemblablement le politicien d'illustre famille, ambitieux, orateur, lettré philhellène, exilé pour corruption électorale. C'est en poète que Lucrèce s'adressa à son ami, poète lui-même et protecteur de poètes, dans l'espoir de le convertir à la vérité venue de Grèce et de communier ainsi avec lui dans la joie de l'amitié épicurienne : « (...) L'attrait de ta vertu, la douceur espérée de ta chère amitié, m'engagent à surmonter toutes les fatigues, à veiller durant les nuits sereines, cherchant par quelles paroles et dans quels vers je pourrai faire luire à ton esprit une lumière qui éclaire pour lui les secrets les plus profonds de la nature[1]. » Peine perdue ? Non, car tout lecteur peut se mettre à la place du dédicataire et prendre conscience que « l'homme est un malade qui ne sait pas la cause de son mal[2] ». Écoutons celui qui, guéri par l'épicurisme, veut à son tour guérir autrui. « Allons, Memmius, prête une oreille libre et un esprit sagace dégagé des soucis de la vie, à l'étude de la vraie doctrine[3]. » Lisons *De la nature* comme à la fois un traité scientifique et une exhortation à mériter le bonheur grâce à l'assurance que donne le savoir. C'est un art de vivre sans trouble que nous confie Lucrèce qui, cependant, paraît plus soucieux qu'Épicure de la situation sociale et de la paix — plus sensible aussi.

Pour le poète moraliste, le calme de la paix est une condition de vie heureuse. Dans l'invocation liminaire à Vénus, symbole de la féconde nature, le poète souhaite la cessation des cruautés guerrières. « Car moi-même, je ne pourrais, parmi les embarras de la patrie, me donner à mon œuvre avec un esprit libre[4]. » Ainsi

1. I, 140-145, p. 22.
2. III, 1083, p. 114.
3. I, 49-50, p. 20.
4. I, 41-42, p. 20.

Lucrèce déplorait-il les troubles de Rome et appré-
ciait-il un répit relatif — peut-être entre 62 et 58 — lui
permettant d'avancer dans son œuvre. D'ailleurs
l'époque suscitait un besoin de refuge : pour les intellectuels dans la littérature et la philosophie inspirées
par le modèle grec, pour la masse dans des cultes
orientaux et des pratiques superstitieuses. Aussi
Lucrèce s'attribue-t-il une double mission : proclamer
la supériorité de la philosophie épicurienne qui, seule,
délivre des tourments religieux ; créer un poème
didactique — latin et romain — digne de rivaliser avec
le triomphe du philosophe et poète grec Empédocle.

Lucrèce se reposait du souci de l'instabilité romaine
grâce à la force de sa sensibilité et de son imagination
qui se manifestaient en trois directions. À l'ardeur
pour le salut de l'ami lecteur, ajoutons l'enthousiasme
pour Épicure et l'amour de la nature. Lucrèce louange
celui dont il se reconnaît disciple[1]. Ainsi l'apothéose
qui ouvre le chant V est-elle une version poétique de
l'héroïsation — qui consistait à diviniser des personnages. N'est-il pas un dieu, celui qui a su nous montrer le style d'existence bienheureuse en nous libérant
à la fois de la peur des dieux et de la mort et des
illusions compensatrices ? Par grosse mer, rien n'est
plus doux que « d'occuper les hauts lieux fortifiés par
la pensée des sages[2] », alors que le reste des hommes
« s'épuisent en efforts de jour et de nuit pour s'élever
au faîte des richesses ou s'emparer du pouvoir[3] ».
Aussi bien peut-on croire que Lucrèce s'est retiré pour
observer et étudier la nature, à la fois amoureusement
et, grâce à l'œuvre d'Épicure, scientifiquement.

Le poète goûte et comprend la douceur fleurie du
printemps et la générosité automnale, les couleurs et
les parfums, la lumière du soleil et le ramage des
oiseaux ; tout en expliquant pareillement monstruo-
sités et déchaînements de la nature. Tout doit être

1. Préludes des chants I, III, V et VI, p. 20-21, 87, 157-158 et
199-200.
2. II, 7-8, p. 53.
3. II, 12-13, p. 53.

élucidé de sorte que ne puisse s'immiscer aucun mythe. En même temps, le poète ajoute à l'épicurisme la jouissance esthétique de la nature.

Que signifie le titre du poème, *De rerum natura* ? Littéralement, « De la nature des choses ». *Rerum,* d'une part, les corps premiers, simples, *composants,* autrement dit les atomes ; d'autre part, les corps *composés* d'atomes et de vide. Or, il n'y a rien d'autre que corps et vide. *Natura* — outre la nature particulière des différents corps — exprime parallèlement, d'une part, le Tout, c'est-à-dire l'ensemble infini des atomes dans le vide ; d'autre part, le seul monde connu de nous, avec sa puissance productrice et reproductrice, son équilibre, ses lois. Aux deux niveaux, la nature émeut le poète qui la personnifie et l'exalte par son esthétisme. Pourtant, il arrive que cette nature apparaisse fort défectueuse, ce qui confirme qu'elle n'est point agencée par un pouvoir divin[1]. L'avers, c'est l'exquise Vénus ou la féconde Terre mère ; le revers, c'est le mécanisme engendrant perpétuellement des composés provisoires voués à l'entre-destruction ou à la mort.

Le poème, qui compte plus de sept mille quatre cents vers, comporte six livres ou chants, chacun introduit par un splendide exorde suivi de l'argument du livre. Le plan est tripartite. Les deux premiers chants posent les principes physiques de l'atomisme ; les chants III et IV examinent l'âme et ses opérations et les deux derniers, notre monde. Tout cela forme un système sans faille avec une unité tant de doctrine que de méthode. Tout est très démontrable sans finalité, avec exclusion de toute intervention divine (première et troisième partie) et de l'immortalité de l'âme (partie médiane). Ainsi sont évacuées toutes craintes d'une intrusion surnaturelle et de l'au-delà. Le philosophe rappelle souvent que ses nombreuses descriptions et démonstrations concourent toutes à cette double élimination qui conditionne l'absence de trouble de

1. II, 180-181, p. 57 et V, 198-199, p. 162.

l'âme et par conséquent le bonheur. Savant et poète, logicien et visionnaire, il use de ses dons tant d'imagination que de méthode pour convaincre Memmius et autres lecteurs ; d'où luxuriance d'images et d'envolées et recours à des procédés rhétoriques — répétitions, oppositions, invocations ou apologies, épisodes/ morceaux de bravoure. À ces traits épiques se joint un souci didactique marqué notamment par la fréquence de termes de liaison. Afin de persuader sans lasser, le poète se sert de tous les genres et de tous les tons, épique, tragique, lyrique, élégiaque, ironique, satirique. Pour la preuve, le philosophe utilise les raisonnements par les effets, par l'absurde et par analogie. Ainsi y a-t-il similitude de structure ou de rapport entre atome et sensible. Pour beaucoup de questions, le philosophe prodigue les arguments et les dispose selon un ordre logique ou thématique. Ainsi égrène-t-il vingt-huit arguments en faveur de la mortalité de l'âme[1].

Le livre premier démontre les fondements. Rien ne se crée et rien ne se perd. Tout ce qui se transforme se résout en éléments éternels et invisibles qui ne peuvent se mouvoir sans cesse qu'en vertu du vide. Les êtres composés ont des propriétés inhérentes, tandis que circonstances et événements — comme servitude, pauvreté, richesse, liberté, guerre — ne sont qu'accidents ; le temps n'a point d'existence en soi[2]. Les atomes sont des corpuscules de matière sans vide intérieur, par conséquent insécables, impénétrables, indestructibles. Univers et vide n'ont point de limites.

Le chant II donne les propriétés atomiques qui rendent compte de la constitution et de la désagrégation de tous les composés. Les atomes se meuvent à une vitesse insurpassable. Entraînés par leur propre pesanteur, ils tomberaient tous de haut en bas, dans le vide, sans jamais se rencontrer ni rien former ; « mais il leur arrive, on ne saurait dire où ni quand, de s'écarter un

1. III, 417-829, p. 97-107.
2. I, 451-459, p. 30.

peu de la verticale, si peu qu'à peine peut-on parler de déclinaison[1] ». Ainsi les atomes peuvent-ils s'entrechoquer. Ainsi le bon plaisir peut-il incliner le comportement des vivants ; il y a analogie entre déclinaison des atomes et inflexion de notre conduite. La déclinaison restait décriée depuis Cicéron. Aujourd'hui, tant l'assouplissement du déterminisme, notamment en microphysique, que la mécanique des fluides lui confèrent sens. Les atomes ont de nombreuses formes, pas une infinité ; c'est le nombre d'atomes de chaque figure qui est infini. Les qualités sensibles des corps composés proviennent des caractéristiques de l'association d'atomes, eux-mêmes dépourvus de telles qualités. Le texte recèle un principe matérialiste d'émergence : par sa composition, tout corps se dote de qualités que ne possèdent point ses éléments constitutifs et se singularise.

Selon le chant III, l'âme est corporelle en ses deux parties fonctionnellement solidaires : l'esprit, *animus,* centre de la pensée et de la sensibilité, sis au milieu de la poitrine ; l'âme, *anima,* disséminée à travers le corps. L'âme totale naît et meurt avec son corps. La mort n'est donc rien pour nous. Le livre IV montre concrètement la sensation comme contact du sens, pour le toucher et le goût, avec l'objet ; pour les autres sens, avec un effluve se détachant de l'objet. Ainsi des simulacres, images très subtiles, frappent les yeux, d'où la vue, et parfois directement l'âme, d'où la vision de l'esprit. Ne peuvent que s'avérer exactes de telles *im-pressions.* Toutefois, si le sens est infaillible et critère de vérité, l'esprit doit se garder de se tromper en appréciant ; il y a des erreurs de l'esprit, pas des sens.

Le livre V expose la formation et l'histoire du monde. Dans l'univers, des combinaisons viables se sélectionnent à partir d'innombrables essais et erreurs. Une fois qu'un monde, tel le nôtre, s'est dégagé, un équilibre s'établit entre ses composants, ce qui limite

1. II, 218-220, p. 58.

le pouvoir et la durée de chaque espèce, d'où des statuts ou lois de la nature. Le mécanisme lucrétien de l'aléatoire se dédouble : anarchique au niveau de l'univers et constitutionnel au niveau des mondes, enclos provisoires d'ordre parmi l'infini désordre éternel. Les dieux n'y sont pour rien. D'une fort subtile corporéité, ils vivent, bienheureux et immortels, à l'écart de tout. Pour les phénomènes astronomiques — et météorologiques — du chant suivant, Lucrèce justifie la thèse épicurienne de la pluralité des explications. Cette pluralité est, comme la déclinaison, blâmée à tort. Ce qui ne se produit pas ici, assure le philosophe toujours conséquent, se déroule en d'autres mondes[1] ; pour des phénomènes complexes s'exercent des interactions concomitantes ou bien des causes distinctes de manifestations différenciées ; de toute façon, l'unicité démonstrative en ce domaine devient un dogme récupéré par la religion astrale et contraire au fait que « la pensée ne progresse que pas à pas[2] ». L'apparition des espèces animales joua, comme celle des mondes, à la fois sur le hasard des tâtonnements et sur une sorte de sélection naturelle. Lucrèce décrit ensuite l'évolution ambivalente de l'humanité depuis la rude vie sauvage et isolée des enfants de la terre. Puis apparaissent successivement famille, feu, socialité, âge du fer ; après une période alors heureuse, surgissent richesse, honneurs, ambition, crainte des dieux, mais aussi les avancées des techniques et de la civilisation.

Le dernier chant persiste dans la méthode — qui est aussi une thérapie — de démythification, en fournissant matériellement les diverses causes des phénomènes atmosphériques et terrestres redoutables. C'est ainsi que les derniers vers du poème terminent le tableau atroce de l'épidémie de peste qui ravagea l'Attique à la fin de l'ère brillante de Périclès. Bien sûr, pas plus là qu'ailleurs il ne faut croire à quelque malé-

1. V, 529-530, p. 170.
2. V, 533, p. 170.

diction du Ciel. Comme le philosophe poète avait promis de décrire les demeures des dieux[1], cela aurait pu constituer l'épilogue, car ce dernier chant est vraisemblablement inachevé.

L'auteur, « monté sur le char éclatant de la gloire[2] », mérite, comme Empédocle, « une couronne[3] ». Si fléaux de la nature et comportements passionnels inclinent au pessimisme, le penseur, grâce à l'union de la vraie doctrine et de la poésie, a néanmoins gagné le suprême plaisir, intellectuel et affectif, quasi mystique. Ainsi évoquait-il ensemble la nature et Épicure : « Devant de telles visions, une joie divine, un saint frémissement me saisissent à la pensée que ton génie contraignit la nature à se dévoiler tout entière[4]. » Épicure se méfiait de la poésie, mais, plus épicurien que lui, Lucrèce eut raison de relever le défi.

Jean-Marc GABAUDE

BIBLIOGRAPHIE

ÉDITION DE RÉFÉRENCE : *De la nature*, texte établi et traduit par A. ERNOUT, Paris, Les Belles Lettres, t. I, revu par C. RAMBAUX, 1990 ; t. II, 1985.

AUTRES ÉDITIONS : *De la nature*, trad. H. CLOUARD, Paris, GF-Flammarion n° 30, 1964, rééd. 1991. *De la nature*, trad. J. KANY-TURPIN, éd. bilingue, Paris, Aubier, 1993.

COMMENTAIRES : M. CONCHE, *Lucrèce et l'expérience*, Paris, Seghers, 1967, 3e éd., Éd. de Mégare, 1990. J. SALEM, *La mort n'est rien pour nous. Lucrèce et l'éthique*, Paris, Vrin, 1990.

1. V, 155, p. 161.
2. VI, 47-48, p. 200.
3. I, 929, p. 42.
4. III, 28-30, p. 87.

MACHIAVEL

Discours sur la première décade de Tite-Live
Le Prince

Longtemps, Machiavel fut nommé un « publiciste ». Né en 1469, fils d'un homme de loi, sa vie semble n'avoir été consacrée à la théorie politique qu'à travers l'observation des choses politiques, et l'expérience directe de leur indémêlable confusion. Promu assez tôt à la tête de la Seconde Chancellerie, qui avait en principe la charge des affaires intérieures de Florence, mais dont les compétences étaient en réalité beaucoup plus vastes, il eut à s'acquitter de nombreuses missions diplomatiques, soit auprès des voisins italiens de la cité de l'Arno, soit auprès des souverains d'Europe. Ainsi, la rencontre de l'empereur Maximilien Iᵉʳ lui donna l'occasion de rédiger en 1508 un *Rapport sur les choses de l'Allemagne ;* d'une mission auprès du roi Louis XII il rapporta un *Rapport sur les choses de la France* (1510) ; et à l'occasion d'un séjour auprès de César Borgia, dont les menées intrigantes inquiétaient Florence, un *Exposé de la manière dont le duc de Valentinois a abattu Vitellozzo Vitelli, Oliverotto da Fermo, le seigneur Pagolo et le duc de Gravina Orsini* (1503). En quinze ans de République florentine, et jusqu'au retour au pouvoir des Médicis en 1512, les responsabilités politiques et techniques de Machiavel furent variées, s'étendirent jusqu'à l'organisation d'une infanterie « nationale », puis d'une cavalerie, et furent ponctuées d'œuvres de circonstance. Mais, évincé du pouvoir, torturé même en 1513, Machiavel ne reprendra des fonctions politiques qu'en 1526, pour mourir en 1527. Ses nombreuses tentatives pour gagner la grâce des Médicis, maîtres de Florence, de Rome et de la Papauté, seront presque totalement vaines. À cet échec, nous devons *Le Prince,* les *Discours sur la première décade de Tite-Live,* ou les *Histoires florentines ;* Machiavel présentera les *Histoires florentines* à Clément VII (Jules de Médicis) en 1525, ses autres écrits ne seront publiés qu'après sa mort.

La vie de Machiavel s'avère ainsi en elle-même un problème de philosophie politique. Comment en effet lire l'homme qui fut lui-même l'échec de sa propre pensée ? Communément associé à un esprit d'efficacité animé par la ruse et la perfidie, le « machiavélisme » est tout à l'opposé de ce que fut l'existence de son auteur, comme si principes et réalité ne pouvaient être ajustés. Or, précisément, il est impossible d'isoler une œuvre théorique de Machiavel, de l'extraire de son fond historique, et de rapporter à de pures règles les velléités, les projets, ou les actions qui en eussent été des reflets déformés. Le travail théorique de Machiavel n'est pas le travail d'un théoricien contemplatif, mais recouvre une tentative d'ériger la pratique politique en une théorie expérimentale de l'État et de ses acteurs principaux, les princes et les peuples. C'est dire qu'il n'y a pas un sujet pensant surplombant le champ politique investi par sa pensée, mais une pensée à l'œuvre dans les choses politiques elles-mêmes, et dans la façon dont elles se présentent. Machiavel pense dès lors la politique selon la manière dont il est lui-même dans la politique : acteur, ses écrits sont plutôt de circonstance, et tracent les nécessités de son action ; en retrait, il peut affronter les lois de l'action elle-même, et chercher à comprendre non ce qu'un homme doit faire, mais quelles opérations le monde des hommes et de leurs passions rend possibles. En règle générale, Machiavel ne réfléchit pas des formes, il réfléchit des gestes qui mettent indistinctement en jeu les hommes, les choses et les idées que les hommes se font des choses quand ils les évaluent, prétendent les comprendre et les maîtriser, pour être finalement trompés par elles en même temps que par eux-mêmes. La pensée de Machiavel est à cet égard, et au sens le plus technique du terme, une « mise au point » : elle cherche à donner les moyens de voir avec netteté et d'observer avec rigueur le champ naturellement flou des actions humaines. Ou bien, pour paraphraser Machiavel, elle s'instruit à voir de près, afin que l'erreur s'évanouisse[1].

★
★ ★

« Étant mon intention d'écrire choses profitables à ceux qui les entendront, il m'a semblé plus convenable de suivre la vérité effective de la chose que son imagination[2]. » Cette célèbre remarque est un fil d'Ariane de la pensée de Machiavel. Une première lecture du *Prince* ou des *Discours...* ne fera pas apparaître dans un ordre logique ou données *a priori* les catégories formelles et invariantes qui rendent intelligible la sphère politique. Pour porter un éclairage satisfaisant sur le substrat historique, sur la matière du politique, il faut plutôt prendre le parti de suivre à l'aventure les faits, non seulement multiples, mais aussi surdéterminés, leur causalité n'étant jamais univoque mais recouvrant toujours à la fois l'imparable constance de la nécessité et les accidents provoqués par les hommes. La leçon des faits est dans les lois de l'organisation politique qui s'en dégagent et qui, comme des lois naturelles, résultent d'une expérience,

---

1. Cf. *Discours sur la première décade de Tite-Live*, I<small>XLVII</small>, p. 482. Toutes les références aux textes de Machiavel seront données dans l'édition de la Pléiade (voir bibliographie *in fine*).
2. *Le Prince*, chapitre XV, p. 335.

de l'observation attentive de « l'histoire ancienne[1] » et moderne.

Mais ce serait se tromper que de croire que la « vérité effective » n'est que le nom savant donné à ce qu'on appellerait métaphoriquement « l'épaisseur de l'Histoire ». Sans doute Machiavel désigne-t-il par là les conditions historiques concrètes dans lesquelles il faut s'efforcer de penser la vie politique et d'en dégager des critères d'évaluation. Ainsi « on ne peut qu'être à la fois aussi étrangement surpris que profondément affecté » de ce que « pour fonder une république, maintenir des États ; pour gouverner un royaume, organiser une armée, conduire une guerre, dispenser la justice, accroître son empire, on ne trouve ni prince, ni république, ni capitaine, ni citoyen, qui ait recours aux exemples de l'Antiquité[2] ». C'est qu'en effet la connaissance de l'histoire nous rend accessible l'origine « des haines et des divisions[3] » qui, mettant en jeu le sort des Cités, font aussi comprendre quels sont les chemins de la concorde. Mais, précisément, si l'histoire touche aux passions, il importe avant tout d'analyser « la condition humaine », qui constitue à la fois le support concret et invariable de tout fait historique et le fondement même de la connaissance qu'il est possible d'avoir de la sphère politique.

Car « la condition humaine », c'est en même temps le monde et les hommes dans le monde. On peut y rapporter quatre principes cardinaux :

1. L'immutabilité du monde : « En réfléchissant sur la marche des choses humaines, j'estime que le monde demeure dans le même état où il a été de tout temps ; qu'il y a toujours la même somme de bien, la même somme de mal ; mais que ce mal et ce bien ne font que parcourir les divers lieux, les diverses contrées[4]. » La loi de permanence du « bien » et du « mal » peut être pensée par analogie avec celle du mouvement des corps : de

1. *Cf.* par exemple les *Discours*, IIɪv, p. 523.
2. *Discours*, I, Avant-Propos, p. 377-378.
3. *Histoires florentines*, Préface, p. 945.
4. *Discours*, II, Avant-Propos, p. 510-511.

même que les corps de l'univers se meuvent selon des quantités variables de vélocité, mais que le mouvement de l'univers demeure constant, de même les choses humaines ne sont bonnes ou mauvaises que selon les individus qu'elles impliquent, les occasions qui les provoquent, les lieux où elles surgissent. C'est une façon de dire que bien et mal ne sont pas définissables en eux-mêmes et absolument, c'est-à-dire « moralement », mais en fonction seulement des faits et des évaluations qui s'y rapportent par accident. C'est d'ailleurs pourquoi le corrélat de ce principe est sans paradoxe que « toutes les choses de la terre sont dans un mouvement perpétuel et ne peuvent demeurer fixes[1] » : l'immutabilité du monde, c'est la mutabilité des choses humaines.

2. Il faut dès lors « supposer d'avance les hommes méchants, et toujours prêts à montrer leur méchanceté toutes les fois qu'ils en trouveront l'occasion[2] ». La science politique est avant tout une anthropologie, et l'on n'apprend pas à agir sur les hommes en apprenant simplement à maîtriser les choses, c'est-à-dire les armes ou les circonstances, sauf précisément à comprendre que les circonstances sont essentiellement humaines, et que l'humanité, dans sa nature, est réfractaire à la permanence des valeurs. Car la méchanceté n'est pas simplement le négatif de la bonté ou de la moralité ; c'est plutôt l'amoralité et mieux encore l'imprévisibilité de tout homme, cupide, insatiable, vindicatif, ou bien craintif, lâche, et soumis. Si l'on peut ainsi assimiler la méchanceté à un égoïsme, c'est uniquement à un égoïsme aveugle à ses propres motifs et incapable de déterminer d'une façon durablement rationnelle ses fins[3].

3. Ainsi, « les hommes sont rarement ou tout bons ou tout mauvais[4] ». Car l'inconstance est malléabilité,

1. *Ibid.*, IVI, p. 398. Les occurrences de ce principe sont nombreuses.
2. *Ibid.*, IIII, p. 388-389.
3. *Cf.* par exemple *Discours*, II, Avant-Propos, p. 511-512.

4. *Ibid.*, IXXVII, p. 442 et suivantes. Également IXXX, p. 449, ainsi que IIIXXXVII, p. 700.

et dès lors les hommes peuvent être intégrés à un
univers des normes politiques. Car ce ne sont pas des
« bêtes féroces » ; les infinies possibilités que renferme
leur égoïsme même est cela qui les rend propres au
gouvernement civil. Parler d'une « médiocrité » du
caractère humain, c'est donc déjà anticiper sur l'horizon de l'activité politique en général, où il ne servira
ni de chercher à fonder « des républiques et des principautés » ordonnées sur de simples exigences rationnelles[1], ni de prétendre que, les hommes étant ingouvernables, la force brutale seule pourrait légitimer le
pouvoir politique : la « médiocrité » du caractère
humain est la capacité des peuples à être libres et à le
demeurer dans le giron des lois.

4. Mais les passions humaines sont aveuglément
rusées. Car les débuts de l'Histoire montrent un
genre humain nécessiteux, qui « sentit le besoin de
se réunir, de se défendre », fit immédiatement l'expérience du « bien » et du « mal », en sorte que « les
hommes se déterminèrent à faire des lois[2] », la nécessité les contraignant à élaborer un véritable ordre
politique. Il est cependant important de ne pas rapporter la condition originelle de l'humanité, et ses
orientations immédiatement politiques, à une Providence, divine ou naturelle. Ce sont les actions qui
sont immédiatement chargées du sens des représentations humaines, et non pas Dieu ou la Nature, la
Raison ou les Passions, qui œuvrent parmi les
hommes à leur insu pour les conduire à une destination finale morale et politique. Les hommes tracent
eux-mêmes leur destin politique, par leurs seuls
moyens, et autant que les circonstances le permettent, partant de manière chaotique et imprévisible ;
leur destin politique cristallise un développement historique du règne de la nécessité.

La « vérité effective » renferme finalement une
double contradiction : des hommes avec eux-mêmes,

1. *Le Prince*, XXV, p. 335.
2. *Discours*, III, p. 384-385 ; voir aussi IIII, IXIII, IIIXII.

parce que leurs valeurs sont instables, et des hommes avec le monde, parce qu'ils produisent un « bien » et un « mal » auxquels la nécessité demeure indifférente. D'où cette réserve de Machiavel, qui entend « écrire choses profitables à ceux qui les entendront[1] », ce dont on ne peut justement se garantir. La sphère politique est essentiellement inintelligible, elle contraint de suivre les faits, parce qu'il n'y a que des faits, et qu'ils peuvent porter en eux-mêmes la contradiction. Ce dont parle Machiavel détermine donc la façon dont il en parle : sa méthode doit être historique sans pouvoir être soutenue par une méthodologie, et sa pensée s'articule à l'aventure sans qu'il se laisse paraître le penseur omniscient de cette pensée. C'est dire que la philosophie politique est une élévation de la science historique à l'interprétation toujours perspective des lois qui déterminent l'humanité et les sociétés civiles ; mais aussi qu'elle ne peut jamais se dégager des choses mêmes, dont l'évaluation suppose la dilution en elles du sujet qui les pense.

*
* *

Les princes dont Machiavel retrace par bribes l'existence ne sont pas des substituts de ce que lui-même ne fut jamais ; bien plutôt, chacun d'eux, d'Alexandre à César Borgia ou de Lycurgue à Annibal, est Machiavel lui-même, parce que tous ont compris leur temps comme Machiavel montre qu'il doit être compris. Parmi eux, la figure de Castruccio Castracani paraît exemplaire : né de nulle part, adopté, destiné à l'Église, Castruccio fut selon Machiavel « un des plus grands hommes, non seulement de son siècle, mais aussi des siècles précédents », et « comparable en sa vie à Philippe de Macédoine (...) et Scipion[2] ». Devenu en effet souverain de Lucques, il sut la gou-

1. *Ibid.*
2. *La Vie de Castruccio Castracani da Lucca,* chap. VII, p. 936 et 940.

verner avec justice, y exercer avec des talents excep-
tionnels ses fonctions militaires, et y mourir couvert
de gloire. C'est qu'il fut, dit Machiavel, « homme
de *virtù*[1] » et que la *virtù* résume tout ce qu'est un
prince.

En raison cependant de son équivocité, le difficile
concept de *virtù* est pour le lecteur inexpérimenté un
faux ami. Car il évoque souvent, chez Machiavel, un
caractère audacieux mais généreux, hardi sans doute,
mais dont le courage ne méconnaît point la peur, un
caractère parfois violent, mais aussi soucieux de ne
pas commettre vainement l'injustice. La *virtù* a donc
quelque chose d'une vertu de prudence singulièrement aguerrie, et capable d'une représentation vérace
de la réalité politique à laquelle elle se mesure. Si
cependant ces attributs sont bien ceux du prince, ils
ne permettent pas à eux seuls de qualifier avec vérité
sa *virtù*.

Car l'essentiel est de comprendre qu'elle est moins
une qualité qu'une opération, et qu'elle s'évalue non
au regard de la figure du seul prince, mais au regard
de la relation du prince à la « vérité effective ». Plus
exactement, comprendre le prince, c'est comprendre
de quelle manière sa *virtù* s'inscrit dans l'histoire
humaine en s'appropriant ses mécanismes de production et de régulation, la force militaire, le pouvoir politique, la puissance économique.

Il faut ainsi reconnaître que tout prince n'est pas
virtuóso, parce que toute principauté n'exige pas le
travail de la *virtù*. Certaines ont en effet une longue
existence politique, et sont héréditaires, tandis que
d'autres, nouvellement acquises, n'en ont pas moins
été toujours policées, et leurs lois conservées. Ce qui
dès lors intéressera essentiellement Machiavel, ce
seront les « Principautés entièrement nouvelles », celles
qui donnent « de très grands exemples[2] », et sont
l'œuvre d'une politique fondatrice. Or l'erreur serait

1. *La Vie de Castruccio Castracani da Lucca,* chap. I, p. 914.
2. *Le Prince,* VI, p. 303.

ici de croire que le « prince fondateur » crée une principauté *ex nihilo*. Justement, si la *virtù* est une opération, c'est parce que la production d'un « ordre nouveau » est due à un travail politique où s'articulent avec succès les faits humains et des valeurs introduites par le prince et qui, pour orienter le destin des hommes, n'en recouvrent pour autant jamais entièrement ni définitivement le devenir. C'est pourquoi penser la *virtù* consiste à la fois à en examiner les circonstances et à en mesurer les caractères et l'efficace.

Les circonstances sont essentiellement dues à la « fortune ». « La plupart de ceux qui ont accompli grandes choses en ce monde et ont excellé parmi les hommes de leur temps ont eu une naissance ou des débuts humbles ou obscurs, ou du moins fortement contrariés par la fortune (...). Je crois bien qu'en agissant de la sorte la fortune entend démontrer au monde que c'est elle, et non leur sagesse, qui fait les grands hommes[1]. » La *virtù* des plus grands princes est ainsi donnée dans l'élément d'un déterminisme absolu, dont il n'est possible ni de dire qu'il est aveugle, parce que rien n'assure que la « fortune » soit pur et simple hasard, ni de prétendre qu'il est providentiel, parce que l'histoire ne chemine vers aucune fin rationnelle. La fortune est l'inextricable complexité des causes et des occasions, recouvertes de l'extrême confusion qu'y joignent les passions humaines animées par « l'aiguillon de la nécessité[2] ». Elle suscite seulement l'articulation de la matière brute des faits humains à la forme nouvelle que peut leur donner la *virtù,* « nouvelles magistratures, nouveaux noms ; autorités nouvelles, hommes nouveaux[3] ». Or la difficulté est ici que l'action de la « fortune » sur les princes n'est pas univoque, et ne constitue pas simplement le moteur de leur propre efficace. Car « la fortune ne peut rien sur les grands

1. *La Vie de Castruccio Castracani da Lucca,* chap. I, p. 913.
2. *Discours,* IIIXII, p. 648.
3. *Ibid,* IXXVI, p. 442.

hommes : son inconstance, soit qu'elle les élève, soit qu'elle les abaisse, ne change point leurs dispositions, ni leur fermeté d'esprit, tellement inséparable de leur caractère que chacun reconnaît sans peine qu'ils sont inaccessibles à ses coups[1]. » En quoi on comprendra que la « fortune » ne forge pas les princes fondateurs comme l'artisan fait surgir la forme de la matière, mais que sont des princes *virtuósi* ceux dont l'élan et la volonté éclosent contre toute logique et résistent durablement aux attaques de la « fortune », ceux dont l'action en somme crée des ruptures politiques dans le substrat historique et confus des faits humains.

L'efficace de la *virtù* tient dès lors à la tension du prince vers une fin politique qui n'est pas tant morale qu'ordonnatrice. Tout le problème réside en vérité dans le rapport du prince nécessairement solitaire, de ses fins privées, et en somme de son ambition personnelle, avec le peuple auquel il donnera ses lois et avec l'« universalité » de sa propre œuvre. Car l'efficace de la *virtù* n'est elle-même pas stable ni objectivement déterminable. Ainsi « il n'est point donné à notre nature de pouvoir tenir exactement un juste milieu. Tout excès d'un côté ou de l'autre doit donc être racheté par une *virtù* comme celle d'Annibal et de Scipion ; on voit néanmoins que l'un et l'autre eurent tantôt à pâtir, tantôt à se louer de leur manière d'agir[2]. » La leçon de Machiavel est ici double : la *virtù* est un « juste milieu », ou cela du moins qui permet à certains hommes d'ordonner le désordre des passions humaines et de leur donner le cadre formel, juridique et politique, de leur exploitation pacifique. Mais ensuite, à supposer même que cette *virtù* « rachète toutes les fautes[3] », elle n'est pas la connaissance claire et maîtrisée du réel historique, une science ou du moins une compétence qui dominerait radicalement les conditions de son

1. *Discours*, IIIxxxi, p. 686.
2. *Ibid.*, IIIxxi, p. 667.
3. *Ibid.*, p. 666.

exercice, mais plutôt une sorte d'« opinion vraie », au sens d'une série de représentations où paradoxalement quelque chose est su par intuition, mais non pas réalisé conformément à un savoir. La *virtù* est intuition approfondie du présent, mais non science politique.

Cet élan, qui donc est tout efficacité, peut être mieux approché à partir de ses trois cristallisations les plus significatives. En premier lieu l'ambition du prince, dans laquelle on peut reconnaître l'organe naturel, c'est-à-dire amoral et irrationnel de l'ordre politique naissant. L'ambition anime les hommes de telle sorte, et elle est « si puissante, qu'elle ne les abandonne jamais, à quelque rang qu'ils soient élevés[1] ». Cette passion est le fonds de la *virtù*, qui vient y puiser les ressources indispensables au combat pour la conquête du pouvoir. C'est pourquoi, deuxièmement, elle est violence, cruauté, et compétence guerrière. En effet, « ce n'est pas la violence qui restaure, mais la violence qui ruine qu'il faut condamner[2] », ce qui est une autre façon de dire que l'efficacité militaire, avec ses tactiques et ses ruses, mais aussi sa puissance concrète et affective, fait partie du travail politique des princes fondateurs. Et de fait, *L'Art de la guerre* (publié en 1521) n'est que partiellement un ouvrage militaire, puisqu'il pose non seulement des questions techniques (terrain, ordre des armées, etc.), mais aussi celles qui concernent la décision d'engager une guerre, ou bien le modèle qu'il appartient au capitaine d'incarner auprès de ses soldats[3]. Enfin l'ultime cristallisation de la *virtù* est le « paraître », qui est ce qu'est le prince[4]. Car il ne faut pas dissocier ces deux catégories de « l'être » et du « paraître », qui

1. *Ibid.*, IXXXVII, p. 461.
2. *Ibid.*, IIX, p. 405.
3. *Cf.* notamment VIX, p. 865, VIXIII, p. 869-870, VIXVI, p. 873, ou VIXVII, p. 875.
4. La question du semblant est importante, et cinq chapitres du *Prince* au moins lui sont consacrés, de XV à XIX. C'est un thème qu'on retrouvera dans les *Discours* et même dans les *Histoires florentines*.

se fondent effectivement dans la représentation que les gouvernés se font de leurs gouvernants. La *virtù* du prince est de savoir jouer de cette fusion, de paraître cruel sans l'être, ladre ou libéral selon l'occasion, religieux ou déloyal, mais toujours modéré, glissant « par des degrés obligés[1] » d'une représentation de sa puissance à une autre, et capable d'éviter la haine de ses sujets. Le prince n'est pas homme et raisonnable ou honnête, tandis qu'il serait également politique et dissimulateur. Tout un, il est avec dignité et modération tout ce qui lui permet d'établir et de conserver son pouvoir, donc essentiellement hors normes et amoral : c'est la victoire qui témoigne de la *virtù* d'un prince, et non la manière de vaincre, et l'instrument de la victoire est le semblant, c'est-à-dire la représentation que s'en font ses sujets, ou bien encore le « nom » qu'ils lui donnent.

La « nécessité », la « vérité effective », interdisent en somme une définition morale du gouvernement des hommes, parce que la loi de leurs interactions est dans leurs passions, leurs dissensions, partant la désunion de la république. La figure machiavélienne du prince n'est dès lors pas cynique, guère plus immorale, elle exprime une exigence politique radicale : « S'il s'agit de délibérer [du] salut [de la république], [un citoyen] ne doit être arrêté par aucune considération de justice ou d'injustice, d'humanité ou de cruauté, d'ignominie ou de gloire[2]. » L'autorité politique est productrice d'un ordre qui garantit des droits, et ce qui la justifie est l'efficacité avec laquelle elle garantit aux citoyens de subvenir à leurs besoins naturels et de satisfaire leurs passions privées. Fondée sur l'ambition naturelle des hommes, sa légitimité et sa valeur sont exaltées par l'exercice passionnel que les peuples font de leur liberté.

« En feignant de donner des leçons aux rois, [Machiavel] en a donné de grandes aux peuples. Le

1. *Discours*, IXLI, p. 474.
2. *Ibid.*, IIXLI, p. 708.

Prince (...) est le livre des républicains. » Ce célèbre jugement de Jean-Jacques Rousseau[1] n'est pas vrai pour décrire adéquatement le contenu du *Prince,* mais pour en souligner l'articulation essentielle : la philosophie politique n'a pas à penser le droit ou la force, mais le rapport de la puissance princière à la liberté populaire. Car la grandeur des princes est dans la « délivrance » des États, et s'ils sont « excellents personnages », « rares et merveilleux », « rédempteurs » enfin, c'est parce que le travail de la *virtù* n'est pas dans l'ambition satisfaite, mais dans « les nouvelles lois et ordonnances par [eux] inventées[2] ». De telles remarques ne constituent pas un sauvetage moral d'une fonction princière immorale. Ce sur quoi insiste Machiavel, c'est sur l'idée que la *virtù* n'est pas justifiée par l'individu qui l'incarne, mais par son horizon politique, et la faculté dont il témoigne d'une transformation radicale des conditions de l'histoire politique, et mieux encore de la « vérité effective ». Le prince est celui-là qui réussit à ordonner l'État, c'est-à-dire à lui donner des formes juridiques presque permanentes, comme furent les lois de Lycurgue ou celles de Romulus, et à y instiller le respect « naturel » du droit, et donc le goût de la liberté. En d'autres termes, la *virtù* des princes leur survit, et l'on pourrait aller jusqu'à dire qu'elle n'est réellement établie que pour leur survivre.

Il convient donc de penser la continuité de l'opération politique des princes, et le transfert de leur grandeur. L'une et l'autre reposent sur trois instances. En premier lieu les continuateurs du prince : « Un seul homme est bien capable de constituer un État, mais bien courte serait la durée et de l'État et de ses lois si l'exécution en était remise aux mains d'un seul ; le moyen de l'assurer, c'est de la confier au soin et à la garde de plusieurs[3]. » Il y a ainsi comme une fatalité politique liée à la finitude de l'existence humaine.

1. *Du contrat social,* IIIvi, GF, p. 112.
2. *Le Prince,* XXVI, *passim,* p. 367 à 371.
3. *Discours,* Iix, p. 406.

Mais elle peut être palliée, et si l'exercice collégial du pouvoir est un moyen de maintenir l'ordre nouvellement créé par un prince *virtuóso,* c'est parce que la succession des princes est elle-même livrée à la seule « fortune ». Ainsi par exemple Rome dut sa force à son enracinement primitif dans la *virtù* de ses premiers princes, et s'il est vrai que Numa, successeur de Romulus, put gouverner « par les seuls arts de la paix », c'est pour avoir été soutenu « par la *virtù* de ce même prédécesseur[1] ». Mais Rome se maintint uniquement parce que Ancus, à la suite de Numa, « avait reçu de la nature un génie également propre à la guerre et à la paix[2] ». Le rayonnement de la *virtù* transcende l'existence singulière des princes, mais pour être réappropriée par la « force opiniâtre et invincible[3] » de la « fortune ». C'est une façon de dire, par voie de conséquence, que l'ordre de l'État ne dépend pas exclusivement des gouvernants, et qu'ils sont en quelque manière naturellement dessaisis de leur tâche politique au moment même où ils l'accomplissent : le génie d'un homme est suffisant pour créer une république, non pour la maintenir.

C'est pourquoi, deuxièmement, la continuité de l'État passe par la religion. « Ainsi donc, il est du devoir des princes et des chefs d'une république de maintenir sur ses fondements la religion qu'on y professe ; car alors, rien de plus facile que de conserver son peuple religieux, et par conséquent bon et uni. Aussi tout ce qui tend à favoriser la religion doit-il être bienvenu, quand même on en reconnaîtrait la fausseté ; et on le doit d'autant plus qu'on a plus de sagesse et de connaissance de la nature humaine[4]. » C'est que la religion représente une force naturelle qui, au sein de la sphère politique, permet de rapporter la passion, c'est-à-dire la nature en l'homme, à son véritable bien, l'ordre et l'union politiques. Ce ne

1. *Discours,* IXXIX, p. 433 et 432.
2. *Ibid.,* p. 433.
3. *Ibid.*
4. *Ibid.,* IXII, p. 415.

sont dès lors pas les contenus objectifs de la foi qui importent, et l'on peut même aller jusqu'à dire qu'il importe avant tout que de tels contenus soient non pas « religieux », mais conformes aux projets politiques qu'ils permettent de réaliser. C'est ce dont instruisent, par exemple, les techniques des aruspices romains, qui savaient toujours, à la veille des batailles, tenir les discours qui convenaient aux généraux, sans « que jamais la religion ne [parût] blessée[1] ». Même quand elle est mensongère, la religion participe au processus d'humanisation des sujets de l'État, s'il faut entendre par là une conversion de leur égoïsme à l'intérêt commun, et de leur imprévisibilité à l'ordre du droit et à l'unité politique. Ce n'est d'ailleurs pas pour ce que l'enseignement de la religion porte au bien comme à une seconde nature. La religion maintient l'ordre social parce qu'elle provoque ou entretient la crainte, mais c'est une « crainte salutaire[2] ». En quoi elle est un dispositif technique parmi d'autres qui permet, en travaillant la crédulité ou la « rusticité » des peuples, d'« imprimer aisément une nouvelle forme[3] » aux républiques. Assez semblable au pieux mensonge du Socrate de la *République,* la religion est un moyen terme « pédagogique » entre la matière brute de la condition humaine et son destin politique.

Ce n'est toutefois pas en elle que se résume l'ordre républicain. La loi, en effet, est ce qui assoit définitivement l'État dans son lieu, la liberté. En effet, « tous les législateurs qui ont donné des constitutions sages à des républiques ont regardé comme une précaution essentielle d'établir une garde à la liberté[4] ». S'il est « essentiel » que le législateur ait en vue la liberté de l'État, c'est parce qu'elle constitue le sens de l'ordre politique, qui ne vaut pas pour ce qu'il s'y établit une sécurité civile, mais pour ce que chacun peut trouver à y satisfaire ses aspirations singulières.

1. *Ibid.,* IxIv, p. 420.
2. *Ibid.,* IxI, p. 411.
3. *Ibid.,* p. 413.
4. *Ibid.,* Iv, p. 392.

En quoi il faut être attentif à ne pas voir dans ce principe suprême de toute législation une sorte de retour du moral. Premièrement en effet, les lois ne sont pas « bonnes » parce qu'elles sont lois, mais parce que l'ordre qu'elles permettent d'instaurer est adéquat à la matière qu'il ordonne : certaines constitutions et certaines lois « conviennent » à certains peuples, d'autres leur sont littéralement étrangères, et non seulement ils ne peuvent s'y reconnaître, mais, corrompus, ils ne peuvent pas plus se laisser gouverner par elles[1]. Autrement dit, la nature de la loi n'est jamais déterminée « en soi », mais toujours relativement à la fonction qu'elle est appelée à remplir au cœur d'une réalité dont l'épaisseur demeure en permanence déterminante.

Deuxièmement, la vie politique puise son sens dans les occupations des citoyens, et non dans les normes qui leur commandent, dans la liberté donc, et non dans la contrainte. Ce qui signifie que le rôle de la loi n'est pas tant de contrarier les passions que de leur donner un exutoire, ou mieux encore de les convertir en passions politiques, en suscitant et amplifiant la « passion d'un peuple pour la liberté » ; car « l'expérience prouve que jamais les peuples n'ont accru et leur richesse et leur puissance sauf sous un gouvernement libre[2] ». Instrument des passions individuelles, la liberté en est la figure la plus haute, à condition d'être effectivement ordonnée à la loi, par quoi tous ont en vue leur devenir commun. Celui-ci n'est cependant pas perçu sur un mode éminemment politique. Bien plutôt, l'horizon politique de tout homme est d'abord confiné dans l'irrépressible désir de satisfaire ses propres intérêts, d'acquérir des richesses, ou d'accroître sa puissance. La liberté définit par conséquent sans doute les orientations finales de la loi ; mais la liberté n'est pas ce que les hommes aiment de la liberté !

1. *Cf.* par exemple *Discours*, IxVIII, *passim*, p. 428 *sq.*
2. *Ibid.*, IIII, p. 517.

La pensée politique de Machiavel est en somme une pensée des passions politiques, des princes comme des peuples, dont le « naturel » est « absolument le même[1] ». Il ne faut donc pas s'y tromper, et croire reconnaître dans le « machiavélisme » un éloge des puissants, pour autant qu'ils sont puissants, et un mépris des peuples, pour ce qu'ils sont peuples. Tous en un sens sont méprisables, et tous sont grands de pouvoir être méprisables. Car la grandeur est passion, et témoigne de la façon dont les hommes, livrés à eux-mêmes, aux vicissitudes de l'histoire, à la « fortune » enfin, sont capables de s'affranchir de tous ces déterminismes en les tournant à leur profit.

Dès lors, ce qui intéresse Machiavel n'est pas de savoir de quel côté, des rois ou de leurs sujets, gît la légitimité politique. Et même, toute la difficulté de sa pensée consiste en ce qu'elle n'offre pas, dans le concept de légitimité, son centre de gravité. Bien plutôt, il faut apprendre à y reconnaître que l'essentiel, dans la sphère politique, consiste dans les processus de légitimation qui se déploient au gré des affrontements passionnels. Là est en effet la grande leçon de Machiavel. Un prince, un peuple, ne sont rien par eux-mêmes, ils n'existent pas comme des individus chargés d'une légitimité juridique, morale, ou politique. Ils sont ce qu'ils font d'eux-mêmes en s'efforçant de le produire dans l'élément de la « vérité effective ». C'est la raison pour laquelle les *Discours* ou le *Prince* sont des textes qui ne portent pas tant sur les fondements de la république que sur leurs opérateurs, c'est-à-dire sur les processus de fondation, de construction, et les visées politiques qu'ils recouvrent. Et encore, les *Histoires florentines* ne servent pas seulement à évoquer un passé qu'on pourrait alternativement regretter ou voir révolu, mais bien à montrer par quelles voies détournées, dans l'effectivité de l'Histoire, les processus de production de l'ordre politique se mettent en place et se déploient.

1. *Ibid.*, IIVIII, p. 504.

On pourrait donc dire que l'échec existentiel de Machiavel fut l'occasion d'une pensée absolument adéquate à l'opaque réalité humaine. Seulement, c'est en juger « après coup ». Est-il également permis de l'affirmer du point de vue de Machiavel « en personne » ? Exilé dans sa demeure campagnarde de San Casciano, Machiavel s'ennuie du pouvoir. Mais l'écriture n'est pas le moyen d'occuper des loisirs trop pesants, il est celui de reconquérir le pouvoir, et peut-être même de l'exercer. Sans doute pas directement, il est vrai, mais sur un autre mode. L'exilé n'est manifestement plus homme d'action, parce que les attributs immédiats de la puissance ne sont plus à sa disposition. Il lui reste toutefois un pouvoir qui transcende une existence devenue triste : le pouvoir de l'intelligence, et de faire des princes, de faire comprendre à tous les princes ce qu'est le pouvoir dont ils disposent. De la Chancellerie de Florence aux jardins Oricellari, le passage n'est pas simplement « topographique », mais cristallise une permutation des fonctions politiques exercées par Machiavel : de l'action à l'instruction. Le machiavélisme est une pédagogie politique, une pensée qui « n'est fondamentalement ni florentine, ni même italienne : elle est universelle[1] ».

Paul MATHIAS

BIBLIOGRAPHIE

ÉDITION DE RÉFÉRENCE : *Tutte le opere di Niccolo Machiavelli, a cura di Francesco Flora e di Carlo Cordiè*, Milan, Mondadori, 1949-1960.

TRADUCTIONS FRANÇAISES : *L'Art de la guerre*, trad. T. GUIRAUDET, Paris, GF-Flammarion n° 615, 1991. *Discours sur la première décade de Tite-Live*, trad. T. GUIRAUDET, Paris, Champs-Flammarion, 1985. *Œuvres complètes*, Paris, Gallimard, Bibliothèque de la Pléiade, 1952. Les traductions proposées datent de 1571 pour la plus ancienne, et de 1798 pour la plus récente ; elles ont été révisées par

1. *Pensées sur Machiavel*, L. Strauss, p. 43.

E. BARINCOU. *Le Prince,* trad. Y. LÉVY, Paris, GF-Flammarion nº 317, 1980. Les Éditions Garnier ont entrepris de publier une nouvelle traduction des *Œuvres complètes* de Machiavel. À cette date, seul *Le Prince* est disponible, trad. C. BEC, 1987.

COMMENTAIRES : C. LEFORT, *Le Travail de l'œuvre Machiavel,* Paris, Gallimard, « Bibliothèque des Idées », 1977 (existe désormais également dans la collection « Tel », nº 103). L. STRAUSS, *Pensées sur Machiavel,* Paris, Payot, 1982. M. SENELLART, *Machiavélisme et raison d'État,* Paris, PUF, 1989.

MAINE DE BIRAN

*Mémoire sur la décomposition
de la pensée
Rapports des Sciences naturelles
avec la psychologie
Nouveaux Essais d'anthropologie*

Maine de Biran (1766-1824) est souvent présenté comme un penseur plutôt solitaire, unique représentant saillant de la philosophie en France sous l'Empire et la Restauration. Son œuvre est alors tantôt comparée à celle de Kant, tantôt comprise en fonction de ce que la philosophie allait devenir après lui. Il est vrai que son combat contre Condillac rappelle celui du philosophe de Königsberg contre Hume et que, dès la rédaction des *Rapports des sciences naturelles avec la psychologie*, il reprend l'opposition du phénomène et du noumène, distinguant « la chose en *soi*, le noumène, et la *chose* connue (phénomène), le *ratio essendi* et le *ratio cognoscendi*, l'objet de la croyance et celui de la connaissance[1] ». Il est vrai encore que, dans le *Mémoire sur la décomposition de la pensée*, il écrit : « *Conscience* veut dire *science avec* (...) science *de soi avec celle* (...) de quelque chose[2] », formule qui ne peut manquer de faire penser à celle de l'intentionnalité que Brentano puis Husserl énonceront. Tout cela ne

---

1. *Rapports des sciences naturelles avec la psychologie*, p. 133.
2. *Mémoire sur la décomposition de la pensée*, p. 325, note.

peut être nié, mais ne doit pas faire oublier que Maine de Biran est un philosophe profondément enraciné dans son pays et dans son époque, soucieux de discuter ses contemporains et les doctrines qui sont les leurs, au point même de penser fréquemment à l'aide de leur propre terminologie. C'est dans cette optique que nous allons présenter trois œuvres du philosophe de Bergerac qui rythment son itinéraire intellectuel tout en y marquant, chacune, une certaine rupture, que Henri Gouhier a caractérisée par le terme de « conversion » : le *Mémoire sur la décomposition de la pensée* (1804-1805), les *Rapports des sciences naturelles avec la psychologie* (1813-1815), et les *Nouveaux Essais d'anthropologie* (1824).

*
* *

Le climat intellectuel au tournant du XIXe siècle est dominé par l'idéologie, c'est-à-dire la philosophie de la Révolution. Le 22 août 1795, l'Institut national des sciences et des arts est créé à Paris ; quelques mois plus tard, Cabanis en est nommé membre résident et, au début de l'année suivante, il y fait associer Destutt de Tracy qui, dans un mémoire lu en 1798 devant ses pairs, introduit le terme « idéologie » pour désigner la science des idées ou de l'origine de toutes nos connaissances. Cette nouvelle façon de concevoir la démarche philosophique se place sous le patronage de Condillac, auteur de l'*Essai sur l'origine des connaissances humaines,* et doit remplacer l'ancienne métaphysique, tombée en désuétude. Au tournant du siècle, on observe donc un mouvement intellectuel travaillant presque d'une seule voix à faire progresser cette science des idées nouvellement constituée, s'efforçant de réaliser pour la philosophie ce que la Révolution a fait dans le domaine politique. Ce mouvement accepte à la fois l'empirisme sensualiste de Condillac, pour qui toutes nos connaissances viennent de l'expérience sensible, c'est-à-dire des sensations ;

ainsi que le naturalisme de Diderot, qui soutient que la sensation et la pensée ne sont pas des propriétés de l'âme, mais de la matière vivante : ce sont des modifications de la sensibilité dont la forme la plus primitive est la capacité du tissu organique de percevoir un stimulus et d'y réagir en se contractant.

L'Institut national organise régulièrement des concours. Biran y participe et, en 1804, l'un de ses textes est couronné : le *Mémoire sur la décomposition de la pensée*. Destutt de Tracy et Cabanis ne font pas partie du jury, mais ils saluent l'un et l'autre cet ouvrage, sans se rendre compte qu'il contient des éléments qui renversent leur position. En effet, si le philosophe de Bergerac ouvre son propos par un éloge de Bacon, dont tous se réclament alors : « L'immortel restaurateur de la philosophie naturelle, Bacon, embrassant, dans un système général, toutes les connaissances humaines (...)[1] » ; il pose rapidement une question, qui a valeur d'objection : « On pourrait demander (...) si la méthode qui a été presque exclusivement appliquée parmi nous à l'analyse des facultés humaines atteint bien jusqu'aux confins d'une philosophie vraiment première. » S'agissant de construire l'idéologie, la méthode baconienne s'impose, vu l'appui qu'elle prend dans l'expérience, Condillac ayant définitivement fait un sort aux systèmes abstraits ; toutefois, les idéologues ont négligé que l'expérience n'est pas *une,* mais *double* : en plus de l'expérience *extérieure,* il existe encore une expérience *intérieure.* Cet oubli a eu pour conséquence, selon Biran, qu'on n'est pas parvenu au terme de la décomposition de la pensée et que les premiers éléments de l'entendement humain n'ont pu être dégagés. Pour y remédier, il est donc avant toute chose « nécessaire d'établir au moins quelque distinction entre une idéologie que l'on pourrait nommer subjective, qui, se renfermant dans la conscience du sujet pensant, s'attacherait à pénétrer les rapports

1. P. 301.

intimes qu'il soutient avec lui-même dans l'exercice libre de ses actes intellectuels ; et une idéologie objective, fondée principalement sur les rapports qui lient l'être sensible aux choses extérieures, à l'égard desquelles il se trouve constitué en dépendance essentielle, quant aux impressions affectives qu'il en reçoit ou aux images qu'il s'en forme[1]. »

Autrement dit, il existe deux points de vue sur l'homme : l'un — celui de la physiologie notamment — est extérieur et objectif, l'autre — celui de la psychologie — est intérieur et subjectif. Ils sont en outre irréductibles l'un à l'autre, car « entre ces deux conceptions [qui déterminent] deux ordres de faits hétérogènes, il existe un abîme qui ne sera jamais comblé[2] » ; bref, on ne peut identifier le discours en première personne au discours en troisième personne. Si les idéologues n'ont rien vu de cela, ce n'est pas faute d'avoir suffisamment scruté les phénomènes physico-physiologiques, mais parce qu'ils n'ont pas regardé où il fallait ; on comprend ainsi en quoi la réflexion de Biran est en continuité et en rupture avec celle de ses devanciers : s'il pense que leur conception de la science ne peut rendre compte de cette réalité complexe qu'est l'homme, il considère toutefois, comme eux, qu'il faut procéder empiriquement et non *a priori*.

C'est à étudier les phénomènes psychologiques du point de vue intérieur, à l'aide de sa faculté propre, appelée tour à tour « conscience », « sentiment intime », « aperception interne immédiate », et à les conjuguer aux phénomènes physiologiques, qu'est consacré le *Mémoire sur la décomposition de la pensée*. Il s'agit donc, pour Biran, de refaire l'*Essai* de Condillac dans le but de proposer une vision moins mutilée de l'homme ; mais déjà, une autre thèse des idéologues a dû être rejetée, le naturalisme, car l'étude des phénomènes mentaux réclame l'existence d'une « faculté

---

1. *Ibid.*, p. 308.
2. *Rapports des sciences naturelles avec la psychologie*, p. 327.

fondamentale que nous nommons aperceptibilité[1] »,
qui ne peut être réduite à la sensibilité : à la faculté de
sentir doit s'ajouter celle d'apercevoir, c'est-à-dire la
conscience.

*
* *

L'expérience privilégiée et première dans laquelle
l'aperception se déploie est celle de l'effort où, se
heurtant à la résistance que lui opposent ses muscles
lorsqu'il veut mouvoir l'un de ses membres, le moi
prend conscience à la fois de lui-même et de son
corps. C'est là le « fait primitif de conscience », où le
moi s'aperçoit comme cause, produisant hors de lui
un effet, le mouvement d'un organe d'abord et, éventuellement, un changement dans le monde extérieur.

Que faut-il entendre par « cause » ici ? Une cause
efficiente, conçue, à la suite de Locke et des philoso-
phes-physiciens depuis Descartes, comme une impulsion : « Toute force ou *cause* efficiente ne peut être
qu'une *impulsion* (...) ; car la force propre et individuelle [le moi] qui sert de type à toutes ne se manifeste que sous un seul mode d'action ou sous une
seule force, qui est l'*impulsion*[2]. » Autrement dit, toutes
les causes efficientes sont de même nature, qu'elles
soient mentales ou physiques, ce qui fonde les rapports de la psychologie avec les sciences naturelles et
manifeste la primauté de la première, puisque c'est la
cause-moi qui, dans l'ordre de la connaissance, sert de
modèle à celles qui sont à l'œuvre dans la nature.

Ce moi-cause n'est pas un *être* ou une *substance*,
mais un *acte* ou *un phénomène*. Comme seuls les actes
sont aperçus, alors que les êtres, sources des actes,
échappent à nos prises, le moi ignore ce qu'il est en
tant qu'âme. Cela, le *Mémoire sur la décomposition de la
pensée* le disait déjà, mais sans insister ; dès 1813, par

1. *Mémoire sur la décomposition de la pensée*, p. 221.
2. *Rapports des sciences naturelles avec la psychologie*, p. 171-172.

contre, dans les *Rapports des sciences naturelles avec la psychologie,* le philosophe de Bergerac en fait le centre de sa réflexion : le phénomène n'est pas seulement quelque chose qui se manifeste, mais encore quelque chose qui manifeste *un autre* que lui : être, substance ou noumène. Par là, Biran tente le passage de l'idéologie à la métaphysique, ce qui accentue encore sa rupture avec Tracy et Cabanis.

Ce tournant métaphysique sera d'ailleurs tout sauf aisé à négocier, car les difficultés abondent. Prenons la notion de cause : elle se caractérise, on le sait, par l'*impulsion* ; à quoi le noumène-cause va-t-il donc donner impulsion ? À un être. Mais cela peut s'entendre de deux manières : l'impulsion peut porter soit sur l'existence de cet être — et alors on est en présence d'une cause créatrice —, soit sur une propriété de cet être — il s'agit alors d'un changement produit dans un autre être. Pour Biran, c'est le second terme de l'alternative qui est le bon : « La relation du phénomène avec la force productive est celle d'une substance *modifiée* avec la force active qui la modifie ; ce qui suppose l'existence indépendante des deux substances[1] », c'est-à-dire que la causalité relie deux êtres, l'un modifiant l'autre en produisant un phénomène, par exemple un mouvement. Quant au premier terme de l'alternative, Biran précise que « cette création *ex nihilo* est invariablement repoussée par notre esprit comme hétérogène à sa nature[2] » ; en effet, l'action causale du moi, modèle de toute causalité, ne crée pas des êtres, mais les modifie.

Si cette difficulté a facilement trouvé sa solution, il n'en va pas de même pour d'autres, d'autant que Biran ne réussit pas à unifier son vocabulaire métaphysique : l'opposition du phénomène et du noumène restant plurivoque, il arrive par exemple que notre philosophe conçoive le moi comme quelque chose de plus qu'un phénomène et, par lui, toute cause effi-

1. *Ibid.,* p. 317 ; *cf.* aussi p. 147-149.
2. *Ibid.,* p. 145.

ciente comme une entité quasi nouménale. Cela est
très clair dans le texte suivant : « Il n'y a pas seulement
défaut d'identité entre l'idée ou l'image de l'effet ou
du phénomène qui commence à exister, à apparaître à
nos sens, et la notion d'une cause ou force qui le fait
commencer ; il y a de plus hétérogénéité de nature, de
caractère et de source entre cette notion et cette
image[1]. » La cause n'est pas un phénomène. On lit
toutefois dans le même volume : « La relation de causalité ne s'applique point d'abord aux *substances,* mais
aux *phénomènes*[2] ! »

L'articulation de l'idéologie et de la métaphysique — de la phénoménologie et de l'ontologie,
dirait-on de nos jours — est donc problématique ; elle
va même encore se compliquer dans les *Nouveaux
Essais d'anthropologie.*

*
* *

Entre la psychologie et l'anthropologie, il y a la différence de la partie au tout : le moi, ou même l'âme-
nouméne qu'il manifeste, n'est pas le tout de
l'homme, comme Biran le dit explicitement dans son
Avant-Propos aux *Nouveaux Essais d'anthropologie :*
« Ce titre annonce que je veux considérer tout
l'homme, et non pas seulement une partie ou une face
de l'humanité. J'ai senti que si j'adoptais, suivant ma
première intention, le titre de psychologie, il n'indi-
querait pas mieux mon but que celui de *physiologie,*
car mon livre doit traiter de l'homme, et spécialement
de l'*homme intérieur,* considéré dans les rapports établis par la conscience entre le sujet identique, permanent, qui se dit *moi,* et les sensations, idées, fonctions
ou opérations de tout ordre, organiques ou intellectuelles[3]. » La continuité avec les œuvres précédentes
est patente, mais la nouveauté aussi, qui se manifeste

1. *Rapports des sciences naturelles avec la psychologie,* p. 41.
2. *Ibid.,* p. 75, note.
3. *Nouveaux Essais d'anthropologie,* p. 1.

dans un évident effort de synthèse. Celle-ci, toutefois, n'est pas sans devoir intégrer un élément nouveau : la *vie de l'esprit*, venant s'ajouter à la *vie animale* de la sensibilité et à la *vie humaine* de l'aperceptibilité, vie de l'esprit qui exprime les rapports de l'homme à Dieu. Par là, un nouveau domaine est ouvert à la philosophie, qui lui offre un nouvel objet : Dieu, venant s'ajouter au couple phénomène-noumène et le compliquer.

Dans l'examen des particularités de cette vie, Biran se donne une double tâche : montrer la dépendance de l'homme par rapport à son créateur en affinant la notion de *cause*, et décrire les attitudes et sentiments dont elle est le lieu. La mort ayant interrompu la rédaction de la fin de l'ouvrage, dont on trouve toutefois des morceaux dans le *Journal*, nous ne parlerons que de la première. D'autant que, dès l'abord, un doute plane sur la possibilité même de la mener à bien ; en effet, dans l'un des passages des *Rapports* que nous avons cité, Biran n'affirme-t-il pas que la notion de création « est invariablement repoussée par notre esprit comme hétérogène à sa nature » ? Certes, mais il ajoute aussitôt : « Sinon à titre de croyance, du moins à celui de notion. » Ce n'est donc pas la démarche elle-même qui est contestée, mais une certaine manière de la concevoir, comme si nous pouvions avoir une véritable connaissance de ce qui, en définitive, est au-delà du domaine des phénomènes. Cela précisé, on remarque que le concept de cause créatrice retient quelque chose à la fois de la causalité phénoménale et de la causalité nouménale : de la première, il reprend la nature de la relation, et de la seconde la nature des termes ; en effet, Dieu crée les êtres comme un phénomène en crée un autre, par exemple comme une volition produit un mouvement musculaire, et la causalité reliant Dieu et les créatures met en rapport deux êtres, deux noumènes. Bref, « la connaissance de *Dieu* se dérive psychologiquement de l'aperception immédiate du *moi*, de sa libre activité, de sa force productive de certaines modifications internes et externes, qui conduit à la notion de cause créatrice des substances[1]. »

Le moi et Dieu marquent donc le début et la fin de la philosophie, ils soulignent la place centrale de la notion de cause et indiquent la voie à suivre, ainsi qu'il est dit juste après le passage que nous avons cité : « C'est en allant de l'un à l'autre qu'on trouve la vraie, l'unique relation de causalité, sans laquelle il n'y a rien[2]. » Sans laquelle, donc, aucune science n'est possible, car Biran n'a jamais prétendu se situer ailleurs que dans la tradition philosophico-scientifique inaugurée par Descartes et Locke, qu'il a cherché inlassablement à pousser plus avant, en dénonçant la conception étriquée de l'homme que les idéologues avaient cru pouvoir en tirer.

Bernard BAERTSCHI

BIBLIOGRAPHIE

ÉDITION DE RÉFÉRENCE : *Œuvres*, Paris, Vrin, depuis 1984. 13 t. prévus, sous la direction de F. AZOUVI. Ont notamment déjà été publiés : T. III, 1988 : *Mémoire sur la décomposition de la pensée.* T. VIII, 1986 : *Rapports des sciences naturelles avec la psychologie.* T. X-2, 1989 : *Dernière Philosophie : existence et anthropologie (Nouveaux Essais d'anthropologie).*

AUTRES ÉDITIONS : *Journal*, Neuchâtel, La Baconnière, 3 vol., 1954-1957.

COMMENTAIRES : H. GOUHIER, *Les Conversions de Maine de Biran*, Paris, Vrin, 1948. G. ROMEYER-DHERBEY, *Maine de Biran*, Paris, Seghers, 1974. B. BAERTSCHI, *L'Ontologie de Maine de Biran*, Fribourg, Éditions universitaires, 1982.

---

1. *Nouveaux Essais d'anthropologie*, p. 72.
2. *Ibid.*, p. 40.

MALEBRANCHE

Entretiens sur la métaphysique
et la religion

Malebranche est l'auteur d'un très gros livre, *La Recherche de la vérité* (1674-1677), augmenté de dix-sept *Éclaircissement,* ainsi que de *Conversations, Entretiens, Méditations, Traités,* etc., comme s'il s'était complu à répéter de manière plus digeste, sous des formes allégées, les principes de l'œuvre majeure. Apparence, en fait : conversation et méditations sont précisées par ce petit mot : *chrétiennes,* qui n'apparaissait pas dans le titre de l'œuvre première ; de même, les *Entretiens d'un philosophe chinois et d'un philosophe chrétien* font encore appel à une qualification religieuse, même pour le Chinois, puisque le philosophe de l'Empire céleste cultive à sa manière la théologie. Donc, de la première œuvre aux suivantes, la connotation religieuse semble aller en s'accentuant. Malebranche, prêtre de l'Oratoire, n'est pas seulement philosophe, lecteur enthousiaste de Descartes, mais philosophe *chrétien.*

Et pourtant, du premier texte aux autres, rien qui traduise ou trahisse une conversion, voire une évolution. *La Recherche de la vérité* n'est pas une œuvre séculière, laïque, où brillerait l'absence du dieu chrétien. « L'esprit de l'homme se trouve par sa nature comme situé entre son Créateur et les créatures corporelles, car, selon saint Augustin, il n'y a rien au-dessus de lui que Dieu, ni rien au-dessous que des corps[1] », dit la première phrase de la *Recherche*. Point d'équivoque, donc, le Dieu de Malebranche n'est pas celui des philosophes, mais celui, religieux, de saint Augustin, et la recherche de la vérité n'est pas celle d'une vérité indépendante de la religion chrétienne et indifférente à celle-ci, mais tout au contraire chrétienne. Limitation, car restriction confessionnelle ? Non, universalisation, car toutes les autres vérités ne sont que des ombres unilatérales, ou des mirages dangereux, par rapport à cette raison universelle unique du Verbe incarné, par laquelle il faut commencer si l'on veut aboutir, ou à laquelle il faut arriver, si l'on ne veut pas s'arrêter en chemin, et donc errer.

Voyez Descartes. Il ne faut certes pas le mépriser en l'ignorant, comme le font encore certains, jusqu'en Sorbonne ! Il représente un progrès certain par rapport aux anciens, qui, en païens ignorants de Jésus-Christ qu'ils étaient, n'ont pu s'empêcher d'humaniser la nature, et donc de l'idolâtrer. Mais « M. Descartes était homme comme les autres, sujet à l'erreur et à l'illusion, comme les autres ». La raison ? Il n'a pas su, ni voulu poursuivre l'effort : « Que s'il se fût encore davantage détaché de ses sens, s'il eût été encore moins engagé dans le monde, et s'il se fût encore plus soigneusement attaché à la recherche de la vérité, il est certain qu'il aurait poussé plus loin les sciences qu'il a traitées...[2] » Descartes a en ce sens négligé l'essentiel, car « Jésus-Christ n'est pas venu nous apprendre les mathématiques, la philosophie, et les autres vérités qui par elles-mêmes sont assez inutiles pour le salut[3]. » Descartes non pas inutile et incertain en général, mais négligent sur ce qui importe : la morale, plutôt la vraie morale, celle de l'Évangile, sans laquelle la philosophie ne vaut pas une

1. *La Recherche de la vérité*, éd. de 1712.
2. *Conversations chrétiennes*, 1687, VII, éd.Vrin, p. 164.
3. *Ibid.*, p. 166.

heure de peine. Hors la présence du Christ, il n'est de philosophie que païenne.

D'où le privilège accordé ici à l'entretien dans les *Entretiens sur la métaphysique et la religion* (1688) par rapport à la méditation ou à la conversation. Deux œuvres de Malebranche portent ces derniers titres précisés par le qualificatif *chrétien*. Le *la* est donné, et le lecteur perd le bénéfice qu'il pouvait acquérir en progressant à travers les terres arides de *La Recherche de la vérité*. Certes, il faut méditer, et seul le méditatif a quelque chance de parvenir à se libérer des erreurs des sens et de l'imagination pour découvrir les pays de l'intelligible, mais s'il rencontre immédiatement le Verbe éternel en lui-même pour guider sa méditation, le plus dur a été fait, à l'insu du lecteur, qui n'est pas nécessairement « convaincu que le Verbe éternel est la raison universelle des esprits[1] », encore moins qu'il soit légitime « de le faire parler dans ces méditations comme le véritable maître, etc. » Cette union préalable avec le maître n'est-elle pas une pétition de principe ? Il faut que la méditation découvre cette union, et non qu'elle la présuppose ! De même pour la conversation chrétienne : comme telle, elle a pour principe l'adhésion, non l'attention « à la Vérité intérieure, qui préside à tous les esprits, à demander et à recevoir les réponses de notre Maître commun[2] ». En un certain sens, les jeux sont faits et les difficultés d'Aristarque, le lecteur le sait d'avance, seront levées par Théodore. On aimerait donc en savoir plus sur le destin qui contraint la méditation, la conversation, l'entretien à devenir nécessairement chrétiens. Machine rhétorique, *magister ex machina* suspects, et qui feront rire plus d'un libertin.

Et pourtant, pas d'autre moyen de philosopher que de méditer, et pas de méditation, même solitaire, qui ne soit dialogue, donc entretien ou conversation. Les contre-exemples existent, mais ils aboutissent aux

---

1. *Méditations chrétiennes*, Avertissement, 1683, Bibliothèque de la Pléiade, t. II, p. 193.
2. *Conversations chrétiennes*, 1ᵉʳ *Entretien*.

erreurs de l'orgueilleux soliloque cartésien, ou du dialogue païen, discours infatués d'eux-mêmes, en l'absence du maître de vérité.

Dans les *Entretiens sur la métaphysique et la religion*[1],
postérieurs aux ouvrages déjà cités, Malebranche,
semble-t-il, a été sensible aux problèmes soulevés par
les facilités qu'il avait paru se donner précédemment.
Disparu du titre, le christianisme n'est pas absent : il
apparaîtra comme le centre de toutes les perspectives,
mais cette fois comme un centre montré, sinon
démontré. Exigence première de celui qu'il faut
convaincre, Ariste, qui installe délibérément la discussion sur le terrain de la philosophie naturelle, comme
le reconnaît Théodore : « Car nous ne pensons aujour-
d'hui qu'à philosopher : et quoique vous soyez parfaitement soumis à l'autorité de l'Église, vous voulez que
je vous parle d'abord comme si vous refusiez de recevoir les vérités de la foi pour principes de nos
connaissances[2]. » Mission impossible, en fait, puisque
seul le Verbe peut remplir l'intelligence d'Ariste,
fidéiste en matière religieuse, donc en retrait par rapport à la raison universelle, qu'il néglige d'écouter,
mais à laquelle il finira par être attentif. De fait, Ariste
a été aveugle : ses sens et son imagination le dis-
trayaient de la vérité en le séduisant par le spectacle si
chatoyant et si illusoire du monde senti ou imaginé
mais si délassant, comme le reconnaît Théodore lui-
même[3]. Le voici bientôt méditatif[4], un mot, naguère,
railleur dans sa bouche : les méditatifs ne lâchent-
ils pas la proie (le monde sensible enchanteur)
pour l'ombre (l'espèce d'illusion où se complaît
Théodore[5]). En fait, méditer, ce n'est pas être vision-

---

1. 1688.
2. *1er Entretien*, début, Pléiade, p. 669.
3. *2e Entretien*, fin, p. 699 : « Délassez votre imagination par la
variété des objets qui peuvent la rassurer et la réjouir. Mais tâchez
néanmoins de conserver quelque goût pour la vérité. »
4. Dès la fin du *4e Entretien*, p. 739.
5. *Ibid.* : « Je vous ai cru, Théodore, dans une espèce d'illusion,
par le mépris aveugle que j'avais pour la raison. »

naire, mais rendre à la raison les assiduités qui lui sont dues. D'où cette règle assortie d'une promesse : « Méditez, et tout ira bien[1]. » Où la méthode proposée paraît continuer Descartes et Platon on les combinant. Ainsi, lorsque Ariste demande ironiquement[2] à Théodore de lui faire voir l'autre monde, cette région heureuse, enchantée, bref, de le faire monter vers l'audelà du monde sensible, sa démarche ne rappellet-elle pas celle de Glaucon face à Socrate ? Descartes est-il bien loin lorsque Théodore invite Ariste à découvrir qu'il vit dans un monde étranger, car il est aliéné par les sens et l'imagination, donc qu'il faut se fermer aux sens « fidèles témoins pour ce qui regarde le bien du corps et la conservation de la vie », mais totalement étrangers à la vérité ? Voire ! Si la dialectique platonicienne monte du sensible aux Formes, qu'elle n'atteint pas toujours, et même à l'anhypothétique idée du bien, cette dernière n'est pas le Verbe, coéternel au Père, incarnation médiatrice, par laquelle le monde peut rendre gloire à Dieu, elle n'est même pas Dieu. De même la méditation cartésienne est ce mouvement de se retirer du sensible pour aboutir à la reconnaissance dans la pleine évidence de l'intuition d'un esprit, prétendument lui-même à lui-même sa propre lumière, et se constitue en premier maillon de la chaîne ordonnée des raisons : idolâtrie du moi, de la part du philosophe qui s'est arrêté trop tôt, dans un mouvement de suffisance et d'orgueil !

L'entretien mêle dialogue et méditation, mais de tout autre manière, car il y a un maître pour diriger l'un et l'autre. Ce n'est pas un Socrate, d'ailleurs le praticien de la maïeutique eût refusé ce titre, mais ce n'est pas davantage l'un des méditatifs raillés naguère, ni Théodore, maître du jeu, ni Théotime, défenseur en public de la raison universelle en butte aux offenses d'Ariste[3]. Théodore le note clairement : à Ariste, qui veut faire de Théotime « le juge des petits différends

1. *Ibid.*, p. 741.
2. *1er Entretien,* p. 670. Théodore : « Vous me raillez... »
3. Jeu de scène du *4e Entretien,* paragr. 22, fin, p. 740.

qui pourront bien naître de la diversité de nos
idées[1] » ; Théotime rétorque, scandalisé : « Juge !
Comment l'entendez-vous ? c'est à la raison à présider
parmi nous et à décider souverainement ! », ce que
Théodore enfin précise par ce commentaire : « J'entends, Théotime, que vous serez juge subalterne par
dépendance de la raison... » Celle-ci, dont Théodore
n'est que le moniteur[2], est le maître intérieur, la voix
qu'il faut écouter en se rendant silencieux au monde
sensible et imaginaire, par la méditation, tout en s'en-
tretenant, mais avec de certaines précautions. Ainsi
Ariste, gagné à la vérité démontrée, pris de zèle
convertisseur, pourra-t-il essayer de convaincre les
adversaires de la vérité, mais en les prenant en particulier[3], car autrement, c'est-à-dire dans la situation
mondaine de bel esprit, état antérieur d'Ariste, « il faut
se trouver partout pour ne chagriner personne. On
n'est plus à soi[4] ». Bref, l'entretien combine méditation et dialogue, pour rendre certains hommes, les
méditatifs, pris à part, attentifs au maître intérieur,
raison incarnée et révélée, et il est une forme nécessaire de la discursivité philosophique, « car nous ne
naissons pas philosophes, nous le devenons[5] ».

Comme Ariste, nous ne sommes pas naturellement,
c'est-à-dire par nature, à l'écoute de la raison : seuls
méditation et entretien avec des personnes plus avancées, car méditatives, nous permettront, non sans
peine (les peines de l'attention) de parler naturellement : « Laissons tout cela, Ariste », lui conseille
Théodore, « et parlons naturellement[6] ». Rejet de la
rhétorique (celle d'un discours étudié), comme il
convient dans ce hors-du-monde où se situe la scène,
mais aussi allusion à notre condition actuelle. Si nous

1. *8ᵉ Entretien*, début, p. 801.
2. *3ᵉ Entretien*, paragr. 9, p. 705 : « C'est que je ne suis pas votre
maître ou votre docteur. C'est que je ne suis qu'un moniteur. »
3. *13ᵉ Entretien*, paragr. 8, p. 932.
4. *6ᵉ Entretien*, paragr. 8, p. 775.
5. *7ᵉ Entretien*, paragr. 16, p. 799.
6. *Ibid.*, début, p. 777.

ne parlons pas naturellement, et recherchons spontanément dans l'entretien les effets brillants, c'est que
« nous ne sommes plus tels que Dieu nous a faits[1] »,
notre nature s'est altérée, aliénée, en devenant plus
sensible aux corps extérieurs, aux prestiges de l'imagination, et sourde et aveugle aux vérités intelligibles,
proposées à notre attention pure par le maître intérieur. Telle est la conséquence du péché originel :
notre corps ne nous obéit plus, comme celui d'Adam
avant sa chute, mais nous lui obéissons. « L'union de
notre âme avec notre corps s'est changée en dépendance, car, l'homme ayant désobéi, il a été juste que
son corps cessât de lui être soumis[2]. » Le travail
attentif (l'attention est le labeur pénible, correcteur de
la distraction fatale, par laquelle Adam, et avec lui
l'humanité, s'est détourné de l'union spontanée avec
le Verbe dont elle jouissait auparavant) de la méditation et de l'entretien philosophiques permet, seul, de
retrouver la vérité perdue.

On — ce pourrait être un libertin[3] — objectera
immédiatement qu'ici la raison recherchée est trop
théologique, mieux, trop révélée, pour passer pour
philosophique. Après tout, poursuivra-t-on, Descartes
ne s'est pas arrêté en chemin, comme Malebranche le
donne à entendre : appuyé sur le seul bon sens, chose
du monde la mieux partagée, et par là même lumière
naturelle universelle, il ne pouvait trouver la lumière
surnaturelle du Verbe répandue gracieusement sur les
esprits élus, précisément parce qu'elle est de foi, non
de raison. Il y a deux voies à la connaissance de la
vérité, reconnaît Malebranche lui-même : l'examen et
l'autorité. Or « la voie de l'examen est tout à fait insuffisante. Maintenant que la raison de l'homme est affaiblie, il faut le conduire par la voie de l'autorité[4] ».

1. *4ᵉ Entretien,* paragr. 18, p. 735.
2. *Ibid.*
3. À la différence de Pascal, Malebranche ne se risque pas à le
mettre en scène : sa dramaturgie ne comprend que des méditatifs
avancés, ou en voie de le devenir.
4. *13ᵉ Entretien,* paragr. 11, p. 937.

Donc, voici les Chinois, et tant d'autres peuples, écartés de la connaissance de la vérité ? Exact, mais il ne faut pas s'en scandaliser : Dieu n'a pas voulu ne pas les sauver, mais il n'a pas fait ce qu'il fallait pour les sauver tous, ce qui est autre chose. Il leur a pourtant parlé à tous, mais ils ne l'ont pas tous écouté[1]. N'y aurait-il que la voie de l'autorité, et par conséquent la philosophie, à laquelle Théodore appelait Ariste, n'est-elle qu'une feuille de vigne qui dissimule mal une théologie et une révélation ? Le libertin aurait-il fait mouche ? Certes, Ariste est initialement présenté comme « parfaitement soumis à l'autorité de l'Église », quoique le principe directeur de l'entretien ne soit pas l'intelligence au service de la foi, mais la voie de l'examen : qu'elle rencontre celle de l'autorité, à la fin ou au passage[2], c'est une tout autre affaire. Théodore accepte de considérer Ariste comme s'il refusait de tenir les vérités de la foi pour principes de nos connaissances, et place donc le dialogue sur le terrain de la voie de l'examen, qui est celle de la philosophie aujourd'hui[3]. Fiction rhétorique qui lève l'objection éventuelle du libertin, et assure à ces *Entretiens sur la métaphysique et la religion* un statut philosophique incontestable.

Par où le philosophe doit-il commencer ? Ni par une révélation, ni par une prière, comme dans les *Méditations chrétiennes*, le *Traité de la nature et de la grâce*, pas davantage par les paroles du Verbe, comme dans les *Méditations chrétiennes*. Le philosophe recherche la vérité, et doit donc commencer par un commencement naturel. Selon une tradition, Spinoza aurait déclaré que les théologiens auraient commencé

1. *3ᵉ Entretien*, paragr. 4 : « Le Verbe éternel parle à toutes les nations le même langage, aux Chinois et aux Tartares comme aux Français et aux Espagnols ; et s'ils ne sont pas également éclairés, c'est qu'ils sont inégalement attentifs. »
2. *1ᵉʳ Entretien*, paragr. 10, où l'on mentionne le sentiment de saint Augustin, mais sans qu'il soit fait appel à l'argument d'autorité.
3. *Ibid.*, prologue, p. 569.

par les créatures, Descartes par lui-même, et lui par Dieu. Ces trois démarches ont en commun d'être une quête de la causalité. Les théologiens investissent les créatures pour montrer leur dépendance, et donc leur caractère d'effet, vis-à-vis d'un créateur, cause suprême ; Descartes découvre dans le soi un être intelligible par soi, et donc qui est tout le temps qu'il se saisit comme pensée (suffisance épistémologique et ontologique) ; Spinoza enfin rejette l'un et l'autre point de vue, pour ne reconnaître qu'à Dieu le caractère substantiel de l'unique cause de soi.

Comme tous ces philosophes, Malebranche poursuit la causalité, partageant le même axiome qu'eux : le néant n'a point de propriétés[1]. Donc ce qui est est par soi ou par autre chose, est donc cause ou effet, et ne sera substance que ce qui est par soi, le reste n'étant que mode.

Commençons par les créatures, à la manière des scolastiques ! Immergés que nous sommes dans le monde sensible, il est naturel de penser que les objets sont les causes réelles des représentations que nous en avons. Ariste et Théodore sont retirés dans ce cabinet, et ils se le représentent : celui-ci est la cause de leur idée du cabinet, sauf à extravaguer en affirmant que leur esprit produit l'idée de cabinet. Ne voient-ils point les objets mêmes ? C'est ce que nous enseignent les sens, mais ils ont leur fonction propre : non point nous instruire de la vérité des rapports réels, mais nous délivrer des preuves d'instinct, des preuves courtes[2], destinées à la conservation de notre vie, et aussi, en raison de leur caractère abrégé, à la libération de notre pensée, qui peut se distraire de la seule réalité corporelle. En fait Théodore et Ariste ne voient point les objets mêmes, mais leurs idées, et il ne faut pas l'entendre restrictivement, comme s'il s'agissait d'une perte : les idées ne sont autres que le monde intelligible, dont Ariste croyait devoir évoquer l'exis-

1. *1er Entretien*, paragr. 1, p. 672.
2. *4e Entretien*, paragr. 15, p. 732.

tence sur le mode de la raillerie. Le rapport de l'esprit à l'idée est immédiat : il la voit. Et puisqu'il s'agit du monde sensible (ce cabinet, mon corps, etc., ou même l'idée de ce cercle), force est de reconnaître que ces idées, non leurs « objets », sont des modifications de l'étendue, « qui consiste en rapports de distance[1] », celle-ci se pouvant concevoir seule, et possédant donc les caractères de la substance. Par où je connais, du même coup, que l'âme ou l'esprit n'est point corps, ses modifications étant irréductibles à des rapports de distance : le je pense n'est pas un corps. Donc ce ne sont pas les objets qui sont causes de mes idées, mais celles-ci se tirent de l'idée d'étendue indépendamment de ceux-ci, qu'ils existent ou non. A preuve l'*annihilatio mundi* (*cf.* Hobbes et Descartes) : à supposer que Dieu anéantisse tous les êtres excepté Théodore et Ariste, pourvu qu'il présente à leurs esprits les mêmes idées que celles d'aujourd'hui, ils verraient les mêmes beautés ; celles-ci appartiennent donc au monde intelligible, non au monde sensible. Il ne faut donc pas commencer par les créatures, mais par les idées de celles-ci, modifications de l'étendue substantielle. Il faut commencer par le monde intelligible.

Mais pourquoi ne pas partir du *cogito,* paradigme moderne de la nouvelle théorie de la substance définie par la double suffisance épistémologique et ontologique ? « Le néant n'a point de propriétés. Je pense. Donc, je suis », tels sont les premiers mots philosophiques de Théodore[2]. On aura remarqué la ponctuation : les mots sont les mêmes, mais le point sépare le *cogito* du *sum.* Là où Descartes protestait fermement contre ceux qui voulaient désolidariser pensée et être pour faire apparaître un syllogisme raccourci en lieu et place d'une intuition unique, instantanée, et donc immédiate (c'est la garantie de sa vérité), Malebranche émiette l'intuition, en un raisonnement. Le néant n'a pas de propriétés, je pense, donc je suis. Où

1. *1er Entretien*, paragr. 1, p. 672.
2. *Ibid.*

le *cogito* perd sa qualité de certitude apodictique originaire, pour être dérivé de l'axiome. Je vois bien l'idée de l'étendue intelligible éternelle, avec tous ses effets modaux, mais je ne vois point l'idée de mon âme. L'idée de l'étendue est claire, celle de mon âme ne l'est pas : le cogito est obscur, mieux, obscurci, depuis la chute originelle. Point d'intuition de soi, mais seulement un sentiment intérieur. À la différence de Dieu, qui est lui-même à lui-même sa propre lumière[1], à la différence de l'idée d'étendue qui éclaire ses modalités, je ne suis point ma lumière à moi-même[2]. D'où le renversement par rapport à Descartes : celui-ci avait cru pouvoir montrer que l'âme était plus facile à connaître que le corps ; Malebranche inverse ce rapport à condition de ne pas perdre de vue que la comparaison se fait non entre l'âme et le corps, mais entre leurs idées. Donc, pas question de commencer par moi, pour initier la quête philosophique.

Reste Dieu, avec lequel nous avons en commun l'idée d'étendue, puisqu'elle est éternelle, immuable, infinie, etc. Ici, un grave danger menace : le spinozisme, dans la bouche d'Ariste, la doctrine de cet impie de nos jours, qui faisait son Dieu de l'univers, et n'en avait pas[3]. Confusion perverse de l'immensité divine ou de l'infinité divine et de l'idée de l'étendue. « Dieu n'est pas l'infini en étendue, c'est l'infini tout court, c'est l'Être sans restriction[4] », reconnaît Théotime. L'idée d'étendue, la seule idée claire d'une substance que nous ayons directement, puisque nous la voyons, n'épuise point celle de Dieu, dont l'infinité transcendante échappe à notre connaissance en raison de son incompréhensible unité. C'est pourtant par elle qu'il faut commencer. Aux antipodes du néant, qui n'a point de propriétés, Dieu est celui qui est, l'être sans restriction, archétype de tous les archétypes,

1. *8ᵉ Entretien*, paragr. 11, p. 815.
2. *3ᵉ Entretien*, paragr. 3 et 7.
3. *8ᵉ Entretien*, paragr. 9, p. 813.
4. *Ibid.*, p. 812.

quoique sans archétype lui-même, parce que cause générale[1] en dernière instance.

À ce stade de la recherche philosophique, il n'est toujours pas question du dieu d'Abraham, d'Isaac et de Jacob, encore moins du Christ, mais bien du dieu des philosophes, c'est-à-dire de la cause première. Comment expliquer les rapports de causalité de l'âme et du corps, voire des corps entre eux ? Je suis piqué, je ressens une douleur : comment saisir cette relation : il ne suffit pas de le comprendre de manière cartésienne *(6e Méditation)* comme un avertissement, destiné à incliner l'âme à conserver son corps, « ce serait apporter la cause finale pour la cause efficiente[2] », antérieurement, il y a une liaison efficiente. Ceci explique cela, et non l'inverse. S'il n'y a pas d'efficace de l'esprit sur le corps et inversement, et même du corps sur le corps[3], ce sont des créatures, comment expliquer les rapports synthétiques que nous constatons, aussi bien en physique que dans la vie courante ? La condition peut paraître aberrante : les corps se meuvent, mon âme est unie à mon corps et le mot d'union suffit à expliquer bien des choses. En fait, ces propositions sont le produit de raisonnements anthropomorphiques qui projettent sur l'idée de causalité des représentations empruntées à mes sentiments, non à des idées claires : « Tous ceux qui jugent des choses par eux-mêmes, ou par les sentiments qu'ils en ont, font de tous les objets quelque chose qui leur ressemble à eux-mêmes[4]... Ils humanisent toutes choses. » Cette humanisation, que Malebranche poursuit partout[5], revient plus ou moins à autonomiser les effets par rapport à la cause, en leur conférant une indépendance qu'ils n'ont pas. Ainsi avons-nous com

1. *4e Entretien,* paragr. 8, p. 727.
2. *Ibid.*
3. *7e Entretien,* paragr. 11, p. 790 : dans le choc, « ce n'est point la première boule qui meut la seconde », une problématique dont Hume se souviendra.
4. *Ibid.,* paragr. 5, p. 784.
5. *Ibid.,* p. 813, p. 824.

mencé par croire les « objets » causes de nos idées, certains ont même cru être causes de leurs idées, alors qu'en fait nous ne voyons pas les objets, mais leurs idées dans l'idée de l'étendue intelligible qui est en Dieu. Il n'y a qu'une seule cause au sens rigoureux du terme, c'est-à-dire cause efficiente : Dieu. Essayez de raisonner autrement en accordant l'indépendance aux effets : autant leur attribuer la causalité efficiente et multiplier par là même les substances de manière contradictoire, car sans rime ni raison, comme le faisaient les scolastiques. Il ne peut y avoir en fait qu'une seule cause générale, Dieu : cause de « mes » idées, de « mes sentiments », etc., parce que causer et créer sont une seule même chose, et que seul l'Être qui est son être[1], non le néant, qui n'a pas de propriétés, peut produire des effets.

Par suite, la croix cartésienne de l'union du corps et de l'âme trouve une formulation intelligible. L'âme a de l'efficace, est donc cause, par rapport au corps ou réciproquement, grâce à une certaine partie du cerveau (glande H, pinéale), l'étendu agit sur l'inétendu, voilà qui est absurde et résulte d'un transfert abusif de causalité, qui autonomise l'âme et le corps. En fait une seule cause produit ces effets, qui ne sont qu'effets, celle qui, par des voies simples et générales, naturelles, auxquelles elle ne déroge que rarement[2], fait correspondre à tel mouvement tel autre mouvement, à la piqûre de mon doigt la douleur, etc., les uns et les autres n'étant que les causes occasionnelles des effets qu'il produit lui-même[3]. Il n'est donc plus nécessaire ni d'attribuer l'efficace aux corps, et de se passer de Dieu en idolâtrant la nature, ni de recourir à l'union, « un des "termes" les plus équivoques qui soient[4] ». Les effets finis renvoient à une cause infinie,

1. 2ᵉ Entretien, paragr. 4, p. 691, avec citation d'Exode III-14.
2. 4ᵉ Entretien, paragr. 5, p. 729 : « Dieu ne fait jamais de miracles, il n'agit jamais par des volontés particulières contre ses propres lois, que l'Ordre ne le demande ou ne le permette. »
3. 7ᵉ Entretien, paragr. 10, p. 789.
4. Ibid., paragr. 3, p. 781.

Dieu, dont la création ne passe point, étant création continuée.

Il y a bien de la différence entre l'effet et la cause. Point ici de distinction entre nature naturante et naturée, entre Dieu effet et Dieu cause, permettant de ramener l'un à l'autre et de réduire la transcendance de la cause générale, comme le fait Spinoza. Que je ne tienne rien de « ma » nature, ni de « la » nature, mais tout de Dieu et de ses effets ne signifie pas que je sois l'une de ses parties. L'infinité divine n'est pas composée, elle n'est pas immense, elle nous passe, nous qui sommes finis, et n'a avec le fini aucun rapport de convenance, ce qui exclut les comparaisons anthropomorphiques. Infinité incompréhensible, mais qui n'exclut pas l'intelligibilité de l'idée d'étendue, avec laquelle il ne faut pas confondre Dieu, comme Spinoza[1].

Dieu ne se comprend pas géométriquement. La géométrie permet de saisir l'infinité des rapports de grandeur, que fonde l'idée d'étendue intelligible, à laquelle, pourvu que nous y soyons attentifs, nous avons l'accès direct de la vision : la physique est fondée. Mais Dieu n'est pas une cause nécessaire : ses effets le sont, mais découlent de sa volonté libre ; en ce sens, ils sont nécessaires parce que liés, mais libres parce que choisis. Encore une fois, Dieu est créateur, et la création requiert non seulement la géométrie, mais l'idée d'ordre, donc des rapports de perfection. Deux et deux font quatre, rapport de grandeurs ; l'homme vaut mieux que la bête, rapport d'inégalité en perfection[2]. Cette évidence, que nierait un Spinoza, se voit en Dieu, qui en est le siège. Dieu est donc cause, et cause juste : son ordre n'est pas seulement celui, géométrique, de la quantité, mais celui, finalisé, de la qualité. En lui, deux mesures : la mesure mathématique et la juste mesure.

D'où un nouveau problème. Nous savons pourquoi il y a quelque chose plutôt que rien : puisque le

---

1. *8ᵉ Entretien*, paragr. 9, p. 812 : « Car Dieu n'est pas l'infini en étendue, c'est l'infini tout court. »

2. *Ibid.*, paragr. 13, p. 818.

néant n'a point de propriétés, et que le fini ne saurait
être cause de lui-même, c'est l'Être par excellence
qui en est la cause. Mais ce pourquoi est en fait un
par quoi, non un en vue de quoi. Puisque le monde
n'a pas toujours été, puisqu'il a été créé, c'est selon
quelque dessein, ce qu'un géomètre ne saurait comprendre. Dieu a-t-il voulu ce monde pour lui ? La
réponse est facile : Dieu ne peut que s'aimer, et donc
il n'a pas besoin du fini pour être, et il ne saurait
tirer avantage de cette création, toujours inadéquate
à son caractère : de l'infini au fini, qui « nous passe »,
il n'y a pas de commune mesure, la balance est inégale.

Ici, coup de théâtre.

Ariste s'était déclaré jusqu'alors enthousiaste, il
avait même eu ce mot de trop : « Ah, Théodore ! que
vos principes sont clairs, qu'ils sont solides, qu'ils sont
chrétiens[1] ! » De trop, puisque Théodore s'était
contenté de la voie de l'examen : la cause générale,
même si elle est le lien de toute société, n'a aucune
connotation confessionnelle précise. Le lendemain,
jour de l'interrogation légitime sur le but de la création, une fois constatée la discrépance du fini et de
l'infini, Théodore quitte brutalement la voie de
l'examen : pour rendre le monde digne de son Créateur, pour rétablir l'équilibre, voire l'établir d'une
manière non pas neutre, mais positive, il faut l'unir à
une personne divine, au grand scandale d'Ariste :
« Ah, Théodore ! vous avez toujours recours aux
vérités de la foi pour vous tirer d'affaire. Ce n'est pas
là philosopher[2]. » Le voie de l'examen suggère en effet
une solution plus aisée, qu'Ariste a proposée : « Faisons le monde infini ! Composons-le d'un nombre
infini de tourbillons ! » De ce fait, la contradiction du
fini et de l'infini disparaîtrait, et il y aurait homogénéité. Théodore ne réfute pas l'argument, mais révèle
une préférence : qu'est-ce qui vaut mieux, des tour-

---

1. *7ᵉ Entretien*, paragr. 14, p. 795.
2. *9ᵉ Entretien*, paragr. 5, p. 830.

billons infinis ou un univers sanctifié par Jésus-Christ ? Préférer n'est pas démontrer. Voire ! Peut-on oublier la distinction des rapports de grandeur et de perfection : les tourbillons relèvent des premiers, dans un univers géométrique, une nature divinisée, en quelque sorte, le problème serait résolu, mais s'il faut préférer l'homme à la bête, ou son cocher à la mouche, un monde augmenté par l'union avec le Christ est préférable aux vortex infinis. Et cette préférence a pour elle qu'on y peut trouver le dénouement de mille et mille difficultés[1]. Sitôt quittées les vérités mathématiques évidentes pour tout un chacun, la voie de l'examen découvre ses limites, que seule la foi, et donc la voie de l'autorité, permet de dépasser. Sans elle, impossible d'avancer en métaphysique, dont l'objet est « les vérités générales qui peuvent servir de principes aux sciences particulières[2] » ! Mais peut-on se contenter de la physique, comme si la morale n'existait pas ? Il ne s'agit donc pas de faire un saut périlleux, ni même de parier : il n'y a pas plusieurs ordres, définissant des domaines suffisants, il n'y a qu'un ordre, parce qu'il n'y a qu'une raison. Aussi Ariste trouve-t-il rapidement le propos de Théodore « assez conforme à la raison ».

Une fois découverte cette raison chrétienne des effets, tout s'éclaire : la gloire de Dieu, multipliée par un monde devenu une Église dont le chef est le Christ ; l'infiniment grand, l'infiniment petit ; les lois du mouvement ; le mal, le péché, en un mot la métaphysique et la religion, objets des entretiens. L'ordre, et le Verbe incarné, cause occasionnelle des volontés de son père, en sont les principes, qu'il n'y a plus qu'à suivre pour voir les mystères de la création dévoilés. L'alternative n'est donc pas entre une raison arrogante et toujours dans l'erreur, sauf en mathématiques, et une foi obéissante. Excès des deux partis. Il ne faut pas bannir la raison de la religion, car la religion, du

1. 9ᵉ *Entretien*, paragr. 5, p. 830.
2. 6ᵉ *Entretien*, p. 764-765.

moins la chrétienne, et même la catholique[1], est
fondée sur la souveraine Raison. « Il faut, conclut
Ariste, ainsi faire servir la métaphysique à la
religion[2]. » À la religion, non à la théologie : Malebranche ne répète pas la formule *philosophia theologiæ
ancilla,* car les théologiens peuvent se tromper, n'ayant
que des opinions, qu'il faut éprouver à la lumière de la
raison et de la religion. Une métaphysique chrétienne
est donc possible, qui ne repose pas sur la démission
de la raison.

Jean-Pierre OSIER

BIBLIOGRAPHIE

ÉDITIONS DE RÉFÉRENCE : *Œuvres complètes,* sous la direction
d'A. ROBINET, Paris, Librairie Joseph Vrin, 1958-1967. *Œuvres,* éd.
G. RODIS-LEWIS, Paris, Bibliothèque de la Pléiade, t. I et II, 1992.

COMMENTAIRES : H. GOUHIER : *La Philosophie de Malebranche et son
expérience religieuse,* Paris, Vrin, 1948. M. GUEROULT : *Malebranche,*
3 t., Paris, Aubier, 1955-1959.

---

1. Les protestants et les sociniens sont condamnés comme privilégiant la voie de l'examen : *13ᵉ Entretien,* paragr. 10, p. 937-938.
2. *14ᵉ Entretien,* paragr. 13, p. 967.

Marc Aurèle

Pensées

« Bientôt tu auras tout oublié ! Bientôt tous t'auront oublié[1] ! » « Tout est éphémère : ce qui se souvient et ce dont il se souvient[2] ! » « Bientôt toi aussi tu fermeras les yeux et celui qui t'aura porté en terre, un autre déjà le pleurera[3] ! » « Hier, un peu de glaire, demain, momie ou cendres[4]. » « Dans un instant, cendre ou squelette ! Un simple nom ! Même pas un nom ! Un nom : un vain bruit, un écho[5] ! » « Combien d'hommes ignorent jusqu'à ton nom ! Combien l'oublieront bientôt[6] ! » « Tout ce dont on fait tant de cas dans la vie, vide, pourriture, mesquinerie : petits chiens qui s'entremordent, gamins qui se querellent, qui rient et se mettent à pleurer[7] ! »

Si l'on ouvre au hasard les *Pensées* de Marc Aurèle, on a toutes chances de rencontrer une de ces formules frappantes, qui évoquent la précarité de la condition humaine et émeuvent encore le lecteur moderne. Cet ouvrage, toujours vivant, n'est pourtant pas intemporel. Pour mieux le comprendre et pour mieux s'en

1. *Pensées*, VII, 21.
2. *Ibid.*, IV, 35.
3. *Ibid.*, X, 34, 6.
4. *Ibid.*, IV, 48, 3.
5. *Ibid.*, V, 33.
6. *Ibid.*, IX, 30.
7. *Ibid.*, V, 33.

nourrir, il est nécessaire de le replacer dans son contexte historique et spirituel.

Marc Aurèle a gouverné l'Empire romain pendant près de vingt ans, de 161 à 180 après Jésus-Christ. L'historien romain Cassius Dion a excellemment résumé en ces termes ce que furent ces années de règne : « Il n'eut pas la chance qu'il aurait méritée, (...) mais il se trouva confronté, pendant tout son règne, à une multitude de malheurs. C'est la raison pour laquelle je l'admire plus que tout autre, car dans ces difficultés extraordinaires et hors du commun, il parvint à survivre et à sauver l'Empire. »

Ces « difficultés extraordinaires », ce furent tout d'abord deux invasions, très dangereuses pour Rome, celle des Parthes en Orient (161-166), celle de peuples germaniques sur le Danube (166-180). Cette dernière l'obligera à passer plus de huit ans dans les opérations militaires en Europe centrale. À cela s'ajouta une terrible épidémie de peste, ramenée d'Asie par les légions romaines qui avaient combattu contre les Parthes, et aussi la révolte d'un usurpateur, Avidius Cassius (175). Si Dion Cassius déplore que Marc Aurèle n'ait pas eu la chance qu'il aurait méritée, c'est qu'il le considère, comme l'ont fait d'ailleurs les historiens et les juristes de l'Antiquité, comme un empereur exceptionnellement juste, soucieux du bien public et consciencieux jusqu'au scrupule en matière de droit. C'est que, cas rarissime, qui ne se reproduira qu'avec l'empereur Julien au IVᵉ siècle, Marc Aurèle est un empereur qui fait profession d'être philosophe, et plus précisément d'être un philosophe stoïcien. Il faut le rappeler, un philosophe, dans l'Antiquité, ce n'est pas nécessairement quelqu'un qui invente ou enseigne une théorie philosophique, mais c'est toujours un homme qui pratique un certain mode de vie, qui vit conformément aux règles de vie d'une école philosophique déterminée. Marc Aurèle, pour sa part, a essayé de vivre en stoïcien sa vie d'empereur.

Que cet empereur philosophe ait écrit les *Pensées*, on ne le sut que tardivement dans l'Antiquité. Il semble bien qu'à partir du IVᵉ siècle après Jésus-Christ certains auteurs aient entendu parler d'un tel ouvrage, mais ils ne l'eurent probablement pas dans les mains. C'est seulement au Xᵉ siècle, dans l'Empire byzantin, que l'œuvre de Marc Aurèle est lue, citée, recopiée. Quelques manuscrits parviennent en Occident, mais ce sera seulement au XVIᵉ siècle qu'il sera imprimé à Zurich, en 1559.

Dès leur parution, les *Pensées* ont dérouté leurs éditeurs aussi bien que leurs lecteurs. L'ouvrage se présente sous la forme de douze livres. Le premier a indiscutablement une unité de contenu et de forme. L'empereur y énumère brièvement les exemples et les conseils qu'il a reçus de ses parents, de ses maîtres, de ses amis, de l'empereur Antonin. Mais, dans les livres II-XII, on ne peut distinguer apparemment aucun plan, aucun fil conducteur. On est en présence de textes qui se succèdent sans liaison, les uns très courts, d'autres un peu plus longs, sans que l'on puisse expliquer pourquoi ils sont placés à tel endroit plutôt qu'à un autre. De plus, il y a de fréquentes répétitions, parfois littérales, qui se retrouvent dans des livres très éloignés les uns des autres. Du XVIᵉ au XVIIIᵉ siècle, à une époque où l'on cherchait l'idéal de la composition littéraire dans la belle ordonnance d'un dialogue de Platon ou d'un traité de Cicéron, on s'est imaginé que les *Pensées* n'étaient que des extraits décousus et incomplets d'un grand traité philosophique et systématique disparu, rédigé par Marc Aurèle. Pourtant, au XVIIᵉ siècle, Meric Casaubon et Thomas Gataker, deux traducteurs de Marc Aurèle, reconnaissent très précisément le genre littéraire auquel appartiennent les *Pensées*. Ce sont des notes personnelles, ce que l'on appelait dans l'Antiquité, en grec des *hypomnēmata,* en latin des *commentaria* ou *adversaria.* Ces notes sont classées purement et simplement dans l'ordre de leur rédaction.

Mais pour comprendre les *Pensées,* il ne suffit pas de dire que ce sont des notes personnelles. Car elles ne sont ni des constats de faits observés, ni des comptes rendus de lecture, ni les effusions d'une âme inquiète ou sans illusion. Ce sont des exercices spirituels, les exercices spirituels de quelqu'un qui a accompli le choix de vie stoïcien. En les écrivant, Marc Aurèle ne faisait que pratiquer le conseil qu'avait donné à ses disciples le stoïcien Épictète, qui l'a fortement influencé. Pour assimiler les règles de vie fondamentales du stoïcisme, c'est-à-dire pour être en mesure de les pratiquer constamment, de vivre conformément à son choix de vie, il fallait « les écrire tous les jours[1] ». C'est ce qu'a fait Marc Aurèle, en rédigeant les sentences qui composent son livre.

En fait, elles reproduisent un enseignement traditionnel, des règles de vie codifiées, les dogmes stoïciens qu'Épictète recommandait de méditer. C'est pourquoi les thèmes qui apparaissent dans les *Pensées* sont relativement peu nombreux. Parfois, Marc Aurèle rassemble les dogmes stoïciens, sans le moindre commentaire, comme des évidences, dans des listes laconiques, qui sont en quelque sorte des aide-mémoire. Par exemple : « Si tu t'irrites de quelque chose, c'est que tu as oublié : — que tout arrive conformément à la Nature universelle — que la faute commise ne te concerne pas — et, de plus, que tout ce qui arrive est toujours arrivé ainsi et arrivera toujours ainsi et, en ce moment même, arrive partout de cette manière — à quel point la parenté de l'homme avec tout le genre humain est étroite, car ce n'est pas communauté de sang ou de semence, mais communauté d'intellect ; et tu as oublié aussi : — que l'intellect de chacun est Dieu et qu'il s'est écoulé en descendant de là-haut — et qu'à chacun de nous, rien n'appartient en propre, mais que l'enfant, le corps, l'âme elle-même viennent d'en haut — que tout est affaire de jugement de valeur — que chacun ne vit et ne perd que le seul présent[2]. » Tous les points ici énumérés se retrouvent tout au long des *Pensées*, soit

1. Épictète, *Entretiens*, I, 1, 25 et III, 24, 103.
2. *Pensées*, XII, 26.

dans d'autres listes tout aussi laconiques, soit séparés
les uns des autres, mais formulés de manière très frap-
pante, soit enfin étayés par une courte démonstration.
Il s'agit là des dogmes fondamentaux du stoïcisme : il
n'y a de bien que le bien moral, de mal que le mal
moral ; donc, je ne puis subir aucun dommage de la
part d'autrui ; mon jugement et mon assentiment ne
dépendent que de moi-même ; tout est affaire de jugement, c'est-à-dire que ce ne sont pas les choses, mais
nos jugements de valeur sur les choses qui nous trou-
blent ; tout arrive conformément à l'ordre voulu par la
Raison qui dirige le monde ; c'est de cette Raison que
provient la raison qui est commune à tous les
hommes, c'est pourquoi les hommes, issus de la
même origine, sont faits les uns pour les autres.

Par ailleurs, on trouve d'un bout à l'autre des *Pensées* trois règles de vie qui constituent le schéma essentiel de la philosophie d'Épictète. Or nous savons par
Marc Aurèle, qui le raconte dans ses *Pensées,* que
l'empereur avait eu accès aux notes prises par un auditeur au cours d'Épictète, que cet auditeur soit Arrien,
qui avait écrit des *Entretiens d'Épictète,* ou Junius Rusticus, le précepteur stoïcien de Marc Aurèle.

Épictète avait distingué trois actes de l'âme : jugement ou assentiment, désir, volonté d'agir, trois actes
qui se référaient aux relations de l'homme avec l'ensemble de la réalité ; le jugement ou assentiment correspondant à la représentation que nous nous faisons
des choses et au sens que nous leur donnons, la
volonté d'agir correspondant au domaine de l'action,
à l'accomplissement des devoirs de la vie sociale
exigés par notre nature humaine, le désir, enfin, correspondant au domaine de l'affectivité, de la passivité,
de ce que nous éprouvons du fait de l'enchaînement
des causes et des effets qui constituent le Destin et
notre destin. Épictète avait proposé trois exercices,
trois disciplines, donc trois règles de vie, se rapportant
à ces trois actes de l'âme. Elles consistaient, pour les
jugements ou assentiments, à ne rien ajouter de subjectif et d'émotionnel à notre perception objective de

la réalité et des événements ; pour la volonté, à agir au service de la communauté, tout en pensant calmement à la possibilité de l'échec ; pour le désir, enfin, à ne désirer que ce qui dépend de nous, en acceptant les événements voulus par le Destin[1].

Ce schéma ternaire représente vraiment le fil d'Ariane qui permet de se retrouver dans l'apparent désordre des *Pensées*. Beaucoup de sentences se contentent simplement d'énoncer, sous des formes variées, ces trois règles de vie. Nous n'en citerons qu'un exemple : « La nature raisonnable suit bien la voie qui lui est propre, si, en ce qui concerne les représentations, elle ne donne son assentiment ni à ce qui est faux, ni à ce qui est obscur, si elle dirige ses impulsions seulement vers les actions qui servent la communauté humaine, si elle n'a de désir et d'aversion que pour ce qui dépend de nous, tandis qu'elle accueille avec joie tout ce qui lui est donné en partage par la Nature universelle[2]. » Il y en a bien d'autres dans lesquels trois, ou deux, ou une seule de ces règles de vie sont formulées.

Mais surtout, c'est autour de ces règles de vie que s'organisent tous les dogmes stoïciens que Marc Aurèle s'applique à se remémorer. Autour de la discipline du jugement se regroupent ceux qui affirment la liberté de juger, la possibilité qu'a l'homme de critiquer et de modifier sa propre pensée, autour de la discipline du désir, tous les théorèmes sur la causalité de la Nature universelle, autour de la discipline de la volonté, toutes les propositions théoriques relatives à l'attraction mutuelle des êtres raisonnables.

C'est donc dans la perspective de ce choix de vie stoïcien et de la vision du monde qui en résulte qu'il faut comprendre ce que représentent au point de vue littéraire les *Pensées* de Marc Aurèle. Pour le stoïcien, tout le bonheur et tout le malheur des hommes viennent du sens qu'ils donnent aux choses. Ceux-ci doi-

1. Épictète, *Manuel*, 1, 1 ; *Entretiens*, III, 2, 1-2 ; II, 14, 7.
2. *Pensées*, VIII, 7.

vent donc transformer leur discours intérieur pour
donner aux choses leur vrai sens. Mais, pour cela, il ne
suffit pas de connaître théoriquement le système stoïcien. C'est à chaque instant de la vie quotidienne,
qu'il faut avoir présents à l'esprit les principes et les
règles de vie, devenus en quelque sorte consubstan-
tiels à l'âme, de manière à donner aux choses leur
juste valeur et à choisir l'action qui doit être faite. Le
philosophe doit savoir et vouloir pleinement ce qu'il
fait à chaque instant. Épictète avait dit : « Tu ne dois
te séparer de ces principes ni dans ton sommeil, ni à
ton lever, ni quand tu manges, ou bois, ou converses
avec les hommes[1]. » Les *Pensées* correspondent à un
effort de Marc Aurèle pour renouveler sans cesse en
lui l'attitude intérieure stoïcienne. C'est pourquoi on y
trouve beaucoup de répétitions, les mêmes exhortations étant souvent reprises sous des formes diverses,
et on n'y trouve qu'un nombre relativement restreint
de thèmes, ceux qui correspondent aux dogmes fondamentaux du stoïcisme. Par ailleurs, il n'y a pas de
lien systématique entre les sentences, qui se présentent ainsi comme des aphorismes, car elles ne sont pas
un exposé théorique complet ou partiel du système
stoïcien, mais sont destinées à jouer un rôle d'induc-
teur, à réactiver tout un ensemble de représentations
et des dispositions intérieures que Marc Aurèle
connaît bien par ailleurs, et qu'il n'a pas besoin de
détailler. Nous sommes donc en présence d'un
ouvrage littéraire qui est peut-être unique dans la littérature universelle. Marc Aurèle ne l'écrit pas pour
autrui, mais pour lui-même, et il ne l'écrit pas pour
consigner sur un support quelque chose qui lui servira
par la suite, mais ce qui compte, au contraire, c'est le
moment présent, c'est l'acte d'écrire à tel instant, au
moment où il a besoin de se remettre dans telle ou
telle disposition, de réveiller sa vigilance, son choix de
vie stoïcien, de redonner aux choses et aux événements le sens qui correspond à la raison.

1. *Entretiens*, IV, 12, 7.

Marc Aurèle ne se contente pas d'ailleurs de formuler les dogmes et les règles de vie, il fait souvent appel à des exercices de l'imagination qui renforcent la puissance persuasive des dogmes. Il ne se contente pas, par exemple, de dire que toutes choses sont dans une perpétuelle métamorphose, mais il se met devant les yeux toute la cour d'Auguste, engloutie par le temps, toute une génération, comme celle du temps de Vespasien. Ainsi abondent, dans les *Pensées*, les images qui font choc, les descriptions brutales de la réalité toute nue. Elles ont frappé les historiens, qui se sont plu à dénoncer le pessimisme, la résignation, la tristesse de l'empereur-philosophe. Leur erreur a été de ne pas replacer ces formules dans le contexte des exercices spirituels de la philosophie stoïcienne. Ces déclarations prétendument pessimistes n'expriment pas des expériences ou des impressions de Marc Aurèle lui-même, et elles cessent d'être pessimistes si on les interprète dans la perspective du stoïcisme. La note personnelle, il faudrait plutôt la chercher dans certaines phrases dans lesquelles Marc Aurèle exprime sa solitude et sa lassitude : « La seule chose, si cela était possible, qui serait capable de te retenir dans la vie, ce serait s'il t'était permis de vivre en société avec des hommes qui auraient adopté les mêmes principes de vie que toi. Mais maintenant tu vois à quelle lassitude tu es arrivé dans cette discordance de la vie en commun, au point que tu en viens à dire : "Hâte-toi, ô mort, de peur que, moi aussi, je ne m'oublie moi-même.[1]" » Ces notations émouvantes expriment avant tout la passion dévorante et exclusive — peut-être trop exclusive — de Marc Aurèle pour ce qui, à ses yeux, était l'unique valeur : l'absolu de la conscience morale.

Pierre HADOT

---

1. *Pensées*, IX, 3, 5.

BIBLIOGRAPHIE

ÉDITIONS DE RÉFÉRENCE : Texte grec : *Marci Aurelii Antonini Ad seipsum libri XII,* ed. J. Dalfen, Leipzig, Teubner, 1987. Texte grec et allemand : *Kaiser Marc Aurel Wege zu sich selbst,* Herausz. von N. Theiler, Zürich, Artemis Verlag, 1974.

TRADUCTION FRANÇAISE : *Pensées pour moi-même,* trad. M. MEUNIER, Paris, GF-Flammarion n° 16, 1964.

COMMENTAIRES : V. GOLDSCHMIDT, *Le Système stoïcien et l'idée de temps,* Paris, Vrin, 1977. P. HADOT, *La Citadelle intérieure, Introduction aux Pensées de Marc Aurèle,* Paris, Fayard, 1992.

MARX

Introduction à la critique
de la philosophie du droit de Hegel
Manuscrits de 1844
La Sainte Famille
Manifeste du Parti communiste
Contribution à la critique de l'économie
politique
Le Capital

Louis Althusser a proposé, dans *Pour Marx*[1], de périodiser ainsi l'œuvre de Marx : 1840-1844, œuvres de jeunesse ; 1845, œuvres de la coupure ; 1845-1857, œuvres de la maturation ; 1857-1883, œuvres de la maturité. Les « œuvres de jeunesse » vont donc de la thèse de doctorat sur la « Différence de la philosophie de la nature chez Démocrite et Épicure » aux *Manuscrits économico-philosophiques* (« Manuscrits de 1844 »), en passant par la *Critique de la philosophie de l'État de Hegel* (1842-1843), l'*Introduction à la critique de la philosophie du droit de Hegel* (1844) et *La Question juive* (1844). Les « œuvres de la coupure » sont constituées par *La Sainte Famille ou Critique de la critique critique. Contre Bruno Bauer et consorts* (écrite en collaboration avec Engels), les *Thèses sur*

1. *Pour Marx*, Paris, Maspéro, 1965, p. 26 *sq.*

Feuerbach et *L'Idéologie allemande*. Les œuvres de la maturation comprennent notamment *Misère de la philosophie. Réponse à la philosophie de la misère de Proudhon* (1847 ; en français), le *Manifeste du Parti communiste* (1848), *Travail salarié et capital* (1849), *Les Luttes de classes en France* (1850), *Le 18 Brumaire de Louis Bonaparte* (1852). Quant aux œuvres de la maturité, il s'agit avant tout de la *Contribution à la critique de l'économie politique* (1859), des *Fondements de la critique de l'économie politique* (*Grundrisse*, 1857-1858) et du *Capital* (dont le tome I parut en 1867 et dont les tomes II et III furent publiés par Engels en 1885 et 1894). Pour fonder sa périodisation, Althusser emprunte à Bachelard la notion de « coupure épistémologique » et s'efforce de reconstruire les cohérences respectives de deux « problématiques » et « la mutation d'une problématique préscientifique en une problématique scientifique[1] », c'est-à-dire le passage de la problématique philosophique des écrits de jeunesse à la théorie scientifique de l'histoire (« Matérialisme historique ») qui s'élabore entre 1845 et 1857 et trouve une première expression dans la *Critique de l'économie politique* et les *Fondements*, voire déjà dans le *Manifeste communiste* de 1848.

La philologie althussérienne s'est souvent retournée contre son auteur, car l'idée de coupure est difficile à manier ; elle porte en fait sur des ruptures à l'intérieur d'économies discursives qui se transforment sans pour autant changer brusquement de terminologie ni même d'enjeux. On peut ainsi montrer le maintien d'une problématique anthropologique dans « l'œuvre de maturité ». Mais ce qui change incontestablement, ce sont les fondements théoriques : anthropologie feuerbachienne chez le jeune Marx, primat de la détermination économique ensuite. Nous avons donc résolu de nous en tenir pour l'es-

1. *Ibid.*, p. 24, note 1.

sentiel à la classification d'Althusser et de choisir,
pour chaque période, une ou deux œuvres paradig-
matiques.

*
* *

À l'appui de sa périodisation, Althusser peut invoquer des déclarations de Marx : « liquidation de
[notre] conscience philosophique antérieure », « nous
étions tous feuerbachiens »... Sa philologie confine
toutefois à la provocation lorsqu'il affirme que « Marx
n'a jamais été hégélien[1] ». En fait, le débat avec la
conception hégélienne de l'histoire commence avec les
manuscrits sur la philosophie de l'État de Hegel, en
1842-1843, et se poursuit jusqu'à la postface à la
seconde édition allemande du *Capital,* en 1873.

Pour rompre avec Hegel, Marx s'est d'abord servi
de Feuerbach. L'*Introduction à la critique de la philosophie du droit de Hegel* nous montre un Marx feuerbachien et jeune-hégélien qui joue cependant aussi
Hegel contre Feuerbach tout en protestant contre le
dépassement de la réalité de la société civile par l'État
hégélien[2]. Ce dernier n'est à ses yeux qu'une figure
spéculative de l'idéalisme dialectique qui, selon la
logique de la conception hégélienne de l'État et de la
religion, érige l'État philosophique en nouvelle religion, et, dans les faits, un instrument idéologique proprement allemand pour opposer un ordre antimo-
derne au défi de la société et de l'économie modernes,
dont Marx a pris conscience comme rédacteur de la
Gazette rhénane en 1842-1843. Marx se pose d'emblée
en penseur de la modernité économique et sociale.

L'éclatement de l'école hégélienne s'est produit à
propos de la religion. C'est aussi à partir de la critique

---

1. *Ibid.*, p. 27.
2. *Cf.* la critique des paragr. 259-261 des *Principes de la philosophie du Droit* dans *Kritik des Hegelschen Staatsrechts,* MEGA [Marx-
Engels-Gesamtausgabe], I, 1/1 (trad. *Critique de la philosophie de
l'État de Hegel,* in *Œuvres philosophiques,* t. IV, Paris, 1948).

de la religion que Marx articule ces enjeux dans l'*Introduction*. Les premières lignes se réfèrent à la tâche déjà accomplie par Feuerbach, mais la tournure « pour l'essentiel », en parodiant l'« essence » feuerbachienne[1] signale les limites de sa critique de la religion. Feuerbach, en effet, l'a conçue comme une entreprise dont les résultats seraient « immédiats », alors qu'elle n'est que « médiatement la lutte contre ce monde » et doit donc se prolonger par la critique de ce monde. Au lieu de nous restituer d'emblée l'« essence humaine », elle ne fait que la resituer en ces lieux plus concrets que sont l'État et la société. L'État est bien pour Marx, qui reste en cela hégélien, la vérité de la religion. C'est donc la critique de l'État qui sera la vérité de la critique de la religion. Comme les jeunes-hégéliens, Marx substitue ce faisant la critique à la philosophie, en sorte que la critique de Feuerbach se double d'une critique de Hegel et que la critique de l'État commence ici par la critique de la philosophie hégélienne de l'État. Cette critique doit se poursuivre par celle de la politique : l'État hégélien doit être confronté à la réalité de la société civile dont il est prétendument le dépassement.

En ce sens, le mouvement qui va conduire à la découverte de l'aliénation-mère — l'aliénation économique — est engagé par ce premier règlement de comptes avec la conscience philosophique allemande. Dans l'*Introduction*, Marx puise dans la comparaison de l'Allemagne avec les « nations modernes », la France et l'Angleterre, un point de vue critique qui lui permet de déclarer la guerre à l'état de choses allemand. Mais ce n'est certes pas pour ériger la modernité capitaliste en modèle, et c'est pourquoi il n'est pas prêt à renoncer à la philosophie allemande, hégélienne en particulier : il la joue contre la brutalité des sociétés modernes tout en critiquant comme idéaliste le décalage critique qu'elle permet. Il adopte ainsi

1. Ludwig Feuerbach, *L'Essence du christianisme*, trad. J.-P. Osier, Paris, Maspéro, 1968, réed. « Tel », Paris, Gallimard, 1992.

dans le contexte philosophico-politique de l'époque un point de vue original : au « parti pratique » il reproche de simplement vouloir nier la philosophie, au « parti théorique » de croire pouvoir la réaliser, alors qu'il faut nier dialectiquement la philosophie en la confrontant au réel et en s'en servant pour nier en même temps ce réel.

En réponse à cette exigence, Marx élabore dans ce livre sa première version du statut philosophique du prolétariat. Par opposition aux intérêts particuliers qui caractérisent la division à l'infini de la société civile, le prolétariat doit être le « représentant universel » de la société, l'incarnation de « l'universel concret ». Avec le remplacement de la philosophie par la critique, ce rôle revient à la classe de la société qui incarne la négation la plus radicale de l'ordre existant — Marx cite Sieyès : « Je ne suis rien, et je devrais être tout. » Une telle classe est ce qu'il appelle une classe avec des « chaînes radicales » — radicales au sens où la critique « prend les choses à la racine » et où la racine est l'Homme (conception encore jeune-hégélienne, feuerbachienne) ; cette classe est la classe universellement humaine, celle qui accomplit le destin de l'Humanité tout entière. Pour que l'émancipation d'une classe particulière et celle du peuple tout entier coïncident, cette classe doit cumuler tous les manques *(Mängel)* qui frappent les différents états : n'être rien pour pouvoir être tout. C'est sur cette dynamique de la négation que la Critique entend intervenir ; véritable sujet moral, la Critique assume l'héritage de la publicité des maximes kantiennes : elle « rend l'oppression plus oppressante » en la rendant publique afin d'ajouter à l'anéantissement la conscience de l'anéantissement, c'est-à-dire de former la conscience de soi de la classe opprimée. La classe en soi doit devenir classe pour soi, comme dira Marx dans le *Manifeste communiste*.

Dès 1843, Marx a compris que seule la naissance en Allemagne du prolétariat industriel constituera l'émergence d'une universalité capable de rompre avec l'état de choses régnant et qu'à défaut d'une bourgeoisie

conquérante, comme fut la bourgeoisie française, seul
le passage de l'Allemagne à la modernité industrielle
produira l'agent de sa libération. L'industrie est la
« force productive » artificielle *(künstlich[1])* qui distingue le statut de cette nouvelle classe de la pauvreté
« naturelle », prévue en quelque sorte par le droit
naturel chrétien qui fonde l'organisation de la société
féodale en trois états. Ce nouveau statut rompt avec la
structure sociale féodale et substitue à la hiérarchie
des États la problématique des classes[2].

« Résultat négatif » de la modernité économique, le
prolétariat devra transformer le destin qu'il subit[3] en
son œuvre propre (schéma hégélien). Niant la réalité
qui l'anéantit, il devient le sujet de l'histoire ; il prend
dans le monde concret la relève du sujet philosophique et « supprime la critique en la réalisant ».

*
* *

Le dispositif philosophique des *Manuscrits de 1844*
est proche de celui de l'*Introduction* : l'Homme, et plus
précisément « l'homme qui travaille et qui crée »
(infléchissement non négligeable de l'essence humaine
feuerbachienne), y remplace l'Esprit hégélien ; le
mouvement de l'histoire est donc porté par le travail
humain (héritage de la dialectique hégélienne du travail dans la *Phénoménologie*). Reprenant la dialectique
hégélienne de l'aliénation sous la forme « humanisée »
que lui a donnée Feuerbach, Marx substitue à la
conscience de soi et à l'Esprit la conception feuerbachienne de l'Homme, mais il n'en reste pas à la
« concrétisation » que représentait le sensualisme.
L'Homme de Feuerbach est sensible, mais il possède

---

1. *Contribution à la critique de la philosophie du droit de Hegel*,
Introduction, Paris, Aubier-Montaigne, 1971, p. 100-101 [en
abrégé : *Introduction*].
2. *Introduction*, p. 102-103 : « Le prolétariat annonce la dissolution de l'ordre du monde existant jusqu'alors. »
3. *Ibid.*

ses attributs concrets antérieurement à la société. Dans le dispositif théorique hérité par Marx, les *Manuscrits* opèrent ainsi un premier déplacement, vers la société, et anticipent la VIe Thèse sur Feuerbach. Ils opèrent simultanément un second déplacement en substituant la production, l'organisation sociale de la reproduction de l'existence, à la dialectique hégélienne de l'objectivation de l'essence humaine par le travail. Les *Manuscrits économico-philosophiques* accomplissent de cette façon le passage à l'économique que préparait l'*Introduction*.

Le résultat de ce double déplacement peut s'énoncer ainsi : la réalité du travail humain est une réalité sociale, et cette réalité est historique. L'« histoire naturelle » de l'homme est la production de son existence, c'est-à-dire non seulement la production de biens pour satisfaire ses besoins, mais la production de son essence même, qui n'est plus donnée au départ, comme chez Feuerbach[1]. Ce faisant, la conception hégélienne de l'aliénation est remise en question (comme du reste déjà dans l'*Introduction*)[2]. Les *Manuscrits* introduisent une coupure entre objectivation et aliénation, là où il y avait chez Hegel une continuité : en posant un objet, la conscience de soi pose quelque chose d'étranger qu'elle ne va plus pouvoir reconnaître comme sien. Cette coupure entre aliénation et objectivation, c'est le fait social — et le fait social est l'organisation sociale du travail. Dès lors, les *Manuscrits* fondent le remplacement de la dialectique philosophique de l'objectivation par la dialectique des formations sociales ; ils passent du travail abstrait au travailleur et aux rapports sociaux, qui prendront plus tard le nom de « rapports de production ».

Un des concepts clés des *Manuscrits* est le concept hégélien de scission, ou division *(Entzweiung)* : division du travail en lui-même[3], division du travail et du

<hr />

1. *Manuscrits de 1844*, 3e manuscrit, p. 125 *sq.*
2. *Ibid.*, 3e manuscrit, p. 136 *sq.*
3. *Cf.* Engels, *Esquisse d'une critique de l'économie politique* (1844), Paris, Aubier-Montaigne, 1974.

capital, division de la société et existence divisée de l'homme coupé de son essence. L'argumentation s'inspire du deuxième moment de la *Logique* de Hegel, le moment de l'essence opposée à l'apparence. Marx dénonce comme apparence l'invocation par l'économie politique classique d'une prétendue « essence du travail[1] » censée aller au-delà des apparences et expliquer la réalité de la production. Elle relève pour lui d'une réflexion non dialectique à laquelle il entend opposer une autoréflexion, ou « réflexion de la réflexion », afin de passer de la scission à l'unité fondamentale de l'essence et de l'apparence. Ce moment de réunion est constitué par le communisme, qui supprime la forme objective de la scission — la propriété privée. Une suppression réelle doit donc intervenir. L'homme qui s'objective par le travail trouve en face de soi une réalité que le travail a certes créée — la propriété privée — mais qu'il n'a pu poser qu'en tant que travail aliéné, c'est-à-dire dans le cadre d'une organisation sociale déterminée du travail. Cette organisation sociale particulière doit être abolie par une intervention révolutionnaire[2].

Les *Manuscrits* reprennent donc la démarche de la dialectique hégélienne. Elle leur permet de reconstituer la genèse de l'aliénation capitaliste et d'affirmer que le communisme « est la forme nécessaire de l'avenir prochain[3] ». Mais, si « nécessaire » veut bien dire chez Marx « dialectique », la « négation de la négation » — le communisme comme abolition de la propriété privée et position d'un nouvel ordre — reste conçue de façon spéculative. C'est la dialectique hégélienne qui permet d'en élaborer l'idée.

La percée vers le Matérialisme historique est toutefois préparée par l'acharnement des *Manuscrits* à élu-

---

1. *Manuscrits*, 1ᵉʳ manuscrit, p. 59.
2. *Ibid.*, 3ᵉ manuscrit, p. 107 : « Pour abolir l'idée de la propriété privée, le communisme pensé suffit entièrement. Pour abolir la propriété privée réelle, il faut une action communiste réelle. »
3. *Ibid.*, 3ᵉ manuscrit, p. 99.

cider le « fait » de la propriété privée comme fondement de l'aliénation. Marx reproche précisément à l'économie politique classique de s'arrêter devant ce « fait » et d'en faire un fondement. Or ce fait n'est pas originel mais actuel et historique ; et surtout, il n'est pas un fait mais un rapport[1]. Il s'agit au premier chef du rapport de l'homme, partie de la nature, à la nature, donc de l'homme à lui-même à travers la nature, de son autoproduction par son travail sur la nature[2]. Hegel nomme « rapport absolu » ce rapport issu d'une même substance, la réalité naturelle commune à l'homme et à la nature, qui s'autoréalise. Or, dans cette autoréalisation, s'est produite une scission (que Hegel appelle « rapport séparatif »), par laquelle les termes en rapport perdent leur unité.

Marx démontre ainsi, contre les économistes anglais, que la propriété privée n'est pas une vérité éternelle mais la conséquence de « la propriété privée des produits du travail d'autrui[3] ». L'aliénation n'est pas une malédiction inhérente au destin de l'homme. Par là, les *Manuscrits* excluent d'emblée les interprétations métaphysiques et ontologiques qu'on a voulu en tirer. À un moment donné de l'évolution de l'autoproduction de l'homme, la dialectique de l'aliénation-réalisation s'est pervertie en aliénation-déperdition. Dans une certaine mesure, les *Manuscrits* anticipent l'idée de l'engendrement des rapports de production par les forces productives elles-mêmes. « Tant que le procès de travail n'est qu'un procès entre l'homme et la nature », dira la conclusion du chapitre « Rapports

---

1. *Ibid.*, 1er manuscrit, p. 56 *sq.*
2. C'est le célèbre passage du 3e manuscrit : « L'essence humaine de la nature n'est là que pour l'homme social (...) ; ce n'est que là qu'elle est pour lui le fondement de sa propre existence humaine. Ce n'est que là que son existence naturelle est pour lui son existence humaine et que la nature est devenue pour lui l'homme. Donc, la société est l'achèvement de l'unité essentielle de l'homme avec la nature, la vraie résurrection de la nature, le naturalisme accompli de l'homme et l'humanisme accompli de la nature » (p. 89).
3. *Manuscrits*, 1er manuscrit, « Le Capital », p. 21 *sq.*

de distribution et rapports de production » dans le
IIIᵉ livre du *Capital,* « ses éléments, simples, sont
communs à toutes les formes sociales de son développement[1] ». Mais « dans la production sociale de leur
existence les hommes nouent des rapports déterminés,
nécessaires, indépendants de leur volonté ; ces rapports de production correspondent à un degré déterminé de leurs forces productives matérielles. L'ensemble de ces rapports forme la structure économique
de la société[2] ».

*
 * *

L'appel à la pratique des *Thèses sur Feuerbach,* abon-
damment commentées[3], éclipse trop souvent ce
document non moins décisif de la rupture avec
l'« idéologie allemande » qu'est *La Sainte Famille.* Ce
qui domine tous les écrits de jeunesse, jusqu'à *La
Sainte Famille* et *L'Idéologie allemande,* est la critique
des discours, pour une raison clairement énoncée par
l'*Introduction* de 1844 : il faut lutter contre la
conscience philosophique allemande avec laquelle les
Jeunes-Hégéliens sont accusés de ne pas avoir
rompu[4]. Marx pose aux discours la question de leurs
implications pratiques : qu'en est-il, dans la terminologie de Bruno Bauer, du rapport entre la Critique et
« la masse » ? Il se propose de dénoncer l'idéalisme de
la « critique critique » « du point de vue de l'histoire
profane, massive[5] ». Cette « histoire massive » des discours va devenir, à partir de *L'Idéologie allemande,* la
critique de l'idéologie — une étape que Marx va franchir en très peu de temps. Ici la rupture définitive avec

---

1. MEW [Marx-Engels-Werke], t. 25, p. 890 *sq.*
2. *Contribution à la critique de l'économie politique,* Préface de
1859, p. 4.
3. *Cf.* Georges Labica, *Les Thèses sur Feuerbach,* Paris, PUF,
1987.
4. Voir la préface de *La Sainte Famille,* p. 13 *sq.*
5. *La Sainte Famille,* chap. VI, p. 151.

le matérialisme sensualiste feuerbachien que procla-
meront les *Thèses sur Feuerbach* n'est pas encore
accomplie. Marx porte encore sur lui un jugement
positif, qui l'oppose au matérialisme mécaniste et voit
en lui une des sources du socialisme[1].

Il esquisse cependant une généalogie critique, une
sorte d'autoréflexion du matérialisme, et distingue
deux grandes traditions. L'une part de la séparation
cartésienne entre physique et métaphysique et conduit
à la physique mécaniste, mais s'épuise du même coup
dans le calcul logico-mathématique et le nominalisme
de Hobbes (une représentation sensible n'est pas pour
Hobbes la reproduction d'un objet extérieur, mais un
acte spirituel constituant un signe désignant un ou des
objets ; la science ne travaille donc que des combinaisons de signes)[2]. L'autre tradition part de Locke
(Essai sur l'entendement humain) et se révèle la vraie
source du matérialisme français, qui est donc « le vrai
fils de l'Angleterre[3] ». À partir de Condillac et d'Helvétius, Marx esquisse un matérialisme social qui lui
permet de voir dans cette seconde tradition l'origine
du socialisme et du communisme : expérience et habitude (Condillac), progrès de l'esprit humain et éducation (Helvétius), morales de l'intérêt et cohésion du
corps social (Helvétius, Mandeville, Bentham et les
socialismes utopiques d'Owen pour le monde anglo-
saxon, de Cabet pour la France) ébauchent l'idée que
l'« essence » de l'homme est le façonnement social de
sa nature[4]. L'opposition entre socialisme et communisme utopiques d'une part, « socialisme scientifique »
et communisme selon le point de vue du Matérialisme
historique sera clarifiée en 1847, de façon systématique, par le *Manifeste communiste*.

La « critique critique » est idéaliste au sens où elle
ignore non seulement cette tradition massive du maté-

1. *Ibid.*, p. 151 *sq.* (allusion à l'*Anti-Hegel* de 1835) et 153 *sq.*
(allusion au *Pierre Bayle* de 1838).
2. *Ibid.*, p. 156.
3. *Ibid.*, p. 154.
4. *Ibid.*, p. 156 *sq.*

rialisme, mais en outre cette activité « grossièrement matérielle » qu'est la production ; elle méconnaît sa propre « base matérielle ». La « masse », c'est en effet pour Marx à la fois la matière et la réalité matérielle de la pratique, donc la pratique de masse et la réalité des masses.

L'argument que Marx lui oppose est fameux : l'Idée s'est toujours discréditée lorsqu'elle s'est crue supérieure à l'intérêt[1]. Il faut donc développer une conception de l'Histoire reposant sur l'intérêt et « matérialiser » l'intérêt qui poussait la raison de Kant à agir, à connaître et à se connaître. Marx s'oppose ainsi à la conception idéaliste de la réalisation de l'idée dans l'Histoire ou, plus exactement, à sa vulgarisation caricaturale. Car d'un autre côté, l'intérêt dépasse toujours sa réalisation (et c'est précisément cela que Hegel appelait « Idée » !).

Au chapitre 6, l'opposition entre l'idée et l'intérêt est reprise sous l'angle de la scission nécessaire, motrice dans la philosophie hégélienne de l'Histoire, entre l'objectif réalisé et le subjectif (l'« universalité abstraite »). L'universalité abstraite se manifeste selon Hegel comme opposition religieuse, morale et politique (politique sur le mode religieux ou moral : elle est donc la figure privilégiée des restaurations tout autant que des surenchères). La question se pose du même coup de savoir quelle est la signification politique de la « critique critique » : comme universalité abstraite, elle se condamne à être la version subjective et « critique » (mais au sens où l'est le fou du roi) de la restauration — un problème que Marx avait bien vu dès l'*Introduction*. Hegel a certes percé à jour ce mécanisme, mais il faut transformer la philosophie en une critique en prise sur les moments où l'universel abstrait et l'objectivité réalisée se scindent. À cet égard, Bauer n'a rien trouvé de mieux que d'invoquer « la critique », l'universel abstrait privé de base matérielle mais prétendant *hic et nunc* incarner

1. *La Sainte Famille*, p. 103.

la philosophie (« l'acte de transformation de la société se réduit à l'activité cérébrale de la critique critique »)[1].

La critique critique est donc une surenchère qui se révèle conservatrice. Les Jeunes-Hégéliens, dira Marx au début de *L'Idéologie allemande* (en incluant cette fois expressément Feuerbach dans cette critique), « proposent aux hommes ce postulat moral : troquer leur conscience actuelle contre la conscience humaine [Feuerbach], critique [Bauer] ou égoïste [Stirner] et, ce faisant, abolir leurs limites. Exiger ainsi la transformation de la conscience revient à interpréter différemment ce qui existe, c'est-à-dire à l'accepter au moyen d'une interprétation différente. En dépit de leurs phrases pompeuses, qui soi-disant "bouleversent le monde", les idéologues de l'école jeune-hégélienne sont les plus grands conservateurs ». Ils ont interprété le monde au lieu de le changer (*cf.* la 11e Thèse sur Feuerbach) : « Il n'est venu à l'idée d'aucun de ces philosophes de se demander quel était le lien entre la philosophie et la réalité allemande, le lien entre leur critique et leur propre milieu matériel[2]. »

★
★ ★

« Un fantôme hante l'Europe » : le « communisme » était devenu au début des années 40 une hantise. Dans la Confédération allemande comme dans la France de Guizot, on traquait cet ennemi mythique et l'on se lançait à la tête l'accusation de communisme. Mais le communisme était-il un programme cohérent, et avait-il une réalité ? Telle est la question que pose le *Manifeste du Parti communiste,* et il faut avant tout comprendre le titre comme l'expression de la volonté de Marx et d'Engels de rendre manifeste ce « fantôme », de lui donner des contours théoriques concrets. Le *Mani-*

1. *Ibid.,* p. 109.
2. *L'Idéologie allemande,* p. 44.

feste est d'abord une intervention publique[1], assumant une fois encore, comme dans l'*Introduction* de 1844, l'héritage de la « publicité kantienne ». Celle-ci a pour double enjeu la formation de la conscience de classe du prolétariat et l'organisation du « parti communiste ». Le texte est donc également un programme, lié à la brève histoire de la Ligue des communistes, créée par Marx et Engels à Londres en 1847 et qui se décompose dès 1850 du fait de l'affrontement entre les partisans de l'action révolutionnaire immédiate et les tenants d'une stratégie progressive adaptée, précisément, aux réalités et au premier chef à l'état de la prise de conscience de l'affrontement entre la bourgeoisie et le prolétariat (chap. IV). La Ligue sera dissoute en 1852. Elle fut une tentative — et c'est l'un des enjeux du texte — pour clarifier et fédérer la multiplicité des mouvements socialistes et communistes en Europe. Car les réalités de la répression et la fixation de communautés d'émigrés à Paris, Bruxelles et Londres qu'elle a entraînée ont en quelque sorte confirmé l'internationalisme que postulait déjà l'*Introduction* de 1844.

Le *Manifeste* est donc une entreprise d'organisation au sens théorique et pratique : un texte qui expérimente à chaud la théorie-pratique ou *praxis*. Le premier chapitre énonce la thèse fondamentale à partir de laquelle opère cette organisation : l'idée d'une polarisation progressive de la société culminant dans l'antagonisme entre la bourgeoisie et le prolétariat (« lutte des classes »). Toute l'histoire passée se laisse finalement reconstruire comme une transformation des structures économiques et sociales qui conduit à l'affrontement de deux « classes ». Ce postulat de base, que le *Manifeste*, pour la première fois, s'efforce de démontrer et qu'Engels utilisera par la suite de façon parfois abusive pour des raisons stratégiques identiques[2], a pour enjeu de ramener à un dénominateur commun la diversité des « socialismes » et des

1. *Cf.* Introd. et fin du chapitre IV.
2. Engels, *La Guerre des paysans allemands* (1850), MEW, t. 2, p. 327 *sq.*

« communismes ». Le chapitre II pousse cette démarche à l'extrême en affirmant que le communisme authentique (à ne pas confondre, entre autres, avec le « socialisme vrai » de Moses Hess, avec lequel le chapitre III réglera ses comptes) se ramène à la « suppression de la propriété privée[1] ». Le chapitre III met en œuvre la critique de l'idéologie qui permet de dégager, théoriquement et pratiquement, ce « programme » du communisme authentique en critiquant les différentes variantes européennes du socialisme et du communisme. Le chapitre IV définit en conclusion la stratégie pratique des « communistes » par rapport à celle des « différents partis d'opposition », en distinguant clairement le travail de clarification et d'organisation de toute précipitation « révolutionnaire[2] ».

Il est tout à fait justifié de voir dans le *Manifeste* un document décisif de la « maturation » du Matérialisme historique. D'abord, le chapitre I en énonce la conception fondamentale. Le chapitre II contient par ailleurs en germe les fondements du « socialisme réalisé ». À commencer par l'idée que les « instruments de production » (qui s'appelleront ensuite « moyens de production ») doivent être « concentrés dans les mains de l'État, c'est-à-dire du prolétariat organisé comme classe dominante[3] ». Ensuite l'idée que le communisme est lié à l'accroissement de la productivité, à laquelle il doit son émergence et qu'il devra donc développer pour s'imposer[4]. La concentration de la production entre les mains du « prolétariat organisé » esquisse à la fois la théorie de la « dictature du prolétariat » et le rôle du Parti. Il est vrai qu'en même temps l'utopie de la « libre association des travailleurs », présente dans les *Manuscrits de 1844,* est

1. *Manifeste*, p. 110-111.
2. *Ibid.*, p. 158-159.
3. *Ibid.*, p. 126-127.
4. C'est le postulat du chapitre I, repris ici en ces termes : « Accroître le plus vite possible la masse des forces de production » (p. 127).

reprise et promet le « dépérissement de l'État[1] », puisque, avec la disparition de l'opposition des classes, disparaîtra aussi la nécessité d'une domination politique.

*
* *

Fin août 1857, Marx commence à écrire une *Introduction à la critique de l'économie politique* qu'il va interrompre parce qu'elle « anticipe sur des résultats qu'il faut d'abord démontrer[2] ». De là naît la *Contribution à la critique de l'économie politique,* qui ébauche les grandes lignes du *Capital.* En effet, si l'élucidation de la plus-value était acquise, cet effort de démonstration conduit Marx à mettre en lumière le rapport de la valeur et de l'argent, le rôle de cette marchandise particulière qu'est l'argent comme moyen d'échange de toutes les autres marchandises.

La partie rédigée de l'Introduction abandonnée n'en est pas moins d'une importance capitale, en particulier du point de vue méthodologique. Le chapitre I reprend une des idées centrales des *Manuscrits de 1844 :* le travail est toujours production ; les individus produisent en société. « Le chasseur et le pêcheur individuels et isolés par lesquels commencent Smith et Ricardo font partie des plates fictions du XVIIIe siècle[3]. » Cette idée permet au chapitre III de fonder méthodologiquement l'affirmation en apparence abusive du *Manifeste* selon laquelle toute l'histoire antérieure est l'histoire de luttes de classes. Dès lors en effet que « la société bourgeoise est l'organisation historique de la production la plus développée (...), les catégories qui expriment les rap-

---

1. *Manifeste,* p. 128-129 : « Une fois les différences de classes disparues au cours du développement et toute la production concentrée entre les mains des individus associés, les pouvoirs publics perdent leur caractère politique. »
2. *Contribution,* préface de 1859, p. 3.
3. *Introduction à la critique de l'économie politique,* in *Contribution,* p. 149.

ports de cette société et qui permettent d'en comprendre la structure permettent en même temps de se rendre compte de la structure et des rapports de production de toutes les formes de société disparues[1] ». Marx résume ce principe par une formule célèbre : « L'anatomie de l'homme est la clé de l'anatomie du singe. » Il ne s'agit toutefois pas seulement de téléologie, mais du rapport à Hegel et de l'héritage de la méthode hégélienne. L'*Introduction* insiste par là sur la nécessité de la totalité pour la connaissance du réel. Le concret n'est pas un donné empirique qui se livrerait immédiatement à la théorie. Kant a montré la participation active de l'esprit à la construction du donné, Hegel l'impossibilité d'expliquer l'être par lui-même. Le prétendu concret — « la population », ou bien encore « le travail » des économistes classiques — est déjà une abstraction. Et toute pensée qui, appliquant les préceptes de Descartes, voudrait parvenir par une démarche analytique aux éléments les plus simples se voit condamnée à une régression à l'infini. Le concret dont l'empirisme naïf prétend partir est toujours une synthèse, et comme tel il n'est appréhendable qu'au moyen d'une reconstruction de la réalité par la pensée, comme « concret de pensée[2] ». L'idée ou le système peuvent donc fonctionner comme moyen d'interrogation et de reconstruction de la cohérence de la réalité. Si l'histoire idéaliste est récusée par la critique de l'idéologie, cette dernière ne méconnaît pas pour autant l'importance de la relative autonomie de l'idéologique. À cet égard, le fragment du chapitre IV sur les « Formes de l'État et de la conscience par rapport aux conditions de production et de circulation » est lui aussi célèbre, car il jette les bases de la théorie des rapports entre infra- et superstructure : « La difficulté n'est pas de comprendre que l'art grec et l'épopée sont liés à certaines formes du développement social. La difficulté réside dans le fait

1. *Ibid.*, p. 169.
2. *Ibid.*, p. 165.

qu'ils nous procurent encore une jouissance esthétique...[1] »

La théorie des rapports entre infra- et superstructure est présentée par Marx dans la *Préface de 1859* comme l'aboutissement de son évolution théorique[2]. Idée fondamentale du Matérialisme historique, la « structure économique de la société » est le « mode de production ». Celui-ci se constitue de deux relations : les forces productives et les rapports de production que l'on peut figurer par un triangle. L'un des sommets est constitué par les « moyens de production » (l'objet du travail — la matière première — et les moyens du travail — les outils). Les deux autres sommets sont le travailleur et le nontravailleur. La nature d'un mode de production résulte donc du rapport du travailleur et du nontravailleur aux moyens de production et se caractérise, par voie de conséquence, par un rapport spécifique entre travailleur et non-travailleur, nommé « rapport de production ». À la différence du mode de production féodal, par exemple, dans lequel le travailleur possède les moyens du travail mais non l'objet du travail (la terre), le MP (mode de production) capitaliste — c'était déjà l'idée centrale des *Manuscrits de 1844* — résulte du fait que le non-travailleur possède les moyens de production. Du même coup, la relation travailleur-moyens de production est assujettie à la relation entre le non-travailleur et ces mêmes moyens (la relation d'appropriation réelle par le travail est assujettie à la relation de propriété). Les forces productives constituées par la force de travail du travailleur et les moyens de production dont il dispose sont donc dépendantes de la relation de propriété. Le travail utile du travailleur, produisant des valeurs d'usage destinées à la consommation et notamment à la reproduction de sa propre force de travail, s'inscrit dans un mode de production qui l'aliène à la poursuite d'au-

1. *Contribution*, p. 175.
2. *Ibid.*, préface de 1859, p. 4.

tres intérêts — ceux des propriétaires des moyens de production. Le travailleur va donc produire pendant une partie de sa journée de travail une valeur correspondant à ce qui lui est nécessaire pour reproduire sa force de travail (se nourrir et nourrir de petits travailleurs). Le capitaliste va acheter cette valeur à son « juste prix » (au prix de ce qu'elle représente pour lui comme marchandises échangeables). « La loi des échanges a été rigoureusement observée : équivalent contre équivalent[1] », elle a simplement oublié de tenir compte du temps pendant lequel le travailleur travaille « au-delà de ses besoins », et bien sûr aussi du calcul de l'échange. « Dès qu'elle se présente non plus simplement comme unité du travail utile et du travail créateur de valeur, mais comme unité de travail utile et du travail créateur de plus-value, la production marchande devient production capitaliste[2]. » Pour dévoiler cet échange fictif, il faut voir que la marchandise se présente sous un double aspect : sa valeur d'usage et sa valeur d'échange, donc distinguer entre la consommation immédiate et l'échange sur le marché (section I du *Capital*). La circulation des marchandises a pour forme immédiate M-A-M (M pour marchandise, A pour argent) ; une marchandise est échangée contre une autre marchandise et cet échange suppose l'existence d'un équivalent général : l'argent — la forme valeur de la marchandise réalisée dans la forme monnaie. Cependant, dans l'économie marchande, les marchandises ne sont pas échangées pour être consommées, mais pour être revendues. La formule M-A-M devient donc A-M-A, ou plus exactement A-M-A', car la revente rapporte une plus-value (A' est supérieur à A). Cette opération existe depuis les débuts de la petite production marchande ; elle est constitutive du capital marchand. Alors que l'usage tue la circulation, l'argent devient dès lors le terme extrême, l'enjeu et le but de l'échange, qui passe du

1. *Le Capital*, 3ᵉ section, chap. VII, p. 151.
2. *Ibid.*, p. 152.

même coup à un degré d'abstraction supérieure. Le premier degré d'abstraction était l'argent comme équivalent général. Désormais, c'est la marchandise elle-même qui se transforme en simple moyen d'échange, en pure fonction marchande. Cette abstraction qui la déconnecte complètement de son usage est à l'origine du « fétichisme de la marchandise », « fantasmagorie » dont Marx fait l'archétype de toutes les aliénations, notamment l'aliénation religieuse[1].

L'échange fictif entre le travailleur et le propriétaire — qui est donc à l'origine de toutes les formes d'aliénation — résulte du fait que le travail humain doit être conçu comme une marchandise parmi d'autres : à côté de sa valeur d'usage, il a une valeur d'échange. Le passage du capital de l'économie marchande au capitalisme s'accomplit lorsque « l'homme aux écus » découvre sur le marché « une marchandise dont la valeur usuelle possède la vertu particulière d'être source de valeur échangeable (...), elle s'appelle puissance ou force de travail[2] ». Le capitalisme, c'est le mode de production dans lequel le capital pénètre dans la sphère de la production, c'est-à-dire achète et réalise sa plus-value non plus sur les produits, mais sur la force de travail. Le travailleur ne connaît comme unité de mesure que le temps de reproduction de sa force de travail. Le capitaliste passe au niveau d'abstraction supérieur de la valeur du travail, du travail comme marchandise et forme-valeur. C'est pourquoi il nous semble qu'il faut s'astreindre à défricher la section I avant de passer à la section II, qui traite de la transformation de l'argent en capital et de la plus-value[3]. Le capitaliste a dès lors bien d'autres unités de mesure. Le capitalisme se caractérise par le fait qu'il achète non seulement la force de travail, dans les conditions qu'on vient de décrire, mais aussi les

1. *Le Capital*, 1ʳᵉ section, chap. I, p. 69.
2. *Ibid.*, 2ᵉ section, chap. VI, p. 130.
3. Sur cette alternative de lecture, *cf.* Althusser, « Avertissement », in *Le Capital*, Paris, Flammarion, 1985, et F. Châtelet, *Marx. Le Capital*, Paris, Hatier, 1975.

moyens de production. Il investit en capital variable et en capital fixe ou constant : il paie la force de travail — et cet investissement lui rapporte la plus-value produite par les travailleurs — et il achète par ailleurs non seulement des matières premières et des bâtiments, mais aussi des machines. Ces dernières n'immobilisent pas seulement son capital, car elles permettent d'accroître la productivité, et ce développement du machinisme est considéré par Marx comme le facteur majeur du passage de l'économie précapitaliste à l'économie capitaliste. L'augmentation de la productivité modifie au profit du capitaliste le rapport entre la quantité de travail socialement nécessaire pour produire une marchandise et la plus-value. Il faut dès lors distinguer, comme le font les sections III et IV, entre la plus-value absolue — que nous avons présentée schématiquement — et la plus-value relative. La plus-value peut en effet fort bien être augmentée sans que la journée de travail soit allongée et que le capitaliste ait à payer plus de temps de travail (chapitre XII). Mécanisme funeste, car il entraîne aussi une baisse relative de la valeur de la force de travail ; d'un côté, la productivité plus grande diminue le temps de travail nécessaire à la reproduction de la force de travail ; de l'autre, au niveau de la consommation, les marchandises valent moins cher et le travailleur a donc besoin de moins de temps de travail pour assurer sa subsistance. Il faudrait ici entrer dans les implications de ces analyses pour la lutte des classes[1] et l'organisation de la lutte politique du prolétariat[2].

Gérard RAULET

1. *Cf.* notamment « Salaire, prix et plus-value » (1865), in *Œuvres*, Paris, Gallimard, 1963 (« Bibliothèque de la Pléiade »), p. 475 *sq.*
2. *Cf.* notamment la *Critique du programme du Parti ouvrier allemand* (Programme de Gotha) (1875), *ibid.*, p. 1411 *sq.*

BIBLIOGRAPHIE

ÉDITION DE RÉFÉRENCE : *Marx-Engels-Werke*, t. 1 à 39, et t. complémentaire 1-2, Berlin (RDA), 1956-1967 [abr. : MEW]. *Marx-Engels-Gesamtausgabe*, Berlin (RDA), 1975 *sq.* [abr. : MEGA].

TRADUCTIONS FRANÇAISES : *Le Capital*, Livre I, trad. J. ROY, préf. L. ALTHUSSER, 2 t., Paris, Flammarion, coll. « Champs », 1985. *Contribution à la critique de l'économie politique*, trad. M. HUSSON, Paris, Éditions sociales, 1971. *Contribution à la critique de la philosophie du droit de Hegel*, Introd., trad. M. SIMON, préf. F. CHÂTELET, Paris, Aubier-Montaigne, 1971. *Manifeste du Parti communiste*, trad. É. BOTTIGELLI, Paris, Aubier-Montaigne, 1971. *Manuscrits de 1844*, trad. É. BOTTIGELLI, Paris, Éditions sociales, 1972. *La Sainte Famille, ou Critique de la critique critique. Contre Bruno Bauer et consorts*, trad. E. GOGNIOT, prés. et notes N. MEUNIER et G. BADIA, Paris, Éditions sociales, 1972.

COMMENTAIRES : L. ALTHUSSER, *Pour Marx*, Paris, Maspéro, 1965. J.-Y. CALVEZ, *La Pensée de Karl Marx*, Paris, Éd. du Seuil, 1956 et 1970. N. POULANTZAS, « K. Marx et F. Engels », in Fr. CHÂTELET (dir.), *Histoire de la philosophie, La philosophie et l'histoire (1780-1880)*, Paris, Hachette, 1973, p. 301-328. F. CHÂTELET, *Le Capital (Livre I)*, Paris, Hatier (« Profil d'une œuvre »), 1975.

MERLEAU-PONTY

Phénoménologie de la perception
Le Visible et l'Invisible

La *Phénoménologie de la perception* peut à bon droit être considérée comme l'œuvre majeure de Merleau-Ponty, au moins parmi celles qui furent achevées. Bien qu'il s'agisse de sa thèse, cet ouvrage apparaît comme le point d'aboutissement d'un projet formulé, dès *La Structure du comportement* — premier ouvrage publié par Merleau-Ponty — en des termes qui ne varieront plus. Ce projet consiste à « comprendre les rapports de la conscience et de la nature, de l'intérieur et de l'extérieur[1] », étant entendu que la nature ne désigne pas seulement ici la nature physique, régie par des rapports de causalité, mais aussi les détermina-tions organiques, psychologiques et sociales, c'est-à-dire ce qui, au sein de la conscience, relève d'un donné qu'elle ne constitue pas. Il s'agit donc de conci-lier deux évidences : il n'y a de monde que pour une conscience qui échappe à l'extériorité et ne peut être atteinte que réflexivement ; les consciences sont cependant insérées dans ce monde et relèvent d'une démarche explicative. Le projet de Merleau-Ponty est finalement de ressaisir l'homme concret en tant qu'il est à la fois inscrit dans l'épaisseur du monde, tribu-

---

1. *Phénoménologie de la perception*, p. 488 ; *La Structure du comportement*, p. 1.

taire de ses événements, et capable de se retourner vers ce monde pour le penser, capable de liberté. Un tel projet passe nécessairement par une mise en cause symétrique de l'idéalisme et du réalisme, philosophies qui ressaisissent la situation de l'homme de manière unilatérale, qu'il soit conçu comme la condition de l'apparaître du monde ou comme inséré en lui selon des relations de causalité : la critique de ces deux traditions rythme de part en part la *Phénoménologie de la perception*.

Une telle entreprise pose un problème de méthode. Une attitude strictement réflexive ne saurait convenir : découvrant que le doute à l'égard de l'existence du monde ne peut atteindre la conscience elle-même, elle est presque inévitablement conduite à concevoir la conscience comme un absolu, étranger au monde parce qu'il en est la condition. Il faut donc aller à la rencontre de la connaissance positive, quitte à accepter provisoirement l'ontologie réaliste qui en est le préjugé le plus constant, et examiner si la science elle-même n'est pas conduite par le développement de ses recherches à renoncer à l'idée d'un homme soumis de part en part aux déterminismes naturels, sans pour autant retomber dans l'idéalisme[1]. Telle est plus particulièrement l'entreprise de *La Structure du comportement*, qui représente, à tous égards, la phase préparatoire de la *Phénoménologie de la perception*. Merleau-Ponty y étudie les développements de la psychologie de la forme (Koffka, Koehler...), ainsi que les analyses de Goldstein dans *La Structure de l'organisme*, et en conclut que le comportement est irréductible à un ensemble de réflexes, et témoigne donc d'une activité orientée, douée d'un sens vital, sans pour autant que cette activité puisse être comprise, même chez l'homme, comme l'expression d'une intention et d'une conscience claires[2]. Cependant, *La Structure du comportement* se situait

1. Voir, en particulier, *Phénoménologie de la perception*, p. 60-63, 77, 86.
2. Par exemple, p. 133-138, 157-175.

essentiellement du point de vue de l'observateur qui
étudie le comportement de l'extérieur, s'intéressait
d'abord aux comportements animaux et demeurait
peu sûre quant à ses conclusions philosophiques, qui
étaient essentiellement négatives. La *Phénoménologie
de la perception* vise, au contraire, à mettre à profit
cette confrontation avec la science, organisée dans le
premier ouvrage, pour clarifier le rapport de l'homme
au monde tel qu'il se manifeste dans tous les champs
du comportement et de l'expérience, en faisant cette
fois appel au vécu de ce rapport. Il s'agit donc de
mettre en évidence une convergence entre les résultats de la psychologie contemporaine et la phénoménologie de Husserl. Cet ouvrage est nécessairement centré sur la perception puisque, en tant qu'elle
est l'appréhension sensible d'un existant, elle met en
jeu le problème du rapport entre conscience et appartenance au monde, entre fait et sens.

Le sens du projet est explicité dès l'Introduction,
dont la lecture est essentielle pour la compréhension
de l'œuvre tout entière. En effet, le retour à l'expérience vécue telle qu'elle est vécue ne va pas de soi :
une certaine interprétation objectivante de l'expérience se sédimente en elle et la rend obscure à elle-
même, si bien que l'immédiat doit faire l'objet d'une
conquête, qu'il faut déraciner ce qui n'est qu'un préjugé. Or, dans la mesure où, précisément, le vécu est
aveugle à lui-même, il est nécessaire de faire un
détour par la psychologie pour surmonter ce préjugé
et reconduire l'expérience à sa signification véritable.
L'introduction de l'ouvrage accomplit donc une
réduction phénoménologique, qui doit être comprise,
ainsi que Husserl le préconisait à la fin, comme
retour au « monde de la vie », monde phénoménal
purifié de tout ce qui procède d'une attitude
objectivante[1]. Ainsi, la psychologie de la forme libère
le vécu en récusant le préjugé d'une conscience
déterminée par la nature, et le retour au vécu donne

1. *Cf.* p. V-IX, 73, 419.

toute sa portée à cette psychologie en la libérant de
ses naïvetés.

La tradition empiriste compose la perception à
partir de sensations, contenus qualitatifs élémentaires
distincts et pleinement déterminés. Or, si nous nous
en tenons à notre expérience effective, nous constatons l'absence de tels contenus élémentaires. C'est ce
que confirme la psychologie de la forme, pour laquelle
il n'y a d'expérience sensible que portant sur une unité
structurée, pour laquelle l'indivisible sensible est une
structure du type figure-fond : une couleur qui ne se
détacherait pas sur le fond de cette autre couleur avec
laquelle elle contraste ne serait même pas sentie.
L'atome sensible renvoie d'emblée à autre chose que
lui-même, n'est qu'un moment abstrait d'une unité
supérieure. C'est également ce que la physiologie de la
perception est conduite à reconnaître. L'impression
sensible ne saurait être conçue comme un événement
produit par un contenu déterminé, selon un circuit
nerveux préétabli : le contenu n'est perçu qu'en vertu
du sens ou de la valeur qu'il offre à l'organisme, ce qui
signifie qu'il n'est pas tant saisi en lui-même que
comme aspect d'une situation qui « parle » à cet organisme. Ainsi, la distinction entre sensation et perception est dépourvue de pertinence ; il n'y a que des
perceptions — unités de sens irréductibles à des collections d'atomes sensibles — et des degrés de
complexité au sein de ces perceptions. Seulement,
cette notion de sensation fausse toute l'analyse de la
perception. L'empiriste doit bien reconnaître, lui
aussi, que nous rencontrons des objets et dépassons le
donné impressionnel ; il doit donc admettre que les
sensations présentes évoquent des sensations absentes,
c'est-à-dire construire une théorie de l'association,
dont Merleau-Ponty montre clairement les impasses[1].

Ce sont ces difficultés que l'approche intellectualiste vise à surmonter. L'objet est irréductible à une
collection de sensations, l'un d'un autre ordre que le

___

1. Sur la sensation, *cf.* p. 9-33 et 240-280.

multiple : l'identité de l'objet est donc celle d'une
signification, corrélative d'un acte de synthèse. Mais
il est clair que cette analyse ne dépasse l'empirisme
qu'en apparence, car elle vit du préjugé de la sensation : le jugement est en effet introduit comme ce
qui manque à la sensation pour se muer en perception, comme la source de l'unité requise pour surmonter la multiplicité des sensations. Or, s'il est vrai
qu'il y a une unité du perçu, que nous percevons des
choses plutôt que des contenus sensibles, il est vrai
aussi — et pour cette raison même — que cette unité
n'est pas posée, ne procède pas d'un acte intellectuel
autonome, qu'elle transparaît dans la texture sensible
comme en filigrane et n'est donc pas distincte de la
diversité qu'elle unifie : si la sensation est toujours
déjà un aspect de l'objet, celui-ci ne saurait alors être
posé à part du sensible. Ce citron qui est là devant
moi n'est pas un jaune, plus un goût acide, plus un
aspect granuleux, etc., coordonnés par un concept.
Le jaune est d'emblée jaune-citron — c'est pourquoi
on parlera de son « acidité » — c'est-à-dire jaune de
ce citron, présence même du citron : aucun acte de
synthèse n'est requis, car celle-ci a déjà eu lieu, en
quelque sorte passivement, à même le sensible.

Préjugé commun au réalisme et à l'intellectualisme, la sensation est le produit d'une abstraction,
l'œuvre d'une conscience adulte et rationnelle : elle
n'est pas au commencement, mais à la fin. Penser la
perception à partir de la sensation, c'est confondre
l'univers de la science et celui de l'expérience ; dans
le préjugé de la sensation se manifeste la conviction
naturaliste selon laquelle le réel doit être conçu
comme une nature subsistant en soi, déployée dans
l'extériorité, déterminable de part en part et régie par
des relations nécessaires. Il est vrai que l'intellectualisme, plus lucide, double cette nature d'une
conscience transcendantale, mais elle demeure néanmoins l'objet sans équivoque du regard scientifique.
C'est ce préjugé qu'il s'agit finalement de déraciner
si l'on veut avoir accès au champ phénoménal, et

cela sans répit, puisqu'il prend sa source au cœur
même de la vie perceptive : fascinée par l'objet
qu'elle dévoile, elle tend à le poser comme partie
d'une nature en soi accessible à tous[1].

La *Phénoménologie de la perception* comporte trois
parties principales, qui ne doivent pas être situées sur
le même plan. Les deux premières décrivent, selon
toutes leurs dimensions, le corps et le monde perçu
auquel il donne accès : ces deux moments s'articulent
comme le versant « sujet » et le versant « objet » de
l'expérience. La dernière partie tente au contraire de
mesurer les implications philosophiques de ces descriptions en interrogeant l'être de l'être-au-monde. Il
faut noter que les deux premières parties suivent un
ordre qui va de la nature au monde humain et culturel. S'il est celui de la tradition, cet ordre n'est sans
doute pas celui de l'expérience. Comme le note Merleau-Ponty à plusieurs reprises, notre expérience est
d'abord celle d'un monde humain, en un sens à la fois
chronologique (l'enfant perçoit d'abord les autres) et
ontologique. Tout au long de la *Phénoménologie de la
perception* transparaît la certitude que l'expérience des
autres et des objets culturels nous fournit le modèle de
la perception naturelle, loin que celle-ci soit en
quelque sorte l'infrastructure sur laquelle s'édifierait
l'expérience d'un monde humain. Plus généralement,
il faut noter que l'organisation de ces deux premières
parties est affectée d'une double abstraction — abstraction nécessaire, puisque, pour dépasser la pensée
objective, il faut d'abord respecter les divisions qui
sont les siennes. D'une part, le corps et le monde
perçu sont en vérité deux moments d'une structure
unique : l'être-au-monde qui fait l'objet de la troisième partie. D'autre part, la distinction qui est opérée
entre les sensations, l'espace et la chose, voire entre la
chose et autrui, n'a pas de répondant dans l'expérience : la sensation, on l'a vu, renvoie à la chose
même, qui est une certaine manière d'occuper l'es-

1. *Cf.* p. 64-77.

pace, un certain style de présence, comparable en cela au mode d'apparition d'autrui[1].

La *Phénoménologie de la perception* peut-être caractérisée comme une tentative de prendre la mesure de l'originalité du corps propre. En effet, une interrogation portant sur le rapport de la conscience et de la nature rencontre inévitablement le problème du corps : il est la condition de l'apparition d'un monde sensible et, en même temps, objet de ce monde ; aptitude à sentir et objet senti. Cette ambiguïté du corps propre n'échappait certes pas à la description psychologique, qui en soulignait l'étrangeté. Mon corps est « avec » moi, de mon côté — je ne peux m'en détacher et en faire le tour — et, cependant, il n'est pas moi : il empiète sur le monde objectif et apparaît devant moi, au moins pour certaines parties de lui-même. De même, cette main gauche que je touche comme un objet s'avère être en même temps sensible à sa surface ; les rôles du sentant et du senti se brouillent en elle, le corps apparaît comme un « objet subjectif ». Le tort de la psychologie était seulement de voir là des perceptions aberrantes, au lieu d'y reconnaître l'indice d'une essence[2].

Or c'est bien ce que confirme la longue analyse que Merleau-Ponty consacre à la motricité. L'étude du comportement avait révélé son originalité vis-à-vis de la réaction mécanique comme de l'intention expresse. Dans la *Phénoménologie de la perception,* ces conclusions sont approfondies et confrontées à notre expérience, telle celle, par exemple, d'un geste s'emparant d'un objet. Faut-il dire que le sujet se représente le parcours à exécuter et que la représentation du mouvement détermine le déplacement objectif de la main ? Il est clair — l'étude des pathologies motrices le confirme — que la représentation du mouvement n'est ni nécessaire ni suffisante pour que le mouvement se produise effectivement. C'est bien le corps

1. Par exemple, p. 216, 247, 255, 318, 370.
2. *Cf.* p. 106-113.

lui-même qui se saisit de l'objet, se porte vers lui en un geste orienté et adapté, sans qu'il soit accompagné pour autant d'une représentation ; la main est à son but, le connaît à sa façon, d'une connaissance qui n'est pas distincte de l'accomplissement effectif du mouvement. Ainsi, le corps n'est pas objet puisqu'il se meut, possède le monde à sa façon, mais il ne se confond pourtant pas avec la conscience : sa vie demeure « anonyme », « prépersonnelle ». En tant qu'il est jeté hors de soi, investit l'espace, en tant qu'il est un « je peux » plutôt qu'un « je pense », le corps délivre la signification véritable de l'intentionnalité, et le sens qu'il fait naître doit par conséquent être saisi à la fois comme signification et comme direction, ou plutôt en une acception antérieure à cette distinction[1].

La longue analyse que Merleau-Ponty consacre au corps propre lui permet d'introduire — à la suite de Heidegger, mais très différemment — la notion d'être-au-monde, qu'il appelle aussi existence, dont le corps phénoménal est le vecteur et le corps objectif la trace[2]. Ainsi peut être fondée la critique de la sensation et mise en évidence, en particulier dans le chapitre intitulé « Le corps comme être sexué », l'unité profonde de la perception, de la motricité et de l'affectivité. Offert à un corps vivant, le monde se donne d'emblée selon une signification affective, dont l'appréhension ne se distingue pas du mouvement que cette signification suscite : la flamme qui a brûlé une première fois l'enfant sera d'emblée saisie comme repoussante, et cette saisie elle-même se confondra avec le mouvement effectif de recul.

La seconde partie de l'ouvrage décrit le monde perçu qui correspond à l'existence corporelle : la théorie du corps est une théorie implicite de la perception. En effet, en tant que corrélat d'une intentionnalité conçue comme être-au-monde, l'espace ne saurait être confondu avec l'étendue géométrique : il est

1. *Cf.* p. 160-172.
2. Pour une caractérisation de l'être-au-monde, *cf.*, par exemple, p. 92-101.

le lieu que le corps habite, l'amplitude de sa prise sur le monde. De même, puisque l'existence corporelle consiste en une adhésion globale au monde, il va de soi que la sensation n'est que la plus simple des perceptions, et la perception une modalité de la présence du monde lui-même. Cependant, l'un des mérites essentiels de cette analyse de la perception à partir de l'être-au-monde corporel est de nous permettre de comprendre l'expérience d'autrui. Le dualisme de la pensée objective, qui faisait de l'expérience d'une autre conscience un paradoxe insurmontable — comment une conscience, dont l'être consiste à être pour soi, peut-elle être pour moi, c'est-à-dire figurer parmi les objets ? — se trouve dissous par cette phénoménologie du corps propre. Parce qu'elle est corrélative d'une vie corporelle et non d'un acte intellectuel, la présence de la chose n'abolit pas la transcendance du sensible en lequel elle paraît : le monde peut donc être offert à une autre conscience que la mienne. D'autre part, puisque ma conscience est incarnée, d'autres corps peuvent manifester une conscience : distinct d'une pure conscience immanente, l'être-au-monde peut également être saisi de l'extérieur, autrui être présent en personne dans ses comportements.

Une question s'impose, au terme de cette longue description : comment concilier la conscience de soi, qui est à la racine de toute expérience, avec le caractère impersonnel ou anonyme de la vie corporelle qui sous-tend cette expérience ? Quel sens cela peut-il avoir de qualifier de « pour soi » un être dont l'être consiste à être hors de soi ? Autrement dit, si la perception est l'être-à-la-chose par l'intermédiaire du corps, ne vient-elle pas « s'écraser » sur son objet, cessant par là même de percevoir ? La réponse de Merleau-Ponty, qui fait l'objet de la troisième partie de l'ouvrage, se développe à deux niveaux. Tout d'abord, l'objection elle-même repose sur une interprétation restrictive du *cogito* comme possession ou pensée de soi plutôt que présence à soi : comprise comme immanence pure, la conscience fait assurément alternative avec l'ouverture au monde. Mais sous ce *cogito, cogito* pensé, objectivé par le langage, il faut reconnaître, selon Merleau-Ponty, un *cogito* tacite, qui donne le sens véritable du « je pense » cartésien et correspond précisément au mode de conscience propre à l'être-au-monde. Là encore, il s'agit de faire valoir les réquisits de l'expérience contre les préjugés théoriques. Il est vrai que la conscience est consciente d'elle-même, sans quoi rien ne paraîtrait ; mais il est tout aussi vrai qu'elle est investie, dépossédée par le monde : sa présence à soi est donc tout autant absence de soi, et elle ne s'atteint pour ainsi dire qu'à distance, dans une sorte d'ambiguïté ou d'obscurité, plutôt qu'elle ne se possède. L'épaisseur du monde, qui sépare la conscience d'elle-même, est aussi ce qui lui permet de se saisir[1].

Il reste que la question peut être répétée pour la conscience elle-même. Comment, précisément, une conscience peut-elle être présente à soi tout en demeurant absente de soi ? Que peut bien signifier une coïncidence à distance ? Comment la transcendance de l'existence peut-elle ne pas compromettre l'immanence de la conscience, c'est-à-dire finalement : quel est l'être de l'être-au-monde ? La réponse réside dans le chapitre consacré à la temporalité, qui est la clé de voûte de la *Phénoménologie de la perception*. En effet, la question demeure insoluble tant que l'on pense l'Être comme présence, et l'expérience comme coïncidence. Or il faut, selon Merleau-Ponty, concevoir le temps comme la mesure de l'Être et déterminer la subjectivité comme temporalité. Au sein du temps, la présence et la non-présence, l'immanence et la transcendance cessent d'être contradictoires, puisque le propre du présent est de passer dans l'absence et le propre de l'avenir, qui n'est pas encore, d'être déjà là. Ressaisie du point de vue de la temporalité, la présence à soi peut être absence de

---

1. *Cf.*, outre le chapitre consacré au *cogito*, p. 337-344.

soi et la possession dépossession, dès lors que l'être du présent est précisément de passer. Ainsi, le monde se présente à la conscience, mais, en tant qu'elle est temporelle, cette présence glisse vers ses horizons de passé et d'avenir et est donc identiquement non-présence : la transcendance du monde est bien préservée en son immanence même. Parce qu'elle n'est autre que celle du temps, la transcendance du monde ne contredit pas sa manifestation[1].

*
* *

Au projet mis en œuvre dans la *Phénoménologie de la perception* correspond un sens neuf de la réflexion. Celle-ci ne consiste pas à rejoindre un sujet transcendantal autonome constituant le monde de part en part. Au contraire, comme l'écrit Merleau-Ponty, « la réflexion n'est vraiment réflexion que si elle ne s'emporte pas hors d'elle-même, se connaît comme réflexion sur un irréfléchi, et par conséquent comme un changement de structure de notre existence[2] ». Le premier travail de la réflexion doit donc être de se tourner vers le sol où elle prend naissance afin de tenter de le dire. Cette tentative a pu être dénoncée comme contradictoire : la réflexion, qui passe par le langage, met inévitablement à distance l'irréfléchi, qui ne pourrait alors être atteint que dans une perception silencieuse ; une philosophie de la perception ne serait conséquente qu'à la condition de se détruire comme philosophie. Mais ce serait confondre la perception avec l'intuition bergsonienne — en sa version naïve —, le monde perçu avec une réalité positive qu'il suffirait de rejoindre en son lieu. Or Merleau-Ponty remarque à plusieurs reprises que si la réflexion doit être réflexion sur un irréfléchi, l'irréfléchi ne commence d'exister comme tel que par la

1. *Cf.*, outre le chapitre sur la temporalité, p. 274-278 et 381-385.
2. *Phénoménologie de la perception*, p. 76.

réflexion : la reconnaissance d'un pur vécu exige la médiation de la parole[1].

Il n'en reste pas moins que la *Phénoménologie de la perception* prêtait le flanc à cette critique dès lors qu'elle développait une démarche régressive, « archéologique », consistant à dévoiler le monde perçu à rebours des déformations que lui fait subir la pensée objective. La question de la possibilité de la pensée proprement dite, en tant qu'elle atteint des idéalités et prétend à l'universalité, et par conséquent de son propre discours, n'y est guère évoquée par Merleau-Ponty. Il consacre bien un chapitre au langage, mais c'est pour affirmer son enracinement corporel et mettre en évidence une signification immanente à la parole, conquise en son dynamisme même, d'ordre émotionnel plutôt que conceptuel. Or le problème de la raison et de la vérité est essentiel, puisque l'enjeu en est la possibilité d'une réflexion phénoménologique thématisant l'irréfléchi, ce qui met finalement en question le statut de l'irréfléchi lui-même en tant qu'irréfléchi pour la réflexion. La difficulté s'impose très vite à Merleau-Ponty : « Or, si maintenant nous considérons, au-dessus du perçu, le champ de la connaissance proprement dite, où l'esprit veut posséder le vrai, définir lui-même des objets et accéder ainsi à un savoir universel et délié des particularités de notre situation, l'ordre du perçu ne fait-il pas figure de simple apparence, et l'entendement pur n'est-il pas une nouvelle source de connaissance en regard de laquelle notre familiarité perceptive avec le monde n'est qu'une ébauche informe[2] ? » Il faut montrer que les descriptions de la *Phénoménologie de la perception* expriment la situation définitive de l'homme et l'être même de ce qui est, qu'elles ont une signification ontologique et pas seulement psychologique, que, dès lors, la connaissance s'enracine dans la vie incarnée et prolonge la perception plutôt qu'elle ne l'annule.

1. Par exemple, p. 76 et 388.
2. « Un inédit de Merleau-Ponty », dans *Revue de métaphysique et de morale*, n° 67, 1962, p. 405.

C'est pourquoi Merleau-Ponty oriente très vite ses recherches sur l'intersubjectivité et la vérité, ce qui le conduit à mettre au premier plan la question du langage. Le problème de la vérité devra être traité complètement — écrit Merleau-Ponty en 1953 — dans un livre qui doit s'intituler *L'Origine de la vérité,* mais il est abordé dans un ouvrage en cours de rédaction qui traite de l'expression littéraire. Cet ouvrage, dont la partie rédigée fut publiée par Claude Lefort en 1969 sous le titre de *La Prose du monde,* fut abandonné par Merleau-Ponty au cours des années 50 au profit de cette *Origine de la vérité* qui allait devenir *Le Visible et l'Invisible.* Or, comme le montre bien Claude Lefort dans son *Avertissement,* s'il est probable que le développement du projet consacré à l'origine de la vérité vint concurrencer le livre en cours, il est tout aussi probable que ce sont les difficultés rencontrées dans l'élaboration de ce livre qui motivèrent une reprise plus radicale et, par conséquent, une remise en cause de la *Phénoménologie de la perception* dont s'était d'abord revendiqué le nouveau projet. *La Phénoménologie de la perception* s'exposait en effet à une autre critique. Rythmée par une dénonciation symétrique de l'intellectualisme et du réalisme, cette œuvre se situait par là même sur le terrain de ces deux traditions et héritait de leur mode de conceptualisation. Une tension se manifestait alors entre les résultats de l'enquête et les catégories à travers lesquelles ils étaient réfléchis : Merleau-Ponty recourait aux notions de sujet et d'objet, de *cogito* et de nature pour qualifier une phénoménalité qui déjouait manifestement ces oppositions. Le corps, en particulier, était en même temps mis en avant comme une réalité irréductible, originaire, et subordonné à la conscience, puisque thématisé comme le moyen pour elle d'avoir un monde[1].

Le fragment qui nous reste de l'ouvrage intitulé *Le Visible et l'Invisible* est le terme de cette longue maturation et, en cela, l'accomplissement du projet philo-

---

1. Par exemple, p. 161 et 169.

sophique dont la *Phénoménologie de la perception* n'était finalement qu'une étape. Il se situe ainsi au point de convergence de trois exigences articulées : donner une signification ontologique aux résultats de la *Phénoménologie de la perception,* c'est-à-dire penser l'incarnation comme impliquée par l'être même de la phénoménalité plutôt que comme un caractère de la conscience ; rendre compte, téléologiquement, de la possibilité de la connaissance et, singulièrement, de la réflexion philosophique, c'est-à-dire comprendre l'irréfléchi de telle sorte qu'il puisse donner lieu à la réflexion ; refondre la conceptualité philosophique en renonçant au vocabulaire du dualisme et, en particulier, au point de vue de la conscience. Pour l'essentiel, la partie rédigée constitue une introduction à l'œuvre, centrée sur le sens de l'interrogation philosophique ; cette partie est essentiellement critique. À cela s'ajoute le chapitre final, intitulé « L'entrelacs le chiasme », qui apparaît comme une esquisse positive et dont le statut demeure indéterminé : on peut difficilement l'intégrer à ce qui précède, sans pouvoir néanmoins en faire un premier chapitre de l'œuvre, puisque toutes les « couches » de l'expérience y sont, rapidement, évoquées.

Le Visible et l'Invisible s'ouvre sur une description de l'attitude naturelle, que Merleau-Ponty caractérise comme « foi perceptive ». J'ai la double conviction que j'aperçois le monde même et que, cependant, cette perception est mienne, se fait en moi. Or, autant ces deux convictions coexistent sans peine dans la vie naïve, autant elles se contredisent dès l'instant où elles sont énoncées en thèses. Toutefois, alors que la contradiction était auparavant surmontée par une phénoménologie de la temporalité, Merleau-Ponty accuse ici la difficulté. À vrai dire, il n'y a de contradiction que pour une certaine tradition de pensée qui commence par distinguer l'en-soi et le pour-soi, le sujet et l'objet. Aussi le but de Merleau-Ponty est-il de dévoiler un sens d'être du monde tel que ces deux dimensions de la foi perceptive deviennent conciliables et s'appellent même mutuellement au lieu de s'opposer, c'est-à-dire de penser cette foi perceptive. L'approche ontologique ne signifie rien d'autre pour lui que l'exigence d'aborder l'expérience sans préjugés : les traits de cette expérience expriment le sens d'être du monde plutôt que la complexion du sujet humain. Or une telle exigence appelle bien une refonte radicale de la conceptualité philosophique traditionnelle et, par conséquent, une critique radicale qui consistera à montrer que, dans chaque cas, la réflexion philosophique outrepasse ses droits, méconnaît sa situation véritable, à savoir son irréductible appartenance à l'Être qu'elle questionne : elle prétend le posséder en transparence alors que, capable de s'en détacher, elle ne peut cependant jamais en résorber totalement l'opacité. Cela revient à dire, pour Merleau-Ponty, que la réflexion philosophique tend à négliger sa propre dimension interrogative, à ne pas prendre la mesure de ce que signifie une interrogation. Celle-ci dépasse certes le donné, ouvre l'horizon d'une réponse, d'un sens, mais aucune réponse ne vient jamais la clôre, aucun sens ne peut résorber l'épaisseur du donné : la question n'y est pas l'invocation d'une positivité en droit accessible[1]. Ainsi, en un mouvement qui peut rappeler la démarche de Heidegger dans *Être et Temps*, Merleau-Ponty détermine le sens d'être de ce qui est à partir de l'essence interrogative du discours philosophique qui le vise : l'irréfléchi est caractérisé à partir du comportement qui le fait paraître, à savoir de la réflexion. Mais l'attitude philosophique n'est finalement qu'un témoin privilégié de notre rapport général à l'Être : l'interrogation n'est pas un mode du discours mais un « organe ontologique[2] », l'interrogatif en vient à désigner le sens d'être de l'Être, en deçà de l'affirmation et de la négation.

Le premier chapitre, consacré à la réflexion, reprend la critique de la pensée objective déjà élaborée dans les œuvres précédentes : l'attitude réflexive se

1. *Cf.* p. 160-171.
2. *Le Visible et l'Invisible*, p. 162.

projette par avance dans l'irréfléchi, passe sous silence le fait qu'elle a commencé, qu'elle est inscrite dans une transcendance qui déchire son œuvre d'intériorisation. En revanche, la longue critique de la philosophie dialectique, qui fait l'objet du second chapitre, témoigne d'une préoccupation plus récente et permet notamment à Merleau-Ponty de clarifier sa position vis-à-vis de la pensée de Sartre. Celle-ci est caractérisée par un porte-à-faux : d'un côté, elle prend la mesure de ce qui est impliqué par l'expérience et, en particulier, de la nécessité de dépasser l'alternative de l'intériorité et de l'extériorité ; mais, de l'autre, elle reconstitue l'expérience de manière abstraite et essentialiste, en déduisant l'unité de l'Être et du néant de leur opposition absolue. C'est pourquoi la philosophie de Sartre est à la fois au plus près et au plus loin de l'expérience. Or, selon Merleau-Ponty, cette limite est celle de toute philosophie dialectique. Hegel lui-même affirme l'identité de l'Absolu et du mouvement de la manifestation, découvrant ainsi l'enracinement essentiel du penser et, par conséquent, l'unité de la transcendance et de la phénoménalité, mais il thématise ce mouvement, en explicite la loi et le suspend à un *Telos* (terme vers lequel tend un processus et dont l'accomplissement dépend de ce processus), rejoignant finalement ainsi la position de surplomb que nombre de ses analyses démentent.

Le chapitre le plus décisif de cette partie critique est le troisième, qui tient véritablement lieu de transition avec l'exposé positif. Centré sur l'intuition, il concerne à la fois la phénoménologie husserlienne, vis-à-vis de laquelle Merleau-Ponty clarifie définitivement sa position, et la philosophie de Bergson, avec laquelle Merleau-Ponty a toujours poursuivi un débat serré. Mais, par-delà ces auteurs, c'est la racine même de toute pensée objective que Merleau-Ponty atteint ici. Cette pensée, qui inclut pour Merleau-Ponty l'essentiel de la tradition occidentale, est caractérisée par une conception intuitionniste de la connaissance, une approche positiviste de l'Être et une cécité à l'égard de la parole. Qu'elle soit conçue comme fusion réelle avec l'objet ou comme adéquation intellectuelle, la connaissance est comprise comme coïncidence, obturation du regard, possession sans reste de l'objet. Corrélativement, l'objet est déterminé comme ce que l'intuition saisit, c'est-à-dire comme positivité : qu'il soit pur fait ou pure essence, l'objet exclut toute indétermination, a la netteté de la chose physique. La dimension négative de l'Être, non-étant, est ignorée. Or, ces deux attitudes ont en commun leur méconnaissance du statut de la parole. La philosophie de l'essence pèche par excès de confiance en la parole, puisqu'elle se donne d'emblée la signification énoncée en négligeant la genèse linguistique du sens ; mais la philosophie réaliste pèche par excès de défiance : elle s'installe dans le silence des choses et refuse toute médiation. L'une résorbe l'irréfléchi dans la réflexion, mais l'autre ne voit pas que l'irréfléchi n'est atteint que par la réflexion. Ces perspectives ont finalement en commun une incapacité à penser l'appartenance autrement qu'en termes de rapports objectifs entre une conscience et un monde, que le sujet soit réellement situé dans le monde et ne puisse que fusionner avec lui ou qu'il échappe à toute localité afin de le penser de part en part.

L'enchaînement de ces moments critiques délivre un axe de lecture du dernier chapitre du *Visible et l'Invisible*. Le point de départ doit en effet résider dans une véritable prise de conscience de notre appartenance, qui ne saurait être conçue en termes d'inclusion objective entre un sujet et un monde, puisqu'elle est plutôt le phénomène premier dont procèdent sujet et monde. C'est cette appartenance essentielle, impliquée par la phénoménalité même du monde plutôt que par une chute de la conscience dans l'extériorité, que Merleau-Ponty thématise à travers le concept de chair. Celle-ci ne désigne pas seulement le corps propre, mais bien le mode d'être de l'Être paraissant, dont le corps propre est l'éminente attestation. Celui-ci ne saurait en effet être réduit à l'unité mystérieuse d'une conscience et d'un fragment d'étendue :

Le Visible et l'Invisible doit au contraire être compris comme une tentative de prendre la mesure de l'originalité de ce corps propre, d'en faire un témoin ontologique. Merleau-Ponty nomme « chair » l'élément où se fonde la parenté originaire de l'homme et du monde, l'inscription réciproque du monde — en tant que phénomène – au registre de la subjectivité et de celle-ci — en tant qu'incarnée — au registre du monde. La chair qualifie l'Événement originaire par lequel le monde se fait paraissant, tandis qu'un corps en son sein devient percevant, cette part naturelle de l'esprit qui se confond avec la part spirituelle de la nature. Il suit de là que le monde ne paraît que dans un retrait ou une distance qui ne sont pas un empêchement pour l'expérience, mais bien sa condition. L'incarnation, qui m'interdit la possession du monde en m'inscrivant en son sein, est en même temps ce qui me permet de le saisir : c'est en se faisant monde que ma chair peut le faire paraître. Et ceci vaut tout particulièrement pour la parole, dont la méditation guide vraisemblablement Merleau-Ponty tout au long de cette œuvre : il n'y a de signification que produite par un geste d'expression, inscrite en filigrane au cœur de mots qui sont d'abord proférés. Dès lors, paraissant nécessairement à distance, le monde échappe à la pleine positivité de l'essence ou de l'objet : il y a quelque chose, mais cet « il y a » ne peut être épuisé par un inventaire de ce qu'il y a ; la présence implicite ou tacite du monde n'atteint jamais la transparence de l'objet. C'est ce que veut dire Merleau-Ponty lorsqu'il évoque un invisible au cœur du visible, qui n'en serait pas la négation mais la condition de visibilité. Ainsi, l'opposition de l'être et du paraître, du fait et du sens, est surmontée au profit d'un monde conçu comme visibilité intrinsèque, sensible en soi, d'une nature qui, expressive de part en part, est déjà parole.

On ne peut que regretter l'inachèvement d'une œuvre qui promettait d'être un événement majeur. Mais on découvre finalement, en lisant de près *Le Visible et l'Invisible,* ainsi que les notes de travail qui l'accompagnent, que, philosophiquement, cet événement a bien eu lieu, et que nous n'avons pas fini d'épuiser la tradition qu'il institue.

Renaud BARBARAS

BIBLIOGRAPHIE

ÉDITIONS DE RÉFÉRENCE : *Les Aventures de la dialectique*, Paris, Gallimard, 1955. *Éloge de la philosophie*, Paris, Gallimard, 1953. *Humanisme et terreur*, Paris, Gallimard, 1947. *L'Œil et l'esprit*, Paris, Gallimard, 1964. *Phénoménologie de la perception*, Paris, Gallimard, 1945. *La Prose du monde*, texte établi et présenté par C. LEFORT, Paris, Gallimard, 1969. *Sens et non-sens*, Paris, Nagel, 1948. *Signes*, Paris, Gallimard, 1960. *La Structure du comportement*, Paris, PUF, 1942. *Le Visible et l'Invisible*, suivi de notes de travail, texte établi par C. LEFORT, Paris, Gallimard, 1964.

COMMENTAIRES : A. De WAELHENS, *Une philosophie de l'ambiguïté. L'existentialisme de Merleau-Ponty*, Louvain, Nauwelaerts, 1951. G. B. MADISON, *La Phénoménologie de Merleau-Ponty. Une recherche des limites de la conscience*, Paris, Klincksieck, 1973. R. BARBARAS, *De l'être du phénomène. Sur l'ontologie de Merleau-Ponty*, Grenoble, Millon, 1991.

MONTAIGNE

Essais

En 1580, Michel de Montaigne publie à Bordeaux un ouvrage en deux volumes dont le titre représente une nouveauté. Un genre littéraire est né : dans leur première édition *Les Essais de Michel de Montaigne* comportent 94 chapitres rassemblés sous des titres aussi divers que « Des menteurs », « Des cannibales », « Du dormir », ou encore « Des pouces », « De la gloire » et « De trois bonnes femmes ». Un ensemble au premier abord disparate d'observations et de méditations personnelles qui néanmoins tendent toutes vers un même but : savoir mieux vivre et, afin de combattre l'oisiveté, s'essayer à « mettre en rolle » [par écrit] (I, 9, 70 /)[1] la diversité de ses jugements. Tout sujet est bon à réflexion : « Tout argument m'est egalement fertile. Je les prens sur une mouche » (III, 5, 91 //). Cette déclaration n'est pas une boutade, mais bien un mode de pensée. Le gentilhomme gascon se

1. Nous indiquons dans le texte entre parenthèses les numéros de livre et de chapitre ainsi que la pagination de l'édition suivie et la couche du texte. Nous possédons trois éditions qui marquent les couches successives des *Essais* : d'abord l'édition de 1580, qui comprend les deux premiers livres (texte écrit entre 1572 et 1580 et identifié par « / » dans l'édition GF-Flammarion), puis l'édition de 1588 augmentée de nombreuses additions et d'un troisième livre (texte écrit entre 1580 et 1588 et identifié par « // »), et enfin l'édition posthume publiée par Marie de Gournay en 1595 et qui inclut les « allongeails » rajoutés par Montaigne entre 1588 et 1592 (texte identifié par « /// »).

livre à toutes sortes de « commerces », aussi bien avec les hommes qu'avec les livres. Son regard erre sur ce qui est à sa portée, il ne privilégie jamais une chose sur une autre.

Montaigne rédige ses *Essais* à une époque où l'autorité des Anciens, pierre angulaire de l'Humanisme de la Renaissance, commence à faire problème. L'Humanisme est en crise ! Quand Montaigne se décide à écrire, tous ces beaux textes latins qui firent le bonheur des scolastiques sont en effet attaqués de toutes parts, et il est probable que si Montaigne avait écrit un siècle auparavant, il n'aurait été, comme bien d'autres, qu'un auteur de traité sans grand intérêt. Ce qui fait la force de Montaigne, c'est la période de trouble dans laquelle il compose ses *Essais*. L'Humanisme touche à sa fin et Montaigne représente une transition entre la scolastique et le rationalisme cartésien. Théoriquement, tout est possible ; les utopies et les sciences occultes connaissent par exemple un essor remarquable. Montaigne reste quant à lui indécis, il se retranche en lui-même et s'évertue à confronter son moi au reste du monde. Il évolue dans un monde divisé et instable qui est désormais perçu comme une « branloire perenne » (III, 2, 20 //).

Les idées de Copernic commencent à se répandre et l'édifice humaniste s'effrite un peu plus chaque jour. Imaginons Ptolémée et Aristote, véritables piliers de la civilisation occidentale pendant plus de quinze siècles, qui se mettent soudain à chanceler. Le cosmos prend une dimension nouvelle, on en connaît de moins en moins les limites. Montaigne est le témoin de son temps : « Ptolemeus, qui a esté un grand personnage, avoit establi les bornes de nostre monde ; tous les philosophes anciens ont pensé en tenir la mesure » (II, 12, 237 /). Et tout s'écroule en un instant. Alors qui croire ? Que savoir ? Deux questions qui reviennent comme un leitmotiv dans les *Essais*. La pensée de Montaigne est un constat, le constat de la faillite du monde des Anciens. Les guerres de Religion renforcent ce sentiment d'un monde qui a abandonné toute valeur humaine et morale. La politique entre dans l'ère du machiavélisme et le massacre de la Saint-Barthélemy en 1572 convainc bon nombre d'intellectuels que la société fonctionne désormais à partir de règles différentes. Tout reste à refaire !

Devant un tel chaos cosmogonique, politique et religieux, Montaigne abandonne très vite le projet d'atteindre une vérité ferme. Loin d'être un architecte comme le sera Descartes, il se réclame plutôt arpenteur et se plaît à prendre « la mesure d'un homme » (III, 13, 327 //). Le moment n'est d'ailleurs pas encore venu de proposer des solutions, il s'agit d'essayer de comprendre les variétés et vicissitudes des choses et des hommes. Montaigne dissèque sans se soucier de guérir, il ne referme jamais les plaies et choisit de les laisser béantes afin que d'autres puissent observer comme lui l'intérieur des choses : « J'ouvre les choses plus que je ne les descouvre » (II, 12, 167 ///).

L'expérience quotidienne correspond de moins en moins aux écrits d'Aristote, de Cicéron et penseurs de même farine. Dans l'avis « Au lecteur » qui précède ses *Essais*, Montaigne note d'emblée que son livre, contrairement à ceux des Anciens, est de « bonne foi ». Il déclare avoir réservé son ouvrage à ses proches pour qu'ils puissent le reconnaître quand il aura disparu. Il s'agit initialement d'offrir à ses parents et amis un livre qui serait en quelque sorte le véritable miroir de sa vie. Montaigne postule pour cette raison la consubstantialité entre l'auteur et le livre et ne laisse subsister aucune ambiguïté sur le sujet de ses réflexions : « Je suis moy-mesmes la matiere de mon livre » (« Au lecteur »). Les *Essais* sont pourtant loin d'être une autobiographie ; les actions et les événements qui jalonnent une vie comptent peu : « Ce ne sont mes gestes que j'escris, c'est moy, c'est mon essence » (II, 6, 50 ///).

Le lecteur devra cependant se méfier de ces belles phrases déclamatoires : Montaigne aime à se contredire, et il l'avoue avec une certaine malice. Ce livre bien personnel représente en effet l'aboutissement d'un long parcours mental et littéraire dont le résultat ne peut être que provisoire. C'est bien là un objet curieux, « le seul livre au monde de son espece » (II, 8, 56 ///).

Tout a commencé en 1563, quand son ami, Étienne de La Boétie, fut emporté par la maladie. Sur son lit de mort La Boétie lègue à Montaigne sa bibliothèque. Ce n'est que neuf ans plus tard, en 1572, que Montaigne se retire dans son château de Montaigne et commence à rédiger ses premiers commentaires sur les ouvrages qu'il compulse dans la pièce qu'il a aménagée en bibliothèque au troisième étage de sa tour. Ce ne sont au début que de simples réflexions morales ou centons (fragments empruntés à divers auteurs) notés en réaction à des passages qu'il lit chez les auteurs de l'Antiquité. Sa méthode d'écriture ne variera pourtant pas d'un iota durant les vingt années qu'il passera à écrire et réécrire ses *Essais*. Montaigne n'écrit jamais de façon linéaire, il écrit comme il pense, sans méthode et sans plan. De plus, pour lui, penser et écrire sont des activités essentielles à l'homme, au même titre que manger et dormir. Écrire, c'est en quelque sorte vivre. Seule sa mort en 1592 mettra un point final à la rédaction des *Essais*.

Montaigne déteste les modèles, il affirme l'originalité de ses expériences à chaque page. La postérité certes l'intéresse, mais uniquement parce qu'elle prolongera, par le truchement de son texte, l'image d'un homme qui se jette dans la vie à plein corps. Montaigne n'a pas de théorie de l'existence, seulement une pratique. D'après lui, les écoles philosophiques n'ont jamais duré pour la simple raison qu'elles avaient toutes un programme, un dogme à défendre. Montaigne est sa propre école, une école qui ne réclame aucun disciple. Cette conception de la vie qui accorde une place primordiale au corps et à l'instant présent est surtout visible dans la couche /// des *Essais* et surtout dans le chapitre « De l'expérience » (III, 13). Il n'en fut néanmoins pas toujours ainsi.

En effet, les premiers *Essais* reflètent une prétention philosophique, dans le sens traditionnel du terme. Il est vrai qu'entre 1572 et 1580 Montaigne se pique de rhétorique et a bien d'autres ambitions que de se peindre. Comme nous l'avons dit, ses *Essais* se présentent alors comme des leçons morales. Toutefois, Montaigne s'aperçoit bientôt qu'il n'a pas l'envergure d'un philosophe. Il a beau se « ronger les ongles à l'estude d'Aristote » (I, 26, 193 *l*), il ne comprend rien à « ce tintamarre de tant de cervelles philosophiques ! » (II, 12, 182 *lll*). Il avoue : « Mes conceptions et mon jugement ne marche qu'à tastons, chancelant, [...] d'une veuë trouble et en nuage, que je ne puis desmeler » (I, 26, 194 *l*) ; et encore : « Je ne suis pas capable de choisir, je pren le chois d'autruy » (II, 12, 235 *l*), « je les [les philosophes] trouve avoir raison chacun à son tour, quoy qu'ils se contrarient » (II, 12, 235 *l*), « mon jugement (...) flotte, il vague » (II, 12, 231 *ll*). Montaigne ne prendra conscience de son « échec » qu'après 1580 quand, dans son essai sur la vanité, il se résignera enfin : « Je ne suis pas philosophe » (III, 9, 164 *lll*). La page de la philosophie classique était alors définitivement tournée, il restait à Montaigne à réinventer la philosophie !

Pour écrire, pour penser, Montaigne a besoin d'un autre. Que cela soit l'ami disparu (La Boétie) qui lui sert d'interlocuteur, ses voisins paysans qui lui rappellent le bon sens, ou encore les Anciens qui encombrent les étagères de sa bibliothèque, et enfin, de façon plus sensuelle, les femmes, Montaigne se complaît à entretenir ce qu'il appelle des « commerces ». Ses *Essais* sont une suite de dialogues et d'échanges, il faut toujours les aborder comme une série d'interactions individuelles sans se préoccuper de chercher un dénominateur commun. Au lecteur de jouer le jeu et de reproduire ce mode de lecture. Comme on s'en rend vite compte, s'il existe un fil conducteur dans chaque essai, ce n'est souvent que de façon arbitraire. La méthode de Montaigne est à la fois simple et déroutante pour ceux qui sont habitués à penser de façon ordonnée : Montaigne ouvre un livre, ce livre lui parle, il lui répond dans la marge ou sur des feuillets. Voilà pourquoi on ne lit pas Montaigne, on le *pratique* et *s'essaie* soi-même devant cet autre (les *Essais*) qui nous permettra à notre tour de mettre notre jugement en mouvement.

Au fil du temps et des chapitres qu'il accumule, Montaigne confronte sa propre expérience à ses nombreuses lectures. Car aucune expérience au monde n'est plus utile et plus certaine que celles de Montaigne. Le sujet précartésien prend peu à peu confiance en lui-même et n'hésite pas à contredire les philosophes de l'Antiquité. Montaigne ne fait pas table rase, il s'amuse simplement à relever les contradictions et préfère noter les différences. L'auteur des *Essais* ne croit pas dans les vérités universelles ; plus il lit, plus il vit, plus il est convaincu que l'expérience et la coutume façonnent ce que nous appelons la vérité. Toute connaissance est avant tout un discours particulier sur l'existence et le monde : « Le vray miroir de nos discours est le cours de nos vies » (I, 26, 216 ///). Pour cette raison, Montaigne se passionne pour les vies des hommes illustres ; il accorde par exemple une place prépondérante aux écrits de Plutarque. L'histoire et la philosophie peuvent selon lui être réduites à des opinions qui l'ont emporté sur d'autres : « Nostre verité de maintenant, ce n'est pas ce qui est, mais ce qui se persuade à autruy » (II, 18, 327 /).

Quand on pense savoir quelque chose, d'autres exemples infirment ce que l'on vient de déclarer. Ce principe de perpétuel mouvement de la vérité se transforme bientôt en devise pour notre essayiste : le fameux « Que sçay-je ? » de Montaigne dépasse cependant la simple devise pyrrhonienne. Le doute des *Essais* est positif en soi dans la mesure où il permet de toujours chercher au-delà des vérités du moment. Voilà pourquoi Montaigne ne peut jamais se résoudre à boucler ses chapitres ; il y a toujours quelque chose de plus à dire. Montaigne ajoute donc sans cesse, même si ses additions ne vont pas toujours dans le sens des déclarations précédentes. L'essayiste est expert en comparaisons, il prend un malin plaisir à dresser des exemples les uns contre les autres. Par ce processus, il crée chez le lecteur habitué à l'esprit de système l'impression d'un texte rempli de digressions et de contradictions.

La contradiction n'est pourtant pas problématique chez Montaigne, elle forme au contraire la pierre de touche de sa philosophie. À partir de la fin de la Renaissance, on ne cherche plus les similitudes mais on expose les différences. Montaigne exploite ce principe de la différence qu'il arbore bientôt en fondement de son propre discours sur l'homme et le monde : « La ressemblance ne faict pas tant un comme la différence faict autre » (III, 13, 275 //). Montaigne déclare ailleurs que le « *Distingo* est le plus universel membre de ma Logique » (II, 1, 9 //). L'homme de la Renaissance a la particularité historique d'être rapiécé de mille lopins dont il est bien difficile de faire l'inventaire : « Nous sommes tous de lopins. (...) Et se trouve autant de différence de nous à nous mesmes, que de nous à autruy » (II, 1, 10-11 /) constate Montaigne. Ces lopins qui font l'homme n'ont pourtant pas d'ordre bien établi ; nulle évolution vers un être meilleur, simplement des expériences différentes qui se valent toutes : « Moy à cette heure et moy tantost, sommes bien deux ; mais, quand meilleur ? je n'en puis rien dire » (III, 9, 177 ///).

La méthode de Montaigne n'a rien de méthodique, elle est fondée sur la rencontre. La seule lecture possible des *Essais* n'est dès lors pas séquentielle mais fragmentée et fortuite. Montaigne ne se cherche jamais, il se rencontre tout simplement : « Je ne me trouve pas où je me cherche ; et me trouve plus par rencontre que par l'inquisition de mon jugement » (I, 10, 79 ///). L'auteur des *Essais* n'a effectivement pas de direction bien déterminée, il effectue des rencontres au hasard de ses lectures. Sa pensée elle-même change en fonction des situations qui s'offrent à lui. La forme naturelle de son esprit est ondoyante, flottante, voire décousue. Il serait alors absurde de la régler et de l'assujettir à une méthode raisonnée : « C'est un subject merveilleusement vain, divers et ondoyant, que l'homme. Il est malaisé d'y fonder jugement constant et uniforme » (I, 1, 41 /). Qui prétend s'intéresser à l'homme universel doit donc inévitablement adapter sa pensée à cette réalité empirique.

Comme on l'imagine, à partir d'une telle déclaration il devient dès lors impossible de concevoir une philosophie traditionnelle. La philosophie classique n'a d'ailleurs jamais su offrir une image satisfaisante du mouvement et du passage sur l'homme. Car l'homme est toujours au-delà de lui-même, quand il pense avoir trouvé une vérité il lui faut encore aller de l'avant. La pensée est donc nécessairement un mouvement perpétuel ; inutile de s'arrêter pour en faire le point. Pour Montaigne il ne s'agit plus de peindre l'être, mais plutôt le passage du temps sur l'être. Imaginons un projet philosophique à la fois novateur et impossible : la peinture du passage.

Montaigne choisit précisément de rendre compte de ce passage : « Je ne peints pas l'estre. Je peints le passage » (III, 2, 20 //). Sa métaphysique sera celle de l'instant qui s'écoule ; une philosophie non préméditée et fortuite, toute au service de la contingence. Mais que faut-il peindre ? En ces temps de vicissitude et de chaos, on pourrait en effet se poser la question de savoir ce qui reste de solide et de ferme. La réponse de Montaigne ne saurait être plus véhémente : le moi. Le moi répond effectivement à cette idée que Montaigne se fait d'un monde en perpétuel mouvement. Impossible à réifier, car lui-même toujours changeant, le moi ne peut être observé que dans ses multiples relations à autrui. En ce sens, l'écriture de Montaigne est un mouvement incertain vers un autre toujours différent. Montaigne est un impressionniste de la pensée, pourrait-on dire. Ce qui l'intéresse, ce ne sont pas les choses bien formées, mais le processus de formation lui-même.

Notre auteur refuse d'interpréter l'histoire de son temps. Les événements particuliers l'intéressent peu, à

moins que ceux-ci ne touchent directement son être.
Ce qu'il cherche, c'est la forme entière de l'humaine
condition, cette forme maîtresse qu'il trouvera finalement dans ses propres expériences : « Chaque
homme porte la forme entiere de l'humaine condition » (III, 2, 20 //). Il résout en fait, à sa façon, une de
ces grandes questions philosophiques de la Renaissance : le passage problématique du particulier à l'universel. Montaigne évacue la dichotomie particulier/
universel qui empêche ses contemporains de penser la
différence. Il réconcilie les extrêmes : l'universel est
visible dans le particulier, son moi se transformera en
autre pour ceux qui voudront à leur tour s'essayer aux
Essais. Bref, on trouvera l'universel *dans* le particulier.
La question du temps et de l'importance de certains
événements historiques est par la même occasion
réduite à l'unité temporelle que représente la journée :
« Et si vous avez vescu un jour, vous avez tout veu. Un
jour est égal à tous jours » (I, 20, 139 /). Si l'on peut
tout voir en un jour, il faudrait alors tout dire, tout
peindre, en un jour.

Si Montaigne fut donc un médiocre philosophe
(dans l'acception classique du terme), il n'en fut pas
moins un excellent peintre. Après avoir épuisé la philosophie et la morale sans grand succès, il se tourne
enfin vers ce qui lui reste : lui-même. La peinture du
moi lui apparaît soudain comme finalité. Montaigne
projette son regard sur la toile que sont les *Essais*.
Mais qu'y a-t-il entre cette toile et Montaigne ? Eh
bien, il y a son temps, dirons-nous ; c'est lui qui
modifie le moi. Le produit de cette époque, ce sont les
Essais, véritable hologramme où, en se déplaçant de
page en page, le lecteur perçoit toujours une image
différente de la précédente. Plus nous tournons autour
du moi montaignien, plus nous découvrons du nouveau ; l'image totale est impossible et insaisissable.
L'angle représente le piège de la lecture ! Pour Montaigne, il ne peut y avoir que du flou, car il n'y a rien
d'autre à peindre que ce passage désabusé entre deux
ordres du monde : l'ordre aristotélicien, qui s'écroule,

et l'ordre cartésien, qui se fait encore attendre. Cette peinture du passage est donc obligatoirement la peinture de l'incertitude et du doute. Une série de touches impressionnistes qui ne peuvent être perçues ou analysées individuellement.

Au fil des ans, Montaigne accorde une place toujours plus importante aux traits particuliers qui dénotent son moi. Il relègue bientôt les Anciens à l'arrière-plan. Il ne rejette cependant pas les citations qui encombrent déjà ses premiers *Essais*. Il va simplement les transformer en décorations qui serviront à embellir son œuvre à lui, Michel de Montaigne. Il s'explique à ce sujet : « Facheuse suffisance, qu'une suffisance pure livresque ! Je m'attens qu'elle serve d'ornement, non de fondement » (I, 26, 200 ///). Le mot est lâché : ornement. Quelle différence avec le début de la Renaissance ! Les humanistes du XVe et du début du XVIe siècle se servaient de leur écriture pour décorer les Anciens ; avec Montaigne, c'est l'inverse. Certes, les Anciens survivent, mais ils ne sont plus l'objet principal du regard, ils enjolivent simplement le texte des *Essais*. Comme partie du décor, ils pointent vers le discours de Montaigne ; ils donnent de la couleur et agrémentent une écriture qui leur échappe. Les Anciens se voient dérobés et malmenés par Montaigne qui ne cache nullement son impertinence : « Je ne compte pas mes emprunts, je les poise. (...) Je veux qu'ils donnent une nazarde à Plutarque sur mon nez, et qu'ils s'eschaudent à injurier Seneque en moy » (II, 10, 78-79 ///). Un Montaigne qui se réfugie derrière Plutarque et Sénèque, mais qui est tout de même prêt à les abandonner quand il le juge nécessaire : « Moy, je les ayme bien, mais je ne les adore pas » (II, 12, 105 /). Montaigne suit ses propres impressions.

La démarche de Montaigne fait penser aux peintres impressionnistes qui tentèrent de capturer le passage de la lumière sur les objets. La critique de type impressionniste, tout comme les *Essais* de Montaigne, ne se fonde que sur l'impression et récuse la possibilité de toute analyse objective. Dans le domaine artistique,

c'est exactement ce que tenteront de démontrer
Monet et Degas à la fin du XIXe siècle. Souvenons-
nous de Monet qui, en 1892, se met à peindre fréné-
tiquement le passage de la lumière sur la façade de la
cathédrale de Rouen : vingt toiles en une seule
journée. Cependant, quand ses esquisses furent expo-
sées à la galerie Durand-Ruel, en 1895, le grand critique de l'époque, Georges Leconte, se plaignit qu'il
n'y avait « pas assez de ciel », « pas assez de sol », et
George Moore, critique anglais, jugea pour sa part
que les toiles manquaient de perspective et de profondeur.

Opération bien vaine que la peinture du changement ! Le moi et la lumière se ressemblent en cela
qu'ils sont tous deux un rapport entre l'œil du peintre
et l'objet à peindre : seule l'imagination les sépare.
Pascal n'avait peut-être pas tout à fait tort de voir
dans cette peinture du moi un « sot projet ». Mais les
impressionnistes et Montaigne n'en sont pas moins
reconnus comme de grands peintres, car en peinture il
n'y a point d'échec, il y a toujours quelque chose qui
reste de cette interaction : une trace sur une toile ou
des mots sur une page. Ce qui compte, encore une
fois, c'est le regard ; c'est lui qui construit et décide du
passage. Tout est dans le regard et l'impression fugi-
tive de la chose. Comme le résume Montaigne, « il
n'importe pas seulement qu'on voye la chose, mais
comment on la voye » (I, 14, 108 /).

S'il existe une philosophie chez Montaigne, celle-ci
ne peut être que regard, fondée dans le présent avec la
possibilité toujours latente d'être infirmée par un nouveau regard projeté sur le même objet. Seule l'expérience momentanée peut rendre compte de cet objet
sans cesse mouvant. L'unique façon de suivre cet
objet, c'est alors d'accepter la possibilité d'une philosophie qui serait un mouvement perpétuel, non pas un
mouvement méthodique, mais bien un trajet non pré-
médité et fortuit qui vaudra comme méthode. Montaigne est clair sur ce point : « Nostre esprit est un util
vagabond, dangereux et temeraire : il est malaisé d'y

joindre l'ordre et la mesure » (II, 12, 224 /). La raison n'est elle-même qu'une apparence du discours, ou encore un morceau de cire que l'on peut allonger et déformer à son gré. Pour Montaigne, « les sens sont le commencement et la fin de l'humaine cognoissance » (II, 12, 253 /).

Il faut donc aborder les *Essais* comme une œuvre d'art, une peinture qui transcrit le désordre du monde et qui est, avant tout, un acquiescement du chaos scientifique et philosophique de la fin du XVIe siècle. Nous sommes confrontés à un texte dans son époque, une œuvre remplie de « vérités subreptices ». Montaigne ne propose aucune vérité ferme et universelle, sinon les siennes ; car, dans ce monde à cheval entre deux systèmes — aristotélicien et cartésien —, « les tesmoignages fabuleux, pourveu qu'ils soient possibles, y servent comme les vrais. Advenu ou non advenu, à Paris ou à Rome, à Jean ou à Pierre, c'est tousjours un tour de l'humaine capacité, duquel je suis utilement advisé par ce recit » (I, 21, 151 ///). Montaigne, le pinceau à la main, ne trouva rien d'autre à peindre que lui-même : « Je m'estudie plus qu'autre subject. C'est ma metaphisique, c'est ma phisique » (III, 13, 283 //).

Tout comme les impressionnistes du XIXe siècle, Montaigne est également persuadé que les choses sont un devenir et non pas une essence. Tel un Degas, il s'applique à projeter les formes successives que peut prendre un même objet en fonction du regard que l'on porte sur cette chose. Il peint des séries où réapparaissent les mêmes motifs, cela à des moments différents d'une vie. Bref, Montaigne s'essaie tout en sachant très bien qu'il ne réussira jamais à offrir une image définitive de son être et du monde.

Postulat montaignien : la fortuité ne suppose aucune recherche, simplement une rencontre par coïncidence, et les « découvertes » sont le résultat d'un parcours purement accidentel : « Je ne me trouve pas où je me cherche ; et me trouve plus par rencontre que par l'inquisition de mon jugement » (I, 10, 78 ///).

Si l'expérience représente toujours un danger pour la méthode, elle est par contre désirable dans un système échafaudé sur l'idée de contingence. Dans un tel système les expériences particulières ne peuvent être cumulées mais se remplacent par exclusion.

Montaigne nous oblige à l'introspection. Les 107 chapitres de ses *Essais* sont autant de points d'entrée possibles pour le lecteur qui voudra à son tour se servir de Montaigne pour s'essayer lui-même : « Le monde regarde tousjours vis à vis ; moy, je replie ma veue au dedans, je la plante, je l'amuse là. Chacun regarde devant soy ; moy, je regarde dedans moy : je n'ay affaire qu'à moy, je me considere sans cesse, je me contrerolle, je me gouste » (II, 17, 320 *l*). La toile offerte par Montaigne requiert un effort d'interprétation de la part du lecteur. Cet effort, comme on s'en doute, varie selon les époques. Ainsi, au XVIIe siècle, quand Pascal, Descartes et Malebranche contemplèrent cette toile, ils n'y virent que de simples traces incompréhensibles au milieu d'« ornements » démodés et à moitié disparus. Mais, évidemment, le biais et l'angle s'étaient considérablement modifiés. C'est là la force des *Essais :* chacun peut y trouver ce qu'il cherche, car tout est dans le regard.

Philippe DESAN

BIBLIOGRAPHIE

ÉDITION DE RÉFÉRENCE : *Essais,* éd. A. MICHA, Paris, GF-Flammarion nᵒˢ 210, 211, 212, 3 vol., 1969-1979.

COMMENTAIRES : H. FRIEDRICH, *Montaigne,* Paris, Gallimard, 1968. J. STAROBINSKI, *Montaigne en mouvement,* Paris, Gallimard, 1982. Ph. DESAN, *Les Commerces de Montaigne,* Paris, Nizet, 1993.

MONTESQUIEU

L'Esprit des lois

Serait-il impertinent de dire que Montesquieu, tant lu et tant étudié, reste un auteur énigmatique ? L'admiration et le respect n'ont jamais été marchandés, depuis sa publication en 1748, à *L'Esprit des lois,* mais à considérer tous ceux qui, depuis, l'ont commenté, on a l'impression que chacun a retenu de l'œuvre l'aspect qui convenait à ses préoccupations et à celles de son époque. Les révolutionnaires de 1789 ont vu en lui le théoricien de la séparation des pouvoirs, le positivisme du XIXe siècle a salué sa tentative d'introduire le déterminisme dans l'histoire humaine. Serait-il le père de la sociologie ? Mais alors, de quelle sociologie, l'« explicative » ou la « compréhensive » ? Serait-il le fondateur du libéralisme politique moderne, ou bien un idéologue réactionnaire et féodal ? Toutes ces interprétations, et bien d'autres encore, peuvent trouver des éléments de justification, mais elles nous présentent un Montesquieu tel qu'il aurait pu ou aurait dû être, à défaut de nous dire qui il a vraiment été.

Peut-être est-il en partie responsable des équivoques suscitées par son texte ? Selon lui, « pour écrire bien, il faut sauter les idées intermédiaires, assez pour n'être pas ennuyeux ; pas trop de peur de n'être pas entendu »[1]. Et parfois le lecteur, ébloui par la rapidité

1. *Mes pensées,* 802 (1444. II, fo 277), in *Œuvres complètes,* Pléiade, t. I, p. 1220.

du trait, par la densité de la formule, en arrive à croire que Montesquieu écrit effectivement trop bien. Mais ce serait là lui faire un mauvais procès, et dès sa *Préface*, il définit clairement ses intentions, et le postulat qui va soutenir toute son enquête : « J'ai d'abord examiné les hommes ; et j'ai cru que, dans cette infinie variété de lois et de mœurs, ils n'étaient pas uniquement conduits par leurs fantaisies[1]. » C'est la démarche inverse de celle de Rousseau, commençant par « écarter tous les faits » dès le début du *Discours sur l'origine de l'inégalité*. Les faits, l'« infinie variété de lois et de mœurs », Montesquieu veut au contraire les embrasser tous par la pensée, et son ambition est universelle et totalisante. Il pourrait, avec les juristes et les historiens du droit, se contenter d'étudier le *corpus* des lois positives, ou bien, avec les jusnaturalistes, énumérer les lois naturelles non écrites, dictées par Dieu ou par la raison. Il pourrait, avec les philosophes politiques, comparer les différentes constitutions ou poser la question de l'origine et de la légitimité de l'obligation politique. Il pourrait, à la lecture des récits des voyageurs, gloser sur l'étrangeté des coutumes qu'ils relatent et en tirer des conclusions de moraliste. Or, ce qu'il fait, c'est tout cela à la fois (ses lectures, accumulées pendant le « travail de vingt années », sont immenses), et c'est aussi quelque chose de tout autre, et d'encore plus ambitieux : « rendre raison » des lois, institutions, mœurs, et histoires des différents peuples de tous les temps et de tous les lieux, et pour cela dégager leur « esprit ».

L'« esprit des lois » : la formule est belle, mais vague. Les juristes savent depuis longtemps que derrière la lettre des lois il y a leur esprit. L'esprit des lois, c'est ce qui les fait être ce qu'elles sont, ce qui les anime, leur donne sens et intentionnalité. C'est leur essence, obtenue comme l'« esprit de vin » ou l'« esprit de sel », par une patiente distillation. C'est aussi ce qui leur donne leur style, leur « ton ».

1. *L'Esprit des lois*, Préface, t. I, p. 115.

Quelle méthode faudra-t-il suivre pour découvrir cet « esprit » ? Tout d'abord, on refusera les « préjugés », les positions théologiques, métaphysiques ou morales *a priori,* qui se placent au-dessus de l'expérience pour la juger et dire ce que devraient être les relations des hommes entre eux. Au nom de ce dogmatisme, le corps entier de l'histoire est disqualifié et n'a rien à nous apprendre, si ce n'est la folie de l'humanité déchue. Et le dogmatisme, comme toujours, fait le lit du scepticisme qui prend la forme d'un relativisme pour lequel les hommes sont « uniquement conduits par leurs fantaisies ». Or Montesquieu pense qu'il est possible de dépasser dogmatisme et scepticisme. La science physique moderne montre en effet que l'on peut parvenir à une vérité qui n'est pas fondée sur la métaphysique, mais sur l'expérience rationnellement analysée, permettant ainsi d'établir des « lois », c'est-à-dire des « rapports nécessaires résultant de la nature des choses[1] ». Pourquoi les choses humaines, les lois positives, les mœurs, les institutions, ne seraient-elles pas susceptibles d'être étudiées avec la même rigueur, ou, si c'est impossible (et nous verrons pourquoi il ne peut y avoir, au sens strict du terme, de Newton du monde humain), avec un degré de rationalité suffisant ? En d'autres termes, pourquoi ne pas essayer d'énoncer les « lois des lois », les lois scientifiques qui régissent les lois positives ?

Pour éviter les équivoques sur les différents sens du mot loi, le premier chapitre du livre esquisse une théorie générale des lois afin de donner à la recherche une assise métaphysique, ou, mieux, cosmique. Dans la « grande chaîne des êtres », plusieurs plans sont distingués, qui pourtant restent en contact. Il y a Dieu, la cause première, la « raison primitive » de tout ce qui est, qui a du rapport avec les êtres qu'il a créés. Du même coup, ces derniers ont entre eux des rapports qui ne sont que l'expression des rapports qu'ils ont avec leur créateur. Dieu a donc ses lois, qui sont

1. *Ibid.,* I, I, t. I, p. 123.

celles de la création et de la conservation du monde. Les lois du mouvement, étudiées par Galilée et Newton, sont invariables. Leur uniformité et leur constance assurent la conservation du monde physique. Il en va de même des lois du monde humain.

Ou plutôt, il devrait en aller de même. Car si le monde des hommes a ses lois, il s'en faut qu'elles soient aussi bien suivies que celles du monde physique. En plein âge newtonien, Montesquieu n'oublie pas la vieille distinction aristotélicienne entre le monde supralunaire, régi par des lois immuables, et le monde sublunaire, livré à la contingence. Les hommes, à l'intelligence limitée, n'obéissent qu'imparfaitement aux lois de la divinité. D'où l'impossibilité de fonder une « science » de l'homme à proprement parler. Montesquieu, on ne le remarque pas assez, n'a jamais prétendu être un « savant », mais seulement un « écrivain politique », et l'assurance qui l'habite (« Ce que je dis est confirmé par le corps entier de l'histoire, et est très conforme à la nature des choses[1] ») ne l'empêche pas d'être persuadé qu'en matière de politique et de morale on ne peut pas dire que « toujours » tel phénomène se produit quand telles conditions sont remplies : tout au plus peut-on énoncer, avec Aristote, qu'il se produit *ōs epi to polu,* « le plus souvent ».

Les lois, que les hommes n'ont pas faites, et auxquelles ils devraient obéir parfaitement s'ils étaient des « intelligences supérieures », sont des « vérités de raison » analytiquement déduites de la notion d'« être intelligent vivant en société ». Elles se réduisent en fait à l'idée d'« égalité humaine » et de « réciprocité », et, replacées dans le contexte cosmique, elles exercent une fonction de régulation et de conservation par rapport au monde humain qui, sans elles, ne subsisterait pas. Elles constituent les conditions *a priori* de toute existence sociale possible. Mais si les hommes, en tant qu'êtres physiques, obéissent aux lois du monde maté-

---

1. *L'Esprit des lois* III, III, t. 1, p. 144.

riel, et, en tant qu'animaux, aux lois du sentiment, en tant qu'êtres à l'intelligence bornée, « ils agissent par eux-mêmes », ils sont libres et « la liberté est en nous une imperfection[1] ». Ils violent sans cesse les lois que Dieu a établies pour eux, au risque d'aboutir à leur propre destruction. Mais la loi suprême de Dieu, qui est la conservation de ce qui a été créé, se manifeste sous la forme des lois de la religion, des lois de la morale, des lois politiques et civiles. Bien qu'imparfaites, ces lois ne sont donc pas le résultat de l'arbitraire humain, mais « ont du rapport » — un rapport plus ou moins lointain, à cause de la finitude humaine — avec la grande loi cosmique de conservation. Étudier l'« esprit des lois », c'est analyser le rapport que l'ensemble de ces lois, qui forment le droit des gens, le droit politique et le droit civil, et qui sont l'œuvre de la raison humaine, entretiennent avec la loi primitive de la raison divine.

Les différentes significations et extensions de la notion de loi ayant été définies, il reste à Montesquieu à mettre en œuvre, dans son exploration des lois et mœurs de tous les temps et de tous les pays, ces « principes » dont il a parlé dans sa Préface : « J'ai posé les principes ; et j'ai vu les cas particuliers s'y plier d'eux-mêmes, les histoires de toutes les nations n'en être que les suites, et chaque loi particulière liée avec une autre loi, ou dépendre d'une autre plus générale[2]. » Ces principes, il faut le souligner, il ne les expose jamais, il se contente de les mettre en œuvre tout au long de son livre, laissant à la postérité le soin de reconstruire son « épistémologie ». Allons tout de suite à l'essentiel. Il s'agit avant tout d'établir des liens. C'est la condition même de l'exercice de la pensée face à la variété infinie de son objet. La pensée doit lier les particularités du monde humain, comme elle le fait, avec la science, dans le monde physique. Mais ces liaisons ne sont pas causales (dans le sens

1. *Spicilège* (336), in *OC*, t. II, p. 1310.
2. *L'Esprit des lois*, Préface, t. I, p. 115.

d'une causalité transitive), comme dans la science de la nature, elles sont de convenance : « Il faut qu'elles [les lois politiques et civiles] se rapportent à la nature et au principe du gouvernement qui est établi ou qu'on veut établir ; soit qu'elles le forment, comme font les lois politiques, soit qu'elles le maintiennent, comme font les lois civiles. Elles doivent être relatives au physique du pays ; au climat glacé, brûlant, ou tempéré ; à la qualité du terrain, à sa situation, à sa grandeur ; au genre de vie des peuples, laboureurs, chasseurs, ou pasteurs : elles doivent se rapporter au degré de liberté que la Constitution peut souffrir, à la religion des habitants, à leurs inclinations, à leurs richesses, à leur nombre, à leur commerce, à leurs mœurs, à leurs manières : enfin, elles ont des rapports entre elles ; elles en ont avec leur origine, avec l'objet du législateur, avec l'ordre des choses sur lesquelles elles sont établies. C'est dans toutes ces vues qu'il faut les considérer[1]. »

Dans l'énonciation de ce programme immense, il faut retenir l'insistance avec laquelle sont répétés les verbes « devoir » et « falloir » : « Les lois doivent (...) Il faut que les lois (...). » Montesquieu ne constate pas des vérités d'expérience, il n'énonce pas des vérités scientifiquement démontrées, il n'exprime pas non plus des exigences morales ou religieuses. Il dit que les lois qui règlent la vie civile doivent convenir entre elles et convenir aussi aux conditions naturelles dans lesquelles vit l'humanité, pour que l'impératif de la conservation de l'espèce soit respecté.

Mais, avant d'étudier ces rapports de convenance, il faut choisir l'unité significative à l'intérieur de laquelle ils se manifesteront avec le plus d'évidence. La notion d'« humanité » est trop large, celle de « nation » ou de « peuple » trop concrète, trop chargée de contingences historiques. Montesquieu préfère celle, plus conceptualisée, de « gouvernement ». Il se range ainsi dans la tradition la plus ancienne, celle des Grecs, qui privi-

1. *L'Esprit des lois* I, III, t. I, p. 128.

légiaient le phénomène « politique » du pouvoir et distinguaient trois « constitutions » ou organisations politiques fondamentales, la monarchie, l'aristocratie et la démocratie. Mais il marque son originalité, quand il définit la « nature » des « trois espèces de gouvernement », en rassemblant sous la même dénomination de « gouvernement républicain » la démocratie et l'aristocratie, et en faisant du « despotisme » un type de gouvernement à part entière, alors que jusque-là la tyrannie n'était considérée que comme une perversion de la monarchie. Et surtout, dans cette nouvelle classification, ce qui distingue république, monarchie et despotisme, c'est moins le critère numérique des détenteurs de la souveraine puissance que la manière dont cette dernière s'exerce. La ligne de démarcation principale ne passe donc pas entre république et monarchie, mais d'une part entre république et monarchie, définies toutes deux comme des gouvernements « modérés », dans lesquels l'existence de « lois fixes et établies » et d'institutions spécifiques empêche les détenteurs collectifs ou individuels du pouvoir d'en abuser, et d'autre part le despotisme, où tout est livré à l'arbitraire d'un seul.

Mais l'originalité principale des définitions de Montesquieu n'est pas tant dans ce qu'il dit de la « nature » des trois gouvernements que dans ce qu'il appelle leur « principe ». Le principe d'un gouvernement est « ce qui le fait agir », « les passions humaines qui le font mouvoir[1] ». Cette prise en considération du « principe » permet d'établir un lien, un rapport de convenance entre le cadre politico-juridique du gouvernement et les hommes concrets qui vivent sous lui. Chaque gouvernement est donc caractérisé par un sentiment dominant qui n'a rien de contingent, mais qui est la condition même de son existence, son « ressort », dit Montesquieu : la vertu pour la démocratie, la modération (entendue dans un sens particulier) pour l'aristocratie, l'honneur pour la monarchie, la

1. *Ibid.*, III, I, t. I, p. 143.

crainte pour le despotisme. Ces principes « dérivent naturellement » de la nature des gouvernements, c'est-à-dire que les sentiments qui les constituent sont envisagés uniquement dans leur valeur « politique » (ainsi la vertu, principe de la démocratie, n'a-t-elle rien à voir avec la vertu morale ou la vertu chrétienne).

La notion de « gouvernement », telle que l'entend Montesquieu, fonctionne comme une « totalité », qui a son unité, sa cohérence, sa logique propre de conservation et de corruption. À cette logique obéissent, dans chaque espèce de gouvernement, non seulement les lois politiques et civiles, mais aussi les lois pénales et criminelles, celles qui concernent l'éducation, le contrôle des richesses, la perception des impôts, la manière de pratiquer le commerce et de faire la guerre, la condition des femmes. D'un gouvernement à l'autre, ces lois diffèrent, non par l'effet du hasard ou des fantaisies individuelles ou collectives, mais en vertu d'une nécessité immanente dont Montesquieu s'applique à démonter le mécanisme. Tout se tient, tout, dans un gouvernement, est dans un rapport constant, et changer un élément, c'est menacer l'équilibre du tout : « Il en est d'un gouvernement comme d'une somme qui est composée de plusieurs chiffres. Otez-y ou ajoutez-y un seul chiffre, vous changez la valeur de tous les autres[1]. »

Est-ce à dire que l'on a alors affaire à des sortes d'essences platoniciennes qui jouiraient d'un statùt extra-temporel, supra-historique, et qui viendraient s'incarner à leur gré dans le temps et l'espace ? Le soutenir serait méconnaître le caractère hypothético-déductif de la méthode de Montesquieu. Entre la théorie et l'expérience (la masse des documents utilisés), il y a un va-et-vient constant, ou, si l'on veut, une circularité qui fait que les principes heuristiques naissent d'une réflexion sur le donné empirique, qui lui-même intervient pour confirmer la thèse.

---

1. *Mes pensées*, 1918 (941. II, f° 19), in *OC*, t. I, p. 1461.

La manière dont les exemples historiques sont invoqués peut cependant étonner. Montesquieu les emprunte à des périodes et des pays souvent très éloignés les uns des autres. De même que Machiavel, dans *Le Prince*, rapproche tel *condottiere* italien de la Renaissance de tel tyran sicilien de l'Antiquité, de même Montesquieu n'hésite pas à comparer une coutume crétoise rapportée par Plutarque à une loi polonaise contemporaine. Ce n'est pas l'Histoire elle-même, la succession des événements qui l'intéresse, mais la logique intemporelle à l'œuvre dans la totalité signifiante que représente chaque gouvernement. Aussi, dans ses analyses, utilise-t-il toujours le temps grammatical du présent. À y regarder de plus près, on s'aperçoit pourtant que la perspective historique est loin d'être chez lui absente. Lorsqu'il parle de la démocratie, de la monarchie ou du despotisme, il s'agit bien d'espèces de gouvernement « en soi », mais aussi de réalités historiques précises et qui ne sont pas situées, chronologiquement et géographiquement, sur le même plan. Derrière la notion générale de démocratie, il faut reconnaître Athènes et la république romaine, derrière celle d'aristocratie, Venise et Gênes, derrière celle de monarchie, la royauté absolutiste française avec ses origines féodales, derrière celle de despotisme, les empires orientaux de Turquie de Perse, de Chine et du Japon. Au-delà de la pure description et de la pure abstraction, les gouvernements sont donc pour Montesquieu des « concepts historiques » que l'on a pu rapprocher des « idéaltypes » de Max Weber, et qui ont avant tout une fonction opératoire : ils permettent de penser la société et l'Histoire.

Mais les gouvernements ont aussi du rapport avec le monde naturel dans lequel les hommes vivent. Les lois sont liées par un rapport de convenance avec le climat et le terrain, et les livres XIV à XVIII de *L'Esprit des lois* développent cette fameuse « théorie des climats » admirée par ceux qui y voient un pas vers l'établissement d'une science « positive » des sociétés,

et qui gêne ceux pour qui ce déterminisme naturaliste est une insulte à la liberté de l'homme, et la
justification pseudo-scientifique des inégalités et des
oppressions. En fait, il s'agit pour Montesquieu, à
partir de considérations physiologiques, de mettre en
évidence l'influence que la chaleur et le froid, surtout
quand ils sont excessifs, exercent sur le tempérament
des peuples, déterminant ainsi en dernière analyse le
gouvernement qui leur convient : « Ce sont les différents besoins, dans les différents climats, qui ont
formé les différentes manières de vivre ; et ces différentes manières de vivre ont formé les diverses
sortes de lois[1]. » On sait que Montesquieu développe
complaisamment le thème géopolitique de l'affrontement entre une Asie condamnée par son climat à
la servitude politique et une Europe du Nord, ber-
ceau des hommes courageux et libres, « fabrique des
instruments qui brisent les fers forgés dans le Midi ».
« C'est là, ajoute-t-il, que se forment ces nations vail-
lantes, qui sortent de leur pays pour détruire les
tyrans et les esclaves, et apprendre aux hommes que,
la nature les ayant faits égaux, la raison n'a pu les
rendre dépendants que pour leur bonheur[2]. » On
peut ajouter cependant que ce déterminisme physique n'a rien d'une fatalité historique. L'éducation,
de bons législateurs, de bons gouvernants peuvent
lutter contre le poids des facteurs naturels, une fois
reconnue leur action néfaste : « Comme une bonne
éducation est plus nécessaire aux enfants qu'à ceux
dont l'esprit est dans sa maturité ; de même les peuples de ces climats [les peuples du Midi] ont plus
besoin d'un législateur sage que les peuples du nôtre.
Plus on est aisément et fortement frappé, plus il
importe de l'être de façon convenable, de ne recevoir
pas des préjugés, et d'être conduit par la raison[3]. »
Et le titre du chapitre V du livre XIV est suffisamment explicite : *Que les mauvais législateurs sont*

1. *L'Esprit de lois*, XIV, X, t. I, p. 382.
2. *Ibid.*, XVII, V, t. I, p. 430.
3. *Ibid.*, XIV, III, t. I, p. 377.

ceux qui ont favorisé les vices du climat, et les bons sont
ceux qui s'y sont opposés[1].

En fait, les facteurs politiques et les facteurs physiques qui entrent dans la formation et l'évolution des lois
ont un point de rencontre dans ce que Montesquieu, au
livre XIX qui occupe une position centrale, nomme
l'« esprit général d'une nation » : « Plusieurs choses
gouvernent les hommes, le climat, la religion, les lois,
les maximes du gouvernement, les exemples des choses
passées, les mœurs, les manières, d'où il se forme un
esprit général qui en résulte[2]. » Produit par l'action
conjuguée de causes innombrables accumulées tout au
long de l'Histoire, cet « esprit général » donne à chaque
nation sa physionomie propre, et se manifeste dans les
manières extérieures aussi bien que dans le caractère
profond du peuple. Entre lui et le gouvernement, il y a
et il doit y avoir une convenance la plus parfaite possible. Là encore, nous sommes installés dans le fait et en
même temps dans le devoir-être. Il s'agit d'une exigence
qui n'est pas morale, mais à la fois logique et vitale : la
valeur des lois doit avant tout être jugée en relation avec
le peuple pour lequel elles sont faites.

Sommes-nous donc condamnés à un relativisme
intégral, chaque nation ayant le gouvernement, sinon
qu'elle mérite, du moins qui convient à son « esprit
général », ce qui empêche toute comparaison, tout établissement d'une échelle de valeur ? Le prétendre
serait oublier que dès les préliminaires Montesquieu a
clairement posé les conditions d'une évaluation politi-
co-morale en distinguant les gouvernements
« modérés » (république et monarchie), et le gouvernement non modéré par excellence, le despotisme.
L'idée de « modération », il faut le noter, ne fait pas
intervenir la question de la légitimité du pouvoir, mais
celle des modalités de son exercice. Montesquieu
rompt ainsi avec le droit naturel moderne, qui s'interroge sur les différentes justifications de la souverai-

1. *Ibid.*, XIV, V, t. I, p. 378.
2. *Ibid.*, XIX, IV, t. I, p. 461.

neté, droit divin de la monarchie absolue ou légitimation démocratique par le pacte social. Ce qui compte
pour lui n'est pas la forme du gouvernement, c'est la
manière, modérée ou non, dont il est exercé.

La modération n'a pourtant pas de valeur en soi,
elle n'en a que dans la mesure où elle permet, assure
et protège la liberté et la sûreté des individus. C'est
ainsi qu'apparaît, mais au Livre XI de *L'Esprit des lois*
seulement, la question de la liberté politique. Pourquoi celui qui passe pour un des pères du libéralisme
politique moderne attend-il si longtemps avant de
parler de la liberté ? Et d'abord, de quelle liberté
s'agit-il ? Il ne s'agit pas de la liberté métaphysique,
du libre arbitre humain, mais bien de la liberté « politique ». Cependant la liberté politique peut elle-
même être entendue de diverses manières. Pour Spinoza, pour Locke, pour Rousseau, seul est libre celui
qui détient la souveraineté, et par conséquent le
citoyen n'est libre que s'il participe à l'exercice de la
souveraineté, que s'il est lui-même l'auteur des lois
auxquelles il doit obéir. C'est ce que l'on peut
appeler le postulat démocratique, selon lequel on
n'est politiquement libre que dans un régime dans
lequel le pouvoir appartient au peuple. Or, pense
Montesquieu, « la démocratie et l'aristocratie [les
gouvernements républicains] ne sont point libres par
leur nature[1] ». Il n'idéalise pas la « volonté générale »,
et sait que le peuple souverain peut très bien abuser
de son pouvoir : il arrive en effet que par amour
immodéré de sa vertu principale, l'attachement à l'esprit d'égalité, il veuille imposer à tous, dans toutes les
circonstances, une égalité extrême, tombant alors
dans la tyrannie.

Si « c'est une expérience éternelle, que tout homme
qui a du pouvoir est porté à en abuser ; il va jusqu'à ce
qu'il trouve des limites[2] », si « ceux qui exercent l'autorité vont toujours jusqu'à ce qu'ils soient arrêtés ; ils

1. *L'Esprit des lois*, XI, IV, t. I, p. 293.
2. *Ibid.*

ne se bornent point où la raison les prescrit[1] », on comprend pourquoi le despotisme, dans lequel rien ne s'interpose entre le despote et ses sujets condamnés à la crainte perpétuelle et à la servitude, n'est pas seulement le plus mauvais des gouvernements, mais un risque permanent, une possibilité constante qui menace de l'intérieur les gouvernements modérés eux-mêmes. Dans une démocratie, on ne peut compter que sur la vertu des citoyens et sur le respect des lois, des institutions et des traditions, pour borner le pouvoir illimité du peuple. Dans une monarchie, « le pouvoir arrête le pouvoir », sous la forme des « corps intermédiaires », la noblesse en premier lieu, les parlements, les villes, le clergé. Mais « il y a aussi une nation dans le monde qui a pour objet direct de sa Constitution la liberté politique », c'est l'Angleterre, dont Montesquieu parle longuement dans le célèbre chapitre VI du Livre XI de *L'Esprit des lois.*

Si dans les gouvernements modérés en général la liberté politique est en quelque sorte donnée de surcroît, sans être voulue expressément, il n'en va pas de même pour l'Angleterre issue de la « Glorieuse Révolution » de 1688-1689, telle que Montesquieu l'a connue et étudiée de 1729 à 1731. Là, l'organisation politique, et plus précisément la balance ou distribution des trois puissances principales, la « puissance législative », la « puissance exécutrice des choses qui dépendent du droit des gens » (nous dirions aujourd'hui le pouvoir exécutif) et la « puissance exécutrice des choses du droit civil » (le pouvoir judiciaire), est établie de telle manière qu'elle assure la liberté politique du citoyen définie comme « cette tranquillité d'esprit qui provient de l'opinion que chacun a de sa sûreté », et qui résulte de ce qu'« un citoyen ne puisse pas craindre un autre citoyen[2] ». Cette définition, on le voit, est essentiellement négative, et va à l'opposé de la conception antique qui veut que la liberté politique

---

1. *Essai sur les causes qui peuvent affecter les esprits et les caractères,* in *OC,* t. II, p. 61.
2. *L'Esprit des lois,* XI, VI, t. I, p. 294.

consiste dans la participation au gouvernement de la cité. Le citoyen anglais vote, mais sa liberté ne réside pas dans l'exercice du pouvoir législatif ou judiciaire, elle en est seulement le résultat. Être libre, pour un Anglais, selon Montesquieu, c'est pouvoir en toute sûreté dire et écrire ce qu'il pense, jouir de ses biens, se livrer au commerce et à l'industrie, pourvu qu'il respecte les lois.

Toute la machine politique anglaise a donc pour finalité d'assurer cette sûreté par un système d'empêchement réciproque qui rend impossible la prépondérance de l'une ou de l'autre des deux puissances principales, la législative et l'exécutive (la judiciaire n'existant pas de façon séparée, puisque la justice est rendue non par des magistrats, mais par des jurys composés de représentants du peuple). Dans une constitution où législatif et exécutif sont séparés, le danger de prépondérance ne vient pas de l'exécutif, mais bien du législatif. Aussi n'est-ce pas le peuple en un seul corps qui détient le pouvoir de faire les lois, mais un « corps des nobles » et un « corps de représentants du peuple » choisis pour leur capacité à discuter des affaires (on sait que pour Montesquieu le peuple, incapable de gouverner lui-même, excelle à choisir ses représentants, comme le prouve l'exemple de la démocratie athénienne). Les deux parties du législatif « s'empêchent donc l'une l'autre », et d'autre part elles sont liées par l'exécutif, lui-même lié par le législatif. N'aboutit-on pas alors à une neutralisation réciproque, à la paralysie et à l'impuissance ? Montesquieu n'en croit rien : il existe une dynamique, un mouvement nécessaire des choses, qui oblige les deux pouvoirs à s'accorder, pour le bénéfice des citoyens. Leur opposition, toujours possible et même nécessaire, est en quelque sorte rendue permanente et institutionnalisée par l'existence des « partis », dont il parle au chapitre XXVIII du livre XIX, qui complète le chapitre VI du livre XI, et dont il pressent le rôle dans la démocratie moderne : « Comme il y aurait dans cet État deux pouvoirs visibles, la puissance

législative et l'exécutrice ; et que tout citoyen y aurait
sa volonté propre et ferait valoir à son gré son indépendance ; la plupart des gens auraient plus d'affection pour une de ces puissances que pour l'autre, le
grand nombre n'ayant pas ordinairement assez
d'équité ni de sens pour les affectionner également
toutes les deux (...). La haine qui serait entre les deux
partis durerait, parce qu'elle serait toujours impuis-
sante. Ces partis étant composés d'hommes libres, si
l'un d'eux prenait trop le dessus, l'effet de la liberté
serait que celui-ci serait abaissé, tandis que les
citoyens, comme les mains qui secourent le corps,
viendraient relever l'autre[1]. »

« Ce beau système a été trouvé dans les bois », dit
Montesquieu à propos du gouvernement anglais[2]. On
sait l'insistance avec laquelle il défend, tout au long de
son livre, la thèse de l'origine germanique (« nos pères
les Germains[3] ») des institutions féodales, et donc de
l'élément irréductible d'indépendance et d'amour de la
liberté qui existe chez les peuples du Nord, les Français
et les Anglais en particulier. Mais, aussi beau soit-il, ce
système ne durera pas toujours : « Comme toutes les
choses humaines ont une fin, l'État dont nous parlons
perdra sa liberté, il périra. Rome, Lacédémone et Carthage ont bien péri. Il périra, lorsque la puissance législative sera plus corrompue que l'exécutrice[4]. »

On peut s'étonner de retrouver sous la plume de
Montesquieu le *topos* classique du déclin inévitable des
États, à un moment où, dans la pensée du XVIIIᵉ siècle,
commence à s'imposer un schéma historique tout différent. Voltaire, et surtout Turgot, repris par
Condorcet, tendent à dépasser le point de vue limité des
États ou des « constitutions » pour s'interroger sur le
mouvement d'ensemble de l'humanité. Les histoires
particulières s'effacent au profit d'une allure générale
qui est celle d'une marche en avant, d'un « progrès »,

---

1. *L'Esprit des lois*, XIX, XXVII, t. I, p. 478.
2. *Ibid.*, XI, VI, t. I, p. 304.
3. *Ibid.*, VI, XVIII, t. I, p. 220.
4. *Ibid.*, XI, VI, t. I, p. 304.

d'un développement graduel des potentialités de l'esprit humain. Il s'agit là du postulat commun de toutes les « philosophies de l'histoire », des XVIIIe et XIXe siècles. En ce sens, on peut affirmer qu'il n'y a pas de « philosophie de l'Histoire » chez Montesquieu. Est-ce à dire cependant qu'il est insensible à la dimension historique des choses humaines, et qu'il adopte le point de vue de Sirius pour contempler impassiblement la valse éternelle des trois gouvernements, en se contentant d'analyser leur « statique » et leur « dynamique », pour parler comme Auguste Comte ?

Il n'en est rien. Nous savons déjà que les gouvernements ne sont pas de simples abstractions, mais qu'ils désignent des réalités historiques précises. Ils ne sont pas situés sur un même plan intemporel, mais ils ont leur place dans le passé, le présent, et peut-être le futur de l'histoire humaine. Nous n'avons donc pas affaire à l'exposition d'un schéma linéaire, orienté et irréversible, comme dans les « philosophies de l'Histoire », mais à la constatation que l'histoire n'est pas pure répétition du même, et que des changements adviennent, qui affectent l'« esprit général des nations » et tout ce qui en découle, affectant par là même le destin ou les chances historiques des États.

Parmi ces changements, celui auquel Montesquieu est le plus sensible est le développement économique de l'Europe occidentale moderne, qui entraîne la formation de ce que Hegel appellera une « société civile » difficilement compatible avec certaines formes d'organisation politique. Il en va ainsi de la démocratie, dont le principe, la vertu, ne peut s'épanouir que dans des États de petite dimension : « Il est de la nature d'une république qu'elle n'ait qu'un petit territoire : sans cela, elle ne peut guère subsister. Dans une grande république, il y a de grandes fortunes, et par conséquent peu de modération dans les esprits : il y a de trop grands dépôts à mettre entre les mains d'un citoyen ; les intérêts se particularisent (...)[1]. » La

---

1. *L'Esprit des lois*, VIII, XVI, t. I, p. 255.

démocratie grecque voulait que « tous les travaux et toutes les professions qui pouvaient conduire à gagner de l'argent [fussent] regardés comme indignes d'un homme libre[1] ». Le gouvernement démocratique ne correspond donc plus aux réalités du temps présent, et appartient à un beau passé révolu.

Il n'en va pas de même pour la monarchie du type français qui, bien que d'origine féodale, peut s'accorder à la société moderne, car sa nature et son principe supposent la recherche par chacun de son intérêt particulier : « (...). Chacun va au bien commun, croyant aller à ses intérêts particuliers[2]. » En ce sens « le luxe est nécessaire dans les États monarchiques[3] ». Il se développe « en proportion avec l'inégalité des fortunes » et constitue « un usage que l'on fait de ce que l'on possède de liberté[4] ». Aussi est-ce en France et en Angleterre qu'il s'épanouit le mieux. Si l'on ajoute que « l'effet naturel du commerce est de porter à la paix », et que « l'esprit du commerce produit, dans les hommes, un certain sentiment de justice exacte[5] », il apparaît que pour Montesquieu, contrairement à Rousseau, un avenir souhaitable pour l'Europe serait celui qui verrait se multiplier des gouvernements à la française ou, mieux encore, à l'anglaise, assurant à des nations pacifiques prospérité et liberté.

Quant au despotisme, il est de tous les temps et de tous les lieux, car il est lié à la passion la plus élémentaire, la plus animale qui soit, la crainte. S'il est « naturalisé » dans les pays au climat chaud, il menace toujours les gouvernements modérés. Il représente en effet la solution la plus facile : il « saute, pour ainsi dire aux yeux ; il est uniforme partout : comme il ne faut que des passions pour l'établir, tout le monde est bon pour cela[6] ». C'est pourquoi « les fleuves courent se

1. *Ibid.*, IV, VIII, t. I, p. 164.
2. *Ibid.*, III, VII, t. I, p. 149.
3. *Ibid.*, VII, IV, t. I, p. 229.
4. *Ibid.*, VII, IV, t. I, p. 229.
5. *Ibid.*, XX, II, t. II, p. 10.
6. *Ibid.*, V, XIV, t. I, p. 190.

mêler dans la mer ; les monarchies vont se perdre dans le despotisme[1] ».

À cet égard, l'Europe, au climat et aux institutions modérés, ne jouit que d'un privilège précaire : « La plupart des peuples d'Europe sont encore gouvernés par les mœurs. Mais si, par un long abus du pouvoir ; si, par une grande conquête, le despotisme s'établissait à un certain point, il n'y aurait pas de mœurs ni de climat qui tinssent ; et, dans cette belle partie du monde, la nature humaine souffrirait, au moins pour un temps, les insultes qu'on lui fait dans les trois autres[2]. » L'avertissement est grave, mais, pour Montesquieu, le pire, pas plus que le meilleur, n'est jamais sûr en Histoire. Certes, « pour former un gouvernement modéré, il faut combiner les puissances, les régler, les tempérer, les faire agir ; donner, pour ainsi dire, un lest à l'une, pour la mettre en état de résister à une autre ; c'est un chef-d'œuvre de législation, que le hasard fait rarement, et que rarement on laisse faire à la prudence[3] ». La tâche est difficile, mais pourquoi la prudence humaine ne serait-elle pas encore capable de faire, sous des formes différentes peut-être, ce qu'elle a parfois su accomplir ?

Alain PONS

BIBLIOGRAPHIE

ÉDITION DE RÉFÉRENCE : *Œuvres complètes,* sous la direction d'A. MASSON, 3 vol., Paris, Nagel, 1950-1955.

AUTRES ÉDITIONS : *Considérations sur les causes de la grandeur des Romains et de leur décadence,* éd. J. EHRARD, Paris, GF-Flammarion n° 186, 1968. *De l'esprit des lois,* Chronol., introd., bibliogr. V. GOLDSCHMIDT, 2 vol., Paris, GF-Flammarion nos 325 et 326, 1979. *Lettres persanes,* éd. J. ROGER, Paris, GF-Flammarion n° 19,

---

1. *L'Esprit des lois,* VII, XVII, t. I, p. 257.
2. *Ibid.,* VIII, VIII, t. I, p. 249-250.
3. *Ibid.,* V, XIV, t. I, p. 189.

1964. *Œuvres complètes,* Texte présenté et annoté par R. CAILLOIS, 2 vol., Paris, Bibliothèque de la Pléiade, 1949-1955 (édition citée).

COMMENTAIRES : L. ALTHUSSER, *Montesquieu, la politique et l'histoire,* Paris, PUF, 1959. R. ARON, *Les Étapes de la pensée sociologique,* Paris, Gallimard, 1967. P. VERNIÈRE, *Montesquieu et « L'Esprit des lois » ou la raison impure,* Paris, SEDES, 1977.

NIETZSCHE

La Naissance de la tragédie
Le Gai Savoir
Par-delà bien et mal.
La Généalogie de la morale
Ainsi parlait Zarathoustra[1]

Voici un philosophe bien singulier : un jeune professeur de philologie (Nietzsche est nommé à l'université de Bâle à vingt-cinq ans), bien ambitieux, qui déclare vouloir modifier la vision traditionnelle du monde grec, qu'il s'agisse de la tragédie antique ou de la philosophie présocratique ; qui s'acoquine un moment — 1868-1872 — avec le monde musical d'avant-garde de l'époque (Richard Wagner en personne), jusqu'à composer lui-même de la musique (des Lieder, des pièces pour piano...) ; qui prétend donner à la langue allemande, après Goethe et Schopenhauer, un nouveau « style classique » ; et qui entend, enfin et surtout, « dynamiter » le monde moderne en s'attaquant à ses fondations, c'est-à-dire aux présupposés de la religion, de la morale, de la philosophie ou de la politique. Ces ambitions ne seraient que prétentions méritant l'asile ou le mépris, n'était l'extraordinaire réussite de Nietzsche dans

1. Nous citons les textes de Nietzsche dans l'édition Gallimard, établie à partir de l'éd. Colli-Montinari ; *cf.* bibliographie en fin de texte.

toutes ces entreprises — sauf en musique, où le critique musical, l'admirateur de Bizet (celui qui « méditerranéise » la musique...) l'emporte sur le musicien, assez mièvre.

On pourrait certes se servir de l'argument de la folie de Nietzsche (il sombre dans l'inconscience le 3 janvier 1889, à quarante-sept ans, et meurt le 25 août 1900, à Weimar) pour tenter d'invalider rétrospectivement sa « philosophie » ou pour refuser d'y voir, justement, une philosophie digne de ce nom ; d'aucuns invoquent même sa « récupération » par les nazis, via la sœur de Nietzsche, Élisabeth, qui caviardera certains textes et défendra l'idée d'une parenté des thèses de son frère avec l'idéologie nazie (elle offrira la canne de Nietzsche à Hitler...). Mais les désaccords de fond, aussi bien que les mensonges et les falsifications, ne peuvent longtemps masquer la puissance, l'efficience, la réalité, au sens strict du terme, de cette pensée. Justement parce que c'est vraiment une pensée.

Oublions donc les rodomontades d'adolescent permanent, les traits capricieux d'un orgueil parfois démesuré, les bizarres mises en scène de soi-même qui émaillent certains textes extravagants *(Ecce Homo[1])*. Oublions l'agacement qui nous saisit à la lecture de certaines « vanités », d'ailleurs rarement petites ou mesquines. Il y a de la grandeur, voire de la noblesse, souvent, dans les attaques nietzschéennes, parce que l'adversaire n'est jamais considéré comme le premier venu. Nietzsche pense même, sans modestie, que le fait de prendre l'autre pour ennemi est un honneur qu'il lui rend... En revanche, il y a souvent de la mauvaise foi ; mais elle est de cette mauvaise foi de la caricature qui permet, par le grossissement optique, de toucher en plein cœur de la cible : si dans toute caricature il y a « une part de vérité », c'est bien cette part de vérité, et seulement elle, que Nietzsche vise et

---

1. Pour se faire une idée de la « belle humeur » nietzschéenne : l'excellente édition d'*Ecce Homo* et de *Nietzsche contre Wagner* d'E. Blondel, GF-Flammarion n° 572, 1992.

atteint. C'est peut-être cela qui agace : son acharnement dans le démontage des thèses de l'adversaire, sa partialité, et sa fécondité paradoxale.

Donc, c'est une pensée. Et une philosophie. Une philosophie qui déploie des talents critiques et polémiques extraordinaires, qui s'exprime aussi bien sur le plan artistique et littéraire pur, aux moyens de la poésie[1] d'une part, de l'aphorisme et du fragment (hérités de Chamfort ou La Rochefoucauld, de l'humoriste allemand Lichtenberg et de l'état de réception des textes présocratiques — Héraclite) d'autre part ; une philosophie qui refuse parfois son statut de philosophie (mais depuis Aristote au moins, on sait que refuser la philosophie, c'est encore philosopher ; et chez Nietzsche, les raisons du refus de philosopher sont éminemment philosophiques) ; mais une philosophie qui va droit à son but philosophique, à savoir briser la représentation dualiste du monde et de la vie, sur laquelle tous, théologien, moraliste, philosophe, artiste, politique, homme de la rue s'accordent ; et qui va droit à son destin historique, à savoir, comme Nietzsche le dit lui-même : couper l'histoire du monde en deux.

Certes, dira-t-on, l'histoire est faite de ces projets qui définissent, points de non-retour, un avant et un après. N'est-ce pas le cas de Platon vis-à-vis des présocratiques, de Kant vis-à-vis de l'idéalisme classique ? En quoi Nietzsche serait-il un penseur « à part », original ?

Jugeons donc l'arbre à ses fruits. Cette pensée a marqué de manière irréversible l'humanité de ce XXe siècle : référence d'origine de nombreux mouvements artistiques comme l'expressionnisme ou le surréalisme (la rencontre de cette pensée avec celles de Rimbaud, Lautréamont et Freud, par exemple, produira un mélange détonnant : de l'explosion dans les mentalités, les beaux-arts, la morale et les institutions...) ; elle irrigue les mouvements pessimistes

---

1. *Les Dithyrambes de Dionysos,* les poèmes du *Gai Savoir* ou du *Zarathoustra ;* le postlude de *Par-delà bien et mal :* « Du haut des monts ».

(après Schopenhauer), nihilistes ou existentialistes ; mais, paradoxalement, et c'est ce qui en fait la richesse infinie, elle nourrit une réflexion anthropologique tout à fait nouvelle. Les querelles autour de l'humanisme ne peuvent pas ne pas tenir compte de ce que Nietzsche, qui n'est pas un humaniste, a énoncé de décisif en la matière. Bref, nous voilà devant une pensée qui n'est rien de moins qu'une goutte d'acide : lorsqu'elle tombe sur le tissu vivant de la pensée humaine et mondiale, c'est tout le système de cette pensée qui s'en trouve affecté, et ce système ne peut en ignorer ni la cruauté ni la sagacité.

Qui veut entrer dans la pensée de Nietzsche doit ainsi s'attendre à en subir les humeurs, les passions et les effets. Elle n'est de tout repos ni pour ses adversaires ni pour ses lecteurs, encore moins pour ses commentateurs : pensée dispersée, éclatée ; et si cette pensée a une histoire, qu'elle raconte elle-même, parfois avec complaisance, elle est aussi l'histoire. Si tout commence avec l'interrogation sur le sens de la tragédie grecque, tout finit sur l'annonce effrayante d'une tragédie à venir, dont on ne veut rien savoir encore : l'écroulement lent, progressif de ce monde, dont les structures de néant se dévoilent peu à peu (c'est cela, le « nihilisme ») ; mais Nietzsche nous fait aussi entendre la voix d'une « bonne nouvelle » : la réinvention possible de ce monde où triompheraient d'autres valeurs, et qui commencerait avec la réconciliation de l'homme avec les puissances de la vie. Parcourons rapidement ce chemin plein d'embûches.

*
* *

Nietzsche est donc professeur de langue et de littérature grecques à Bâle lorsque paraît *La Naissance de la tragédie* (1871). Mais ce texte n'a pas qu'un intérêt professoral d'érudition ; il a un intérêt philosophique, et celui-ci ne réside pas dans la question de savoir si Nietzsche « a raison » contre tel grand philologue de l'époque (Wilamowitz, par exemple) ; en effet, ce qui révèle déjà ici la méthode nietzschéenne, c'est la teneur, l'universalité et la fécondité des problèmes abordés : ils ne peuvent alors se réduire à la simple querelle de personnes qui se cache derrière le fameux « Qui a raison ? ». De nombreux philologues et historiens estiment que nombre d'hypothèses faites ici en étymologie ou en histoire des institutions sont au moins discutables, sinon erronées. Mais cela ne fait rien à l'affaire : là encore, le point de vue nietzschéen est saisissant, il s'empare de la « part de vérité » dont il a besoin pour forger une grille de lecture qui s'affermira au fil des œuvres.

Le véritable titre de l'ouvrage est : *La Naissance de la tragédie enfantée par l'esprit de la musique* ; il faut y voir l'influence de la personnalité de Wagner, à qui l'ouvrage est dédié[1]. Logique : le livre porte sur l'esthétique (de la musique au théâtre et à l'art de la fête), c'est un texte de théorie (à propos de la sensibilité artistique), et Nietzsche y lie les deux questions de l'esthétique et de l'existence : le sous-titre de l'édition de 1886 sera « Hellénité et pessimisme ». Il faut y voir la marque de la pensée de Schopenhauer, que Nietzsche admire encore à cette époque (*cf. Considérations intempestives,* III : « Schopenhauer éducateur »). Qu'est-ce que le pessimisme ? Est de l'ordre du pessimisme la pensée qui estime que l'essence de la vie est la douleur, sous toutes ses formes, et qu'il n'y a pas d'issue heureuse, hormis celles du renoncement, du « profil bas », de la ruse : aucune transformation décisive et salutaire de la condition humaine à espérer (bouddhisme, Schopenhauer ; Cioran aujourd'hui). Le pessimisme fut toujours affaire d'humeur et d'atmosphère ; et il faut penser ici au contexte : Nietzsche venait de servir comme infirmier dans l'armée allemande durant la guerre de 1870, l'impérialisme prussien et le pangermanisme sont triomphants, et la fin

---

1. Nietzsche lui consacre un autre récit laudatif datant de 1873-1874 : *Considérations intempestives,* IV : « Richard Wagner à Bayreuth ».

du siècle commence à faire sentir le fumet de sa
« décadence ». Mais Nietzsche ne se satisfait pas de la
« solution » pessimiste, qui reproduit le désespoir (et la
morale) dans l'inaction et la fuite : il préfère
l'« héroïsme » des premiers Grecs, qui regardent
l'abîme de l'existence en face, qui acceptent la nécessité de l'expérience de l'effroi et de l'horreur, qui
vivent dans le courage suprême, celui de supporter la
vie en l'« esthétisant », c'est-à-dire en la présentant
sous la forme sublimée, idéalisée de l'œuvre d'art.
L'œuvre d'art tragique rend alors la vie digne d'être
vécue[1]. Le tragique sera toujours un pessimisme fort,
un « pessimisme de la force ». Là commence véritablement la pensée nietzschéenne sur la signification de
l'art, qui est de multiples ordres :

— d'ordre philosophique ; cette réflexion sur l'art
grec s'oppose au travail classique du concept philosophique en matière d'esthétique (Hegel, par exemple).
L'art n'a pas d'avenir, dit Hegel, ou plutôt, son avenir
est l'esthétique, donc la philosophie. À l'opposé, l'esthétique nietzschéenne sera une esthétique de la figure
énigmatique ; elle emprunte aux grecs une méthode :
l'idée de se risquer à invoquer les noms des divinités
pour penser certains phénomènes qui échappent par
nature à la clôture de la raison et du concept, pour
penser la fécondité irréfutable de l'art ;

— d'ordre ontologique, puisque l'art nous révèle
l'unité ultime du monde à travers les deux figures
d'Apollon et de Dionysos ; l'art, parce qu'il présente
matériellement leur conflit (la lumière de la belle
forme contre les ténèbres du chaos), est une voie de
déchiffrement de l'être. Apollon, dieu de la sculpture,
nomme l'unité des phénomènes de l'apparence plas-
tique du jour (figure, délimitation, distinction, différence, individualité, conscience, surface, perfection,
clarté, mesure, harmonie, rêve) ; Dionysos, lui,
nomme l'« innommable », non pas l'abject au sens
moral, mais ce qui échappe à l'acte de la nomination

---

1. *La Naissance de la tragédie*, paragr. 2-3.

parce que inaccessible à la claire intelligence humaine ; Dionysos, dieu de la musique, représente les forces obscures et terribles de la nuit : sexualité, ivresse, débordement, chaos, indistinction, indifférence (derechef non au sens moral, mais au sens logique : ce qui n'est pas encore entré dans la différenciation), inconscience, profondeur, obscurité, confusion, démesure, violence. L'histoire de l'art est faite de la lutte opposant ces deux figures, tantôt selon la juxtaposition (apolliniennes, la sculpture classique grecque, la peinture italienne ou flamande de la Renaissance, une fugue de Bach ; dionysiaques, les fêtes orgiaques, les sacres du printemps, les danses collectives), tantôt selon un mouvement d'interpénétration, où Dionysos perce sous Apollon, comme dans la tragédie grecque, justement. Nietzsche commence à soupçonner le discours philosophique d'impuissance et entrevoit une autre forme de pensée, intermédiaire entre le travail d'historien d'une civilisation et l'interprétation littéraire des signes de cette civilisation.

— d'ordre éthique ; aux « esprits sérieux » Nietzsche entend répondre par une allusion à Wagner et à Prométhée : « J'affirme, moi, que je tiens l'art pour la tâche suprême et l'activité proprement métaphysique de cette vie, au sens où l'entend l'homme à qui j'ai voulu dédier ce livre, comme au lutteur sublime qui m'a précédé dans cette voie[1]. » L'idée majeure, par où est dépassée l'idée d'une esthétique comme recherche de la compréhension des œuvres d'art, est celle de l'existence humaine comme œuvre d'art. Ici s'affirme la puissance dionysiaque de la vie, la nature comme grande artiste : « Par le chant et la danse, l'homme manifeste son appartenance à une communauté supérieure : il a désappris de marcher et de parler et, dansant, il est sur le point de s'envoler dans les airs. Ses gestes disent son ensorcellement. De même que les animaux maintenant parlent et la terre donne lait et miel, de même résonne en lui quelque

1. *La Naissance de la tragédie*, dédicace, trad. Ph. Lacoue-Labarthe, éd. Gallimard.

chose de surnaturel : il se sent dieu, il circule lui-même extasié, soulevé, ainsi qu'il a vu dans ses rêves marcher les dieux. L'homme n'est plus artiste, il est devenu œuvre d'art : ce qui se révèle ici dans le tressaillement de l'ivresse, c'est, en vue de la suprême volupté et de l'apaisement de l'un originaire, la puissance artiste de la nature tout entière[1]. »

*
* *

Le Gai Savoir (1882) est un livre prodigieux, fruit de la période la plus heureuse de Nietzsche, période qui suit *Humain, trop humain, Le Voyageur et son ombre* (1878-1879), *Aurore* (1881), et qui permettra l'éclosion de *Zarathoustra*. Nietzsche, en proie à des maux de tête, d'estomac, d'yeux, a renoncé au professorat en 1878 ; ayant obtenu une bourse de l'Université de Bâle, il voyagera désormais en Suisse, en Italie, dans le midi de la France.

Le Gai Savoir est un texte joyeux, ironique, « humoresque » au sens musical du terme. Il suffit d'en lire les titres : ceux du prologue, « Plaisanterie, ruse et vengeance », ceux du livre V, « Nous autres hommes sans crainte » — avec pour en-tête l'exhorte de Turenne : « Carcasse, tu trembles ? Tu tremblerais bien davantage si tu savais où je te mène » —, ou de l'Appendice : « Chansons du Prince Hors-la-loi »... *Le Gai Savoir* est, comme plus tard *Ecce Homo,* un de ces textes « autobiographiques », relatant les événements marquants de la vie de « M. Nietzsche », comme Nietzsche l'écrit parodiquement. La vie et la pensée de Nietzsche apparaissent alors souvent inséparables. La lecture de l'Avant-Propos suffit pour s'en faire une idée claire : l'ouvrage témoigne d'expériences particulières, celles de la guérison et de la convalescence, du dégel et du printemps. L'« espoir de la santé[2] », l'ivresse de la guérison nous

---

1. *Ibid.,* paragr. 1.
2. *Le Gai Savoir,* Avant-Propos, paragr. 1 ; V, paragr. 382.

ramènent à Dionysos : après la crise, le doute et la faiblesse, la vie se retrouve elle-même, dans toute sa force, sa puissance, sa diversité ; mais l'apologie de la joie du convalescent, du « renaissant », ne saurait masquer la vérité profonde du livre, qui est le dernier mot du livre IV : « *Incipit tragœdia* » (« Ici commence la tragédie », paragr. 342). Avec les couples indissociables de *La Naissance de la tragédie*, illusion-vérité, surface-profondeur, s'annonce un soupçon vis-à-vis de la question de la vérité en philosophie : croire à la vérité comme valeur absolue, est-ce si évident que cela ? « Avis aux philosophes ! On devrait mieux honorer la pudeur avec laquelle la nature se dissimule derrière des énigmes et des incertitudes bigarrées. (...) Oh ces Grecs ! Ils s'entendaient à vivre : ce qui exige une manière courageuse de s'arrêter à la surface, au pli, à l'épiderme ; l'adoration de l'apparence, la croyance aux formes, aux sons, aux paroles, à l'Olympe tout entier de l'apparence ! Ces Grecs étaient superficiels — par profondeur[1]. »

Le soupçon vis-à-vis du caractère absolu de la valeur-vérité ne signifie cependant pas cet irrationalisme qu'on attribue à cette pensée : la *doxa* colporte l'image d'un Nietzsche ennemi de la science, de la connaissance, de la raison, et donc de la vérité. Rien de plus faux. Déjà le titre, *Le Gai Savoir,* convainc du contraire celui qui sait lire ; ensuite, on trouve dans l'œuvre de Nietzsche de fortes apologies de la connaissance sous toutes ses formes. Avec les œuvres des années 1878-1882, on a ainsi pu parler d'une période « *Aufklärung* » (« Lumières ») de Nietzsche : la connaissance — sensible, historique, scientifique, philosophique — est une forme de discipline de l'esprit humain, une éducatrice de l'esprit — respect des exigences de nécessité et d'objectivité, par la visée de l'universalité —, et une entreprise de démolition des illusions premières, naïves et infantiles, « humaines,

_____

1. *Le Gai Savoir,* Avant-Propos, paragr. 4, trad. Klossowski, éd. Gallimard. On retrouve ce thème au début de *Par-delà bien et mal.*

trop humaines » : le finalisme, l'anthropocentrisme, l'anthropomorphisme, etc.[1].

Certes, l'Avant-Propos et le livre V du *Gai Savoir* (écrits plus tard, en octobre 1886, à l'époque de *Par-delà bien et mal*) mettent un bémol à cette apologie, en s'interrogeant sur la valeur de la connaissance pour la vie, sur la signification ultime de la critique et du dressage (ou redressement) de la croyance de l'opinion par la croyance « rationnelle » dans la vérité[2]. On aborde alors une question plus profonde, qui concerne le problème de l'origine. D'où l'idée d'une généalogie. Ce que les expériences personnelles du malaise, de l'angoisse, du doute, du savoir, apprennent au philosophe, dit Nietzsche, c'est la fécondité de la question généalogique, question nietzschéenne par excellence. La question de l'origine d'un phénomène culturel prend dans *Le Gai Savoir* sa forme véritable et définitive : est-ce l'impuissance (le manque, la pauvreté, la rareté, la misère) ou la puissance (l'abondance, la richesse, l'expédient) qui est à la source du phénomène ? « En effet, pourvu que l'on soit une personne, on a nécessairement la philosophie de sa propre personne : cependant, il y a là une notable différence. Chez l'un, ce sont ses manques qui se mettent à philosopher, chez un autre ses richesses et ses forces. Pour le premier, sa philosophie est une nécessité en tant que soutien, apaisement, médicament, délivrance, élévation, détachement de soi-même ; pour le second, elle n'est qu'un beau luxe, dans le meilleur des cas la volupté d'une triomphante reconnaissance qui pour finir doit encore s'inscrire en capitales cosmiques sur le firmament des notions[3]. » Nietzsche pose cette question à tous les phénomènes historiques, à toutes les totalités culturelles : la science (paragr. 344, 348, 349), l'art (paragr. 370), la morale et la religion (paragr. 347), l'État et la philosophie. Le critère désormais valide à ses yeux sera celui de l'intensification du sentiment de la vie, qui est sentiment de puissance (*Machtgefühl*) ; ne

1. *Ibid.*, paragr. 7, 12, 33, 37, 107, 109, 110, 112, 123, 293, 335.
2. *Ibid.*, V, paragr. 344, 348, 349, 373.
3. *Ibid.*, Avant-Propos, paragr. 2.

vaut que ce qui favorise la puissance de la vie ; formule
ambiguë, puisque la vie ne saurait, pas plus que l'ignorance, être un argument et un principe à elle toute seule.
Nietzsche le sait bien : rien de plus barbare, de plus
violemment naturaliste, que l'affirmation inconditionnelle de la vie. Il faut alors y « mettre les formes », ou des
conditions. Question de style. Et, loin de faire l'apologie
de la « belle brute blonde », cette doctrine use de critères
fort « classiques », déjà repérables chez Spinoza : la joie,
la gaieté (dont celle de la connaissance), le plaisir,
l'innocence.

Le bilan métaphysique du soupçon généalogique,
c'est l'annonce de la « mort de Dieu ». En effet, la
généalogie pousse l'adversaire dans une régression à
l'infini (il faut une raison pour justifier une autre
raison, un principe pour rendre raison d'un autre principe, etc.), qui ne peut se finir qu'en « Dieu », l'hypothèse de l'origine ultime. L'« athéisme » nietzschéen
est très singulier : il ne s'agit pas d'affirmer péremp-
toirement la non-existence de Dieu. Nietzsche ne dit
pas : « Dieu n'existe pas. » Il dit bien autre chose :
« Dieu est mort », et nous, les hommes, l'avons tué
(paragr. 108, 124, 125). Et si Dieu est mort assassiné,
c'est donc qu'il vivait, et plutôt bien. Où Dieu vivait-
il ? Au cœur de la conscience des hommes. Mais,
selon Nietzsche, il y séjournait comme parasite, vam-
pire des énergies, illusion principielle et « idole ». Or,
cesser de croire en Dieu ne se décrète pas, il y faut
pour cela le plus grand courage, la plus grande
audace : il s'agit de mettre à mort des croyances
ancestrales, nocives, étiolantes, affaiblissantes, asphy-
xiantes, même devenues peu à peu nécessaires à l'humanité, vu les circonstances de son existence et les
avatars de sa formation. Alors que saint Anselme,
dans le *Proslogion,* avait cru remettre à sa place
l'« insensé » qui disait en son cœur : « Dieu n'existe
pas », Nietzsche remet cet insensé sur la place du
marché : c'est lui, l'insensé, nouveau Diogène, qui
annonce aux humains l'évangile (soit : la « bonne nouvelle ») inversé selon lequel l'humanité est devenue

déicide : « Où est Dieu ? cria-t-il, je vais vous le dire !
Nous l'avons tué — vous et moi ! Nous tous sommes
ses meurtriers ! Mais comment avons-nous fait
cela[1] ? » Se pose alors la question du nihilisme : si
Dieu est le fondement de toutes nos valeurs, de toutes
nos croyances, de toutes nos « vérités », que faire de la
mort de Dieu et après elle ? L'humanité est livrée à
elle-même, c'est-à-dire d'abord à la question de sa
solitude ontologique (plan de l'être), de son isolement
axiologique (plan de la valeur) : « Dieu est mort ! Dieu
reste mort ! Et c'est nous qui l'avons tué ! Comment
nous consoler, nous, les meurtriers des meurtriers ?
Ce que le monde avait possédé jusqu'à présent de plus
sacré et de plus puissant a perdu son sang sous nos
couteaux — qui essuiera ce sang de nos mains ?
Quelle eau lustrale pourra jamais nous purifier[2] ? »
Ainsi naît l'idée de la culpabilité latente et progressive
du genre humain devant cet acte qu'il commence seulement à comprendre et dont il entrevoit peu à peu les
conséquences terrifiantes. Le nihilisme, dit Nietzsche,
n'est jamais que l'histoire de ce « mal-entendu »
(Dieu-idole est mis à mort) et de cette lente prise de
conscience de l'invalidité fondamentale de toute
valeur absolue, de tout « en-soi » : Dieu, Vérité, Bien,
Mal, Beau, Juste, Vertu, Être, etc. Il est la montée en
puissance du triomphe de l'idée de néant, et ce durant
cette longue et pénible période critique où les hommes
ne sont ni assez lucides ni assez audacieux pour créer
leurs propres valeurs. Ce sera le thème affirmatif de
Zarathoustra. Examinons d'abord la période critique.

*
* *

1885-1887 : Nietzsche poursuit sa vie errante (Nice,
Venise, Sils-Maria, Munich) ; il conçoit une « suite » de
Humain, trop humain et d'*Aurore* : ce sera *Par-delà bien et*

1. *Le Gai Savoir*, paragr. 125.
2. *Ibid.*

mal (1886) (sous-titré « Prélude pour une philosophie
de l'avenir[1] »). Ce livre, véritable critique de la « modernité », jette un pont entre la philosophie du passé (la
philosophie « pérenne »), brocardée dans les parties I et
II — « Des préjugés des philosophes », « L'esprit
libre » —, la religion et la morale — éreintées dans les
parties II et V — « Le phénomène religieux » et « Contribution à l'histoire naturelle de la morale » —, d'une part,
et une politique à venir, ce que Nietzsche nomme « la
grande politique », d'autre part (*cf.* parties VI, « Nous les
savants » ; VII, « Nos vertus » ; VIII, « Peuples et
patries » ; IX, « Qu'est-ce que l'aristocratie ? »).

C'est l'ouvrage des philosophes nouveaux, des
« esprits libres » (paragr. 44, 71, 105), ceux du « dangereux peut-être » (paragr. 2), c'est-à-dire des penseurs qui auront eu le courage de se risquer à émettre
des hypothèses et des interprétations extrêmes pour la
vie de l'humanité et dont on a appris, par *Le Gai
Savoir*[2], qu'elles étaient désormais de l'ordre de l'infini, la mort de Dieu ayant dégagé l'horizon du travail
d'interprétation : des philosophes qui acceptent de
redonner du sens à l'existence terrestre, de jouer le jeu
risqué, artiste et dionysiaque de la création des nouvelles valeurs (paragr. 295). Il s'agit de renvoyer le
philosophe à la méfiance première vis-à-vis du dogmatisme latent, de la tentation de l'esprit de système
(paragr. 5), de la croyance naïve à la vérité (paragr. 1,
5), de l'illusion d'une adéquation entre le jugement et
la vérité (paragr. 11), de l'absence de tout soupçon
vis-à-vis de la langue, de la syntaxe, de la grammaire,
dont la logique interne fait de tout concept une fiction
conventionnelle, une forme du « mensonge extra-
moral[3] ». Tout philosophe occupe un point de vue,

    1. Nous citons ici *Par-delà bien et mal*, trad. C. Heim, Gallimard,
Coll. « Idées ».
    2. *Le Gai Savoir*, paragr. 124 et 374.
    3. *Par-delà bien et mal*, paragr. 17, 19 à 21, 24, 34, 54, 192 ; la
formule vient d'un vigoureux petit essai de 1873 : *Vérité et mensonge
au sens extra-moral*, où se pose déjà la question du langage, du
concept et de la métaphore.

une perspective : lorsqu'il pense, interprète, il est d'abord un vivant interprétant la vie, et il n'est jamais qu'un porte-parole de l'interprétation sempiternelle de la vie par elle-même, interprétation continuée par d'autres moyens (ici, des moyens théoriques, intellectuels, critiques et conceptuels) ; d'où le rappel d'une nécessaire modestie.

Est alors affirmée cette idée : les savoirs, les croyances, les institutions et les discours ne sont qu'interprétations de la forme que prend la vie pour faire des expériences sur elle-même (s'affirmer, se diversifier, se modifier ou se... nier elle-même). La philosophie ? Art du masque, de la forteresse, de la défense (paragr. 25, 26, 40) ; la morale ? Langage transposé, métaphorique et symbolique des passions, et en particulier de la passion de l'obéissance (paragr. 187, 188, 199), ce qui s'exprime dans la modernité d'aujourd'hui par la « morale du troupeau », ou « morale grégaire » (paragr. 201, 202). D'où l'affirmation célèbre du paragr. 108 : « Il n'existe pas de phénomènes moraux, mais seulement une interprétation morale des phénomènes. » La morale est un ajout, une surdétermination, un jugement par surcroît que la vie, en la personne de la volonté de puissance du moraliste (Platon, Kant, Moïse ou Jésus), prononce sur elle-même. Affirmation scandaleuse du point de vue moral, certes, puisque la morale a pour intention déclarée de s'abstenir d'entrer dans la logique de puissance, de force, de domination : aucune morale ne veut de la volonté de puissance ; la « fondation » de la morale est même à ce prix (paragr. 186). Mais là est la naïveté (ou le masque) du moraliste. Le refus de la volonté de puissance est encore une dissimulation pour imposer une forme de volonté de puissance, qui s'avance sous des dehors et des traits « objectifs », « neutres », « désintéressés ». Nietzsche ne voit là que façade, perpétuellement ravalement de façade.

Il faut donc chercher du côté de l'origine pour dévoiler la volonté de puissance à l'œuvre : l'idée de la généalogie comme entreprise d'exploration de la mauvaise origine des belles et bonnes choses (paragr. 2) occupe maintenant l'esprit de Nietzsche, et ce jusqu'à la fin (1889). Dans *Par-delà bien et mal,* Nietzsche s'attaque déjà à la morale et à la religion : choses sublimes, grandioses, qui s'imposent dans la conscience des hommes avec les apparences de la recherche désincarnée, désintéressée de l'absolu et de la vérité. Le fétichisme de la valeur est à ce prix. « Quoique »..., ajoute Nietzsche : si on gratte un peu ces splendides monuments de l'histoire de l'humanité, si on les envisage justement sous l'angle de la genèse et du recouvrement progressif des différentes couches de signification qu'elles ont pu avoir au cours de cette histoire, on dressera un autre bilan, un autre diagnostic : l'apparence sublime s'en trouve lézardée, fissurée. La généalogie découvre, comme derrière les belles façades des maisons bourgeoises, des monceaux de turpitude, de violence, de cruauté : le prix à payer pour que s'installent morale et religion comme « instincts dominants » : le puritanisme (paragr. 46, 50), l'ascétisme (paragr. 141, 168), le plaisir de faire souffrir (paragr. 55), le despotisme (paragr. 61), la barbarie (paragr. 67, 104), etc. La généalogie est une « science » interprétative (trouver un sens latent ennemi du sens manifeste) à la fois terrible, puisqu'elle « démonte » le phénomène après en avoir brisé la belle apparence, et « dépressive » (science triste, qui déprécie les objets premiers de la croyance). Elle vise à établir sans doute la genèse de la chose (comment s'est-elle constituée, peu à peu, comme forme culturelle ?), mais aussi celle de la domination de cette chose (quel en fut le prix ? À quoi a-t-il fallu renoncer ? Qu'a-t-il fallu sacrifier ? De quelles autres formes culturelles cette forme-là a-t-elle triomphé ?), sa signification pour l'humanité et la « nécessité » de cette signification, puisque, en somme, l'humanité est passée par là et que c'est désormais un « irréversible ». Ainsi, la morale est certes un système de la cruauté, mais c'est aussi (paradoxe) la grande éducatrice de l'humanité en ce qu'elle a permis à l'esprit humain de

devenir ce qu'il est (devenu), par le biais de l'intériorisation de la contrainte (paragr. 188) et de la spiritualisation des affects ; l'état actuel de l'humanité
prouve qu'elle est passée par le filtre et la sélection de
cette forme d'institution (langage, croyance, pouvoir),
et il ne saurait s'agir de revenir à un état antérieur.
Seule solution : le dépassement. Mais ce dépassement
ne vaut que si le diagnostic est complet et juste. À la
généalogie d'établir le tableau clinique de l'homme ;
au médecin de la culture « Frédéric Nietzsche » d'annoncer les méthodes de cette généalogie et son règne.

*
* *

La Généalogie de la morale (1887) n'est pas un texte
isolé ; au titre, Nietzsche ajoute : « Un écrit polémique, pour compléter et éclairer *Par-delà bien et mal,*
récemment publié ». Autant dire qu'elle en est la
jumelle, au sens optique (elle permet de voir de plus
près, d'agrandir et de déformer pour mieux voir)
comme au sens familial (écrite en juillet 1887). Et les
deux ouvrages doivent se lire ensemble : il y a une
vraie continuité thématique et analytique de l'un à
l'autre (comparer les parties III, V à VIII de *Par-delà...*
avec les dissertations II et II de *La Généalogie*).

La Généalogie est un texte difficile, en raison de la
nouveauté de l'entreprise (Nietzsche fait ici œuvre de
pionnier), et en raison des « découvertes », des
« vérités » qui y sont énoncées, qui ne manquent pas
de mettre à l'épreuve nos « résistances » et « défenses ».
En effet, *Par-delà bien et mal* expose la nécessité d'un
dépassement de la morale (aller « par-delà » : *Jenseits
von Gut und Böse*) et de ses valeurs absolues ; mais
cette injonction ne vaut que si le caractère de fiction,
de montage mensonger, illusoire et intéressé de toute
morale (valeurs, concepts, jugements, raisonnements,
« preuves », etc.) est démontré, et tel est le but de *La
Généalogie*. L'enjeu est essentiellement anthropologique : contribuer à l'établissement d'une théorie cul-

turelle et historique du genre humain, montrer comment l'humanité a pu devenir ce qu'elle est devenue : d'où vient-elle ? Comment fut-elle éduquée ? Comment s'est-elle dotée d'un esprit ? Il y a là une pensée de la contingence : l'homme aurait très bien pu demeurer animal, mammifère innocent et immédiat, sans mémoire et sans histoire(s), ou même devenir autre chose. Justement : comment est-il devenu cet animal qui, au sein d'une temporalité rendue problématique, dramatique sinon tragique, a constamment remis en cause la définition qu'il se donnait de lui-même, la conscience qu'il avait de lui-même ? L'homme est « l'animal dont le caractère n'est pas encore fixé, l'exception rarissime[1] ». La naïveté moderne consiste à penser que l'homme est parvenu à son stade définitif, qu'il a trouvé, dans les formes supérieures de l'esprit (morale, religion, science, État, philosophie), les fondements de sa véritable et ultime définition. Nietzsche montre qu'il n'en est rien ; d'une part parce qu'il n'y a là rien d'enviable (Nietzsche enfonce le clou d'une histoire de la méchanceté, histoire « fictionnelle », interprétative, mais saisissante vu la cohérence de son sens), d'autre part parce que l'homme, l'humanité, l'humanisme ne sont ni la fin, ni le fin mot, ni le dernier mot de l'histoire. *Zarathoustra* aura, auparavant, affirmé l'identité de l'être du « *pardelà* », du *Jenseits :* le surhomme.

Bref, les premières questions de *La Généalogie* sont : « Qui sommes-nous, au juste, qu'avons-nous donc vécu, de quoi sommes-nous les héritiers ? » (Avant-Propos, paragr. 1) ; et si, au cœur de ma propre histoire d'enfant, de sujet moral, je découvre en moi-même l'autorité de certaines valeurs, « bien », « mal », d'où viennent-elles ? D'où tiens-je qu'elles sont absolues, éternelles, valant en soi ? En somme : *quelle est la valeur de la valeur[2]* ? On retrouve alors la question du *Gai Savoir :* il s'agit de confronter la valeur à la vie :

---

1. *Par-delà bien et mal,* paragr. 62.
2. *La Généalogie de la morale,* Avant-Propos, paragr. 3, 6. Nous citons la traduction de C. Heim, éd. Gallimard.

quelle est la valeur de la valeur pour la vie ? Quelle forme de vie (faiblesse ou force, impuissance ou puissance) la valeur défend-elle ? Nietzsche constate qu'il n'est pas tout à fait le premier à avoir été dans cette direction : le courant empiriste anglais[1], lié au pragmatisme (alignement de la valeur sur les impératifs et les urgences de l'efficacité de l'action), l'essai de son ami Paul Rée (*L'Origine des sentiments moraux,* 1877) ont posé quelques jalons. Mais les tentatives d'explication en sont décevantes, superficielles et naïves : on énonce une vague origine collective, une conception sociologique de la morale : la morale des mœurs comme morale en soi (Avant-Propos, paragr. 4). Nietzsche seul a le courage d'aller à l'essentiel : la question de la vie confrontée à l'angoisse du néant, de l'absence de sens objectif du monde.

Il entend montrer en effet comment l'humanité, en se faisant elle-même sans trop savoir d'ailleurs ce qu'elle faisait, s'est (re)dressée. Plus exactement : comment certains hommes en ont dressé et voulu redresser d'autres ; par quels artifices de croyance, de foi, de confiance, de maintien dans la crédulité tous ces modes de fabrication de l'homme par l'homme ont été rendus possibles ; en effet : il a constamment fallu « justifier » les actions de force, de violence, de domination, parce que la force n'a pas toujours suffi au maintien de la domination. Rousseau le dit déjà : on fait mieux obéir les hommes avec du sens, avec n'importe quel sens, même le plus incroyable (les miracles...), qu'avec l'autorité pure et simple de la force. Nietzsche indique ici quelque chose de dramatique : plutôt du sens, n'importe lequel, que pas de sens du tout[2]. La généalogie de la morale est d'abord la généalogie de la croyance, l'enquête sur les origines des « facultés », des pouvoirs que l'esprit humain a dû patiemment se donner à lui-même, se forger dans la violence, pour élaborer les systèmes de croyance, eux-

1. *Ibid.,* Dissertation I.
2. *Ibid.,* Dissertation III, paragr. 28.

mêmes possibles seulement à condition de ne jamais dévoiler leur origine. Car une croyance ne vaut véritablement comme telle, elle ne demeure croyance que si et seulement si elle prend soin de dissimuler sa genèse, ses intentions, ses motifs et mobiles. Toute croyance est, en son fond, inconditionnelle ; mettez-lui des conditions, montrez qu'elle est historique, qu'elle obéit à d'autres raisons que la raison du « sans raison » (de la « raison pure »), qu'elle relève de l'intérêt, de la passion, ou de quelque autre principe moteur que ce soit, et son « bien-fondé » s'écroule, s'effondre avec elle.

D'où cet inventaire épouvantable dressé par Nietzsche, au sujet des « inventions » de la morale pour installer sur terre, cet asile d'aliénés (thème de *Zarathoustra* avant d'être celui de *La Généalogie...*), des systèmes de domination. Qui veut dominer doit savoir « se faire obéir » ; et rien de mieux, pour se faire obéir, que de produire en l'autre, au cœur même de son intériorité, une logique de la continuité des actions, de la fiabilité : une mémoire. Si l'homme est devenu l'animal obéissant par excellence, c'est parce qu'on a forgé en son esprit les instruments de la promesse : l'homme est devenu un animal qui doit promettre, tenir ses promesses, et donc se souvenir de ses promesses. Le principe même de la croyance est là : la fabrication d'une mémoire, la « mnémotechnie[1] ». L'homme apprend ainsi peu à peu à devenir « responsable », « fiable », « correct et régulier », discipliné, en somme. Et ce dont il peut s'enorgueillir, la conscience (réflexive, morale, professionnelle), a une origine sinistre et violente. Nietzsche rappelle, jusqu'à la nausée, l'ensemble des menaces, contraintes, punitions, châtiments, tortures physiques et mentales, destinés à domestiquer l'animal humain. Domestiquer ? Ce n'est pas, comme on le croit « naïvement », « rendre meilleur » ; c'est rendre obéissant, craintif, terrorisé. La psychologie (la logique de l'es-

1. *La Généalogie de la morale*, Dissertation II, paragr. 1 à 5.

prit) de la morale, de la mémoire, de l'esprit humains, ce n'est rien d'autre que la psychologie de la peur. La peur est la passion fondamentale de l'humanité devenue.

Le système de la croyance croît sur ce terreau passionnel et pathologique : les dominants, qui disposent de la force, de la puissance du collectif, du verbe, de la ruse, des instruments pour détourner le sens de telle ou telle fonction (la figure du « prêtre ascétique »), inventeront, selon leurs besoins, au gré des résistances offertes par les dominés, de nouvelles passions spirituelles qui relèvent de la psychologie de la vengeance ; il s'agit de se venger de l'autre en rusant : que l'autre accomplisse de lui-même sur lui-même l'acte par lequel nous nous vengeons, raffinement suprême. D'où la diabolique invention de la « psychologie de la faute » : le ressentiment (« C'est lui le coupable ») et la mauvaise conscience (qui s'appuie sur les passions tristes du regret, du remords ; l'idéal de la domination : que le sujet dominé finisse par se dire : « C'est moi le coupable ») : de la haine de l'autre à la haine de soi, de la projection de la culpabilité à son intériorisation[1].

Ce que l'animal humain « gagne », c'est bien sûr la complexification croissante de ses émotions, pensées, et évaluations, une plus grande finesse de la sensibilité (dans la lente cuisson des passions tristes), une plus grande résistance psychique, vu les épreuves qui lui sont infligées ; mais ce qu'il perd là, dans le jeu des interprétations de sa conduite et de ses valeurs, est irrémédiablement perdu : l'innocence. L'objet du *Zarathoustra* est justement de montrer comment l'homme, à condition d'accepter de se transformer et de se dépasser, peut retrouver cette innocence : de l'homme du devoir (le chameau) à l'enfant qui joue (l'embryon du surhomme), en passant par l'homme révolté (le lion)[2].

1. *Ibid.*, Dissertation II en entier.
2. *Ainsi parlait Zarathoustra*, I, « Des trois métamorphoses ».

★
★ ★

Ainsi parlait Zarathoustra (1883-1885)[1] est un texte
populaire. Les adolescents ont longtemps cru que
c'était un livre « pour eux ». Il ne faut pourtant pas s'y
tromper : la séduction de ce livre est à double tranchant : elle dissimule la difficulté des thèses qui y sont
énoncées, et elle permet à Nietzsche de s'avancer
masqué. Il l'a dit, dans une formule saisissante, qui
figure en sous-titre : « Un livre pour tous et pour
personne. » Apparemment pour tous, il est écrit dans
un style effroyable, allant du lyrique au kitsch, passant
par le pastiche (des Évangiles) et la forme prophéti-
que... bref, le mauvais goût journalistique. Il se veut
universel, annonciateur de la « bonne nouvelle » qu'est
l'évangile de l'innocence du devenir de l'existence : il
ne saurait s'adresser à quelqu'un en particulier, un
sectateur, par exemple. Mais il n'est pour personne,
parce que plein d'énigmes et dangereux. Nietzsche
commence à dresser un programme philosophique des
tâches de l'avenir : la création de valeurs aristocrati-
ques, l'avènement du surhomme, la pensée de
l'Éternel Retour comme pensée sélective.

D'abord, pourquoi ce titre ? Il faut se souvenir que
Zarathoustra a existé ; c'est un prophète iranien
(VIIᵉ siècle av. J.-C.), qui invente les valeurs développées ultérieurement par la religion de Manès ou Mani,
inventeur du « manichéisme ». Le manichéisme se
représente le monde comme divisé et déchiré entre
deux principes absolus, fondamentaux et ennemis : le
bien (la lumière, l'ordre) et le mal (les ténèbres, le
chaos). Le monde est le théâtre de leur conflit. Zarathoustra est donc celui qui a installé ce que Nietzsche
considère comme une fiction illusoire. À lui de réparer

1. Écrit au cours des voyages à Gênes et en Engadine (Sils-
Maria, où a lieu la fameuse intuition de l'Éternel Retour) ; les première et seconde parties datent de 1883 ; la troisième de 1884, la
quatrième de 1885. Nous citons *Zarathoustra* dans la traduction de
M. de Gandillac, éd. Gallimard.

les dégâts : Zarathoustra est un assassin qui revient sur les lieux de son crime. Il vient donc rectifier son ancienne annonce, annuler le dualisme métaphysique[1]. Initiateur des hommes à l'ancienne morale, Zarathoustra tente de l'effacer désormais de leur mémoire. D'où la situation charnière de *Zarathoustra* dans l'œuvre de Nietzsche : les livres suivants seront *Par-delà bien et mal, La Généalogie de la morale, Le Crépuscule des idoles...*

Les grands thèmes du *Zarathoustra,* outre celui de la mort de Dieu[2], déjà annoncé dans *Le Gai Savoir,* sont de trois ordres :

— d'ordre anthropologique : l'homme y est défini (cf. *La Généalogie*) comme « animal malade[3] », malade de sa propre vie, de sa propre conception de la vie ; malade de ses passions tristes et affaiblissantes, le remords, la mauvaise conscience, la culpabilité (la conscience d'une faute originelle), la mélancolie ; malade de la cruauté, de la méchanceté à l'égard de lui-même et de tout ce qui vit, de tout ce qui a une sensibilité, malade du plaisir de se faire souffrir, dans l'ascétisme par exemple. Il faut alors concevoir l'homme comme l'animal transitoire par excellence : il est déclin et passage à la fois, pont ou corde jetés sur un abîme, nullement un but en soi (la fin de l'histoire, par exemple). Il s'agit de « remettre l'homme à sa place », de lui proposer des buts qui l'obligent à se dépasser : l'homme est un être qui doit être dépassé, surmonté[4]. Le sens de la Terre, dit Nietzsche, n'est pas l'homme, il en serait plutôt la nausée, le « non-sense », vu sa disponibilité à l'humour noir involontaire et à l'absurde ; seul le surhomme peut être le

---

1. *Zarathoustra,* Prologue ; II, « De la rédemption ».
2. *Ibid.,* Prologue, paragr. 2 et 3 ; I : « De ceux des arrière-mondes », « De la prodigue vertu » ; II : « Aux îles fortunées », « Des prêtres » ; III : « Des renégats » ; IV : « Hors service », « Le plus hideux des hommes ».
3. *Ibid.,* I, « D'enfant et de mariage » ; II, « De grands événements » ; III, « Le Convalescent ».
4. *Ibid.,* Prologue, paragr. 3 et 4 ; III, « D'anciennes et de nouvelles tables », paragr. 3.

sens de la Terre et redonner du goût à la vie. L'avènement du surhomme est la seule réponse viable à la question du devenir de l'histoire humaine après la « mort de Dieu[1] ».

— d'ordre éthique et axiologique, avec la thèse de l'innocence du devenir. Ce que Nietzsche appelle l'idéal ascétique (l'idéal de l'ascèse contre la vie qui s'affirme elle-même) eut pour intention et effet de culpabiliser la conscience humaine : la chute de l'homme dans la psychologie de la faute ne peut se faire que si l'on juge la temporalité sensible inférieure à une non-temporalité suprasensible (l'intemporalité de Dieu, des idées, du bien et du mal, etc.). Le temps est alors la marque de la faute : la pensée morale du temps est celle de la mort, de la corruption, de la décadence ; d'où l'impuissance des humains à supporter le temps et sa marque tragique ; d'où la fuite de l'espoir humain dans l'intemporel de l'au-delà. Or, revenant à Héraclite, Nietzsche estime que la seule réalité du monde n'est ni la réalité intelligible, ni la réalité sensible (puisque nommer cette réalité « réalité sensible », c'est supposer qu'il y en a une autre, non sensible), mais la réalité du « fleuve du devenir[2] ». Penser la vie à l'aune de cette puissance dissolvante du devenir, qui porte et emporte tout sur son passage, constitue l'épreuve la plus rude pour la « volonté » à l'œuvre dans l'existence des hommes. Que l'existence fasse donc ses preuves à l'épreuve tragique du temps. D'où la nécessité de la pensée la plus haute, celle de l'Éternel Retour.

— d'ordre ontologique : c'est la thèse de l'Éternel Retour. Alors que la philosophie de l'histoire élaborée par le christianisme voit le temps comme un vecteur « rectiligne » (tout commence avec la Création pour s'achever dans le Jugement dernier), Nietzsche forge une image du temps correspondant

---

1. *Zarathoustra*, I, « De la prodigue vertu ».
2. *Ibid.*, II, « De la domination de soi » ; III, « D'anciennes et de nouvelles tables », paragr. 8.

à la mise à l'épreuve la plus terrible de l'existence :
le but est toujours de faire en sorte que l'homme se
réconcilie avec son existence, qu'il finisse par « vouloir vraiment » ce qu'il est (devenu) et ce qu'il sera ;
aucune autre pensée ne peut y parvenir, hormis celle
qui consiste à l'obliger à penser le retour éternel et
infini de cette existence-là ; la rumination morale
était essentiellement pensée du passé (vengeance,
remords[1]), la vraie pensée de la vie est toute tendue,
comme un arc, vers l'avenir (de l'homme au
surhomme). L'image adéquate du temps est donc circulaire : le retour est cercle[2]. Le nouvel impératif
éthique est celui-ci : il me faut vouloir le retour infini
de cette existence pour être en plein accord avec elle,
pour accepter sa nécessité absolue (elle ne saurait
être autre qu'elle est) et son bienfait absolu (elle est
ainsi, c'est ainsi, *so ist es*, et c'en est une bénédic-
tion). Rien de surprenant alors : *Zarathoustra* est un
hymne à l'éternité de la vie[3], de toute vie qui affirme
la vie dans l'innocence, la légèreté, la joie, la gaieté,
le rire, la connaissance, et la reconnaissance (sauf la
reconnaissance de dette !...). L'idée de l'Éternel
Retour est en ce sens le vrai centre de l'éthique
nietzschéenne : elle permet d'affirmer un idéal,
« celui de l'homme le plus généreux, le plus vivant,
et le plus affirmateur, qui ne se contente pas
d'admettre et d'apprendre à supporter la réalité
telle qu'elle fut et telle qu'elle est, mais qui veut la
revoir telle qu'elle fut et telle qu'elle est, pour toute
l'éternité, qui crie insatiablement *da capo*, en s'adres-
sant non pas à lui, mais à la pièce et au spectacle
tout entier, et non seulement à un spectacle, mais
au fond à celui qui a besoin de ce spectacle et le
rend nécessaire ; parce qu'il ne cesse d'avoir besoin
de soi et de se rendre nécessaire[4] ». La pensée nietzs-

---

1. *Ibid.*, II, « De la rédemption ».
2. *Ibid.*, III, « De la vision et de l'énigme », « Le Convalescent ».
3. *Ibid.*, III, « De la grande nostalgie », « Les Sept Sceaux (ou : le Chant du Oui ou de l'Amen) ».
4. *Par-delà bien et mal*, paragr. 56.

chéenne du surhomme est l'affirmation d'une sur-
morale, d'une morale supérieure, d'une morale
d'aristocrate ; son but : rendre la vie digne d'être
vécue, enfin.

Philippe CHOULET

BIBLIOGRAPHIE

ÉDITION DE RÉFÉRENCE : *Œuvres complètes* de Nietzsche, éd. COLLI-
MONTINARI (1967-1988) ; en langue allemande, éd. de GRUYTER,
Berlin, 15 vol. ; trad. française, éd. Gallimard en cours. Certains de
ces volumes sont parus en format de poche.

TRADUCTIONS FRANÇAISES : d'autres éditions peuvent être
recommandées (GF-Flammarion, Médiations, Nathan, Livre de
Poche, etc.) dans des traductions de H. ALBERT, M. BETZ,
G. BIANQUIS, E. BLONDEL, A. KREMER-MARIETTI, A. VIALATTE,
etc. Citons, en particulier, *Ainsi parlait Zarathoustra*, trad. G. BIAN-
QUIS, Paris, Aubier, 1992 (éd. bilingue), *La Naissance de la tragédie*,
trad. M. HAAR, Ph. LACOUE-LABARTHE, J.-L. NANCY, Paris, Gallimard, « Folio-Essais », 1977. *Le Gai Savoir*, trad. A. VIALATTE,
Paris, Gallimard, « Folio-Essais », 1985. *La Généalogie de la morale*,
trad. H. ALBERT revue par M. SAUTET, Paris, Livre de Poche,
1990. *Par-delà bien et mal*, trad. G. BIANQUIS, Paris, Aubier, 1978
(éd. bilingue). *Le Gai Savoir* et *La Généalogie de la morale* sont à
paraître dans la collection GF-Flammarion.

COMMENTAIRES : E. FINK : *La Philosophie de Nietzsche*, éd. all. 1960,
éd. fr. Paris, Minuit, 1965. G. DELEUZE : *Nietzsche*, Paris, PUF,
coll. « SUP», 1971. J. GRANIER : *Nietzsche*, Paris, PUF, coll. « Que
sais-je ? », n° 2042, 1982. C. P. JANZ, *Nietzsche, biographie*, Paris,
Gallimard, 3 vol., 1984.

PASCAL

L'Entretien de M. Pascal et de
M. de Sacy sur la lecture d'Épictète
et de Montaigne
Pensées

La lecture de Pascal rencontre deux difficultés majeures. La première tient à l'état de l'œuvre qu'il nous a léguée. Lorsqu'il meurt, le 19 août 1664, l'essentiel de l'œuvre aujourd'hui connue est inédit et inachevé. Exception faite des *Provinciales* et de quelques opuscules scientifiques, Pascal a peu publié de son vivant. Ce que l'on appelle les *Pensées* est en réalité un texte posthume constitué de plus de 950 fragments, pour la plupart assez courts et enfilés en liasses, provenant du découpage des grandes feuilles sur lesquelles Pascal avait l'habitude d'écrire. Pourquoi ce découpage ? Parce que, à l'aide d'une refonte de réflexions disparates rédigées sans doute de 1653 à 1660, Pascal entend établir une sorte d'état de son projet d'*Apologie de la religion chrétienne*, dont témoigne la table des liasses[1], mais que la mort lui inter-

1. *Cf.* l'édition Lafuma des *Pensées* dans la collection « L'Intégrale », p. 677a, ce qu'on appelle à tort la table des matières des *Pensées*, sect. I, papiers classés. Absent de Br et du corps du texte de L. Nous citons l'*Entretien de M. Pascal avec M. de Sacy sur la lecture d'Épictète et de Montaigne* d'après le texte paru en GF-Flammarion et les *Pensées* selon la double notation classique des numéros de l'édition Brunschvicg (Br) parue en GF-Flammarion et de l'édition Lafuma (L), à laquelle nous avons rajouté la pagination de l'édition Martineau (Ma).

dira de mener à bien. Ce projet naît après le miracle de la sainte épine, qui a favorisé le 24 mars 1656 sa nièce Gilberte Perrier, en la guérissant d'une fistule lacrymale par l'attouchement d'une épine de la couronne du Christ et, selon toute vraisemblance, s'élabore progressivement à partir d'une réflexion sur le sens et la valeur apologétique des miracles. L'ensemble de ces textes présente un travail en cours d'élaboration, aux contours encore mal dégrossis, dont rien ne permet d'affirmer que Pascal les aurait conservés tels quels. Il faut donc se résoudre à lire le grand œuvre de Pascal comme une œuvre inaccomplie. Ce constat ne laissera pas de décevoir son entourage, auquel il avait présenté un plan de son projet au cours d'une conférence dite « à Port-Royal », prononcée vraisemblablement en 1657 ou 1658, et qui s'attendait à trouver dans ses papiers une ébauche amplement élaborée. Aussi, lorsqu'en 1670 paraît la première édition des *Pensées* (dite de Port-Royal), commence une histoire éditoriale à ce jour inachevée dont l'enjeu essentiel demeure la fidélité à l'état historique du texte laissé à sa mort par Pascal, dans lequel l'interprète a obligation de chercher le sens de son projet. Mais cela revient tout uniment à énoncer une première difficulté, puisque le texte même n'en retranscrit qu'obscurément la teneur. D'où la question : selon quel ordre de lecture aborder les *Pensées*, dès lors que l'ordre du classement laissé par Pascal manifeste un ordre d'élaboration et non d'exposition, clair pour son auteur mais obscur pour son lecteur ?

À cette difficulté matérielle s'ajoute une difficulté de principe, pour autant que l'on prétend lire philosophiquement Pascal. En effet, le projet d'*Apologie de la religion chrétienne* met explicitement en œuvre une dévalorisation de la philosophie : « C'est en vain, ô hommes, que vous cherchez dans vous-mêmes les remèdes à vos misères. Toutes vos lumières ne peuvent arriver qu'à connaître que ce n'est point dans vous-mêmes que vous trouverez ni la vérité ni le bien. Les philosophes vous l'ont promis et ils n'ont pu le faire. Ils ne savent ni quel est votre véritable bien ni quel est votre véritable état[1]. » Mais cette position est-elle philosophiquement concevable ? L'on se trouve en effet confronté à l'alternative suivante. Ou bien cette dévalorisation de la philosophie suppose elle-même une philosophie, puisqu'elle doit bien se justifier et se fonder. Elle ne manifeste alors qu'une philosophie ignorante de ses principes et de ses présupposés. Car toute contestation de la philosophie n'appartient-elle pas encore de droit à la philosophie ? C'est à ce cercle logique qu'Aristote acculait tout discours antiphilosophique, pour autant que « ne pas philosopher, c'est encore philosopher ». Et Pascal semble bien le reconnaître, lorsque, reprenant Montaigne, il écrit que « se moquer de la philosophie, c'est vraiment philosopher[2] ». Mais alors, l'apologie semble contradictoire dans ses moyens et sa visée mêmes, puisque, en recherchant et en trouvant dans les *Pensées* une philosophie de Pascal, on devrait mettre au jour son incompatibilité de principe avec le projet apologétique. Ou bien il y a quelque fondement à la position de Pascal. Mais dans ce cas, si Pascal n'a pas de philosophie, que convient-il de chercher dans les *Pensées* ? Bien plus, leur lecture peut-elle concerner celui qui fait profession de philosopher ? En fait, Pascal représente une tentative de se passer de la philosophie qui suppose non pas sa réfutation — ce qui resterait encore une démarche philosophique — mais son dépassement, c'est-à-dire l'accession à un point de vue sur la philosophie irréductible à toute philosophie, une position à partir de laquelle évaluer la philosophie sans être englobé par elle. C'est ce rapport à la philosophie qui commence de s'élaborer dès *L'Entretien de M. Pascal et de M. de Sacy sur la lecture d'Épictète et de Montaigne*.

*
* *

---

1. *Pensées*, Br 430 ; L 149 ; Ma 68-69.
2. *Ibid.*, Br 4 ; L 513 ; Ma 22.

Du 7 au 28 janvier 1655, peu après la nuit du 23 novembre 1654, qui marque le moment décisif de sa seconde conversion[1], Pascal effectue une retraite à Port-Royal des Champs au cours de laquelle il a des entretiens avec le confesseur des religieuses, Isaac Le Maistre de Sacy. L'hypothèse la plus couramment reçue pour expliquer l'origine de ce texte veut qu'à cette époque il ait composé une sorte d'opuscule à partir duquel le secrétaire de M. de Sacy et mémorialiste Fontaine aurait reconstitué *L'Entretien avec M. de Sacy*. Ce texte, dans lequel on s'accorde à lire un strict contenu pascalien bien qu'il ne soit pas au sens littéral de Pascal, marque la reprise du modèle apologétique que saint Augustin développe dans le *Traité de la vraie religion* (*De vera religione*), dans lequel il n'hésite pas à affronter les philosophies afin d'en montrer le caractère partiel et contradictoire. Car il s'agit pour Pascal de constituer une apologétique destinée à l'homme de son siècle, qui, sceptique ou au contraire grisé par le développement de la science et la confiance dans le pouvoir de la raison, verse dans l'indifférence en matière religieuse, l'athéisme ou la pensée déiste d'un accord possible entre la foi et la raison, perdant de vue la question essentielle de son salut. Ce détachement à l'endroit de la question du salut ne signifie pas que cet homme se désintéresse du sens de son existence, mais qu'il attend de la philosophie un savoir sur lequel fonder une sagesse de vie. C'est précisément cette confiance qu'il s'agit de décevoir en montrant que la philosophie ne peut répondre à une attente que seule la Révélation peut combler. En effet, les différentes philosophies possibles se neutralisent et s'anéantissent mutuellement parce que chacune d'elles pense l'homme sous un aspect partiel et unilatéral, abstraction faite de la totalité contradictoire qu'il constitue et dont seule la foi rend compte.

1. *Cf. Le Mémorial* = *Pensées*, L 913 ; Ma 29-31 ; Br en dehors du corps des *Pensées*, p. 43-44. Au cours de cette nuit, Pascal vit une intense émotion religieuse que l'on ne connaît que par le *Mémorial*, texte dont il conservera la copie sur parchemin cousue dans la doublure de son pourpoint.

Ce propos, si l'on s'en tient aux seules interventions de Pascal, s'accomplit dans l'unité manifeste de trois moments successifs. Le premier[1] construit un éloge de la philosophie d'Épictète telle que la raison la comprend, auquel fait contrepoint la mise au jour des insuffisances que la foi y décèle. Le second[2] comprend un éloge de la philosophie de Montaigne que Pascal oppose à la morale de païen à laquelle elle a donné lieu en la personne de Montaigne même. Le dernier[3] montre enfin que l'utilité de ces lectures profanes dans une perspective apologétique repose sur l'implosion à laquelle est structurellement condamnée la philosophie.

L'éloge d'Épictète s'ouvre sur un jugement qui sera définitivement maintenu au cours de l'*Entretien avec M. de Sacy*. « Épictète est un des philosophes au monde qui ait mieux connu les devoirs de l'homme[4]. » Ce jugement reçoit son contenu de reprises littérales des *Entretiens* et du *Manuel*, qui manifestent à quel point Épictète a bien compris que l'homme devait adorer et se soumettre à un Dieu qui gouverne tout avec justice, accepter le cours des évènements comme relevant de sa sagesse, ne prêter aucun prix aux biens terrestres et vivre avec l'idée d'une mort inévitable. En un mot, « il ne se lasse pas de répéter que toute l'étude et le désir de l'homme doit être de reconnaître la volonté de Dieu et de la suivre[5] ». Mais Épictète a présumé des forces de l'homme, car il y a loin de connaître la volonté de Dieu à l'accomplir. Épictète confond à tort la conscience des devoirs et les pouvoirs de les réaliser : « Après avoir si bien compris ce qu'on doit, voici comme il se perd dans la présomption de ce qu'on

1. *Entretien avec M. de Sacy*, de la p. 100, « Épictète... » jusqu'à la p. 102, « et d'autres ».
2. *Ibid.*, de la p. 102, « Pour Montaigne... », jusqu'à la p. 109, « comme il dit lui-même ».
3. *Ibid.*, de la p. 109, « Je ne puis pas vous dissimuler... », jusqu'à la fin.
4. *Ibid.*, p. 100 ; *cf.* p. 101 et 111.
5. *Ibid.*, p. 101.

peut[1]. » D'où sa notoire méconnaissance de la faiblesse humaine. Car Épictète croit, c'est-à-dire en est réduit à postuler, que « l'homme peut par [ses] puissances parfaitement connaître Dieu, l'aimer, lui obéir, lui plaire, se guérir de tous ses vices, acquérir toutes ses vertus, se rendre saint et ainsi compagnon de Dieu[2] ». Si Épictète a établi l'indéniable « grandeur » de l'homme qu'est la conscience des devoirs, il reste qu'il manifeste l'orgueil d'une raison qui ignore sa « misère[3] », c'est-à-dire qui, se présupposant des moyens dont elle ne dispose pas, méconnaît son incapacité à accomplir ce qu'elle doit.

Cette « misère » de l'homme n'a pas été méconnue de Montaigne. Bien que catholique, « il a voulu chercher quelle morale la raison devrait dicter sans la lumière de la foi (...) en considérant l'homme destitué de toute révélation[4] ». Le résultat de la recherche est édifiant : « Il y détruit insensiblement tout ce qui passe pour le plus certain parmi les hommes, non pas pour établir le contraire avec une certitude de laquelle seule il est ennemi ; mais pour faire voir seulement que les apparences étant égales de part et d'autre, on ne sait où asseoir sa créance[5]. » Ses arguments ébranlent toutes nos assurances, qu'elles soient juridiques, métaphysiques, morales ou scientifiques[6]. Le scepticisme de Montaigne ne concède à la raison que ce qu'il faut de pouvoir « pour remarquer sa faiblesse[7] » constitutive. Des réflexions de Montaigne, « la superbe raison [sort] invinciblement froissée par ses propres armes[8] », enfin mûre dans sa « misère » pour embrasser les enseignements de l'Église. Néanmoins, ce constat ne pousse pas Montaigne à accorder sa conduite avec la foi catholique qu'il professe pourtant. « Il agit au contraire en païen », et fonde sur la « misère » de l'homme une

1. *Entretien avec M. de Sacy*, p. 102.
2. *Ibid.*
3. « Grandeur » et « misère », *cf.* p. 110.
4. *Ibid.*, p. 102.
5. *Ibid.*, p. 103.
6. *Cf. ibid.*, p. 103 à 106.
7. *Ibid.*, p. 106.
8. *Ibid.*, p. 108.

morale de « la commodité et [de] la tranquillité[1] » dans
laquelle le doute et l'ignorance incitent à une douce
oisiveté. Parce que, oublieux de ses devoirs, l'homme-
Montaigne a donc ignoré la véritable sagesse qu'il eût
dû tirer de sa philosophie.

Reste alors à déterminer le statut de la philosophie,
en dégageant la portée apologétique de cette lecture
des philosophies. Pour ce faire, Pascal interprète la
totalité de l'histoire de la philosophie à partir d'une
alternative symbolique : Épictète et Montaigne sont
« les deux plus grands défenseurs des deux plus célèbres sectes du monde et *les seules conformes à la raison*,
puisqu'*on ne peut suivre* qu'une de ces deux routes[2] ».
La raison laissée à elle-même ne peut se développer
que selon les deux possibilités philosophiques dont
Épictète et Montaigne sont les modèles. L'une
« connaissant les devoirs de l'homme et ignorant son
impuissance se perd dans la présomption ; l'autre
connaissant l'impuissance et non le devoir s'abat
dans la lâcheté[3] ». Mais ne pourrait-on imaginer de
concilier en une seule ces deux positions apparemment complémentaires ? Réponse : « Il ne resterait de
leur assemblage qu'une guerre et qu'une destruction
générale, car l'un[e] établissant la certitude, l'autre le
doute ; l'un[e] la grandeur, l'autre la faiblesse, [elles]
ruinent la vérité aussi bien que la fausseté l'un[e] de
l'autre[4]. » Réduite à elle-même, chacune de ces philosophies est partielle, incomplète donc fausse, puisqu'elle ne pense jamais ensemble la grandeur *et* la
misère de l'homme. Mais tout effort pour les concilier fait qu'elles se « brisent et s'anéantissent[5] » réciproquement, puisqu'elles s'opposent terme à terme,
la vérité de l'une étant l'erreur de l'autre. Ou bien
Épictète a raison de lier la connaissance des devoirs
au pouvoir de les accomplir, et Montaigne se trompe.

1. *Ibid.*, respectivement p. 108 et 109.
2. *Ibid.*, p. 109-110. Nous soulignons.
3. *Ibid.*, p. 111.
4. *Ibid.*
5. *Ibid.*

Ou bien Montaigne a raison de décrire l'homme faible, et alors Épictète se trompe. L'homme ne peut recevoir en sa seule nature la grandeur selon Épictète et la misère selon Montaigne[1].

Et pourtant, l'homme est grand *et* misérable, puisqu'il a conscience de devoirs dont il sait qu'il ne peut les accomplir par ses seules forces. C'est là le point où la raison philosophant éprouve son impuissance à constituer une vraie connaissance de l'homme. Et elle comprend qu'elle doit s'effacer, non pas au profit d'une autre philosophie, puisqu'il n'y en a pas d'autres possibles, mais de la théologie. Car seule la Révélation « accorde ces opposés[2] » en les rapportant à la coexistence en l'homme de « traces » de sa grandeur prélapsaire et de sa misère de nature déchue. Ainsi, l'anthropologie ne peut s'accomplir qu'en devenant théologie, plus précisément même, christologie : l'homme se connaît en la personne du Christ, l'homme-Dieu, image de l'accord des contraires qui le constitue[3]. La philosophie est alors reconduite à son *usage* apologétique. Épictète est « incomparable pour troubler le repos de ceux qui le cherchent dans les choses extérieures. (...) Montaigne est incomparable pour confondre l'orgueil de ceux qui, hors la foi, se piquent d'une véritable justice[4] ». L'orgueil d'Épictète et la paresse de Montaigne neutralisant réciproquement leurs effets pervers, la philosophie entretient dans l'instabilité de ses deux uniques options un état d'humilité et un désir de recherche qui ne seront comblés que par la conversion, c'est-à-dire par le don d'une pensée de la charité, nécessairement d'un autre ordre que la philosophie[5]. Ce faisant, la philosophie ne se trouve pas réfutée au nom d'une erreur qu'elle n'a du reste pas commise, mais disqualifiée au nom de sa partialité de

1. *Entretien avec M. de Sacy*, p. 110 et 111.
2. *Ibid.*, p. 111.
3. *Ibid., cf.* p. 110 et 111.
4. *Ibid.*, p. 112-113.
5. *Ibid.*

principe : la philosophie ne faute pas par ce qu'elle sait, mais par ce qu'elle ne peut pas manquer d'ignorer.

*
* *

Cette anthropologie qui repose sur l'opposition de la grandeur et de la misère de l'homme se retrouve sans modification en de nombreux fragments des *Pensées*[1]. En a-t-on alors fini avec la philosophie ? Son statut est-il définitivement fixé par sa fonction dans le dispositif apologétique que lui assigne l'*Entretien avec M. de Sacy* ? Il n'en est rien, car la réflexion de Pascal va mettre en évidence dans d'autres fragments le caractère d'exception de la philosophie cartésienne qui échappe au régime précédent, commun à toutes les autres philosophies.

En effet, alors que la doctrine contemporaine de l'*Entretien avec M. de Sacy* conçoit la grandeur comme la connaissance des devoirs, et corrélativement la misère comme la faiblesse qui nous rend incapables de les accomplir, une nouvelle conception de la grandeur se fait jour qui la rapporte à la pensée : « Je puis bien concevoir un homme sans mains, pieds, tête, car ce n'est que l'expérience qui nous apprend que la tête est plus nécessaire que les pieds. Mais je ne puis concevoir l'homme sans pensée. Ce serait une pierre ou une brute[2] ».

Aussi, « toute la dignité de l'homme est en la pensée. (...) Qu'elle [la pensée] est grande par nature[3] ! » Le cartésianisme de ces fragments est énoncé et assumé lorsque Pascal écrit que « le moi consiste en ma pensée[4] », ce qui correspond bien à l'enseignement de la II*e Méditation métaphysique*. Aussi est-ce de façon par-

1. *Cf. Pensées*, Br 430, 434, 423, 148, etc. ; respectivement L 149, 131, 119, 120, etc. ; Ma 68-69, 73-75, 82, 120, etc.
2. *Ibid.*, Br 339 ; L 111 ; Ma 153.
3. *Ibid.*, Br 365 ; L 756 ; Ma 79 ; *cf.* aussi, Br 347 ; L 200 ; Ma 79 ; Br 348 ; L 113 ; Ma 79 ; puis Br 397 ; L 114 ; Ma 78-79, etc.
4. *Ibid.*, Br 469 ; L 135 ; Ma 144.

faitement cohérente que la misère va trouver dans la matérialité sa nouvelle formulation[1]. Que faut-il en conclure ? Que ces deux expressions du couple grandeur/misère ne sauraient se confondre en une seule. Car là où la première met en avant l'opposition d'une puissance à une impuissance, la seconde constate d'abord la différence qui sépare deux natures, l'une pensante et l'autre matérielle. L'opposition est-elle pour autant abolie ? En réalité, elle est reportée sur la considération sidérée de la contradiction qui constitue l'homme, c'est-à-dire l'union inconcevable, et pourtant réelle, de deux substances ou natures hétérogènes. Mais c'est là manifestement reprendre les conclusions cartésiennes sur l'homme. La conséquence est alors inévitable : la philosophie de Descartes n'est assimilable à aucune des deux sectes philosophiques de l'*Entretien avec M. de Sacy*, et échappe à cette classification puisqu'en elle trouvent à s'exprimer la grandeur *et* la misère de l'homme.

C'est la possibilité de cette expression qu'accomplit de façon exemplaire la célèbre image du roseau pensant. « L'homme n'est qu'un roseau pensant, le plus faible de la nature, mais c'est un roseau pensant. Il ne faut pas que l'univers entier s'arme pour l'écraser, une vapeur, une goutte d'eau suffit pour le tuer. Mais quand l'univers l'écraserait, l'homme serait encore plus noble que ce qui le tue, puisqu'il sait qu'il meurt et l'avantage que l'univers a sur lui. L'univers n'en sait rien[2]. » L'image du roseau pensant énonce la pensée conjointe de la misère et de la grandeur de l'homme en formulant sa grandeur en termes de pensée de sa misère. Comment cette pensée s'effectue-t-elle ? « Ce n'est point de l'espace que je dois chercher ma dignité. (...) Par l'espace, l'univers me comprend et m'engloutit comme un point[3]. » En tant qu'étendu, c'est-à-dire, en termes cartésiens, en tant que corporel, l'homme est compris dans l'espace

---

1. *Pensées, cf.* par ex. Br 348 ; L 113 ; Ma 79 puis Br 397 ; L 114 ; Ma 78-79.
2. *Ibid.*, Br 347 ; L 200 ; Ma 79.
3. *Ibid.*, Br 348 ; L 113 ; Ma 79.

des corps, et est donc soumis à la dispersion qu'impose l'illimitation de cet espace. Point parmi les points, corps parmi les corps, le corps de l'homme s'abîme dans la neutralité d'un espace où tous les lieux se valent et s'indifférencient. Exposé à la causalité physique des corps qui ont prise sur lui et peuvent physiquement « l'écraser », sa misère s'atteste d'elle-même, donnée et incontournable. Aussi, « c'est du règlement de [sa] pensée » que l'homme doit rechercher sa grandeur. « C'est de là qu'il nous faut relever, et non de l'espace (...), que nous ne saurions remplir[1]. » Or cette grandeur de la pensée de l'homme est aussi manifeste qu'est patente la misère de son corps. Car cet univers dans lequel mon corps se perd, « par la pensée je le comprends[2] ». À la dissémination désordonnée des corps, la pensée oppose l'ordre qu'elle impose à ce qu'elle pense, du fait même qu'elle le pense : liaisons logiques, quantité, qualité, etc. En ressaisissant par sa pensée le point auquel par son corps il est réduit, l'homme transforme ce point quelconque en référent. Ainsi, lorsque nous observons un paysage, nous en devenons le centre, puisque notre vision le dispose autour de nous selon la perspective de notre regard qui enferme en nous la totalité de ce que nous voyons. Englouti dans l'espace par son corps, l'homme engloutit l'espace par et dans sa pensée. « Toute notre dignité consiste bien en la pensée[3] ». C'est alors que le lien entre la grandeur et la misère éclate au jour. Car la pensée détient le privilège de pouvoir penser et les corps et elle-même dans la conscience de soi. C'est cette faculté de se dédoubler qui signe sa grandeur : si la misère de l'homme est donnée, c'est parce qu'il en a conscience en la pensant. Sa grandeur n'est donc rien d'autre que la conscience de la pensée de sa misère. « La grandeur de l'homme est grande en ce qu'il se connaît misérable ; un arbre ne se connaît pas misérable. C'est

1. *Ibid.*, respectivement Br 348 ; L 113 ; Ma 79, puis Br 347 ; L 200 ; Ma 79.
2. *Ibid.*, Br 348 ; L 113 ; Ma 79.
3. *Ibid.*, Br 347 ; L 200 ; Ma 79.

donc être misérable que de se connaître misérable ; mais c'est être grand que de connaître qu'on est misérable[1]. »

Se pose alors la question suivante : puisque l'échec des philosophies provenait, selon l'*Entretien avec M. de Sacy*, de ce qu'elles ne pouvaient dire ensemble la misère *et* la grandeur de l'homme, ne faut-il pas avouer que la philosophie cartésienne est une réussite et marque l'inutilité du projet pascalien ? Pascal n'a-t-il pas une philosophie, la cartésienne ? Il convient en fait de distinguer trois temps dans la réflexion de Pascal. Dans le premier, il s'agit d'utiliser Descartes pour le faire jouer contre les autres philosophes dont il se distingue indéniablement, comme le montre l'exemple du roseau pensant. Pour Pascal, la philosophie cartésienne, pensant tout ce qui est en rigueur pensable philosophiquement, accomplit la philosophie dans son excellence, c'est-à-dire comme métaphysique. Mais c'est exactement pour cette raison qu'il faut dans un deuxième temps en montrer les limites, car les limites de Descartes sont celles de la philosophie. C'est pourquoi la répétition de thèses cartésiennes s'accompagne d'une transformation de leur portée. Par exemple, alors que la pensée était conçue comme exprimant la grandeur de l'homme, elle se trouve aussi affectée de la même faiblesse que le roseau (corps) : « La raison s'offre, mais elle est ployable à tous les sens[2]. » La différence cartésienne de l'âme et du corps n'est ici reprise que pour être transformée, puisque la faiblesse (domaine du corps) concerne aussi la pensée. Mais cette transformation elle-même ne sert qu'à préparer l'ultime moment du dépassement de la philosophie cartésienne, et avec elle de toute philosophie. Ce dépassement est le rôle dévolu par Pascal à ce que l'on appelle la théorie des trois ordres. Comment celle-ci l'accomplit-elle ?

1. *Pensées*, Br 397 ; L 114 ; Ma 78-79.
2. *Ibid.*, Br 274 ; L 530 ; Ma 22.

Pascal part de l'énumération biblique des trois concupiscences : « Tout ce qui est au monde est concupiscence de la chair ou concupiscence des yeux ou orgueil de la vie[1] », qu'il n'interprète cependant pas comme l'énoncé de trois tentations fondamentales. En réalité, il les aménage et les transforme en trois modalités de notre rapport à des choses possibles, déterminant ainsi à chaque reprise un ordre de choses[2], c'est-à-dire un ensemble ordonné que constituent des choses et notre mode d'accès à elles. Ainsi la concupiscence de la chair ne désigne plus spécifiquement la tentation des plaisirs, mais la modalité corporelle ou sensible du rapport aux choses. Les choses qui en dépendent sont le monde des corps : le tout donne l'ordre de la chair. La concupiscence des yeux n'est plus la curiosité, mais ce à quoi l'esprit se rapporte. L'ordre des choses qu'il définit est celui des choses intelligibles : l'ordre de l'esprit, monde des sciences et du savoir. La concupiscence de l'orgueil enfin est abandonnée et remplacée par le fait « de voir par les yeux de la foi[3] ». L'ordre des choses ainsi institué est celui de la charité. Reste à comprendre quel est le type de rapport qui lie ces trois ordres entre eux.

« Tous les corps, le firmament, les étoiles, la terre et ses royaumes, ne *valent* pas le moindre des esprits ; car il connaît tout cela et soi ; et les corps rien. Tous les corps ensemble et tous les esprits ensemble et toutes leurs productions ne *valent* pas le moindre mouvement de charité. Cela est d'un ordre infiniment plus élevé[4]. » Les ordres sont liés selon des rapports de valeur, de telle façon que l'ordre supérieur soit juge de la valeur de l'ordre inférieur. Ainsi le premier ordre (chair) ne vaut rien au regard du deuxième (esprit), qui lui-même est dévalorisé au regard du troisième (charité). Qu'est-ce qui fonde cet

1. *Ire Épître de saint Jean*, 2, 16.
2. *Pensées*, cf. Br 460 ; L 960 ; Ma 37.
3. *Ibid.*, Br 701 ; L 317 ; Ma 110.
4. *Ibid.*, Br 793 ; L 308 ; Ma 37. Nous soulignons.

écart de valeur ? Chaque ordre est régi par un mode spécifique d'accès aux choses, incapable d'ouvrir accès aux objets de l'ordre supérieur. Les grandeurs charnelles qui sont vues par les yeux ne peuvent voir les grandeurs spirituelles que voit l'esprit, lequel ne peut être à son tour qu'aveugle à la sainteté vue par le seul regard de l'amour. L'exemple du roseau pensant nous a donné à comprendre le mode de constitution de ce jugement de valeur dans le cas des deux premiers ordres : misère du corps et grandeur de l'âme qui pense la misère du corps. Du même coup apparaît nettement l'usage qui est fait par Pascal de la philosophie cartésienne : là où Descartes conçoit une distinction de nature, Pascal instaure une différence de valeur qui en modifie la signification. Ainsi, à la différence entre âme et corps succède l'hétérogénéité des ordres. Concevoir une distinction de nature comme une différence de valeur revient à penser en termes de *distance*. Les rapports entre les ordres sont donc des rapports de *distance*. « La *distance* infinie des corps aux exprits *figure* la distance infiniment plus infinie des esprits à la charité, car elle est surnaturelle[1]. » Et la pensée de cette distance opère figurativement : elle se donne à comprendre et à lire comme un code. La distance incommensurable du premier au second ordre figure, c'est-à-dire n'est que l'image par laquelle nous réalisons l'infranchissable distance qui va des esprits à la charité. Qu'est-ce à dire ? Que l'accès à l'ordre de la charité n'est pas ouvert par la pensée, mais par l'amour : connaître Dieu, c'est l'aimer. Voilà pourquoi la philosophie qui règne sans partage sur le second ordre ne saurait approcher de Dieu ou de la connaissance de l'homme que l'on ne peut atteindre que dans la charité : « De tous les corps ensemble, on ne saurait en faire réussir une petite pensée : cela est impossible et est d'un autre ordre. De tous les corps et esprits on ne saurait tirer un

---

1. *Pensées*, Br 793 ; L 308 ; Ma 37. Nous soulignons.

mouvement de vraie charité, cela est impossible et d'un autre ordre, surnaturel[1]. »

Le dépassement de la philosophie que permet la pensée de la distance ne s'accomplit donc pas dans une réfutation. La philosophie, en son modèle métaphysique cartésien, conserve pour Pascal toute sa valeur. Mais celle-ci reste cantonnée à l'ordre de l'esprit, lequel voit les corps et se voit lui-même de ses propres yeux, mais ne saurait voir l'ordre de la charité, qui n'est visible qu'aux yeux de l'amour. De sorte que le fait qu'on n'accède pas naturellement (par les seules forces de l'esprit) à l'ordre de la charité n'en dément pas la réalité, mais atteste bien au contraire que l'on n'atteint à la charité que par une conversion surnaturelle (la grâce) du regard intellectuel en regard du « cœur ».

Reste pour conclure à proposer une réponse à notre question initiale, dépendante bien évidemment des pistes de lecture évoquées. L'absence complète de valeur scientifique de l'édition Brunschvicg (classement subjectif des *Pensées*) n'est pas compensée par la commodité que ses classements thématiques mais arbitraires peuvent offrir à une lecture débutante : si on ne peut s'éviter d'y avoir recours, on commencera, dans l'ordre, par les articles VI, II, VII et III, puis l'on suivra l'ordre restant de la table des matières (I, IV, etc.). L'édition Martineau fait l'hypothèse d'une rédaction continue du texte des *Pensées* avant son découpage et tente de reconstituer ce texte originel. Elle offre donc l'avantage d'un texte continu, immédiatement lisible et convaincant ; mais, récente, elle n'a pas encore été soumise à la discussion des spécialistes. En tout état de cause, l'édition Lafuma reste pour l'instant la seule qui s'impose absolument puisque rien ne saurait dispenser d'une lecture de l'état du texte que Pascal laissa à sa mort.

Gilles OLIVO

---

1. *Ibid.*, Br 793 ; L 308 ; Ma 37.

BIBLIOGRAPHIE

ÉDITION DE RÉFÉRENCE : *Œuvres complètes*, éd. J. MESNARD, Paris, DDB, t. I, 1964, t. II, 1970, t. III, 1991, t. IV, 1992, t. V à VII en préparation (les *Pensées* figureront au t. VI).
En attendant l'achèvement de l'édition Mesnard : *Œuvres complètes*, éd. L. LAFUMA, Paris, coll. « L'Intégrale », Éd. du Seuil, 1963.

AUTRES ÉDITIONS : *Entretien de M. Pascal et de M. de Sacy sur la lecture d'Épictète et de Montaigne* : *L'Entretien de Pascal et Sacy. Ses sources et ses énigmes*, éd. P. COURCELLE, Paris, Vrin, 1960, rééd. 1981. *L'Entretien de M. Pascal et de M. Sacy sur la lecture d'Épictète et de Montaigne*, in Pascal, *De l'esprit de géométrie, écrits sur la grâce et autres textes*, Paris, GF-Flammarion n° 436, 1985. *L'Entretien de Pascal et de Sacy*, t. III des *Œuvres complètes*, éd. J. MESNARD, Paris, DDB, 1991. *Pensées* : Éd. BRUNSCHVICG, Paris, Hachette, 1897 (dite *minor*), rééd. Paris, GF-Flammarion n° 266, 1976. Éd. TOURNEUR (éd. paléographique), Paris, Vrin, 1942. Éd. CHEVALIER, Paris, Gallimard, Bibl. de la Pléiade, 1954. Éd. LAFUMA (dite 2e type), in *Œuvres complètes*, coll. « L'Intégrale », Paris, Éd. du Seuil, 1963. Éd. Le GUERN, Paris, Gallimard, « Folio », 1977. Éd. SELLIER, Paris, Bordas, « Classiques Garnier », 1991. Éd. MARTINEAU, *Discours sur la religion et sur quelques autres sujets*, Paris, Fayard/Armand Colin, 1992. Éd. MESNARD, t. VI des *Œuvres complètes*, DDB (à paraître).

COMMENTAIRES : H. GOUHIER, *Blaise Pascal. Commentaires*, Paris, Vrin, 1966. *Blaise Pascal. Conversion et apologétique*, Paris, Vrin, 1986. J.-L. MARION, *Sur le prisme métaphysique de Descartes*, Paris, PUF, 1986, p. 293 à 369 (sur l'interprétation de la théorie des trois ordres comme dépassement de la philosophie). V. CARRAUD, *Pascal et la philosophie*, Paris, PUF, 1992 (ouvrage auquel nous empruntons l'essentiel de notre propos). J. MESNARD, *Les Pensées de Pascal*, Paris, SEDES, 1993, 2e éd.

PLATON

Ménon
Phédon
Phèdre
Timée

D'origine aristocratique, Platon chercha toute sa vie (428/427-348/347 av. J.-C.) à jouer un rôle politique, d'abord direct puis indirect, comme conseiller ou législateur, soit à Athènes, soit même à l'étranger, notamment en Sicile. Activité « philosophique » et activité « politique » étaient donc naturellement indissociables chez ce citoyen d'une Athènes qui restait une démocratie autonome, chez ce disciple d'un Socrate qui passait l'essentiel de son temps à discuter avec ses concitoyens dans des lieux publics ou dans la demeure de riches particuliers. Platon n'était ni un « professeur » de philosophie, ni un écrivain qui pratiquait ce genre littéraire aujourd'hui qualifié de « philosophie », mais un Athénien qui voulait réformer la vie politique de sa cité en accordant le pouvoir non à la richesse ou à la force militaire, mais au savoir ; projet qui l'amenait à proposer un nouveau système d'éducation culminant en la contemplation des réalités véritables, perçues non par les sens mais par la partie la plus haute de l'âme.

Dès lors, la vie et la pensée de Platon ne peuvent être dissociées et les moments importants de sa vie et de son œuvre doivent être mis en parallèle avec les grandes dates de l'histoire de la Grèce. En 404, Athènes tombe aux mains de Sparte, qui instaure aussitôt un régime oligarchique. Mais la tyrannie des « Trente » citoyens désignés par Sparte pour diriger Athènes, au nombre desquels on comptait Charmide, son oncle maternel, et Critias, le cousin de sa mère, connut un destin trop éphémère pour permettre à Platon de prendre part aux affaires de la cité. Et la démocratie, rétablie en 403, accusa d'impiété Socrate, qui fut condamné à boire la ciguë en 399. Platon, malade, ne put assister aux derniers instants[1] de celui qui avait été son maître depuis 408. Vers 389, Platon partit pour la Grande Grèce, c'est-à-dire l'Italie du Sud, peut-être pour rencontrer des pythagoriciens, comme Archytas ; de là, il passa en Sicile et se rendit à la cour de Denys l'Ancien, où il fit la connaissance de Dion, le frère de l'une des épouses du tyran. Revenu à Athènes, il y fonda vers 387 une « école », l'Académie, qui, semble-t-il, dispensait une formation en mathématiques et en philosophie, tout en préparant ses membres à jouer un rôle politique. À la demande expresse de Dion, Platon fit encore, vers 367 puis vers 361, deux voyages en Sicile pour persuader Denys le jeune, qui avait succédé à son père, d'adhérer à ses idées politiques. Ses projets échouèrent et il revint à Athènes où il fut le témoin impuissant d'une guerre civile qui ravagea Syracuse et au cours de laquelle Dion fut assassiné[2]. Platon mourut en 347-346, alors qu'il terminait les *Lois*, tandis que faisait rage la guerre de conquête entreprise par Philippe de Macédoine contre les Athéniens.

Platon est l'un des rares philosophes grecs dont l'œuvre nous soit parvenue dans sa totalité, ou presque. Les deux manuscrits les plus anciens — conservés l'un à la Bibliothèque nationale de Paris (*Parisianus*, 1807),

1. *Phédon*, 59c.
2. Les déboires de Platon à Syracuse sont racontés dans la *Lettre VII*, adressée aux parents et aux partisans de Dion.

l'autre à la Bodleian Library d'Oxford (*Bodleianus*, 39) — remontent à la fin du IXe siècle après Jésus-Christ et sont tributaires d'une tradition manuscrite qui s'étend sur plus de douze siècles. L'archétype dont dérivent ces deux manuscrits et dont dépendent les manuscrits plus récents a dû être copié au VIe siècle ; il devait s'inspirer d'une « édition » réalisée à Rome par T. Pomponius Atticus, l'ami de Cicéron, édition qui elle-même dépendait de la révision effectuée à Alexandrie par Aristophane de Byzance (275-180 av. J.-C.) d'une édition ancienne faite à l'Académie sous le scholarchat de Xénocrate, une trentaine d'années après la mort de Platon.

Dans les éditions modernes, le texte de Platon résulte donc d'une série de choix opérés à partir de ce qui subsiste de cette tradition manuscrite. Les divergences pertinentes entre les divers manuscrits retenus sont notées dans l'apparat critique, qui se trouve sous le texte grec imprimé et permet à qui connaît le grec ancien de retenir telle leçon plutôt que telle autre. Il convient aussi de noter que les écrits de Platon, dont on ne sait s'ils étaient à l'origine pourvus d'un titre, sont maintenant dotés d'un titre et de deux sous-titres, dont le premier indique le sujet du dialogue et le second sa « tendance ».

L'œuvre de Platon fut, dans son intégralité, révélée à l'Europe occidentale par la traduction latine que réalisa Marsile Ficin en 1483-1484. La première édition du texte grec date de 1534. C'est en 1578, à Genève, où il s'était réfugié pour échapper aux persécutions contre les protestants, que Henri Estienne fit paraître l'édition d'après laquelle on a pris l'habitude de citer Platon. Cette édition complète des *Œuvres* de Platon comprend trois tomes affectés d'une pagination continue. Chaque page comporte deux colonnes : sur celle de droite est imprimé le texte grec, sur celle de gauche on trouve une traduction latine faite par Jean de Serres. Au milieu, entre les deux colonnes, on discerne cinq lettres : a, b, c, d, e, qui permettent de diviser mécaniquement en cinq paragraphes les deux colonnes que comprend chaque page. Cette disposition explique la façon de citer Platon. On mentionne d'abord le titre de l'ouvrage. Puis, après avoir signalé le numéro du livre (pour la *République* ou pour les *Lois*), on indique la page d'après l'édition d'Henri Estienne (sans préciser le tome) ; enfin, on spécifie à quel(s) paragraphe(s) il est fait référence. Il arrive qu'on précise la (ou les) ligne(s) visée(s) ; on renvoie alors à la dernière édition des œuvres complètes de Platon, celle réalisée par John Burnet à Oxford, entre 1900 et 1907. Par exemple *Timée* 35a1 ou *République* VII, 514a5.

Mais on ne peut aborder l'œuvre de Platon sans se poser deux questions qui tiennent au mode de transmission de cette œuvre : celle de l'authenticité et celle de la chronologie.

Les *Œuvres complètes* de Platon, consignées dans les manuscrits médiévaux, comprennent quarante-deux dialogues, treize lettres et une collection de définitions. Mais tous ces écrits ne sont pas de Platon. Aussi les spécialistes distinguent-ils entre les écrits apocryphes, ceux dont on est sûr qu'ils ne sont pas de Platon ; les écrits suspects, ceux sur l'authenticité desquels on se pose encore des questions ; et les écrits authentiques, ceux dont on estime que Platon est le véritable auteur, suivant le consensus actuel. Pour ce qui est des dialogues authentiques, une autre question se pose : celle de leur chronologie.

À quelle époque de sa vie Platon a-t-il pu écrire tel ou tel ouvrage ? Il est impossible de répondre directement à cette question. Pour apporter une réponse relative, on peut retenir deux types de critères. 1) Les références historiques dans le corps de l'ouvrage. Par exemple, quand Platon mentionne une bataille, dont on sait par ailleurs qu'elle s'est déroulée à telle date, on peut en déduire que le dialogue en question a été écrit après cette date. Toutefois, comme Platon n'évite pas toujours l'anachronisme, ce genre de renseignement ne laisse pas d'être problématique. 2) Voilà pourquoi, à la fin du XIXᵉ et au cours du

XXᵉ siècle, on a tenté de classer les ouvrages de Platon en fonction de critères stylistiques, dont on avait testé la pertinence sur des ouvrages d'auteurs modernes, ceux de Goethe, par exemple : usage de certaines particules, absence ou présence du hiatus, préférence accordée à telle ou telle construction grammaticale, etc. ; l'usage de l'informatique a relancé les recherches en ce domaine.

Les résultats de cette double enquête sont les suivants :

ŒUVRES AUTHENTIQUES[1]

1) Période de jeunesse (399-390)
   Petit Hippias, Ion, Lachès, Charmide, Protagoras, Euthyphron
2) Période de transition (390-385)
   Gorgias, Ménon, Apologie de Socrate, Criton, Euthydème, Lysis, Ménexène, Cratyle
3) Période de maturité (385-370)
   Phédon, Banquet, République, Phèdre
4) Dernières années (370-348)
   Théétète, Parménide, Sophiste, Politique, Timée, Critias, Philèbe, Lois

ŒUVRES SUSPECTES

1) Dialogues
   Alcibiade II, Hipparque, Rivaux, Théagès, Clitophon, Minos ; et aussi *Épinomis, grand Hippias, Alcibiade*
2) Certaines *Lettres*

ŒUVRES APOCRYPHES

1) *Axiochos, Sur le juste, Sur la vertu, Démodocos, Sisyphe, Eryxias*
2) Certaines *Lettres*
3) *Définitions*

La question de la date de composition d'un écrit de Platon considéré comme authentique doit cependant être distinguée d'une autre : celle de la date dramatique de cet écrit, c'est-à-dire celle de la situation historique de la conversation consignée dans cet écrit.

Même si ces problèmes préliminaires sont résolus, la lecture d'un dialogue platonicien pose trois difficultés spécifiques.

---

1. À l'intérieur d'un groupe, le classement des dialogues ne présente aucun caractère de nécessité.

1. Dans les dialogues qu'il a écrits, Platon aliène toujours son « je » au profit de ces personnages que sont les interlocuteurs principaux : l'Étranger d'Athènes (dans les *Lois*), Critias (dans le *Critias*), Timée (dans le *Timée*) l'Étranger d'Élée (dans le *Sophiste* et dans le *Politique*), et surtout Socrate dans les autres dialogues. Cet « anonymat » ne laisse pas de soulever une question fondamentale à laquelle il est impossible d'apporter une réponse définitive : dans quelle mesure ces interlocteurs principaux représentent-ils Platon ?

2. Par ailleurs, ces interlocuteurs principaux s'expriment dans le cadre d'un « dialogue », forme littéraire qui chez Platon ne peut être réduite au rang d'expédient utile et brillant servant à exprimer une doctrine dont l'exposé serait prioritaire, car, dans les dialogues, la forme littéraire fait corps avec la doctrine. D'où la nécessité non seulement de prendre en compte le développement d'une argumentation parfois particulièrement subtile, et même retorse, mais aussi de rester attentif aux effets et aux figures de style : métaphore, comparaison, ironie, humour, raillerie.

3. Enfin, l'argumentation mise en œuvre par Platon s'est modifiée avec le temps. Dans les premiers dialogues jusqu'au *Ménon*, Socrate fait usage de la méthode appelée « *elenchus* ». Suivant cette méthode, une thèse est réfutée quand, et seulement quand, sa négation est déduite des opinions du répondant. L'*elenchus* présente ces quatre traits. a) Du point de vue de sa forme, cette méthode est négative : Socrate ne défend pas une thèse, il se borne à soumettre à examen une thèse avancée par son répondant. b) Mais, comme Socrate veut découvrir la vérité, tout en avouant qu'il ne sait rien, il doit tirer cette vérité de prémisses que ses répondants tiennent pour vraies. c) Si tel est le cas, Socrate doit prendre pour acquis que ses répondants ne sont pas systématiquement condamnés à l'erreur, mais détiennent aussi des vérités. d) De là suit que l'*elenchus*, comme instrument de recherche de la vérité, ne peut assurer la certitude. Or, pour combler

cette lacune, Platon va, au vu des succès foudroyants
de cette science, considérer la géométrie qui, comme
paradigme de la méthode, peut à coup sûr atteindre à
la certitude. Cette méthode démonstrative présente
cette structure logique. Si on cherche à relier la vérité
d'une proposition p à la vérité d'une hypothèse h, on
tentera de démontrer que p est vraie (ou fausse), parce
qu'elle est une conséquence nécessaire de h, laquelle
est considérée comme vraie (ou fausse) en dernière
instance, car elle (ou sa contradictoire) est la conséquence nécessaire des axiomes du système, c'est-à-
dire de ces propositions dont la vérité s'impose immédiatement et sans discussion dans le cadre du système.

L'usage de cette méthode suppose que Platon possédait une « doctrine », même si cette doctrine n'a
cessé d'être soumise à un important processus d'élaboration. Or cette doctrine est paradoxale, qui se
caractérise par un double renversement. 1) Pour
Platon, le monde des choses perçues par les sens n'est
qu'une image, celle d'un monde de formes intelligibles qui, comme modèles des choses sensibles, constituent la réalité véritable, car elles possèdent en elles
leur principe d'existence (les termes techniques *eîdos*
et *idéa* sont ici traduits par « forme intelligible », car,
depuis Descartes, le terme français « idée » évoque,
dans un contexte philosophique, quelque chose
comme une représentation. Or, chez Platon, *eîdos* et
idéa désignent une réalité, la réalité véritable. En grec
ancien, on le notera, ces deux termes dérivent de la
racine *weid-*, qui a produit des verbes et des noms de
la vue). 2) L'homme ne se réduit pas à son corps, sa
véritable identité coïncidant plutôt avec cette entité
incorporelle qui rend compte de tout mouvement
aussi bien matériel (croissance, locomotion, etc.) que
spirituel (sentiments, perception sensible, connaissance intellectuelle, etc.).

L'hypothèse de l'existence de formes intelligibles,
qu'il ne définit jamais, et dont il se borne à évoquer les
traits négatifs, permet à Platon de fonder une éthique,
une théorie de la connaissance et une ontologie.

Devant la confusion qui règne à Athènes, où la cité classique s'écroule sous les coups de ses adversaires et où les citoyens tiennent sur les valeurs communes des discours absolument opposés, Platon, qui veut prolonger l'action de Socrate, cherche à établir un ordre politique différent fondé sur des principes moraux absolument sûrs, ce qui explique que les premiers dialogues portent sur des questions éthiques. Il s'agit de définir les vertus essentielles du citoyen parfait, exigence qui implique l'existence de normes absolues ne dépendant ni de la tradition, celle que transmettent les poètes, ni de conventions arbitraires, comme le prétendent les sophistes, normes susceptibles de servir de point de référence qui puisse mesurer la conduite humaine.

Mais cette hypothèse, qui rend possible un système éthique, renvoie à la sphère épistémologique, comme on peut le constater notamment dans le *Ménon*. Pour pouvoir saisir ces normes absolues dont l'éthique a besoin, il faut faire l'hypothèse de l'existence d'une faculté distincte de l'opinion, l'intellect. Or, une distinction entre l'intellect et l'opinion implique une distinction entre leurs objets respectifs : alors que l'opinion a pour domaine les choses sensibles plongées dans le devenir, l'intellect peut saisir des réalités immuables et absolues. Bref, pour rendre compte des processus de connaissance que supposent certaines exigences morales, on est amené à faire l'hypothèse de l'existence de ces réalités que sont les formes intelligibles.

Cela dit, il faut aller encore plus loin. Certes, les formes intelligibles rendent compte des processus de la connaissance intellectuelle ; cependant la réalité sensible ne dépend pas de ces processus de connaissance. Or, si, dans le monde sensible, les objets et leurs caractéristiques se réduisent à des résultats transitoires de mouvements composés, aucune éthique, aucune épistémologie ne peut être développée et, dans cette perspective, l'hypothèse de l'existence d'un monde de formes intelligibles se présente comme une parade pragmatique. Par conséquent, indépendamment des nécessités qu'imposent l'éthique et l'épistémologie, il faut découvrir un fondement ontologique permettant de rendre compte des phénomènes sensibles qui, abandonnées à eux-mêmes, se dissoudraient dans un devenir incessant. On ne peut connaître ces phénomènes sensibles, on ne peut en parler que s'ils présentent une certaine stabilité, celle que leur assure leur participation à l'intelligible. Bref, en fabriquant l'univers les yeux fixés sur les formes intelligibles, le démiurge garantit dans le monde sensible l'existence d'une certaine stabilité permettant qu'on le connaisse et qu'on en parle, et dans la cité l'existence de normes servant à orienter la conduite humaine individuelle et collective. Voilà en fait quelle devait être l'intention de Platon en écrivant le *Timée,* qui apparaît en quelque sorte comme le terme d'une élaboration, dont le *Ménon,* le *Phédon* et le *Phèdre* constituent les étapes essentielles.

*
* *

« Peux-tu me dire, Socrate, si la vertu s'enseigne ? ou si elle ne s'enseigne pas, mais s'acquiert par l'exercice ? » Cette question, qui ouvre le *Ménon,* dialogue écrit dans les années 380 avant Jésus-Christ, évoque l'un des sujets les plus controversés dans le monde grec classique et constitue l'aboutissement de la démarche socratique telle que la représentent les premiers dialogues qui s'interrogent sur des vertus particulières[1]. Dans le *Ménon,* la question de savoir si la vertu s'enseigne est posée à Socrate par Ménon, un noble Thessalien qui devait avoir entre dix-huit et vingt ans lors de son séjour à Athènes dans les toutes dernières années du Ve siècle. Dès les premières tentatives, il apparaît que, pour Ménon, être vertueux ne

1. Par exemple, le *Lachès,* qui porte comme premier sous-titre « Sur le courage », le *Charmide,* « Sur la modération », le *Lysis,* « Sur l'amitié », l'*Euthyphron,* « Sur la piété », etc.

signifie pas la même chose que pour Socrate. Est-ce que la vertu *(aretē)* comme l'entend habituellement un Grec constitue la qualité propre de la civilisation grecque, l'excellence du citoyen ou le talent de l'homme politique ? Ou bien est-ce que la vertu doit, comme l'entend Socrate, être subordonnée à l'exercice de la justice ? Le *Ménon* permet de bien cerner dans tous ses détails l'opposition de ces deux conceptions du bien et de la réussite humaine.

Le *Ménon* est aussi et surtout l'un des textes fondateurs de la philosophie de la connaissance. Si le premier problème abordé dans ce dialogue est de savoir comment connaître la vertu, on en vient rapidement à se demander comment définir une chose quelconque, s'il est possible de chercher ce qu'on ne connaît pas, ou si l'on peut ne rien savoir de l'objet qu'on cherche. Les réponses que Platon apporte à ces questions sont restées fameuses auprès de nombreux philosophes, de toutes les époques. Car c'est dans le *Ménon* que, pour la première fois, l'idée d'une connaissance prénatale appartenant à l'âme indépendamment de tout apprentissage est exposée de façon systématique et argumentée. La certitude que nous avons de l'existence d'une telle connaissance antérieure fait de nous des êtres pour qui l'acte de chercher est une nécessité, la première tâche de la pensée. Puisque nous savons aussi que, au terme du processus de la réminiscence ou de l'*anámnāsis,* le rappel à la conscience des vérités possédées de façon latente par l'âme est possible, nous disposons de toute l'assurance requise pour chercher à connaître davantage, pour étendre notre connaissance, pour la transmettre, pour l'enseigner surtout.

Le *Ménon* est enfin la dernière défense de Socrate que Platon ait écrite. Ce dialogue évoque avec un réalisme extrême les menaces qui pesaient sur Socrate quelques années avant sa mort ; il restitue pour nous un étonnant face-à-face entre Socrate et Anytos, l'instigateur du procès à l'issue duquel Socrate devait être condamné à mort. Mais, en dépit de l'évocation constamment faite dans le *Ménon* des thèses et des

convictions de son maître, Platon a sans doute écrit là
son premier dialogue qui ne soit plus un dialogue socratique. Car des thèmes absents des dialogues précédents, et qui se retrouveront souvent dans les œuvres
ultérieures, apparaissent ici pour la première fois.
Certes, comme dans les premiers dialogues composés
par Platon, on y voit encore Socrate réfuter fausses
certitudes et vaines pensées, mais on l'entend aussi
parler de mathématiques, de figures et d'hypothèses.

*
* *

Phédon, ce dialogue célèbre, écrit aux alentours de
383-382 avant Jésus-Christ, est censé rapporter le
récit, fait par Phédon (vers 398), des dernières heures
de Socrate. On se trouve en 399 avant Jésus-Christ,
un matin du mois de février, à la porte de la prison où
Socrate, qui doit mourir le soir même, comme l'apprend aux amis du philosophe le portier de la prison,
vient d'être délivré de ses liens. Comment en est-on
arrivé là ?

Un mois auparavant, si on en croit l'*Euthyphron*,
un certain Mélétos s'était rendu au Portique royal
pour y déposer entre les mains de l'Archonte-roi, de
qui relevait la juridiction criminelle à Athènes, une
plainte contre Socrate, qui était alors âgé de soixante-
neuf ans. Au cours du procès que prétend décrire
Platon dans l'*Apologie de Socrate*, les thèses que
défendirent Mélétos, Anytos et Lycon furent les suivantes : Socrate est coupable de ne pas croire aux
dieux reconnus par la cité et d'introduire de nouvelles divinités ; il est en outre coupable de cor-
rompre les jeunes gens[1]. Après le jugement, les Onze,
les autorités judiciaires à Athènes, conduisirent
immédiatement Socrate à la prison. En temps ordinaire, la sentence n'aurait pas tardé à être exécutée,

---

1. Diogène Laërce, *Vie, doctrines et sentences des philosophes illustres*, II, 40.

mais, par suite de circonstances particulières tenant à la célébration d'une fête religieuse, Socrate vécut encore une trentaine de jours en prison après le jugement.

Comme le raconte Platon dans le *Criton*, ses amis venaient tous les jours rendre visite à Socrate. Deux jours avant l'exécution de la sentence, Criton, qui pourtant s'était porté garant au tribunal que Socrate ne chercherait pas à s'échapper, fit auprès de ce dernier une démarche pressante. Lui faisant valoir qu'il n'avait pas le droit d'abandonner sa femme et ses enfants, et lui représentant la douleur de ses disciples, leur honte même, lorsque plus tard, personne ne voulant croire qu'un condamné eût refusé de se dérober, on leur reprocherait de n'avoir rien fait pour sauver leur maître, il lui proposa de s'évader. Mais Socrate refusa obstinément. De là cette scène d'un matin de février 399, où le portier de la prison vient informer les amis du philosophe que Socrate, qui vient d'être délié à la demande des Onze, devra boire la ciguë au coucher du soleil. Ayant renvoyé sa femme et ses enfants, Socrate, resté seul avec ses disciples, entreprend de discuter : la discussion porte tout naturellement sur la mort, une mort qui surviendra non pas dans un « plus tard » indéterminé, mais dans quelques heures. D'où la charge émotive incomparable de l'argumentation.

Socrate commence par définir la mort comme la séparation de l'âme d'avec le corps (64c-d). Cette définition suppose les deux convictions suivantes.

Une réalité, qui ne peut être perçue par aucun des cinq sens, appelée « âme », existe vraiment. Depuis les poèmes homériques en tout cas, cette conviction était très largement répandue dans le monde grec. Et elle ne semble jamais remise en question dans le *Phédon*.

Cette réalité survit à sa séparation d'avec le corps. Tout le problème est de savoir combien de temps et sous quelle forme ; voilà la question essentielle examinée dans le *Phédon*.

Une première réponse est apportée par la conception traditionnelle qu'évoque Cébès[1] ; c'est celle qu'on trouve dans l'*Iliade*[2] et dans l'*Odyssée*. Le vers de l'*Iliade* est cité au livre III de la *République*[3], où Platon propose de le censurer, car il est injurieux à l'égard des choses de l'Hadès. Cette conception traditionnelle est évoquée dans un certain nombre d'autres passages du *Phédon*[4]. Suivant la conception traditionnelle, l'âme n'est pas assurée d'une survie éternelle, et surtout elle perd ce qui fait son individualité, sa pensée, et donc sa mémoire. Confronté à cette perspective lugubre, le sentiment qui surgit et domine est la peur, sentiment évoqué plusieurs fois dans le *Phédon*[5], où le gardien rappelle, pour l'opposer à celle de Socrate, l'attitude des condamnés à mort qui refusent de prendre le poison et se mettent en colère contre l'esclave qui les exhorte à le faire, ou qui cherchent à gagner du temps, en mangeant, en buvant et en faisant l'amour. Attitude très logique, si l'on craint que l'âme ne soit rapidement dissoute après avoir quitté le corps, la mort n'étant que le prolongement provisoire, sous un mode dégénéré, de la vie physique.

À cette conception traditionnelle, s'en oppose une autre qui relève aussi du mythe. Cette vision semble s'inspirer des enseignements transmis par quelques sectes religieuses à l'époque de Socrate. Socrate les évoque en utilisant l'expression « antique tradition[6] ». Suivant ce mythe, l'âme séparée du corps se rend chez Hadès d'où elle revient s'incarner dans un autre corps : ce qui implique que l'âme est véritablement immortelle. Comme cette conviction s'appuie sur une tradition religieuse étrangère à ce que Socrate tient

1. *Phédon*, 69e-70a.
2. *Iliade*, XXIII 100.
3. *République*, III 386 b.
4. *Phédon*, 77b-c, 77d-e, 80d-e, 84a-b, 88b.
5. *Ibid.*, 68d, 77d, e, 78b, 88b, 99e, 101c *(deidō)* ; 67e, 68b, 76b, 77e, 83b, 84b, 84e, 95d, 101a *(phobéō)*.
6. *Ibid.*, 70c.

pour la philosophie, elle ne peut être qu'un (bel) espoir[1], l'objet d'une croyance[2]. Voilà pourquoi cet espoir, cette croyance en l'immortalité, Socrate va chercher à la transformer en certitude en apportant des preuves.

L'argument par les contraires[3] présente cette structure. « Vivre » a un contraire, « être mort ». Selon le principe de réciprocité, si un être devient vivant, ce sera nécessairement après avoir été mort. Or devenir mort, c'est mourir. Par suite, devenir vivant, c'est forcément revivre, ce verbe étant entendu non dans le sens de « vivre à nouveau », mais dans le sens de « reprendre vie ». Bref, être vivant et être mort ne doivent pas être pensés comme des états absolus, mais comme des moments d'un cycle auquel ils sont entièrement relatifs. Or, pour que ce cycle continue indéfiniment, il faut prendre pour acquis qu'un être subsiste au cours du cycle du devenir ; cette entité, c'est l'âme.

L'argument par la réminiscence[4] est plus rigoureux, et surtout plus spécifique à Socrate, qui en avait déjà donné une démonstration dans le *Ménon*[5]. Cébès s'en souvient, qui résume l'argument[6].

Suit un intermède[7], au cours duquel Cébès et Simmias expriment leur insatisfaction devant ces deux premiers arguments qui n'ont pas réussi à supprimer leur peur que leur âme, à la mort, ne se disperse.

L'inadéquation du raisonnement par affinité, qui ne peut aboutir qu'à une conclusion partielle (l'âme s'apparente à ce qui est indissoluble sans être elle-même indissoluble), se trouve pour ainsi dire palliée par des considérations d'ordre mythologique sur la destinée

1. *Phédon*, 63c, 64a, 67b, 67c, 68a, 70a, 98b, 100b, 114c *(eúelpis* ou *elpís)*.
2. *Ibid.*, 70b *(pistis)*.
3. *Ibid.*, 70c-72e.
4. *Ibid.*, 72e-77a.
5. *Ménon*, 81e-84a.
6. *Phédon*, 73a-b.
7. *Ibid.*, 77a-78b.

de l'âme après la mort[1]. D'où cette espèce de cercle :
l'âme, qui n'est pas forcément indissoluble, n'a pas à
craindre d'être dispersée puisque, après sa mort, elle
doit être récompensée ou punie, suivant le genre de
vie qu'elle aura menée, la vie philosophique entraînant
une déliaison de l'âme par rapport au corps. On voit
bien maintenant que ce n'était pas le cas, puisque
cette idée purement mythique est le *deus ex machina*
qui vient sauver une argumentation qui s'est enlisée
irrémédiablement.

Après cette pirouette dialectique, Socrate reste
silencieux un moment, pendant lequel Cébès et Simmias chuchotent. Socrate s'en aperçoit et leur
demande s'ils ont des questions ou des objections,
conscient qu'il reste nombre de points suspects dans
son argumentation. Répondre à ces questions ou à ces
objections sera pour lui le chant du cygne, qui n'est
pas lamentation, comme le croient les hommes qui
craignent la mort, mais exultation devant la perspective de se rendre chez Hadès[2].

Simmias parle le premier. Appliquons, propose-t-il,
la conception de Socrate à la relation de l'accord
musical avec la lyre et avec les cordes qui donnent
cet accord : ce qu'il y a d'indivisible, d'incorporel et
de beau dans la lyre accordée, ce qui en elle s'apparente à l'immortel et au divin, c'est l'accord musical ; quant à la lyre avec ses cordes, voilà ce qui est
corporel, composé et, en fin de compte, apparenté à
la nature mortelle. Supposons maintenant qu'on brise
le bois de la lyre, qu'on en rompe les cordes : on dira
alors que ce qui est de nature mortelle doit avoir péri
avant que pareil sort puisse atteindre ce qui au
contraire est, de sa nature, immortel, et que par
conséquent l'accord continuera de subsister quelque
part.

Cette objection ne sera réfutée qu'un peu plus loin[3].
Après avoir obtenu un assentiment commun à la doc-

---

1. En 72d-e, Socrate évoque de façon inattendue la rétribution.
2. *Phédon*, 84d-85b.
3. *Ibid.*, 92a-95a.

trine de la réminiscence[1], Socrate va démontrer que la conception de l'âme-harmonie est inconciliable avec la thèse de la réminiscence.

L'objection de Cébès[2] est redoutable : il estime que la préexistence de l'âme a été suffisamment prouvée, mais non sa survivance. Pour illustrer son point de vue, Cébès prend l'exemple du vieux tisserand qui meurt après avoir tissé pour lui-même un certain nombre de vêtements. Mais, s'il en est ainsi, quel motif aurait-on de se persuader que, lorsqu'on sera mort, l'âme continuera de subsister quelque part ? On peut en effet, sans nul doute, accorder à la thèse de Socrate non pas seulement la préexistence, mais même une certaine survie de nos âmes, avec une suite de naissances et de morts, ces naissances renouvelées prouvant assez d'ailleurs quelle force de résistance possèdent ces âmes. Une telle concession n'obligerait pas pourtant à concéder en outre que l'âme ne doive pas se fatiguer dans ces renaissances successives et ainsi perdre peu à peu son énergie essentielle ; de sorte qu'en fin de compte une de ses morts signifierait pour elle la destruction radicale. Or cette mort-là, qui anéantit l'âme en même temps qu'elle dissout le corps, nul n'est capable de la reconnaître. Par conséquent, aucun homme sensé n'a le droit de garder sa sérénité en face de la mort ni d'être sans crainte au sujet de son âme, avant du moins d'en avoir démontré l'immortalité et l'indestructibilité absolues.

Cette objection jette le trouble dans le cœur des disciples qui craignent de se retrouver confrontés à la conception traditionnelle de la survie de l'âme après la mort[3] et de sombrer dans la haine de la pensée, l'exercice de cette pensée ne leur permettant pas de prouver l'immortalité et l'indestructibilité absolues de l'âme[4]. Socrate reconnaît la puissance de l'objection de Simmias, et il exhorte ses disciples à poursuivre la

1. *Phédon*, 91c-92a.
2. *Ibid.*, 86e-88b.
3. *Ibid.*, 88c-89a.
4. *Ibid.*, 89a-91c.

recherche en revenant sur les hypothèses de base.
Comme il ne lui reste que quelques minutes à vivre, il
n'a plus le temps de continuer cette recherche. Il se
contente de raconter le mythe[1] auquel il croit fermement, avant de boire la ciguë. Ce faisant, Socrate
referme une espèce de boucle : parti du mythe, il est
revenu au mythe, après avoir fait un détour par la
philosophie qui n'a pu lui apporter la certitude qu'il
recherchait.

Ce mythe final, qui déconcerte un lecteur
moderne, répond cependant à une exigence bien précise. Si on accepte la survie de l'âme individuelle
après la mort et si, par suite, on admet que l'âme,
séparée du corps, est punie ou récompensée en fonction de son existence antérieure, deux questions se
posent. Comment le monde où nous vivons, c'est-
à-dire la terre, doit-il être organisé pour que soit possible une telle rétribution ? Et quelle est dans ce
contexte la destinée de l'âme ? Bref, parti de mythes
qu'il critique ou accepte, Socrate, dans le *Phédon,*
tente de prouver *more geometrico* en quelque sorte
l'immortalité de l'âme pour, après avoir reconnu
l'échec relatif de sa tentative, terminer sa vie en
racontant un mythe.

*
* *

Comment parler, pourquoi écrire ? voilà de quoi, en
cette fin du Ve siècle avant Jésus-Christ, discutent
deux Athéniens étendus près d'un gattilier en fleur, à
l'ombre d'un platane, sur les bords de l'Ilissos, à quelques centaines de mètres de l'Acropole. Mais
comment évoquer le pouvoir du discours sans parler
de la réalité qui produit le discours et sur laquelle
s'exerce son pouvoir, l'âme humaine, résidu de ce
principe qui meut les corps célestes et même l'univers
en son entier ?

1. *Ibid.,* 107d-115a.

Le *Phèdre*, composé après la fondation de l'Académie en 387 avant Jésus-Christ, probablement pour faire pièce aux attaques d'Isocrate qui avait ouvert une école de rhétorique en 393, est un dialogue si divers dans son fond (thèmes de l'amour, de l'âme, de la rhétorique, de l'écriture) comme dans sa forme (dialogues, discours, descriptions, mythes, prières) et tellement travaillé que l'un des problèmes majeurs qu'il soulève est précisément celui de son unité. Problème insoluble si on ne tient pas compte à la fois de l'aspect dramatique et de l'aspect doctrinal qui, dans le *Phèdre* plus que dans tout autre dialogue, sont indissociables.

Le *Phèdre* se présente comme une critique, sur le fond et sur la forme, d'un discours écrit par Lysias[1], qui l'a utilisé le matin même comme modèle pour son enseignement rhétorique. Cette critique touche d'abord le sujet traité par Lysias : il faut accorder ses faveurs à celui qui n'est pas amoureux, car l'amoureux se trouve sous l'emprise de la « folie », qui peut certes désigner une folie d'origine humaine, folie condamnable décrite par Socrate dans son premier discours[2], mais qui peut aussi et surtout faire référence à une possession divine, du genre de celle dont Socrate fait l'éloge dans son second discours[3], où il assimile cette folie à l'activité philosophique elle-même : l'aspiration au beau se confondant avec l'aspiration au vrai.

Plus surprenant, Lysias, qui se flatte de parler et d'écrire avec art, a aussi commis de grossières erreurs sur le plan de la forme. Ce qui est un comble si on considère que le terme *tékhnē* (art) désigne, en Grèce ancienne, une pratique qui se distingue de celle du non-spécialiste par une stabilité qui dépend de la codification de ses règles établies au terme d'un raisonnement causal, et dont la production peut faire l'objet d'une évaluation rationnelle. Comme tous les rhéteurs, Lysias s'en est tenu au vraisemblable. Aussi n'a-t-il pas défini l'objet dont il parle : d'où l'imprécision

1. *Phèdre*, 230e-234c.
2. *Ibid.*, 237a-241d.
3. *Ibid.*, 243e-257b.

de son propos et l'impression de fouillis que laisse son argumentation. Il ne possède donc pas l'art de parler[1]. En outre, il ignore ce que c'est que d'écrire[2], car il ne sait pas que le discours écrit sur un rouleau de papyrus ne constitue, par rapport au discours écrit dans l'âme, qu'une image, qu'un jeu ; il ne sait pas non plus que l'écriture, qui facilite la remémoration, ne peut en aucune façon remplacer la véritable mémoire, qui seule peut rendre compte de la connaissance et de sa transmission dans l'enseignement.

C'est dans le *Phèdre* que l'on trouve pour la première fois chez Platon une définition de l'âme et une description du cadre de sa destinée. En quoi consiste la nature de l'âme ? En son immortalité[3]. Cette réponse découle d'une démonstration qui sera reprise et développée au livre X des *Lois*[4]. L'âme est principe et source de tout mouvement. Définir l'âme comme principe de mouvement, c'est affirmer, d'un côté, que l'âme se meut elle-même et qu'elle meut toutes choses et, d'un autre côté, qu'elle est immortelle, car ce mouvement ne peut cesser sans entraîner *de facto* la cessation de tout mouvement, le terme « mouvement » devant être compris dans un sens très large, auquel ressortissent non seulement toutes les sortes de mouvements physiques (déplacement, croissance, etc.), mais aussi toutes les espèces de mouvements psychiques (connaissance, sentiment, etc.).

Comme sa constitution ontologique en fait une réalité intermédiaire entre le sensible et l'intelligible, l'âme est tout naturellement amenée à se déplacer entre les niveaux de réalité, entre le sensible et l'intelligible, le voyage étant forcément plus long pour l'âme qui se trouve plus loin de l'intelligible. Dans ce contexte, le recours aux images du char, de l'aile et de la plume, et le recours aux métaphores d'ascension et de descente s'imposent. Les âmes, celles des hommes

1. *Phèdre*, 259d-269d.
2. *Ibid.*, 274b-278e.
3. *Ibid.*, 245c-246a.
4. *Lois* X, 892a-899c.

aussi bien que celles des dieux et des démons, sont représentées comme un ensemble formé de trois éléments : un cocher et deux chevaux. Chez les dieux et chez les démons, le cocher et les deux chevaux « sont tous bons et de bonne race[1] », alors que chez les hommes, il y a mélange[2]. La tripartition de l'âme humaine dans le *Phèdre* est présentée en des termes rappelant le livre IV de la *République,* où l'âme est divisée en trois parties qui correspondent aux trois groupes fonctionnels de la cité : le cocher s'apparente à l'intellect[3] ; le bon cheval[4], à la partie agressive ; et le mauvais[5], à la partie désirante.

La destinée de toutes les âmes se trouve scandée par des cycles de dix mille ans constitués de dix périodes de mille ans chacune, comprenant, pour les neuf dernières, une vie dans un corps d'homme ou de bête et un séjour dans le ciel ou sous la terre pour la portion de temps restante. Ce qui distingue les âmes des dieux et des démons de celles des hommes et de celles des bêtes, c'est la durée et la qualité de leur contemplation de l'intelligible. Les dieux et les démons, dont le lieu de séjour quasi perpétuel est le ciel, n'ont pour occupation que celle de monter vers les limites du ciel, pour passer à l'extérieur et contempler l'intelligible[6]. Dans le *Phèdre,* c'est la sphère en quoi consiste le corps du monde sensible qui correspond à la caverne de la *République*[7]. Dans cette montée vers l'intelligible, les âmes humaines s'efforcent de suivre les dieux et les démons. Certaines de ces âmes arrivent non sans peine à contempler l'intelligible de manière satisfaisante[8]. D'autres n'ont de l'intelligible qu'une vision très partielle[9]. D'autres enfin ne parviennent pas à

1. *Phèdre*, 246a.
2. *Ibid.*, 246a-b.
3. *Ibid.*, 247c.
4. *Ibid.*, 253d.
5. *Ibid.*, 253d-254a.
6. *Ibid.*, 246e-247e.
7. *République*, VI 514a-517a.
8. *Phèdre*, 248a.
9. *Ibid.*, 248b.

apercevoir l'intelligible et doivent se contenter de l'opinion[1]. Le premier groupe d'âmes humaines reste dans le ciel jusqu'à la révolution suivante, c'est-à-dire pendant mille ans[2]. Les âmes qui appartiennent aux deux autres groupes tombent, elles, sur la terre, où elles s'incarnent dans un corps d'homme à la première génération ou même dans un corps de bête, lors des autres générations.

Quatre axiomes gouvernent une telle conception du monde psychique. 1) Le nombre des âmes est constant : cela va de soi, si on prend pour acquis que l'âme est chose immortelle et inengendrée. 2) Ces âmes ne mènent cependant pas la même existence : elles se distribuent à différents échelons d'une hiérarchie qui est partiellement remise en cause suivant des cycles de dix mille ans, cycles qui se décomposent en périodes de mille ans chacune. 3) Après chaque cycle de dix mille ans, toutes les âmes se retrouvent pour mille ans dans le ciel. À la fin de ce premier millénaire, les âmes qui ne sont pas parvenues à une vision satisfaisante de l'intelligible s'incarnent dans des corps d'hommes. Cette première incarnation peut être suivie par huit autres au cours desquelles certaines âmes mènent la vie d'une bête. 4) Ces diverses incarnations dépendent d'une double eschatologie[3] : a) la première, qui vaut pour le premier millénaire, établit une hiérarchie entre des types d'êtres humains en fonction de la qualité et de la durée de la contemplation de l'intelligible par chaque âme au cours du séjour de mille ans qu'elle vient de faire dans le ciel. b) La seconde implique que la destinée de chaque âme, au cours des huit millénaires suivants, dépend de ce qu'aura été, après leur incarnation dans un corps d'homme ou de bête, leur manière de vivre, par rapport à la justice et à l'injustice, et, en définitive, par rapport à leur contemplation de l'intelligible,

1. *Phèdre*, 247b-c.
2. *Ibid.*, 248c.
3. Cette double eschatologie s'apparente à celle qu'on trouve dans le *Gorgias* (523a-527a), dans le *Phédon* (107d-116a), dans la *République* (X 614a-621d) et dans le *Timée* (90e-92c).

contemplation médiate dans le cadre du processus de réminiscence.

Enfin, en un paragraphe[1], Socrate donne un exemple d'incarnation d'âmes humaines en neuf types d'hommes, âmes entre lesquelles il établit une hiérarchie fondée sur la qualité de leur contemplation antérieure de la vérité.

*
* *

En élaborant, entre 358 et 356 avant Jésus-Christ, l'ensemble *Timée, Critias* et *Hermocrate*[2], Platon renoue avec le projet de ses prédécesseurs qui, à partir du VIe siècle avant Jésus-Christ, prenant ainsi la suite de poètes comme Hésiode, voulaient raconter l'apparition et l'évolution de toute réalité, depuis le chaos primordial jusqu'à l'époque qui était la leur : ces penseurs, auxquels la tradition donnera le nom de « philosophes », tentent, dans des ouvrages qui plus tard se verront attribuer le titre générique *Sur la nature (Perì phúseōs)*, de décrire l'origine de l'univers (macrocosme) et celle de l'homme considéré comme un univers en miniature (microcosme), pour y situer une première société, imaginée comme le paradigme de la cité réelle dans laquelle vit l'auteur, cité qu'il critique parce qu'il voudrait la réformer.

Si le *Timée*, qui est censé rapporter une discussion tenue entre 430 et 424 avant Jésus-Christ, commence par un résumé de la constitution idéale décrite dans la *République*, un dialogue auquel la tradition a donné pour sous-titre *Sur la justice*, et si par la suite se trouve évoquée l'histoire de la guerre victorieuse que soutint l'Athènes ancienne contre l'Atlantide qui sera racontée dans le *Critias*, c'est que Platon veut fonder « en nature » la constitution idéale décrite dans la *République*, en montrant comment l'Athènes ancienne,

---

1. *Phèdre*, 248d-e.
2. Ne fut jamais écrit.

plus conforme à ce modèle que l'Athènes actuelle, répondait mieux aux fins d'un être humain qui trouvait sa place dans un univers organisé de façon à lui permettre de réaliser ses fins.

Le philosophe voulant décrire l'origine de l'univers, de l'homme et de la société se trouve aussi démuni qu'Hésiode, qui, dans sa *Théogonie,* commence par s'en remettre aux Muses pour savoir à quoi s'en tenir sur l'origine des dieux. Le philosophe doit alors tenir un discours qui ne peut être déclaré ni vrai ni faux, dans la mesure où sa référence échappe à celui qui le tient : or, ce type de discours, c'est le mythe. D'où un conflit irréductible entre une explication qui prétend transcender le temps de son énonciation et un récit qui ne peut échapper à la temporalité.

En outre, il est absolument impossible de dissocier, dans le *Timée,* ce qui ressortit à la cosmologie de ce qui relève d'un autre domaine de la connaissance : mathématique, physique, chimie, biologie, médecine, psychologie, économie, sociologie, politique et même religion. Tout cela se confond en un seul écheveau, inextricable. Aucun de ces domaines ne présente une véritable autonomie, celle qu'ils réussissent à conquérir deux millénaires plus tard ; reconnaître ce manque d'autonomie, c'est se donner les moyens de résister à la tentation de l'anachronisme. Il n'en reste pas moins que le *Timée* est sans contredit un ouvrage de cosmologie, puisqu'il propose un modèle de l'univers physique ; c'est même le premier qui nous soit parvenu dans son intégralité, bien que, historiquement, ce ne fut pas le premier.

Traditionnel dans sa visée, et même du point de vue de son « genre littéraire », le *Timée* est cependant incroyablement novateur dans sa conception et dans son développement, et cela sur ces trois points.

Pour la première fois dans l'Histoire se trouve abordé dans toute son ampleur le problème de la connaissance scientifique : une explication scientifique doit, par définition, présenter un caractère de nécessité et d'idéalité, qui ne peut être déduit de façon immédiate des données fournies par la perception sensible.

Pour résoudre ce problème, Platon a recours, ne fût-ce que de façon implicite, à ce qui va devenir la méthode hypothético-déductive utilisée dans toute recherche se prétendant scientifique.

Enfin, et surtout, pour la première fois dans l'Histoire Platon fait des mathématiques le langage de la cosmologie. Dès lors, les limites de l'explication du monde sensible proposée dans le *Timée* se confondent avec les limites des mathématiques à l'époque de Platon ; d'où les critiques d'Aristote qui, dans le domaine de la cosmologie, rétablira la prééminence du langage ordinaire, jusqu'à la Renaissance.

Dans le *Timée*, on trouve donc une explication mathématique et de l'univers, qui pour Platon est un vivant doté d'un corps et d'une âme, et de l'homme, considéré comme un univers en réduction. Les mouvements de l'âme du monde, qui anime les corps célestes, et ceux de la partie rationnelle de l'âme de l'homme, présentent une structure harmonique et géométrique[1]. Sont aussi exprimés en termes mathématiques tous les changements qui affectent le corps du monde[2] et celui de l'homme, lesquels sont composés exclusivement de quatre éléments (feu, air, eau, terre) associés à quatre polyèdres réguliers (tétraèdre, octaèdre, icosaèdre et cube) qui ont pour faces soit des triangles équilatéraux soit des carrés constitués de triangles rectangles isocèles ou scalènes. En l'homme, les sensations sont décrites comme des opérations de mesure[3] ; et tout ce qu'on trouve sur la constitution du corps humain[4], sur les appareils qui le maintiennent en bon état[5] et même sur les maladies[6]

1. *Timée*, 34a-40d.
2. *Ibid.*, 53b-61c.
3. *Ibid.*, 61c-69a.
4. *Ibid.*, 73b-76e.
5. *Ibid.*, 77c-81e.
6. *Ibid.*, 81e-86a.

qui le détruisent peut être exprimé en dernière instance comme des transformations affectant des triangles rectangles isocèles ou scalènes ; dans ce contexte, toutes les sciences de la nature dépendent des mathématiques.

Même les valeurs trouvent leur fondement dans la cosmologie et ultimement dans les mathématiques. Pour éviter la déchéance progressive de son âme s'incarnant dans des corps toujours plus vils et pour remonter dans l'échelle des vivants, l'être humain doit garder une juste proportion entre son corps et son âme[1], ce qui constitue le but de la médecine ; et entre les parties de son âme, l'intellect restant toujours dominant, ce qui doit être le but de l'éthique. Or, comme cet intellect n'est qu'un résidu de l'âme du monde, la contemplation des révolutions des corps célestes lui apportera non seulement la science, mais un modèle de bon fonctionnement[2]. Dès lors, la contemplation de l'univers sensible constitue un préalable indispensable à la contemplation des formes intelligibles, qui seule permet de déterminer la valeur morale d'une existence humaine. Pour le Platon des derniers dialogues, la beauté du monde sensible reste donc le mode d'accès privilégié à ce qui, se situant au-delà du sensible et ne pouvant être perçu que par la partie la plus élevée de l'âme, reste la seule réalité véritable.

Luc BRISSON, CNRS

BIBLIOGRAPHIE

ÉDITION DE RÉFÉRENCE : *Platonis opera,* éd. J. BURNET, 5 t., Oxford, Clarendon Press, 1900-1907.

TRADUCTIONS FRANÇAISES : *Œuvres complètes de Platon,* publiées sous le patronage de l'Association Guillaume Budé par divers auteurs,

1. *Timée,* 87c-89d.
2. *Ibid.,* 89d-90d.

14 t., Paris, Les Belles Lettres, 1920-1924. (Certains ouvrages ont
été refaits : le *Phédon*, texte et trad. P. VICAIRE, 1984 ; le *Phèdre*,
texte C. MORESCHINI et trad. P. VICAIRE, 1985 ; le *Banquet*, texte
et trad. P. VICAIRE, 1989). *Œuvres complètes de Platon* (à l'exception
des *Lois*, des *Lettres* et des dialogues suspects et apocryphes),
É. CHAMBRY et R. BACCOU, Paris, Garnier, 1936-1946 ; édition de
Poche GF-Flammarion. Dans la même édition de poche GF-Flammarion, plusieurs traductions nouvelles, pourvues de nombreuses
notes et d'une riche introduction, sont parues ces dernières années.
Le *Gorgias*, par M. CANTO, GF n° 465, 1987 ; les *Lettres*, par
L. BRISSON, GF n° 466, 1987 ; l'*Euthydème*, par M. CANTO, GF
n° 492, 1989 ; l'*Ion*, par M. CANTO, GF n° 529, 1989 ; le *Phèdre*,
par L. BRISSON (avec aussi *La Pharmacie de Platon* (1968), par
J. DERRIDA), GF n° 488, 1989 ; le *Ménon*, par M. CANTO, GF
n° 491, 1991 ; le *Phédon*, par M. DIXSAUT, GF n° 489 ; le *Timée* et
le *Critias*, par L. BRISSON, avec la collaboration de M. PATILLON,
GF n° 618, 1992 ; le *Sophiste*, par N.L. CORDERO, GF n° 687,
1993. Le *Théétète*, par M. NARCY, GF n° 493, 1994. D'autres traductions sont en préparation. On peut consulter également *Œuvres
complètes de Platon*, trad. L. ROBIN et J. MOREAU (pour le *Timée* et
le *Parménide*), Bibliothèque de la Pléiade, 2 t., Paris, Gallimard,
1940-1942.

COMMENTAIRES : L. ROBIN, *Platon*, Paris, Alcan, 1935 ; nouvelle éd.
avec bibliographie remise à jour, Paris, PUF, 1968. V. GOLDSCH-
MIDT, *Les « dialogues » de Platon, structure et méthode dialectique*
[1947], Bibliothèque de philosophie contemporaine, Paris, PUF,
1963, 2ᵉ éd. M. DIXSAUT, *Le Naturel philosophe. Essai sur les dialogues de Platon*, Collection d'Études anciennes-Bibliothèque d'histoire de la philosophie, Paris, Les Belles Lettres/Vrin, 1985.

BIBLIOGRAPHIE COMPLÈTE ET ANALYTIQUE : Platon 1950-1957, *Lustrum* 4-5, 1959-1960 ; Platon 1958-1975, *Lustrum* 20, 1977 ; Platon
1975-1980, *Lustrum* 25, 1984 ; Platon 1980-1985, *Lustrum* 30,
1988 ; Platon 1985-1990, à paraître en 1994. Bref, les travaux sur
Platon et son œuvre publiés depuis 1950 ont pratiquement tous été
répertoriés dans cette bibliographie analytique.

PLOTIN

Du beau, Ennéades, I, 6 (1)
Difficultés relatives à l'âme, Ennéades,
IV, 3 et 4 (27 et 28)
De l'origine des Idées, du Bien,
Ennéades, VI, 7 (38)
De l'origine des maux, Ennéades, I,
8 (51)

Qui n'a aimé voir, par un soir d'orage, l'apparition soudaine d'un éclair qui déchire le ciel ? Qui n'a porté ses regards vers l'ailleurs où se tiennent les astres ? C'est sans doute en contemplant les étoiles de son pays natal que Plotin a commencé à comprendre la phrase du *Timée* de Platon, à laquelle son œuvre donne tout son sens : « L'analogie maintient tout. »

Né en Égypte en 205 après Jésus-Christ, c'est à l'école d'Ammonius Saccas que Plotin apprend la pensée grecque. En 243, il quitte son maître pour participer à l'expédition en Orient de l'empereur Gordien III et, finalement, pour s'installer à Rome. Il y donne un enseignement au rayonnement intellectuel considérable ; l'histoire de la philosophie nommera néoplatonisme le mouvement qu'il inaugure. Tradition platonicienne conviendrait mieux, dans la mesure où, d'une part, Plotin n'a jamais eu lui-même le projet de faire un nouveau platonisme, et où, d'autre part, un grand nombre d'auteurs ont assuré avant Plotin la transmission vivante de la pensée de Platon. Quand il meurt, en 270, il laisse un ensemble de traités que son disciple Porphyre éditera dans la forme actuellement connue, les *Ennéades*. *Ennéas*, en grec veut dire neuf. Il s'agit de sept groupes de neuf traités suivant, *grosso modo*, les niveaux de la réalité : le monde de l'expérience humaine, d'abord, puis la nature à la surface de la terre en général (ce qu'après Aristote on nomme le sublunaire), puis l'ordre de la Providence cosmique, puis l'âme, l'être, et enfin l'Un.

Comme la nature, la pensée plotinienne est profuse et multiforme. La parole philosophique ne se fixe jamais ici en catégories univoques ou en système : dynamique, dialectique, traversée d'apories et, à première lecture, de contradictions, elle est difficile en raison même de sa volonté de correspondre à son objet. L'homme n'étant pas la mesure de toutes choses, il doit faire effort pour comprendre un ordre qu'il n'invente pas mais dans lequel il s'inscrit. C'est l'apparition du monde comme tel qui sollicite l'homme à penser.

*
* *

Rien de plus éloigné de ce que notre époque appelle l'esthétique que ce traité *Du beau*, *Ennéades*, I, 6 (1)[1]. L'art n'est pas compris en tant que production culturelle, mais par et dans le face-à-face de notre âme et du beau. Plotin souligne que c'est le beau qui nous appelle, et non nos concepts qui en permettent la représentation[2]. Au sens strict, il nous émeut et nous arrache à la quotidienneté. Expliquer cela par des pro-

---

1. Les textes sont cités d'après le numéro des *Ennéades*, puis du traité, le chapitre et les lignes du texte grec ; le chiffre entre parenthèses indique la place du traité dans l'ordre chronologique. Nous citons la traduction d'E. Bréhier.
2. *Ennéades*, I, 6 (1), chap. 1, 18 : Le beau « nous tourne vers lui et nous attire ».

priétés que notre perception repère, chercher l'harmonie entre les parties d'un tout, comme le voulaient les stoïciens, fait l'économie de penser le moment de l'apparition elle-même. Or, ce qui est beau, c'est toujours *un* visage, *un* dessin, la courbe d'*un* fleuve. C'est pourquoi l'unité de la forme précède la richesse et la perfection des détails. Ainsi, ce qu'il y a de commun aux multiples choses belles, c'est que toutes manifestent avec un particulier éclat leur contenu intelligible. En termes platoniciens, nul besoin ici de maïeutique pour que l'âme comprenne que sa propre nature est la pensée. La brutalité de la rencontre du beau permet d'opérer une conversion (*epistrophê*) immédiate vers nous-même. Ce véritable moi n'est ni corporel, ni historique, car c'est un pur acte de pensée toujours ancré dans la vie de l'esprit transcendant[1]. Seul l'amour a une puissance d'arrachement comparable. Si Platon allait jusqu'à penser cela comme une folie divine bienheureuse, Plotin, lui, donne une place privilégiée à l'appel de la beauté, l'*érōs* n'étant pour lui qu'une réalité intermédiaire (un « démon »). En revanche, voir la beauté par la beauté qui est en nous nous purifie de ce par quoi la forme s'altère : le corps, le temps et l'espace. Cette purification toutefois ne s'arrête pas à l'intelligence pure ; elle nous transporte par là même au plus près du Bien. Ce premier traité ne l'envisage pas encore en lui-même (il sera, alors, plutôt question de l'Un) et le pense en relation avec l'embellissement de ce qui se rapporte à lui. Le Bien est dit ainsi au chapitre 7 être « cause de la vie, de la pensée et de l'être ». C'est là la triade constitutive du second principe, celui qui vient aussitôt après le premier, et d'où l'âme divine dérive. On parle à ce propos des « trois hypostases » (tel est le titre du traité V, 1) ; ce terme est en fait l'un des plus indéterminés de la langue de Plotin. L'hypostatique ne désigne rien par soi, puisqu'il s'applique aussi bien à l'être et à l'âme qu'au non-être

---

1. IV, 8 (6), chap. 8 : « Il n'est pas vrai qu'aucune âme soit entièrement plongée dans le sensible. »

(l'Un, au-delà de l'être est *hupóstasis prótē*[1] et la matière, déficience totale de forme, radicale privation, a cependant une *hupóstasis*[2]. La beauté, comme l'éternité, est essentiellement associée à la seconde hypostase ; le beau en soi[3] n'est pas une idée parmi les autres, mais une dimension propre à la vie de l'être qui est constamment embellie par le Bien. Le traité VI, 7 (38) nommera cette action *cháris,* la grâce.

Le traité I, 6, s'achève par les conséquences éthiques de ces réflexions sur l'expérience de la transcendance propre à la beauté. Tel Ulysse quittant Circé et Calypso, l'homme doit renoncer à la fascination de l'extériorité du monde sensible. Ici il n'y a que des images changeantes, et c'est là-bas (notre « patrie[4] »), que se trouvent les modèles permanents, c'est-à-dire la vérité de l'être. La pratique de la vertu et la saisie du beau permettent de « sculpter notre propre statue[5] », donc de nous purifier et d'accéder à la réalité même des idées (le traité V, 8 en parle comme de « belles statues »). Ce premier traité reste encore assez fortement dualiste, et laisse dans l'ombre une thèse centrale des *Ennéades :* la procession de l'intelligible en corporel est nécessaire.

*
* *

Si, dès le traité I, 6, Plotin affirme explicitement que l'âme « fait le corps[6] » ce n'est pas selon le modèle d'une production artisanale, car l'âme ne produit le corps qu'en devenant elle-même (du moins l'une de ses parties) corporelle : elle se corporéifie (*sōmatō-theîsa*[7]). Réfléchir sur cette incarnation, ce qui est l'objet du traité IV, 3 et 4, *Difficultés relatives à l'âme,* revient

1. VI, 8 (38), chap. 15, 28.
2. I, 8 (51), chap. 15.
3. I, 6 (1), chap. 7, 22.
4. *Ibid.,* chap. 8, 21.
5. *Ibid.,* chap. 9, 13.
6. *Ibid.,* chap. 6, 30.
7. *Ibid.,* chap. 5, 56.

d'abord à obéir à l'oracle d'Apollon « Connais-toi toi-même. » Mais il s'agit ici de penser l'homme en intégrant l'anthropologie à la cosmologie, puisque, Plotin le rappelle aussitôt, notre âme est rattachée à celle de l'univers. Ce rattachement n'implique toutefois ni identité ni fusion de notre vie psychique dans l'âme du monde. Continuité et ruptures sont constamment présentes dans l'univers plotinien et sont la source de nombreuses apories conceptuelles. Plotin y répond souvent, dans un premier temps, par le biais d'images. Le chapitre 4 peut ainsi dire, parlant des âmes multiples : « Suspendues à l'unité et communiquant entre elles par leur extrémité supérieure, elles se projettent ici et là, comme une lumière qui arrive près de la terre et se distribue dans nos maisons. » Les belles images des *Ennéades* ne doivent pas cependant trop séduire le lecteur, car elles n'épuisent jamais le sens qu'elles contribuent à faire voir. Le chapitre 5 précise que la rupture par laquelle l'âme quitte l'éternité pour s'incarner relève d'une « volonté de se diviser ». Alors que dans la vie de l'Esprit toutes les Idées connaissent ensemble une totale transparence, dans la vie divisée et particularisée que nous connaissons, nos âmes vivent avec le souci de leur corps. Cette indépendance n'exclut pas un accord entre les âmes, ce que Plotin pense comme *sumpátheia (sympathie)*[1]. La descente de l'âme n'est donc pas purement et simplement une chute. Le traité II, 9 (33), *Contre les gnostiques*, condamne ceux qui disent que le monde est mauvais. En effet, la procession de l'âme rend visible la perfection de l'être et Plotin peut dire que le monde est « comme une maison belle et variée[2] ». La laideur, l'injustice et la maladie ne sont jamais que des privations, et doivent composer avec la forme qu'elles corrompent. Le mal n'existe dans le monde qu'en reconnaissant la loi du bien, dont il a besoin pour avoir la force d'apparaître.

1. IV, 3 (27), chap. 8, 2.
2. *Ibid.*, chap. 9, 29.

L'âme qui s'incarne n'est à vrai dire pas enfermée dans le corps. C'est bien plutôt le corps qui est dans l'âme « comme un filet dans la mer[1] ». On comprend alors que Plotin évite le thème, fréquent dans la tradition platonicienne, du corps-tombeau (*sôma/sèma*). La vie de l'âme incarnée, tout en sensations, paroles, projets et actes, n'est certes pas celle de son essence contemplative, mais ne cesse de s'y rattacher et d'essayer de lui ressembler. Que l'âme soit au sens strict amphibie, seul le sage en fait clairement l'expérience, dans la mesure où il renonce aux prestiges de l'affairement. Le chapitre 10 affirme nettement : « Le pouvoir de l'âme est double ; il s'exerce sur autre chose, ou il s'exerce en lui-même. » Cela correspond au principe général selon lequel toute réalité connaît toujours deux actes, celui de l'essence et celui qui résulte de l'essence à la manière du feu qui en lui-même brûle et qui, sur ce qui s'approche de lui, provoque un réchauffement[2]. Cette règle, qui explique le mouvement général de la procession, n'est pas sans poser des difficultés. En toute rigueur, ne faut-il pas conclure que le mouvement processif doit être indéfiniment continué ? Si de l'être procède l'âme et, de l'âme, le corps, quelle réalité inférieure produit donc l'acte essentiel du corps ? Le traité III, 8 (30), *Sur la contemplation*, note sans équivoque que les corps ne produisent qu'une reproduction d'eux-mêmes. Le chapitre IV, 4, 13, est explicite sur ce point : la nature est le dernier terme. Il y a en effet une dégradation de l'énergie issue de la vie de l'esprit et la providence inférieure qu'est la nature n'a plus assez de force pour produire autre chose qu'elle-même. Aussi contemple-t-elle son propre contenu, quand elle veille par exemple à ce que nos blessures cicatrisent ou que les cornes poussent au front des béliers. La providence supérieure, en revanche, celle qui met en ordre le ciel incorruptible où les astres ont rang de dieux, est bien capable d'une conversion indéfectible vers la seconde hypostase.

---

1. IV, 4 (28), chap. 9, 38 et chap. 20, 14-15.
2. V, 4 (7), chap. 1 et 2.

La sympathie cosmique est si grande que le désordre n'a de sens qu'au regard singulier d'une partie qui ne voit pas la nécessité du plan d'ensemble. Reprenant les arguments de la théodicée stoïcienne, Plotin réduit, en une première approche, le mal à n'être qu'ombre au tableau : « L'injustice commise par autrui est une injustice pour celui qui l'a commise (...) mais, saisie dans l'ordre universel, elle n'est pas une injustice dans l'univers[1]. » Les traités 47 et 48 (III, 2 et 3) développeront longuement le thème du théâtre du monde où chaque être, qu'il le sache ou non, a son rôle à jouer. Celui de l'homme implique l'usage du raisonnement (*logismós*). Mais ce trait, essentiel pour Aristote (« l'homme, animal rationnel »), devient ici comme secondaire, simplement lié aux « préoccupations de l'âme », comme dit le chapitre 18. On ne réfléchit que dans l'aporie ; on ne parle que dans l'incertitude. Or, même si la pensée dans l'être est pure intuition atemporelle de la vérité, Plotin répugne à accuser la séparation entre deux « mondes ». La notion de *kósmos* permet aussi bien de penser l'ici que le là-bas, le sensible tout comme l'intelligible. Il y a une analogie entre ces deux modes d'être dans la mesure même où elles ont l'un comme fondement commun. Cela signifie que tout le monde corporel exprime à sa manière le contenu des idées incorporelles. Plotin va même jusqu'à dire que la délibération, forme inférieure de la pensée qui se représente de purs possibles et parfois choisit, entre deux maux, le moindre, a son équivalent analogique dans l'être[2].

Critiquant une comparaison célèbre, Plotin refuse que l'âme soit dans le corps « comme un pilote en son navire », comme dira Descartes. Non seulement l'âme pénètre toutes les parties du corps (elle n'a pas un siège hégémonique particulier) mais encore elle n'est pas, comme pour Aristote, forme du corps[3] : son essence

1. IV, 3 (27), chap. 16, 18, 20.
2. *Ibid.*, chap. 18, 20 : « Il faut dire qu'elles [les âmes] usent du raisonnement là-bas. »
3. *Ibid.*, chap. 21, 36.

véritable ne s'incarne pas et, en tant que pensée vivante dans l'être, elle n'a pas de rapport avec le corps. Bref, notre chair n'est qu'investie des activités dérivées de la pensée pure. Notre moi humain terrestre en a-t-il une mémoire ? Telle est la question qui traverse les chapitres IV, 3, 25 à IV, 4, 17. Depuis le *Ménon* de Platon, la réminiscence est ce qui constitue la pensée : savoir, c'est se souvenir. Plotin accepte cette doctrine : l'âme se souvient de l'être quand elle se convertit vers elle-même. En somme, une mémoire (celle faite des événements contingents de notre existence) laisse sa place à une autre (la réminiscence proprement dite). Il faut oublier les soucis du corps pour écouter l'appel de l'être (ou du divin) et se rappeler que notre moi n'est pas seulement corruptible et charnel, mais d'abord et fondamentalement spirituel. Cela dit, l'antériorité fondatrice des Idées n'a pas eu lieu à un moment du temps. Aussi s'agit-il d'une mémoire de l'immémorial, un rapport à l'éternité même. Le traité III, 7, *Sur l'éternité et le temps*, montrera la nécessité de subordonner la temporalité à l'éternité (l'*aión*), où l'âme se maintient parmi les autres Idées. L'apparition du temps vient donc d'une scission de la pensée et de son objet : c'est l'âme qui produit le couple de l'antérieur et du postérieur, et plus précisément cette ouverture indéterminée à ce qui n'est pas encore en engendrant une partie d'elle-même qui ne contemple plus l'éternité de l'être. C'est pourquoi la philosophie et la dialectique, qui permettent l'abolition de cet écart, sont en elles-mêmes des purifications. La sagesse, avant d'être un mode de vie, est essentiellement une manière de penser.

À la différence de nos âmes, celle du monde a un souvenir complet et transparent de l'être : « Il faut admettre une sagesse identique, sagesse universelle et stable de l'univers[1]. » Cette conformité radicale de l'ordre providentiel cosmique et de l'ordre intelligible se traduit par un premier moment : la procession des raisons formelles qui sont le modèle des raisons sémi-

1. IV, 4 (28), chap. 11, 24.

nales, les semences, grâce auxquelles la vie sur Terre
se reproduit. Ce second moment s'accomplit à la surface de la Terre dans le cadre de ce que Plotin nomme
« l'entr'empêchement[1] ». Ici-bas, il n'y a plus la parfaite harmonie du ciel : la haine existe aussi qui vient
de la faiblesse même de la nature. À coup sûr, la
génération implique toujours une certaine destruction : combats, morts et souffrances ne cesseront
jamais. Mais la Terre en elle-même est une divinité
comme le rappelle le chapitre 22 : reprenant une doctrine stoïcienne, Plotin pense qu'il y a une puissance
végétative même dans les minéraux (chap. 27), et ce
n'est que leur arrachement au corps de la Terre qui en
explique l'inertie. La procession du psychique s'arrête
au niveau des pierres et du sable, là où l'esprit ne
permet plus de reproduction. Il nous reste à voir ce
qui rend possible l'activité de l'esprit. D'où viennent
les Idées ? Quel est cet Un ineffable qui est la clé de
voûte de la réalité selon Plotin ?

★
★ ★

Les premiers chapitres du Traité 38, *De l'origine des
Idées, du Bien* (VI, 7), commencent ce que le *Timée*
appelle la démiurgie du monde sensible, c'est-à-dire sa
constitution à partir du modèle intelligible. Il ne s'agit
pas d'une production qui suivrait une délibération, ni
d'une création *ex nihilo*, idée étrangère à la pensée
grecque ; le monde est éternel. L'idée centrale de ces
chapitres est que la beauté et la variété de notre
monde ne sont qu'un pâle reflet de celles de là-bas.
L'intelligible n'est pas un ensemble de concepts abstraits, mais un ordre vivant où la pensée circule sans
obstacles. Le chapitre 12 affirme ainsi : « Il y a là-bas
une terre qui n'est point déserte, mais bien plus
vivante que la nôtre ; elle a en elle tous les animaux
qu'on appelle ici terrestres. » De tels propos dépassent

1. *Ibid.*, chap. 4, 3 : *empodizein*.

très nettement la lettre des dialogues de Platon. C'est ici une thèse particulièrement originale de Plotin ; le « monde intelligible » est en même temps en quelque sorte sensible : « Il n'est pas comparable à un souffle ou à une chaleur mais plutôt à une qualité unique qui possède et conserve toutes les autres, à une douceur qui serait en même temps odeur[1]. » La vie spirituelle parfaite porte à sa plus grande clarté la pensée qui est déjà à l'œuvre dans l'épreuve de la moindre sensation animale. Bien que l'âme ne soit plus incarnée là-bas, son activité ne se réduit pas à une activité noétique simple. En effet, l'unité n'est un attribut de l'esprit qu'en tant que celui-ci est une totalité, et il est en même temps une multiplicité variée, riche et surabondante. Au-delà de l'esprit et de l'être, l'Un se maintient dans une radicale simplicité.

La transcendance du Premier Principe est longuement analysée dans les chapitres 15 à 42 du traité. Plotin indique d'abord que l'Esprit ne serait rien sans lui : « De lui, il tient la puissance d'engendrer et de s'emplir des êtres qu'il engendre ; il lui donne ce qu'il ne possède pas lui-même[2]. » Ce paradoxe selon lequel le Bien donne ce qu'il n'a pas est au cœur de la pensée plotinienne sur l'Un. Dans la mesure où sa perfection est au-delà de celle de l'être éternel, l'Un dépasse *a fortiori* notre propre pensée. Il nous dépossède de nos repères conceptuels habituels parce qu'il est au-delà de toutes les oppositions, le temps et l'éternité, le sensible et l'intelligible, voire l'un et le multiple. Car si nous le nommons « Un », c'est plus pour nous faire comprendre que pour le comprendre en lui-même. Il n'a pas de nature propre. Il n'est pas une unité comme celle dont on compose les nombres. Tout ce que nous disons de lui ne vise qu'à produire une intuition de cette absolue transcendance sans que nous puissions saisir un contenu intelligible lui correspondant. En somme, l'Un n'est rien, n'a rien, ne fait rien,

1. VI, 7 (38), chap. 12, 24-27.
2. *Ibid.*, chap. 15, 18-20.

ne pense rien. Par cette méditation, Plotin inaugure ce qui deviendra la théologie négative. On comprend dans ces conditions qu'il n'y ait pas au sens strict de procession hors de l'Un : il est « cause de la cause[1] », condition de possibilité de la possibilité même. Plotin décrit cette aporétique causalité en montrant que c'est l'Esprit qui se remplit lui-même par lui-même des formes qui font sa richesse. Dans cette autoconstitution, si l'on peut dégager une généalogie, il faut poser d'abord la vie avant même l'être : « Au moment où la vie dirige vers lui ses regards, elle est illimitée (*aóristos*) ; une fois qu'elle l'a vu, elle se limite, sans que son principe ait lui-même aucune limite ; ce regard vers l'Un apporte immédiatement en elle la limite, la détermination et la forme (*péras kai eîdos*). La tension de la vie vers ce qui la dépasse et la fonde permet qu'en elle se déploient les formes intelligibles. Totalement indéterminé et libre, l'Un n'est jamais loin de ce pour quoi il est le Bien. La possibilité d'une union à l'Un implique un dédoublement de ce que la tradition mystique appellera l'extase : il y a d'abord une extase quand l'âme humaine se recueille dans la splendeur de la vie de l'être[2], puis, quand l'âme abolit en quelque sorte sa propre nature, cesse de penser et abandonne tout : « Il ne faut pas en rester à cette beauté multiple ; il faut faire un bond de plus et la quitter[3]. » Si l'âme bondit, c'est parce que l'Un n'est pas en continuité avec la pensée et la vie, et qu'il transcende pour ainsi dire la transcendance même. Le langage est donc par nature inadéquat à penser l'Un et l'union à l'Un, car nos mots disent l'être et se rapportent toujours à une présence (*parousía*) sensible ou intelligible. Niant toutes les médiations, l'union est représentée par l'image du contact. Or, cette expérience de dépossession est en même temps pour l'âme l'occasion de connaître la joie la plus profonde. L'optimisme plotinien n'est pas seulement admiration de la beauté du

1. VI, 8 (39), chap. 18, 38.
2. IV, 8 (6), chap. 1.
3. VI, 7 (38), chap. 16.

monde, c'est aussi l'éloge du Bien et du bonheur de
l'âme : « Elle n'échangerait rien contre lui, lui pro-
mît-on le ciel tout entier, parce qu'elle sait bien qu'il
n'y a rien de meilleur et de préférable[1]. » Pour essayer
d'intégrer l'irrationalité de l'excès du Bien à la rationalité de notre discours, Plotin indique quatre possibilités que la théologie chrétienne nommera ultérieurement des « voies » d'accès à Dieu : les analogies, les
négations, la connaissance par les effets et par leur
degré de perfection[2]. Parallèlement à cet effort de
représentation, l'homme peut se préparer à rencontrer
l'Un par la pratique des vertus. Le traité 38 s'achève
par le rappel du cadre général de la procession : le
Bien, l'intelligence, l'âme et « au maximum d'éloigne-
ment se trouvent les choses sensibles qui sont suspendues à l'âme[3] ». Mais alors, si tout est rattaché au
Bien, peut-on encore comprendre l'existence des
maux ? Le mal n'est-il qu'une illusion ?

*
* *

Le point de vue du traité *De l'origine des maux*, I, 8,
n'est pas éthique, car le mal ici n'est pas l'invention et la
spécificité de l'homme ; l'injustice n'est que l'une des
manifestations du mal parmi d'autres (la maladie, la
laideur, la pauvreté, chap. 5). Le point de vue est ontologique, puisqu'il s'agit d'expliquer que le sensible ne
participe pas parfaitement à la forme qui le rend possible, « mé-ontologique », devrions-nous dire, puisque
ce traité est d'abord une réflexion sur le sens du non-
être *(mē-ón)*. Celui-ci peut s'entendre en trois sens
(chap. 3), soit d'abord comme une simple altérité par
rapport à l'être, et, en ce sens, il y a du non-être au sein
de la seconde hypostase, celle-ci n'étant pas purement
et simplement une réserve d'être, mais aussi vie, pensée,
repos et mouvement. Ce non-être est alors une diffé-

1. VI, 7 (38), chap. 34, 21-24.
2. *Ibid.*, chap. 36, 7-8.
3. *Ibid.*, chap. 42, 24.

rence féconde. Le second sens du non-être est tout l'opposé de cela : non-être absolu. De lui rien à dire, rien à penser, rien à espérer ou redouter. Enfin, on parlera du non-être au sens d'un moindre être, d'un défaut de présence comme dans le cas de la copie et du modèle. Ce non-être relatif est pleinement réalisé dans la conception que Plotin a de la matière. Dès le 12ᵉ traité (II, 4), il en donne une saisissante description : la matière est l'en-deçà des corps, le fond obscur que domine la forme. Il est donc essentiel de dissocier le matériel et le corporel. La matière n'a ni forme, ni corps, ni activité : elle est impassiblement toujours déficiente. *Pénia* (le manque) peut la désigner avec justesse.

Si les commentateurs ne s'entendent pas sur le point de l'éventuelle « génération » de ce non-être, tous reconnaissent que Plotin accorde à la matière la possibilité d'avoir des effets. Elle est l'occasion de nos fautes, et les maux s'expliquent par son influence : « Le premier mal, c'est la démesure *(ámetron)* ; le deuxième mal, c'est d'acquérir cette démesure, par ressemblance ou par participation[1]. » Une telle proposition est à premier abord paradoxale. Peut-on participer au non-être ? Peut-on ressembler à ce qui n'a ni forme, ni figure ? Plotin a une grande conscience de la difficulté qu'il y a à parler du non-être : « Comment se représenter ce qui n'a absolument aucune forme[2] ? » Pour cela, il développe toute une analyse de l'abâtardissement de la raison, en écho à une formule du *Timée* (51 b). La plus grande rigueur commande parfois de manquer de rigueur. À la jubilation amoureuse du discours sur l'Un succèdent les litanies volontairement approximatives qui évoquent les ténèbres privées d'âme ; dans cet esprit, on peut considérer le mal comme : manque de mesure, illimité, informe, déficient, indéterminé, instable, passif, jamais rassasié, pauvreté complète[3]. Une telle conception ne conçoit rien d'autre que le manque de contenu intelligible.

1. I, 8 (51), chap. 8, 37-38.
2. *Ibid.*, chap. 9, 14.
3. *Ibid.*, chap. 3, 12-16.

Notre pensée est ainsi comme remplie d'indétermination, obscurcie et affaiblie.

Entre la richesse de l'être et la pauvreté de la matière, l'Un sans cesse veille à la procession. L'une des forces de la philosophie de Plotin est de montrer que toujours la pensée accompagne l'être et lui donne vie. Dans la nuit, les étoiles contemplent pour toujours la vérité et l'homme, encore éveillé, pour un moment, peut comprendre qu'il est déjà enveloppé par l'éternité.

Jérôme LAURENT

BIBLIOGRAPHIE

ÉDITION DE RÉFÉRENCE : *Plotini Opera*, P. HENRY et H. R. SCHWYZER, Bruxelles, Édition universelle, 1951, 1959 et Leiden, Brill, 1973 ; *editio minor* à Oxford, Clarendon Press, 1963-1982.

TRADUCTIONS FRANÇAISES : *Du beau* (I, 6 et V, 8), trad. P. MATHIAS, Paris, Presses-Pocket, « Agora », 1991. Les *Ennéades*, trad. E. BRÉHIER, 7 vol., Paris, Les Belles Lettres, 1923-1938. *Traité 38*, trad. P. HADOT, Paris, Cerf, 1988. *Traité 50*, trad. P. HADOT, Paris, Cerf, 1990. *Traité sur la liberté et la volonté de l'Un* (VI, 8), trad. G. LEROUX, Paris, Vrin, 1990. *Traité sur les nombres* (VI, 6), trad. J. BERTIER, L. BRISSON, A. CHARLES, J. PÉPIN, H. D. SAFFREY, A. Ph. SEGONDS, Paris, Vrin, 1980.

COMMENTAIRES : J. TROUILLARD, *La Purification plotinienne*, Paris, PUF, 1955. P. HADOT, *Plotin ou la simplicité du regard*, Paris, Études augustiniennes, 1973. D. O'MEARA, *Plotin*, une introduction aux *Ennéades*, Paris, Cerf, 1992.

ROUSSEAU

Discours sur les sciences et les arts
Discours sur l'origine et les fondements
de l'inégalité parmi les hommes
Du contrat social, ou Principes du droit
politique
Émile, ou De l'éducation

Philosophe par hasard, a pu dire Helvétius, faisant
allusion à l'intervention inopinée de « Rousseau le
musicien » dans un débat où personne ne l'attendait ;
philosophe par erreur, erreur funeste, dira Rousseau
lui-même[1] : une biographie erratique et constituée en
œuvre, une œuvre littéraire éblouissante et reconnue,
la forme paradoxale de ses prises de position, tout se
conjugue pour occulter l'ambition, l'unité et la force
de la pensée de Rousseau.

Dans le débat philosophique de son temps comme
dans le jeu social parisien, Rousseau est celui qui vient
d'ailleurs, ne parvient pas à trouver sa place, et volontairement se met hors jeu. Venu de si loin (la Suisse),
si haut (les montagnes), avec une langue un peu

---

1. « Instant d'égarement », disent, en 1769, les *Confessions*,
Livre VIII, GF, vol. 2, p. 99 ; OC I, p. 351. Dans les *Lettres à
Malesherbes* (1762), c'était encore un « heureux hasard », OC I,
p. 1135.

Les références seront données dans la collection GF-Flammarion
et dans l'édition critique de référence (la Pléiade), 4 vol. parus,
notés OC I, II, III, IV.

archaïque, des mœurs si peu policées, un manque incurable d'usage du monde, il passe comme une comète, repart aussi vite de plus en plus loin : vers la campagne (L'Ermitage, Montmorency), puis, en une fuite éperdue (Môtiers, l'Angleterre, Bourgoin), brise un à un les liens qu'il a pu tisser, pour vivre à Paris ses dernières années, rue de la Plâtrière, en exilé de l'intérieur. Son itinéraire sur la carte, de la périphérie à la marginalité, appelé puis rejeté par le centre, l'aventure de sa vie, de la solitude savoyarde à l'isolement subi voulu de la vieillesse, laissant derrière soi tant d'amitiés en ruine, le parcours intellectuel centripète puis centrifuge qui le voit s'agréger au groupe des Encyclopédistes, sorte de centre de gravité de la pensée du temps, pour finir dans le personnage de « ce pauvre fou de Jean-Jacques » dont les extravagances dispensent d'examiner les idées : tout symbolise pour faire de Rousseau une figure atypique en son époque, et de sa pensée une mutation imprévisible, en rupture avec les courants centraux de la pensée des Lumières[1].

Séduisante dans sa description, justifiée par les propres déclarations de Rousseau, cette présentation constitue pourtant un obstacle majeur à la lecture et la compréhension de son œuvre philosophique. Parce que Rousseau n'a cessé de penser les conditions subjectives de son itinéraire intellectuel, serait-on autorisé à traiter ses idées comme des symptômes ? Parce que l'attention qu'il accorde à la langue n'est pas seulement théorique mais celle d'un de nos grands stylistes, serait-ce une raison pour traiter ses concepts en ornements et ses raisonnements en figures de style ? Trop souvent, pour ceux-là mêmes qui se font les commentateurs patentés de Rousseau, l'homme dissimule l'œuvre, et l'écrivain le philosophe.

La pensée philosophique de Rousseau, loin d'être constituée d'interventions discontinues, se développe en une démarche qui se poursuit jusqu'aux *Dialogues,* même aux dernières pages des *Rêveries.* Cette pensée a

1. *Confessions* X, GF vol. 2, p. 254 ; OC I, p. 492.

l'unité de ce que Rousseau ne cesse jamais de considérer comme un « système[1] ». Loin d'être étrangère aux débats essentiels des Lumières, elle s'inscrit dans leurs contradictions les plus aiguës. Telles sont les hypothèses de lecture que l'on voudrait ici essayer de mettre en œuvre.

Quels sont les textes constitutifs de la philosophie de Rousseau ? À cette question il répond lui-même : les deux discours, et l'*Émile*. On attendrait le *Contrat social* : il lui paraît inscrit en germe dans le *Second Discours*, et sous forme résumée au livre V de l'*Émile*. Pour le reste, il s'agit pour lui du développement (l'*Essai sur l'origine des langues*, le *Discours sur l'économie politique*), de l'application (les textes sur la Corse ou la Pologne), ou de la défense (*Lettres de la Montagne, Lettre à Christophe de Baumont, Rousseau juge de Jean-Jacques*) de ces œuvres fondamentales. On suit ici le choix de Rousseau, mais en intégrant le *Contrat* au corps des œuvres majeures, quitte à renvoyer aux œuvres secondes (et non secondaires) chaque fois que nécessaire.

Dans quel ordre aborder l'œuvre ? Jouant sur la notion de principe (qui chez lui signifie origine et fondement), Rousseau tantôt insiste sur le mouvement qui le conduit aux « premiers principes » dans ses derniers écrits (l'*Émile*) et préconise une « lecture rétrograde[2] », tantôt demande que l'on suive comme une démarche nécessaire la genèse de sa pensée. C'est ce dernier parti que l'on prend ici.

*
* *

La « scène primitive » du *Discours sur les sciences et les arts*, Rousseau l'a racontée quatre fois[3], l'a évoquée

---

1. Les textes les plus décisifs et développés sont ceux des dernières années : *Rousseau juge de Jean-Jacques, Dialogue III*, OC I, p. 930 *sq.*

2. *Dialogue* III, OC I, p. 933.

3. *Lettres à Malesherbes*, OC I, p. 1134 à 1138 ; *Confessions* VIII, GF vol. 2, p. 99 *sq.* ; OC I, p. 350 à 352 ; *Dialogue* II, OC I, p. 828 et 829 ; *Rêveries*, troisième promenade, GF, p. 61 ; OC I, p. 1015.

vingt peut-être : 1749, c'est le début d'octobre, la
journée est chaude, comme un retour d'été. Rousseau
marche sur le grand chemin royal qui de Paris mène à
Vincennes. Il va y rendre visite à son ami Denis
Diderot, incarcéré depuis le printemps, mais depuis
quelques semaines sorti du cachot pour une détention
plus douce : on peut le venir voir. Faire le chemin à
pied est une nécessité (la bourse est maigre), et un
plaisir : Rousseau tout au long de sa vie a aimé ces
longues marches au cours desquelles on peut réfléchir,
écrire sur des bouts de papier que l'on fourre dans ses
poches, lire des livres, des revues. Aujourd'hui, c'est le
Mercure de France. On y trouve la question mise au
concours par l'Académie de Dijon qui demande « si le
rétablissement des sciences et des arts a contribué à
épurer les mœurs[1] ». Aussitôt, c'est une « illumination », Rousseau entrevoit un « grand et funeste système » ; c'est une conversion, aussi : il devient « un
autre homme ». Le chemin de Vincennes est un
chemin de Damas.

Le contraste est grand entre le bouleversement
intellectuel qui accompagne cette première œuvre philosophique et l'accueil qui lui fut réservé. Le discours
fut couronné et l'ouvrage connut le succès ; on y
appréciait l'art oratoire, on y goûtait un air de paradoxe qui n'avait rien pour déplaire dans un siècle où
l'ironie était une arme privilégiée de la pensée ;
combien cependant virent là le point de départ d'une
démarche profondément novatrice ?

Mais quelle est donc cette « grande vérité » qui
éblouit ainsi Rousseau au point qu'il se soit toujours
représenté l'ensemble de son œuvre comme le produit
par expansion de cette intuition originelle[2] ? Les manifestations extérieures de cette « illumination » (pleurs,
exaltation), les termes quasi religieux qu'il emploie
pour en rendre compte ont donné lieu à une abon-

1. On note le texte de Rousseau qui eut le prix : *Discours sur les
sciences et les arts,* ou *Premier Discours,* GF n° 243 ; OC III, p. 1
à 50.
2. *Cf.* entre autres : *Lettre à C. de Baumont,* OC IV, p. 929.

dante exégèse. Au lieu de scruter la nature de cette extase, essayons d'en déterminer le contenu. Quelle perspective nouvelle Rousseau découvrait-il ?

L'académie de Dijon, en choisissant ce sujet, lui permettait de formuler et de penser sa contradiction essentielle. Ce n'est pas un jeune homme qui fait ici son entrée dans le monde et dans la pensée[1]. Né en 1712, Rousseau n'est guère éloigné de la quarantaine. De son enfance genevoise, des lectures faites avec son père, il a conservé une profonde admiration pour les grandeurs et la vertu des cités grecques, de leurs héros, tels que Plutarque peut les faire imaginer. Ayant quitté Genève à seize ans, l'image qu'il s'est formée de la république calviniste a subi une idéalisation similaire. L'expérience qu'il a faite de la société, petit immigré ne devant sa subsistance qu'à la dépendance, la charité, ou la générosité des grands, lui a fait durement sentir le poids de la pauvreté et celui des privilèges. Mais par la sympathie, l'amour, l'amitié qu'il a su inspirer, par les talents, musicaux surtout, dont il a fait montre, le petit Genevois converti au catholicisme un peu par hasard a su se doter d'une formation dans l'esprit nouveau, et compter parmi ceux que déjà l'on appelle « les philosophes ». Depuis 1744, il est fixé à Paris, se fait reconnaître pour connaisseur en musique, et s'est vu confier par D'Alembert et Diderot les articles concernant cet art dans l'Encyclopédie. Se liant aisément, le voilà familier des encyclopédistes, l'ami de Diderot. Sur cette société, il a donc un double point de vue : critique d'une part (Rousseau le Genevois peut donner à son sentiment républicain et à ses aspirations égalitaires l'apparence d'un enracinement concret, jouer de son origine comme d'un opérateur d'exterritorialité), il participe en un autre sens de cette vision commune que nous désignons sous le nom de « Lumières » et qui peut se définir très grossièrement comme une triple

---

1. *Ibid.*, p. 927. Rousseau dit alors être « devenu auteur à l'âge où on cesse de l'être ».

confiance en la raison, raison théorique tournée vers la conquête rationnelle de l'univers à l'exemple de Newton, raison technicienne cherchant à réaliser le programme cartésien de maîtrise de la nature en vue de satisfaire les besoins humains, raison pratique promouvant l'individu comme sujet libre, moral parce que autonome. L'émule en chambre des vertus antiques qui affectionne les figures en médaille de héros est aussi un admirateur des inventions modernes[1]. Lui-même a cherché à se faire connaître par une invention, une nouvelle façon de noter la musique[2]. L'admirateur de la cité genevoise, république vertueuse au parfum discret d'archaïsme, s'est laissé attirer par Paris, son raffinement, sa richesse, ses arts florissants, mais aussi sa société aux principes foncièrement inégalitaires.

Ces contradictions, il est vrai, ne sont pas celles du seul Jean-Jacques Rousseau, elles ne sont pas étrangères à la question posée par l'académie de Dijon et à sa formulation ; mais il va les lire et les penser d'une façon toute particulière[3]. Les académiciens dijonnais, en mettant en relation le « rétablissement des sciences et des arts » et « les mœurs » renvoyaient à des formations discursives latentes dans la pensée de leurs contemporains : les concurrents de Rousseau et ses critiques nous le montrent par les lectures qu'ils en font. Vient d'abord ce que l'on pourrait considérer comme le lieu commun de l'époque : les mœurs progressent par le double effet des lumières sur les individus, policés, éclairés et moralisés, et sur l'ordre social qui devient plus tolérant, rationnel et civilisé.

1. À plusieurs reprises, dont une, en 1737, manque lui être fatale, il s'occupe de chimie.

2. Introduit par Réaumur, le 22 août 1742, il a présenté une communication à l'Académie des sciences.

3. N'est-ce pas le même type de situation théorique et subjective que provoquera d'Alembert avec son article *Genève* dans l'*Encyclopédie* ? En proposant d'établir une « comédie » à Genève, ne révélait-il pas à Rousseau sa propre contradiction ? Aussi bien y a-t-il une forte communauté d'accent et de problématique entre le *Premier Discours* et la *Lettre à d'Alembert*.

Sur cette représentation commune dominante viennent s'articuler des variantes. L'une, politique, déplore que les progrès des sciences et des arts, qui régénèrent les individus et transforment la société matérielle, ne se soient pas étendus encore à la sphère des rapports politiques (la thématique du despotisme éclairé est à inscrire dans ce contexte). L'autre, plus éthique et anthropologique, s'interroge sur la possibilité de remodeler les sentiments primitifs inscrits dans la nature humaine. C'est hors de ces champs que Rousseau va « constituer son discours », imposant à la question proposée une véritable torsion qui équivaut à un changement de problématique.

En débordant ainsi le cadre de pensée de ses contemporains, Rousseau rendait difficile l'accès à sa démarche, d'autant qu'il anticipait largement des principes que son œuvre entière aura pour objet d'élucider[1]. Aussi le propos du *Premier Discours* est-il avant tout reçu sur le mode du paradoxe. C'est dans ce sens que Diderot semble avoir compris, encouragé et accentué l'entreprise. Voilà un collaborateur de l'*Encyclopédie* qui s'attache à montrer que le développement des sciences et des arts est corrupteur pour les mœurs individuelles et collectives parce que la satisfaction trop grande des désirs amollit la volonté, parce que la recherche de l'intérêt détruit l'amour de la liberté, parce qu'en se poliçant les mœurs deviennent dissimulées, et que les rapports humains sont gouvernés par l'envie et l'hypocrisie ! Voilà une éloquente déploration des temps anciens qui pose l'auteur en contempteur des temps nouveaux ! Fabricius[2], exemple des vertus héroïques de la Rome républicaine, est conduit par une fiction du discours devant l'opulence et la corruption de la Rome impériale : là où la liberté et la vertu régnaient avec la pauvreté, la richesse couvre la servitude et la dépravation. Mais

1. Il rend compte de son itinéraire dans ces termes mêmes dans le troisième des *Dialogues, Rousseau juge de Jean-Jacques*, OC I, p. 933.
2. *Premier Discours*, OC III, p. 14 ; GF, p. 45.

c'est là une fausse interprétation de la prosopopée de Fabricius. Elle n'est qu'un instrument choisi pour mettre en évidence une thèse historique ; plus précisément, elle précède le résumé de ce que Rousseau appelle ses « inductions historiques[1] ».

En évoquant le « rétablissement » des sciences et des arts, l'académie de Dijon s'inscrivait dans une représentation déjà conventionnelle : entre deux périodes de développement de la culture (l'Antiquité gréco-romaine et l'ère nouvelle ouverte par la Renaissance), une période de ténèbres que les Lumières venaient enfin éclairer. Ce schéma historique ne pouvait être objet de discussion, il relevait de l'évidence. De même le contenu de ce progrès (développement des sciences et des arts) et sa valeur ne pouvaient être sérieusement mis en doute. C'est pourtant ce que fait Rousseau par sa lecture de la question proposée.

D'une part, en effet, il remet sur le chantier la représentation historique : sous l'idée de « rétablissement » désignant celle d'établissement, il mène ainsi à interroger le contenu et la valeur de cet établissement même. La question de l'évaluation vaut alors de façon récurrente : c'est sur le processus même de la culture que la question doit porter. De là découle la problématique du passage à l'état civil. C'est sur ce passage même que l'évaluation doit porter.

Par le déplacement ainsi opéré, Rousseau se donne aussi les moyens de faire travailler la notion de progrès. Elle est en effet au cœur de la question posée, et il ne s'y trompe pas[2]. On a vu ou voulu voir, dans le propos du *Premier Discours,* un refus du progrès. En fait, Rousseau prend soin de séparer dans l'idée de progrès la forme du processus et la question de sa valeur ; le point de vue historique d'un côté, le point de vue éthique et politique de l'autre. C'est de confondre explication et évaluation au lieu de les articuler qu'il reproche à l'usage fait de l'idée de progrès.

1. *Premier Discours,* OC III, p. 16 ; GF, p. 47.
2. *Ibid.*

S'il avait prolongé cette confusion, il serait immanquablement devenu ce passéiste ou ce réactionnaire que l'on a voulu parfois (Voltaire) voir en lui. Bien au contraire, en les distinguant comme il l'a fait constamment, il s'autorise à constater le caractère irréversible de ce passage et simultanément à maintenir une évaluation négative de ce que l'on représente communément comme les bienfaits de la culture. C'est ainsi qu'il peut, tout au long du *Premier Discours,* reprendre à son compte l'idée de progrès et celle de lumière, sans en discuter la réalité, mais en en contestant l'évaluation : un progrès peut devenir funeste et une clarté corruptrice. C'est ainsi encore qu'il peut rejeter comme la pire des illusions l'idée (qu'encore une fois on s'obstine à lui prêter) d'une « rétrogradation » en deçà du passage à l'état civil. Un tel retour en arrière est impossible : « La nature humaine ne rétrograde pas[1] », et n'est pas souhaitable[2]. Allons plus loin : n'est-ce pas précisément dans cet écart maintenu entre explication et évaluation que Rousseau ouvre l'espace dans lequel pourra se poser la véritable question, à laquelle répondra le *Contrat social :* à quelles conditions cette évaluation peut-elle changer ? autrement dit : à quelles conditions un état civil peut-il être légitime ?

On comprend mieux alors pourquoi Rousseau, sur le chemin de Vincennes, entre les lignes du *Mercure,* pouvait lire tout un système philosophique : il venait d'entrevoir, à l'occasion d'une « question d'académie », ce qu'il appelle un « nouveau point de vue », autrement dit une nouvelle problématique, appréhension du champ social sous une série d'angles concourants et nouveaux.

Au moment même où se constituait l'idée de progrès, Rousseau marquait l'angle critique sous lequel sa valeur pouvait être interrogée. C'est sa précocité

---

1. *Dialogue III,* OC I, p. 935 ; *Réponse au roi de Pologne,* OC III, p. 56 ; GF n° 253, p. 95.
2. *Premier Discours,* GF, p. 55, OC III, p. 26. *Cf.* également Préface du *Narcisse,* OC II, p. 971-972.

même, son pouvoir d'anticipation, qui a valu à cette conscience critique de passer (parfois même à ses propres yeux[1]) pour passéiste. Sa démarche ne s'enracine ni en deçà de la problématique de son temps, ni en dehors ou à côté de ses questions centrales, mais dans un rapport critique avec la manière dominante de les aborder. Il serait par là plutôt un avant-coureur. Contournant et débordant les représentations historiques dominantes, pensant en termes de passage le rapport nature/culture, c'est un nouvel horizon anthropologique que désigne Rousseau. Transformant le débat sur le luxe en débat sur l'inégalité, posant la question de la liberté et de la servitude comme médiation centrale entre culture et moralité, il ouvre pour la philosophie politique l'espace qui sera le sien dans l'avenir.

*
* *

Le *Discours sur l'origine et les fondements de l'inégalité parmi les hommes* : une anthropologie négative... Dijon encore. Paris toujours. Le *Mercure,* peut-être. La scène et les acteurs ne varient guère, le sujet est de nouveau fixé par une question de concours. La pièce pourtant n'est pas la même. Ce n'est plus l'irruption d'un inconnu qui sait faire sensation par un audacieux parti pris d'originalité. Entre 1750 (couronnement du *Premier Discours*) et 1755 (publication du second[2]), la célébrité est venue, Rousseau n'est plus le même : le *Premier Discours* a soulevé les passions (une tête couronnée, celle du roi de Pologne, a pris la peine de répondre au citoyen de Genève), le musicien a été reconnu (une autre tête couronnée, celle du roi de France, a fait donner *Le Devin du village* devant la cour), l'écrivain a

1. « Mes maximes gothiques », dit-il dans une lettre à Jacob Vernes du 14 juin 1759.
2. Selon la convention, on notera *Second Discours* le *Discours sur l'origine et les fondements de l'inégalité parmi les hommes,* GF n° 243 ; OC III, p. 109 à 223.

été joué (*Narcisse* au Théâtre-Français). Mais là n'est pas l'essentiel : la pensée a mûri, les connaissances se sont étendues, les principes se sont affermis. Toute une suite de textes, de la lettre à l'abbé de Raynal à la préface du *Narcisse,* ont été publiés pour défendre et expliciter la démarche du *Premier Discours.* Dans ce débat, Rousseau a repris et étendu ses lectures : les théoriciens du droit naturel et du droit politique, Grotius, Pufendorf, Burlamaqui, Hobbes, Barbeyrac, Montesquieu, mais aussi Buffon et toute une littérature scientifique ou préethnographique qui joue un rôle considérable au XVIIIᵉ siècle. Aussi, en prenant connaissance au printemps 1753 de la question mise au concours par l'académie de Dijon pour l'année suivante : « Quelle est l'origine de l'inégalité parmi les hommes, et si elle est autorisée par la loi naturelle ? », Rousseau voit-il d'emblée combien sa problématique est pertinente pour la penser. S'il y réfléchit encore en marchant, dans la forêt de Saint-Germain, ce n'est plus au hasard d'une promenade, mais dans la solitude d'une retraite volontaire. Le *Premier Discours* a dégagé une voie, le second va l'explorer.

Ce texte, avec le *Contrat social,* est sans aucun doute le plus célèbre parmi les écrits de Rousseau : l'homme de la nature heureux sous son chêne à manger des glands, « le premier qui s'avisa de dire ceci est à moi », le fer et le blé sources des malheurs du genre humain... font partie de ces textes que chacun connaît sans avoir besoin de les lire[1]. Et dont les lectures fautives passent pour dogmes. La convention oratoire reconduite, la rhétorique qu'elle induit font écran à la démarche théorique du *Second Discours.* Elle est pourtant parfaitement mûrie, et fortement structurée.

Rousseau, une fois encore (ce sera la dernière), se soumet à une contrainte qui n'est pas seulement formelle : il doit examiner une question qu'il n'a ni formulée ni choisie, constituer sa propre problématique

---

1. *Cf.* respectivement GF, p. 162 ; OC III, p. 135 ; GF, p. 205 ; OC III, p. 164 ; GF, p. 213 ; OC III, p. 171.

par transformation de celle des académiciens de Dijon. Faute de mesurer l'écart qu'il crée ainsi, et la façon dont il le creuse, on s'interdit de vraiment comprendre sa démarche. Le *Second Discours* est une leçon rare de problématisation.

La question posée était double. D'une part, dans les termes de l'origine (qui au XVIIIᵉ siècle à la fois éludent, désignent et anticipent la question de l'histoire), on demandait d'où pouvait provenir l'existence de l'inégalité parmi les hommes. De l'autre, dans les termes du droit naturel, on demandait si celle-ci pouvait avoir un fondement légitime. Dans la transcription qu'il fait de la question, Rousseau bouscule la perspective induite par la formule de l'académie. Pour commencer, en effet (opération inverse et corollaire de celle du *Premier Discours*), il conjugue ce qui avait été distingué : « discours sur l'origine *et* les fondements de l'inégalité parmi les hommes ». C'est bien un problème qu'il voit, il lui restitue son unité. On pourrait craindre de cette conjonction un effet de confusion. Tout au contraire. Elle met en évidence le présupposé essentiel recelé par la formulation proposée (derrière l'hypothèse envisagée d'une inégalité légitime, la thèse implicitement suggérée d'un fondement en nature des inégalités), et met en œuvre ce qui est à la fois pour Rousseau principe méthodologique et règle pratique[1] : l'indéfectible connexion de l'établissement du droit et de l'examen des faits.

Par ce déplacement, il désigne le cadre dans lequel ce constat peut être fait et la question pertinente : la société. La question dès lors n'est plus : quelle est l'origine de l'inégalité parmi les hommes, mais : quelle est l'origine de l'inégalité que nous constatons dans l'ordre civil, et peut-on l'imputer à l'ordre naturel ? La distinction de l'état civil et de l'état de nature a pour première fonction de donner un caractère socialement

---

1. *Cf.* par exemple : *Contrat social*, Livre I, chap. III (GF, p. 42 ; OC III, p. 353), et *Émile*, Livre V (GF, p. 600 ; OC IV, p. 836).

déterminé au constat de l'inégalité, pour seconde de remettre en question la notion même de droit naturel. Le « parmi les hommes » de l'académie avait quelque chose d'extrêmement abstrait ; en polarisant la question comme concernant d'une part « l'homme de la nature » et de l'autre « l'homme de l'homme », ou « l'homme civil », Rousseau amène l'exigence d'un examen précis de l'ordre social ; plus encore : en introduisant une problématique historique, il impose de rendre compte de l'évolution même des sociétés, et de caractériser ce qu'il appelle « nos sociétés modernes ». L'état de nature est quant à lui d'une certaine façon l'outil qui permet à Rousseau de déplacer la problématique du droit naturel sur un terrain anthropologique : « Tant que nous ne connaîtrons point l'homme naturel, c'est en vain que nous voudrons déterminer la loi qu'il a reçue ou celle qui convient le mieux à sa constitution[1]. »

Du même mouvement, il constitue en problème ce qui était enrobé dans l'évidence implicite : il y a de l'inégalité. Dès la première page du discours, il souligne l'ambiguïté de la question posée[2], il le fait même avec une certaine brutalité. Il n'y a pas lieu de chercher l'origine des inégalités naturelles : elle est postulée dans le terme même. Quant à se demander si les rapports de puissance et de richesse sont fondés dans l'excellence de la nature des dominants sur celle des dominés : « Question bonne peut-être à agiter entre des esclaves entendus de leurs maîtres, mais qui ne convient pas à des hommes raisonnables et libres, qui cherchent la vérité[3]. » La question à laquelle Rousseau entend, lui, répondre, est donc : comment comprendre le passage à l'ordre civil comme ordre inégalitaire ? et par là : jusqu'à quel point l'ordre civil est-il inséparable de l'inégalité ?

Anthropologie et politique[4], telle est donc bien la

1. *Second Discours*, Préface. GF, p. 152 ; OC III, p. 125.
2. GF, p. 157 ; OC III, p. 131.
3. GF, p. 158 ; OC III, p. 132.
4. Selon le beau titre de Victor Goldschmidt.

double et unique problématique de Rousseau. Le *Premier Discours* en avait montré la nécessité, le *Second* en est la première mise en œuvre.

C'est à l'examen de l'état de nature qu'est consacrée la première partie du *Second Discours*. Le terme « état » prend ici son sens plein : c'est à une coupe synchronique que se livre Rousseau, faisant abstraction de tous les facteurs de changement (circonstanciels ou spécifiques), ou montrant que dans cet état ils ne sont que virtuels ou inactivés (liberté, perfectibilité). La deuxième partie, au contraire, est diachronique : elle montre quel enchaînement de facteurs externes (cataclysmes et catastrophes naturels) ou internes (la même faculté humaine de perfectibilité), fortuits (dans l'évolution de Rousseau, un grand rôle est imparti au hasard) ou nécessaires (enchaînement inexorable de la division du travail au développement des inégalités), a produit nos « sociétés modernes ».

Aussi bien ces deux mouvements successifs, description de l'état de nature et représentation du passage à l'état civil, sont-ils présentés comme des hypothèses rationnelles, non comme des savoirs positifs. La Préface est à cet égard très claire : les connaissances positives qui seraient nécessaires pour traiter ces questions sur leur terrain, celui d'une anthropologie historique, font défaut. Sur ce plan, Rousseau trace tout au plus un programme, il ne cherche pas à l'exécuter. C'est donc une démarche purement hypothétique et déductive qu'il suit. Concernant l'état de nature, objet de la première partie : « Un état qui n'existe plus, qui n'a peut-être point existé, qui probablement n'existera jamais, et dont il est pourtant nécessaire d'avoir des notions justes pour bien juger de notre état présent[1]. » À propos du passage à l'état civil et de son évolution : « L'histoire hypothétique des gouvernements est pour l'homme une leçon instructive à tous égards[2]. » Ces

1. GF, p. 151 ; OC III, p. 123.
2. GF, p. 154 ; OC III, p. 127.

textes sont nets : c'est à bien juger de l'état présent que la démarche est ordonnée.

L'image de l'état de nature, parce qu'on oublie son caractère d'hypothèse, ou de fiction théorique, fait écran à l'anthropologie qui sous-tend la première partie du discours. Rousseau fait successivement le portrait physique, métaphysique, puis moral de « l'homme de la nature ». On veut y chercher une définition positive de la nature humaine. N'est-ce pas se leurrer sur l'objectif poursuivi ? La première partie est écrite pour la seconde : Rousseau travaille à y détruire l'idée d'un fondement naturel de l'inégalité, pour ensuite mieux montrer ses racines dans le passage à l'état civil. L'anthropologie de Rousseau est ici une anthropologie négative : c'est à montrer ce que l'homme n'est pas naturellement que de bout en bout il s'attache. On pourrait presque dire que chaque affirmation y est faite pour la négation qui lui correspond. L'homme de la nature a des idées, comme tout animal, parce qu'il a des sens ; mais il n'a pas de raison : la raison est « factice », elle suppose le rapport social[1]. Il crie pour exprimer ses passions ; mais il ne saurait disposer du langage qui exige abstraction et convention[2]. Il connaît l'appel du désir sexuel ; il ignore l'attachement que le sentiment requiert. Il ressent de la pitié, qui est la répulsion à voir souffrir ; il ne saurait être moral, ce qui requiert la représentation d'une fin. L'homme de la nature n'est pas méchant : il ne peut vouloir ni concevoir nuire à autrui, qui est pour lui un étranger ; on ne peut dire qu'il soit bon[3], car la bonté est moralité, qui est devoir et non instinct.

Tout orienté vers la description d'un état, qui par définition dure, accentuant la distance entre « l'homme de la nature » et « l'homme de l'homme », le discours ne s'interdit-il pas de penser le passage de l'un à l'autre ? Rousseau voit la difficulté, et la

---

1. GF, p. 171 ; OC III, p. 141. Thèse souvent développée, par exemple : *Contrat,* Livre I, Chap. VIII.
2. GF, p. 193 ; OC III, p. 151.
3. GF, p. 194 ; OC III, p. 152.

souligne[1]. Dès la première partie, il prend soin de marquer ce qui dans l'homme permettra cette rupture : la liberté de la volonté d'une part[2], la perfectibilité de l'autre[3]. Mais ce ne sont pas là des causes positives, tout au plus des facteurs favorables, des potentialités. Pour que la volonté prenne le pas sur l'instinct, il faudra que l'homme développe sa capacité de représentation ; pour que la perfectibilité s'exerce, il faudra le langage (pour transmettre) et la vie sociale (pour échanger).

La question subsiste donc : comment s'opère le passage à l'ordre civil ? Elle est anthropologique (comment la société vient à l'homme) et politique (comment l'inégalité vient à la société). La seconde partie du discours est à cet égard déconcertante. Elle se développe selon deux registres hétérogènes : une succession de hasards (climatiques ou géophysiques, notamment[4]), semblent nécessaires pour rendre compte d'une telle rupture ; c'est un enchaînement rigoureux de causes et d'effets, d'autre part, qui nous est décrit, conduisant du besoin, par la technique et le langage, la division du travail et la sédentarisation, le développement des passions et celui des richesses, à la constitution de la société civile, la formation de « l'homme de l'homme », et au règne de l'inégalité. Cette logique, mêlée de hasard et de nécessité, pour penser l'évolution de l'homme, vise à mettre en évidence cette thèse essentielle : l'homme social est son œuvre propre. Tel est le nœud de l'anthropologie négative à laquelle est consacré le *Second Discours*.

Il y a, nous l'avions dit, un corollaire politique à cette démarche anthropologique, c'est par là que finit le discours. L'inégalité n'est pas propriété d'un être, mais d'un rapport. De ce rappel élémentaire de logique, dès la première partie[5], Rousseau tire cette

1. GF, p. 185 ; OC III, p. 146, par exemple.
2. GF, p. 171 ; OC III, p. 141.
3. *Ibid.*
4. Par exemple GF, p. 209 ; OC III, p. 168.
5. GF, p. 203 ; OC III, p. 161.

idée toute simple : il n'y a d'égalité que dans l'ordre civil. Mais les relations de personnes, pour devenir de véritables rapports, doivent s'inscrire dans une permanence, constituer un état. Le passage de la possession à la propriété permet de rendre compte de cette mutation. La possession, relation de fait, est par nature relative, précaire : elle est de l'ordre de l'instant. La propriété est la consécration de cette possession comme reconnue et garantie, c'est-à-dire instituée. Il y faut deux actes, l'un d'affirmation (dire « Ceci est à moi ») l'autre d'acquiescement (croire et consentir à cette légitimité). Cet acquiescement est simultanément instauration d'un rapport de domination. À ces deux actes, Rousseau consacre deux pages parmi les plus fortes qu'il ait écrites[1]. L'inégalité est une notion double : comme rapport aux choses, elle est celle du riche et du pauvre[2] ; comme rapport des hommes, elle est celle du dominant et du dominé. Sans doute est-ce une singularité de Rousseau que de ne jamais séparer ces deux déterminations. C'en est une plus importante encore d'avoir montré que l'une et l'autre sont des actes du langage instituant, « dire » et « croire », et donc impliquent au premier chef, active ou passive, la volonté. Il n'y a d'ordre social que par institution, telle est la thèse du *Second Discours*. Cette institution est une convention de dupes. Pourrait-elle être une convention légitime ? C'est ce qu'examinera le *Contrat social*.

*
* *

Si les deux discours répondent à une stimulation extérieure, le *Contrat social,* publié en 1762 avec l'*Émile,* est au contraire le résultat d'une entreprise de longue haleine, délibérée, dont le point de départ est

1. Respectivement : GF, p. 205 ; OC III, p. 165 et GF, p. 219 ; OC III, p. 177.
2. Il faut lire les pages trop peu connues du *Discours sur l'économie politique.* GF n° 574, p. 91 *sq. ;* OC III, p. 271 *sq.*

Venise, en 1742. Dès cette date, secrétaire au statut indécis de l'ambassadeur de France, Rousseau avait commencé à accumuler des matériaux pour un ouvrage qu'il dénomme *Institutions politiques*. Ayant renoncé à mener l'œuvre à terme, il décide, dans la période si féconde de Montmorency, qui vit aussi l'achèvement de *La Nouvelle Héloïse* et de l'*Émile*, d'en extraire la partie la plus avancée, la première : c'est le *Contrat social*.

« Principes du droit politique », tel est le sous-titre. Il indique précisément son objet. Son oubli est l'emblème de la plupart des fausses lectures de l'ouvrage. C'est de droit politique qu'il s'agit : l'expression pour Rousseau est manifestement calquée sur celle de droit naturel, pour s'y substituer. On a vu avec le *Second Discours* que l'état civil ne pouvait être fondé en nature (les hommes vivent naturellement épars). L'idée donc d'un droit naturel régissant l'ordre politique est dans son fondement contestable. C'est de la nature de l'ordre civil, c'est des caractères de l'homme social que l'on doit tirer les principes du droit politique. Chercher chez Rousseau l'idée d'une politique naturelle est se méprendre de bout en bout sur sa pensée. Une telle idée est pour lui une chimère. C'est du concept même de société, de celui de citoyen et de sujet (c'est-à-dire de membre du corps civil) que tout doit être tiré. Droit politique, donc, mais bien droit. Si l'idée de nature n'est pas propre à penser le politique, le fait l'est encore moins : le fait ne fait jamais droit, et l'examen du droit positif ne constituera jamais le droit politique[1]. C'est d'ailleurs le reproche majeur que Rousseau fait à Montesquieu : avoir voulu rendre compte de la réalité politique au travers de l'examen du droit positif sans avoir d'abord posé des principes au nom desquels porter évaluation[2]. C'est à combler ce manque qu'il s'emploie.

1. *Du contrat social*, Livre I, Chap. II. Le *Contrat social* est divisé en livres et chapitres, courts le plus souvent. On s'en tiendra à ce repérage. On notera le titre par ses initiales : *CS*.
2. *Émile*, Livre V, GF, p. 600 ; OC IV, p. 836.

C'est bien de principes qu'il s'agit, non de leur application. Toute lecture cherchant dans le *Contrat* le modèle ou la description d'une société (idéale ou non) en serait pour ses frais. Les comparaisons que l'on a pu faire avec la *République* ou *Les Lois* de Platon, avec l'*Utopia* de Thomas More, sont dépourvues de pertinence. C'est le concept de société, non une société concrète, fût-elle imaginaire, fût-elle parfaite, qui est l'objet de Rousseau. C'est dans les textes sur la Corse ou sur la Pologne, non dans le *Contrat,* qu'il faut chercher une application des principes à des sociétés déterminées.

Le passage de l'état de nature à l'état civil est irréversible : « La nature humaine ne rétrograde pas[1] », nous le savons depuis le *Premier Discours.* C'est donc dans l'ordre civil qu'il faut agir et penser. Qu'est-ce qui caractérise l'état civil tel que nous le connaissons ? Le *Second Discours* nous l'a montré : l'inégalité et la servitude. C'est adossé à ces constats que Rousseau aborde le droit politique. Quel problème se pose donc à lui ? Le préambule du *Contrat* le dit : « Je veux chercher si dans l'ordre civil il peut y avoir quelque règle d'administration légitime et sûre. » Autrement dit : à quelles conditions un ordre social légitime est-il possible ?

Le *Contrat,* pour résoudre cette question, se développe sur plusieurs registres : comme l'*Émile* (mais en l'espace d'une vingtaine de pages au lieu de six cents), le Livre I, carrefour de la pensée de Rousseau, la condense. Les principes du droit politique tiennent en effet à une triple source : le principe de la liberté naturelle, l'analyse de l'idée de société, le passage de l'état de nature à l'état civil. Le Livre I est pourrait-on dire structuré comme une tresse. Ces trois thématiques y sont intriquées de bout en bout, chacune à son tour venant primer sur les autres, respectivement au chapitre IV, au chapitre V, et au chapitre VIII, et toutes convergeant dans l'énoncé du

---

1. *Cf.* note 1, p. 653.

contrat social, au chapitre VI. Suivons chacun des brins de cette tresse en partant de l'idée du passage.

Le passage à l'état civil dans le contrat est un donné ; la rupture est ce à partir de quoi Rousseau pense : « L'homme est né libre, et partout il est dans les fers... Comment ce changement s'est-il fait ? Je l'ignore[1]. » Le regard a changé de direction, il n'est plus tourné vers l'origine, mais vers le devenir : « Qu'est-ce qui peut le rendre légitime ? je crois pouvoir résoudre cette question[2]. » Pour autant, il n'y a ni contradiction (cette ignorance rappelle le caractère hypothétique de la démarche du *Second Discours*), ni oubli des textes antérieurs : la dissociation du concept de famille en famille naturelle, nécessaire et précaire, et famille sociale fondée sur la convention[3], outil décisif qui permet ici de récuser toute fondation en nature de l'ordre politique, provient directement du *Second Discours*[4]. *Le Contrat* vient compléter et clarifier la théorie des états et celle du passage. On ne doit pas parler de deux états, mais rigoureusement de trois : à l'état de nature, l'état civil s'oppose sous deux formes, l'une que l'on dira légitime, l'autre corrompue. Le chapitre VIII (clé de la philosophie de Rousseau) propose ainsi deux évaluations correspondant à deux modalités du passage : « Si les abus de cette nouvelle condition ne le dégradaient souvent au-dessous de celle dont il est sorti, il devrait bénir sans cesse l'instant heureux qui l'en arracha pour jamais, et qui, d'un animal stupide et borné, fit un être intelligent et un homme. » Les termes sont exactement pesés qui donnent son assise à l'anthropologie de Rousseau, ternaire et non binaire, et montrent que sa politique, loin d'être adventice, en est la conséquence nécessaire : son enjeu n'est autre que savoir si et comment le troi-

---

1. Livre I, chap. I.
2. *Ibid.*
3. Livre I, chap. II.
4. *Second Discours*, partie I, GF, p. 185 *sq.* ; OC III, p. 146 *sq.*

sième état, état civil légitime, peut passer du virtuel au réel.

Dans l'analyse du *Second Discours,* Rousseau avait montré, prenant pour modèle le passage de la possession à la propriété, que la volonté (fût-elle passive et mystifiée) était le médiateur nécessaire entre la force et la domination instituée. Il prolonge cette idée dans le *Contrat :* « Le plus fort n'est jamais assez fort pour être toujours le maître, s'il ne transforme sa force en droit et l'obéissance en devoir[1]. » Mais c'est par l'analyse conceptuelle qu'il montre le lien essentiel entre l'idée de société et celle de volonté, lien que désigne la notion de convention. On peut même dire que cette démonstration est l'épine dorsale du Livre I. Elle est produite de façon négative (chap. III et IV) en montrant successivement que la force est impropre à fonder une règle, et que toute obéissance repose sur un acte libre de la volonté, et de façon positive (chap. V) par l'opposition de l'agrégation (rassemblement contraint sous une force unique) et de l'association (unité résultant du concours de volontés libres), d'un troupeau et d'un peuple. L'ordre institué, s'il n'est simple déguisement de la force, ne peut avoir d'autre fondement que la liberté de ceux sur qui il s'exerce. À quelles conditions un ordre social légitime est-il possible ? Nous le savons désormais : à condition d'être la convention de volontés libres, qui prend le nom de contrat social.

Si la liberté de chacun de ses membres est fondatrice de l'ordre civil, elle est d'abord inséparable de l'existence de l'homme comme tel. « L'homme est né libre. » L'essentiel est ici de comprendre la valeur du temps. Ce n'est pas seulement un passé (l'homme dans l'état de nature a été libre), mais aussi un duratif (il est de la nature de l'homme d'être et de rester libre). La contradiction n'est pas tant celle du passé et du présent, que du droit et du fait. Loin de disparaître dans le passage de l'état de nature à l'état civil, la

1. Livre I, chap. III.

liberté est précisément ce dont l'être humain ne saurait se défaire. Cet énoncé est comme un fil rouge qui
sert de trame au *Contrat*. Il apparaît successivement
sur le mode anthropologique, éthique et politique. La
liberté est constitutive de la nature de l'homme parce
qu'elle n'est rien d'autre que la forme consciente du
vouloir vivre : « Sa première loi est de veiller à sa
propre conservation, ses premiers soins sont ceux qu'il
se doit à lui-même, et, sitôt qu'il est en âge de raison,
lui seul étant juge des moyens propres à se conserver
devient par là son propre maître[1]. » Ce caractère vital
de la liberté fait qu'y renoncer équivaut à un suicide,
et sa suppression à un meurtre[2]. Elle est constitutive
de son statut moral en ce qu'il n'y a de devoir que
pour un être libre[3], et « c'est ôter toute moralité à ses
actions que d'ôter toute liberté à sa volonté[4] ». Enracinée dans l'existence physique de l'homme, la liberté
de la volonté est en même temps ce qui constitue son
statut « métaphysique[5] ». Elle est donc très logiquement la condition de possibilité de son existence politique, que le contrat social doit satisfaire de façon à ce
que chacun « n'obéisse qu'à lui-même et reste aussi
libre qu'auparavant[6] ».

C'est cette problématique, ce sont ces principes qui
rendent compte de la formule même du contrat telle
que le chapitre VII la développe, et qui sans cela serait
un artefact plus ingénieux que puissant. Cette association à laquelle chacun se soumet librement n'est rien
d'autre que le produit composé de l'idée même de
personne humaine et de celle de société. Aussi bien
n'est-elle pas une, mais la forme de la société, et n'a
nul besoin d'être effectivement posée pour régir
l'ordre civil[7]. Cette problématique, ces principes don-

1. Livre I, chap. II, GF, p. 42 ; OC III, p. 352.
2. Livre I, chap. IV, GF, p. 48 ; OC III, p. 358.
3. Livre I, chap. III, GF, p. 44 ; OC III, p. 354.
4. Livre I, chap. IV, GF, p. 46 ; OC III, p. 356.
5. Au sens donné par Rousseau à ce terme, comme on l'a vu à
propos du *Second Discours*.
6. Livre I, chap. VI, « Du pacte social ».
7. Livre I, chap. VI.

nent accès à l'ensemble des quatre livres du *Contrat*
qui jamais n'isolent le moment politique de la
démarche anthropologique et éthique qui en sont les
clés essentielles. La théorie de la volonté générale,
celle de la souveraineté qui en est l'autre face, la
théorie de la loi, celle du gouvernement, sont à chaque
moment pensées par Rousseau sous ce triple rapport :
les problèmes politiques (celui de la représentation
comme celui de l'organisation du pouvoir, celui de la
propriété comme celui des contributions personnelles)
sont constamment replacés dans le cadre anthropologique qui est le leur (c'est de l'homme de l'état civil
qu'il s'agit, tel que le font ses lumières et ses passions), avec les enjeux éthiques que sa condition
comporte (liberté et moralité indissociablement fondées dans l'obéissance à la raison et à la volonté générale).

*
* *

C'est un étrange destin que celui de l'*Émile*.
Aujourd'hui peut-être le moins lu des ouvrages de
Rousseau, il est celui (avec *La Nouvelle Héloïse*) qui
eut le plus grand retentissement dans son siècle, celui
dans lequel Rousseau lui-même voyait l'aboutissement, la synthèse de sa pensée[1]. Moins provocateur
que les *Discours* ou la *Lettre à d'Alembert*, moins sulfu-
reux pour un regard politique que le *Contrat social*, il
souleva une tempête générale (qui devait durer quatre
ans), où les États étaient relayés par les particuliers,
les décrets par les voies de fait, et les ministres par les
philosophes.

Paru dans les derniers jours de mai 1762, l'*Émile* est
saisi dès le 3 juin, condamné en Sorbonne le 7, par le
Parlement de Paris le 9 ; le même jour, Rousseau,
décrété d'arrestation, prend la fuite pour la Suisse. Le

---

1. Il le dira encore au soir de sa vie, dans le troisième de ses
Dialogues.

11 juin, tandis qu'on brûle l'*Émile* à Paris, on le saisit à Genève avec le *Contrat,* et le 19 Rousseau est également l'objet d'un mandat d'amener du « petit conseil » de la République. Il est surprenant de voir ce livre précisément susciter de telles réactions. D'autant plus qu'à l'acharnement des Églises (de l'archevêque de Paris, Christophe de Baumont, à la « révérende compagnie des ministres » de la cité de Genève) s'ajoutent non seulement les poursuites des gouvernements (du ministère français à l'État de Berne), mais aussi la vindicte de bien des philosophes. La polémique durera jusqu'à la fuite de Rousseau en Angleterre, en janvier 1766. Cette fois encore, il défend et explicite son point de vue : dans sa *Lettre à Christophe de Baumont,* et dans ses *Lettres de la Montagne,* ces dernières suscitant de curieuses ripostes.

Cela s'appelle *Le Sentiment des citoyens.* C'est un pamphlet intégriste contre Rousseau, corrupteur, blasphémateur, et impie. Cela incite sérieusement, et avec succès, le gouvernement de la République de Genève à faire brûler ses œuvres, à commencer par les *Lettres de la Montagne,* et à bannir l'auteur. Cela appelle (ironiquement) à l'enfermer « avec les fous », ou à le brûler en place publique. Cela est de la main de Voltaire. On sait que le même Voltaire préparait pour le compte de Tronchin, syndic de Genève, toutes les pièces propres à pouvoir faire condamner Rousseau. Ceci noté non pour montrer à quelle bassesse et quelle infamie un grand homme peut aller, mais pour donner idée de la façon dont Rousseau s'était exposé, ressenti comme une écharde insupportable aux deux camps qui se disputaient la suprématie. Comprendre l'*Émile,* c'est aussi comprendre par quoi il pouvait susciter de tels débordements.

Dans la masse touffue qui constitue l'*Émile,* renonçant à tracer une carte même approximative, on proposera deux itinéraires permettant un premier repérage. Le premier, dans le droit-fil du titre et de l'objet explicite du livre, interrogera ce paradoxe : comment Rousseau, en double rupture avec le modèle spontané de la nature (qui récuse l'idée même d'éducation) et le modèle rationnel de l'état civil (qui requiert une éducation publique), peut-il promouvoir cette éducation privée pour la vie civile qu'il propose à Émile ? Le second ira droit vers les hauteurs du Livre IV, où se trouve la *Profession de foi du Vicaire savoyard*, pour tenter de comprendre ce qui dans ce texte a pu provoquer une telle coalition de poursuites, de rejets et de haines, entre elles si disparates et contradictoires.

À formuler l'objet de l'*Émile*, traité romancé de l'éducation d'un jeune homme, de sa naissance à son entrée dans le monde comme mari, père, et citoyen, le lecteur des œuvres précédentes ou contemporaines de Rousseau est en droit d'éprouver quelque surprise. Dans les discours, n'a-t-il pas qualifié l'éducation de « dépravation », puisqu'elle consiste à substituer aux propriétés naturelles de l'homme les artifices de la culture ? Le lecteur du *Discours sur l'économie politique*[1] et du *Contrat* ne sait-il pas que l'état civil légitime requiert une éducation publique qui, soustrayant l'homme à l'empire de l'intérêt, l'élève à la vertu des républiques antiques ? Le précepteur d'Émile, quant à lui, entend nous montrer comment son élève, éduqué dans l'isolement domestique suivant les préceptes de la saine nature, sera mieux armé pour affronter les embûches de l'état civil ! Il n'y a pourtant là aucune contradiction. C'est même à la compréhension de ce point qu'est suspendue une juste lecture de l'*Émile*.

Contemporain du *Contrat* dans l'ordre d'édition, l'*Émile* est surtout son corollaire dans la trame même de la pensée. Le passage à l'état civil est irréversible. C'est pourquoi, on l'a vu, la seule question qui se pose est de savoir comment le rendre légitime : c'est l'objet de la politique. Mais ce qui vaut pour l'humanité vaut aussi pour l'individu : l'idée d'un développement naturel et spontané de l'être humain est une chimère,

---

1. *Discours sur l'économie politique*, GF n° 574, p. 79 ; OC III, p. 260.

sans éducation l'homme ne saurait survivre[1]. Il s'agit donc de penser une éducation qui fasse bénéficier l'homme des avantages de l'état civil (raison, moralité, culture) sans le dépraver par ses abus : c'est l'objet de la pédagogie. En un sens, donc, l'*Émile* et le *Contrat* sont symétriques : l'un cherche pour la société ce que l'autre pense pour l'individu. Chacun marque la nécessité de l'autre : le *Contrat,* au chapitre VII du Livre I, évalue les transformations que l'état civil entraîne pour le statut de la personne ; l'*Émile,* au Livre V, montre dans le citoyen l'expression nécessaire de la personne. Mais le parallélisme est partiel, et par là trompeur. Parce que, se plaçant du point de vue du droit, le *Contrat* s'écrit contre le fait : l'état civil corrompu, de l'inégalité et de la servitude. Parce qu'il s'adresse à l'être singulier et entend lui permettre de vivre, l'*Émile* au contraire cherche à penser comment l'homme de l'état civil peut, dans l'état civil, échapper aux perversions qu'il induit. C'est une éducation publique que l'état civil légitime demanderait[2], Rousseau le rappelle dès les premières pages de l'*Émile*[3] ; mais dans nos sociétés elle n'est pas ou plus possible « parce que, où il n'y a plus de patrie, il ne peut y avoir de citoyens ». l'*Émile* se borne donc à chercher si une éducation domestique[4] est possible qui permette à l'homme d'affronter l'existence civile sans dépraver sa nature. La forme fictive de l'*Émile,* roman d'éducation, est en ce sens l'indice d'une prise en compte de la réalité : les précautions prises par son précepteur pour tenir Émile indemne des perversions communes comme la mise à l'épreuve des passions mondaines, l'âge venu, le montrent : c'est à l'intérieur de l'état civil corrompu que Rousseau se demande comment être un homme.

Si cet objectif est pensable, si cette notion a un sens,

1. *Émile*, Livre I, GF, p. 35 ; OC IV, p. 245.
2. Il l'affirme dès le *Premier discours*, et reprend l'idée aussi bien dans le *Discours sur l'économie politique* que dans le *Contrat*.
3. Livre I, GF, p. 40 ; OC IV, p. 250.
4. *Ibid.*

c'est que de l'état de nature à l'état civil quelque chose passe qui constitue irréductiblement l'homme : non pas une nature intemporelle mais une condition qui définit le rapport de l'homme au monde : « Notre véritable étude est celle de la condition humaine[1]. » Une condition que l'*Émile* prend pour objet, donnant son dernier état à l'anthropologie de Rousseau : corrigeant l'espèce de dualisme que le *Second Discours* pouvait sembler établir entre nature et culture, il y saisit « l'homme de l'homme » comme complexité. Complexité que désigne l'admirable formule de la première version de l'*Émile*[2] : « Nous ne sommes pas précisément doubles, mais composés. » C'est cette composition même qui constitue la condition humaine. La fiction pédagogique de l'*Émile* est moins la prescription d'un mode d'éducation (dont on a assez dit qu'elle était, elle aussi, négative et consistait moins à faire qu'à laisser faire) que la description de la condition de l'homme et du procès de cette composition. La pierre de touche en est (le *Second Discours* comme le *Contrat* l'avaient démontré) la liberté de la volonté, constitutive du caractère humain de l'homme. C'est à connaître cette liberté et à en user que toute l'éducation d'Émile est consacrée[3]. La pensée de Rousseau vient ici se nouer théoriquement, donnant pour objet à son anthropologie la question : « Comment l'homme se fait et se défait-il ? », et pratiquement, en fondant une éthique au sens le plus plein : « Vivre est le métier que je veux lui apprendre[4]. »

L'image que ses contemporains avaient reçue de la pensée de Rousseau, au travers des paradoxes des deux *Discours*, de la *Lettre à d'Alembert,* a largement déterminé la réception de l'*Émile*. Une fois de plus, c'était le rejet de la civilisation au nom d'une nature idéalisée. Voltaire, qui avait déjà plaisamment

1. *Ibid.* GF, p. 42 ; OC IV, p. 252.
2. *Émile, Manuscrit Favre,* OC IV, p. 57.
3. *Émile,* Livre I, OC IV, p. 290, 308, 311, par exemple.
4. *Ibid.,* GF, p. 42 ; OC IV, p. 252.

remercié Rousseau pour ses « livres contre le genre humain[1] », vanté leur éloquence, qui donnait « envie de marcher à quatre pattes » pour « brouter nos herbes[2] », qui avait sursauté, lisant le *Second Discours,* devant la présentation de la propriété comme source d'inégalité[3], voyait dans cette pédagogie la pure conséquence d'un tel système. Mais Voltaire n'avait guère pris Rousseau au sérieux jusque-là, se contentant d'ironie, de raillerie, comme à l'habitude. Cette fois, il sort de ses gonds, au point d'intriguer pour faire prendre des mesures de police, de passer des alliances contraires à toutes ses convictions, mais s'il s'emporte, ce n'est ni contre Émile, ni même contre le précepteur, c'est contre le Vicaire savoyard.

L'archevêque de Paris, les ministres réformés de Genève, d'Holbach, Voltaire : la *Profession de foi* faisait contre elle l'unanimité. La critique faite des religions révélées, l'ironie maniée contre des dogmes absurdes, la radicalisation du principe d'autonomie de la conscience, la délégitimation corollaire de l'autorité des Églises pouvaient irriter les uns et faire jubiler les autres, mais le scandale qu'elles pouvaient provoquer était bien émoussé après des décennies de polémiques et de publications souvent autrement acides. L'appel à la religion naturelle, croyance raisonnable et raisonnée que chacun peut découvrir dans l'intimité de son cœur, n'est pas à proprement parler une extraordinaire nouveauté dans le siècle. En ce sens, Bernard Groethuysen avait raison de faire remarquer que cette religiosité tolérante et raisonnable était ce à quoi aspiraient bien des contemporains de Rousseau. Rien donc de chacun de ces propos ne peut expliquer à lui seul la levée de boucliers provoquée par la *Profession de foi.* Serait-ce donc leur conjonction qui faisait problème ? On peut

---

1. Lettre de Voltaire à Rousseau du 30 août 1755.
2. *Ibid.*
3. « Voilà la philosophie d'un gueux qui voudrait que les riches fussent volés par les pauvres ! », s'exclame-t-il dans les marges, livrant une clé de son hostilité radicale à la pensée de Rousseau.

d'une certaine façon le penser : les attaques contre l'institution ecclésiale étaient d'autant plus intolérables aux clercs qu'elles étaient formulées au nom d'une foi religieuse authentique. La croyance de Rousseau, non pensée ratiocinante de dieu mais foi personnelle vécue, était d'autant plus irritante qu'elle se définissait « dans les limites de la simple raison », pour reprendre le titre de Kant. Cette conjonction était d'autant plus gênante sans doute qu'elle se disait sur un mode simultanément raisonneur et pathétique, hybride produisant tantôt des effets de boursouflure[1], tantôt d'éclatantes réussites. Rousseau donc se rendait sous les traits du Vicaire savoyard, apôtre d'une religion humaine, doublement intolérable.

Mais on peut chercher une explication plus essentielle à l'incompréhension provoquée par la *Profession de foi*, et tenter du même mouvement de mieux rendre compte de la place de cette pensée religieuse, non dans l'idiosyncrasie de Jean-Jacques Rousseau, comme on se satisfait trop souvent de le faire, mais dans la cohérence de la pensée du philosophe. Le débat religieux du XVIIIe siècle se déployait sur un terrain essentiellement défini comme celui de la connaissance, se pensait en termes de vérité. La longue et interminable polémique sur les miracles (de Bayle à Voltaire), les débats sur la providence et le finalisme, étaient avant tout pensés en termes de vérité, de rationalité : aussi bien est-ce là l'objet même des « lumières ». Rousseau lui-même, y compris dans la *Profession de foi*, ne manque pas d'intervenir dans ces débats. Mais la problématique religieuse qui est la sienne se constitue en fait sur un tout autre terrain, qui n'est pas celui de la connaissance mais celui de la pratique, qui ne pose pas le problème en termes gnoséologiques mais éthiques. On a dit de la religion de Rousseau qu'elle était

1. « Mon génie boursouflé », dit avec une extrême lucidité Rousseau dans les *Confessions*.

avant tout morale, il dit lui-même que la pratique en est le seul critère. Deux termes bordent la *Profession* et lui donnent contenu, l'un qui l'initie[1], l'autre qui la clôt[2] : bonheur, espoir.

L'objet de la conscience religieuse n'est pas le réel, mais le désir, sa fonction n'est pas tant la vérité que l'espoir. Si telle est bien la pensée directrice de la *Profession de foi,* n'anticipe-t-elle pas sur une problématique qui, de Feuerbach à Ernst Bloch, sous-tend une part essentielle de la pensée moderne ?

C'est sur cette dernière note que l'on pourrait rester : une fois de plus, Rousseau nous apparaît non comme le passéiste que trop souvent on veut voir en lui, ni comme le marginal étranger aux problématiques essentielles de son temps, mais comme celui qui porte sur elles un regard critique, et ainsi exerce sur bien des points un puissant pouvoir d'anticipation.

Bruno BERNARDI

BIBLIOGRAPHIE

ÉDITION DE RÉFÉRENCE : Bien que laissée inachevée, celle (dirigée par M. GAGNEBIN et M. RAYMOND) de la collection la Pléiade : vol. I, *Œuvres autobiographiques,* 1959 ; vol. II, *Œuvres littéraires,* 1964 ; vol. III, *Œuvres de philosophie politique,* 1964 ; vol. IV, *Éducation-Botanique,* 1969.

AUTRES ÉDITIONS : *Les Confessions,* 2 vol., éd. M. LAUNAY, Paris, GF-Flammarion nos 181 et 182, 1968. *Discours sur les sciences et les arts, Discours sur l'origine de l'inégalité,* éd. J. ROGER, Paris, GF-Flammarion nº 243, 1971. *Du contrat social,* éd. P. BURGELIN, Paris, GF-Flammarion nº 94, 1966. *Émile,* éd. M. LAUNAY, Paris, GF-Flammarion nº 117, 1966. *Essai sur l'origine des langues,* suivi de la *Lettre sur la musique française,* etc., éd. C. KINTZLER, Paris, GF-Flammarion nº 682, 1993. *Lettre à d'Alembert,* éd. M. LAUNAY, Paris, GF-Flammarion nº 160, 1967. *La Nouvelle Héloïse,* éd. M. LAUNAY, Paris, GF-Flammarion nº 148,

1. *Émile,* Livre IV, GF, p. 344 ; OC IV, p. 564.
2. *Ibid.,* GF, p. 409 ; OC IV, p. 635.

1967. *Les Rêveries,* éd. J. VOISIN, Paris, GF-Flammarion n° 23, 1964. *Sur l'économie politique, Projet pour la Corse, Sur le gouvernement de Pologne,* éd. B. de NEGRONI, Paris, GF-Flammarion n° 574, 1990.

COMMENTAIRES : R. DÉRATHÉ, *Jean-Jacques Rousseau et la science politique de son temps,* Paris, Vrin, 1950. J. STAROBINSKI, *La Transparence et l'obstacle,* Paris, Gallimard, 1971. V. GOLDSCHMIDT, *Les Principes du système de Rousseau,* Paris, Vrin, 1974.

SARTRE

L'Être et le Néant
Critique de la raison dialectique

En 1939, Sartre, mobilisé en Alsace, tient un journal, aujourd'hui publié en partie sous le titre *Carnets de la drôle de guerre*. Entremêlés aux réflexions sur sa vie quotidienne et ses lectures, surgissent de longs passages philosophiques consacrés à l'intelligibilité du néant. Dans les lettres qu'il écrit à la même période, il fait part à Simone de Beauvoir de son désir d'écrire un « livre de philo sur le néant », qu'il définira, un peu plus tard, comme un « traité de métaphysique » : nous assistons à la genèse de *L'Être et le Néant,* publié en 1943. Le contexte historique n'est pas circonstanciel ou extérieur par rapport à l'élaboration de l'ouvrage. C'est la guerre, dit Sartre dans les *Carnets,* qui l'a détourné de l'influence sous laquelle il s'était placé jusqu'alors, à savoir la phénoménologie de Husserl, cette « géniale synthèse universitaire » dont les éthers trop idéaux sont inadaptés aux bruits et fureurs du temps ; c'est elle qui l'a poussé à assouvir par Heidegger le besoin d'une « métaphysique » plus « pathétique », plus « héroïque », plus ancrée dans la réalité humaine.

L'Être et le Néant porte en sous-titre : *Essai d'ontologie phénoménologique* : le terme d'« ontologie » (réflexion sur l'être) renvoie à Heidegger, celui de « phénoménologie » (réflexion sur les phénomènes ou apparitions) à Husserl. Mais si les ambitions que Sartre nourrissait à l'époque de la gestation de l'œuvre sont vérifiées, l'accolement des deux termes est producteur d'une synthèse inédite. Il écrivait en effet dans ses lettres : « Ce que je fais, ça ne ressemble plus du tout à la philosophie husserlienne, ni à Heidegger, ni à rien. » Comment appréhender, par rapport à cette double mouvance, ontologique et phénoménologique, l'originalité de cet objet philosophique neuf qu'on nommera « existentialisme » ?

Dès l'introduction de *L'Être et le Néant*, Sartre indique la grandeur *et* les limites de la phénoménologie husserlienne[1]. Il appartient à celle-ci d'avoir définitivement destitué les « arrière-mondes », c'est-à-dire d'avoir mis le rapport de la conscience et du monde à la surface de lui-même, en revendiquant l'*apparaître* ou le « phénomène » comme son unique critère. Raymond Aron, de retour de Berlin où il avait découvert Husserl, avait émerveillé Sartre, qui ignorait encore cette philosophie, en lui apprenant que désormais il était possible de penser à partir d'un bec de gaz ou d'un verre de bière, bref, à partir de ce qui se donne. S'il n'y a plus que des apparitions, le vieux partage est mort, qui relativisait les apparences (illusoires) eu égard à un ciel des idées (seul essentiel). L'expérience vécue surgit alors dans une fraîcheur réinventée. Cependant, cette conquête n'est peut-être pas sans inconvénients : dire « être, c'est apparaître », n'est-ce pas seulement proférer une autre version du *« esse est percipi »* (être, c'est être perçu) sur quoi s'appuyait le subjectivisme idéaliste de Berkeley ? Si je m'installe dans le jeu des apparitions, ou dans le rapport du *percipere* et du *percipi*, comment puis-je m'assurer que ce qui m'apparaît de l'être est bien l'être même de ce qui apparaît, que je perçois bien quelque chose, que je ne suis pas confiné dans un songe de ma subjectivité ? Cette question indique l'idéalisme de la phénoménologie, que la guerre frappa de péremption aux yeux de

1. *L'Être et le Néant*, p. 11 et sq..

Sartre, et fait la nécessité du « dépassement vers l'ontologique dont parle Heidegger[1]. » Pour pouvoir
affirmer comme vérité la relation du *percipere* et du
percipi, il faut en effet établir l'être de cette relation, et
non le considérer comme un donné, faute de quoi on
risque que « la totalité "perception-perçu" s'effondre
dans le néant[2] ». Autrement dit, il faut transgresser la
loi des apparitions vers ce qui la fonde.

Husserl, reconnaît Sartre, a bien en quelque façon
accompli cette transgression en rapportant la totalité
percipere-percipi au *percipiens* comme être, c'est-à-dire à
la conscience. Percevoir des apparitions, c'est être
conscient qu'on les perçoit. Sartre approfondit cette
perspective en mettant en place la notion, capitale
dans *L'Être et le Néant*, de conscience préréflexive,
qu'il faut distinguer clairement de la conscience
réflexive[3]. Quand je me « réfléchis », je me dédouble
en objet et sujet de moi-même, c'est-à-dire que je
répercute dans la sphère de la conscience le rapport
du *percipere* et du *percipi*. La conscience ainsi comprise
est inapte à fonder ce dernier rapport : ne faisant que
le redoubler, elle recule le problème, et nécessite à son
tour un être qui fonde l'unité de sa dualité. La
conscience préréflexive, elle, coupe court à la régression à l'infini, parce qu'elle ne s'articule pas selon la
loi du couple sujet/objet. Sartre l'écrit « conscience
(de) soi » pour la différencier de la conscience de soi
ou conscience réflexive, qui en est en vérité dérivée.
La parenthèse marque le mode fuyant, en éclipse,
« non positionnel », selon lequel je me noue à moi-
même avant et hors toute objectivation. Il s'agit de ma
présence spontanée, immédiate et latérale à moi-
même, toujours effacée par l'objet auquel je me rapporte, par l'activité que je soutiens, par le vécu que
j'éprouve, et qui pourtant, surgissant en même temps
qu'eux, en est la condition. Je ressens par exemple un
plaisir. Impossible de soutenir qu'un stimulus exté-

1. *L'Être et le Néant*, p. 15.
2. *Ibid.*, p. 17.
3. Sur la conscience préréflexive, *cf.* p. 16-23.

rieur est la cause de cet affect, dont je prendrais ensuite conscience : car si le choc sensoriel est premier, rien ne m'y est donné qui me permette de le faire advenir à ce que Sartre appelle la « translucidité » de la conscience. Impossible tout autant de prétendre à l'inverse que c'est de la conscience (de) plaisir que résulte le plaisir : car ce qui deviendrait alors incompréhensible, c'est l'incarnation particulière de tel ou tel plaisir ; si j'aime cette femme, dit Sartre, ce n'est pas que mes états d'âme internes me prédisposent à l'amour, c'est qu'elle est aimable. Il faut donc considérer plaisir et conscience (de) plaisir comme un surgissement indissoluble et simultané.

L'être du *percipiens,* c'est la conscience préréflexive. Mais avoir reconnu l'être de la conscience, est-ce suffisant pour avoir rompu le cercle du « phénoménisme » idéaliste ? Husserl le croit, et, à la formule par laquelle il noue l'esprit et le monde sous le concept d'intentionnalité, « Toute conscience est conscience de quelque chose », il donne finalement le sens suivant : il est de l'être de la conscience de constituer son objet. Or, pour Sartre, la notion d'intentionnalité, qui arrache la conscience à ses moiteurs intimes pour le projeter au-dehors, ouverte à tous les vents, sur le chemin des choses elles-mêmes, n'a de poids véritable que si on accepte une indépendance réelle du « quelque chose ». On ne peut se contenter d'affirmer l'être de la conscience, il faut aussi s'interroger sur l'être du *percipi,* qui ne saurait se réduire à ce qui en est constitué par le *percipiens*[1]. On doit certes conserver la phrase de Husserl : « Toute conscience est conscience de quelque chose », mais en la complétant : « (...) non pas en tant qu'elle en constitue l'être, mais en tant qu'elle naît portée sur lui qui est autre qu'elle. » Ainsi il y a deux régions d'être, l'être du *percipiens* ou la conscience préréflexive, que Sartre appelle aussi Pour-soi ; l'être du *percipi,* que Sartre appelle En-soi ; elles sont articulées par une

1. Sur l'être du *percipi, cf.* p. 23-34.

implication inextricable et disjointe. L'être du
Pour-soi est le décalage, de non-coïncidence, de présence à soi et de distance à soi, de questionnement de
soi à soi, il n'est pas ce qu'il est et est ce qu'il n'est
pas ; l'En-soi, lui, est ce qu'il est, d'un seul bloc, plé-
nier, identique, massif, taciturne et opaque. Le point
de départ était la relation du *percipere* et du *percipi*
dans leur apparaître. Voici à présent que « l'être est
partout[1] ». Faut-il dire que Sartre a passé par pertes et
profit la phénoménologie au profit du « dépassement
ontologique » prôné par Heidegger, et que, comme
dirait ce dernier, nous sommes désormais cernés de
toutes parts par la « question de l'Être » ? Mais Sartre
n'a pas moins de réserves à l'égard de Heidegger que
de Husserl, ces réserves portant principalement sur le
sens du néant qui anime toute question, y compris la
question de l'être[2]. Questionner, dit Sartre, c'est
sécréter un double néant : la question implique que le
questionné vacille jusqu'à peut-être tomber dans le
néant (je ne demande : « Pierre est-il là ? » que si
j'envisage qu'il peut être absent) ; que le questionnant, pour pouvoir la poser, s'est arraché de l'être de
ce qu'il questionne (de l'évidence de la présence de
Pierre), et a sorti de soi la possibilité d'un non-être[3].
La « question de l'être » ne nous révèle donc pas seulement que « l'être est partout », mais aussi que nous
sommes « environnés de néant[4] ». Heidegger voit bien
que la réalité humaine, par qui les questions viennent
au monde, a affaire au néant, qui se révèle à elle dans
l'expérience de l'angoisse. Mais il n'a pourtant de
cesse de voiler ce néant. C'est ainsi qu'il décrit le
Dasein (existant humain) en termes pseudo-positifs,
qui tous masquent l'agissement d'un négatif : Heidegger dira qu'il est « souci », qu'il est « être-des-
lointains », mais jamais que pour pouvoir se soucier,
ou être soi à distance de soi, il doit ne pas être ce qu'il

1. *L'Être et le Néant*, p. 29.
2. Pour la critique de Heidegger, voir p. 51-56.
3. Sur la conduite du questionnement, voir p. 41, p. 58-59.
4. P. 40.

est, être ce qu'il n'est pas. Cette éclipse du négatif comme spécificité effective de l'homme ouvre la voie à une conception contemplative et quasi théologique de la pensée, où la « question de l'Être » ne renvoie pas à une activité du *Dasein,* mais à l'élection que lui dispense l'Être, et grâce à laquelle il lui est donné de pouvoir se mettre attentivement à Son écoute. Sartre, lui, insiste au contraire sur le pouvoir de rupture actif et résolument anthropologique qui anime la question : « Cette possibilité pour la réalité humaine de sécréter un néant qui l'isole, Descartes, après les stoïciens, lui a donné un nom : c'est la liberté[1]. »

On a détaillé ces développements liminaires de *L'Être et le Néant* : c'est que, dès à présent, tout est en quelque façon donné : les thèmes du Pour-soi et de l'En-soi, dont la suite de l'ouvrage ne fera que décliner les rapports dans leurs divers équilibres ou déséquilibres ; le motif des critiques qui sont opposées à cette œuvre.

Partons de ce dernier point, qui permettra *a contrario* de préciser l'enjeu de l'ouvrage. Du rapport du Pour-soi à l'En-soi, on sait déjà ceci : ce dernier n'agit pas sur le Pour-soi de l'extérieur ; celui-ci ne « subit » rien qu'il ne révèle par la spontanéité de la conscience préréflexive (le plaisir n'est pas enregistrement d'un « stimulus »). On conçoit le scandale que constitue, pour les matérialismes orthodoxement marxistes, cette puissance révélante du Pour-soi, dont l'autre nom est la liberté : elle abat tous les déterminismes, elle transgresse l'intangible hiérarchie de l'infrastructure et de la superstructure. Mais la liberté sartrienne, par ailleurs, ne bénéficie pas de l'autonomie souveraine d'une substance spirituelle : elle est néant, elle n'est pas, elle n'a d'être qu'emprunté à l'En-soi, elle est même engluée dans l'être de toutes parts (le Pour-soi est son corps, sa situation historico-sociale qu'il n'a pas choisie, etc.), sans pourtant pouvoir se fondre à cet être ; elle est condamnée à l'impalpable

1. P. 59.

décalage de néant qui la sépare de l'En-soi qu'elle est et qu'elle doit « se faire ne pas être », c'est-à-dire reprendre à son compte ou librement assumer[1]. Pour les chrétiens, même existentialistes, on comprend qu'une telle liberté apparaisse subversive, avec sa « transcendance » strictement horizontale, du Pour-soi vers l'En-soi, mouvement de dépassement promis à nul destin de rédemption, et dont l'origine n'est pas imputable à une instance métaphysique supérieure. Il y a de l'En-soi et du Pour-soi, ce dernier étant voué à la seule « passion inutile », insatiablement rejouée, de l'ébat de son néant avec l'indifférence de l'être : devant la nudité contingente de ce fait ontologique, il se trouva, à la sortie de *L'Être* et le *Néant,* plus d'une âme raffinée pour clamer son dégoût devant la vison du monde soi-disant pessimiste et déliquescente de Sartre.

Ces critiques rejettent en bloc la démarche de *L'Être et le Néant.* Il en est une autre, plus intérieure, et devenue par la suite un des aliments majeurs de la *doxa* anti-sartrienne : elle accuse l'ontologie de *l'Être et le Néant* d'un impénitent dualisme. Sartre ne dit-il pas lui-même, en effet, avoir débouché, par la position du Pour-soi et de l'En-soi, sur « deux régions incommunicables[2] » ? Comment peut-il alors prétendre établir une relation entre deux types d'être radicalement hétérogènes ? Au fond, ce qui est en question dans cette critique, c'est la possibilité même de la nouvelle relation que Sartre, par le sous-titre de son ouvrage, tente d'instituer entre ontologie et phénoménologie. On a été jusqu'à dire que le cadre ontologique duel qu'il met en place est contradictoire de toute phénoménologie, inapte à saisir les complexes épaisseurs de notre vécu ; que notre expérience telle qu'elle nous apparaît réclame des catégories plus souples et plus entrelacées qu'En-soi et Pour-soi, et que, loin de s'inscrire sous le signe d'une opposition tranchante, elle se

1. Pour cette dialectique de l'être du Pour-soi (que Sartre appelle sa « facticité ») et de son néant d'être, *cf.* p. 117 et *sq.*
2. P. 30.

joue dans une continuité jamais rompue et faite de glissantes ambiguïtés.

Mais Sartre lui-même répond à l'objection de dualisme. Pour-soi et En-soi, dit-il, ne sont pas des substances réellement séparées, tels l'âme et le corps chez Descartes. Ils ne sont, dit-il, que des abstraits. On ne rencontre jamais dans l'expérience un Pour-soi de pure transparence, ni le mutisme nocturne de l'En-soi. Ce qui est toujours donné concrètement, c'est la plénitude d'une relation inséparable[1]. En-soi et Pour-soi sont dès lors en quelque sorte des « fictions » philosophiques qui ne servent qu'à éclairer le rapport indissoluble de l'homme au monde, seul réel. Reste qu'il n'est pas innocent de choisir ce mode d'éclairage... plutôt qu'à l'inverse le paradigme de la continuité. Si Sartre place toute relation sous la lumière crue du tranchant de ses termes extrêmes, c'est pour *marquer son absence de légitimité, le caractère toujours provisoire de son assise*. En-soi et Pour-soi sont pour lui les instruments d'une recherche philosophique qui ne peut se jouer que dans le déséquilibre et la variation. Déséquilibre inévitable : si la réalité humaine est, comme le veut Sartre, contingente, c'est-à-dire si rien ne précède en droit son surgissement, alors elle n'est plus préorientée dans telle ou telle direction. *L'Être et le Néant* met en place une philosophie de la liberté. Mais dès lors que cette liberté est contingente, rien ne l'astreint au respect d'elle-même, rien ne la retient de verser dans l'aliénation. La question à laquelle on se heurte aussitôt, c'est : comment se fait-il que nous soyons si rarement au fait de notre liberté, comment le Pour-soi en vient-il communément à ignorer son pouvoir néantisant ?

C'est que nous sommes de « mauvaise foi[2] ». On appréciera ici la fécondité du couple En-soi/Pour-soi, son fonctionnement de déclencheur de la description. Loin d'étouffer tout « apparaître » concret sous le poids d'une opposition stéréotypée (comme le sou-

1. P. 37.
2. Sur la « mauvaise foi », *cf.* p. 82-104.

tient la critique ci-dessus mentionnée), ils sont le moteur d'une phénoménologie réinventée, dont le ressort est de « théâtralité ». *L'Être et le Néant* n'est pas un désert aride, où ne se croisent de loin en loin que des géants philosophiques (Hegel, Husserl, Heidegger). C'est d'abord un fourmillement de mises en scène, éclairées par le cadre ontologique En-soi/Pour-soi, mais qui en retour l'enrichissent de toute l'épaisseur vécue dont elles sont animées. Ainsi : qu'est-ce que la mauvaise foi ? Un certain jeu d'En-soi et de Pour-soi. Et c'est bien aussitôt une scène qui se joue devant nos yeux. Cette coquette, à son premier rendez-vous, veut profiter des charmes instables d'une séduction naissante, éviter toute décision, ne pas voir combien pressantes sont les intentions de son galant[1]. Elle lui abandonne sa main, mais en même temps s'absente de son propre corps, se fait pur esprit, entraînant son interlocuteur dans les sphères désintéressées d'une conversation théorique sur la sentimentalité. Tandis qu'elle se fait pur Pour-soi, sa main, comme morte, devient En-soi inerte. Et nous voyons, sur cette scène, la liberté s'aliéner. Le but poursuivi par la mauvaise foi est inverse de celui de la liberté ; celle-ci se veut révélante, productrice de transparence, celle-là croit à l'opacité, au faux-fuyant comme seul mode de rapport au monde. Pourtant, rien ne les sépare : toutes deux jouent du décalage de néant par lequel le Pour-soi « se fait ne pas être » l'En-soi. Rien... si ce n'est une certaine manière de jouer de ce rien. La liberté l'utilise à établir, entre les deux faces extrêmes de l'être, « une coordination valable[2] » (en l'occurrence, l'abandon de ma main sera pénétré du sens de consentement que je lui confère dans la séduction), la mauvaise foi s'en sert comme d'un intervalle permettant de jouer sur les deux tableaux sans opérer de synthèse, en oubliant chaque fois un terme au profit de l'autre. Sartre, entre les deux attitudes, valorise la liberté : c'est elle qui

1. Pour l'exemple de la « femme à son premier rendez-vous », *cf.* p. 91-94.
2. P. 92.

produit une « coordination valable », la mauvaise foi s'aveugle dans une incohérente alternance. Mais en même temps il nous avertit : cette valorisation de la liberté est éthique, et non ontologique, elle devra trouver sa justification dans un autre ouvrage, dans un traité de morale à venir. Comme « ontologie phénoménologique », *L'Être et le Néant* ne peut faire que *décrire* les avatars de la liberté, et non *prescrire* des directions à la pensée ou à l'action. Ce traité de morale, essai inachevé, qui devait nous fournir les modalités d'une « conversion » de la liberté aliénée à la liberté pure, fut publié à titre posthume, sous le titre *Cahiers pour une morale*. Mais dans *L'Être et le Néant,* sans directives, nous explorons, sur de multiples scènes à la fois familières et renouvelées (les virevoltes d'un garçon de café à la terrasse[1], ma honte si je crois être surpris à regarder par le trou d'une serrure[2], l'insatisfaction étrange qui accompagne la replétion de mon désir[3], etc.), la relation de l'homme au monde comme éventail variable de répartitions d'En-soi et de Pour-soi et l'expérience s'éclaire par pans successifs : qu'est-ce qu'une valeur[4] ? Qu'est-ce que le temps[5] ? Qu'est-ce que la connaissance ? Qu'est qu'un outil[6] ? Que se passe-t-il quand je rencontre une autre liberté[7] ? Qu'est-ce que mon corps, mes goûts et mes dégoûts[8] ?

*
* *

C'est la guerre qui, lors de la maturation de *L'Être et le Néant,* avait fait voler en éclats la phénoménologie pure et plongé Sartre dans la problématique de la

---

1. Autre exemple de mauvaise foi : *cf.* p. 94-95.
2. Exemple déterminant pour la phénoménologie de mon rapport à autrui : *cf.* p. 305 et *sq.*
3. *Cf.* p. 123 et *sq.*
4. « Le Pour-soi et l'être de la valeur », p. 123-134.
5. « La temporalité », p. 145-189.
6. « La transcendance », p. 212-258.
7. « Les relations concrètes avec autrui », p. 413-464.
8. « Le corps », p. 353-401.

« réalité humaine ». L'Histoire pénétrait donc de partout cet ouvrage, elle en était le milieu ambiant ; mais elle n'en était pas *l'objet.* Sartre ne s'y interrogeait pas sur l'intelligibilité de phénomènes historiques. Le Pour-soi n'était certes pas pure autonomie atemporelle, lucidité sans ancrage : il était situé, c'est-à-dire incliné par les courbures d'un monde qu'il n'avait pas choisi, où il existait avec tel corps, au milieu de tels complexes d'ustensilité, comme Parisien pour les Allemands occupants, comme Européen pour les Asiatiques ou les Noirs, comme bourgeois pour les ouvriers, etc. Mais cette « situation » n'avait pas à être élucidée philosophiquement. Ce qu'avait à en dire l'ontologie, sans plus, c'est qu'elle était un *fait,* la « facticité » même du Pour-soi, sa face d'ombre ou de non-sens ; il revenait au Pour-soi lui-même de faire en sorte que cette dimension de non-sens, loin de contredire sa liberté, en fût la condition ; en sorte qu'il lui appartienne de donner un sens à son existence précisément parce qu'elle n'en a pas. Bref, la situation, c'était la toile de fond de la liberté individuelle, dont cette dernière pourrait faire, au mieux, l'écrin de sa libération.

La *Critique de la raison dialectique* est le résultat d'un déplacement progressif de l'enjeu du rapport situation/liberté. Un jalon important est l'abandon par Sartre, en 1950, de l'écriture de la « Morale » qui devait venir compléter *L'Être et le Néant* en mettant au jour les voies effectives de la « conversion », c'est-à-dire de l'arrachement de la liberté à l'aliénation, de l'accès à l'« authenticité ». Sartre se justifie de cet abandon en affirmant qu'il ne s'agissait que « d'une morale d'écrivain écrite pour des écrivains » : considérations pour gens de bonne compagnie si peu assaillis par la force des choses qu'ils peuvent se consacrer à sculpter leur vie comme une œuvre d'art dont ils font luxueusement résider l'authenticité dans des questions aussi ténues que : ma lucidité pendant un flirt, mon honnêteté vis-à-vis d'un régime alimentaire amaigrissant. Sartre découvre que la situation peut aussi engendrer des puissances d'aliénation plus obscures, plus pesantes, à l'égard desquelles la libération est plus ardue. Si le Pour-soi souvent défaille, inapte au sursaut libérateur, peut-être alors le philosophe ne peut-il plus se contenter de considérer la situation comme un fait, le fait d'un fond multiforme dont la liberté a à s'arracher pour se reprendre ; peut-être doit-il, pour repérer les raisons de cette défaillance, s'enfoncer dans ce massif touffu, si possible en dégager des éléments d'intelligibilité, bref en faire un problème philosophique à part entière, qui mérite d'être résolu *en droit*. Ce problème, c'est celui de l'Histoire : comment comprendre que les libertés individuelles divergent d'elles-mêmes jusqu'à s'enfoncer dans les complexes « fibreux » et multiplement stratifiés en quoi consiste la réalité historico-sociale ? Ou encore : quelles sont les conditions de possibilité de l'Histoire ?

On commence à comprendre l'allure kantienne du titre de l'œuvre : il s'agit bien, à la manière de Kant, de répondre à une question de droit, de s'engager dans une problématique de fondement, et ce, comme chez Kant, en partant d'un état institué de la pensée rationnelle : Kant réfléchissait, pour en établir les conditions de possibilité, la « raison pure » mobilisée par la physique newtonienne, Sartre fait de même pour la « raison dialectique » marxiste[1]. Le poids nouveau que Sartre accorde à l'Histoire va en effet de pair avec une intériorisation du marxisme. La *Critique de la raison dialectique* paraît en 1960. Philosophiquement, Sartre approfondit son étude des œuvres de Marx depuis 1950. Politiquement, il a décidé en 1952, sur le fond de la guerre froide, qu'il fallait choisir son camp, et s'est rallié à la politique du Parti communiste. Il restera jusqu'en 1968 un « compagnon de route » de plus en plus critique du Parti. Il a décrit la gestation de cette période : « Ce qui commençait à me

1. Sur l'ambition fondatrice de la démarche de Sartre, *cf. Critique de la raison dialectique*, p. 136-190.

changer (...), c'était la réalité du marxisme, la lourde présence, à mon horizon, des masses ouvrières, corps énorme et sombre (...) qui exerçait à distance une irrésistible attraction sur les intellectuels petits-bourgeois[1]. »

La tentation première est de lire *L'Être et le Néant* et la *Critique* comme séparés par une sorte de coupure épistémologique. Il est commun de dire que le premier ouvrage est dominé par l'idéalisme et l'individualisme anarchiste, n'acceptant de prendre en considération que la subjectivité — c'est de cette époque de la pensée de Sartre que témoigne la formule allègrement provocante : « Nous n'avons jamais été si libres que sous l'Occupation. » Mais, plus tard, autres circonstances, autre âge de la vie ou autre vie de l'âge, la guerre d'Algérie, elle, ne se présenta pas comme occasion de liberté, mais comme douloureuse pression ; la *Critique* exprimerait la découverte de la réalité, du poids des conditionnements historiques et sociaux et, corrélativement, la nécessité de l'engagement politique ; ce qui s'y éluciderait, c'est moins la subjectivité que son insertion inextricable dans des « ensembles » qui la débordent — comme l'indique le sous-titre de la *Critique*, « Théorie des ensembles pratiques ».

Cependant, il importe de ne pas céder trop rapidement à cette « pente naturelle » de la lecture. À y regarder mieux, l'essentiel de *L'Être et le Néant*, à savoir le primat de la liberté individuelle, n'est nullement renié par la *Critique*. Sartre se revendique bien du marxisme, mais c'est pour le révolutionner, et non pour s'incliner devant la nécessité des infrastructures. Selon lui, à partir du moment où le marxisme a fait de la liberté le simple reflet de lois historiques et de facteurs économiques qui prétendûment la détermineraient de part en part, il « s'est arrêté[2] » ; pis, il a nié son propre sens. Si on se prive du recours à la liberté comme instance constituante, par qui seule des lois

1. *Questions de méthode*, p. 28, in *Critique de la raison dialectique*.
2. *Ibid.*, p. 31.

historico-économiques viennent au monde, on tombe
dans le règne des choses : les déterminants historiques
agissent sur la liberté comme les déterminants physiques sur les corps matériels[1]. Mais si plus aucune distinction nette ne peut être établie entre Nature et Histoire, alors il faut admettre que « l'opposition qui se
réalise entre les capitalistes et les salariés ne mérite pas
plus le nom de lutte que celle du volet qui bat et du
mur qu'il frappe[2] » ; or le marxisme entendait tout de
même nous parler de la lutte des classes. L'effort de
Sartre consiste à réinsuffler dans le matérialisme historique la spécificité active et constituante de la liberté
humaine. Un homme opprime un autre homme : nous
ne sommes pas en présence de deux choses humaines
mécaniquement soumises à un processus qui les détermine du dehors, mais de deux libertés dont l'une
traite l'autre *comme* une chose en tant justement
qu'elle *n'*en est *pas* une : « L'inhumanité est un rapport des hommes entre eux et ne peut être que cela[3]. »
Ce qu'il faut comprendre, c'est cette dénaturation
monstrueuse du rapport des libertés qui les mène à
s'inverser, à se perdre, mais toujours à partir d'elles-
mêmes, et non du fait d'une contrainte extérieure passivement subie.

« Tout se découvre dans le besoin[4] », écrit Sartre au
début de la *Critique*. Tout : la liberté active et son
possible devenir-chose. J'éprouve un manque organique quelconque, faim ou soif. Cela ne signifie pas
que je suis déterminé par une lacune qui me vient du
dehors. Au contraire, si je perçois cette lacune, c'est à
partir de l'horizon projeté d'un possible comblement,
c'est parce que j'ai déjà posé les jalons d'une action
visant à la dépasser. Si je ne faisais que subir le
manque, alors, plongé dans le désordre, je n'aurais
aucun moyen de me le formuler. Ou encore, si je le

1. C'est la démarche de la « dialectique dogmatique » ; *cf.* p. 141
sq.
2. *Critique de la raison dialectique I*, p. 792.
3. *Ibid.*, p. 242.
4. *Ibid.*, p. 194.

ressens, c'est que je l'ai déjà librement nié. C'est là la face active et libre du besoin. On y reconnaît l'irrépressible spontanéité du Pour-soi telle que l'établissait *L'Être et le Néant* : pas de stimulus externe, pas de plaisir sans conscience (de) plaisir qui le fasse advenir.

Cependant, il n'est pas indifférent que Sartre parle de besoin plutôt que de Pour-soi — et, corrélativement, de « matière inorganique » ou de « matière inerte » plutôt que d'En-soi. Le recours à une description de l'organisme permet de cerner l'origine du rapport liberté/aliénation plus étroitement que ne le faisait *L'Être et le Néant*. Là, le Pour-soi était facticité, et s'en déprenait, sans autre explication. Ici, le processus biologique d'assimilation nous *donne à voir,* au niveau le plus élémentaire, la première aliénation de la liberté active. Certes, rien n'advient à l'organisme de l'extérieur, rien qu'il n'ait déjà repris dans l'intériorité de sa liberté ; mais ce, dans la mesure où inversement il est sa propre extériorité intérieure. « La vie ne porte pas sur elle-même[1] », elle n'est pas directement à la source de sa reproduction. Elle doit passer par la médiation de l'inorganique, prélever de la matière non vivante sur le monde ; pour agir sur cette « inertie » et la ramener à l'unité organique, c'est-à-dire pour l'assimiler, elle doit, moment d'aliénation élémentaire, se faire elle-même temporairement inerte (c'est-à-dire se décomposer en processus chimiques, digestion, combustion, échanges gazeux, etc.).

Ce moment d'aliénation à l'inerte s'éteint dans le comblement du besoin, et dans la restauration de l'intégrité organique. Il n'empêche : le ver est dans le fruit, la liberté s'est faite autre que soi. On peut dire que la *Critique* ne fait rien d'autre que développer les implications de cette structure quand l'action humaine, au-delà de l'urgence vitale, atteint à des niveaux plus complexes. Considérons non plus l'assimilation biologique, mais le travail : je dois pêcher, chasser, cultiver la terre et en extraire les fruits, pour

---

1. *Critique de la raison dialectique II*, p. 351.

ce faire produire des outils, etc. J'aligne des moyens, je déploie des fins, j'obtiens des résultats. Mais mon action s'inscrit dans la matière inerte, qui me la renvoie, plus tard, imprévisiblement défigurée. C'est la « contre-finalité ». Des paysans chinois déboisaient la campagne pour rendre disponible une surface toujours accrue de terres arables. Mais le terrain plane et nu qu'ils ont dégagé n'offre plus aucune résistance aux crues du fleuve. Victimes d'inondations, ils auront ainsi eux-mêmes détruit leurs cultures par le biais de la matière qui retourne le sens de leur action[1]. Au chapitre des contre-finalités, il faut aussi compter par exemple les caractéristiques des machines : l'homme les construit tout en les subordonnant à l'atteinte de ses buts, mais elles se subordonnent l'homme, qui devient l'instrument du respect de leur mode d'emploi — ainsi cette ouvrière à la chaîne qui croit s'évader du harassant mécanisme en rêvant durant le travail, alors que sa rêverie réalise précisément le type d'attention flottante *requis* au fonctionnement optimum de la machine[2]. Nous vivons dans un monde piégé, prisonniers de barrières invisibles, d'effets pervers que nous ignorons, et aussi carcéralement entourés de signes que nous ne connaissons que trop bien, poteaux indicateurs, impératifs et interdits en tout genre. Ce monde où humanité et matière s'infestent l'une l'autre et se rendent mutuellement méconnaissables, Sartre l'appelle le « pratico-inerte[3] ».

Mais le pratico-inerte, dans les exemples cités ci-dessus, suppose un monde socialisé, donc une intersubjectivité déployée. Comment la relation interhumaine surgit-elle à partir du « besoin » individuel ? Quand je « totalise » le champ où j'œuvre à satisfaire mon besoin, il y a toutes chances pour que j'y rencontre d'autres libertés agissantes et totalisantes. Ces libertés sont identiques à moi, portées par le même mouvement, comme moi elles éclairent et organisent

1. Pour cet exemple, *cf.* p. 272-275.
2. Pour cet exemple, *cf.* p. 341-343.
3. L'émergence du pratico-inerte est décrite p. 264-360.

le monde à partir de leur fin. On pourrait s'attendre dès lors à ce que je m'identifie compréhensivement à elles, à ce que nos rapports soient de pure transparence réciproque. Or il n'en est rien : je me rapporte à l'autre liberté comme si elle participait du règne des choses, je l'« objective », je la mets à distance de moi. C'est que nous surgissons conjointement dans un monde de rareté[1] : dans un monde où il se trouve qu'il n'y en a pas assez pour tous ; l'autre liberté menace donc de me priver, elle ne peut m'apparaître que comme ennemie ou autre que la liberté, et il me faut la tenir en respect. Ce décalage défensif-offensif est constitutif de la relation interhumaine dans le règne de la rareté, il ne peut en aucun cas être dépassé. Il est le germe des relations d'oppression, mais même en dehors de toute oppression, quand deux libertés sont au maximum de leur intégration positive mutuelle (par exemple dans un travail d'équipe parfaitement huilé et réussi), elles ne peuvent pas faire un, « elles resteront toujours deux[2] ». Dans cette dernière sentence s'inscrit l'échec de toute réconciliation définitive des hommes — et se martèle la conviction de Sartre, qui fait la parenté de *L'Être et le Néant* et de la *Critique :* la liberté individuelle est indépassable, aucun « ensemble pratique » qui la déborde n'atteint à son unité active et spontanée.

Les ressorts de l'aliénation sont en place. Parce qu'en elle-même complice de l'inerte, la liberté de l'organisme est prête à étendre cette complicité jusqu'à se perdre elle-même, se déposant dans l'inertie contre-finalisante des choses et traitant l'autre liberté comme autre que la liberté ou comme chose. La « sérialité » est le fond désespérant et familier de la descente dans l'aliénation[3]. Dans l'état de sérialité, les hommes dominés par la matière n'ont d'autre rapport

---

1. Pour la constitution de l'intersubjectivité, *cf.* p. 209-233. Pour la rareté et ses implications quant au rapport interhumain, *cf.* p. 234-264.
2. *Critique de la raison dialectique I,* p. 226.
3. Pour la sérialité, *cf.* p. 361-412.

que de séparation. C'est l'univers de l'impuissance et du conformisme : chacun imite l'autre non dans ce qui le constitue en propre, mais dans ce par quoi il est lui aussi autre, c'est-à-dire personne ou tout le monde. C'est sériellement que courent les rumeurs, que se propagent les idéologies, que démarrent les applaudissements dans une salle de concert, qu'agit la publicité, que s'affolent les spéculations boursières, que s'organise la queue d'attente de l'autobus. Si nécessaire, cet emprisonnement doux et consenti qui est le menu quotidien de nos vies peut se faire répressif et violent par le biais d'organes spécialisés (armée, police).

Comment se défaire de cette coagulation de l'homme et de la chose ? Sartre semble parfois désespérer, parle de l'« essoufflement » de la dialectique. On semble loin de la puissance de libération attribuée au Pour-soi dans *L'Être et le Néant*. Pourtant il est un moment où la monstrueuse continuité de l'inertie et de la liberté s'interrompt, où celle-ci reprend ses droits. C'est un moment révolutionnaire, le « groupe en fusion[1] ». Sartre en produit une genèse détaillée : ce n'est pas un événement miraculeux venu de nulle part, mais, dans certaines circonstances, une dissolution de la sérialité qui provient de la sérialité elle-même (on peut voir dans cette genèse le souci de remédier à l'optimisme de *L'Être et le Néant*, où la libération du Pour-soi était affirmée plus qu'engendrée). L'exemple de Sartre est la prise de la Bastille[2]. Le Faubourg-Saint-Antoine est encerclé par les troupes. Du fait de cette menace, chaque habitant est mis à distance de son propre « être-sériel » (ses habitudes, son insertion matérielle, etc.) parce qu'il adopte sur soi le point de vue de l'ennemi et voit le quartier comme potentiellement anéanti. Comme métaphore de cette distance, plaçons un de ces habitants à une fenêtre, en surplomb. Ce qui se déroule sous ses yeux, dans la rue, c'est en réalité une panique sérielle : la

---

1. Pour le groupe en fusion, *cf.* p. 449-511.
2. Pour le quartier Saint-Antoine, *cf.* p. 461-484.

foule fuit en désordre, sans but, de façon non concertée. Et lui-même n'est pas capable de mieux : son être sériel lui interdit toute initiative véritable, toute responsabilité dans une action de résistance. Mais s'il est incapable d'agir, il n'est pas incapable d'imaginer l'action. Le rêve est même l'apanage de l'impuissance (rappelons-nous l'ouvrière à la chaîne). Et la distance qui le sépare de la foule est propice à ce qu'il la transfigure : à ses yeux elle ne fuit pas, elle converge vers quelque lieu stratégique de rassemblement, elle se prépare à agir, elle agit déjà, cette rumeur, ce sont des cris de colère, cette hâte, c'est l'impatience d'en découdre, etc. Par rapport au flot humain dont il interprète le comportement, il n'est pas seulement au-dehors (par le recul), il est aussi au-dedans (par son appartenance réelle au quartier). En même temps qu'il totalise la foule du dehors, il s'y voit donc comme manquant : c'est là qu'il devrait être, cette « action », il faut qu'il s'y joigne. Comme chacun, sous l'emprise de la menace, fait la même chose, l'action imaginée finit par devenir action réellement libre : la sérialité s'est niée à partir d'elle-même et de ses modes propres de contamination. Tout à l'heure, *on* fuyait, maintenant *nous* avançons, et quand jaillit le cri « A la Bastille », ce sont des centaines de poings qui se lèvent, comme si la multitude enthousiaste formait un seul corps. Il faut insister sur le « comme si » : il est indépassable. Le groupe en fusion *fonctionne comme* un organisme s'adaptant librement aux urgences de l'action, *il n'en est pas un*. Il n'y a pas de corps-plus-que-corps, ou d'« hyper-organisme », mais un mode spécifique de circulation des libertés individuelles. Quand les motivations du surgissement de la fusion disparaissent, cette dernière disparaît également ; si elle tente de durer au-delà, elle ne pourra que se durcir, perdre sa vivacité révolutionnaire et retomber peu à peu dans l'inertie sérielle.

Cette épopée qui va de la pratique organique individuelle à la sérialité, de la sérialité au groupe en fusion, du groupe en fusion à la sérialité est le premier temps de la *Critique* : Sartre y décompose l'Histoire en ses divers éléments, que pour la clarté il présente dans l'ordre d'une succession. Mais dans l'Histoire concrète, ces éléments fonctionnent tous simultanément. Restituer cette concrétude et cette simultanéité, c'était le deuxième temps projeté de la *Critique*. Sartre ne l'a jamais accompli ; un texte inachevé fut publié à titre posthume comme le second tome de l'ouvrage. Tout comme il manquait à *L'Être et le Néant* le traité de morale qui aurait dû imprimer une orientation concrète à l'ontologie phénoménologique, il manque à la *Critique* d'avoir ressaisi la réalité même de l'Histoire. Défaillance répétée de Sartre ? N'est-ce pas plutôt que ce qu'il nous a positivement donné, la liberté, répugne à se voir « concrétisé » dans les limites closes d'un volume de philosophie, mais aspire à des concrétions multiples et inassignables, risquées par chacun ?

Juliette SIMONT, FNRS

BIBLIOGRAPHIE

ÉDITIONS DE RÉFÉRENCE : *Cahiers pour une morale* [1947-1948], Paris, Gallimard, 1983 ; *Carnets de la drôle de guerre* [1939-1940], Paris, Gallimard, 1983 ; *Critique de la raison dialectique*, précédé de *Questions de méthode, I* [1960], Paris, Gallimard, 1985 ; *Critique de la raison dialectique, II* [1960], Paris, Gallimard, 1985 ; *Esquisse d'une théorie des émotions*, Paris, Hermann, 1939 ; *L'Être et le Néant* [1943], Paris, Gallimard, collection « Tel », 1991 ; *L'existentialisme est un humanisme*, Paris, Nagel, 1946 ; *L'Idiot de la famille : Gustave Flaubert de 1821 à 1857, I-II*, 1971 ; *III*, 1973, Paris, Gallimard ; *L'Imaginaire*, Paris, Gallimard, 1940 ; *L'Imagination*, Paris, Alcan, 1936 ; *Lettres au Castor et à quelques autres, 1940-1963, I-II*, Paris, Gallimard, 1983 ; *Saint Genet comédien et martyr*, Paris, Gallimard, 1952 ; *La Transcendance de l'Ego* [1936], Paris, Vrin, 1985 ; *Vérité et Existence* [1948], Paris, Gallimard, 1989. Les principaux articles de Sartre sont réunis dans les volumes *Situations I à X*, Paris, Gallimard, 1947 à 1976. L'œuvre littéraire et théâtrale est publiée chez Gallimard. Les dates entre crochets renvoient à la première publication de l'ouvrage, ou, en cas de publication posthume, à l'époque de leur écriture.

COMMENTAIRES : S. DE BEAUVOIR, *La Force de l'âge*, Paris, Gallimard, 1960 ; *La Force des choses*, Paris, Gallimard, 1963 ; M. CONTAT et M. RYBALKA, *Les Écrits de Sartre. Chronologie, Bibliographie commentée*, Paris, Gallimard, 1970 ; A. COHEN-SOLAL, *Sartre, 1905-1980*, Paris, Gallimard, « Folio », 1989.

SCHELLING

Recherches philosophiques sur l'essence de la liberté humaine et les sujets qui s'y rattachent

Les *Recherches* de 1809 accomplissent une grande *rectification* spéculative. Rectifier : autrement dit penser toute la rigueur du concept en le replaçant — exactement : le retrouvant ou le réfléchissant, comme en un miroir — dans l'organisme du système. Affronter, à cette fin, d'autres concepts, incomplets, préparatoires ou contradictoires, de ce qui est cherché : explorer, donc, les voies déjà frayées — par Platon, Spinoza, Leibniz, Kant, Fichte. Mais rectifier, c'est aussi rétablir et publier — presque pour la dernière fois — ce que lui, Schelling, pense en propre, fuir, dans les hauteurs, les contresens des adversaires et la convoitise des disciples.

L'essai, recueilli en volume avec des publications très antérieures, s'assigne, extérieurement au moins, une tâche unique : compléter l'*Exposition de mon système de philosophie* de 1801, premier lever d'une philosophie schellingienne autonome, affranchie de l'allégeance à Fichte, et première exposition de la philosophie dite de l'identité — mais fragmentaire encore, limitée à la philosophie de la nature. Les *Recherches* entendent donc présenter la philosophie de l'esprit, plus exactement le « concept de la partie idéelle de la philosophie[1] », constituant ainsi le second fragment d'une totalité systématique.

L'écrit, pourtant, fera dériver Schelling vers d'autres parages.

Ce qui se manifestait dans l'extériorité d'un programme est aussi immédiatement le plus intérieur, la question même : le problème de la philosophie, le problème du système. Et déjà le programme est transposé par ce qui le précise : il ne s'agira pas de produire une philosophie de l'esprit *à côté* d'une philosophie de la nature, mais de commencer à penser une *autre* opposition, « l'opposition supérieure[2] » de la nécessité et de la liberté, qui reconduira la première à l'identité, comme elle-même, correctement entendue, en revient et y revient. Ce n'est donc pas « simplement » la liberté qui est en cause : la liberté vient en question dans son lien systématique avec le système, avec « la totalité d'une vue scientifique du monde[3] ».

Or ce lien est spontanément, communément, celui de la contradiction, d'une scission tragique de la pensée qui toujours posant l'un doit nier l'autre. Dans cette négation même, elle n'est pas encore raison, « qui tend à l'unité[4] ». Entre la philosophie dans sa détermination la plus haute — le système de la philosophie — et la liberté dans sa donation affective, il y aurait une alternative implacable : il faudrait, de deux choses l'une, dépasser la philosophie ou embrasser la nécessité. La double réduction au travail ici, de toute philosophie rationnelle au panthéisme et du panthéisme à « la fatalité des actions », remonte à l'enfance de l'idéalisme allemand, à cette crise inaugurale qu'avait déclenchée, en 1785, la querelle du panthéisme, autour des *Lettres à Moses Mendelssohn sur la doctrine de Spinoza* de Jacobi, et revivifiée Fr. Schlegel

1. *Recherches* (désormais : *R*), 122 ; *Sämtliche Werke* (désormais : *SW*), VII, 334.
2. *R*, 121 ; *SW* VII, 333.
3. *R*, 124 ; *SW* VII, 336.
4. *R*, 125 ; *SW* VII, 337. Sur ce moment « dans l'histoire du développement de l'esprit allemand », *cf. R*, 134 *sq* ; *SW* VII, 347 *sq*.

avec son livre *Sur la langue et la sagesse des Indiens*
(1808). Réduire cette réduction est encore, en 1809,
la « tâche capitale » des *Recherches*.

Le prologue travaille précisément à la désamorcer[1].
On ne sait pas très bien ce que veut dire « panthéisme » : c'est le premier concept qu'il convient de
rectifier. Sans doute, s'il désigne l'immanence de
toutes choses en Dieu, toute raison est-elle panthéistique : du moins « en un sens[2] ». Mais ce sens, en tout
cas, n'est pas nécessairement fataliste : le panthéisme
pourrait bien même être requis par le « sentiment » de
la liberté, signe ou sceau de l'unité avec Dieu, avec « la
vie même de Dieu[3]. » Mais il est un autre sens du
panthéisme, où Dieu est « identifié » aux choses. Or on
comprend mal ici l'identité. Rectifions, encore : identité ne veut pas dire « pareilleté » *(Einerleiheit)*, négation de la différence — entre le bien et le mal, l'âme et
le corps, Dieu et « toutes les choses singulières prises
ensemble ». Le fatalisme est une apparence engendrée
par cette identité vide, c'est-à-dire sans vie, « tournant
dans le cercle de la pareilleté[4] ». Mais dans le jugement déjà l'unité du sujet (comme antécédent ou fondement) est distincte des propriétés singulières expri-
mées dans le prédicat (comme conséquent). Le
principe ou la loi de l'identité *s'explique* ainsi dans le
principe ou la loi de raison, c'est-à-dire de fondement
(Gesetz des Grundes) : les deux lois sont également
originaires. Or le fondement est toujours fondement
d'un autre, qui cependant dépend de lui, reste en lui.
Mais cet autre, dans la dépendance et l'immanence,
n'en est pas moins *autre*, autonome, et subsiste par
soi : comme un vivant devient par un autre et vit
pourtant d'une vie pour soi[5]. S'agissant du lien des
choses à Dieu, si le « dieu » en question est bien le
Dieu des vivants, et non pas le grand machiniste, les

1. *R*, 124-143 ; *SW* VII, 336-357.
2. *R*, 126 ; *SW* VII, 339.
3. *R*, 127 ; *SW* VII, 339.
4. *R*, 133 ; *SW* VII, 345-346.
5. *Ibid.*, 346.

concepts de production mécanique ou de simple émanation sont en tout cas inadéquats.

En un éclair, Schelling livre le mot de l'énigme :
« La suite des choses à partir de Dieu est une autorévélation de Dieu[1]. »

Ce tournant réoriente toutes les *Recherches,* qui,
trouvant ici le nom propre de ce qu'elles cherchent,
vont affronter la tâche désormais claire de son éclaircissement. Mais l'éclaircissement, le déploiement de
l'autorévélation en tous ses moments contraindront
Schelling à une mutation radicale dans l'exposition : le
système deviendra *récit,* passera sans reste dans une
histoire dont la liberté sera le protagoniste essentiel,
c'est-à-dire le sujet[2]. Car si Dieu ne se révèle qu'en un
autre, cet autre doit en un sens être le même, être
puissance comme lui, être libre comme lui, *être,*
comme il *est.* Dieu ne se révèle que dans le divin : « Le
concept d'une absoluité ou d'une divinité dérivée est
si peu contradictoire qu'il constitue bien plutôt le
concept central de la philosophie tout entière[3]. »

Commence la rectification capitale, celle du
concept de liberté. À vrai dire, la philosophie de la
nature l'avait déjà amorcée : la « considération supérieure » de la nature, rectifiant l'un par l'autre réalisme
et idéalisme[4], avait découvert dans la liberté ce qui
transfigure ou éclaire *(verklärt)* la nature en sensation,
intelligence, volonté. Toute effectivité est en son fond
liberté : l'opération la plus propre de la philosophie de
la nature avait consisté en cet « élargissement » de la
liberté. Liberté originaire, ainsi — et c'est un
deuxième éclair dans ce prologue : « En dernière et
suprême instance, il n'y a pas d'autre être que le vouloir. Vouloir est l'être originaire *(Wollen ist Ursein),* et

1. *R,* 134 ; *SW* VII, 347 : « *Die Folge der Dinge aus Gott ist eine
Selbstoffenbarung Gottes.* »
2. Sur la question du récit, et la nécessité de maintenir la dialectique en philosophie, *cf.* les trois introductions aux *Âges du monde*
(1811, 1813 et 1815).
3. *R,* 134 ; *SW* VII, 347.
4. *R,* 137 ; *SW* VII, 350. *Cf.* aussi *R,* 142-143 ; *SW* VII, 356-
357.

c'est à lui seul que reviennent tous les prédicats de ce
dernier : absence de fondement, éternité, indépendance à l'égard du temps, autoaffirmation. Tout l'effort de la philosophie ne vise qu'à trouver cette
suprême expression[1]. » La liberté apparaît ainsi
comme « l'unique concept positif possible de l'en-
soi[2] » : en soi qui, rigoureusement, n'est plus « chose ».
Mais si, dépassant l'idéalisme sur la voie qu'il avait
lui-même ouverte en en posant le concept formel, la
raison « élargit » la liberté à toute effectivité, et proprement la *libère,* comment penser la liberté *humaine,
en tant qu'humaine* ? Formel, le concept idéaliste de la
liberté était aussi « le plus général ». Troisième éclair :
« Or le concept réel et vivant de la liberté est celui
d'un pouvoir du bien et du mal[3]. » Cette détermination du concept de la liberté en tant qu'humaine,
orientant décisivement l'investigation sur l'énigme du
mal, va affecter l'histoire narrée dans les *Recherches*
d'une instabilité que nulle théodicée ne parviendra à
réduire sans troubler la perfection de la volonté originaire ou manquer au « concept réel » de la liberté[4].

L'autorévélation, le vouloir comme être originaire,
la liberté comme pouvoir du bien et du mal : trois
« thèses », trois fulgurations qui forment la base sur
laquelle s'édifient les *Recherches*. Fondation éclairante,
qu'il s'agira d'éclaircir en retour, pour le récit inouï
qui commence, le grand récit spéculatif de ce qui, du
fond des âges, *vient.*

L'être, le *Wesen,* se dit en deux sens : « en tant qu'il
existe », et « en tant qu'il est simplement fondement
[fond : *Grund*] de l'existence[5] ». Le premier moment
des *Recherches* est orienté en vue de l'« élucidation » de

1. *R,* 137 ; *SW* VII, 350.
2. *R,* 139 ; *SW* VII, 352.
3. *Ibid.* : « *Der reale und lebendige Begriff aber ist, daß sie ein Ver-
mögen des Guten und des Bösen sei.* »
4. Pour la discussion avec Leibniz, *cf. R,* 153 *sq.* ; *SW* VII,
367 *sq.*
5. *R,* 143 ; *SW* VII, 357.

cette distinction, héritée de la philosophie de la nature, entre l'*Existenz* et le *Grund,* qui commande de part en part la dramaturgie de l'autorévélation[1]. Fond et existence sont indissolubles, également originaires ou circulaires. À la fin de l'essai, Schelling demandera « à quoi peut donc bien servir cette distinction primordiale », et la reconduira à une indifférence originaire, celle de l'*Ungrund* ou non-fond, qui n'est que le « non-être » de l'opposition, mais produit, parce qu'il n'est *ni* fond *ni* existence, leur disjonction même, le non-fond « se dissociant en deux commencements également éternels[2] ». Le fond est toujours fond de ou pour l'existence qui, s'élevant sur le fond, l'approfondit, le repousse dans le fond : analogue en cela à la pesanteur « qui s'enfuit dans la nuit » et cède devant la lumière. Le fond, en Dieu, est pourtant distinct de Dieu en tant qu'existant, « car il est seulement ce qui fait le fond de son existence, il est la *nature* en Dieu[3] ». L'*Unterscheidung* — non pas la différence, mais la différenciation de ce qui, plus originairement, est indifférent — du fond et de l'existence oblige ainsi à rectifier le concept d'immanence entrevu dans l'introduction : toutes choses, séparées de Dieu, adviennent et deviennent dans ce qui, en Dieu, n'est pas Dieu : dans le fond[4]. Or ce fond nocturne, « éternellement obscur », est en lui-même désir, nostalgie : *Sehnsucht,* volonté aveugle en souffrance d'entendement[5],

1. *R,* 143-158 ; *SW* VII, 357-373.

2. Pour cet « éclaircissement dialectique », *cf. R,* 187 *sq. ; SW* VII, 406 *sq.*

3. *R,* 144 ; *SW* VII, 358. Sur le sens du *Grund, cf.* la lettre à Georgii du 18 juillet 1810 : « Je crois avoir suffisamment indiqué que par fondement *(Grund)* je n'entendais pas cause *(Ursache),* en nommant également ce dernier fondations *(Fundament),* soubassement *(Unterlage),* assise fondamentale *(Grundlage),* base *(Basis).* » Tr. n. 1 à *SW* VII, 358, *Œuvres métaphysiques,* p. 366.

4. *R,* 145 ; *SW* VII, 359.

5. « (...), une volonté en laquelle il n'y a point d'entendement, une volonté qui pour cette raison n'est pas une volonté autonome et parfaite, puisque c'est l'entendement qui est, à proprement parler, la volonté au cœur de la volonté » (*R,* 145 ; *SW* VII, 359).

inconscience en mal[1] de conscience. Résidu qui jamais ne sera éclairé par l'entendement, mais qui en est la terre natale : le jaillissement originaire *(Ursprung)* de la lumière est dans la nuit, le fond de toute pensée est délire.

Car le désir du fond ne reste pas sans réponse. Ce qui lui répond, c'est une « image qui ressemble » *(Ebenbild)* ou un « mot », le mot du désir : dans cette image Dieu se voit, se réfléchit comme *Verstand*, entendement, « sens » ou Verbe : mais tout se passe ou tombe encore en Dieu[2]. L'entendement scinde, sépare les forces du fond pour manifester la secrète et lumineuse unité qu'il renfermait déjà comme fond *de l'existence* — et le fond, de son côté, tente de retenir « l'éclair de vie qui s'est pris en lui » : s'approfondit. Première émotion du désir et de l'entendement et du désir encore qui, pour la première fois, fait surgir *quelque chose,* un corps et son lien, son âme : la nature naît dans cette in-formation *(Ein-Bildung,* écrit Schelling), la création est tout entière cette *Verklärung,* cet éclaircissement de l'obscur qui va s'obscurcissant, cet « éveil » de la lumière par la lumière sur un fond qui s'enfuit[3].

Qu'en est-il de l'homme ? Toute créature naît dans l'ambiguïté du désir et du *Verstand :* avec elle recommence à chaque fois l'opposition angoissée-angoissante de la volonté-propre *(Eigenwille)* et de la volonté universelle. Mais c'est en l'homme que la nuit est la plus nocturne, et la lumière, la plus lumineuse. Non pas à la fin, mais au commencement déjà, en Dieu : car c'est lui « que Dieu a vu quand il a conçu la volonté qui veut la nature[4] ». L'homme, en tant qu'il procède du fond, est séparé de Dieu : « un être particulier qui subsiste pour soi », volonté-

1. Sur la maladie, « contre-image » ou « réplique » du mal, *cf. R,* 152 ; *SW* VII, 366.
2. Réflexion ou représentation qui est « le Dieu lui-même tel qu'il est engendré *en* Dieu » *(R,* 147 ; *SW* VII, 361).
3. *R,* 148 ; *SW* VII, 361-362.
4. *R,* 149 ; *SW* VII, 363.

propre centrée sur soi ou ipséité. Mais, par la *Verklärung*
en lui du fond le plus intime, le plus retiré, il est esprit,
lien supérieur qui ouvre l'histoire[1], et à ce titre c'est lui
qui achève de prononcer le « mot » du désir : en lui
seulement Dieu se révèle intégralement. Or, pour qu'il y
ait révélation, c'est-à-dire différence, l'identité du fond
obscur et de la lumière, indivisible en Dieu, doit pouvoir
se scinder en l'homme : « et c'est là la possibilité du bien
et du mal[2] ».

Mais la question du système de la liberté ne
s'éclaire entièrement qu'à partir du scandale du mal
passé à l'effectivité : lorsque cède le lien qui tenait
librement les forces ensemble[3], et que seul demeure
encore le premier lien du fond. Il y aura donc bien
une « nécessité » — une « efficace universelle » — du
mal, qui a sa raison dans la volonté de révélation du
Dieu, autrement dit dans la nécessité supérieure de
l'amour[4], et son fondement dynamique dans l'opposition insurmontable, ou plutôt éternellement surmontée[5], de la volonté de l'amour et de l'ambiguïté du
fond, qui veut l'entendement et doit cependant rester
fond *pour* l'amour, résister à l'amour[6]. Et c'est la

---

1. *R*, 162 ; *SW* VII, 377 : « La naissance de l'esprit ouvre le règne
de l'histoire, comme la naissance de la lumière celui de la nature. »
Sur l'histoire, *cf. R*, 162-165 ; *SW* VII, 377-380.

2. *R*, 150 ; *SW* VII, 364.

3. *R*, 151 ; *SW* VII, 365 : « Il faut envisager la volonté de
l'homme comme un lien unissant des forces vives. » Or ce lien est
par lui librement lié, ou délié : « L'homme est placé sur une cime
telle que c'est en lui-même qu'il possède à égalité l'origine de son
auto-mouvement vers le bien et vers le mal : le lien des principes
n'est pas en lui nécessaire, mais libre » (*R*, 159 ; *SW* VII, 374).

4. *R*, 158-159 ; *SW* VII, 373-374 : « Chaque être ne peut se révéler
qu'en son contraire, l'amour dans la haine, l'unité dans le conflit. Si
donc la disjonction des principes n'existait pas, l'unité ne pourrait
révéler sa toute-puissance ; s'il n'y avait pas discord, l'amour ne pourrait jamais devenir effectif. » *Cf.* aussi *R*, 165 ; *SW* VII, 381.

5. Sur la joie du surmontement, *cf. R*, 181-182 ; *SW* VII, 399-400.

6. « Le fond n'est qu'une volonté de révélation, mais précisément, pour que celle-ci advienne, il doit nécessairement susciter la
propriété *(Eigenheit)* et l'opposition. La volonté de l'amour et celle
du fond s'unissent donc précisément parce qu'elles sont scindées et
que dès le départ chacune est à l'œuvre pour soi. » (*R*, 160 ; *SW*
VII, 375).

liberté humaine qui va librement porter cette nécessité du mal : l'homme, « dès la naissance », *penche*, dans l'angoisse, vers le mal[1]. La liberté est donc nécessaire à la révélation, elle-même moralement nécessaire[2] ; mais pour la conscience aussi elle prendra la figure d'un destin : l'homme, « éternel commencement », est de toute éternité celui qu'il est : « L'acte par lequel sa vie est déterminée dans le temps n'appartient pas lui-même au temps, mais à l'éternité ; il ne précède pas non plus la vie en un sens temporel, mais il la précède à travers le temps (sans lui donner prise), comme un acte éternel de par sa nature[3]. »

Désormais, à la question directrice de toute théodicée — « la question de la possibilité du mal par rapport à Dieu[4] » —, les réponses classiques — la réduction du mal à la nature d'un moyen ou la simple permission du mal — ne conviennent plus. Car ce qui vient du fond ne vient pas de Dieu, et d'ailleurs le mal n'est pas non plus voulu par le fond, qui ne veut que la vie[5]. Dans la création Dieu était tout entier d'amour, tourné vers l'amour. Dès lors, « pour que le mal ne soit pas, il faudrait que Dieu lui-même ne fût pas[6] ».

L'autorévélation est donc l'histoire d'un passage : d'une indifférence essentielle à une identité actuelle, de l'indifférence du fond originaire *(Urgrund)* ou non-fond *(Ungrund)* à l'identité de l'amour. Passage *humain* qui destine la liberté à l'amour. Manifestation et décision sont indissolublement liées : tout doit se révéler, autrement dit se décider. La liberté pour le bien *et* pour le mal, ce pouvoir de sécession de la volonté-propre qui est le même que son pouvoir de lien, c'est-à-dire la puissance de l'esprit, est cela même

---

1. *R*, 165 ; *SW* VII, 381. Ces analyses, proches de celles de Baader, trouveront un prolongement critique dans *Le Concept d'angoisse* de Kierkegaard, auditeur de Schelling à Berlin en 1841.

2. *R*, 177 *sq.* ; *SW* VII, 394 *sq.*

3. *R*, 169 ; *SW* VII, 385. Origine kantienne, *R*, 172 ; *SW* VII, 388.

4. *R*, 181 ; *SW* VII, 399.

5. *R*, 182 ; *SW* VII, 399.

6. *R*, 185 ; *SW* VII, 403.

qui rend effectif le lien le plus haut, le lien plus puissant que l'esprit, le lien d'amour : « Car l'amour n'est ni dans l'indifférence, ni dans la liaison des opposés, qui ont besoin de cette liaison pour être, mais (...) le secret de l'amour, c'est qu'il lie ceux qui pourraient être chacun pour soi, et cependant ne le sont pas, et ne peuvent être l'un sans l'autre[1]. »

Liberté destinale qui porte ou emporte un autre destin, le destin du Dieu en devenir, dont toute la révélation vise à manifester la « totale irréalité » du mal, à le repousser dans la pure potentialité[2] : à la fin, donc, le destin de l'amour.

Les *Recherches* apparemment refermées, Schelling s'enfoncera dans un mutisme où, à quelques exceptions près, il ne publiera plus rien, continuant pourtant d'écrire et de faire ses cours. Peut-être a-t-il été lui-même stupéfié par ce qui, se découvrant, devait aussi rester entièrement ouvert.

Emmanuel CATTIN

BIBLIOGRAPHIE

ÉDITION DE RÉFÉRENCE : *Sämtliche Werke*, VII, 333-416, Stuttgart-Augsburg, Cotta, 1856-1861.

ÉDITION CRITIQUE : *Philosophische Untersuchungen über das Wesen der menschlichen Freiheit und die damit zusammenhängenden Gegenstände*, Einl. und Anm. von Horst Fuhrmans, Stuttgart, Philipp Reclam, rééd. 1983.

TRADUCTIONS FRANÇAISES DES *RECHERCHES* : Parmi les cinq traductions existantes, signalons seulement : *Œuvres métaphysiques (1805-1821)*, p. 115-196, trad. et ann. J.-F. COURTINE et E. MARTINEAU, Paris, Gallimard, NRF, 1980. Nos références renvoient à cette traduction. *La Liberté humaine et controverses avec Eschenmayer*, trad. B. GILSON, Paris, Vrin, 1988.

1. *R*, 189 ; *SW* VII, 408.
2. *R*, 186-187 ; *SW* VII, 404-405.

AUTRES TRADUCTIONS : Nous ne signalons pas les traductions rendues caduques par de nouvelles publications. *Les Âges du monde*, version de 1815, suivi des *Divinités de Samothrace*, trad. S. JANKÉLÉVITCH, Paris, Aubier, 1949. *Les Âges du monde*, versions de 1811 et 1813, trad. B. VANCAMP, Bruxelles, Ousia, 1988. *Les Âges du monde*, version de 1811 et 1813, trad. P. DAVID, Paris, PUF, 1992. *Bruno ou Du principe divin et naturel des choses*, trad. J. RIVELAYGUE, Paris, L'Herne, 1987. *Clara ou Du lien de la nature au monde des esprits*, trad. E. KESSLER, Paris, L'Herne, 1984. *Contribution à l'histoire de la philosophie moderne*, trad. J.-F. MARQUET, Paris, PUF, 1983. *Discours prononcé à l'ouverture de son cours de philosophie, à Berlin (15 nov. 1841)*, trad. P. LEROUX, Paris, Vrin, 1982. « Emmanuel Kant » (1804), in *Philosophie* n° 22, trad. P. DAVID, Minuit, Paris, 1989. *Essais*, trad. S. JANKÉLÉVITCH, Paris, Aubier, 1946. *Introduction à la philosophie de la mythologie*, trad. S. JANKÉLÉVITCH, Paris, Aubier, 1946. *Leçons sur la méthode des études académiques*, in *Philosophies de l'Université*, trad. J.-F. COURTINE et J. RIVELAYGUE, Paris, Payot, 1979. *Le Monothéisme*, trad. A. PERNET, Paris, Vrin, 1992. *Philosophie de la révélation*, trad. dir. par J.-F. COURTINE et J.-F. MARQUET, Paris, PUF, t. 1, 1989 ; t. 2, 1991 ; t. 3 à paraître. *Philosophie de la mythologie*, trad. A. PERNET, à paraître. *Premiers Écrits (1794-1795)*, trad. J.-F. COURTINE et M. KAUFFMANN, Paris, PUF, 1987. « Sur la construction en philosophie » (1803), *Philosophie* n° 19, trad. C. BONNET, Paris, Minuit, 1988. *Sur la possibilité d'une forme de la philosophie en général*, trad. L. FERRY et S. MALLET, et *Nouvelle Déduction du droit naturel*, trad. S. BONNET et L. FERRY, in *Cahiers de philosophie politique*, n° 1, Bruxelles, Ousia, 1983. *Système de l'idéalisme transcendantal*, trad. C. DUBOIS, Louvain, Peeters, 1978. *Textes esthétiques*, trad. A. PERNET, Paris, Klincksieck, 1978. On trouvera la traduction des lettres de Schelling à Hegel dans la *Correspondance* de Hegel, t. 1-3, trad. J. CARRÈRE, Paris, Gallimard, rééd. 1990. *Fichte/Schelling, Correspondance (1794-1802)*, trad. M. BIENENSTOCK, Paris, PUF, 1991.

COMMENTAIRES : J.-F. MARQUET, *Liberté et existence. Étude sur la formation de la philosophie de Schelling*, Paris, Gallimard, NRF, 1973. M. HEIDEGGER, *Schelling. Le traité sur l'essence de la liberté humaine*, trad. J.-F. COURTINE, Paris, Gallimard, 1977. X. TILLIETTE, *Schelling. Une philosophie en devenir*, t. 1 et 2, Paris, Vrin, rééd. 1992.

SCHOPENHAUER

Le Monde comme volonté
et comme représentation

Arthur Schopenhauer est un philosophe de l'interprétation. De sa personnalité, nous disposons de portraits faciles : l'ermite, le misogyne, l'homme irascible, le polémiste féroce, et surtout le pessimiste amer... Liste non exhaustive ; l'homme était peut-être tout cela, et bien autre chose encore, s'il est vrai que l'être humain est capable d'emporter un secret jusque dans sa tombe, comme lui-même nous le dit. Ne cherchons pas trop l'homme. Il a disparu dans son livre : « Mais qui suis-je donc ? Je suis celui qui a écrit *Le Monde comme volonté et comme représentation[1]*... », laissant un auteur, un traducteur, un interprète, peut-être même un prophète, sûrement un grand philosophe.

Assurément, notre auteur, traducteur, philosophe, et peut-être même prophète, a été soigneusement préparé par le destin, de son propre aveu d'ailleurs. D'abord le prénom, attribué par la volonté paternelle parce qu'il est directement traduisible dans toutes les langues européennes, s'accorde à sa vocation de traducteur voué à la recherche du sens universel qui court à travers la diversité des langues. De plus, sa mère, romancière, a préparé en lui l'auteur par le legs

1. Grisebach, cité par Bossert, *Schopenhauer, l'homme et le philosophe,* p. 327.

de ses qualités intellectuelles et de son don d'écrivain. L'auteur et le traducteur sont esquissés. Schopenhauer deviendra l'auteur d'une traduction. Il se considère lui-même comme l'héritier d'une décision *et* d'une intelligence. Tout un chacun s'emploie à la tâche difficile d'harmoniser en lui-même l'héritage maternel et paternel[1] quel que soit le degré d'opposition qu'ils présentent. Mais il revient à Schopenhauer d'avoir su méditer et surtout poser en termes originaux la question philosophique sous-tendue par cette tâche : quels sont les rapports de la volonté et de l'intelligence ? Il se pourrait qu'en dépit des apparences la première *précédât* la seconde.

Auteur d'une traduction de quoi ? Du livre privilégié : le monde, livre substitué à la Bible pour ce philosophe athée, en ce sens qu'il ne saurait admettre un Dieu personnel dont l'intelligence guiderait la volonté, ni un créateur d'une œuvre distincte de lui. Ceci ne ferme pas la possibilité d'un dieu auteur, abîmé dans l'expression de son intention, dans son livre, comme Arthur Schopenhauer. Le père d'Arthur a également désigné le livre privilégié. Comme il voulait que son « fils apprenne à lire dans le livre du monde[2] », il l'emmena visiter l'Europe, lui ouvrant ainsi les yeux sur le texte authentique, débarrassé des surcharges, ratures que les préjugés, les intérêts sordides et même les théories abstraites lui font subir.

Bien que le texte du monde paraisse clair et beau, il comporte cependant un caractère énigmatique et sombre qui ne se laisse guère expliquer par la seule raison discursive. Il y faut le génie de l'interprétation. En effet, les fils de l'expérience sont inexplicablement distendus et déchirés par la souffrance et la mort. Le jeune Arthur en fit très tôt l'expérience cruelle, à dix-sept ans, au même âge que le Bouddha comme il le remarqua lui-même, lors du suicide de son père. Il avait

1. *Cf. Le Monde comme volonté et comme représentation, MCVR,* chap. XLIII.
2. Cité par W. Abendroth, in *Schopenhauer,* p. 13, Rowohlts Hamburg, 1967.

déjà, au cours de ce voyage, noté la cruauté des sanctions humaines (le bagne de Toulon) et l'injustice de ceux qui se hâtent de détruire le monde existant pour en faire un plus juste (les séquelles de la Terreur à Lyon). À présent, le suicide du père mélancolique, refoulant définitivement Arthur dans la solitude affective, aiguisait l'énigme, non sans suggérer quelques éléments de sa solution. Il fallait prendre acte de ce scandale pour la raison : la puissance d'une volonté capable de se retourner violemment contre elle-même... Ce père prestigieux avait donc tout donné (sans cet « excellent père, dira-t-il lui-même, Arthur Schopenhauer aurait péri cent fois[1] ») : la vocation de traducteur par le choix du prénom, le livre du monde à traduire. Le chemin était tracé : traduire le texte du monde en interprétant l'énigme. Même le prophète pouvait naître de l'élucidation de la voie du salut par le renoncement serein !

Ainsi, par le jeu du destin, aurait été préparée l'éclosion du génie philosophique d'Arthur Schopenhauer. Mais ce destin n'a pu être compris que rétrospectivement. Et surtout, n'est-il pas lui-même « énigmatique[2] » ? On dirait qu'une intention secrète l'anime, qu'on ne saurait confondre avec la nôtre propre, mais qui pourtant ne peut advenir sans notre complicité mystérieuse. Le destin est un problème que la philosophie s'attache à élucider — notre penseur lui a consacré un petit opuscule des *Parerga et Paralipomena* — il ne saurait expliquer une philosophie. Le rapport se renverse donc en ce point.

D'ailleurs, comment peut-on concevoir la prédétermination d'une philosophie ? Ni la lecture de Kant ni celle des Védas — que Schopenhauer tient pour ses prédécesseurs — ne suffisent à expliquer sa propre philosophie. Un philosophe est un homme qui a le courage d'affronter l'énigme de l'existence, aussi redoutable que celle du Sphinx. Avant Nietzsche, Schopenhauer fait l'éloge du courage de la vérité. Car

---

1. *Schopenhauer*, W. Abendroth, p. 18.
2. *MCVR*, p. 1274.

rien ne prépare le goût de la vérité dans l'exercice normal de l'intellect. L'intelligence nous représente le monde à partir de nos intérêts particuliers qu'elle sert par *destination* naturelle. Autant dire que le plus souvent elle ne se hisse pas jusqu'à la position d'une question philosophique qui a toujours un caractère de totalité. Comme elle reste la plupart du temps fidèle à cette destination, il s'ensuit que la philosophie s'adresse nécessairement à une élite, dont, bien entendu, la définition n'est guère sociale, celle des intelligences désintéressées. Avec un certain mépris, notre philosophe souligne la servitude de l'intelligence humaine. En tout sujet comme en toute affaire, les hommes cherchent quelque profit ; ils établissent avec les autres hommes des relations mercantiles, espérant toujours quelque récompense, quelque avantage. À tel point que certains sont près d'exiger quelque contrepartie de ceux qu'ils fréquentent dans la pensée vaniteuse que cette seule fréquentation confère un avantage qui doit être rétribué... Même les philosophes (qu'il ne juge pas toujours dignes de ce nom !) ne sont pas à l'abri de cette critique. Ils cherchent souvent à plaire aux autorités régnantes, politiques ou théologiques, pour s'assurer places et revenus. Ils s'arrangent pour infléchir leurs conclusions dans ce sens. Toujours l'activité de leur esprit est orientée vers la recherche de *leur* chemin. L'égoïsme dans la philosophie de Schopenhauer déborde la morale pour prendre une dimension épistémologique, et même métaphysique. La vision intellectuelle des hommes est partielle et partiale, parce que *subordonnée à leur volonté*. La vérité philosophique concerne les intelligences désintéressées, ces exceptions, ces génies dont l'esprit, libéré d'une manière singulière et imprévisible, échappe au destin commun pour devenir « un clair miroir de l'être du monde[1] ». Dès lors, la disposition philosophique n'est plus préparée par le destin, mais peut-être par la grâce.

1. *Ibid.*, p. 240.

Nous sommes déjà entrés ainsi dans la philosophie
de Schopenhauer : la connaissance est intéressée et,
en définitive, *subjective*. Comment la métaphysique,
sommet de la philosophie, elle qui cherche la vérité de
l'être, est-elle alors possible ? Le désaccord des systèmes philosophiques fait question. Or, la subjectivité
des formes de la connaissance et le péril qui en résulte
pour la métaphysique n'avaient pas échappé au maître
Kant.

À la lumière de son expérience intuitive du monde,
Schopenhauer reprend et interprète le thème kantien
de la phénoménalité de la connaissance. Mais, tandis
que Kant tient la subjectivité transcendantale pour
condition d'objectivité scientifique dès lors qu'on ne
s'éloigne pas de l'expérience, il n'en va pas de même
chez Schopenhauer. Il souligne le caractère subjectif
de ces formes de connaissances : l'espace, le temps, la
causalité, la logique. Il les tient moins pour une
méthode que pour un organe. Plus précisément, il
s'agit d'une *lunette* : une interprétation déformante
d'une réalité qui échappe, tant et si bien qu'à ne nous
en tenir qu'à elle seule, toute notre expérience du
monde ne diffère pas essentiellement d'un rêve. Un
rêve dont le rêveur est seul, où les autres n'apparaissent que comme des ombres : « Le monde est ma
représentation[1] ». La parole de Calderon « *La vie est
un songe*[2] » donne à Schopenhauer le sens exact de la
phénoménalité de la connaissance : du phénomène on
glisse à l'apparence, ou plutôt aux apparences, ce tissu
du voile de la Maya, épandu sur l'unité de Brahma,
qu'elle disperse dans l'espace et le temps. Telle était
déjà la leçon des Védas ici reprise. L'hindouisme suggère à Schopenhauer l'idée que c'est le Désir tout-
puissant — il le nomme Volonté — qui fait surgir ce
voile, c'est-à-dire le monde spatio-temporel où les
causes s'enchaînent aux effets. Elle anime les individus. Mieux, elle les fait advenir comme individus

1. *MCVR*, livre I, p. 25.
2. *Ibid.*, p. 42.

par une sorte de drame métaphysique où l'unité fondamentale se déchire et les maintient dans cette situation tant qu'ils désirent. Elle leur fait miroiter l'illusion *commune* qu'ils sont un moi distinct de celui des
autres, tout en développant le voile du monde comme
un champ pour l'avidité de leur désir.

C'est pourquoi la connaissance est intéressée, animale au plan descriptif. Mais cette vérité métaphysique que le monde est posé par l'avidité de la volonté
nous éloigne beaucoup de Kant. Le chemin qui rouvre
la possibilité de la métaphysique est l'*expérience intérieure* que Kant a négligée au profit de l'expérience
extérieure. Elle dit à chacun que son être est Volonté.
Toutes les modalités du psychisme, si variées soient-
elles qualitativement, toutes les conduites par rapport
au milieu extérieur sont organisées autour du désir ou
de l'aversion... S'il se trouve un moyen de traduire
cette vérité intérieure dictée par la voix irrécusable du
sentiment dans la langue des phénomènes externes,
nous aurons alors la clé de l'énigme du monde. Justement *mon corps* est ce chiffre double : il correspond
parfaitement au sentiment de la Volonté (rien n'atteint l'un sans que l'autre le soit également), tout
comme il est donné en même temps à la représentation externe.... Par *analogie*, cette vérité peut être
étendue à tous les corps de l'univers, qui perdent alors
leur caractère onirique.

Ainsi, le monde livré à la connaissance sous les
espèces de la représentation est aussi volonté. Cette
vérité philosophique n'est donnée ni à l'intelligence
empirique ni à l'intelligence logique, mais à l'intelligence qui réclame *le sens* et le fait jaillir par la prise en
considération de *la totalité de l'expérience*. La philosophie se présente donc comme un système, en cela que
toutes les vérités (issues de l'intuition et confiées à la
glace des concepts) s'y tiennent réciproquement pour
faire un tout organique ; mais non pas un système
logique déductif où les conséquences sont tirées les
unes après les autres d'un principe qui serait ici la
Volonté.

De là provient le fait que Schopenhauer ait toujours voulu intégrer à ses livres antérieurs le résultat de ses réflexions ultérieures tenues pour des adjonctions, des suppléments, en un mot, de simples développements. Le livre, par excellence, *Le Monde comme volonté et comme représentation*, rédigé en 1818, suppose, dit-il, la connaissance de sa thèse de doctorat *De la quadruple racine du principe de raison suffisante*. Schopenhauer refuse toute solution de continuité pour sa thèse comme pour son livre *Le Monde* : en 1844, la deuxième édition de celui-ci sera intégrée à la première sous la forme d'une deuxième partie, au titre de suppléments. Enfin, le titre de l'ouvrage final qui lui vaudra la gloire, *Parerga et Paralipomena*, présente cette œuvre en quelque sorte comme un cortège de l'ouvrage majeur.

Schopenhauer pense donc son œuvre comme *un livre* complet qui contient l'interprétation et les grandes lignes du commentaire du texte du monde. Les destinataires seront ces intelligences désintéressées qui ne sont pas nécessairement celles de ses contemporains : voilà pourquoi il lui fallait *écrire*. Il sera lu et relu par Richard Wagner, Nietzsche, Bergson, Freud, sans parler du retentissement littéraire exceptionnel de ses thèmes, bien qu'il n'ait pas été beaucoup écouté ni entendu, sauf par le cercle de ses fidèles disciples. Le pressentiment de cela le consolait de son peu d'audience auprès des instances universitaires et l'aidait à attendre la manifestation temporelle d'une gloire qui ne l'était pas.

Le monde comme volonté et comme représentation est *le même* vu de deux points de vue externe et interne ; c'est un message rédigé dans deux langues différentes, la langue phénoménale, celle de l'*intellect*, qui fournit les représentations, et la langue intime, celle du sentiment, qui révèle l'essence des choses : *la Volonté*. Le titre de l'ouvrage souligne le privilège du point de vue de la volonté, qui pourtant ne répandra sa clarté que lorsque l'insuffisance de celui de la représentation aura été

repérée. On commencera donc par la représentation.
De là procède l'ordre méthodique du livre, dont le plan
s'ordonne autour de deux grandes parties (*vide supra*),
au milieu desquelles se trouve une confrontation du
disciple avec le maître Kant. La deuxième grande partie
reprend et développe les quatre démarches que la première répartit sur quatre livres.

La première démarche (livre I), orientée *vers l'extérieur*, prend le point de vue de la représentation selon
le principe de raison suffisante. Le sujet se représente
le monde d'abord intuitivement, à travers la grille
interprétative de l'espace, du temps et de la causalité,
puis abstraitement, selon la logique rationnelle. Mais
il s'ignore lui-même comme sujet porteur du monde ;
il croit naïvement que sa représentation est une sorte
de double d'un monde extérieur. Tant qu'il reste dans
ce point de vue, les phénomènes lui apparaissent toujours plus liés les uns aux autres, et toujours plus
déliés de lui-même, au point que le passage aux représentations abstraites, qui accentue cette étrangeté,
s'achève sur la figure du stoïcien, replié sur lui-même
d'une manière tragi-comique (fin du livre I).

Le deuxième mouvement (livre II) reflue *vers l'intérieur*, où il recoupe le premier en sens inverse. Alors
s'opère la traduction décisive qui fait surgir le sens qui
se dérobait : « Le sujet de la connaissance par son
identité avec le corps devient un individu[1] ». Il
éprouve de l'intérieur l'identité du corps et de la
volonté (entendue au sens de l'acte[2]) par la corrélation
complète de leurs mouvements respectifs. On peut
supposer que cette même relation vaut pour tous les
corps de l'univers, qui prennent alors toute leur réalité. Une même essence se décline dans deux langues
différentes, mais la langue intime du sentiment est
privilégiée. Aussi la Volonté est-elle la chose en soi du
monde, bien qu'elle n'ait rien d'une chose[3]. La métaphore du « cœur » la désigne plus sûrement.

1. *MCVR*, p. 141.
2. *Ibid.*
3. *Ibid.*, p. 153.

Les couples d'opposition traditionnels : matière/ esprit, âme/corps sont récusés par la nouvelle lecture. À leur place prévaut la relation paradoxale de l'individu au Tout par le jeu mutuel de fusion et d'exclusion des individus. La volonté s'objective pour l'intellect comme corps représentable à différents degrés de complexité, et le monde phénoménal est son *expression* complète, mais impure. Dans cette mesure seulement, nous apprenons à la connaître.

Le troisième mouvement (livre III) échange l'extérieur et l'intérieur. Dès que nous savons que les phénomènes qui paraissaient les plus extérieurs à nous, les plus lointains, sont de même nature que ce qui nous est le plus intime, un va-et-vient peut s'établir qui *échange* le sujet et l'objet dans la contemplation, la pure représentation. Le thème romantique fait ici retour. Schopenhauer cite Byron : « *Are not the mountains, waves and skies, a part/ Of me and of my soul, as I of them*[1]. » Le sujet de la connaissance, plein de cette assurance, dépouillé de son individualité avide, contemple le monde comme pur spectacle sans qu'interfère la grille des formes phénoménales : l'espace, le temps, la causalité. À travers un phénomène singulier, il saisit directement l'Idée (degré d'objectivation de la volonté). L'artiste génial contemple les Idées et sait induire ces états de contemplation auprès du public. Il nous prête ses yeux ; il prépare « *la chambre noire* qui montre les objets plus distinctement[2] ». Il nous apporte la sérénité pour quelques brefs instants. Au sommet de tous les arts, la musique, pure expression de la volonté, dépasse la philosophie car, « dans une langue éminemment universelle, elle exprime d'une seule manière, par les sons, avec vérité et précision, l'être, l'essence du monde, en un mot, ce que nous concevons sous le concept de volonté parce que la volonté en est la plus visible manifestation[3]. » La rivalité musique/philosophie naît.

1. *MCVR*, p. 234.
2. *Ibid.*, livre III, p. 341.
3. *Ibid.*, p. 337-338.

Un quatrième mouvement procède de l'intérieur vers l'extérieur (livre IV). On dirait qu'il retient les trois autres comme une sorte d'histoire de l'esprit, bien que le philosophe n'admette guère ce thème. La connaissance des manifestations de la volonté dans le monde : la lutte des forces naturelles les unes contre les autres, celle des individus entre eux et avec eux-mêmes, et l'expérience de la vie imposent cette constatation : « La *souffrance* est le fond de *toute vie*[1]. » Pourtant, paradoxalement, tous les individus recherchent la vie comme un bien suprême (à moins qu'ils ne fuient la mort comme le mal suprême ?) ! La volonté est donc irrationnelle (*grundlos*). On ne saurait dire qu'elle poursuive la vie, car la vie ne lui préexiste ni en réalité ni en valeur. Elle est essentiellement affirmation de la vie, en ce sens que la vie la suit comme son « ombre[2] ». Elle ignore la mort.

Celui qui a compris cela se trouve placé devant un choix. Il peut persévérer dans son affirmation, c'est-à-dire continuer d'agir comme il l'a toujours fait, malgré les souffrances que la vie lui inflige, ne crai-gnant pas plus la mort « que le soleil n'a à craindre la nuit[3] ». Il se peut aussi qu'il renonce à cette affir-mation : « Arrivant à se connaître elle-même, la volonté de vivre s'affirme puis se nie[4] » ; telle est l'at-titude des ascètes, des saints et de tous ceux qui renoncent à leur moi. Alors disparaît aussitôt par ce mouvement intérieur le monde extérieur qui était sus-pendu à son affirmation... Ce renoncement n'est en rien nécessaire ni obligatoire, car, en elle-même, la volonté est « libre, ou plutôt toute-puissante[5] » ; elle ne saurait recevoir d'ordre d'une divinité ni s'assu-jettir à une loi abstraite. La traduction du texte du monde laisse le champ libre à l'interprétation indivi-

1. *Ibid.*, p. 393.
2. *Ibid.*, p. 350.
3. *Ibid.*, p. 361.
4. *Ibid.*, p. 343.
5. *Ibid.*, p. 389.

duelle du sens du texte (comme un musicien interprète une symphonie), où chacun joue sa destinée et engage sa liberté ressaisie.

Ce primat du sens ne peut être compris que si l'on revient au thème original de la philosophie, *l'étonnement*[1] — émotion propre à l'homme seul — que les *explications conformes au principe de raison suffisante ne suffisent pas à apaiser*. Déjà, la thèse de doctorat démultipliait l'explication (« quadruple racine »). La succession, la juxtaposition sont autant de manières de rendre raison qui laissent inexpliquée la multiplicité des phénomènes. Mais l'ordre causal qui regroupe leur dispersion pour constituer le tissu de l'expérience perceptive ne suffit pas non plus.

Voyons ce point. Grâce à la causalité, nous jugeons que les modifications de notre sensibilité ont une cause extérieure. Mais cette extériorité est celle, tout onirique, d'un décor de carton-pâte. Pourtant, dira-t-on, la causalité permet de déterminer une liaison régulière des transformations réciproques des phénomènes, auxquels elle assigne une place. Sa nécessité est *immuable*, même pour les actions humaines qui sont prévisibles et répétitives.

Certes. Mais notre étonnement n'en est que provisoirement apaisé. Au fur et à mesure que nous montons les degrés de l'échelle phénoménale du monde physico-chimique, ensuite végétal, puis animal et humain, la causalité prend trois formes : *causalité proprement dite, excitation puis motivation*. La première forme admet une proportionnalité entre l'intensité de la cause et celle de l'effet ; la seconde ne l'admet plus (par exemple, le cas des drogues agissant sur les vivants) ; la troisième encore moins, car la cause est ici une représentation. L'écart entre la cause et l'effet grandit, de sorte que l'explication laisse un reste de plus en plus grand. Il s'appelle force naturelle pour la première forme, disposition pour la seconde, instinct ou caractère pour la troisième. Cet X, l'efficace de la

1. *MCVR*, p. 851.

cause, se dérobe sur le plan de la représentation. Ce sera la volonté aveugle qui tend les forces naturelles, suscite la disposition chez les végétaux, l'instinct chez les animaux et le caractère chez les hommes. Elle n'explique pas, mais donne le sens en soulignant l'unité des êtres.

Réclamer une cause première du monde, comme l'a fait la métaphysique depuis Aristote, est vain, car la cause n'explique pas du tout la venue à l'être. Toute cause est elle-même un effet, et ainsi de suite. Nous restons avec l'expérience et la science dans le monde étrange du rêve, dont nous ne sortons pas plus qu'« un homme qui serait tombé, sans savoir comment, dans une compagnie complètement inconnue, et dont les membres, l'un après l'autre, lui présenteraient sans cesse quelqu'un d'eux comme un ami (...) et lui feraient faire sa connaissance ; tout en assurant qu'il est enchanté, notre philosophe aurait sans cesse aux lèvres cette question : Que diable ai-je de commun avec tous ces gens-là ?...[1] » La logique abstraite des raisons qui enchaîne les concepts selon le rapport de principe à conséquence n'explique pas davantage le monde ; elle permet seulement aux hommes de communiquer entre eux pour parfaire leur domination sur le monde.

Le monde est sans raison, comme il ne poursuit aucune fin représentable. Tout comme l'existence est irréductible à la raison théorique, le mal contrecarre sans cesse la raison active. Le déséquilibre efforts/résultats déroute la raison, optimiste par nature : la vie « n'est qu'une entreprise commerciale qui ne couvre pas ses frais[2] » ! Si, de l'extérieur, le monde est beau *à voir*, *être* au monde comme individu est douloureux de l'intérieur. Et cela aussi requiert un sens qui ne saurait être rationnel. « La vie oscille comme un pendule (...) entre la souffrance et l'ennui[3] », note Schopenhauer. La souffrance n'épargne personne,

1. *Ibid.*, p. 139.
2. *Ibid.*, p. 944.
3. *Ibid.*, p. 394.

mais elle accable particulièrement les génies, ces hommes d'une grande sensibilité, aussi imprévoyants et aussi peu soucieux de leur conservation que les hommes ordinaires, et même les hommes prudents le sont. On dirait qu'ils doivent expier leurs dons. Et l'ennui ravage l'humanité avec la même « justice éternelle[1] », étrangère à la représentation. Les têtes bornées — justement parce qu'elles sont telles — y sont livrées, mais tout autant les têtes géniales, qui ne peuvent se plaire à des besognes répétitives ou mercantiles. Partant, Schopenhauer n'attend pas grand-chose d'un État providentiel pour remédier au mal. L'ennui y prendrait la place délaissée par le désordre, à moins que l'ordre général d'un État ne suscite, à l'intérieur, un gonflement démesuré des querelles de détail, et, à l'extérieur, des guerres de peuples à peuples d'autant plus fortes : « La discorde exigera en gros et en un seul paiement comme une dette accumulée la dîme sanglante qu'on croyait lui avoir dérobée en détail par un sage gouvernement[2] ». L'oscillation pendulaire de la souffrance et de l'ennui n'est pas rationnelle, mais destinale. Tout se passe comme si l'existence était à la fois une faute et un châtiment. Et nous sommes métaphysiquement et moralement responsables de ce destin s'il est vrai que l'existence suit une volonté aveugle, une en tous les êtres, qui ne sait ce qu'elle veut (d'où l'ennui) et si avide qu'elle est contrainte de se « nourrir d'elle-même[3] » (d'où la souffrance).

Cela nous reconduit au thème central et original : la Volonté, cœur et noyau du monde, est étrangère en elle-même à l'intellect, c'est-à-dire à tout ce qui est de l'ordre de la représentation. C'est pourquoi elle n'est ni cause ni principe du monde. Certes, Schopenhauer étend la signification du mot « volonté », puisqu'il y inclut tous les comportements automatiques, comme l'instinct et le réflexe (habituellement tenus pour

1. *MCVR*, p. 442.
2. *Ibid.*, p. 441.
3. *Ibid.*, p. 203.

involontaires), sans même exclure les mouvements de la matière... Il s'agit de la décision comme acte. Nous appelons « volonté » une intention délibérée, à tout le moins consciente. Mais le philosophe tient la volonté pour extérieure à la conscience dans la mesure où la conscience implique la séparation sujet/objet : la volonté entre dans la conscience « du dedans, comme le monde physique y pénètre du dehors[1] ». L'appréhension consciente de la volonté en nous prend aussi la forme de la succession, qui est liée à la représentation. Mais ce n'est qu'une forme phénoménale. Ainsi pouvons-nous supposer que la volonté est en elle-même indestructible. Ceci peut conjurer l'absurdité de la mort.

La primauté métaphysique de la volonté par rapport à la représentation s'exprime de mille manières. La volonté est partout et toujours présente dans le monde, partout parfaitement elle-même, s'il est possible, alors que l'intellect est imparfait et temporel. Tandis que les manifestations instinctives sont toujours et partout les mêmes, « attachement extrême à la vie, souci de l'individu et de l'espèce, égoïsme absolu à l'égard de tous les autres êtres[2] », l'intellect, lui, naît et meurt, parcourant dans l'intervalle d'innombrables fluctuations. Dans l'échelle des êtres, la représentation surgit brusquement, lorsque la volonté a atteint un degré d'objectivation tel que les organismes vivants, en proie à des besoins de plus en plus complexes, doivent pour survivre synthétiser les stimulations venues de l'extérieur.

Le décalage métaphysique volonté/représentation s'inscrit à l'intérieur de cette dernière comme un *retard* et une *dépendance*. L'enfant dont l'intelligence est encore faible affirme déjà son caractère, et le vieillard, devenu gâteux, n'a pas perdu le sien, qu'il persiste à affirmer par des colères inexorables. Dans la ligne de cette dépendance, nous trouvons aménagée la

1. *Ibid.*, p. 895.
2. *Ibid.*, p. 903.

place de l'inconscient que Freud saura remplir. Le chapitre XIX du *Monde* livre de belles analyses de l'action de la volonté sur l'intellect capable d'occulter certaines représentations, d'occasionner l'erreur : combien d'erreurs de compte sont dues à « une tendance inconsciente à diminuer notre « doit » et à augmenter notre « avoir »[1] ! Un pas de plus, et la représentation est trompée par la volonté : c'est l'illusion avec son cortège amer... Ainsi, le sentiment amoureux électif, démystifié, traduit-il le souci prévalent de l'espèce. L'individu apprendra à ses débours qu'il ne peut s'emparer du tout de la vie à son profit (bien que, d'une certaine manière, il soit ce tout). Les hommes espèrent tout gagner par l'amour (chap. XLIV), comme ils redoutent de tout perdre par la mort (chap. XLI). Dans les deux cas, ils sont mus par des représentations illusoires qui expriment l'avidité de la volonté individuelle. Voilà bien le nœud de la question (qui est aussi le « nœud du cœur[2] ») : l'illusion maximale n'est-elle pas celle de la réalité du moi conscient de l'individu ?

Et l'illusion perfide du libre arbitre s'y rattache. Notre conscience nous dit que nous sommes libres. Cela signifie seulement que nous sommes libres de notre *être*. Or, nous interprétons ce message de travers en nous figurant que nous sommes libres de nos *actions*. Rien n'est plus faux, car la nécessité de l'enchaînement des actions aux représentations est déterminée, car notre caractère est immuable, sinon infrangible. Le progrès moral est une illusion, cruellement démentie par l'expérience. Il est vain de croire que nos représentations raisonnables peuvent nous diriger. Même la conscience de nos erreurs et fautes passées ne saurait modifier notre conduite. Vouloir ne s'apprend guère. Si, de l'extérieur, certaines actions *paraissent* meilleures, leur sens est resté le même. Et cette signification importe seule. Elle peut être tra-

1. *MCVR*, p. 918.
2. *Ibid.*, p. 1375.

gique ou salutaire. Grâce à elle, l'esclavage de l'intelligence peut être brisé net, non par une résolution que jamais la raison serve, calculant les avantages et les inconvénients, ne pouvait obtenir, mais par une dissolution du caractère...

Cette signification naît du regard d'ensemble sur toute une vie dont se dégage une « leçon » qui invite au renoncement. Elle peut aussi jaillir de la perception soudaine de la souffrance universelle à travers une souffrance particulière (telle la vision du sein de sa belle rongé par le cancer qui décida Raimond Lulle à renoncer au monde). Le sens de la grande parole hindoue : « Tu es cela[1] » est saisi intuitivement : nous pouvons alors échanger notre place avec celle d'autrui, en renonçant à la nôtre propre. L'intelligence du Tout, de l'intention pleinement exprimée, c'est-à-dire la signification, opère le miracle que les efforts raisonnables étaient impuissants à faire. La philosophie de Schopenhauer est une philosophie du sens.

Marie-José PERNIN

BIBLIOGRAPHIE

ÉDITION DE RÉFÉRENCE : *Sämtliche Werke, herausgegeben* von Wolfgang Frhr. von Löhneysen, Stuttgart/Frankfurt-am-Mein, Cotta-Insel, 5 vol., 1978.

TRADUCTIONS FRANÇAISES : *Aphorismes sur la sagesse dans la vie* (extraits des *Parerga et Paralipomena*), trad. J. A. CANTACUZÈNE et R. ROOS, Paris, PUF, 1964. *L'Art d'avoir toujours raison*, trad. H. PLARD, Aubenas d'Ardèche, Éd. Circé, 1993. *De la quadruple racine du principe de raison suffisante*, éd. complète (1813-1847), trad. F. X. CHENET, introd. F. X. CHENET et M. PICLIN, Paris, Vrin, 1991. *De la volonté dans la nature*, introd. et trad. E. SANS, Paris, PUF, 1969. *Essai sur les femmes* (extrait des *Parerga et Paralipomena*), trad. A. BURDEAU, préf. et notes D. RAYMOND, Arles, Actes Sud, 1987. *Essai sur le libre arbitre*, trad. S. REINACH, Paris, F. Alcan, 1903, reprint G. Samama, le Plan de La Tour, Éditions

4. *Ibid.*, p. 1367-1368.

d'Aujourd'hui, 1976. *Essais sur les fantômes,* magnétisme animal et magie (extrait des *Parerga et Paralipomena*), trad. A. DIETRICH, Paris, Critérion, 1992. *Le Fondement de la morale,* trad. A. BURDEAU, introd. A. ROGER, Paris, Aubier-Montaigne, 1978. *Ils corrompent nos têtes* (extrait des *Parerga*), trad. A. DIETRICH, Strasbourg, Circé, 1991. *Journal de voyage,* trad. D. RAYMOND, Paris, Mercure de France, 1986. *Insultes,* introd. D. RAYMOND, Châtillon-sous-Bagneux, Éd. du Rocher, coll. « Alphée », 1988. *Métaphysique de la mort et de l'amour,* trad. M. SIMON, préf. M. GUEROULT, Paris, 10/18, 1964. *Le Monde comme volonté et comme représentation,* trad. A. BURDEAU et R. ROOS, Paris, PUF, 1978. *Le Sens du destin* (extraits des *Parerga et Paralipomena*), introd. et trad. M.-J. PERNIN, Paris, Vrin, 1988. *Textes sur la vue et les couleurs,* introd. et trad. M. ELIE, Paris, Vrin, 1986. *Le Vouloir-vivre, l'art et la sagesse,* trad. A. DEZ, Paris, PUF, 1956.

COMMENTAIRES : M. PICLIN, *Schopenhauer ou le tragédien de la volonté,* Paris, Seghers, 1974. A. PHILONENKO, *Schopenhauer, une philosophie de la tragédie,* Paris, Vrin, 1980. R.P. DROIT (dir.), ouvrage collectif, *Présences de Schopenhauer,* Paris, Grasset, 1989 ; rééd. Livre de Poche. M.-J. PERNIN, *Schopenhauer, le déchiffrement de l'énigme du monde,* Paris, Bordas, coll. « Philosophie présente », 1992.

Sénèque

Trois Traités à Sérénus
(De la constance du sage,
De la tranquillité de l'âme,
De la retraite)
Lettres à Lucilius

Il faudrait le montrer — mais comment ? — écrivain sage, hypocrite sincère : « Sénèque — toréador de la vertu. » Rendre hommage à la véhémence vulnérable d'un homme qui ne pouvait que mettre son suicide en scène, comme une figure de ses tragédies, condamné à renchérir sur ses modèles et à susciter du même coup le soupçon. À tout risquer sur ce dernier acte qu'il n'écrirait pas mais voulut accompagner jusqu'au bout de sa parole — livré dès lors au rapport critique de l'historien. Tacite, qui nous relate la mort de Sénèque, n'a pas daigné nous conserver ses derniers mots : selon lui, tout le monde les connaît.

Que connaissons-nous donc du « toréador », comme l'a surnommé Nietzsche ? À peu près contemporain du Christ, il est né à Cordoue sous le règne d'Auguste ; âgé de plus de soixante ans, il meurt non loin de Rome sur ordre de son ancien élève Néron. Entre-temps, ce provincial obscur se forge une certaine réputation littéraire, gravit un à un les échelons d'une carrière politique interrompue par un exil de plusieurs années, d'où il revient pour éduquer le futur prince, le conseiller après son avènement, et renoncer enfin à infléchir le cours des choses après s'être vu contraint, pour éviter une guerre civile, de recommander à l'empereur de faire égorger sa mère. Des circonstances personnelles de sa vie, on ne sait guère que ce qu'il nous rapporte — la santé fragile de la jeunesse, le régime végétarien et la tentation du suicide auquel il renonça par égard pour son vieux père, Sénèque le Rhéteur ; quelques rares noms propres (on ne trouve dans toute son œuvre que trois mentions de son frère aîné, et une seule allusion certaine à sa femme, Pompéia Paulina). Quant à son œuvre d'homme d'État, un éminent historien contemporain a pu écrire que, sans le témoignage de Tacite (toujours lui), nous n'en saurions à peu près rien.

Que connaissons-nous donc de lui ? Le rôle qu'il voulut se donner — celui d'un maître et d'un médecin de l'âme, qui ne se lasse pas d'exhorter à la vertu, c'est-à-dire à la vraie vie, qui ne peut être qu'intime. Un rôle dont il voulut se montrer digne, aspirant à la sagesse à défaut de pouvoir se dire sage, afin de se donner en exemple à autrui, au besoin jusqu'au sacrifice, au risque aussi de l'ambiguïté. Peut-être ne connaissons-nous rien de Sénèque que cet idéal auquel il s'est conformé — son identité sublime : celle en effet d'un artiste dans l'arène dont le corps exposé, armé devant la mort d'un certain souci d'élégance, doit son nom propre aux regards qu'il fascine.

La plupart des principaux traités de Sénèque se présentent sous forme épistolaire. Leur dédicace se prolonge en adresse, et la solution aux problèmes qu'il y aborde est avant tout la réponse à un individu. Aussi Sénèque offre-t-il une introduction des plus agréables à la pensée stoïcienne, dont les aspects techniques ne se dégagent que peu à peu. Si théorie il y a, elle est mise au service d'un souci persuasif. L'écriture de Sénèque vise d'abord des personnes sans culture philosophique approfondie, qu'il importe de transformer — hommes engagés dans la vie publique ou femmes plongées dans le deuil —, et se donne à lire à un public plus général comme une confidence surprise.

Une telle confidence est évidemment mise en scène avec soin. Les œuvres de Sénèque étaient d'emblée destinées à la publication, et peuvent avoir rempli à cet égard des fonctions secondaires : servir par exemple un but politique, ou justifier leur auteur devant l'opinion. Mais il ne faudrait pas pour autant se hâter de parler de duplicité ou d'hypocrisie. Ou plutôt, il faudrait songer que l'hypocrisie, art de *l'hypocritēs*, de l'acteur, est d'abord l'art de revêtir différents rôles ou masques — différentes *personæ* ; que la philosophie stoïcienne, dont Sénèque se réclame, distinguait avec soin les différentes *personæ* dont l'homme doit jouer, et que Sénèque a précisément mis l'accent sur ce que nous appelons aujourd'hui personnalité.

De fait, ce n'est pas le seul dédicataire que le traité doit transformer. La métamorphose morale concerne aussi le signataire. Au même titre que la lecture, l'écriture se présente très concrètement comme une rumination, une digestion de vérités qu'elle permet de s'assimiler, de s'approprier, ce qui donne à Sénèque le droit de signer de son nom les leçons des grands sages du passé, quelle que soit d'ailleurs l'école à laquelle ils appartiennent. La liberté de recherche de Sénèque, qui n'hésite pas, en certaines occasions, à réduire les différends entre stoïciens et épicuriens à une simple querelle de mots, qui conclut ses premières lettres à Lucilius par des commentaires de pensées malicieusement empruntées à Épicure, est aussi la marque d'un souci personnel d'amélioration qui ne s'embarrasse d'aucune allégeance partisane. Pour le lecteur comme pour l'auteur, le texte est la trace ou l'ouverture d'un exercice spirituel (d'esprit analogue à celui que pratiquera Marc-Aurèle, sur le mode méditatif du journal).

Ce trait n'est nulle part aussi net que dans les *Lettres à Lucilius*, où Sénèque décrit parfois sa propre quête pour mieux la proposer en exemple. Les traités, pour

leur part, tendent à laisser l'auteur dans l'ombre, et
jouent de toutes les ressources de la rhétorique persuasive pour que le lecteur s'incorpore leurs leçons.
Cependant, tant dans les lettres que dans les traités, la
doctrine stoïcienne, loin de se présenter comme un
champ spéculatif à interroger au nom d'une vérité
abstraite, exige d'être appropriée par un individu à la
recherche de sa propre plénitude vitale. Le stoïcisme
n'est rien s'il n'est vécu. Aussi Sénèque n'est-il pas un
penseur original ; telle n'est pas son ambition. La véritable quête vise à rejoindre (asymptotiquement) la
communauté des grands sages exemplaires, en incarnant, ici et maintenant, pour soi-même, cette même
raison divine dont ils ont témoigné ; c'est-à-dire à
ajouter à leur liste son propre nom — ce qui revient à
en faire un des noms propres de la sagesse. Or une
telle sagesse ne s'achève, ou ne recevra ce nom,
qu'après coup. D'où l'importance de la mort, de l'art
de bien mourir, qui achève de détacher le nom de ce
qu'il enveloppe encore de particularité pour en consacrer la valeur exemplaire ; d'où aussi l'importance de
l'écriture, qui recueille l'enseignement des maîtres
d'autrefois pour travailler à le restituer dans le rythme
et le ton d'une recherche propre, selon un style signé
Sénèque.

Cet exercice de la personnalité, cette conquête du
nom de sage où s'engagent l'auteur et son correspondant, éclairent peut-être l'extrême liberté de composition des œuvres de Sénèque, ainsi que les sinuosités
capricieuses ou négligentes de leurs développements.
Sénèque semble convaincu que, par elle-même, la
logique ou la rigueur démonstrative d'un plan n'a
jamais persuadé personne : il y faut l'urgence d'un
style. De ce style spectaculaire et combattant page
après page, de ses ruses pédagogiques, voici quelques
aspects, à différentes échelles.

Dans sa lettre 33, Sénèque explique à Lucilius pour
quelles raisons il a négligé de conclure ses quatre derniers envois par un commentaire d'une maxime d'Épicure : si les voies d'accès à la sagesse sont variées, il

faut cependant, en temps opportun, prendre une vue anticipée de l'unité du domaine où elles conduisent, et renoncer aux formules isolées, qui ne sont que des aide-mémoire, pour s'élever jusqu'à la rationalité vivante du système. Toutefois, Sénèque n'en expose pas le contenu dogmatiquement, mais se borne à découvrir à son correspondant le panorama prospectif d'une systématicité dont il faudra progressivement approfondir les connexions et éprouver le caractère organique. Ainsi, le système n'intervient que comme étape pédagogique. Un temps viendra où Lucilius, zélé, demandera des détails ; un nouveau danger surgit alors — celui de l'abstraction scolaire. Sénèque, sans refuser d'entrer dans des discussions théoriques, ne cessera de mettre Lucilius en garde, et de le rappeler à l'essentiel : la pratique quotidienne, la recherche d'une sagesse concrète.

Au besoin, Sénèque sait d'ailleurs syllogiser ou diviser aussi bien que n'importe quel stoïcien. En voici un exemple. Il s'agit de démontrer que le sage est inaccessible à l'injure. Étant admis que l'injure vise à faire du mal, la sagesse n'offrira à celui-ci aucun accès, « car pour elle, il n'y a pas d'autre mal que l'acte honteux, qui ne saurait avoir ses entrées en un lieu que vertu et bien moral occupent déjà[1] ». D'où le syllogisme : « S'il n'y pas d'injure sans mal, s'il n'y a pas de mal sans honte, si par ailleurs la honte ne peut atteindre celui qui s'est voué au bien moral, l'injure n'atteint pas le sage », ce qu'il fallait démontrer, mais que Sénèque répète immédiatement, sous une forme légèrement modifiée et abrégée : « Si l'injure consiste à faire subir quelque mal, et si le sage ne peut subir aucun mal, aucune injure ne touche le sage[2]. »

Le glissement qui s'opère de la « sagesse » au « lieu » de la vertu, puis au sage (et dont nous verrons comment il se poursuivra), est aussi imperceptible ou aussi patent, peu importe, que le sophisme qui sous-

---

1. *De la constance du sage*, V, 3. Nous avons retraduit tous les passages cités.
2. *Ibid.*

tend le raisonnement. Sénèque prend le mot « mal »
en deux acceptions — celle du sage après celle de
l'offenseur. Mais ce sophisme, tout comme ce glissement, est pédagogiquement justifié : il s'agit précisément d'amener Sérénus et le lecteur à renoncer à leur
définition implicite du mal, celle de l'offenseur, pour
adopter celle du sage et en tirer les conséquences dans
leur conduite. Aussi bien Sénèque ne s'attarde-t-il pas
à son argument, et lui en fait-il aussitôt succéder un
nouveau, fondé cette fois-ci sur une division tirée
d'une autre définition de l'injure comme perte d'un
bien : « Nul ne peut essuyer d'injure sans souffrir
quelque dommage soit dans son honneur, soit dans
son corps, soit dans ses biens extérieurs. Or le sage ne
peut rien perdre : il a tout placé en lui-même, il n'a
rien confié à la fortune, il possède ses biens solide-
ment, lui qui se satisfait de la vertu, qui ne dépend pas
d'éléments fortuits et ne peut donc ni s'accroître ni
diminuer (...)[1]. » Une fois encore, le lecteur rigoureux
s'estimera floué : toute la démonstration semble
reposer sur une équivoque homonymique qui permet
de passer des biens au seul vrai bien, identifié à la
vertu, laquelle est à son tour définie de façon à ne
pouvoir être perdue. Cependant, au cas où Sérénus
songerait à contester ce dernier point, Sénèque en
offre la démonstration — « Ce qui s'est accru jusqu'à
son plus haut point de développement n'admet pas
d'accroissement, et la fortune n'enlève que ce qu'elle
a donné ; or elle ne donne pas la vertu, donc elle ne
l'ôte pas non plus[2]. »

On l'aura compris : la rapidité avec laquelle
Sénèque enchaîne ses démonstrations, leur similitude,
qui lui permet de revenir avec insistance sur les
mêmes présupposés tout en variant légèrement les
points de vue, ont au moins autant d'importance persuasive que la forme logique de l'argumentation.
Cette solidarité du logique et du rhétorique est affaire

1. *De la constance du sage*, V, 4.
2. *Ibid.*

de rythme et d'opportunité pédagogiques. Car, quelques pages plus haut, Sérénus avait déjà laissé éclater son incrédulité : « (...) vous niez que le sage puisse être pauvre, mais ne niez pas qu'esclave, habit, logis, nourriture lui font défaut ; (...) vous niez que le sage puisse être esclave, mais ne disconvenez pas qu'il puisse être vendu, exécuter des ordres, accomplir pour son maître des tâches serviles. C'est ainsi que vous vous donnez de grands airs, avant de redescendre au même point que tout le monde : vous n'avez changé que les noms des choses[1] ! » Ce que Sérénus ne peut voir, c'est que lui qui n'est pas encore stoïcien ne parle pas le même langage qu'un stoïcien. Il est fatal que le stoïcien, dans ces conditions, soit accusé de double langage (s'il concède à Sérénus la vérité de chaque proposition) ou de finasserie (s'il tente de lui montrer qu'entre le langage du fou et celui du sage il y a simple homonymie). Cependant, ce qui est source de confusion ouvre aussi les voies de la persuasion : si tu crois me comprendre dans ta langue, c'est que tu parles déjà quelques mots de la mienne — un saut s'est opéré.

Syllogisme et division exhaustive ne servent en conséquence qu'à introduire des définitions sans avoir à les présenter comme telles, ce qui exigerait d'exposer les principes dont elles sont solidaires — car, après tout, pourquoi réduire le bien au seul bien moral, c'est-à-dire à la vertu ? Pourquoi opérer une tripartition des biens selon leur sujétion à la fortune, ce qui implique d'ailleurs que le sage, pour se soustraire à son empire, doive traiter son propre corps comme un bien extérieur ? Quelques autres questions, aussi redoutables, pourraient d'ailleurs également être soulevées : si la vertu est un comble, un superlatif absolu qui n'est pas susceptible d'accroissement (puisque tel est le prix à payer pour la soustraire à toute diminution), elle n'admet donc pas de degrés : comment peut-on alors prétendre s'élever jusqu'à elle ? Et comment le sage aura-t-il pu l'atteindre ?

1. *Ibid.*, III, 1.

À trop s'attarder dans le style démonstratif, Sénèque ne pourrait plus esquiver ces problèmes. Mais la démonstration est justement un style, qui vise à transformer son lecteur par imprégnation, et qui collabore étroitement avec d'autres moyens persuasifs. Elle constitue ici une étape, qui anticipe sur les généralisations et la rationalisation que le lecteur, une fois converti, pourra opérer à la lumière des principes du stoïcisme. Pour l'instant, elle offre comme un germe de la rationalité totale à venir, un jalon sur une voie que Sénèque, en une même phrase, n'a aucune peine à prolonger en incantation — la fortune « ne donne pas la vertu, donc elle ne l'ôte pas non plus : celle-ci est libre, inviolable, immuable, inébranlée, à ce point endurcie contre le hasard que, loin de pouvoir être vaincue, elle ne saurait seulement être fléchie[1] ». Insensiblement, à la faveur de la passion persuasive, Sénèque a conduit son lecteur de la logique un peu aride des écoles à un hymne à la vertu personnifiée (personnification que préparait, quelques lignes plus haut, la retraite du sage dans sa propre intimité, où seul règne le bien moral auquel il tend à s'identifier) ; enfin, à la faveur de cette personnification, Sénèque accorde à la vertu un regard et un visage, puis revient à la figure du sage, de telle sorte que l'hymne à son tour cédera tout naturellement la place, quelques lignes plus bas, à une anecdote illustrative qui effacera ce que les vérités du prédicateur peuvent encore garder de sécheresse abstraite en leur conférant un corps, une scène et un nom propre : « Mégare avait été prise par Démétrius, surnommé Poliorcète. Il demanda au philosophe Stilpon s'il avait souffert quelque perte : "Aucune, dit Stilpon ; tout ce qui est à moi est avec moi[2]." » Il suffit ainsi à Sénèque d'une trentaine de lignes pour fondre un argument logique abstrait dans un mouvement rhétorique qui le porte jusqu'à l'incarnation.

1. *De la constance du sage*, V, 4.
2. *Ibid.*, V, 6.

On voit pourquoi les traités de Sénèque ne brillent guère par la rigueur de leur composition, ce qui est d'autant plus frappant qu'il arrive à Sénèque d'annoncer un plan. À quoi bon une promesse tenue aussi capricieusement ? D'abord, la lecture est en elle-même une aventure, où compte avant tout l'argument présent, ou pour mieux dire le mouvement local de l'argumentation, plutôt que sa structure globale. Le courant du texte épouse les méandres d'une passion, qu'il faut orienter vers un but plus élevé, et qui se laissera d'autant plus sûrement guider que la sagesse adoptera son langage. Aussi bien faut-il avoir égard aux capacités de l'interlocuteur, comme si, tant qu'il reste en deçà de la sagesse, il importait dans tous les cas de déjouer son premier mouvement tout en l'accompagnant : quand Sérénus doit être arraché à son inconscience, Sénèque composera son traité *De la constance du sage* pour marquer le gouffre qui le sépare de la sagesse ; s'il s'est déjà engagé dans la voie qui y conduit, Sénèque le rappellera au contraire à plus de mesure par son traité *De la tranquillité de l'âme*.

Ainsi, dans le premier traité, afin de prouver que le sage reste insensible à l'outrage, Sénèque propose à Sérénus de distinguer l'injure (dont le mal tient plutôt à l'intention de l'agresseur) de l'offense (dont le mal tient plutôt à l'idée que s'en fait la victime)[1]. Il semblerait logique de traiter d'abord de cette dernière, avant de passer à l'étude de l'injure, qualifiée de « plus grave » : après tout, si l'on supporte l'injure, l'on devait pouvoir à plus forte raison supporter l'offense, et une présentation progressive recommanderait alors de commencer par le moins insupportable avant de s'élever jusqu'à l'épreuve suprême. Or Sénèque choisit la démarche inverse. Car « en certaines âmes, il est si peu de cohésion et tant de vanité qu'aux yeux de certains rien n'est plus blessant[2] » que l'offense. En effet, l'imagination est à ce point perverse qu'elle brouille les rapports entre le dommage

1. *Ibid.*, V.
2. *Ibid.*, V, 1.

apparemment réel et celui qui n'est qu'imaginaire :
contre toute attente, certains malheureux supportent
mieux l'injure que l'offense (Sénèque en donne quelques exemples, notamment celui de Cornélius Fidus, le
gendre d'Ovide : « Nous l'avons vu sangloter en plein
Sénat parce que Corbulon l'avait traité d'autruche
déplumée. Lui qui venait d'essuyer bravement une
pluie d'insultes qui déchiraient ses mœurs et sa
conduite, cette absurdité lui arracha des larmes[1] ! »). Au
lieu de préparer Sérénus à supporter l'injure et de
conclure son traité par les plus sublimes exemples,
Sénèque l'achève sur la figure de Caligula, et le place
d'emblée sous le patronage du modèle stoïcien par
excellence : Caton d'Utique.

Car tout progrès moral doit commencer par un saut
hors de l'inconscience, par l'éblouissement du
sommet. De même que l'argumentation logique, d'apparence sophistique, amorce la rationalité totale du
sage, de même l'exemple sublime offre d'entrée un
aperçu concret du but à atteindre. Par voie de conséquence, moins l'auditeur a d'expérience et plus
Sénèque, à tous les sens du terme, le prend de haut :
il ne peut y avoir de progrès que par anticipation de la
fin, et cette anticipation paraît inévitablement d'autant
plus violente que la fin est plus lointaine. Tout le
mouvement du traité se trouve en conséquence
concentré dans son premier chapitre, où Sénèque
commence par déclarer qu'il y a autant de distance
entre les stoïciens et les sages des autres sectes
qu'entre « des mâles et des femelles », puisqu'ils restent seuls indifférents aux désagréments du chemin
pourvu qu'il les conduise au plus vite au
sommet — avant d'ajouter, en guise de consolation,
que ces désagréments mêmes ne sont qu'une erreur
des sens, un effet de la distance, mais que « lorsque
l'on s'approche, tout ce qu'une illusion d'optique
confondait en une seule masse gagne peu à peu en
netteté, et ce qui, vu de loin, passait pour une falaise

---

1. *De la constance du sage*, XVII, 1.

abrupte s'avère être une pente douce[1] ». Ainsi, dans le traité *De la constance du sage,* la violence du maître répond à celle d'un lecteur qui ne se considère pas encore comme son disciple.

En revanche, dans le traité *De la tranquillité de l'âme,* Sénèque laisse d'abord la parole à Sérénus converti, qui l'appelle à l'aide et lui décrit son mal : une incessante oscillation entre mépris et fascination de la richesse, engagement social et retraite solitaire, volonté sobre et style grandiloquent. Sénèque pose alors son diagnostic (il ne s'agit ici que d'une convalescence inquiète) avant de dresser une liste de malades atteints d'une affection analogue, mais ignorant la gravité de leur état, d'en ramener toutes les manifestations (l'inconstance, la légèreté, l'ennui, l'inertie) à une cause unique — le désir ni maîtrisé ni réalisé, et d'adresser à Sérénus son ordonnance, une série de conseils généraux où puiser à sa guise : mêler travail et loisirs, solitude et société, rire et sérieux. Tout est fait pour rassurer Sérénus, éviter de l'effaroucher : il n'a en somme qu'à faire ce qu'il fait déjà, pourvu qu'il oscille autour d'une valeur moyenne qu'un stoïcisme bien tempéré, d'une rigueur discrète, lui assigne comme base de son progrès. Alors peut-être le style — seul point sur lequel Sénèque ne donne à Sérénus aucune réponse explicite — lui sera-t-il donné par surcroît.

Un jour viendra où Sérénus, zélé, reprochera au maître son inconséquence : comment Sénèque a-t-il pu prendre sa retraite politique, alors que les stoïciens prônent l'engagement ? Le traité *De la retraite* est malheureusement trop mutilé pour que nous puissions suivre la réponse dans tous les détails. Sénèque souligne cependant que la contemplation méditative, qui porte témoignage du monde, est la forme la plus haute d'action. Faut-il considérer que le philosophe sacrifie ses principes à l'apologie du courtisan repenti ? Ou plutôt que le maître initie son disciple à une compréhension plus souple et plus profonde de la fidélité au

1. *Ibid.,* I, 2.

stoïcisme : au-delà des préceptes, au gré des circonstances, toujours être en mesure de déchiffrer les
signes d'une raison souveraine ? Quelques années plus
tard, Sénèque consacrera sa lettre 63 à consoler Lucilius de la perte d'un ami. Soudain, après treize paragraphes d'exhortations à reprendre courage, il s'ex-
clame : « Voilà ce que je t'écris, moi, qui ai pleuré
Annaeus Sérénus, qui m'était si cher, avec si peu de
mesure que je mérite, à mon grand regret, de figurer
parmi les exemples d'hommes qui succombèrent à
leur douleur ! » — et il conclut la lettre en tirant pour
Lucilius les leçons de sa propre faiblesse. Entre le
deuil et la résolution, entre le rhéteur et le philosophe
qui se tempèrent l'un l'autre, entre la feinte et la
confidence, comment distinguer ?

Par l'amitié. L'ami vivant saura trancher. Car si le
sage est exemplaire, c'est d'abord qu'il s'expose à
autrui, et pour lui : « Si les premiers rangs de l'État te
sont soustraits par la fortune, reste debout et aide les
autres de tes cris ; si l'on t'étrangle, aide les autres de
ton silence[1]. » Au besoin, sa douleur même peut être
exemplaire. Par son suicide, qui imita ceux de Socrate
et de Caton en renchérissant encore sur eux (il dut s'y
reprendre à trois fois), Sénèque pousse à son terme la
rigueur de l'exemple ; en jouant ce rôle qu'on ne tient
qu'une fois, et qui exige pour cette raison d'être sans
cesse médité, il prouve la sagesse en même temps qu'il
l'atteint, la fait sienne et la lègue. À moins qu'il ne
s'agisse d'une sortie de cabotin acculé, avide de se
faire un nom et d'authentifier à moindres frais sa
signature — telle semble bien être l'opinion de
Tacite : « toréador » jusqu'au bout. Lucilius aurait
sans doute contesté la version de l'historien ; mais
Lucilius à son tour n'est plus qu'un ami mort. Du
vivant, le lecteur doit tenir lieu.

Daniel LOAYZA

1. *De la tranquillité de l'âme*, IV, 6.

BIBLIOGRAPHIE

ÉDITION DE RÉFÉRENCE : (texte latin et traduction française de l'ensemble des œuvres conservées) : Paris, Société des Belles-Lettres, collection Budé. *Lettres à Lucilius* : 5 vol., éd. F. PRÉCHAC et trad. H. NOBLOT, 1969. Les traités *De la constance du sage, De la tranquillité de l'âme, De l'oisiveté* sont recueillis dans le tome V des *Dialogues,* éd. et trad. R. WALTZ, 1970.

TRADUCTIONS FRANÇAISES : *Lettres à Lucilius,* lettres 1 à 29, trad. M. JOURDAN-GUEYER, GF-Flammarion n° 599, Paris, 1992. *Entretiens. Lettres à Lucilius,* avec une importante introduction de P. VEYNE, Paris, Robert Laffont, collection « Bouquins », 1993.

COMMENTAIRES : P. AUBENQUE et J.-M. ANDRÉ, *Sénèque,* Paris, Seghers, 1964. P. GRIMAL, *Sénèque,* Paris, PUF, collection « Que sais-je ? », 1981.

SPINOZA

Éthique

La métaphysique est, on le sait, un champ de batailles[1], et l'on n'y doit escompter ni pitié ni merci. Rares, cependant, furent les auteurs à susciter autant de réfutations, rares surtout les philosophes à souffrir, de leur vivant comme après leur mort, autant d'attaques haineuses. Tel ce jugement porté par un certain docteur Musæus sur l'auteur du *Traité théologico-politique*, et que nous rapporte Jean Colerus, l'un des premiers biographes de Spinoza[2] : « Le diable a séduit un grand nombre d'hommes, qui semblent tous être à ses gages, et s'attachent uniquement à renverser ce qu'il y a de plus sacré au monde. Cependant, il y a lieu de douter si, parmi eux, aucun a travaillé à ruiner tout droit humain et divin avec plus d'efficacité que cet imposteur, qui n'a eu d'autre chose en vue que la perte de l'État et de la religion. »

Cette détestation généralisée du « spinozisme », si universellement partagée, si prégnante dans l'espace philosophique, pourrait constituer un principe de lecture. On aborderait alors l'œuvre de Spinoza en ayant à l'esprit les problèmes suivants : pourquoi un philosophe se glorifiant de prendre pour point de départ Dieu put-il être accusé d'athéisme[3] ? Pourquoi est-ce

---

1. Kant, *Critique de la raison pure*, préface de 1781.
2. In Spinoza, *Œuvres complètes*, trad. R. Caillois, Bibliothèque de la Pléiade, Gallimard, 1954, p. 1307-1340.
3. Lettre LXVII. Albert Burgh à Spinoza, et la réponse de celui-ci, Lettre LXXVI.

précisément le *Traité théologico-politique,* écrit au moins partiellement en vue de réfuter cette opinion[1], qui la devait conforter ? Pourquoi une éthique fondée sur l'identification de la liberté, de la vertu et de la vie rationnelle put-elle être considérée comme une apologie subtile de l'immoralité ? Pourquoi l'affirmation[2] selon laquelle les idées ne reconnaissent pas plus pour cause des corps que ceux-ci ne peuvent être réduits à celles-là put-elle être oubliée au profit d'une qualification, selon les cas, d'idéalisme ou de matérialisme ? Nous pourrions ainsi multiplier les interrogations, qui toutes nous ramènent à une unique question : pourquoi était-il nécessaire que Spinoza ne fût jamais compris et pis encore, suscitât une telle hargne ?

Une première réponse, d'apparence extra-philosophique, peut être apportée en méditant le caractère paradoxal de la biographie spinoziste. C'est que le personnage dérange, par sa vie qui contredit aux schèmes communs et ne peut qu'inquiéter ses contempteurs. Cet homme que l'on présente comme un athée mène une vie si sage et retirée que Jean Colerus, pourtant hostile à la doctrine de cet impie, ne peut cacher sa surprise, multipliant les témoignages de sa modestie[3]. Ce juif marrane — ainsi désignait-on les juifs d'origine espagnole ayant tenté de se soustraire par une apparente conversion au décret d'expulsion pris par Isabelle la Catholique en 1492 —, après avoir été l'orgueil de ses maîtres, accueille la nouvelle de son excommunication avec indifférence. Enfin, ce sage vivant retiré du monde ne craint pas d'intervenir dans les affaires politiques de son siècle.

Naître en 1632 à Amsterdam, dans une famille propriétaire d'une maison de commerce, c'est être contemporain de l'essor général des Provinces-Unies

1. Lettre XXX à Oldenburg.
2. *Éthique,* Deuxième partie, Propositions 5 et 6, p. 74-75.
3. On en trouvera, par exemple, une longue énumération dans l'édition de La Pléiade, p. 1319-1323.

en leur *siècle d'or.* Le XVIIe siècle fut en effet marqué
par l'acmé de ces villes, pour certaines encore sous
domination espagnole, qui développèrent alors les
prémices d'une économie moderne, sur une base à la
fois agricole, commerciale, industrielle et réglemen-
taire (la Compagnie des Indes orientales est la première société par action, et les premières Bourses
commerciales au sens moderne du terme apparaissent
alors). C'est dans ce *magasin général de l'Univers* — l'expression est d'un contemporain — qu'est
élevé le jeune Baruch, fréquentant tout d'abord l'école
talmudique, puis l'école de latin tenue par un ancien
jésuite, Van den Enden. Cette rencontre semble décisive à plus d'un titre : d'une part, l'acquisition de la
langue véhiculaire que fut le latin était le préalable à
toute information philosophique. Ainsi Spinoza put-il
prendre connaissance des *Principes de la philosophie* de
Descartes dans leur version latine. Cette lecture est
d'une importance capitale. Non seulement parce
qu'elle fournira la matière du seul texte publié par
Spinoza de son vivant sous son propre nom, consacré
à une réécriture *more geometrico* — entendons provisoirement : géométrique — de la somme cartésienne, lui
permettant ainsi d'asseoir sa réputation philosophique, mais surtout parce que les différences, les
critiques adressées à Descartes ne sauraient faire
oublier que Spinoza est cartésien en ce sens très précis
et très restrictif qu'il réagit à l'entreprise cartésienne, à
l'instar de ses presque contemporains Malebranche et
Leibniz. C'est d'autre part chez Van den Enden que
Spinoza fit la connaissance de nombre de ceux qui
devaient devenir ses correspondants. La réforme protestante avait donné naissance dans les Provinces-
Unies à une multitude de sectes, toutes mutuellement
opposées mais cependant susceptibles d'être schématiquement regroupées de part et d'autre d'une ligne de
fracture séparant les partisans inconditionnels de l'autorité (religieuse, politique et même divine) et les
défenseurs d'une certaine forme de tolérance, aussi
bien religieuse que politique, et même de liberté, à

supposer qu'on laisse à ce terme une signification suffisamment vague. Si l'on suit cette ligne opposant partisans et adversaires de la « liberté », Spinoza se situe indéniablement du côté des premiers. Mais cette amitié élective recouvre moins une prise de position à l'égard des querelles religieuses de l'époque qu'une affinité politique. Depuis que l'Espagne avait partiellement évacué les Provinces-Unies septentrionales, celles-ci se trouvaient l'enjeu d'une lutte entre deux partis. D'un côté, la famille d'Orange s'efforçait de transformer ses attributions originairement purement militaires afin d'instaurer un régime explicitement monarchique. De l'autre, le « parti de la liberté », des « frères républicains » regroupait autour des frères de Witt tous ceux qui s'efforçaient de maintenir — voire de faire évoluer vers une forme plus explicitement républicaine et libérale — le régime des Régents, issus de l'aristocratie bourgeoise et marchande. Ami des frères de Witt, Spinoza en soutiendra la politique, jusqu'à ce qu'ils soient assassinés sur ordre de la famille d'Orange, flétrissant alors les sicaires monarchistes, en un placard public, du titre d'*ultimi barbarorum* — les derniers des barbares.

S'être publiquement engagé aux côtés des *républicains*, avoir été excommunié sans s'être pour autant rattaché par la conversion à une autre communauté religieuse, c'est, après la mort des frères de Witt, risquer d'être victime de la vindicte populaire. Jusqu'à sa mort, en 1677, Spinoza devra en tenir compte, s'éloignant à plusieurs reprises afin d'échapper à l'hostilité de la *multitude*. S'il publie sous son propre nom les *Principes de la philosophie de Descartes* en 1663, la publication anonyme en 1670 du *Traité théologico-politique* n'obtient en effet pas l'efficace escomptée et suscite, en lieu et place d'une reconnaissance de la liberté de philosopher, le renforcement et la haine des partisans scandalisés de l'autorité divine et politique. Aussi peut-on parler ici d'un échec spinoziste, échec dont Spinoza tirera lui-même les conclusions par son silence, différant jusqu'après sa mort la publication d'autres textes : l'*Éthique*, un *Abrégé de grammaire hébraïque*, inachevé, le *Traité politique* et le *Traité de la réforme de l'entendement* — deux textes également inachevés, mais dont le statut dans le corpus spinoziste ne doit pas être confondu. Nous savons que la mort seule interrompit la rédaction du *Traité politique*, alors que celle du *Traité de la réforme de l'entendement* semble avoir été abandonnée par Spinoza, peut-être au profit de l'*Éthique*. Aussi ce dernier s'apparente-t-il au *Court Traité*, redécouvert au siècle dernier et qui constitue peut-être une première rédaction de l'*Éthique*.

Laissant aux théologiens la délectation équivoque du scandale spinoziste, nous nous proposons ici d'introduire à ce qui constitue la pièce maîtresse de ce corpus, l'*Éthique*. Nous prendrons ici pour point de départ une objection : une telle ambition ne contredit-elle pas la lettre du texte spinoziste ? L'*Éthique*, en sa première partie, s'ouvre brutalement par la définition de la cause de soi, *causa sui*. N'est-ce pas signifier par là l'inutilité, et même la nocivité, de tout préalable à la philosophie ? Ne suffit-il pas de se jeter à l'eau pour apprendre à nager ? Une telle lecture s'expose cependant à deux reproches : elle suppose d'une part que l'intelligibilité du texte spinoziste serait susceptible d'immédiateté — ce qui, on le verra, est fort peu spinoziste. Mais elle se méprend d'autre part sur l'objet qu'assigne Spinoza à son propre texte : l'*Éthique* n'est pas telle que sa simple lecture suffise à produire la béatitude. En ce cas, elle ne nous apporterait qu'une connaissance du premier genre, c'est-à-dire « acquise par ouï-dire ou par le moyen d'un signe conventionnel arbitraire[1] ». Or nous savons que « par la simple audition en effet, sans un acte préalable de l'entendement propre, nul ne peut être affecté[2] ». Bref, nous aurions simplement perdu notre temps. Autant dire que nous nous trouvons confrontés ici à une version extrême du

1. *Traité de la réforme de l'entendement*, p. 186.
2. *Ibid.*, p. 188.

cercle herméneutique. Comprendre le texte spinoziste suppose de notre part un « acte préalable de l'entendement propre », et c'est cet acte que nous devons d'abord accomplir.

Aussi devons-nous reconnaître qu'il y a bien un hors-texte à la lecture de l'*Éthique,* ou plutôt un préambule. Cette lecture de l'*Éthique,* pour être fructueuse, doit procéder d'une décision : celle qui inaugure toute entreprise philosophique. Or la décision philosophique, si elle doit inaugurer une vie de liberté, n'est nullement un acte libre, comme semblait parfois le penser Descartes. Si nous étions déjà parvenus à la sagesse, à la liberté, sans doute pourrions-nous nous lancer, sans autre forme de procès, dans la lecture de l'*Éthique.* Mais de même que la philosophie politique suppose l'imperfection humaine[1], l'entreprise philosophique puise son sens dans le constat de notre aliénation.

Ce préambule de l'entreprise philosophique, ce préalable requis pour l'intelligence de l'*Éthique* était déjà formellement désigné par la première phrase du *Traité de la réforme de l'entendement. Postquam me experientia docuit...* Quelque traduction que l'on retienne (« L'expérience m'avait appris... », « Après que l'expérience m'eut appris... »), la signification de cet *incipit* est assez claire : loin d'être sans présupposé, la décision de philosopher trouve sinon son origine, du moins son commencement, dans une *expérience* certes à ce stade encore bien vague — comment pourrait-il en être autrement ? —, mais cependant susceptible d'élaboration théorique. Lire l'*Éthique,* abandonner la « vie ordinaire » pour une vie conforme à la raison suppose donc que nous soyons au préalable suffisamment convaincus de l'extrême nécessité où nous sommes de rechercher ailleurs notre salut. L'émancipation s'inaugure par la prise de conscience de notre servitude.

Pourquoi, donc, abandonner la *vie ordinaire* ? C'est que celle-ci est fort aventureuse. Tiraillés entre des biens que nous désirons alors même que nous ne les

1. *Traité politique,* chap. 1, paragr 1.

maîtrisons pas, que nous maîtrisons encore moins les circonstances qui pourraient nous en faciliter ou nous en ôter la jouissance, nous sommes ballottés d'espoir en crainte, d'une faible espérance au plus noir désespoir : ce qui est vrai de la poursuite des richesses et des honneurs (entendons de la recherche de la gloire politique) l'est plus généralement de tous les biens ordinairement poursuivis : « Si en quelque occasion nous sommes trompés dans notre espoir, alors prend naissance une tristesse extrême[1]. » Cette thèse, qui n'est pas développée dans le *Traité de la réforme de l'entendement,* sera fondée *more geometrico* dans l'*Éthique* : sachant que la puissance de l'homme est finie, sachant que l'homme n'est qu'une partie de la nature, « il suit de là que l'homme est toujours nécessairement soumis aux passions, suit l'ordre commun de la nature et lui obéit, et s'y adapte autant que la nature des choses l'exige[2] ». La nature humaine est donc bien misérable, et nous sommes ici placés devant une alternative : ou bien rechercher une compensation imaginaire, c'est-à-dire demeurer esclave de celle-ci, ou bien chercher par la raison la voie ou la méthode menant à l'émancipation.

Cette compensation imaginaire, les hommes la trouvent habituellement, c'est-à-dire ici généralement, dans la religion. Renvoyés de l'espoir à la crainte, passant de l'orgueil de la prospérité à la servilité inséparable de l'adversité[3], ils en viennent à feindre l'existence de divinités anthropomorphes — et le singulier ne ferait ici rien à l'affaire. Ces idoles de l'imagination sont alors chargées de rendre raison, par leur volonté fluctuante et, semble-t-il, fort capricieuse, des bons jours et des mauvais, de leur alternance même. Aussi, dans l'expectative, la multitude interprète-t-elle chaque événement naturel comme un signe susceptible de révéler les dessins des dieux à leur égard.

1. *Traité de la réforme de l'entendement,* [1] p. 182.
2. *Éthique III,* Corollaire de la proposition 4, p. 225.
3. *Traité théologico-politique,* Préface, p. 19.

C'est ainsi que la superstition naît de la crainte et se prolonge en culte (sacrifice, prière) destiné à amener les divinités à de meilleures dispositions — autant d'autels élevés par les hommes à leur propre stupidité.

Encore cette solution imaginaire serait-elle peut-être supportable s'il n'était de l'essence de la religion, fondée sur la crainte, de s'efforcer de trouver un prolongement politique, c'est-à-dire de nécessairement s'achever en fanatisme. Le beau mot de *religion de l'amour* n'est en effet la plupart du temps chez ceux qui l'invoquent qu'un masque qui ne tarde pas à être percé : la véritable foi prescrit certes l'amour de l'homme — tel pourrait être un des enjeux lointains de la célèbre formule selon laquelle *l'homme est un dieu pour l'homme*[1] — mais une religion fondée sur la crainte ne peut que se caractériser par l'alliance du théologien et du politique, par le fanatisme. Réciproquement : de même que toute religion s'efforce quand elle n'est pas maintenue dans ses bornes de trouver un appui auprès des instances politiques, de même est-il de l'essence d'un État imparfait de revêtir une forme théocratique plus ou moins explicite : « Le grand secret du régime monarchique et son intérêt majeur est de tromper les hommes et de colorer du nom de religion la crainte qui doit les maîtriser[2]. » La conspiration du tyran et du prêtre n'est pas contre nature : religion et politique partagent d'une part de trouver leur source dans des *communautés* humaines (nous dirions que religion et politiques sont des phénomènes sociaux, Spinoza emploie les termes de *foule* ou de *multitude*) et d'autre part d'avoir pour ressort les passions — et non la raison —, au premier rang desquelles la crainte.

Refuser la solution de l'imagination, rechercher dans la raison une issue à la servitude, tel est l'objet de l'entreprise philosophique : cette « nature humaine supérieure » à laquelle nous aspirons n'est rien d'autre. La vie ordinaire n'est jamais qu'une vie imaginaire, et philosopher signifie se décider pour une vie

---

1. *Éthique IV,* Scolie de la proposition 35, p. 250.
2. *Traité théologico-politique,* Préface, p. 21.

rationnelle. Il nous faut bien comprendre que nous n'avons ici pas d'autre issue. Nous pourrions de fait, parvenus à ce constat, être tentés de nous en contenter. Nous ferions alors de la superstition un objet de moquerie, nous croirions nous élever au-dessus de la multitude. Nous serions libres penseurs ou libertins — mais serions-nous libres pour autant ? Ne continuerions-nous pas de poursuivre de faux biens — que l'on peut rassembler sous les trois chefs de la volupté, de la richesse et de la gloire ? Notre émancipation ne serait qu'illusoire, imaginaire, et notre servitude s'éprouverait dans la tristesse inséparable, comme on l'a vu, de la poursuite de ces faux biens. N'étant pas totale, radicale, notre libération serait d'autre part toujours provisoire, et nous risquerions à chaque instant une rechute : combien de libertins, sur leur lit de mort, ne sont-ils pas retombés, pour le plaisir des théologiens, dans la superstition — on relèvera à cet égard la légende d'une conversion ultime de Spinoza[1]. Si nous voulons échapper à la tristesse, si nous désirons sincèrement accéder à la béatitude, à la joie pure du sage, il nous faut nous décider à effectuer une conversion radicale, à abandonner totalement ces faux biens qui nous enchaînent à l'imagination.

Une telle décision risque de paraître bien sévère, et l'apprenti spinoziste d'être rebuté par cette perspective. Quoi ? Ne plus poursuivre ni richesse, ni plaisirs, ni honneurs ? Cette vie rationnelle ne serait-elle pas fort irrationnelle, ou du moins bien éloignée de la béatitude et de la joie promises ? Il s'agirait là cependant d'un contresens. D'une part, l'accession à la raison ne s'accompagne pas d'une perte, et surtout pas de la perte de l'imagination. « Tout en sachant que le soleil est distant de plus de six cents fois le diamètre terrestre, nous ne laisserons pas néanmoins d'imaginer qu'il est près de nous[2]. » Est-ce à dire que l'émanci-

---

1. Jean Colerus, p. 1338.
2. *Éthique II*, Scolie de la proposition 35, p. 109.

pation est illusoire ? Non : car la différence du sage et de l'ignorant réside en ce que l'un est victime de sa propre imagination, tandis que l'autre ne l'est pas — pis : en jouit. C'est que l'imagination, considérée en elle-même, ne constitue pas un vice de la nature humaine, mais plutôt une vertu[1], et qu'elle ne nous asservit que pour autant que nous en sommes dupes. D'autre part, « à toutes les actions auxquelles nous sommes déterminés par une affection qui est une passion, nous pouvons être déterminés sans elle par la raison[2] ». La vie rationnelle n'est pas une vie ascétique, appauvrie, mais bien au contraire enrichie. La vie de l'ivrogne n'est pas plus riche que celle du sage parce qu'il absorbe plus de boisson : bien au contraire, c'est la vie du « suivant de la vertu » qui présente une joie plus parfaite, parce que, sachant user du vin avec modération, sa joie n'est pas mêlée de tristesse.

Mettons-nous donc en route, puisque nous nous sommes décidés pour la raison, attaquons-nous à la lecture de l'*Éthique*. Au bout de quelques pages — le nombre en est à la mesure de notre entêtement —, nous abandonnons notre lecture, découragés. Qu'est-ce qu'un *mode*, qu'est-ce qu'un *attribut*, qu'est-ce qu'une *substance* ? Bergson parlait[3] d'un « formidable attirail de théorèmes », d'une « complication de machinerie », d'une « puissance d'écrasement qui font que le débutant, en présence de l'*Éthique*, est frappé d'admiration et de terreur comme devant un cuirassé du type Dreadnought ». Nous ne comprenons pas, et craignons de voir la béatitude spinoziste, cette joie parfaite qui nous était promise, nous échapper à jamais. Spinoza lui-même n'avait-il pas envisagé cette possibilité, lorqu'il prévenait[4] l'objection selon laquelle le « bien suprême » pourrait être « incommu-

1. *Éthique II*, Scolie de la proposition 17, p. 94.
2. *Éthique III*, Proposition 59, p. 276.
3. *L'Intuition philosophique*, Édition du centenaire, Paris, PUF, 1959, p. 1350-1351.
4. *Traité de la réforme de l'entendement*, p. 181.

nicable » » ? À supposer que ce soit « encore une partie de ma félicité de travailler à ce que beaucoup connaissent clairement ce qui est clair pour moi, de façon que leur entendement et leur désir s'accordent pleinement avec mon propre entendement et mon propre désir[1] », cette incompréhension ne constitue-t-elle pas une réfutation suffisante — et fréquemment invoquée — du spinozisme ?

L'on ne peut ici répondre qu'en méditant le terme de *compréhension*. Qu'affirmons-nous, en fait, lorsque nous invoquons notre incompréhension ? Nous disons que nous n'avons aucune idée de ce dont il est question. Est-ce pour autant exact, ou plutôt notre déception ne provient-elle pas de ce que nous attendrions que Spinoza nous propose une *image*, s'adresse à notre imagination plutôt qu'à notre raison ? Aussi nous faut-il, avant de reprendre notre lecture, comprendre la signification de ce qui constitue quasiment une exception dans l'histoire de la philosophie : l'écriture *more geometrico*.

Un premier contresens doit être évité : il ne s'agit pas ici d'une question stylistique ; ou, si l'on préfère, le problème n'est pas celui de l'*écriture* géométrique de l'*Éthique*. À la différence du Descartes des *Secondes Réponses*, il ne s'agit pas simplement, en réponse au caprice d'un de ses interlocuteurs, de *disposer d'une façon géométrique*, c'est-à-dire d'*exposer* à la façon des géomètres — à la mode des géomètres, pourrait-on dire — une matière autrement démontrée[2]. L'*Éthique* n'est pas *écrite* géométriquement, mais *démontrée* géométriquement. Aussi est-ce ce terme de démonstration que nous devons maintenant réfléchir, c'est-à-dire prendre au sérieux.

Démontrer géométriquement, c'est tout d'abord user de la « puissance sinon d'attirer, du moins de convaincre tout le monde[3] » dont sont généralement créditées les

1. *Traité de la réforme de l'entendement*, p. 184.
2. *Méditations métaphysiques, Secondes Réponses*, p. 253 sq., AT IX 121 sq.
3. *Éthique I*, Appendice, p. 67.

mathématiques. On refuse alors de n'étayer ses thèses que « par des vraisemblances et des arguments probables », on renonce à la publication d'« un amas confus de gros livres dans lesquels on ne peut rien trouver de solide et de certain[1] ». La démonstration mathématique se rapporte donc doublement à la conviction : il s'agit d'une part de se convaincre soi-même (de parvenir à la certitude) et d'autre part de se mettre en mesure de convaincre autrui.

Mais la démonstration n'est pas seulement pour Spinoza un outil de conviction, le moyen de parvenir soi-même et d'amener autrui à la certitude : elle est créatrice, productive. Lorsque Spinoza affirme[2] que « les yeux de l'âme par lesquels elle voit et observe les choses sont les démonstrations elles-mêmes », il s'agit de rien de moins que d'affirmer que les démonstrations sont l'unique organe de l'intelligibilité. La formule doit être prise en son sens le plus restrictif : les *seuls* véritables yeux de l'âme sont les démonstrations. L'intelligibilité, la compréhension ne se constitue pas par-delà — voire malgré, comme semblait l'affirmer Bergson — le système, elle ne réside pas dans un au-delà de la démonstration qui serait simplement visé par celle-ci : elle lui est immanente. Penser ne consiste pas à (ad-)mirer des idées — c'est-à-dire imaginer —, mais à démontrer. En ce sens, la démonstration n'a pas uniquement pour objet de nous convaincre de la vérité ou de la certitude d'une idée. L'idée ne préexiste en fait pas à la démonstration — ou, si elle lui préexiste, c'est sous forme d'idée inadéquate, tronquée, c'est-à-dire d'image : de fait, les « idées confuses », c'est-à-dire les images, ne sont rien d'autre que « des conséquences sans leurs prémisses[3] », des idées inadéquates parce qu'elles n'ont pas été produites par une démonstration.

1. *Les Principes de la philosophie de Descartes,* Préface, p. 231. Cette préface a été rédigée par Louis Meyer, ami et correspondant de Spinoza.
2. *Éthique V,* Scolie de la proposition 23. *Cf.* également *Traité théologico-politique,* chap. 13, p. 232.
3. *Éthique II,* Démonstration de la proposition 28, p. 104.

À supposer qu'il en aille ainsi, à supposer que comprendre, ce soit démontrer, reste à déterminer le point de départ de notre démonstration. On sait en effet que Descartes, en réponse à Mersenne qui demandait une démonstration géométrique de l'existence de Dieu et de la distinction réelle de l'âme et du corps, avait distingué deux méthodes de démonstration géométrique, « l'analyse ou résolution », qui vise à remonter de l'effet à la cause, et la « synthèse ou composition », qui procède de façon inverse[1], privilégiant la première au titre qu'elle enseignait « la méthode par laquelle la chose a été inventée ». Comme on le sait également, Spinoza procède dans l'*Éthique* à l'inverse. Reste à expliquer pourquoi.

Cette décision, qui ne pourrait être pleinement justifiée que par l'analyse de la seconde partie, était déjà présente dans la définition de la vraie méthode proposée par le *Traité de la réforme de l'entendement* : le seul moyen pour notre esprit d'échapper aux objections des sceptiques, et donc à l'imagination, consiste « à faire sortir toutes ses idées de celle qui représente la source et l'origine de la nature entière, de façon que cette idée soit aussi la source des autres idées[2] ». Entre l'ordre analytique et l'ordre synthétique distingués par Descartes, il convient de privilégier celui-ci parce que celui-là souffre de ne rien nous apprendre de la cause recherchée, si ce n'est qu'elle est cause : « En pareil cas, nous ne connaissons rien de la cause, hormis ce que nous considérons dans l'effet ; cela se voit assez à ce qu'on ne peut alors en parler que dans les termes les plus généraux : *Il y a donc quelque chose[3]...* » Or il est à craindre, ici comme ailleurs, que nous ne soyons tentés de pallier cette absence de connaissance en ayant recours à l'imagination : ainsi de la « solution » cartésienne de l'union de l'âme et du corps, si cruellement raillée

---

1. *Méditations métaphysiques*, Réponses aux secondes objections, AT 121, p. 253.
2. *Traité de la réforme de l'entendement* [28], p. 193.
3. *Ibid.* [13], note 1, p. 186.

dans la *Préface* de la cinquième partie[1]. Bref, nous penserions ce qui est cause à partir de son effet, alors que « la connaissance de l'effet dépend de la connaissance de la cause et l'enveloppe[2] ».

Nous procéderons donc de l'idée de Dieu, en tant qu'il est « source et origine de la nature entière ». Mais, précisons-le d'emblée, tel n'est pas le cas dans l'*Éthique* : même si son ombre plane dès l'ouverture sur le texte spinoziste, Dieu n'entre explicitement en scène qu'à partir de la onzième proposition, qui en démontre l'existence nécessaire. Le *Traité de la réforme de l'entendement* affirmait déjà que la méthode prescrit « que nous cherchions, aussitôt qu'il peut se faire, s'il existe un Être, et en même temps quel il est, qui soit cause de toute chose[3] » : « aussitôt qu'il se peut faire » ne signifie pas immédiatement, et nous ne devons pas céder à la précipitation. C'est que le même péril — confondre l'idée et l'image — pèse finalement sur la méthode synthétique elle-même. Il est fort à craindre, prétendant partir de l'idée de la « source et origine de la nature entière », que nous ne prenions pour point de départ, en lieu et place de l'idée de Dieu, une image de Dieu, et qu'en particulier nous n'empruntions celle-ci à la tradition. Tel est le sens de cette marche à Dieu, de cette démonstration de son existence qui s'étend sur les onze premières propositions de l'*Éthique* : non pas tant démontrer qu'il y a un Dieu, mais établir, par cette démonstration, ce qu'est Dieu et, plus vraisemblablement encore, ce qu'il n'est pas, permettre au lecteur de prendre conscience de la véritable idée de Dieu déjà présente en lui, mais qu'il n'a pas encore aperçue.

L'unique précepte de lecture peut donc se résumer en un mot : patience. Ce que demande Spinoza à propos de la onzième proposition de la seconde partie vaut de l'*Éthique* dans son ensemble : « Les lecteurs se

1. *Éthique V*, Préface, p. 304-305.
2. *Éthique I*, Quatrième axiome, p. 22.
3. *Traité de la réforme de l'entendement* [57], p. 214.

trouveront ici empêchés sans doute, et beaucoup de choses leur viendront à l'esprit qui les arrêteront ; pour cette raison, je les prie d'avancer à pas lents avec moi et de surseoir à leur jugement jusqu'à ce qu'ils aient tout lu[1]. » Nous devons aborder ce texte en nous dépouillant de tout préjugé, en appliquant la méthode d'exégèse définie dans le *Traité théologico-politique*[2] : comprendre les termes grâce à un corpus permettant d'en déterminer la signification par le contexte. Si ce corpus qui doit permettre d'interpréter l'Écriture est celui constitué par la langue hébraïque telle qu'elle nous fut transmise par la tradition, le contexte de l'*Éthique* consiste en démonstrations. Nous ne devons donc pas substituer précipitamment aux termes empruntés par Spinoza à la tradition philosophique leur signification traditionnelle, mais avancer avec lenteur et surseoir à notre jugement jusqu'à ce que se produise l'intellection par l'intelligence des démonstrations. Autant dire que la lecture de l'*Éthique* doit reposer sur de multiples va-et-vient, autant dire même que cette lecture constitue une entreprise infinie, puisque comprendre une proposition exige que l'on comprenne à la fois sa démonstration et ce qu'elle permet de démontrer. Mais qu'il n'y ait pas de fin à la lecture de l'*Éthique* ne doit pas nous décourager, car la béatitude ne constitue pas un état : le sage spinoziste, à la différence du sage antique, n'accède pas à la jouissance du véritable bien comme l'on parvient au sommet d'une montagne. C'est parce que la béatitude, l'intellection, est toujours à recommencer, qu'elle constitue la source d'une jouissance infinie. Il en va finalement de la compréhension de l'*Éthique* comme de l'intelligence de Dieu : « Plus nous connaissons les choses singulières, plus nous connaissons Dieu[3]. » Plus nous pénétrerons dans l'architecture démonstrative de l'*Éthique*, plus donc nous comprendrons la définition de Dieu : « J'entends par

1. *Éthique II*, Scolie de la proposition 11, p. 82.
2. *Traité théologico-politique*, chap. VII.
3. *Éthique V*, Proposition 24, p. 325.

Dieu un être absolument infini, c'est-à-dire une substance constituée d'une infinité d'attributs dont
chacun exprime une essence éternelle et infinie[1]. »

S'il en est ainsi, alors l'*Éthique* est, paradoxalement,
parce que démontrée *more geometrico,* le texte de l'histoire de la philosophie le plus propice au vagabon-
dage, offrant à son lecteur une infinité de promenades
possibles parmi lesquelles nous n'en proposerons
qu'une, à travers la première partie. Nous lui assigne-
rons temporairement un double objet, positif et
négatif. Dieu étant « la source et l'origine de la nature
tout entière », c'est en partant de Dieu que nous
connaîtrons celle-ci. Cette première partie est donc
fondamentale, puisqu'elle doit établir la conceptualité
qui sera mise en œuvre dans les parties suivantes.
Mais, sachant ce qu'est Dieu, nous saurons également
ce qu'il n'est pas — et en ce sens cette première partie
constitue une réfutation des délires de l'imagination,
de la théologie imaginaire (il s'agit d'un pléonasme)
des théologiens. Reportons-nous donc à l'*Appendice* de
la première partie.

Le discours de l'imagination procède d'un unique
préjugé, « consistant en ce que les hommes supposent
communément que toutes les choses de la nature agissent comme eux-mêmes, en vue d'une fin, et vont
jusqu'à tenir pour certain que Dieu lui-même dirige
tout vers une certaine fin ; ils disent, en effet, que
Dieu a tout fait en vue de l'homme et qu'il a fait
l'homme pour que l'homme lui rendît un culte[2] ». Il
s'agit bien ici d'une dénonciation du finalisme. L'erreur du vulgaire (précisons que ce terme ne possède
aucune signification sociale[3]) consiste à projeter sur la
nature la conscience qu'il a de lui-même. Mais cette
erreur trouve son origine dans une erreur plus fondamentale encore : les hommes s'imaginent agir en vue
d'une fin alors même que leurs actes sont rigoureuse-

1. *Éthique I,* Sixième définition, p. 21.
2. *Ibid.,* Appendice, p. 61.
3. *Cf. Traité politique,* chap. VII, paragr. 27.

ment déterminés. L'illusion génétiquement première est ici celle qui procède de la fausse conscience de soi comme ignorance ou demi-savoir. Le principe en est que « tous les hommes naissent sans aucune connaissance des causes qui les déterminent, et que tous ont un appétit de rechercher ce qui leur est utile, et qu'ils en ont conscience ». Cette thèse ne sera fondée que dans les troisième et quatrième parties de l'*Éthique*, mais nous pouvons déjà la commenter. Le discours imaginaire naît d'un demi-savoir. D'une part, nous dit Spinoza, les hommes ont conscience de leur appétit pour l'utile. La « conscience » dont il est ici question est en fait fort vague. D'autre part, le vulgaire ne sait pas qu'il recherche ce qui lui est utile, ce qui est susceptible d'accroître sa puissance — pas plus qu'il ne sait qu'il fuit ce qui lui est nuisible, ce qui serait susceptible de diminuer sa propre puissance. Le vulgaire, on l'a déjà remarqué, vivant d'une « vie ordinaire », s'imagine qu'il poursuit certaines choses parce que celles-ci seraient bonnes en elles-mêmes, et qu'il en fuit d'autres parce qu'elles seraient « mauvaises », « vicieuses » ou « imparfaites ». Bref, il inverse l'ordre de la nature, confond la cause et l'effet : croyant que s'il désire une chose, c'est que celle-ci est bonne, alors même qu'il ne juge cette chose bonne que parce qu'il la désire. Si Spinoza distingue Désir et Appétit, le Désir étant défini comme un « appétit avec conscience de lui-même[1] », c'est en fait pour mieux affirmer la préséance de celui-ci sur celui-là[2]. L'appétit, qui « se rapporte à la fois à l'âme et au corps[3] », est premier : la conscience n'est que seconde, et, procédant de l'imagination toujours partielle, toujours obscure, bref, enveloppée d'ignorance. À cette ignorance s'ajoute celle dans laquelle les hommes sont des causes « qui les déterminent ». Ne les connaissant pas, les hommes imaginent qu'elles n'existent pas. Ils se trouvent tous dans la situation de cet « homme en état

---

1. *Éthique III*, Scolie de la proposition 9, p. 144-145.
2. *Ibid.*, Définitions des affections, I, p. 196-197.
3. *Ibid.*, Scolie de la proposition 9, p. 144.

d'ébriété » qui « croit dire par un libre décret de l'âme ce que, sorti de cet état, il voudrait avoir tu...[1] », alors même qu'ils se croient profonds métaphysiciens et dissertent doctement du libre arbitre.

Volonté, libre arbitre, fin : telles sont les fictions forgées par l'imagination et que les hommes projettent sur la nature tout entière. De même qu'ils croient en la liberté de la volonté, en son libre arbitre, c'est-à-dire en la contingence de leur propre action, de même en viendront-ils à imaginer que le monde lui-même est contingent et suspendu à un libre décret de Dieu. Ils attribueront alors à Dieu un entendement, une volonté libre, déployant ainsi le cadre des disputes théologiques et métaphysiques.

Face à ce délire de l'imagination, la stratégie spinoziste est double : d'une part il convient de réfuter cette fausse image de la divinité et donc de la nature, et d'autre part, il s'agira, dans la troisième et la quatrième partie, d'expliquer rationnellement (c'est-à-dire de dénoncer) le procès par lequel les hommes en viennent à rêver les yeux ouverts. Il faudra alors montrer que le terme de fiction est impropre, que ces « fictions » ne sont pas des « inventions », comme si l'esprit humain possédait un libre pouvoir de création imaginaire. On expliquera pourquoi les hommes ne pouvaient pas ne pas en venir à ces rêveries, pourquoi elles ne constituent, à l'instar de tous les mouvements corporels, que « des modes d'imaginer par lesquels l'imagination est diversement affectée[2] ».

Nous pouvons maintenant rebrousser chemin, et en venir à la démonstration de l'existence de Dieu. Des *Méditations métaphysiques*, l'on peut retenir la première preuve de l'existence de Dieu. Mais, nous l'avons déjà dit, Descartes a été victime de sa propre imagination. Ayant établi l'existence d'un être infini, celui-ci a confondu l'idée d'être infini avec l'image de Dieu que

1. *Éthique III*, Scolie de la proposition 2, p. 139.
2. *Éthique I*, Appendice, p. 66.

lui avait transmise la tradition, en l'occurrence catholique. Aussi identifia-t-il, contrairement à ce que pensait Pascal, ce Dieu philosophique avec le « Dieu d'Abraham, Dieu d'Isaac, Dieu de Jacob[1] », c'est-à-dire avec le Dieu de la foule ou de la multitude, un Dieu doué d'un entendement et d'une volonté, et même de sentiments.

Puisque nous voulons échapper aux erreurs cartésiennes, nous devons nous en tenir strictement à ce que nous avons démontré, *à rien de plus*. Nous sommes parvenus à l'existence d'un être infini. Que savons-nous de lui ? Rien, si ce n'est qu'il est infini. Nous devons donc en tirer la seule conclusion qui s'impose, encore qu'elle chagrine notre imagination : Dieu n'est rien d'autre qu'un être infini, un être dont rien ne peut être nié, bref, l'être infini — à moins qu'il ne s'agisse de l'infinité de l'être.

De fait, notre imagination proteste : n'avons-nous pas l'impression d'*être*, nous aussi, sans pour autant nous identifier à ce Dieu infini ? Plus généralement, la question qui se pose alors est celle de la relation du fini et de l'infini. À supposer qu'il n'existe qu'un être infini, comment concevoir l'existence d'êtres finis ? Il s'agit là indéniablement d'un problème. Mais nous ne devons cependant pas renoncer, au nom d'une difficulté, à ce que nous avons clairement et distinctement perçu, démontré : l'existence unique d'un être infini. Nous savons d'une part qu'il existe un être infini — et rien hors de lui, aucune substance (terme auquel nous pouvons, en première approximation, substituer celui de *chose*), « ne peut être donné ni conçu[2] ». Nous désirons d'autre part rendre raison de l'existence du fini. La solution s'impose d'elle-même, quelles que soient les récriminations de l'imagination : « Tout ce qui est, est en Dieu et rien ne peut sans Dieu être ni être conçu[3]. » Le fini ne peut exister que dans l'infini.

L'imagination s'insurge derechef : elle prétend que

1. Pascal, *Pensées et Opuscules,* éd. Brunschvicg, p. 142.
2. *Éthique I,* Proposition 14, p. 34.
3. *Ibid.*, Proposition 15, p. 35.

nous ne pouvons être inclus en Dieu à titre de parties, pis, elle prétend qu'une telle idée est indigne de la divinité. Affirmer que nous sommes les parties de Dieu ne conduit-il pas à faire de Dieu un être divisible, c'est-à-dire corruptible[1] ? L'imagination proteste à juste titre — mais aussi ne nous a-t-elle pas compris substituant, comme à son habitude, une image, en l'occurrence spatiale, à une idée. Nous avons affirmé que toute chose était en Dieu, mais nous n'en avons pas conclu pour autant que cette inclusion devait être comprise à partir de l'inclusion spatiale. Bien au contraire : l'imagination est fort peu attentive ; elle est impatiente. Surtout, elle semble oublier que « être dans » se peut dire en un double sens : au sens spatial, certes, de l'inclusion, mais également au sens logique de l'inhérence. Ne dit-on pas d'une propriété qu'elle est dans son sujet ? Puisque l'inclusion spatiale serait manifestement absurde, ne reste d'autre possibilité que d'opter pour l'inclusion logique. Le fini est *en quelque sorte* inhérent à l'infini comme la propriété est inhérente à son sujet. Nous avons souligné le *en quelque sorte* : de fait, si nous pensons ainsi l'inhérence, celle-ci, on le comprend, voit son sens modifié ; et si nous pouvons pendant quelque temps, par économie, penser l'inhérence des choses en Dieu sur le modèle de l'inhérence logique, il convient de ne pas perdre de vue que la chose dont nous parlons ici est « unique[2] », ne saurait être illustrée qu'imparfaitement, et de façon provisoire.

Nous pouvons poursuivre, en rapportant l'idée d'infinité à celle de causalité : « De la définition supposée donnée d'une chose quelconque, l'entendement conclut plusieurs propriétés qui en sont les suites nécessaires[3]. » Seul un sceptique pourrait affirmer le contraire, arguer d'un divorce, ou d'une inadéquation entre l'entendement et l'être. Nous comprenons d'autre part que les effets (qui s'iden-

1. *Éthique I*, Scolie de la proposition 15, p. 36-39.
2. *Éthique II*, Scolie de la proposition 8, p. 77.
3. *Éthique I*, Proposition 16, p. 39-40.

tifient aux conclusions que l'entendement peut tirer
de la définition d'une chose) sont à la mesure de la
puissance de la chose. Concluons : d'une chose
infinie doivent procéder une infinité d'effets[1]. Expli-
citons alors ce que signifie cette conclusion :
Dieu — ou l'être infini — est cause de tout ce qui
est.

Voilà qui ne semble guère choquant, ni pour l'imagination, ni pour le théologien. Mais les conséquences
que nous mettrons au jour réfuteront le discours de
l'imagination, et en particulier ruineront toute idée de
création.

De fait, Dieu — ou l'être infini — est bien cause de
l'ensemble du réel. Mais nous savons d'autre part que
les choses ne sont pas *hors* de Dieu. Aussi devons-nous
reconnaître, contre la tradition, que « Dieu est cause
immanente, mais non transitive, de toutes choses[2] ». La
production du monde — ici aussi, la chose est unique, et
le terme de « production » impropre — ne peut donc
plus être pensée en termes de création, par Dieu, et *hors*
de lui-même, d'un monde.

Le concept — en fait l'image — judéo-chrétienne
de la création est d'autant plus réfuté que l'on approfondit le concept de cause. À supposer que Dieu soit
cause du monde, comme le confesse la tradition, il
convient de prendre au sérieux le concept de cause.
Qu'est-ce en effet qu'une cause ? Quelle idée enveloppe ce terme ? « D'une cause déterminée que l'on
suppose donnée, suit nécessairement un effet, et au
contraire, si nulle cause déterminée n'est donnée, il
est impossible qu'un effet suive[3]. » Certes, lorsque
nous faisons habituellement usage du concept de
cause, nous pouvons disjoindre causalité et nécessité.
Ainsi le burin peut-il être dit en un certain sens cause
de la statue, sans que pour autant, un burin étant
donné, nous obtenions une statue : nous invoquons
alors le fait que le burin n'est pas cause *totale* de la
statue et que son efficace requiert, par exemple, l'in-

---

1. *Éthique I,* Proposition 16, p. 39-40.
2. *Ibid.,* Proposition 18, p. 43.
3. *Ibid.,* Troisième Axiome, p. 22.

tervention d'une cause motrice : le sculpteur. Mais lorsque nous rassemblons l'ensemble des conditions sous le terme de cause totale, alors l'effet ne saurait ne pas suivre nécessairement de cette totalisation. Venons-en au fait : si Dieu est cause totale du monde, alors il est *nécessaire* que le monde procède nécessairement de Dieu. Or comment Dieu pourrait-il ne pas être tel ? Nous savons que rien, hors de Dieu, ne peut ni être ni être pensé. D'où l'alternative : ou bien Dieu n'est pas la cause totale du monde, et dans ce cas le monde ne saurait exister puisque rien n'est pensable en dehors de Dieu, ou bien Dieu est cause totale du monde, et nous devons alors reconnaître que le monde procède de Dieu et de son essence avec la même nécessité que l'égalité des diamètres procède de l'essence du cercle. La création du monde n'est alors pas plus l'objet d'un choix libre[1] de la part de Dieu que l'égalité des diamètres ne résulte d'une préférence de la sphère. Il nous faut alors faire notre deuil d'un vocabulaire inadéquat : Dieu ne crée pas par son libre arbitre, pas plus qu'il ne produit hors de soi un monde. Nous pouvons même en venir à affirmer que la toute-puissance divine ayant été en acte de toute éternité, il ne saurait y avoir de commencement du monde, pas plus qu'il ne saurait y avoir d'élection, par Dieu, d'un monde de préférence à d'autres : « Les choses n'ont pu être produites par Dieu d'aucune manière autre et dans aucun ordre autre, que de la manière et dans l'ordre où elles ont été produites[2]. » L'ensemble de ce qui est résulte donc avec nécessité de l'essence divine — entendons ici : de la sixième définition de la première partie de l'*Éthique*.

Ayant établi l'absurdité des rêveries des théologiens, nous pouvons, très schématiquement, remonter à contre-courant le discours de l'imagination. Dieu étant cause du monde, cette causalité est aussi néces-

1. *Éthique I*, Premier Corollaire de la proposition 32, p. 55.
2. *Ibid.*, Proposition 33, p. 56.

saire que nécessitante : il n'y a pas de contingence dans la nature[1]. D'une part, une chose ne peut produire d'effet que si elle a été déterminée par Dieu à produire cet effet[2]. Écartons d'emblée un contresens : même si le *Court Traité* emploie encore à cet endroit un vocabulaire d'ascendance théologique, et parle de *prédestination*[3], cette détermination des choses par Dieu ne signifie pas que Dieu détermine librement, ni même, risquons-nous, consciemment, telle ou telle chose à produire tel ou tel effet, et a encore moins à voir avec une quelconque élection des justes. Ce qu'affirme ici Spinoza, c'est que la propriété que possède une chose d'être cause de tel ou tel effet — sa *puissance*, pour user du vocabulaire spinoziste — n'est pas moins un être que cette chose elle-même et, à ce titre, procède selon la même nécessité de l'essence divine que la chose elle-même. D'autre part, et nous le comprenons encore plus facilement, une chose ainsi déterminée par Dieu ne saurait échapper à cette détermination : « Une chose qui est déterminée par Dieu à produire quelque effet ne peut se rendre elle-même indéterminée[4]. »

Que savons-nous, au terme de cette première promenade ? Tout d'abord, que tout ce qui est est en Dieu — en un être infini — et ne saurait subsister, si ce n'est pas la puissance divine. De cette thèse, nous pourrons déduire l'existence du *conatus*[5], par lequel chaque chose s'efforce de persévérer dans son être, et nous pourrons comprendre en quoi le désir ou l'appétit humain ne constituent aucunement une exception aux lois de la nature : l'appétit n'est qu'une expression de ce *conatus* par lequel je m'efforce de persévérer dans mon être, qu'un mode par lequel s'exprime la puissance divine. Il convient ici d'être parti-

---

1. *Éthique I*, Proposition 29, p. 52.
2. *Ibid.*, Proposition 26, p. 49.
3. *Court Traité*, Première partie, chap. VI, p. 72.
4. *Éthique I*, Proposition 27, p. 50.
5. *Éthique III*, Propositions 4 à 8, p. 142-144.

culièrement rigoureux et de ne pas substituer à l'idée
du *conatus* une image qui serait vraisemblablement
apparentée à une expérience obscure, celle du *désir*.
La pierre ne s'efforce pas moins de persévérer dans
son être que je ne m'y efforce moi-même. Ou plutôt
si, mais la différence ne tient qu'à la puissance respec-
tive de nos deux essences : l'essentiel étant ici de
penser le désir humain selon sa spécificité à partir du
conatus échu en partage à toute chose.

Que tout ce qui est, étant déterminé à être, est nécessairement : aussi pourrons-nous appliquer la méthode
géométrique à ce qui jusque-là semblait se dérober à
une telle investigation, c'est-à-dire aux affections de la
nature humaine. L'homme n'est pas dans la nature comme
« un empire dans un empire[1] », et il n'est rien en lui,
jusqu'à ce qui excite habituellement plus la risée des
poètes satiriques qu'un intérêt philosophique, qui ne
soit susceptible d'un traitement *more geometrico* : à savoir
ses passions. Les enjeux sont ici d'importance, puisqu'un tel traitement est susceptible de mener à une politique rationnelle, et cependant réaliste[2]. Lorsque nous
aurons défini la nature de l'homme, lorsque nous aurons
compris que les passions humaines s'enchaînent nécessairement, alors nous pourrons déterminer la structure
de l'« État absolu », celui où se trouvent réalisées à la fois
la plus grande liberté — politique — et la plus grande
sécurité, sans pour autant sacrifier aux rêveries de l'utopie.

Enfin, et tel sera l'objet de la cinquième partie,
nous pourrons déterminer la perfection dont nous
sommes susceptibles, c'est-à-dire ce « modèle de la
nature humaine » que nous pourrons placer devant
nos yeux afin de nous guider dans l'acquisition de la
plus haute perfection dont nous soyons susceptibles :
non pas la perfection imaginaire du sage stoïcien[3],
mais une perfection à la mesure de notre essence, la
forme la plus pernicieuse de l'aliénation consistant à
se repaître d'une liberté illusoire.

1. *Éthique III*, Préface, p. 132.
2. *Traité politique*, chap. I.
3. *Éthique V*, Préface.

Mais, avant tout cela, il conviendra de déterminer l'essence de l'homme. Tel sera l'objet de la seconde partie : déterminer ce que nous sommes. Penser notre essence, c'est penser, comme l'indique le titre de ce second moment de l'*Éthique,* la « nature et l'origine de l'âme ». Non pas que nous ne soyons qu'une âme, temporairement assujettie à un corps. S'il est légitime d'aborder l'investigation de l'essence humaine à partir de celle de l'âme humaine, c'est que la compréhension de ce qu'est notre âme passera nécessairement par l'intelligence de ce qu'est notre corps. Aussi aurons-nous alors à faire notre deuil du dualisme cartésien, de l'opposition de l'âme et du corps, ultime stratagème de l'imagination visant à réintroduire la contingence dans la nature[1] ; aussi devrons-nous renoncer aux images qui passent habituellement à nos yeux pour des pensées. Images de nous-mêmes, de notre propre âme confusément représentée comme un libre sujet. Mais également, et telle sera la difficulté principale de cette seconde partie, image de l'idée pensée comme image, comme représentation, muette ou non, de la chose : faute de quoi nous ne comprendrons ni ce qu'il en est de l'âme et du corps, ni pourquoi la connaissance imaginaire constitue le lot commun de la nature humaine, ni enfin comment nous pouvons parvenir, par la raison, à une connaissance certaine.

Cette première course à travers l'*Éthique* est trop courte, et souffre de nombreuses lacunes. Ainsi avons-nous passé sous silence des pans entiers de cette première partie, en particulier la distinction cruciale de la substance, du mode et de l'attribut, laissant indéterminé le statut exact de l'inhérence des choses finies. De même avons-nous substantifié l'imagination, alors que Spinoza se livre à une critique radicale de toute doctrine des facultés[2] : l'imagination n'est elle-même

1. *Éthique II,* Scolie de la proposition 7, p. 76.
2. *Ibid.,* Scolie de la proposition 48, p. 124.

qu'une image devant rendre, imaginairement, raison de l'existence des images. Une telle approche trouve cependant une certaine justification. S'il n'existe pas de facultés antérieures aux images, le discours imaginaire est, quant à lui, un.

Notre but était avant tout de montrer que la principale difficulté de l'*Éthique* procède de son exigence : penser non par image, mais par idée, c'est-à-dire par démonstration. À cet effet, nous pouvons maintenant revenir à Dieu lui-même. Qu'en est-il du Dieu spinoziste, *Deus sive natura ?* Dieu, ou la nature ? L'un, ou l'autre ? S'agit-il de diviniser la nature (panthéisme), ou de naturaliser Dieu (athéisme) ? En quel sens les choses sont-elles inhérentes en Dieu ? Nous risquerons une réponse hétérodoxe : peut-être ces questions ne sont-elles pas importantes. Peut-être est-ce là, encore une fois, l'imagination qui nous interroge, qui exige que nous produisions une image de l'inhérence, une image de la substance et, pourquoi pas, une image de cette infinité d'attributs divins à jamais dérobés à notre connaissance[1] — ou à notre curiosité ? Spinoza nous a pourtant averti : « Plus nous connaissons les choses singulières, plus nous connaissons Dieu[2]. » La béatitude spinoziste n'est pas une vision béatifique.

Stéphane ROSSIGNOL

BIBLIOGRAPHIE

ÉDITION DE RÉFÉRENCE : *Spinoza Opera,* éd. C. GEBHARDT, 4 t., Heidelberg, K. Winters, 1924.

TRADUCTIONS FRANÇAISES : On trouvera de multiples traductions de l'*Éthique* comme du *Traité de la réforme de l'entendement*. La traduction française la plus accessible, dont nous citons la pagi-

1. Lettre 63, de G. H. Schuller, et la réponse de Spinoza : Lettre 64.
2. *Éthique V,* Proposition 24, p. 325.

nation dans nos notes, est celle de Ch. APPUHN, 4 t., Paris, GF-Flammarion nᵒˢ 34, 50, 57, 108, 1964-1966. L'*Abrégé de grammaire hébraïque,* inachevé, a été traduit par J. ASKENAZI et J. ASKENAZI-GERSON en 1968, chez Vrin, Paris.

COMMENTAIRES : G. DELEUZE, *Spinoza et le problème de l'expression,* Paris, Minuit, 1968. A. MATHERON, *Individu et Communauté chez Spinoza,* Paris, Minuit, 1969. M. GUEROULT, *Spinoza,* 2 t., Paris, Aubier, 1961 et 1974.

THOMAS D'AQUIN

Somme contre les gentils

De bonne noblesse italienne — il était le fils de
Landolphe, comte d'Aquino, près de Naples —,
Thomas d'Aquin est né en 1225 dans le château fort
familial de Roccasecca. Proclamé docteur de l'Église
en 1567, mais canonisé dès 1323 par Jean XXII, le
Docteur angélique a été, avant tout, momifié dans le
thomisme. Il faut aujourd'hui une certaine imagination pour le retrouver vivant, derrière les façades de la
Contre-Réforme, les stucs, les encens, les thèses ânon-
nées, les génuflexions mentales et les pensées mortes.
Imaginer l'homme dictant, les yeux mi-clos, à ses
secrétaires, le fil d'un livre lu entier, comme en rêve ;
l'homme disputant, enseignant, écrivant, marchant
aussi, à travers l'Europe, infatigable et absorbé. Imaginer l'enfant présenté comme oblat à l'abbaye du
Mont-Cassin (1229), l'étudiant de l'université de
Naples (1239-1244), celui qui, en 1244, décide de
rejoindre les frères prêcheurs et que sa mère fait
enlever et séquestrer par ses frères, celui qui, plus fort
que l'interdit parental, s'arrache à son milieu pour
rejoindre son ordre et aller achever ses études à Paris.
Imaginer la rencontre avec Albert le Grand, dont il
devient l'élève favori : l'enseignement reçu à Paris de
1245 à 1248 puis à Cologne de 1248 à 1252. Imaginer le bachelier sententiaire (1254-1256), le maître
en théologie (1256), le professeur en Italie (1259-

1268, puis 1272-1274) et en France (1268-1272). Imaginer le malade et le mourant (7 mars 1274). Et, au bout du compte, le plus dur : imaginer comment, en quarante-neuf ans, Thomas a pu rédiger une œuvre qui, par sa profondeur comme par ses proportions, domine tout le XIIIᵉ siècle ; une œuvre gigantesque, qui touche à tous les domaines, des commentaires d'Aristote à la théologie systématique, de l'exégèse biblique à la prédication. Faute de l'imagination nécessaire on se contentera de regarder ici un blason : le *Contra Gentiles,* au titre batailleur.

Le *Contra Gentiles* est une somme, une *summa,* le témoin d'un genre littéraire « typiquement médiéval », mais avec son originalité propre, une forme, un style qui le mettent à part des productions contemporaines, à commencer par celle qui les désigne toutes par antonomase, la *Somme de théologie, Summa theologiæ,* composée par Thomas entre 1266 et 1272.

Les premières sommes latines sont apparues au XIIᵉ siècle, pièces essentielles dans un mouvement de refondation et de reformulation des savoirs alors disponibles tant en théologie qu'en logique. Si, dans ce domaine, les sommes de logique ont été avant tout des manuels redistribuant les matières de l'*Organon* d'Aristote selon un nouvel ordre d'analyse et d'exposition — l'*ordo disciplinæ,* au sens de l'ordre propre à une science — les sommes de théologie sont nées de la rencontre entre une pédagogie particulière, l'enseignement par « questions disputées », et la substitution progressive d'une première systématisation du savoir théologique, les *Sentences* de Pierre Lombard, au donné de l'Écriture sainte, la « page biblique », dans le rôle du référent textuel scolaire. À la fin du XIIᵉ siècle, deux « formalisations » de la mise en crise des interprétations théologiques du texte sacré coexistent : les recueils de *Sententiæ* où, sur le modèle vivant d'une discussion argumenté le pour et le contre, s'affrontent les *auctoritates,* textes choisis dans les écrits des Pères, les décisions conciliaires ou, plus rarement, les décrets des juristes ; les « sommes », qui prolongent dans la vie scolaire au jour le jour les disputes ouvertes littérairement par les « autorités » mobilisées dans les « sentences ». Rien de plus conflictuel que cette théologie-là. Plus que quiconque, l'homme du XIIᵉ siècle finissant est persuadé que, en matière de savoir, *le résultat n'est rien sans son devenir.* Le manuel de théologie médiéval est donc, d'emblée, aux antipodes des formes fossiles que connaîtra la néoscolastique des XIXᵉ et XXᵉ siècles : si la réalité et l'unité du vrai exposé dans la Révélation restent, évidemment, l'horizon de tout travail, le révélé est passé au crible d'une herméneutique du conflit. Comprendre une thèse, c'est explorer son espace de contrariété, aller au bout des désaccords et des dissensions qu'elle appelle, porte ou encadre. Le travail du théologien est d'organiser le choc des interprétations — non pas accumuler les « autorités » en faveur d'un dogme massivement accepté, mais faire jouer toutes les puissances d'opposition que contient une thèse dès le moment qu'elle est conçue comme l'expression, le ressort ou la halte d'un complexe mouvement de pensée. Abélard, qui avec son *Sic et non (Oui et non),* inaugure emblématiquement le genre sententiaire, le dit clairement : pour penser, il faut apprendre à « peser le sens des mots », à « distinguer les arguments » et à « s'engager dans la dispute », il faut accepter la dialectisation de tous les contenus comme nouvelle figure du savoir. Il ne s'agit pas de chercher un consensus, pour, finalement, revenir à la contemplation d'une lettre figée, il s'agit de faire argument d'un jeu de discordances soigneusement établies : *non solum diversa sed adversa* — les « autorités » alléguées, ne doivent pas seulement être « différentes », elles *doivent* « se contredire ». La raison disputante s'empare de l'autorité pour en faire un moment de sa propre discursivité : tout est questionnable, tout sera questionné. Au tournant du XIIᵉ au XIIIᵉ siècle, les jeux sont faits : les *Sententiæ* de Pierre Lombard ou de Pierre de Poitiers, les *Sommes* d'Étienne Langton ou d'Alain de Lille, et même, déjà,

cette extraordinaire forme de surcommentaire qu'est
le *Commentaire des sentences,* avec, à nouveau, Étienne
Langton, ont fait basculer la théologie dans une discussion théorique généralisée — en deux siècles et
demi, les médiévaux rédigeront plus de mille quatre
cents commentaires de l'œuvre du Lombard.

Quand, avant l'été 1259, Thomas d'Aquin entreprend d'écrire à Paris les premiers chapitres du *Contra
gentiles,* la sommation du savoir théologique va déjà
bon train : Guillaume d'Auxerre a donné sa *Summa
aurea,* Philippe, chancelier de l'université de Paris, a
rédigé la *Summa de bono ;* dans la jeune école franciscaine, naît la *Somme de frère Alexandre (Summa fratris
Alexandri, Summa Halensis),* vaste chantier collectif
auquel participent à des degrés divers les premiers
maîtres de l'ordre des mineurs, d'Alexandre de Halès,
le maître d'œuvre, à ses successeurs à la « régence »
des franciscains de la faculté de théologie de l'université de Paris, Jean de la Rochelle, Odon Rigaud et
Guillaume de Méliton ; chez les dominicains, Albert le
Grand a donné la somme dite *de Paris,* ensemble hétéroclite où une *Somme sur les créatures (Summa de crea-
turis)* voisine avec une série de monographies sur les
sacrements, l'incarnation, la résurrection, le bien et les
vertus cardinales. En entreprenant le *Contra Gentiles*
Thomas ne se trouve donc pas sur un terrain en
friche. Si le but des sommes est de construire la
science théologique sur la base de principes propres,
équivalents aux « principes évidents par soi » *(per se
nota)* de la science démonstrative aristotélicienne — dans ce cas, les « articles de foi », dont
l'« évidence » est l'effet d'une adhésion pratique, la
« foi théologale » fondant l'« expérience théologique » —, le déploiement des enchaînements et des
conclusions, l'architecture même du discours ainsi
constitué ne sont pas réglés d'avance. Est-ce dire que
chaque auteur a un *plan* spécifique, exprimant sa
propre vision des choses de Dieu *(res divinæ)* ?

Si l'on regarde la première somme de théologie
jamais produite dans l'histoire du christianisme occi-

dental ou oriental, *La Source de la connaissance*, composée en 743 dans la Syrie islamisée par le théologien melkite Jean de Damas († 753), ce qui frappe est la juxtaposition de la philosophie, de la théologie, de l'hérésiologie et de l'apologétique. Distribuée en trois moments de longueur très inégale, *La Source de la connaissance* comprend en effet (1) une partie philosophique, la *Dialectique* (encore appelée *Chapitres philosophiques*), qui expose les concepts essentiels de la logique aristotélico-porphyrienne (synonymie, homonymie, paronymie, polyonymie, hétéronymie) et de la théologie trinitaire (nature, personne, hypostase) ; (2) un répertoire des hérésies modelé sur le grand classique du genre, le *Panarion* d'Épiphane de Salamine, à l'exception, évidemment, des hérésies modernes — le monothélisme byzantin et l'Islam ; (3) un ensemble de cent chapitres théologiques intitulé *La Foi orthodoxe*. Le plan quadripartite de *La Foi orthodoxe* — *De Deo uno, Création, Histoire du salut, Questions diverses* — est le noyau des sommes de théologie du XIIIe siècle — la grande différence est que la partie sur l'Histoire du salut y est remplacée par une christologie ; il peut également apparaître comme une systématisation des questions abordées dans le *kalâm* musulman — la prophétologie tenant la place de la christologie. En écrivant le *Contra Gentiles*, Thomas pousse plus loin le parallèle : lecteur d'Aristote, il conçoit la nécessité d'une partie philosophique incomparablement plus développée que les rudiments de sémantique tirés de Porphyre par Jean Damascène — c'est, notamment, la « philosophie naturelle » (c'est-à-dire, au XIIIe siècle, la métaphysique, la physique, la psychologie) qui veut être examinée ; quant à la partie hérésiologique et apologétique défensive, il lui faut aller bien au-delà des déviations recensées par le *Panarion* : l'« actualité » théologique du Moyen Age tardif n'est pas celle des christianismes accessibles à un Syrien de l'époque umayyade. Somme philosophique, théologique et hérésiologique *actualisée*, tel est le livre d'apologétique « moderne », le livre de théo-

logie au présent conçu par Thomas, quand il entame
l'écriture du *Contra Gentiles* : même s'il n'en connaît
qu'une partie (la *Dialectique et La Foi orthodoxe*), il
s'agit de faire, pour les Latins des années 1260, une
nouvelle *Source de la connaissance*. Il y a donc une
intention classique, consciente ou inconsciente, dans
le projet même du *Contra Gentiles ;* avec lui, c'est le
grand dessein d'une science *polémique* qui revit dans
la forme, éminemment *discursive* et argumentative, de
la somme ; un projet séculaire dans une forme littéraire *contemporaine,* directement en prise sur la nouvelle pédagogie universitaire, ses institutions de savoir
(la *disputatio,* la *quæstio*) et les mentalités qu'elles
sécrètent (l'*universalis dubitatio de veritate,* la « mise au
doute » de toute vérité), voilà comment s'articulent,
pour Thomas, l'ancien et le nouveau. Tout
reprendre, tout refondre : l'ambition est gigantesque.
Elle est réalisée en moins de dix ans.

L'ouvrage comprend quatre livres : en quelques
mois, les cinquante-trois premiers chapitres du livre I
sont rédigés ; la suite, rédaction et révision, se fait en
Italie à partir de 1260 — le livre IV est achevé à une
date inconnue, mais nécessairement comprise entre
1263-1264 et 1265-1267. Selon quel plan et dans
quelle perspective ? Les interprétations divergent.

Le plan de la *Summa theologiæ* est, à la fois, simple
et grandiose — on y reviendra. Celui du *Contra Gentiles* est trop simple ou trop lâche : trois livres « philosophiques », un livre « théologique » ; Thomas, semble-t-il, ne le respecte pas. Les commentateurs ont
chacun leur diagnostic. Ils ne s'entendent pas plus sur
l'intention de l'auteur et le but de l'œuvre. Plutôt que
d'aller directement à leurs désaccords, demandons-
nous un instant quel « ordre disciplinaire » est en gestation dans la théologie des années 1260.

Il y a d'abord l'ordre qu'on dira sententiel, celui-là
même des *Sentences* de Pierre Lombard. Si la théologie
nouvelle est une métathéorie des *Sententiæ,* l'ordre
adopté par le Lombard dessine d'avance l'espace
ouvrable du questionnement théologique. Divisée en

livres et en chapitres, l'œuvre de Pierre a été réarticulée en distinctions par Alexandre de Halès dans les
années 1223-1227. C'est sous cette forme que se présente le savoir théologique, l'originalité de chaque
commentateur tenant à la disposition qu'il adopte lui-
même à l'intérieur de chaque distinction. Fortes de
quatre livres, les *Sentences* présentent successivement :
au livre I (48 distinctions), un *De deo uno et trino*
(d. 1-34 : la Trinité, 35-48 : les attributs divins, l'action de Dieu *ad extra*) ; au livre II (44 distinctions), un
De deo creante (d. 1-11 : but de la création, angélologie, 12-16 : *hexaemeron,* 17-23 : création de
l'homme), une théologie de la grâce (d. 24-29), du
péché originel et du péché actuel (d. 30-44) ; au
livre III (40 distinctions), un *De verbo incarnato*
(d. 1-17), une théologie du Christ rédempteur (d. 18-
22), des vertus théologales, des dons du Saint-Esprit
(d. 23-36) et des dix commandements (d. 37-40) ; au
livre IV (50 distinctions), une théologie des sacrements (d. 1-42) et des fins dernières (d. 43-50).

À son tour, l'ordre sententiel sert de matière à de
nouveaux arrangements. Autour de l'année 1257, peu
de temps avant que Thomas ne se lance dans la rédaction du *Contra Gentiles,* son *alter ego* franciscain, Jean
de Fidanza, *alias* Bonaventure, rédige son *Breviloquium,* sorte de condensé de théologie, où, selon les
termes mêmes du *Prologue,* il s'efforce de montrer que
« la vérité de la sainte Écriture vient de Dieu, traite de
Dieu, est conforme à Dieu et a Dieu pour fin, de sorte
que, justement, cette science apparaisse une,
ordonnée et non à tort appelée *théologie*[1] ». Les sept
parties du *Bréviloque* redéploient ainsi la matière des
Sentences : 1 (9 chapitres) : la Trinité ; 2 (12 chap.) : le
monde, créature de Dieu ; 3 (11 chap.) : la corruption
du péché ; 4 (10 chap.) : l'Incarnation du Verbe ;
5 (10 chap.) : la grâce du Saint-Esprit ; 6 (13 chap.) :
les remèdes sacramentels ; 7 (7 chap.) : le jugement

---

1. *Breviloquium,* Bonaventure, Prologue, 6, 6 ; *Opera omnia,* V,
p. 208.

dernier. À l'évidence, il s'agit plus d'une ventilation que d'une restructuration de l'ordre sententiel.

Sautons l'étape du *Contra Gentiles* ; allons directement à la *Summa theologiæ*. Dans cette pseudo-« cathédrale » textuelle (une image trop facile), le Thomas de la maturité a pensé un véritable parcours narratif, qui symbolise le mouvement de l'Absolu : 512 questions regroupant 2 669 articles se distribuent en trois parties elles-mêmes organisées en deux grands moments, sur le modèle néoplatonicien de la « sortie » (*exitus* ou émanation) et du « retour » *(reditus),* qui exprime le dynamisme cyclique de l'Un et de l'univers. Au premier temps appartient la *Prima pars,* avec ses 119 questions portant sur le Dieu un, trine, créateur et provident ; au second temps, la *Secunda pars,* portant sur le retour, Dieu fin (avec la *Prima secundæ* traitant de la félicité, de ses conditions et de ses obstacles et la *Secunda secundæ* abordant les activités intellectuelles et volontaires suscitées par la grâce), la *Tertia pars,* portant sur les conditions chrétiennes de ce retour, « le mystère du Christ-homme et de son action salvifique ». C'est la même grille que l'on retrouve dans le *De summo bono* d'Ulrich de Strasbourg († 1277), ancien élève, comme Thomas, d'Albert le Grand. Là, toutefois, c'est la notion du Bien qui fournit le fil rouge, et la distinction, introduite par Denys, entre la théologie « commune » *(= De deo uno)* et la théologie « discrète » *(= De deo trino)* ; le résultat est structurellement le même : I, les principes de la théologie, « science du Bien suprême » ; II, l'essence et les propriétés du Bien suprême ; III, les Personnes divines « prises ensembles » *(in communi) ;* IV, le Père et la création ; V, le Fils et l'Incarnation ; VI, l'Esprit saint, la grâce, les dons et les vertus ; VII, les sacrements, « instruments médicaux du Bien suprême » ; VIII, la béatitude, « participation au Bien suprême en tant que fin ultime » ; un ensemble systématiquement ordonné, donc, qui « descend » du bien suprême pris en lui-même à la béatitude, c'est-à-dire au bien participé, et qui, en même temps, s'« élève » de la connaissance des principes les plus généraux du savoir théologique à la formulation des conditions et des réalités de l'union béatifique — deux mouvements distincts, comme chez Thomas, et qui, ultimement, comme chez lui, se confondent : le déploiement de l'Essence absolue (sortie), la montée progressive de la connaissance vers l'expérience du Principe (retour).

Comparée aux schémas sentenciels ou néoplatoniciens des autres sommes, la *Summa Contra Gentiles* a une structure d'une complète originalité. C'est ce qui explique, en partie, le plaisir qu'on prend à la lire. Avec elle, l'impression de déjà vu qui accompagne et entête toute lecture scolastique s'évanouit. Ce texte, que l'on a dit « vaste » et « puissant », ne ressemble à aucun de ses homologues. C'est une somme, mais dont l'architecture, évidente, appelle plusieurs lectures. De fait, si rien ne surprend dans l'enchaînement de ses quatre livres, sinon la place excentrée du *Deo trino* — le premier livre traite de Dieu « Cause première », le second de la création, le troisième de la félicité, le quatrième de la Trinité et de l'Incarnation — l'agencement de détail du *Contra Gentiles*, l'enchevêtrement de ses développements, les multiples digressions qui l'émaillent, les changements de perspectives et les transitions disciplinaires qui, subtilement, le travaillent, font que l'on ne sait pas toujours si l'on a affaire à une somme de théologie ou à une somme de philosophie. Il y a à cela une raison, la *Summa theologiæ* est un ouvrage scolaire, le *Contra Gentiles* un produit de la recherche. Mais il y en a une autre, plus importante, comme *La Source de la connaissance* le *Contra Gentiles* intervient sur quatre fronts : philosophie, théologie, hérésiologie, apologétique. C'est ce quadruple dessein parfaitement assumé qui, au XIIIᵉ siècle, fait sa singularité.

Comment lire la *Somme contre les gentils ?* D'abord en oubliant son titre. Ou plutôt en prenant garde de ne pas se méprendre sur sa signification. Le titre de *Contra Gentiles* n'est pas de Thomas lui-même. Il a certainement été ajouté par un secrétaire dans l'*explicit* d'une des premières copies de l'autographe. De fait, la plupart des manuscrits se terminent par un *Explicit tractatus De fide catholica contra gentiles a fratre Thoma de Aquino editus* (« Ici s'achève le *Traité sur la foi catholique contre les gentils* édité par frère Thomas d'Aquin »), mais ce texte n'est précisément pas celui des *incipit,* lesquels donnent en général : *Incipit liber de veritate catholicæ fidei contra errores infidelium editus a fratre Thoma* (« Ici commence le Livre sur la vérité de la foi catholique contre les erreurs des infidèles édité par frère Thomas d'Aquin »). Autrement dit : l'adversaire pris à parti dans la somme n'est pas le « gentil » mais l'« infidèle ». Cela, dira-t-on, revient au même. Loin s'en faut. Dans la langue de Thomas comme, normalement, dans celle des médiévaux, les *Gentiles* ne sont pas les infidèles : ce sont les païens de l'Antiquité, et eux seulement. Le vrai titre thomiste du *Contra Gentiles,* le seul adapté à son contenu réel, ne peut avoir été que celui *décrit* dans l'*incipit. De veritate fidei catholicæ contra errores infidelium — La Vérité de la foi catholique contre les erreurs des infidèles :* contre les doctrines des païens, donc, mais aussi contre celles des autres infidèles, les juifs, les musulmans et les hérétiques. En s'en prenant aux infidèles plutôt qu'aux seuls « gentils », Thomas ouvre l'espace d'une véritable encyclopédie des *sciences philosophiques et théologiques.* Son projet doit être pris dans sa totalité. À isoler et privilégier un des aspects, quel qu'il soit, on fausse toute la lecture de l'ensemble. Quel qu'ait été son titre original le *Contra Gentiles* n'est pas une archéologie du savoir *ou* une machine de combat pour les temps présents : il est, et indissolublement, les deux à la fois.

Plusieurs légendes, partis pris de lectures aussi tenaces qu'infondés, s'effondrent du même coup : le premier, lancé dès 1314 par le dominicain Pierre Marsili dans son récit des hauts faits du roi d'Aragon, Jacques Ier le Conquérant (1213-1276), qui fait de la somme le résultat d'une commande de Raymond de Peñafort : c'est l'hypothèse « missionnaire », où le *Contra Gentiles* devient un manuel pour les jeunes dominicains appelés à évangéliser les Maures et, ce faisant, à combattre leurs erreurs ; le second, popularisé par certains historiens modernes qui y voient une machine de guerre contre l'« averroïsme latin », autrement dit contre les doctrines philosophiques inspirées d'Averroès et, plus largement des péripatéticiens arabes ou juifs, censées être professées par les maîtres ès arts parisiens des années 1250. Les sarrasins de l'extérieur ou les sarrasins de l'intérieur : ces deux « objectifs » sont imaginaires. Dans les années 1255, il n'y a pas encore d'« averroïstes » à Paris. Quand, en 1256, à la demande du pape Alexandre IV, Albert le Grand écrit son *De unitate intellectus contra Averroem* (« L'unité de l'intellect contre Averroès »), c'est contre Averroès lui-même qu'il polémique, et, plus largement, contre tous les philosophes arabes partisans du monopsychisme (un terme, soit dit en passant, forgé par Leibniz). Il n'est pas encore question d'averroïstes, ni *a fortiori* d'averroïstes parisiens ou latins. En 1259, Thomas ne peut raisonnablement songer à engager le combat contre les maîtres ès arts disciples du philosophe cordouan ; ils ne se manifesteront que vers 1265 — c'est en 1266 que Siger de Brabant, leur chef de file supposé, commence d'enseigner à Paris ; c'est au Carême de 1267, avec ses *Conférences sur les dix commandements,* que Bonaventure lance sa première grande offensive contre les maîtres parisiens suspectés d'« averroïsme ».

Quant à l'intention « missionnaire », rien dans le texte ne la corrobore. Bien que deux traductions en soient disponibles à l'époque (celle de Robert de Ketton, commanditée par Pierre le Vénérable, en 1143, celle de Marc de Tolède, en 1209/1210), la somme ne contient rien sur le Coran ; elle ignore les traités de polémique antimusulmane, de ceux, bien connus, de Pierre le Vénérable *(Contre la secte des Sarrasins, Sommaire complet de l'hérésie et de la secte diabolique des Sarrasins),* à ceux, plus secrets, des chrétiens de la Bagdad du Xe siècle (comme la *Risâla* du pseudo-Kindî — Yahya ibn 'Adî ? — traduite par Pierre de Tolède), en passant par les deux écrits de

Jean de Damas sur l'Islam ; elle ne dit rien du prophète Muhammad lui-même. Bref, le *Contra Gentiles* ne se situe aucunement dans l'espace de jeu qu'occupera dès 1273 un autre dominicain, Guillaume de Tripoli, avec son *De statu Saracenorum et Mahomete pseudopropheta eorum et eorum lege et fide* (« Sur les Sarrasins et Mahomet leur pseudo-prophète, sur leur religion et sur leur foi »). Est-ce dire, pour autant, qu'il ignore totalement la théologie musulmane ? On l'a vu, le propos de Thomas est universel. Parmi toutes les postures théoriques de l'infidélité, la théologie musulmane occupe une certaine place. La somme en traite donc à diverses reprises, mais sans en faire un centre de perspective où tout convergerait.

La critique thomiste du *kalâm* musulman est essentiellement dirigée contre l'occasionnalisme rigoureux professé par les théologiens, *mutakallimûn* (en latin *loquentes,* d'après l'intermédiaire hébreu *medabberim* — les partisans du *kalâm,* et non « ceux qui parlent conformément à la loi musulmane » ni, évidemment, les « bavards » ou les « parleurs », comme l'a compris le disciple de Thomas, Gilles de Rome), et, spécialement, par les membres d'une des deux plus célèbres écoles théologiques de l'Islam, les as'harites, disciples d'al-As'hari. À diverses reprises, Thomas s'en prend à ceux qui, sur la base d'un atomisme universel (« tous les corps sont composés d'atomes »), réduisent toutes les formes des corps à de simples accidents, nient que le même accident puisse durer plus d'un instant, nient, de là, qu'il puisse passer d'un sujet dans un autre, et, de là encore, rejetant toute action transitive entre les corps, soutiennent que les accidents qui nous paraissent passer d'un corps à l'autre sont directement créés par Dieu, l'un présent dans le corps qui semble le recevoir et le même absent dans le corps qui paraît le donner[1] ! Si implacable soit-elle, la critique du *kalâm* as'harite ne justifie pas à elle seule un

1. *Cf. Contra Gentiles,* I, 87 ; II, 24 ; II, 28 ; II, 29 ; III, 65 ; III, 69 ; III, 97.

ouvrage de plusieurs centaines de pages. Le dossier de Thomas est solide. Ce n'est qu'un dossier parmi d'autres.

Dira-t-on alors, comme l'ont fait certains, que la masse des chapitres consacrés par l'Aquinate à la réfutation des *philosophes* arabes confirme la réalité du projet missionnaire ? Il faudrait, pour l'admettre, supposer chez l'auteur du *Contra Gentiles* une complète ignorance de la réalité des sociétés musulmanes du XIIIᵉ siècle ! Placée chronologiquement entre les deux croisades malheureuses de Louis IX, la somme de Thomas n'est pas dirigée contre les philosophes musulmans — pour une raison fort simple : au moment où elle est composée, ceux-ci ont totalement disparu de l'Islam occidental ; quant à croire que la pensée d'un Ibn Sînâ ou d'un Ibn Rushd, bref que la *falsafa* représente un aspect caractéristique de la place à conquérir intellectuellement, nul ne peut l'imaginer au détour des années 1260. Au contraire, des récits de voyage aux témoignages des « experts », tout prouve aux Latins que les philosophes arabophones sont devenus des corps étrangers à la terre d'Islam. Dans sa lettre encyclique de 1255, Humbert de Romans, maître général des frères prêcheurs, ne s'y trompe d'ailleurs pas : demandant aux dominicains de prêcher devant les Sarrasins « trompés depuis si longtemps par leur faux prophète », il ne leur suggère pas d'aller réfuter Avicenne devant les masses musulmanes ! De même, quand le chapitre général de Valenciennes, auquel, en 1259, participe Thomas, décide de demander au Provincial d'Espagne de créer à Barcelone un *estudo de arabe*, c'est pour y jeter les conditions linguistiques de la polémique religieuse où s'illustrera Ramon Marti, l'auteur du *Poignard de la foi contre les juifs et les Sarrasins,* non pour apprendre à fréquenter Ibn Rushd dans le texte.

Sans être dirigée contre l'Islam contemporain, la *Somme contre les gentils* n'en reste pas moins la plus vigoureuse réfutation de la noétique du péripatétisme arabe produite au Moyen Age : tout et tous sont

visés — de la doctrine de l'intellect d'Ibn Bâjja (II,
67 : « Contre ceux qui identifient intellect et imagination ») à celle d'Averroès (II, 73 : « Que l'intellect
possible n'est pas numériquement identique dans tous
les hommes »), de la doctrine « arabe » de la félicité
philosophique comme « contemplation des substances
séparées » (III, 43-45) au déterminisme psychique
professé par l'astrologie et la philosophie de la nature
arabes (III, 84-88). Cette discussion critique de la philosophie arabe, la plus claire, la plus rigoureuse, la
plus méthodique du XIIIᵉ siècle, est un des centres
d'intérêt majeurs d'une œuvre qui est et se veut *aristotélicienne* (Aristote est invoqué plus de quatre cents
fois) : l'aristotélisme thomiste naît dans la critique du
péripatétisme arabe et gréco-arabe (Alexandre d'Aphrodise, vu à travers Averroès, n'est pas oublié).

Répertoire critique des hérésies, le *Contra Gentiles*
traverse aussi les siècles, réfutant les uns après les
autres les hérétiques des premiers siècles, des Naza-
réens (IV, 57) et des Ébionites (IV, 4, 28, 34), aux
« classiques » des IVᵉ (Arius, I, 42 ; IV, 6-11, puis 16,
32, 34, 37, 41) et Vᵉ siècles (Nestorius, IV, 34, 37, 38,
41 ; Eutychès, IV, 35-37), jusqu'au monothélisme de
Macaire d'Antioche condamné en 680-681 par le
concile de Constantinople. Parmi les hérétiques de
son temps, Thomas s'en prend aux sectes cathares du
nord de l'Italie — les Albanais et le Concorezziens (II,
43) —, au matérialisme panthéistique de David de
Dinant (I, 17), condamné en 1210. Les juifs, en
revanche, tiennent une place mineure. Le Talmud,
qui a tant agité les esprits dans les années 1238-1248
(quand le juif converti Nicolas Donin a dénoncé ses
trente-cinq erreurs au pape Grégoire IX et obtenu sa
condamnation), est pour ainsi dire absent ; c'est à
peine si Thomas y fait allusion, quand en II, 95, il
stigmatise « l'erreur des juifs qui affirment qu'il arrive
à Dieu de pécher, puis de se purifier de son péché ».

Les lacunes, nombreuses, ne doivent pas étonner.
Elles ne reflètent pas seulement les préférences, les
choix de l'individu. Elles traduisent l'essentiel de sa

méthode. L'encyclopédie thomiste ne veut pas faire la somme de tous les faux. Son premier objet est l'exposé de la vérité de la foi catholique. La critique, la réfutation ne sont qu'un effet latéral, un contre-coup, l'ombre portée du vrai sur l'erreur. Dans le *Contra Gentiles* l'apologie est positive plus que négative. La production de la vérité dissipe les faux semblants, c'est un bénéfice théologique secondaire atteint par une critique qu'il faut dire indirecte au sens où, pour Thomas, la réfutation de l'erreur est l'effet, et la manifestation de la vérité, la cause. Ce qui unifie toutes les postulations du *Contra Gentiles* — philosophique, théologique, apologétique, hérésiologique —, c'est d'abord cela, cette méthode du coup double que l'auteur définit lui-même ainsi : « Manifester la vérité que professe la foi catholique en éliminant du même coup les erreurs contraires. » Manifester : élucider, analyser, reformuler, traduire, étayer.

Méditer, exposer, argumenter une vérité particulière, c'est remplir un double programme qui dépasse toutes les vaines alternatives où l'on prétend enfermer la scolastique, à commencer par les plus têtues : « foi *ou* raison », « philosophie *ou* théologie ». Somme *contre* les « gentils », l'œuvre de Thomas parle le seul langage commun à tous les hommes : celui de la raison naturelle. Il ne s'agit pas de réfuter toutes les erreurs, il s'agit d'abord d'« établir une vérité par voie démonstrative », puis de montrer « comment elle s'accorde avec la foi de la religion chrétienne », puis de déduire logiquement « les erreurs que cette vérité exclut ». La méthode théologique, le credo scientifique de Thomas tiennent dans une loi logique simple : si *p*, alors *non non-p*. C'est cette loi, érigée en principe recteur dans le *Contra Gentiles,* que, en 1270, Thomas inscrit au principe de sa réfutation de la doctrine de la « double vérité ».

Chef-d'œuvre de polémique érudite (on y dresse pour la première fois les commentateurs grecs contre Averroès), le *De unitate intellectus contra averroistas* met en argument la loi qui sert de matrice textuelle

au *Contra Gentiles*. L'averroïsme latin est une philosophie du *comme si*. Contre les maîtres chrétiens de
Paris qui font comme s'ils n'étaient pas chrétiens et
qui présentent, comme de l'extérieur et sans s'y
impliquer, les raisons qui font que les chrétiens ont
une « opinion contraire » à celle d'Averroès, Thomas
oblige le philosophe à choisir son camp. La première
faute de l'averroïste est de tout mettre sur le même
plan, l'« article de foi » et l'« opinion » philosophique ;
c'est ensuite de confronter les deux à parité ; c'est,
enfin, de choisir les deux publiquement, pour ne pas
trahir son choix privé. « Il y a, dit Thomas, beaucoup
plus grave » que la juxtaposition de la foi et de l'opinion, « c'est cette formule qu'ils utilisent : Par la
raison, je conclus nécessairement à l'unité numérique
de l'intellect ; par la foi, je tiens fermement le
contraire. » Sous les apparences du déchirement entre
deux vérités incommensurables l'une à l'autre,
l'Aquinate dépiste la réalité logique de l'athéisme :
« S'ils disent cela, c'est qu'ils pensent que la foi [leur
foi] porte sur des contenus dont on [on, c'est-à-dire,
évidemment, eux en tant que philosophes], peut
affirmer le contraire par un raisonnement nécessaire. »

En 1267, Bonaventure dénonçait le philosophe
capable de rendre *crédibles* des faussetés et le consommateur de philosophie incapable de faire autre chose
que de *renoncer à croire* les preuves fournies — un
reproche peu clair pour un comportement peu cohérent. Thomas lui, va directement au but, car il se bat
en logicien. Comme dans le *Contra Gentiles*, c'est Aristote qui marche contre le péripatétisme. La loi est
simple : on ne peut simultanément affirmer une proposition et son contraire. L'averroïste feint d'oublier
les principes fondamentaux de la logique aristotélicienne — bivalence et contradiction. Si p est vrai,
non-p est faux ; si p est faux, *non-p* est vrai. L'averroïste veut piéger son adversaire, l'attirer à négocier
un faux compromis : il demande qu'on le laisse penser
que p et s'engage, en contrepartie, à croire que *non-p*.

Thomas répond qu'il n'est pas dupe. L'averroïste fait une promesse impossible à tenir et qu'il transgresse dès le moment qu'il l'a faite : en affirmant le caractère nécessaire, démonstratif, scientifique de la preuve que *p* est le cas, l'averroïste pose *ipso facto* non seulement la fausseté, mais l'impossibilité de *non-p*. De fait, en bonne doctrine aristotélicienne, non seulement on ne peut à la fois affirmer que *p* et affirmer que *non-p,* mais on ne peut non plus affirmer que *p* est démontré ou démontrable sans poser en même temps que *non-non-p* est démontré ou démontrable. La croyance ne fait rien à l'affaire : c'est le masque de l'hypocrisie. Quel homme peut démontrer à la fois *p* et *non-non-p* et, dans le même temps, croire que *non-p* ? Être partisan de la double vérité n'est qu'une façon un peu plus perverse de dire : « *Le chat est sur le paillasson, mais je ne le crois pas* ». Au principe de l'averroïsme il y a un *paradoxe logique,* une misérable *fallacie,* qui se retourne contre ses partisans : « Puisqu'un raisonnement ne peut établir nécessairement que ce qui est à la fois vrai et nécessaire et puisque l'opposé du vrai et du nécessaire est le faux et l'impossible, il résulte de leur propos même que la foi porte sur quelque chose de faux et d'impossible. »

Au-delà même de la doctrine de la double vérité, la logique de la foi mise en place par Thomas dans le *Contra Gentiles* apporte une solution originale au problème de la rationalité religieuse. Le conflit ouvert et aussitôt refermé en terre d'Islam par le *Traité décisif sur l'accord de la philosophie et de la religion* d'Averroès est ici assumé, développé et réglé.

Contrairement à Averroès, qui se contente d'organiser socialement leur coexistence muette et séparée — une sorte d'autisme social pour un monde figé — Thomas ne renonce pas à accorder foi et raison : pour lui, le théologien n'est pas un intermédiaire inutile entre le philosophe, qui comprend sans croire, et le vulgaire, qui croit sans comprendre ; il lui revient d'assurer conceptuellement la transition d'un espace mental à l'autre.

Si la théologie est démonstrative, scientifique, et non pas topique ou dialectique, comme chez Averroès, il lui faut un ton, un style, une langue nouvelle. C'est là, peut-être, la plus remarquable réussite du *Contra Gentiles*. Débarrassé de tout l'apparat scolastique, la *Somme contre les gentils* est un texte sans questions ni articles, sans dramatisation extérieure du pour et du contre. Ici pas de *quod sic* et de *quod non ;* le théologien range son *sed contra* et ne garde que la plume. Une écriture directe, thétique, transparente, voilà ce qui permet l'exposé philosophique d'une théologie chrétienne conforme par sa facture au canon de la science aristotélicienne. Face à l'inextricable écheveau de la *Summa Halensis*, avec son architecture torturée de parties, de traités, de questions, de membres et de particules, les livres et les chapitres du *Contra Gentiles* proposent la version non scolaire de la scolastique, une version directement lisible de dix lectures sédimentées. Les thèmes et les thèses s'enchaînent : tout le livre n'est qu'un immense syllogisme. Chaque unité ou presque commence par un *ex hoc autem ostenditur* ou un *ex hoc manifeste apparet*. Le traducteur varie ses expressions : « On voit par là que », « La conséquence s'impose », etc. Le propos reste le même : une construction de la théologie par inférences et conclusions. On ne s'étonne pas dès lors que les doctrines les plus célèbres du thomisme — de l'« analogie de l'être » (I, 33) à l'éthique et à la théodicée (III, 1-22) — soient ici plus lisibles que dans tant d'autres œuvres. Elles y ont le tour naïf, direct, méthodique de la pensée aux prises avec elle-même. Loin des tics d'écriture, des conventions scolaires et des jeux d'argumentation, le *Contra Gentiles* est le livre le plus riche et le moins difficile du XIIIᵉ siècle. C'est la meilleure introduction possible à la pensée de Thomas d'Aquin : elle mène le lecteur au cœur d'un système qu'elle édifie, à mesure, avec lui.

Alain de LIBERA

BIBLIOGRAPHIE

ÉDITIONS DE RÉFÉRENCE : L'édition de référence est l'édition critique dite « léonine » (du nom de son commanditaire, le pape Léon XIII), *Sancti Thomae de Aquino Opera omnia iussu Leonis XIII P.M. Edita*, publiée par les dominicains en collaboration avec les Éditions Vrin, Paris ; 50 vol. prévus. D'autres éditions peuvent être consultées : la « piana » (du nom de Pie V), Rome, 1570, est difficilement accessible ; l'édition de Parme, 1852-1873, et l'édition de Paris (Vivès), 1871 (32 vol.), sont plus courantes. À défaut de la « léonine », Marietti (Turin-Rome), publie sous une présentation commode le meilleur texte disponible. Le *Contra Gentiles* constitue les tomes XIII-XIV de l'édition léonine, Rome, 1918 et 1930. Il est également édité par C. PERA, P. MARC et P. CARAMELLO, Turin, Marietti, 3 t., 1961-1967.

TRADUCTIONS FRANÇAISES : *L'Être et l'essence*, éd. bilingue, trad. C. CAPELLE, Paris, Vrin, 1947. *Somme contre les gentils*, éd. bilingue, trad. A. GAUTHIER, R. BERNIER, M. CORVEZ, L.-J. MOREAU, M.-J. GERLAUD, F. KÉROUANTON, 4 t., Paris, Lethielleux, 1951-1961 ; reprint Paris, Éd. du Cerf, 1993. *Somme de théologie*, trad. A. RAULIN et A.-M. ROGUET, Paris, Éd. du Cerf, 1984. *L'Unité de l'intellect contre les averroïstes*, éd. bilingue, trad. A. de LIBERA, Paris, GF-Flammarion, 1994 (à paraître). Une nouvelle traduction de la *Somme contre les gentils* est annoncée par les Éditions universitaires.

COMMENTAIRES : M.-D. CHENU, *Introduction à l'étude de saint Thomas d'Aquin*, Paris, Vrin, 1954. *Thomas d'Aquin et la théologie*, Paris, Éd. du Seuil, 1959. É. GILSON, *Le Thomisme*, Paris, Vrin, 1979.

WITTGENSTEIN

Tractatus logico-philosophicus
Recherches[1] philosophiques

En écrivant deux ouvrages aussi inclassables que le *Tractatus logico-philosophicus* (1922) et les *Recherches philosophiques* (1953), Wittgenstein a durablement marqué son siècle. Toute sa vie, il n'a fait que rectifier ou développer des intuitions philosophiques qu'il a eues très jeune. Son œuvre ne se fige donc pas, comme on le croit trop souvent, en deux systèmes successifs et différents. De fait, le second prend le premier comme matériau de base. La pensée de Wittgenstein suit constamment sa dynamique propre. Wittgenstein retravaille inlassablement ses anciennes idées, ou travaille à partir d'elles.

On n'aborde pas Wittgenstein comme un auteur académique. Son non-rapport à la grande tradition philosophique, son écriture par aphorismes ou par dialogues le singularisent totalement. Il est de la race des Pascal, Lichtenberg, Kierkegaard, voire Nietzsche (le pathos en moins) plutôt que de celle des Kant et Hegel. Défiant toutes les étiquettes en « -iste », refusant les orthodoxies, rebelle au professionnalisme philosophique, ne revendiquant aucun héritage, Wittgenstein a réellement voulu, par deux fois, recommencer à zéro la philosophie. Mais

1. Nous avons préféré le mot *Recherches* à celui d'*Investigations* qui figure dans la traduction française.

c'est au nom de la philosophie qu'il propose de dépasser la philosophie, de faire table rase du passé. Diagnostiquant dans la philosophie traditionnelle une maladie de l'intellect, il pratique et recommande une thérapeutique destinée à guérir « le philosophe qui est en nous[1] ». Wittgenstein n'est pas de ces prophètes qui annoncent la fin de la philosophie. Il ne souhaite mettre fin à la maladie philosophique que pour la remplacer par la seule philosophie à ses yeux légitime, qui s'interdit de théoriser sur le modèle des sciences. Une philosophie purement descriptive, qui renonce à expliquer.

Pour Wittgenstein, la maladie philosophique est liée à un mauvais fonctionnement du langage, à une méconnaissance de la grammaire de notre langage. Les prétendus « problèmes » de la philosophie sont engendrés par des « confusions grammaticales », elles-mêmes dues au caractère imagé de notre langage. Certaines de ces images nous fascinent au point que le langage nous échappe, tournant « à vide[2] » au lieu de « s'engrener » sur le réel[3]. Le trouble que jettent en nous ces images prégnantes nous égare et nous précipite dans le questionnement philosophique, la recherche utopique de solutions qui ne sauraient exister, voire la construction de doctrines. Le remède proposé consiste à éliminer les confusions grammaticales par un examen serré de notre grammaire : le problème philosophique issu de cette confusion s'évanouira de lui-même.

Telle est l'idée que se fait de la philosophie le Wittgenstein de la maturité (1929-1951). Déjà, dans le *Tractatus,* la philosophie (au sens traditionnel) devait céder la place à une pure activité critique d'analyse du langage. Remédiant à notre méconnaissance de la « logique profonde » de notre langage, cette activité critique, inspirée de Russell, empruntait les voies de l'analyse logique. Celle-ci pénétrait au plus profond du langage, jusqu'aux atomes logiques, unités de sens indécomposables. En exhibant la

1. Manuscrit intitulé « *Big Typescript* ».
2. *Investigations philosophiques I,* paragr. 132.
3. *Ibid.,* paragr. 136.

logique profonde du langage, cette analyse avait pour
effet de dissoudre, plutôt que de résoudre, les prétendus problèmes de la philosophie qui, à la différence
de ceux de la science, ne pouvaient être résolus.

À partir de 1929, la philosophie comme thérapie
succède à la critique du langage. Il ne s'agit plus de
descendre dans les profondeurs du langage pour
dévoiler une improbable *lingua abscondita,* d'exhumer la
forme logique cachée des propositions, mais de rester à
la surface du langage pour en décrire la grammaire ; car
« ce qui est caché ne nous intéresse pas » : « tout est étalé
sous nos yeux[1] ». À la verticalité de la première méthode
succède l'horizontalité de la seconde. La description
patiente et minutieuse de la grammaire du langage
ordinaire remplace la recherche utopique de l'essence
cachée du langage. À la quête de cette essence unitaire,
générale, se substitue le repérage des singularités,
idiosyncrasies et différences grammaticales. Dans le
Tractatus, la philosophie devait renoncer à poser des
thèses pour se faire purement critique et analytique. Le
second Wittgenstein s'interdit encore plus de théoriser
et propose de remplacer l'explication par la description :
« La philosophie place seulement toute chose devant
nous, et n'explique ni ne déduit rien — puisque tout est
étalé sous nos yeux, il n'y a rien à expliquer. (...) Si on
voulait poser des thèses en philosophie, on n'en viendrait pas à la discussion, parce que tout le monde serait
d'accord avec elles[2]. » Wittgenstein refoule notre « désir
de généralité[3] », qui nous pousse à rechercher en philosophie des explications générales, unitaires, voire
réductionnistes, et à nous mettre en quête d'essences.
La philosophie sera description du cas singulier, et
progressera à petits pas, *« piecemeal »,* comme disent les
Anglais. La philosophie est recherche conceptuelle ou
grammaticale, vouée à la description des différences et
des parentés entre les concepts. Elle décrit certes l'usage
ordinaire des mots, par opposition à leur usage méta-

---

1. *Investigations philosophiques I,* paragr. 126.
2. *Ibid.,* paragr. 126-128.
3. *Cahier bleu,* p. 48 *sq.*

physique (elle veut les « ramener de leur usage méta-physique à leur usage quotidien[1]»), mais elle n'est pas empirique pour autant. La distinction entre recherche empirique (qui est le lot de la science) et recherche grammaticale (ou conceptuelle) est au cœur de la pensée de Wittgenstein, qui accuse justement la méta-physique d'occulter cette distinction (laquelle recoupe celle entre science et philosophie).

Assez curieusement, cette série de descriptions minutieuses et ponctuelles doit déboucher sur une plus vaste perspective, une vue d'ensemble *(Übersicht)* d'un secteur de la grammaire de notre langage, une claire vision des connexions grammaticales concer-nées. Cette *Übersicht* exhibe « un ordre dans notre connaissance de l'usage du langage : un ordre pour un but déterminé, un ordre pris parmi de nombreux ordres possibles, non pas l'ordre[2] ». Mais l'*Übersicht* ainsi obtenue n'est pas pour autant la fin de la philo-sophie. Partielle, elle ne concerne que des fragments de notre langage. Et puisque l'évolution du langage peut toujours occasionner de nouvelles confusions grammaticales à élucider, la fin de la philosophie n'est pas pour demain : « Mais alors nous ne verrons jamais la fin de notre travail ! — sans aucun doute, car il n'en a pas[3]. »

L'*Übersicht* nous apporte en revanche ce qu'aucune théorie philosophique ne pourrait nous donner : « la paix dans les pensées[4] », véritable objectif du philo-sophe-thérapeute, la guérison partielle mais définitive de la maladie philosophique, des douloureuses per-plexités du philosophe. Les idées métaphysiques n'étaient, après tout, que les échos déformés de la grammaire. Le *Tractatus* se donnait pour objectif de délimiter le dicible ; de tracer une frontière entre dicible et indicible, sens et non-sens, discours factuel et discours métaphysique, éthique, esthétique, reli-

1. *Investigations philosophiques I*, paragr. 116.
2. *Ibid.*, paragr. 132.
3. *Fiches*, paragr. 447.
4. « *Big Typescript* ».

gieux, bref de vouer au silence la métaphysique et le discours sur les valeurs. On connaît le dernier aphorisme du *Tractatus* : « Ce dont on ne peut parler, il faut le taire. » Du même coup le *Tractatus* s'annulait ou se disqualifiait lui-même, dans ses derniers aphorismes, en tant que traité de métaphysique dogmatique. Cohérent avec lui-même, Wittgenstein renonce alors à la philosophie.

Sept ans après, pourtant, il y revient, en 1929, au prix, il est vrai, d'une révolution copernicienne qui permute les positions respectives du langage et du monde. Wittgenstein passe d'un langage-miroir du monde à une réalité qui est simplement, comme on a pu le dire, « l'ombre portée de la grammaire », d'un monde qui impose sa structure au langage à une grammaire qui détermine l'essence de chaque chose. Contrairement aux apparences, et en dépit de cette volte-face, cette « seconde » philosophie est entièrement issue des fulgurantes intuitions de jeunesse de Wittgenstein et des critiques qu'il leur adresse à partir de 1929. Les textes de la période dite intermédiaire (début des années 1930) nous montrent par quelle subtile alchimie le dogmatisme métaphysique du *Tractatus* se métamorphose en un questionnement multiple qui trouve sa plus parfaite expression dans la première partie des *Recherches philosophiques,* le seul texte avec le *Tractatus* dont Wittgenstein soit vraiment l'auteur.

Le *Tractatus* et son impressionnante liste d'aphorismes commençait par exposer une ontologie. D'abord venait le monde, et son agencement se reflétait dans le langage. Puis tout s'ordonnait autour du thème de la proposition comme image. Comment le langage est-il corrélé au monde ? Il est doté d'une structure que lui imposent le monde et son agencement ontologique (objets, états de choses, faits). Les éléments ultimes du monde, les objets (sur la nature desquels Wittgenstein ne dit rien de positif) sont corrélés aux éléments ultimes du langage, les noms. Les états de choses (combinaisons de noms) sont représentés dans les propositions élémentaires et les faits — coexistence d'états de choses — dans les propositions complexes. Le langage est en effet doté d'une capacité de figuration *(Bildhaftigkeit)* qui habilite la proposition à être l'image *(Bild)* d'un fait réel ou possible qui a même structure qu'elle. Seule la comparaison de la proposition et du fait qu'elle est censée dépeindre décide de sa vérité ou de sa fausseté. Et la vérité des propositions complexes dépend de la vérité ou de la fausseté de celles qui la composent (thèse dite d'« extensionnalité »). Avant la confrontation avec le monde, la proposition-image, en tant qu'elle représente un fait possible, est dotée d'un sens, elle détermine une situation possible dans l'espace logique, cet échafaudage logique qui correspond à la forme *a priori* du monde. Les objets sont comme des places vides dans un réseau d'états de choses possibles, éventuellement remplies par l'empirie qui leur assigne alors des propriétés bien déterminées. Les objets constituent la substance inaltérable du monde qui subsiste à travers les changements de leurs configurations (états de choses et faits), changements toutefois conçus de façon atemporelle (le fait n'est pas un événement dans le temps).

La proposition-image a un statut double : en tant que fait elle est un fragment du monde ; en tant qu'image elle reproduit *(abbilden)* un autre fragment du monde doté de la même « forme logique » qu'elle : cette communauté de « forme logique » est la condition de la représentativité de la proposition. En tant qu'image *logique,* la proposition-image « expose » un secteur de l'ensemble des faits possibles qu'elle découpe et dont elle reproduit la configuration ; elle détermine une situation dans l'espace logique.

Mais cette analyse de l'image déborde évidemment le cadre d'une simple théorie du langage : il s'agit pour Wittgenstein de fournir une théorie de la représentation générale, ou plutôt de la représentativité, en termes de *Form der Abbildung* (forme figurative). Cette

forme est ce que l'image (la représentation) doit avoir
en commun avec le représenté pour pouvoir le représenter : ainsi, la dimension spatiale d'un fait ne saurait
être représentée dans une image que si elle est elle-
même spatiale. Mais ce que toute image doit avoir de
commun avec la réalité en général, c'est sa forme
logique, la forme par excellence de la réalité ; seule la
forme logique est exigée de toute image. La
pensée — ou la proposition qui l'exprime — est la
pure image logique. Sa forme, isomorphe à celle du
fait, se reflète ou se manifeste dans la proposition ; or
« ce qui peut être montré ne peut être dit[1] » ; donc la
forme logique est indicible. Wittgenstein introduit là
une des distinctions majeures de sa philosophie qui
restera opérante jusqu'à la fin, celle du dire et du
montrer. Chez Wittgenstein le langage a pour ainsi
dire un double régime. Il peut dire : en tant que
Bild il décrit un fait, un fragment du monde, et si ce
Bild est une proposition vraie — c'est-à-dire véri-
fiée — il dit « qu'il en est ainsi[2] ». Mais en outre le
langage a le pouvoir de manifester ou de montrer ce
qu'il ne peut pas dire, entre autres cette forme logique
qui lui est commune avec la réalité qu'il représente.
C'est ainsi que Wittgenstein déclare indicible la syntaxe logique du langage, ainsi que toutes ses propriétés sémantiques (qui ont trait à son rapport au
monde). Par suite, il n'existe aucun métalangage,
puisque la fonction d'un métalangage serait d'énoncer
de telles propriétés. Le seul langage correct est celui
qui dépeint des faits du monde ; or un métalangage
parlant du langage ne porterait pas sur le monde, il ne
serait pas constitué de propositions authentiques. Au
sens strict, on ne peut parler que du monde. L'ineffa-
bilisme sémantique de Wittgenstein est le revers de sa
théorie de langage. L'interdit qu'il formule est cependant compensé par la réflexivité du langage qui lui
permet de montrer ce qu'il ne peut dire.

1. *Tractatus logico-philosophicus*, 4.1212.
2. *Ibid.*, 4.022.

Il est clair que ce phénomène de monstration réflexive propre au langage (correct, factuel) tient à son caractère iconique ou figuratif. Si la proposition n'était pas image, elle ne pourrait montrer ce qui ne peut être dit. Il ne « manque » donc rien au langage tel que le décrit Wittgenstein, il peut faire tout ce qui est requis d'un langage authentique et correct.

À la lisière du langage factuel apparaissent toutefois deux cas étranges : la tautologie, vraie de tous les états de choses possibles, et la contradiction, toujours fausse, qui constituent des cas-limites de propositions : « La proposition montre ce qu'elle dit, la tautologie et la contradiction montrent qu'elles ne disent rien[1] ». La tautologie « p ou non p » n'est pas un non-sens, elle est simplement vide de sens, puisqu'elle ne dépeint aucun état de choses particulier. Sa forme même montre qu'elle ne dit rien. Prises ensemble, les tautologies avec lesquelles opère le logicien dessinent la forme du monde ; on comprend alors pourquoi Wittgenstein écrit : « La logique n'est pas une doctrine, mais un reflet du monde dans un miroir[2]. » Les règles logiques immanentes à l'usage des symboles, la reconnaissance et la manipulation des tautologies, restent implicites : elles se montrent dans l'usage sans pouvoir se dire. Il n'y a pas plus de métalogique (explicitant ces règles) que de métalangage en général.

Wittgenstein écrivit à son éditeur Ficker que l'essentiel du *Tractatus* en était la partie non écrite, la cathédrale engloutie recelant le véritable enjeu, éthique, du livre. L'injonction finale au silence doit donc se comprendre comme un impératif éthique et comme la reconnaissance de la dimension mystique de certaines choses ineffables. Message qui va de pair avec le sérieux et la ferveur de l'écriture aphoristique du livre.

Si toutefois Wittgenstein rompt le silence pour revenir à la philosophie en 1929, c'est qu'il est insa-

1. *Ibid.*, 4.461.
2. *Ibid.*, 6.13.

tisfait du *Tractatus,* pourtant écrit dans la conviction de livrer des vérités définitives. Parmi les insuffisances que semble désormais receler le *Tractatus,* l'une a trait à la nature des objets (volontairement ?), laissée dans l'ombre. Cette obscurité fait perdre de sa crédibilité à l'atomisme logique. Par ailleurs Wittgenstein ne semble toujours pas en mesure d'indiquer comment l'analyse logique exhaustive du *Tractatus* pourrait être praticable. Quant au dogme de l'indépendance des propositions élémentaires, il se trouve remis en cause par la reconnaissance de l'incompatibilité entre deux énoncés décrivant complètement une tache sans lui attribuer la même couleur : les deux énoncés s'excluent (sans se contredire au sens logique, technique du terme). L'impossibilité pour deux couleurs d'occuper en même temps une même surface montre ainsi l'existence, à côté de l'*a priori* logique des tables de vérité, d'un *a priori* des choses et d'une « logique des couleurs » qui exclut certaines possibilités[1].

Enfin, le *Tractatus* recèle des tendances holistiques qui vont à l'encontre de l'atomisme logique. La possibilité de venir s'inscrire dans des états de choses étant reconnue inhérente aux choses elles-mêmes[2], le second Wittgenstein va tirer la conclusion qu'il n'avait pas su formuler dans le *Tractatus.* Dans ses entretiens avec le Cercle de Vienne, notamment, il renonce à dire : « La proposition est appliquée comme une règle graduée sur la réalité[3] » pour affirmer : « Un système de propositions est appliqué comme une règle graduée sur la réalité » ; c'est « l'échelle tout entière[4] », et non une proposition isolée, qui se trouve comparée à la réalité. Le dogme de l'indépendance logique des propositions élémentaires disparaît, qui méconnaissait la solidarité de toutes les propositions au sein d'un *Satzsystem.* « *Système* des propositions », « *système* des couleurs » : le vocabulaire de Wittgenstein est en train

1. *Tractatus logico-philosophicus,* 6.3751.
2. *Ibid.,* 2.0121.
3. *Ibid.,* 2.1512.
4. *Wittgenstein et le Cercle de Vienne,* p. 47.

de changer, et pourtant il ne fait là qu'exploiter une idée déjà présente dans le *Tractatus* : « La couleur présuppose déjà tout le système des couleurs[1]. » Or c'est à la même époque que la signification d'un mot est assimilée par Wittgenstein à sa place dans un système qualifié de « grammatical ». Le mot « système » sonne le glas de l'atomisme logique ; le holisme (diamétralement opposé à l'atomisme logique puisqu'il privilégie le tout par rapport aux parties et souligne la dépendance des parties vis-à-vis du tout) triomphe dès lors[2]. Rien n'existe à l'état libre dans le langage, indépendamment d'un système de règles qui confère leur sens aux mots et aux propositions. Ce système est d'abord évoqué sous le nom de calcul ou de jeu, par référence au jeu d'échecs : « J'ai dit que la signification d'un mot était le rôle qu'il joue dans le calcul du langage. J'ai comparé le mot à une pièce dans le jeu d'échecs[3]. » Plus tard, le « système » prend son visage définitif sous le nom de « jeu de langage[4] ». À la forme unique du langage évoquée dans le *Tractatus* succède, dans les années 30, la multiplicité des jeux de langage : chaque proposition est nécessairement prise dans un jeu de langage dans lequel son énonciation équivaut à « jouer un coup[5] ». Sortir d'un jeu de langage nous fait obligatoirement entrer dans un autre, déterminé par d'autres règles. C'est l'ensemble de ses règles qui fixe l'identité d'un jeu de langage, ou encore, comme le dit de plus en plus souvent Wittgenstein, sa grammaire. Certains parlent de « tournant grammatical », avec l'introduction puis l'omniprésence définitive de ce mot dans la seconde philosophie de Wittgenstein. Le concept de grammaire généralise le concept tractatuséen de syntaxe logique. Mais alors que la syntaxe du *Tractatus* est une grammaire pure, la

1. *Ibid.*, p. 88. *Cf. Tractatus logico-philosophicus* 2.0131.
2. Il y a un holisme latent — parfois explicite — du *Tractatus* : *cf.* 2.0124, *sq.*
3. *Grammaire philosophique*, II, 31, p. 75.
4. *Investigations philosophiques I*, paragr. 66.
5. *Ibid.*, paragr. 49.

grammaire d'une expression, au sens du second Wittgenstein, est incarnée et concrète, sinon impure. Elle consigne les règles de l'usage ordinaire de l'expression. Le concept de grammaire est ainsi connecté à un titre essentiel avec celui d'*usage* (« usage » est un autre maître mot de la seconde philosophie de Wittgenstein qui en révèle la tendance pragmatiste, au sens de Peirce, selon lequel la signification d'une expression est à trouver dans son usage). La philosophie peut donc alors se définir comme la description de la grammaire du langage ordinaire, et le tournant grammatical prend la signification d'un retour de la philosophie à l'ordinaire, d'une réhabilitation de l'usage familier de notre langage (déjà déclaré en ordre dans le *Tractatus*). L'intérêt de Wittgenstein se déplace de la langue logique idéale, syntaxiquement parfaite, vers le langage commun dont la grammaire, souvent opaque, demande à être élucidée. La tâche de la philosophie cesse d'être réformatrice, voire orthopédique (soumettant le langage ordinaire au lit de Procuste d'un langage logique) pour se faire descriptive et clarificatrice[1]. La clarté visée étant « absolue[2] », on comprend que l'élucidation grammaticale est censée accomplir par d'autres voies la tâche qui, dans le *Tractatus,* était réservée à l'analyse. Avec cet avantage que la description de la grammaire à des fins d'élucidation est parfaitement praticable. L'idéal — la langue logique parfaite — est remis à sa vraie place. Au lieu de viser un idéal qui « doit nécessairement » se trouver (caché) dans la réalité, la philosophie doit parler des phrases ordinaires. À la sublimation du langage succède la réappropriation de l'humble en philosophie. Et le locuteur n'a plus besoin du logicien pour lui montrer « comment doit se présenter une phrase correcte[3] ».

Un thème important émerge au cours des années 30, notamment dans la *Grammaire philosophique,*

1. *Investigations philosophiques I,* paragr. 132-133.
2. *Ibid.*
3. *Ibid.,* paragr. 81.

celui de l'autonomie de la grammaire qui « n'a pas de comptes à rendre » à la réalité ou à la nature[1]. Rien dans le réel, aucune loi de la nature ne nous a imposé cette grammaire : elle est « arbitraire », en ce sens que son adoption a fait l'objet d'une sorte de contrat — peut-être mythique, sans existence historique, tel le contrat social de Rousseau. La grammaire et ses règles ont donc une autorité qui s'exercera *a priori* (indépendamment de l'expérience et antérieurement à elle), autorité dont nous l'avons investie et que dès lors nous respectons. C'est la grammaire qui détermine ou fixe la signification des expressions de notre langage sans que pour autant il faille hypostasier le sens. La connexion du langage et du réel (thème majeur dans le *Tractatus*) est un problème réglé *a priori* à l'intérieur de la grammaire : celle-ci garantit l'adéquation à la réalité du langage comme « instrument de mesure » du réel[2] (une métaphore déjà présente dans le *Tractatus,* qui parlait de règle appliquée sur la réalité). L'unité de mesure pourrait certes être autre (on peut préférer la toise au mètre). Si Wittgenstein insiste sur l'arbitraire de notre grammaire ou de notre schème conceptuel, c'est pour nous guérir de notre ethnocentrisme conceptuel spontané. Il ne dit pas à titre d'hypothèse : « Si tels et tels faits de la nature étaient différents, on aurait des concepts différents », mais il invite seulement à « se figurer certains faits très généraux de la nature autrement que nous n'y sommes habitués » pour « rendre intelligible » la formation de concepts différents des nôtres, pour détruire le préjugé que nos concepts sont les seuls concepts justes[3].

En fixant la signification des mots (qui n'est rien en dehors d'elle), la grammaire détermine aussi quelle est l'essence de chaque chose ; c'est pourquoi « l'essence du langage est une image de l'essence du monde[4] ». « Gérante de la grammaire », la philosophie peut

1. *Grammaire philosophique,* X, p. 190.
2. *Cf. Investigations philosophiques I,* paragr. 569.
3. *Investigations philosophiques II,* paragr. XII.
4. *Remarques philosophiques,* paragr. 54.

« saisir l'essence du monde », non dans des propositions du langage, mais à travers les règles de la grammaire « qui excluent les combinaisons de signes dénuées de sens[1] ».

Ainsi s'opère le grand partage du discours en expressions descriptives et expressions normatives, en propositions factuelles et règles grammaticales. Une grande part des illusions philosophiques provient de ce que les règles grammaticales sont déguisées en énoncés factuels : nous prenons alors souvent le normatif pour du descriptif. La dimension normative du langage se manifeste dans l'existence de jeux de langage fixés plus ou moins rigidement par des règles. Il peut y avoir du vague dans le jeu car les règles ne déterminent pas tout (au tennis, la hauteur des balles n'est pas fixée) ; cela justifie la présence d'un certain vague dans notre langage, qui ne gêne en rien la communication. En outre, celui qui ne comprend pas l'esprit *(Witz)* du jeu aura beau suivre les règles, il ne sera pas bon joueur... Wittgenstein présente les jeux de langage comme des systèmes de communication simples, mais complets, et non content de citer des jeux réels, il s'attache à décrire des jeux imaginaires, « instruments de comparaison[2] » qui nous permettent de mieux comprendre nos jeux réels.

Les jeux de langage ne sont pas seulement linguistiques, ils sont indissociables de pratiques non linguistiques. Wittgenstein les insère dans le cadre d'une « forme de vie » concrète faite d'habitus socio-culturels. Ce qui va de pair avec l'instrumentalité que Wittgenstein reconnaît au langage : les mots sont comme des outils, les phrases d'un jeu de langage comme des coups joués aux échecs ; les concepts sont « l'expression de notre intérêt, ils le dirigent », ils nous poussent à entreprendre des recherches[3].

Fragmenté en jeux, le langage a pourtant une unité, celle du câble dont aucune fibre tordue avec

1. *Remarques philosophiques*, paragr. 54.
2. *Investigations philosophiques I,* paragr. 130.
3. *Ibid.,* paragr. 570.

d'autres ne va d'un bout à l'autre et qui n'en est pas moins solide pour autant. Wittgenstein utilise en fait cette métaphore pour nous faire comprendre que bien souvent les mots n'ont pas de définition stricte donnant un ensemble fixe de caractéristiques néces- saires et suffisantes, correspondant à l'essence de la chose signifiée par le mot. La diversité d'usage des mots, leur vague plus ou moins grand tiennent à ce que les utilisations d'un mot ne présentent entre elles que des « ressemblances de famille » : « un réseau complexe d'analogies qui s'entrecroisent[1] » sans qu'« une chose soit commune à ces phénomènes[2] ». Les différents usages d'un mot sont apparentés sans que le mot conserve nécessairement un noyau séman- tique fixe à travers ses utilisations. C'est, par excel- lence, le cas du mot « jeu », dont les contours sont flous[3].

Dès lors on ne peut pas toujours — et cela n'est nullement obligatoire — expliquer à quelqu'un la signification d'un mot en lui donnant une définition stricte ; la plupart du temps, on l'expliquera en don- nant des exemples concrets, ce qui n'est pas « un moyen indirect de l'explication, faute de mieux[4] » (c'est-à-dire faute de pouvoir indiquer le prétendu « élément commun »). En effet, la signification d'un mot n'est nulle part ailleurs que dans les explications concrètes qu'on en donne : la signification est ce qui est donné par les explications de la signification[5]. Le vouloir-dire *(Meinen)* et le comprendre *(Verstehen)* sont corrélés à un titre essentiel à l'explication *(Erkla- rung)*. Parmi les exemples donnés au cours d'une explication, certains, les paradigmes, sont plus « exem- plaires » que d'autres, et investis d'une autorité parti- culière : c'est par eux que les explications jouent dans notre langage un rôle normatif.

1. *Investigations philosophiques I,* paragr. 66.
2. *Ibid.,* paragr. 65.
3. *Ibid.,* paragr. 65 à 71.
4. *Ibid.,* paragr. 71.
5. *Ibid.,* paragr. 560.

Il n'est donc plus question de soumettre, dans un esprit de réforme, le langage ordinaire au lit de Procuste d'un langage logique ou d'un calcul aux règles rigides. Loin d'être une imperfection, la fluidité de sa grammaire, le flou de ses règles garantissent, au lieu de la gêner, la communication (l'intérêt porté à la communication est un des aspects « pragmatiques » de la seconde philosophie de Wittgenstein). On comprend que la métaphore du calcul rigide s'estompe au cours des années 40.

L'activité qui consiste à suivre (correctement) une règle (c'est-à-dire à savoir comment continuer à la suivre) — où certains voient le thème essentiel des *Recherches philosophiques* —, et la nature de la contrainte qui s'exerce alors sur nous ne se comprennent que par référence à une autorité à laquelle nous nous plions tous dès l'enfance : celle du maître d'école ; à l'ensemble des institutions, des coutumes et habitudes collectives où sont impliquées une autorité de ce genre et une certaine uniformité dans les pratiques ; enfin au « dressage », la partie pratique la plus primitive de l'enseignement, qui ancre profondément en nous, et de façon uniforme, des habitudes, des schèmes de comportement que nous trouvons ensuite « naturel » d'avoir. Le problème — vaste parce qu'il concerne le langage tout entier (l'application des mots) et pas seulement les mathématiques — du suivi d'une règle est en partie celui de savoir ce qu'il nous semble naturel de faire en appliquant, par exemple, la règle « ajoutez trois » à la suite des nombres arithmétiques. Ce qui vaut pour « suivre une règle », c'est la suivre comme cela nous est naturel. Mais cela ne nous est naturel qu'en raison du dressage collectif subi dans l'enfance, et de l'autorité du maître à laquelle nous nous sommes tous pliés. L'inexorabilité du « tu dois » *(muss)* logique, telle que nous la ressentons, est un écho de l'autorité que nous avons connue dans l'enfance, renforcée ensuite par une vie sociale elle-même homogénéisée, voire cimentée par nos comportements de soumission aux normes. Wittgenstein ne fait pas pour autant de nous une société de moutons, il insiste sur le caractère indispensable, dans une forme de vie, des normes et d'un respect des normes qui laisse évidemment ouverte la possibilité de la transgression[1].

Le simple consensus communautaire ne suffit pas à déterminer ce qu'est appliquer correctement une règle (suivre une règle, ce n'est pas seulement faire comme tout le monde), même s'il est vrai qu'on ne saurait suivre une règle « en privé ». Le consensus impliqué par le suivi des règles est plus profond, d'ordre infra-théorique : il est dans les actes, dans la « forme de vie », non dans les opinions, souligne Wittgenstein[2]. Lui-même plutôt anticonformiste dans sa vie, Wittgenstein ne prêche certes ici aucun conformisme social, il aligne plutôt des observations « anthropologiques », soulignant le caractère institutionnel et coutumier du suivi des règles : on ne suit pas une règle une seule fois. Cela ne fait pas de nous une société de robots. La contrainte qu'exerce sur nous la règle ne menace pas notre liberté — pas plus que le poteau indicateur ne nous force à suivre la direction qu'il indique — (même si nous avons parfois le sentiment de la suivre « aveuglément » ou machinalement, en nous laissant totalement guider), elle la manifeste au contraire : selon certains lecteurs de Wittgenstein, suivre une règle implique l'existence, à chaque application de la règle, d'un acte de libre « création normative », que nous percevons à peine comme une décision tant il nous est « naturel ». De fait, Wittgenstein se situe entre une conception qui majore la contrainte et une conception spontanéiste du suivi de la règle.

La très hétérodoxe réflexion de Wittgenstein sur les mathématiques (pour lui un « mélange bariolé de techniques[3], et non pas une connaissance) renvoie par

1. *Cf. Investigations philosophiques I,* paragr. 199 et *Remarques philosophiques,* p. 98.
2. *Investigations philosophiques I,* paragr. 241.
3. *Remarques sur les fondements des mathématiques,* p. 161.

excellence les pratiques mathématiques au dressage et à l'autorité, ainsi qu'à la relative uniformité des pratiques (issue du dressage) dans une société donnée. Mais elle renvoie aussi aux questions qu'un tel apprentissage réprime et dont Wittgenstein veut se faire l'interprète, voire l'avocat. Démontrer un théorème, c'est tracer pour tout le monde un chemin à emprunter en toute confiance (celui qui refuse de reconnaître une démonstration correcte se sépare *ipso facto* de nous, se met en situation de déviance, note Wittgenstein). La démonstration introduit dans les mathématiques un paradigme nouveau que tout le monde peut reproduire. Elle fixe le sens des mots du théorème démontré. L'innovation mathématique est « estampillée », elle porte « le cachet de l'incontestabilité[1] », souligne Wittgenstein, pour la communauté tout entière. L'innovation mathématique relève d'ailleurs plus de la construction de concepts que de la découverte. Un théorème ne nous apprend rien sur une réalité quelconque. Les mathématiques ne sont pas de l'ordre de la connaissance. Aucune réalité idéale, aucune *terra incognita* à explorer (comme le « troisième royaume » de Frege, un monde platonicien où siègent significations et pensées à titre d'entités objectives, voire éternelles) ne rend vraies les propositions mathématiques : celles-ci ne sont pas des propositions du tout (elles ne décrivent pas de faits), mais des règles grammaticales. Wittgenstein détruit tout parallèle entre la proposition mathématique et la proposition ordinaire, empirique, vouée à la reproduction de la seule réalité qui existe, le monde autour de nous. Les mathématiques ne décrivent pas des faits, elles dessinent l'armature de notre description des faits, mieux elles déterminent ce qu'est pour nous un fait réglant *a priori,* de l'intérieur de la grammaire, le problème de l'application des mathématiques à la réalité. Le mathématicien ne fait passer aucune vérité éternelle qu'il découvrirait du statut de possible en

1. *De la certitude,* paragr. 655.

attente d'être découvert au statut de réel — un possible implicitement déjà tenu pour réel, comme par
exemple chez Frege. Le mathématicien construit des
connexions conceptuelles que nous reconnaissons
comme nécessaires, il pose des règles auxquelles nous
nous soumettons.

Les mathématiques ne sont pas la description de
faits idéaux nécessaires. La nécessité mathématique
est un fait de langage. Ce qui nous apparaît comme
une « nécessité de nature » ne passe en fait dans le
langage que sous la forme d'une convention plus ou
moins arbitraire : tel est le paradoxe de la nécessité ; la
faire entrer dans le langage lui ôte en un sens toute
réalité. Wittgenstein fait descendre du ciel frégéen la
nécessité logico-mathématique pour l'inscrire dans le
langage, mais sous la forme d'une articulation grammaticale contingente. La rupture avec Frege et son
« platonisme » mathématique est consommée.

Il en va de la grammaire mathématique comme de
tout autre système de règles, par exemple la grammaire des couleurs sur laquelle Wittgenstein a
constamment travaillé. Ces systèmes « ne résident pas
dans la nature », celle-ci ne nous les a pas imposés :
nous les avons adoptés pour ainsi dire contractuellement (même si le contrat reste tacite, voire
inconscient). Mais, note Wittgenstein, certains faits
très généraux de la nature peuvent peser sur l'adoption de nos règles[1] : la constance des régularités naturelles, notamment, doit être présupposée pour
que nous puissions instaurer, puis respecter nos systèmes de règles. C'est en ce sens que la nature « a
son mot à dire[2] », sans qu'elle nous ait pour autant
imposé nos règles. Wittgenstein admet ainsi que
nos règles sont à la fois arbitraires et « apparentées au non-arbitraire[3] ». Rien — aucun fait — ne
nous les a dictées, les règles sont « en marge de la
vérité ».

1. *Cf. Investigations philosophiques II,* paragr. XII.
2. *Fiches,* paragr. 364.
3. *Ibid.,* paragr. 358.

La seconde philosophie de Wittgenstein s'épanouit en philosophie de la norme, sans que l'abondance croissante des constatations anthropologiques entame le caractère foncièrement grammatical de l'entreprise. L'anthropologie ne constitue chez lui que les « notes en bas de page » de la grammaire.

Dans *De la certitude* (ultime ouvrage inachevé), Wittgenstein s'intéresse à diverses sortes de propositions très semblables aux « propositions » mathématiques en ce qu'elles sont soustraites au doute et occupent une position centrale dans notre système de croyances, sans avoir pourtant le statut de règles. Je propose de les qualifier de quasi-règles. Ce qui les distingue des véritables règles mathématiques, c'est d'abord leur apparence plus marquée de proposition empirique : elles semblent, comme dirait Quine, « parler d'objets ». Elles n'ont pourtant pas la fonction (descriptive) des propositions empiriques ; par leur forme, elles sont quasi empiriques, par leur fonction, quasi grammaticales. Exemple : « Je sais que la terre existait avant ma naissance. » De telles propositions font, comme les règles, « partie du fondement de toute possibilité d'opérer avec des pensées (avec le langage)[1] ». Wittgenstein maintient certes une distinction entre les propositions dites nécessaires et les convictions soustraites, même sans raison, à la contestation, probablement parce que celles-ci relèvent davantage de la foi que celles-là. Certes on ne peut, ou on ne veut, envisager la fausseté ni des règles ni des quasi-règles, mais la différence entre elles tient peut-être surtout à la différence entre les raisons qui nous poussent à les soustraire à la contestation. Les unes et les autres en tout cas sont — peut-être à des degrés divers — « pétrifiées » et rendues « atemporelles ».

Les quasi-règles occupent en fait une zone fluctuante et floue entre l'empirique et le grammatical, où la même proposition peut servir tantôt de règle, tantôt

1. *De la certitude*, paragr. 401.

de proposition d'expérience (l'histoire des sciences nous en fournit des exemples). La distinction n'est pas supprimée pour autant, mais, en reconnaissant l'existence de cette zone indécise[1], Wittgenstein tient davantage compte qu'avant des différences dans les utilisations de propositions d'apparence semblable, des fluctuations d'une culture, ou d'une époque, à une autre, d'un locuteur à un autre.

Les convictions fondamentales de ce genre font système, forment notre *Weltbild,* mais pour autant ne constituent pas un savoir. Dans une situation où le doute est exclu, il ne saurait être question de « savoir ». Ces convictions relèvent de la croyance plus que du savoir, c'est une sorte de foi qui nous empêche d'en envisager l'éventuelle fausseté. (D'ailleurs, qui peut dire quelle est la part de la foi dans notre adhésion aux vérités mathématiques ?)

La dernière philosophie de Wittgenstein est par ailleurs très marquée par la *psychologie de la Forme*[2]. Principalement consacrée aux concepts psychologiques, elle offre un contraste avec la première partie des *Recherches philosophiques,* où Wittgenstein cherchait à établir que comprendre, vouloir dire, penser, etc. sont des concepts exprimant des capacités, non des états ou des processus mentaux « occultes ». Dénonçant le mythe d'un monde intérieur aux replis secrets, il combattait notamment l'illusion qu'un langage purement privé soit possible. Mais alors que cette première partie dialoguait souvent avec les *Principes de psychologie* de James, dans la seconde partie, et d'autres textes de cette époque[3], Wittgenstein développe une sorte de phénoménologie des « aspects » qui s'appuie sur la psychologie de la forme en quelque sorte dépsy-

1. *Investigations philosophiques I,* paragr. 32 ; *II,* paragr. IV ; *cf. De la certitude,* paragr. 167, 96-97-98.
2. École influencée par la « psychologie descriptive » de Brentano. C'est une théorie holiste de la perception : nous percevons non pas des atomes, mais des configurations globales *(Gestalten)* qui semblent s'organiser spontanément et avoir d'emblée un sens.
3. *Cf. Derniers écrits sur la philosophie de la psychologie.*

chologisée. Pour traiter notamment de la grammaire des concepts visuels, Wittgenstein travaille à partir des notions de changement d'aspect et d'image prégnante. Le célèbre phénomène d'inversion provoqué par les figures ambiguës — le canard-lapin de Jastrow (une image qui a la particularité de nous sauter aux yeux comme représentant une tête de canard, puis, par un brusque changement, une tête de lapin, et vice versa :) — figure en bonne place dans ses références.

Dans les années 40[1], Wittgenstein répète que voir, entendre, c'est voir... comme, entendre... comme, notamment en matière d'expérience esthétique : le musicien entend une phrase musicale *comme* une valse, *comme* une marche, etc. Ce qui vaut pour l'expérience esthétique vaut pour la perception : le voir est indissociablement voir-et-interpréter.

C'est en fait toute la méthodologie philosophique de Wittgenstein qu'on peut reprendre en termes de variation des aspects : Wittgenstein soumet les concepts à une méthode de variation systématique dans ses fameuses expériences de pensée pseudo-ethnologiques ; il fait varier les aspects d'un problème en le plaçant dans des contextes différents, pour faire voir sous un jour nouveau ce qui est en permanence sous nos yeux et que pourtant nous méconnaissons ; il cherche à obtenir une représentation d'ensemble *(Übersichtliche Darstellung)* de notre grammaire exhibant un certain ordre parmi les phénomènes, en inventant au besoin des « maillons intermédiaires » pour en restaurer la continuité ; de même, en mathématiques, la preuve doit être « *übersichtlich* », facile à parcourir du regard, elle doit se présenter comme une « image prégnante », une « physionomie » qui emporte notre adhésion. Toutes ces méthodes héritées de Brentano, de ses élèves, et parmi eux notamment des psychologues de la forme, fournissent à Wittgenstein ses dernières armes de philosophe. Le

1. *Cf. Investigations philosophiques II,* paragr. XI, p. 326 ; *Conférence sur l'esthétique, passim ; Fiches,* paragr. 208, etc.

philosophe travaille, comme le peintre, à montrer certaines connexions. La philosophie est finalement affaire visuelle. « Ne pense pas, mais vois ! » est peut-être son dernier mot.

Christiane CHAUVIRÉ

BIBLIOGRAPHIE

ŒUVRES DE RÉFÉRENCE : Les œuvres de Wittgenstein sont éditées en allemand chez Surkhamp (Francfort) et en anglais chez Blackwell (Oxford).

TRADUCTIONS FRANÇAISES : *Cahier bleu* suivi du *Cahier brun*, trad. G. DURAND, Paris, Gallimard, 1965, rééd. « Tel », 1988. *Les Cours de Cambridge*, 1930-32, trad. E. RIGAL, Paris, TER, 1988. *Les Cours de Cambridge*, 1932-35, trad. E. RIGAL, Paris, TER, 1992. *Études préparatoires à la 2ᵉ partie des Recherches philosophiques*, trad. G. GRANEL, Paris, TER, 1985. *Fiches*, trad. J. FAUVE, Paris, Gallimard, 1971. *Grammaire philosophique*, trad. M. A. LESCOURRET, Paris, Gallimard, 1980. *Leçons et conversations sur l'esthétique*, trad. J. FAUVE, Paris, Gallimard, 1971, rééd., « Folio Essais », 1992, suivi de *Conférences sur l'esthétique, la psychologie et la croyance religieuse*. *Notes sur l'expérience privée et les sense-data*, trad. E. RIGAL, Paris, TER, 1982. *Quelques Remarques sur la forme logique*, trad. E. RIGAL, Paris, TER, 1986. *Remarques sur les couleurs*, tr. G. GRANEL, Paris, TER, 1984. *Remarques sur les fondements des mathématiques*, trad. M. A. LESCOURRET, Paris, Gallimard, 1983. *Remarques philosophiques*, trad. J. FAUVE, Paris, Gallimard, 1975, rééd. « Tel ». *Remarques sur la philosophie de la psychologie*, vol. I, trad. G. GRANEL, Paris, TER, 1989. *Tractatus logico-philosophicus*, suivi des *Investigations philosophiques*, trad. P. KLOSSOWSKI, Paris, Gallimard, 1961, rééd. « Tel », 1986. *Wittgenstein et le Cercle de Vienne*, d'après les notes de F. WAISMANN, texte établi par B. McGUINNESS, trad. G. GRANEL, Paris, TER, 1991.

COMMENTAIRES : J. BOUVERESSE, *Le Mythe de l'intériorité*, Paris, Minuit, 1987. Ch. CHAUVIRÉ, *Ludwig Wittgenstein*, Paris, Seuil, 1989. B. McGUINNESS, *Wittgenstein, I, Les Années de jeunesse, 1889-1921*, trad. Y. TENNENBAUM, Paris, Seuil, 1991. J. SCHULTE, *Lire Wittgenstein*, trad. M. CHARRIÈRE et J.-P. COMETTI, Combas, L'Éclat, 1992. D. PEARS, *La Pensée Wittgenstein*, trad. C. CHAUVIRÉ, Paris, Aubier, 1993.

INDEX

Abélard : 767.
Abendroth (Walter) : 709n.
Abraham : 284, 395.
Adam : 403, 419, 471.
Adéodat : 71.
Alain de Lille : 767.
Alaric : 77.
Albert le Grand : 765, 768, 772, 775.
Alembert (d') : 187, 197-202, 324, 649, 650n.
Alexandre : 443.
Alexandre d'Aphrodise : 778.
Alexandre de Halès : 18, 768, 771, 782.
Alexandre IV : 775.
Althusser (Louis) : 491-493, 510n.
Ammonius Saccas : 631.
Ancus : 450.
Annibal : 443, 446.
Anselme de Canterbury : *17-32*, 574.
Antonin : 484.
Anytos : 614, 615.
Apollon : 569-570, 635.
Archytas : 606.
Aristophane de Byzance : 607.
Aristote (aristotélisme, aristotélicien) : *33-58*, 74, 90, 91, 167, 248, 250, 251, 274, 314, 361, 533, 534, 536, 540, 543, 548, 566, 591, 628, 632, 637, 719, 766, 769, 778, 780.

Arius : 778.
Arnauld : *59-64*, 167, 402, 403, 404, 405.
Aron (Raymond) : 677.
Arrien : 205, 206, 207, 208-209, 211, 486.
Auguste : 87, 489, 725.
Auguste III de Saxe : 654.
Augustin (augustinisme) : 17, *65-81*, 250, 402, 465-466, 472n, 592.
Averroès : 775, 777, 778, 779-780, 781, 782.
Avicenne : 777.
Avidius Cassius : 483.

Baader : 705n.
Bach : 570.
Bachelard : 492.
Bacon : *82-92*, 129, 458.
Balzac (Guez de) : 158.
Barbeyrac : 655.
Bauer : 500, 502, 503.
Baumgarten : 357.
Baumont (Christophe de) : 668.
Bayle : 87, 400, 673.
Beauvoir (Simone de) : 676.
Bekker : 33.
Bentham : 501.
Bergson (bergsonien) : *93-113*, 523, 528, 714, 747, 749.
Berkeley : *114-125*, 148, 149, 150, 189, 194, 340, 677.
Bizet : 565.
Bloch (Ernst) : 674.
Bonaventure (saint) : 18, 771, 775, 780.
Bordeu : 197, 201, 202, 203.
Borgia (César) : 437, 443.
Bouddha : 709.
Bourgeois (Bernard) : 271.
Brahma : 712.
Brentano : 456, 803n, 804.
Breton (André) : 114.
Breuer : 231.
Brunschvicg (Léon) : 603.

Buffon : 655.
Burgh (Albert) : 738n.
Buridan : 249, 254.
Burlamaqui : 655.
Burman : 176.
Burnet (John) : 608.
Byron : 716.

Cabanis : 144, 457, 458, 461.
Cabet : 501.
Calderon : 712.
Caligula : 734.
Calypso : 634.
Casaubon (Meric) : 484.
Castruccio Castracani : 443.
Caton d'Utique : 734, 736.
Cébès : 618-620.
Chamfort : 566.
Chanut : 180n, 182n.
Charcot : 231.
Charmide : 606.
Charron : 157.
Châtelet (François) : 510n.
Cheselden : 189.
Chevreuse (duc de) : 59.
Christine de Suède : 180.
Chrysippe : 211, 212.
Cicéron (cicéronien) : 66, 79-80, 158, 434, 484, 534, 607.
Cioran : 568.
Circé : 634.
Clément VII : 438.
Clerselier : 179.
Colérus (Jean) : 738, 739, 746n.
Collins : 123.
Colvius : 166n.
Comte : *126-143*, 560.
Condillac (condillacien) : 114-115, *144-156*, 189, 190, 192, 194, 195, 199, 456-459, 501.
Condorcet : 324, 559.
Copernic (copernicien) : 178, 362, 374, 533, 788.

Corbulon : 734.
Cornélius Fidus : 734.
Courcelles (Étienne de) : 173.
Critias : 606, 610.
Criton : 16.
Cromwell : 87, 415.

David de Dinant : 778.
Deffand (Madame du) : 324.
Degas : 542, 543.
Démétrius : 732.
Denys (pseudo-) : 772.
Denys l'Ancien : 606.
Denys le Jeune : 606.
Descartes (cartésien, cartésianisme) : 18, 25, 26, 59,
    60, 61, 63, 76, 101-102, 129, 149, *157-186*, 189,
    190, 192-193, 199, 200, 237, 244, 282, 294, 302,
    303, 325, 340, 341, 342, 343, 344, 345, 346, 347,
    349, 350, 354, 399, 400, 402, 403, 404, 406, 407,
    408, 410, 413, 424, 460, 464, 465-466, 468, 469,
    471, 473, 474, 475, 501, 507, 533, 534, 541, 543,
    544, 597, 598, 600, 602, 603, 611, 637, 650, 681,
    683, 740, 743, 748, 750, 755, 756, 762.
Destutt de Tracy : 457, 458, 461.
Diderot : 115, 144, 148, 149-150, *187-204*, 458, 648,
    649, 651.
Dinet (Père) : 166, 173, 174n, 175n.
Diogène de Sinope : 574.
Diogène Laërce : 213.
Dion Cassius : 483.
Dion de Syracuse : 606.
Dionysos : 569-570, 572.
Domitien : 206.
Duns Scot (scotisme) : 254, 389.
Dupleix (Scipion) : 157.
Durkheim : 111.

Élisabeth d'Angleterre : 82, 83.
Élisabeth de Bohème : 179-180, 181n, 184n, 185,
    186.
Empédocle : 431, 436.

Engels : 497n, 503-504.
Épictète : *205-212*, 485-488, 593-596.
Épicure : *213-220,* 429-436, 727, 728.
Épiphane de Salamine : 769.
Essex (Comte d') : 83.
Estienne (Henri) : 607, 608.
Étienne Langton : 767, 768.
Eutychès : 778.

Fabricius : 651-652.
Feuerbach : 492-497, 501, 503, 674.
Fichte : *221-227*, 256, 382, 385, 697.
Ficin (Marsile) : 607.
Ficker : 791.
Fontaine (Nicolas) : 592.
Foucault (Michel) : 85.
Frege : 800, 801.
Freud : *228-246*, 566, 714, 722.

Galilée : 129, 157, 159, 178, 340, 548.
Gataker (Thomas) : 484.
Gaunilo : 19, 27, 28.
Georgii : 702.
Gibieuf : 166n.
Gilles de Rome : 776.
Glaucon : 469.
Goethe : 564, 609.
Goldschmidt (Victor) : 657.
Goldstein : 514.
Gordien III : 631.
Gouhier (Henri) : 457.
Gournay (Marie de) : 532n.
Goya : 232.
Grégoire IX : 778.
Grimm : 187, 197.
Grisebach : 708n.
Groethuysen (Bernard) : 672.
Grotius : 655.
Guillaume d'Auxerre : 768.
Guillaume d'Ockham : *247-255*.
Guillaume de Méliton : 768.

Guillaume de Tripoli : 776.
Guizot : 503.

Hadès : 617, 619.
Hegel (hégélien) : *256-281*, 382, 383, 384, 389, 390,
    391, 396, 493-500, 502, 503, 507, 528, 560, 569,
    684, 784.
Heidegger : *282-301*, 520, 527, 676-678, 680, 684.
Heine : 262.
Helvétius : 187, 501, 645.
Héraclite : 90, 566, 586.
Hérodote : 213.
Hésiode : 626, 627.
Hess (Moses) : 505.
Hitler (Adolf) : 565.
Hobbes : *302-323*, 410, 415, 420, 421, 474, 501,
    655.
Holbach (d') : 187, 672.
Homère : 211.
Hugo : 123.
Humbert de Romans : 777.
Hume (humien) : 145, 147, 259, *324-337*, 340, 361,
    368, 456, 476n.
Husserl : 76, *338-353*, 456, 515, 528, 676-680, 684.
Huygens : 161n, 173n, 174n.

Ibn Bâjja : 778.
Isaac : 394.
Isabelle la Catholique : 739.
Isocrate : 622.

Jacobi : 698.
Jacques Ier : 82, 86.
Jacques Ier le Conquérant : 774.
James : 803.
Jastrow : 804.
Jean (saint) : 601n.
Jean Damascène : 769, 776.
Jean de la Rochelle : 768.
Jean XXII : 765.
Jésus-Christ : 66, 70, 72, 73, 78, 80, 81, 384, 386,
    387, 394, 466-467, 476, 480, 577, 725, 772.

Job : 305n.
Julien : 483.

Kant (kantien, kantisme) : 29, 98, 111, 257, 258, 259, 261, 264, 265, 274, 323, 340, 343, 344, *354-381*, 383, 394, 456, 495, 502, 504, 507, 566, 577, 673, 687, 697, 705n, 710, 712, 713, 715, 738n, 784.
Kierkegaard : *382-397*, 705n, 784.
Kindî (pseudo-) : 775.
Koehler : 514.
Koffka : 514.

L'Hospital (Marquis de) : 401.
La Boétie : 535, 536.
La Rochefoucauld : 371, 566.
Labica (Georges) : 500n.
Lafuma (Louis) : 603.
Lancelot : 62.
Landolphe : 765.
Lanfranc : 17.
Lautréamont : 566.
Le Maistre de Sacy : 592.
Leconte (Georges) : 542.
Lefort (Claude) : 525.
Leibniz : 148, 149, 189, 274, 294n, 302, 356, 361, *398-412*, 697, 740, 775.
Lénine : 115-116.
Lespinasse (Julie de) : 197, 201, 202, 324.
Lessing : 385.
Lichtenberg : 566, 784.
Littré : 126, 141.
Locke : 119, 120, 148, 149, 189-190, 195, 340, 361, 400, *413-428*, 460, 464, 501, 556.
Louis de Bavière : 247, 248.
Louis XII : 437.
Louis XIII : 82.
Louis XV : 654.
Lucilius : 727, 728, 729, 736.
Lucrèce : *429-436*.
Lulle : 723.
Luynes (duc de) : 59, 170, 179.

Lycon : 615.
Lycurgue : 443, 449.
Lysias : 622.

Macaire d'Antioche : 778.
Machiavel : *437-455*, 553.
Mahomet : 776.
Maine de Biran : *456-464*.
Malebranche : 405, 544, *465-481*, 740.
Mandeville : 122, 123, 501.
Manès : 584.
Marc Aurèle : *482-490*, 727.
Marc de Tolède : 775.
Martineau (Emmanuel) : 603.
Marx : 275, 383, 390, 391, *491-512*, 681, 687, 688.
Maximilien Ier : 437.
Médicis : 437, 438.
Meier : 357.
Mélétos : 615.
Memmius : 430, 433.
Ménécée : 213.
Ménon : 613.
Merleau-Ponty : 101, *513-531*.
Mersenne : 159n, 161n, 162n, 166, 166n, 167, 168n, 173, 174, 750.
Meyer (Louis) : 749n.
Michel de Césène : 248.
Mill (John Stuart) : 133n, 134n.
Moïse : 577.
Molyneux : 148-149, 154, 189, 195, 196.
Monet : 542.
Montaigne : 157, 158, 196, *532-544*, 591, 593-596.
Montègre (de) : 137n.
Montesquieu : *545-563*, 655, 662.
Moore (George) : 542.
More (Thomas) : 663.
Morus (Henry More) : 181n.
Musæus : 738.

Néron : 205, 725.
Nestorius : 778.

Newton (newtonien) : 178, 194, 326, 354, 355, 358, 401, 547, 548, 650, 687.
Nicolas Donin : 778.
Nicole : *59-64*.
Nietzsche : 277, 393, *564-588*, 710, 714, 725, 784.
Nietzsche (Élizabeth) : 565.
Numa : 450.

Odon Rigaud : 768.
Œdipe : 240, 242.
Oldenburg : 739n.
Olsen (Régine) : 382.
Orange : 741.
Ovide : 734.
Owen : 501.

Parménide : 259.
Pascal : 59, 63, 384, 393, 471n, 542, 544, *589-604*, 756, 784.
Paul (saint) : 66.
Peirce : 794.
Périclès : 435.
Perrier (Gilberte) : 590.
Phédon : 615.
Philippe de Macédoine : 443, 606.
Philippe de Paris : 768.
Pic de La Mirandole : 87.
Picot (abbé) : 179.
Pierre de Poitiers : 767.
Pierre de Tolède : 775.
Pierre le Vénérable : 775.
Pierre Lombard : 248, 766, 767, 768, 770-771.
Pierre Marsili : 774.
Pilate : 388.
Platon (platonicien) : 37, 48, 66, 73, 77, 118, 123, 188, 274, 304, 340, 361, 469, 484, 552, 566, 577, *605-630*, 631, 632, 633, 638, 640, 643, 663, 697.
Plempius : 178n.
Plotin : 66, 68, *631-644*.
Plutarque : 537, 541, 553, 649.
Pompéia Paulina : 726.

Pomponius Atticus : 607.
Porphyre : 66, 80, 251, 632, 769.
Prométhée : 570.
Protée : 123.
Ptolémée : 533.
Pufendorf : 655.
Pyrrhon (pyrrhonisme) : 537.
Pythoclès : 213.

Quine : 802.

Ramon Marti : 777.
Raphaël : 39.
Raymond de Peñafort : 774.
Raynal (abbé de) : 655.
Réaumur : 189.
Rée (Paul) : 581.
Reinhold (reinholdien) : 257, 258, 259, 262, 265.
Ricardo : 506.
Richelieu : 82, 83.
Rimbaud : 566.
Robert de Ketton : 775.
Romulus : 449, 450.
Rousseau : 67, 144, 316, 377, 383, 449, 556, 561,
    581, *645-675*, 795.
Rufus (Musonius) : 205.
Russell : 121, 785.
Rusticus (Junius) : 486.

Saint-Simon : 127-128.
Sartre : 283, 286, 528, *676-696*.
Saunderson : 190, 192, 193, 194, 195, 196.
Schelling : 257, 262, 263, 275, 382, 383, 396, *697-
    707*.
Schiller : 235.
Schlegel (Friedrich von) : 698.
Schleiermacher : 382, 383.
Schopenhauer : 564, 567, 568, *708-724*.
Schuller (G. H.) : 763n.
Schulze : 257, 258, 259, 261, 262, 265.
Scipion : 443, 446.

Sénèque le Rhéteur : 726.
Sénèque : 158, 180, 541, *725-737*.
Sérénus : 730, 731, 733, 734, 735, 736.
Serres (Jean de) : 607.
Sextus Empiricus : 260.
Shaftesbury : 123.
Shakespeare : 240.
Sieyès : 495.
Siger de Brabant : 775.
Simmias : 618-620.
Smith (Adam) : 506.
Socrate : 196, 205, 251, 385, 386, 451, 469, 605, 606, 610, 612, 613-621, 622, 626, 736.
Sophocle : 240.
Spinoza (spinoziste) : 162, 187, 194, 266, 302, 400, 410, 472-473, 475, 478, 556, 574, 697, *738-764*.
Stilpon : 732.
Stirner : 503.
Strauss (Leo) : 454n.
Stuart : 415.
Sully : 82, 83.

Tacite : 725, 726, 736.
Thibaudet (Albert) : 93.
Thomas d'Aquin : 29, 389, *765-783*.
Thomasius : 402.
Tibère : 386.
Toland : 123.
Tronchin : 668.
Turenne : 571.
Turgot : 144, 559.
Tycho : 178.

Ulrich de Strasbourg : 772.
Ulysse : 634.

Van den Enden : 740.
Van Gogh : 297.
Vandales : 65.
Varron : 77.
Vatier : 161n.

Vénus : 430, 432.
Vernes (Jacob) : 654n.
Vespasien : 205, 489.
Vigny : 128.
Virgile : 89.
Voltaire : 115, 148, 189, 383, 559, 653, 668, 671-
    672, 673.

Wagner : 564, 568, 570, 714.
Weber : 553.
Wilamowitz : 568.
Witt (Johan et Cornélis de) : 741.
Wittgenstein : *784-805*.
Wolff : 355, 357, 358, 361.

Xénocrate : 607.
Xénophon : 205.

Yahya ibn 'Adî : 775.

Zarathoustra : 584-585.
Zénon d'Élée : 98.

LA PHILOSOPHIE DANS LA GF-FLAMMARION

ANSELME DE CANTORBERY
Proslogion (717)

ARISTOTE
Éthique de Nicomaque (43). Les Politiques (490). De l'âme (711).

AUGUSTIN (SAINT)
Les Confessions (21).

BECCARIA
Des délits et des peines (633).

BERKELEY
Principes de la connaissance humaine (637).

CONDORCET
Esquisse d'un tableau historique des progrès de l'esprit humain (484).

CONSTANT
De l'esprit de conquête et de l'usurpation dans leurs rapports avec la civilisation européenne (456).

CUVIER
Recherches sur les ossements fossiles de quadrupèdes (631).

DARWIN
L'Origine des espèces (685).

DESCARTES
Discours de la méthode (109). Correspondance avec Élisabeth et autres lettres (513). Méditations métaphysiques (328).

DIDEROT
Entretien entre d'Alembert et Diderot. Le Rêve de d'Alembert. Suite de l'entretien (53). Supplément au voyage de Bougainville. Pensées philosophiques. Addition aux pensées philosophiques. Lettre sur les aveugles. Additions à la Lettre sur les aveugles (252).

DIDEROT/D'ALEMBERT
Encyclopédie (426 et 448).

DIOGÈNE LAËRCE
Vie, doctrines et sentences des philosophes illustres (56 et 77).

ECKHART (MAÎTRE)
Traités et sermons (703).

ÉPICTÈTE
Manuel (16).

ÉRASME
Éloge de la folie (36).

GRADUS PHILOSOPHIQUE (773)

HOBBES
Le Citoyen (385).

HUME
Enquête sur l'entendement humain (343). Enquête sur les principes de la morale (654). Les Passions. Traité de la nature humaine, livre II. Dissertation sur les passions (557). La Morale. Traité de la nature humaine, livre III (702).

KANT
Anthropologie (665). Critique de la raison pure (257). Essai sur les maladies de la tête. Observations sur le sentiment du Beau et du Sublime (571). Opuscules sur l'histoire (522). Vers la paix perpétuelle. Qu'est-ce que les Lumières ? Que signifie s'orienter dans la pensée ? (573). Métaphysique des mœurs. I Fondation. Introduction (715). II. Doctrine du droit. Doctrine de la vertu (716).

KIERKEGAARD
La Reprise (512).

LA BOÉTIE
Discours de la servitude volontaire (394).

LA ROCHEFOUCAULD
Maximes et réflexions diverses (288).

LEIBNIZ
Nouveaux essais sur l'entendement humain (582). Essais de théodicée (209). Système de la nature et de la communication des substances (774).

LOCKE
Traité du gouvernement civil (408). Lettre sur la tolérance et autres textes (686).

LUCRÈCE
De la nature (30).

MACHIAVEL
Le Prince (317). L'Art de la guerre (615).

MALTHUS
Essai sur le principe de population (708 et 722).

MARC AURÈLE
Pensées pour moi-même suivies du Manuel d'Épictète (16).

MONTAIGNE
Essais (210, 211, 212).

MONTESQUIEU
Lettres persanes (19). Considérations sur les causes de la grandeur des Romains et de leur décadence (186). De l'esprit des lois (325 et 326).

MORE
L'Utopie (460).

NIETZSCHE
Le Crépuscule des idoles. Le Cas Wagner (421). Ecce homo. Nietzsche contre Wagner (572). Seconde Considération intempestive (483). Le Livre du philosophe (660).

PASCAL
Pensées (266). Préface au Traité du vide. De l'esprit géométrique et autres textes (436).

PENSEURS GRECS AVANT SOCRATE (31).

PLATON
Le Banquet-Phèdre (4). Apologie de Socrate. Criton. Phédon (75). Protagoras. Euthydème. Gorgias. Ménexène-Ménon. Cratyle (146). Premiers Dialogues (129). République (90). Sophiste. Politique. Philèbe. Timée. Critias (203). Théétète. Parménide (163). Gorgias (465). Phèdre (488). Lettres (466). Ion (529). Euthydème (492). Phédon (489). Ménon (491). Timée. Critias (618). Sophiste (687). Théétète (493).

QUESNAY
Physiocratie (655).

RICARDO
Principes de l'économie politique et de l'impôt (663).

ROUSSEAU
Discours sur l'origine et les fondements de l'inégalité parmi les hommes. Discours sur les sciences et les arts (243). Du contrat social (94). Émile ou de l'éducation (117). Essai sur l'origine des langues et autres textes sur la musique (682). Lettre à M. d'Alembert sur son article Genève (160). Considérations sur le gouvernement de Pologne. L'Économie politique. Projet de constitution pour la Corse (574).

SÉNÈQUE
Lettres à Lucilius (1-29) (599).

SMITH
La Richesse des nations (598 et 626).

SPINOZA
Œuvres. I- Court traité. Traité de la réforme de l'entendement. Principes de la philosophie de Descartes. Pensées métaphysiques (34). II- Traité théologico-politique (50). III- Éthique (57). IV- Traité politique. Lettres (108).

TOCQUEVILLE
De la démocratie en Amérique (353 et 354). L'Ancien Régime et la Révolution (500).

VICO
De l'antique sagesse de l'Italie (742).

VOLTAIRE
Lettres philosophiques (15). Dictionnaire philosophique (28). Traité sur la tolérance (552).

GF — TEXTE INTÉGRAL — GF

94/06/M4077-VI-1994 — Impr. MAURY Eurolivres SA, 45300 Manchecourt.
N° d'édition 15269. — Juin 1994. — Printed in France.